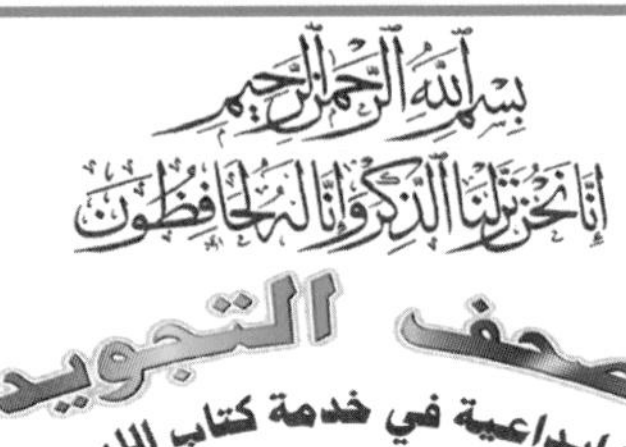


# مصحف التجويد

## فكرة إبداعية في خدمة كتاب الله تعالى

**باستخدام اللون المُرَمّز زمنيًا في تدوين الأحرف الخاضعة لأحكام التجويد**

**نموذج عن مراحل تدوين كلام الله تعالى عبر التاريخ**

المرحلة الأولى : (رسم الكلمات فقط)

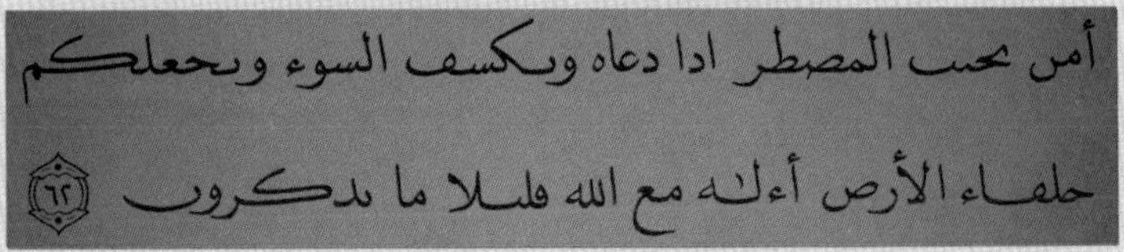


المرحلة الثانية : (الرسم + التشكيل)

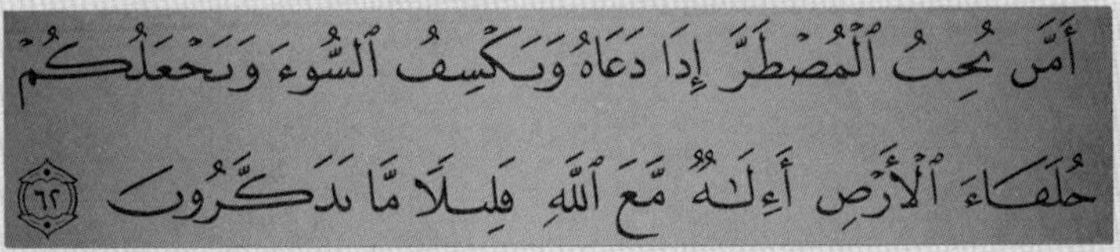


المرحلة الثالثة : (الرسم + التشكيل + التنقيط)

أَمَّن يُجِيبُ ٱلْمُضْطَرَّ إِذَا دَعَاهُ وَيَكْشِفُ ٱلسُّوٓءَ وَيَجْعَلُكُمْ
خُلَفَآءَ ٱلْأَرْضِ أَءِلَٰهٌ مَّعَ ٱللَّهِ ۚ قَلِيلًا مَّا تَذَكَّرُونَ ٦٢

الآن : (الرسم + التشكيل + التنقيط + التجويد)

أَمَّن يُجِيبُ ٱلْمُضْطَرَّ إِذَا دَعَاهُ وَيَكْشِفُ ٱلسُّوٓءَ وَيَجْعَلُكُمْ
خُلَفَآءَ ٱلْأَرْضِ ۗ أَءِلَٰهٌ مَّعَ ٱللَّهِ ۚ قَلِيلًا مَّا تَذَكَّرُونَ ٦٢

دار المعرفة

# اعتماد الأزهر الشريف صحة تطبيق منهج التلوين في مصحف التجويد

الأزهر
مجمع البحوث الاسلامية
الادارة العامة
للبحوث والتأليف والترجمة

بسم الله الرحمن الرحيم

AL-AZHAR
ISLAMIC RESEARCH ACADEMY
GENERAL DEPARTMENT
For Research, Writing & Translation

السيد/ صبحي طه - المدير العام - لدار المعرفة
سورية - دمشق

السلام عليكم ورحمة الله وبركاته ..... وبعد :

فإشارة إلى الطلب المقدم من سيادتكم بشأن فحص ومراجعة مصحف التجويد ( دار المعرفة " ورتل القرآن ترتيلا " وبعرض المصحف المذكور على لجنة مراجعة المصاحف ..

افادت الآتي :

- بفحص ومراجعة مصحف التجويد " ورتل القرآن ترتيلا " والخاص بدار المعرفة تبين أنه صحيح في جوهر الرسم العثماني وأن المنهج الذي اعتمدته الدار الناشرة قد طبق تطبيقا صحيحا وذلك بعد التثبت من الفقرات المدونة في آخر المصحف والذي يبين فيها الناشر كل ما يتعلق بتطبيق فكرة التلوين .

- لذا ترى اللجنة السماح بنشر مصحف التجويد " ورتل القرآن ترتيلا " الخاص بدار المعرفة وتداوله على ان تراع الدقة التامة في عمليات الطبع والنشر حفاظا على كتاب الله من التحريف كما جاء بتقريرها بتاريخ ١٩٩٩/٩/١م والمعتمد من فضيلة الامين العام لمجمع البحوث الاسلامية بتاريخ ١٩٩٩/٩/٦م .

والسلام عليكم ورحمة الله وبركاته

١٤٢٠/٥/٢٨
١٩٩٩/٩/٨م

مدير عام
البحوث والتأليف والترجمة

---

الأزهر
مجمع البحوث الاسلامية
الادارة العامة
للبحوث والتأليف والترجمة

AL-AZHAR
ISLAMIC RESEARCH ACADEMY
GENERAL DEPARTMENT
For Research, Writing & Translation

## تقرير

عن مصحف التجويد والملتزم بطبعه دار المعرفة " ورتل القرآن ترتيلا "
بدمشق - سورية

الحمد لله رب العالمين والصلاة والسلام على أشرف المرسلين سيدنا محمد وعلى آله وصحبه أجمعين . وبعد
فقد اطلعت لجنة مراجعة المصاحف على المصحف المذكور آنفا فوجدته سليما من ناحية الرسم والضبط . وأن فكرة الترميز الزمني واللوني الذي اعتمدته دار المعرفة فكرة مبتكرة وجيدة ولا تتنافى مع الرسم والضبط كما أنها تساعد القارئ على فهم أحكام التجويد وتطبيقه من خلال الرموز التي وضعت أسفل كل صفحة ( وإن كل هذا الأمر لا يغني عن تلقي القارئ القراءة على يد معلم وسماعه مشافهة منه ) وتشهد اللجنة أن دار المعرفة قد طبقت فكرتها تطبيقا صحيحا لا خلل فيه .

.... وتوصي اللجنة بأن لا يوجد أكثر من مصحف يعرض فيه الترميز اللوني من خلاله دلالته على الأحكام التجويدية . كما توصي اللجنة أيضا بضرورة إغلاق هذا الباب نهائيا وعدم عرضه عليها مرة أخرى .

هذا وصلى الله على سيدنا محمد وعلى آله وصحبه وسلم

أعضاء اللجنة　　نائب رئيس اللجنة　　رئيس اللجنة

# مصحف التجويد

**رواية حفص عن عاصم**

خطَّ حروف كلماته بالرسم العثماني الخطاط عثمان طه

جوَّد حروفه الدكتور المهندس صبحي طه بموجب براءة اختراع رسمية

للترميز الزمني واللوني برقم ٤٤٧٤ تاريخ ١٩٩٤/٥/٣١ وللفراغ الوقفي الاختياري برقم ٥٢٧٤ تاريخ ٢٠٠٣/٦/٣

شهادة ايداع حماية الملكية الفكرية رقم ٢ لعام ٢٠٠٣ (مصحف التجويد)

**يُمكنك الاستماع لتجويد لوحة سورة لقمان النموذجيةَ لهذا المصحف من خلال هذا الـ QR**

| حازت على جائزة تاج الجودة العالمية لندن عام ٢٠٠٣ | حازت على جائزة رأس الخيمة للقرآن الكريم الإمارات عام ٢٠٠٨ | شهادة امتياز الجودة برقم ١٠١٥ تاريخ ٢٠١٣/١٢/٢٨ من هيئة البورد العربي الأوربي الأمريكي ومنح الدكتور صبحي طه لقب ( المخترع العالمي) |
|---|---|---|

سوريا - دمشق
هاتف +963 11 - 2210269
فاكس +963 11 -2241615
لبنان +961 78939404
مصر +20 1157121790
البريد الإلكتروني E-mail: info@easyquran.com
Website: easyquran.com
القرآن كريم / مصحف التجويد
twitter.com/SubhiTaha
daralmaarifah
youtube.com/daralmaarifah

الرقم التسلسلي المعياري الدولي

ISBN 978-9933-9002-9-8

طبعة ١٤٤٣هـ
مطبعة الإثراء - لبنان

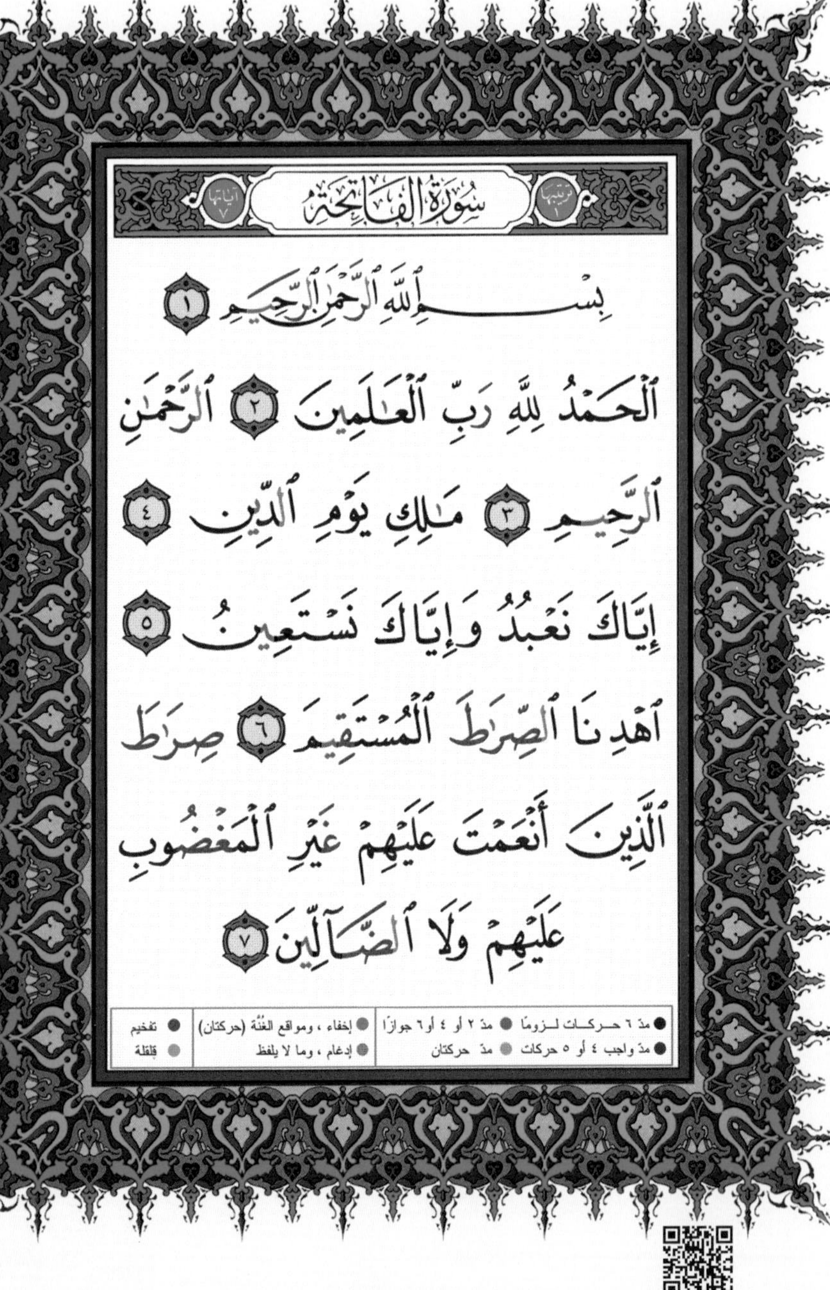

# سُورَةُ الفَاتِحَةِ

ترتيبها ١ — آياتها ٧

بِسْمِ ٱللَّهِ ٱلرَّحْمَٰنِ ٱلرَّحِيمِ ﴿١﴾

ٱلْحَمْدُ لِلَّهِ رَبِّ ٱلْعَٰلَمِينَ ﴿٢﴾ ٱلرَّحْمَٰنِ

ٱلرَّحِيمِ ﴿٣﴾ مَٰلِكِ يَوْمِ ٱلدِّينِ ﴿٤﴾

إِيَّاكَ نَعْبُدُ وَإِيَّاكَ نَسْتَعِينُ ﴿٥﴾

ٱهْدِنَا ٱلصِّرَٰطَ ٱلْمُسْتَقِيمَ ﴿٦﴾ صِرَٰطَ

ٱلَّذِينَ أَنْعَمْتَ عَلَيْهِمْ غَيْرِ ٱلْمَغْضُوبِ

عَلَيْهِمْ وَلَا ٱلضَّآلِّينَ ﴿٧﴾

| | | |
|---|---|---|
| مدّ ٦ حركات لزومًا ● مدّ ٢ أو ٤ أو ٦ جوازًا | إخفاء ، ومواقع الغُنّة (حركتان) | تفخيم |
| مدّ واجب ٤ أو ٥ حركات ● مدّ حركتان | إدغام ، وما لا يلفظ | قلقلة |

ترتيبها ٢ | سُورَةُ البَقَرَة | آياتها ٢٨٦

بِسْمِ ٱللَّهِ ٱلرَّحْمَٰنِ ٱلرَّحِيمِ

الٓمٓ ﴿١﴾ ذَٰلِكَ ٱلْكِتَٰبُ لَا رَيْبَ ۛ فِيهِ ۛ هُدًى
لِّلْمُتَّقِينَ ﴿٢﴾ ٱلَّذِينَ يُؤْمِنُونَ بِٱلْغَيْبِ وَيُقِيمُونَ
ٱلصَّلَوٰةَ وَمِمَّا رَزَقْنَٰهُمْ يُنفِقُونَ ﴿٣﴾
وَٱلَّذِينَ يُؤْمِنُونَ بِمَآ أُنزِلَ إِلَيْكَ وَمَآ أُنزِلَ مِن
قَبْلِكَ وَبِٱلْءَاخِرَةِ هُمْ يُوقِنُونَ ﴿٤﴾ أُو۟لَٰٓئِكَ عَلَىٰ
هُدًى مِّن رَّبِّهِمْ ۖ وَأُو۟لَٰٓئِكَ هُمُ ٱلْمُفْلِحُونَ ﴿٥﴾

| | | |
|---|---|---|
| مدّ ٦ حركات لزومًا ● مدّ ٢ أو ٤ أو ٦ جوازًا | إخفاء، ومواقع الغُنّة (حركتان) | تفخيم |
| مدّ واجب ٤ أو ٥ حركات ● مدّ حركتان | إدغام، وما لا يلفظ | قلقلة |

■ ذَٰلِكَ ٱلْكِتَٰبُ: القرآنُ العظيمُ ■ لَا رَيْبَ فِيهِ: لاشك في أنّه مِن عندِاللهِ ■ هُدًى: هادٍ من الضَّلالةِ
■ لِّلْمُتَّقِينَ: الذين تَجنَّبوا المَعاصِي و أدّوا الفرائض فوَقَوا أنْفُسَهم العَذابَ ■ عَلَىٰ هُدًى: على رشادٍ ونُورٍ ويقينٍ

إِنَّ ٱلَّذِينَ كَفَرُواْ سَوَآءٌ عَلَيْهِمْ ءَأَنذَرْتَهُمْ أَمْ لَمْ تُنذِرْهُمْ
لَا يُؤْمِنُونَ ﴿٦﴾ خَتَمَ ٱللَّهُ عَلَىٰ قُلُوبِهِمْ وَعَلَىٰ سَمْعِهِمْ ۖ وَعَلَىٰٓ
أَبْصَٰرِهِمْ غِشَٰوَةٌ ۖ وَلَهُمْ عَذَابٌ عَظِيمٌ ﴿٧﴾ وَمِنَ ٱلنَّاسِ
مَن يَقُولُ ءَامَنَّا بِٱللَّهِ وَبِٱلْيَوْمِ ٱلْءَاخِرِ وَمَا هُم بِمُؤْمِنِينَ ﴿٨﴾
يُخَٰدِعُونَ ٱللَّهَ وَٱلَّذِينَ ءَامَنُواْ وَمَا يَخْدَعُونَ إِلَّآ أَنفُسَهُمْ
وَمَا يَشْعُرُونَ ﴿٩﴾ فِى قُلُوبِهِم مَّرَضٌ فَزَادَهُمُ ٱللَّهُ مَرَضًا ۖ
وَلَهُمْ عَذَابٌ أَلِيمٌۢ بِمَا كَانُواْ يَكْذِبُونَ ﴿١٠﴾ وَإِذَا قِيلَ لَهُمْ
لَا تُفْسِدُواْ فِى ٱلْأَرْضِ قَالُوٓاْ إِنَّمَا نَحْنُ مُصْلِحُونَ ﴿١١﴾
أَلَآ إِنَّهُمْ هُمُ ٱلْمُفْسِدُونَ وَلَٰكِن لَّا يَشْعُرُونَ ﴿١٢﴾ وَإِذَا قِيلَ
لَهُمْ ءَامِنُواْ كَمَآ ءَامَنَ ٱلنَّاسُ قَالُوٓاْ أَنُؤْمِنُ كَمَآ ءَامَنَ ٱلسُّفَهَآءُ ۗ
أَلَآ إِنَّهُمْ هُمُ ٱلسُّفَهَآءُ وَلَٰكِن لَّا يَعْلَمُونَ ﴿١٣﴾ وَإِذَا لَقُواْ
ٱلَّذِينَ ءَامَنُواْ قَالُوٓاْ ءَامَنَّا وَإِذَا خَلَوْاْ إِلَىٰ شَيَٰطِينِهِمْ قَالُوٓاْ إِنَّا
مَعَكُمْ إِنَّمَا نَحْنُ مُسْتَهْزِءُونَ ﴿١٤﴾ ٱللَّهُ يَسْتَهْزِئُ بِهِمْ وَيَمُدُّهُمْ
فِى طُغْيَٰنِهِمْ يَعْمَهُونَ ﴿١٥﴾ أُوْلَٰٓئِكَ ٱلَّذِينَ ٱشْتَرَوُاْ ٱلضَّلَٰلَةَ
بِٱلْهُدَىٰ فَمَا رَبِحَت تِّجَٰرَتُهُمْ وَمَا كَانُواْ مُهْتَدِينَ ﴿١٦﴾

- خَتَمَ ٱللَّهُ: طَبَعَ اللهُ
- غِشَٰوَةٌ: غِطاءٌ وَسِتْرٌ
- يُخَٰدِعُونَ: يَعْمَلُونَ عَمَلَ المخادِع
- مَرَضٌ: شَكٌّ وَنِفاقٌ أوْ تكذيبٌ وَجَحْدٌ
- خَلَوْاْ إِلَىٰ شَيَٰطِينِهِمْ: انْصَرَفُوا إليهم أو انفَرَدُوا معهم
- يَمُدُّهُمْ: يَزِيدُهُمْ أو يُمْهِلُهُمْ
- طُغْيَٰنِهِمْ: مُجاوَزَتِهم الحَدَّ وغُلُوِّهم في الكُفْر
- يَعْمَهُونَ: يَعْمَوْنَ عَنِ الرُّشْدِ أوْ يَتَحَيَّرُونَ

| | | |
|---|---|---|
| مدّ ٦ حركات لزوماً ● مدّ ٢ أو ٤ أو ٦ جوازاً ● | إخفاء، ومواقع الغُنَّة (حركتان) ● | تفخيم ● |
| مدّ واجب ٤ أو ٥ حركات ● مدّ حركتان ● | إدغام، وما لا يُلفَظ ● | قلقلة ● |

مَثَلُهُمۡ كَمَثَلِ ٱلَّذِي ٱسۡتَوۡقَدَ نَارٗا فَلَمَّآ أَضَآءَتۡ مَا حَوۡلَهُۥ
ذَهَبَ ٱللَّهُ بِنُورِهِمۡ وَتَرَكَهُمۡ فِي ظُلُمَٰتٖ لَّا يُبۡصِرُونَ ﴿١٧﴾ صُمُّۢ
بُكۡمٌ عُمۡيٞ فَهُمۡ لَا يَرۡجِعُونَ ﴿١٨﴾ أَوۡ كَصَيِّبٖ مِّنَ ٱلسَّمَآءِ فِيهِ
ظُلُمَٰتٞ وَرَعۡدٞ وَبَرۡقٞ يَجۡعَلُونَ أَصَٰبِعَهُمۡ فِيٓ ءَاذَانِهِم مِّنَ ٱلصَّوَٰعِقِ
حَذَرَ ٱلۡمَوۡتِۚ وَٱللَّهُ مُحِيطُۢ بِٱلۡكَٰفِرِينَ ﴿١٩﴾ يَكَادُ ٱلۡبَرۡقُ يَخۡطَفُ
أَبۡصَٰرَهُمۡۖ كُلَّمَآ أَضَآءَ لَهُم مَّشَوۡاْ فِيهِ وَإِذَآ أَظۡلَمَ عَلَيۡهِمۡ قَامُواْۚ
وَلَوۡ شَآءَ ٱللَّهُ لَذَهَبَ بِسَمۡعِهِمۡ وَأَبۡصَٰرِهِمۡۚ إِنَّ ٱللَّهَ عَلَىٰ كُلِّ
شَيۡءٖ قَدِيرٞ ﴿٢٠﴾ يَٰٓأَيُّهَا ٱلنَّاسُ ٱعۡبُدُواْ رَبَّكُمُ ٱلَّذِي خَلَقَكُمۡ
وَٱلَّذِينَ مِن قَبۡلِكُمۡ لَعَلَّكُمۡ تَتَّقُونَ ﴿٢١﴾ ٱلَّذِي جَعَلَ لَكُمُ
ٱلۡأَرۡضَ فِرَٰشٗا وَٱلسَّمَآءَ بِنَآءٗ وَأَنزَلَ مِنَ ٱلسَّمَآءِ مَآءٗ فَأَخۡرَجَ
بِهِۦ مِنَ ٱلثَّمَرَٰتِ رِزۡقٗا لَّكُمۡۖ فَلَا تَجۡعَلُواْ لِلَّهِ أَندَادٗا وَأَنتُمۡ
تَعۡلَمُونَ ﴿٢٢﴾ وَإِن كُنتُمۡ فِي رَيۡبٖ مِّمَّا نَزَّلۡنَا عَلَىٰ عَبۡدِنَا
فَأۡتُواْ بِسُورَةٖ مِّن مِّثۡلِهِۦ وَٱدۡعُواْ شُهَدَآءَكُم مِّن دُونِ ٱللَّهِ
إِن كُنتُمۡ صَٰدِقِينَ ﴿٢٣﴾ فَإِن لَّمۡ تَفۡعَلُواْ وَلَن تَفۡعَلُواْ فَٱتَّقُواْ
ٱلنَّارَ ٱلَّتِي وَقُودُهَا ٱلنَّاسُ وَٱلۡحِجَارَةُۖ أُعِدَّتۡ لِلۡكَٰفِرِينَ ﴿٢٤﴾

- مَثَلُهُمۡ: حالُهم العجيبةُ أو صِفَتُهم
- ٱسۡتَوۡقَدَ نَارٗا: أوْقدَها
- بُكۡمٌ: خُرْسٌ عن النُّطق بالحقّ
- كَصَيِّبٖ: الصَّيِّبُ: المطرُ النازلُ أو السَّحاب
- يَخۡطَفُ أَبۡصَٰرَهُمۡ: يَسْتَلِبُها أو يَذْهَبُ بها بسُرْعَة
- قَامُواْ: وَقَفوا وثَبَتوا في أماكِنِهم مُتَحيّرين
- ٱلۡأَرۡضَ فِرَٰشٗا: بِساطاً ووِطاءً للاستقرار عليها
- ٱلسَّمَآءَ بِنَآءٗ: سَقْفاً مرفوعاً أو كالقُبَّة المضروبة
- أَندَادٗا: أمثالاً من الأوْثان تعبدُونها
- ٱدۡعُواْ شُهَدَآءَكُم: أحْضِروا آلهتَكم أو نُصَراءَكم

وَبَشِّرِ ٱلَّذِينَ ءَامَنُواْ وَعَمِلُواْ ٱلصَّٰلِحَٰتِ أَنَّ لَهُمْ جَنَّٰتٍ
تَجْرِى مِن تَحْتِهَا ٱلْأَنْهَٰرُ ۖ كُلَّمَا رُزِقُواْ مِنْهَا مِن ثَمَرَةٍ
رِّزْقًا قَالُواْ هَٰذَا ٱلَّذِى رُزِقْنَا مِن قَبْلُ ۖ وَأُتُواْ بِهِۦ مُتَشَٰبِهًا ۖ
وَلَهُمْ فِيهَآ أَزْوَٰجٌ مُّطَهَّرَةٌ ۖ وَهُمْ فِيهَا خَٰلِدُونَ ﴿٢٥﴾
۞ إِنَّ ٱللَّهَ لَا يَسْتَحْىِۦٓ أَن يَضْرِبَ مَثَلًا مَّا بَعُوضَةً فَمَا
فَوْقَهَا ۚ فَأَمَّا ٱلَّذِينَ ءَامَنُواْ فَيَعْلَمُونَ أَنَّهُ ٱلْحَقُّ مِن
رَّبِّهِمْ ۖ وَأَمَّا ٱلَّذِينَ كَفَرُواْ فَيَقُولُونَ مَاذَآ أَرَادَ ٱللَّهُ
بِهَٰذَا مَثَلًا ۘ يُضِلُّ بِهِۦ كَثِيرًا وَيَهْدِى بِهِۦ كَثِيرًا ۚ
وَمَا يُضِلُّ بِهِۦٓ إِلَّا ٱلْفَٰسِقِينَ ﴿٢٦﴾ ٱلَّذِينَ يَنقُضُونَ عَهْدَ
ٱللَّهِ مِنۢ بَعْدِ مِيثَٰقِهِۦ وَيَقْطَعُونَ مَآ أَمَرَ ٱللَّهُ بِهِۦٓ أَن يُوصَلَ
وَيُفْسِدُونَ فِى ٱلْأَرْضِ ۚ أُوْلَٰٓئِكَ هُمُ ٱلْخَٰسِرُونَ ﴿٢٧﴾
كَيْفَ تَكْفُرُونَ بِٱللَّهِ وَكُنتُمْ أَمْوَٰتًا فَأَحْيَٰكُمْ ۖ
ثُمَّ يُمِيتُكُمْ ثُمَّ يُحْيِيكُمْ ثُمَّ إِلَيْهِ تُرْجَعُونَ ﴿٢٨﴾ هُوَ
ٱلَّذِى خَلَقَ لَكُم مَّا فِى ٱلْأَرْضِ جَمِيعًا ثُمَّ ٱسْتَوَىٰٓ إِلَى
ٱلسَّمَآءِ فَسَوَّىٰهُنَّ سَبْعَ سَمَٰوَٰتٍ ۚ وَهُوَ بِكُلِّ شَىْءٍ عَلِيمٌ ﴿٢٩﴾

■ مُتَشَٰبِهًا: في اللونِ والمنظرِ لا في الطعم

ربع الحزب ١

■ ٱسْتَوَىٰٓ إِلَى ٱلسَّمَآءِ: قصدَ إلى خلقها بإرادته قصدًا سويًّا بلا صارفٍ عنهُ

■ فَسَوَّىٰهُنَّ: أتمهُنّ وقوّمهُنّ وأحكمَهُنّ

| | | |
|---|---|---|
| مدّ ٦ حركات لزوماً — مدّ ٢ أو ٤ أو ٦ جوازاً | إخفاء، ومواقع الغُنَّة (حركتان) | تفخيم |
| مدّ واجب ٤ أو ٥ حركات — مدّ حركتان | إدغام، وما لا يُلفظ | قلقلة |

وَإِذْ قَالَ رَبُّكَ لِلْمَلَٰٓئِكَةِ إِنِّى جَاعِلٌ فِى ٱلْأَرْضِ خَلِيفَةً ۖ
قَالُوٓا۟ أَتَجْعَلُ فِيهَا مَن يُفْسِدُ فِيهَا وَيَسْفِكُ ٱلدِّمَآءَ وَنَحْنُ
نُسَبِّحُ بِحَمْدِكَ وَنُقَدِّسُ لَكَ ۖ قَالَ إِنِّىٓ أَعْلَمُ مَا لَا تَعْلَمُونَ
﴿٣٠﴾ وَعَلَّمَ ءَادَمَ ٱلْأَسْمَآءَ كُلَّهَا ثُمَّ عَرَضَهُمْ عَلَى ٱلْمَلَٰٓئِكَةِ
فَقَالَ أَنۢبِـُٔونِى بِأَسْمَآءِ هَٰٓؤُلَآءِ إِن كُنتُمْ صَٰدِقِينَ ﴿٣١﴾ قَالُوا۟
سُبْحَٰنَكَ لَا عِلْمَ لَنَآ إِلَّا مَا عَلَّمْتَنَآ ۖ إِنَّكَ أَنتَ ٱلْعَلِيمُ ٱلْحَكِيمُ
﴿٣٢﴾ قَالَ يَٰٓـَٔادَمُ أَنۢبِئْهُم بِأَسْمَآئِهِمْ ۖ فَلَمَّآ أَنۢبَأَهُم بِأَسْمَآئِهِمْ قَالَ
أَلَمْ أَقُل لَّكُمْ إِنِّىٓ أَعْلَمُ غَيْبَ ٱلسَّمَٰوَٰتِ وَٱلْأَرْضِ وَأَعْلَمُ مَا
تُبْدُونَ وَمَا كُنتُمْ تَكْتُمُونَ ﴿٣٣﴾ وَإِذْ قُلْنَا لِلْمَلَٰٓئِكَةِ ٱسْجُدُوا۟
لِـَٔادَمَ فَسَجَدُوٓا۟ إِلَّآ إِبْلِيسَ أَبَىٰ وَٱسْتَكْبَرَ وَكَانَ مِنَ ٱلْكَٰفِرِينَ
﴿٣٤﴾ وَقُلْنَا يَٰٓـَٔادَمُ ٱسْكُنْ أَنتَ وَزَوْجُكَ ٱلْجَنَّةَ وَكُلَا مِنْهَا رَغَدًا
حَيْثُ شِئْتُمَا وَلَا تَقْرَبَا هَٰذِهِ ٱلشَّجَرَةَ فَتَكُونَا مِنَ ٱلظَّٰلِمِينَ ﴿٣٥﴾
فَأَزَلَّهُمَا ٱلشَّيْطَٰنُ عَنْهَا فَأَخْرَجَهُمَا مِمَّا كَانَا فِيهِ ۖ وَقُلْنَا ٱهْبِطُوا۟
بَعْضُكُمْ لِبَعْضٍ عَدُوٌّ ۖ وَلَكُمْ فِى ٱلْأَرْضِ مُسْتَقَرٌّ وَمَتَٰعٌ إِلَىٰ حِينٍ ﴿٣٦﴾
فَتَلَقَّىٰٓ ءَادَمُ مِن رَّبِّهِۦ كَلِمَٰتٍ فَتَابَ عَلَيْهِ ۚ إِنَّهُۥ هُوَ ٱلتَّوَّابُ ٱلرَّحِيمُ ﴿٣٧﴾

- يَسْفِكُ ٱلدِّمَآءَ: يُريقُها عُدْوَاناً وَظُلْماً
- نُسَبِّحُ بِحَمْدِكَ: نُنَزِّهُكَ عن كلِّ سُوءٍ مُثْنِينَ عَلَيك
- نُقَدِّسُ لَكَ: نُمَجِّدُكَ وَنُطَهِّرُ ذِكْرَكَ عَمّا لا يَليقُ بِعَظَمَتِكَ
- ٱسْجُدُوا۟ لِـَٔادَمَ: اخْضَعُوا له أو سجودَ تحيةٍ وتعظيم
- رَغَدًا: أكلاً واسِعاً أوْ هَنيئاً لاَعَناءَ فِيهِ
- فَأَزَلَّهُمَا ٱلشَّيْطَٰنُ: أذْهَبَهُما وَأبْعَدَهُما

| | | |
|---|---|---|
| مدّ ٦ حركات لزوماً ● مدّ ٢ أو ٤ أو ٦ جوازاً ● | إخفاء ، ومواقع الغُنَّة (حركتان) ● | تفخيم ● |
| مدّ واجب ٤ أو ٥ حركات ● مدّ حركتان ● | إدغام ، وما لا يُلفظ ● | قلقلة ● |

قُلْنَا ٱهْبِطُوا۟ مِنْهَا جَمِيعًا ۖ فَإِمَّا يَأْتِيَنَّكُم مِّنِّى هُدًى فَمَن تَبِعَ
هُدَاىَ فَلَا خَوْفٌ عَلَيْهِمْ وَلَا هُمْ يَحْزَنُونَ ﴿٣٨﴾ وَٱلَّذِينَ كَفَرُوا۟
وَكَذَّبُوا۟ بِـَٔايَٰتِنَآ أُو۟لَٰٓئِكَ أَصْحَٰبُ ٱلنَّارِ ۖ هُمْ فِيهَا خَٰلِدُونَ ﴿٣٩﴾
يَٰبَنِىٓ إِسْرَٰٓءِيلَ ٱذْكُرُوا۟ نِعْمَتِىَ ٱلَّتِىٓ أَنْعَمْتُ عَلَيْكُمْ وَأَوْفُوا۟ بِعَهْدِىٓ
أُوفِ بِعَهْدِكُمْ وَإِيَّٰىَ فَٱرْهَبُونِ ﴿٤٠﴾ وَءَامِنُوا۟ بِمَآ أَنزَلْتُ
مُصَدِّقًا لِّمَا مَعَكُمْ وَلَا تَكُونُوٓا۟ أَوَّلَ كَافِرٍۭ بِهِۦ ۖ وَلَا تَشْتَرُوا۟ بِـَٔايَٰتِى
ثَمَنًا قَلِيلًا وَإِيَّٰىَ فَٱتَّقُونِ ﴿٤١﴾ وَلَا تَلْبِسُوا۟ ٱلْحَقَّ بِٱلْبَٰطِلِ
وَتَكْتُمُوا۟ ٱلْحَقَّ وَأَنتُمْ تَعْلَمُونَ ﴿٤٢﴾ وَأَقِيمُوا۟ ٱلصَّلَوٰةَ وَءَاتُوا۟
ٱلزَّكَوٰةَ وَٱرْكَعُوا۟ مَعَ ٱلرَّٰكِعِينَ ﴿٤٣﴾ ۞ أَتَأْمُرُونَ ٱلنَّاسَ بِٱلْبِرِّ
وَتَنسَوْنَ أَنفُسَكُمْ وَأَنتُمْ تَتْلُونَ ٱلْكِتَٰبَ ۚ أَفَلَا تَعْقِلُونَ ﴿٤٤﴾
وَٱسْتَعِينُوا۟ بِٱلصَّبْرِ وَٱلصَّلَوٰةِ ۚ وَإِنَّهَا لَكَبِيرَةٌ إِلَّا عَلَى ٱلْخَٰشِعِينَ
﴿٤٥﴾ ٱلَّذِينَ يَظُنُّونَ أَنَّهُم مُّلَٰقُوا۟ رَبِّهِمْ وَأَنَّهُمْ إِلَيْهِ رَٰجِعُونَ ﴿٤٦﴾
يَٰبَنِىٓ إِسْرَٰٓءِيلَ ٱذْكُرُوا۟ نِعْمَتِىَ ٱلَّتِىٓ أَنْعَمْتُ عَلَيْكُمْ وَأَنِّى فَضَّلْتُكُمْ
عَلَى ٱلْعَٰلَمِينَ ﴿٤٧﴾ وَٱتَّقُوا۟ يَوْمًا لَّا تَجْزِى نَفْسٌ عَن نَّفْسٍ شَيْـًٔا وَلَا
يُقْبَلُ مِنْهَا شَفَٰعَةٌ وَلَا يُؤْخَذُ مِنْهَا عَدْلٌ وَلَا هُمْ يُنصَرُونَ ﴿٤٨﴾

- إِسْرَٰٓءِيلَ: لقبُ يعقوبَ عليه السلام
- فَٱرْهَبُونِ: فخافونِ في نقضِكُمُ العَهْدَ
- لَا تَلْبِسُوا۟: لا تخلطوا
- نصف الحزب ١
- بِٱلْبِرِّ: بالخيرِ والطّاعةِ
- لَكَبِيرَةٌ: لَشاقّةٌ ثقيلةٌ
- يَظُنُّونَ: يَعْلَمُونَ. أو يَسْتَيْقِنُونَ
- ٱلْعَٰلَمِينَ: عالَمِي زمانِكُم
- لَّا تَجْزِى: لا تَقْضِي
- عَدْلٌ: فِدْيَةٌ

مدّ ٦ حركات لزوماً — مدّ ٢ أو ٤ أو ٦ جوازاً — إخفاء، ومواقع الغنّة (حركتان) — تفخيم
مدّ واجب ٤ أو ٥ حركات — مدّ حركتان — إدغام، وما لا يُلفظ — قلقلة

وَإِذْ نَجَّيْنَٰكُم مِّنْ ءَالِ فِرْعَوْنَ يَسُومُونَكُمْ سُوٓءَ ٱلْعَذَابِ
يُذَبِّحُونَ أَبْنَآءَكُمْ وَيَسْتَحْيُونَ نِسَآءَكُمْ ۚ وَفِى ذَٰلِكُم بَلَآءٌ
مِّن رَّبِّكُمْ عَظِيمٌ ﴿٤٩﴾ وَإِذْ فَرَقْنَا بِكُمُ ٱلْبَحْرَ فَأَنجَيْنَٰكُمْ
وَأَغْرَقْنَآ ءَالَ فِرْعَوْنَ وَأَنتُمْ تَنظُرُونَ ﴿٥٠﴾ وَإِذْ وَٰعَدْنَا مُوسَىٰٓ
أَرْبَعِينَ لَيْلَةً ثُمَّ ٱتَّخَذْتُمُ ٱلْعِجْلَ مِنۢ بَعْدِهِۦ وَأَنتُمْ ظَٰلِمُونَ
﴿٥١﴾ ثُمَّ عَفَوْنَا عَنكُم مِّنۢ بَعْدِ ذَٰلِكَ لَعَلَّكُمْ تَشْكُرُونَ ﴿٥٢﴾
وَإِذْ ءَاتَيْنَا مُوسَى ٱلْكِتَٰبَ وَٱلْفُرْقَانَ لَعَلَّكُمْ تَهْتَدُونَ ﴿٥٣﴾
وَإِذْ قَالَ مُوسَىٰ لِقَوْمِهِۦ يَٰقَوْمِ إِنَّكُمْ ظَلَمْتُمْ أَنفُسَكُم
بِٱتِّخَاذِكُمُ ٱلْعِجْلَ فَتُوبُوٓا۟ إِلَىٰ بَارِئِكُمْ فَٱقْتُلُوٓا۟ أَنفُسَكُمْ ذَٰلِكُمْ
خَيْرٌ لَّكُمْ عِندَ بَارِئِكُمْ فَتَابَ عَلَيْكُمْ ۚ إِنَّهُۥ هُوَ ٱلتَّوَّابُ ٱلرَّحِيمُ
﴿٥٤﴾ وَإِذْ قُلْتُمْ يَٰمُوسَىٰ لَن نُّؤْمِنَ لَكَ حَتَّىٰ نَرَى ٱللَّهَ جَهْرَةً
فَأَخَذَتْكُمُ ٱلصَّٰعِقَةُ وَأَنتُمْ تَنظُرُونَ ﴿٥٥﴾ ثُمَّ بَعَثْنَٰكُم مِّنۢ
بَعْدِ مَوْتِكُمْ لَعَلَّكُمْ تَشْكُرُونَ ﴿٥٦﴾ وَظَلَّلْنَا عَلَيْكُمُ
ٱلْغَمَامَ وَأَنزَلْنَا عَلَيْكُمُ ٱلْمَنَّ وَٱلسَّلْوَىٰ ۖ كُلُوا۟ مِن طَيِّبَٰتِ مَا
رَزَقْنَٰكُمْ ۖ وَمَا ظَلَمُونَا وَلَٰكِن كَانُوٓا۟ أَنفُسَهُمْ يَظْلِمُونَ ﴿٥٧﴾

- يَسُومُونَكُمْ: يُكلِّفونَكُمْ . أو يُذيقونَكُمْ
- يَسْتَحْيُونَ نِسَآءَكُمْ: يَسْتَبْقونَ لِلْخِدْمَةِ
- بَلَآءٌ: اخْتِبارٌ وَامْتِحانٌ بالنِّعَمِ وَالنِّقَمِ
- فَرَقْنَا: فَصَلْنا وَشَقَقْنا
- ٱلْفُرْقَانَ: الفارِقَ بَيْنَ الحقِّ والباطِلِ
- بَارِئِكُمْ: مُبْدِعِكُمْ ، وَ مُحْدِثِكُمْ
- جَهْرَةً: عِياناً بالبَصَرِ
- ٱلْغَمَامَ: السَّحابَ الأبيَضَ الرَّقيقَ
- ٱلْمَنَّ: مادَّةً صَمْغِيَّةً ، حُلْوَةً كالعَسَلِ
- ٱلسَّلْوَىٰ: الطّائِرَ المَعْروفَ بالسُّماني

وَإِذْ قُلْنَا ٱدْخُلُوا۟ هَٰذِهِ ٱلْقَرْيَةَ فَكُلُوا۟ مِنْهَا حَيْثُ شِئْتُمْ رَغَدًا
وَٱدْخُلُوا۟ ٱلْبَابَ سُجَّدًا وَقُولُوا۟ حِطَّةٌ نَّغْفِرْ لَكُمْ خَطَٰيَٰكُمْ ۚ
وَسَنَزِيدُ ٱلْمُحْسِنِينَ ﴿٥٨﴾ فَبَدَّلَ ٱلَّذِينَ ظَلَمُوا۟ قَوْلًا
غَيْرَ ٱلَّذِى قِيلَ لَهُمْ فَأَنزَلْنَا عَلَى ٱلَّذِينَ ظَلَمُوا۟ رِجْزًا مِّنَ
ٱلسَّمَآءِ بِمَا كَانُوا۟ يَفْسُقُونَ ﴿٥٩﴾ ۞ وَإِذِ ٱسْتَسْقَىٰ مُوسَىٰ
لِقَوْمِهِۦ فَقُلْنَا ٱضْرِب بِّعَصَاكَ ٱلْحَجَرَ ۖ فَٱنفَجَرَتْ مِنْهُ
ٱثْنَتَا عَشْرَةَ عَيْنًا ۖ قَدْ عَلِمَ كُلُّ أُنَاسٍ مَّشْرَبَهُمْ ۖ كُلُوا۟
وَٱشْرَبُوا۟ مِن رِّزْقِ ٱللَّهِ وَلَا تَعْثَوْا۟ فِى ٱلْأَرْضِ مُفْسِدِينَ ﴿٦٠﴾
وَإِذْ قُلْتُمْ يَٰمُوسَىٰ لَن نَّصْبِرَ عَلَىٰ طَعَامٍ وَٰحِدٍ فَٱدْعُ لَنَا رَبَّكَ
يُخْرِجْ لَنَا مِمَّا تُنۢبِتُ ٱلْأَرْضُ مِنۢ بَقْلِهَا وَقِثَّآئِهَا وَفُومِهَا
وَعَدَسِهَا وَبَصَلِهَا ۖ قَالَ أَتَسْتَبْدِلُونَ ٱلَّذِى هُوَ أَدْنَىٰ
بِٱلَّذِى هُوَ خَيْرٌ ۚ ٱهْبِطُوا۟ مِصْرًا فَإِنَّ لَكُم مَّا سَأَلْتُمْ ۗ
وَضُرِبَتْ عَلَيْهِمُ ٱلذِّلَّةُ وَٱلْمَسْكَنَةُ وَبَآءُو بِغَضَبٍ مِّنَ
ٱللَّهِ ۗ ذَٰلِكَ بِأَنَّهُمْ كَانُوا۟ يَكْفُرُونَ بِـَٔايَٰتِ ٱللَّهِ وَيَقْتُلُونَ
ٱلنَّبِيِّۦنَ بِغَيْرِ ٱلْحَقِّ ۗ ذَٰلِكَ بِمَا عَصَوا۟ وَّكَانُوا۟ يَعْتَدُونَ ﴿٦١﴾

- رَغَدًا: أكلاً واسعاً طيّباً
- حِطَّةٌ: مسألتنا يا ربّنا أن تحطّ عنّا خطايانا
- رِجْزًا: عذابًا
- فَٱنفَجَرَتْ: فانشقّت وسالت
- مَشْرَبَهُمْ: موضع شربهم
- لَا تَعْثَوْا۟: لا تُفسدوا إفساداً شديداً
- فُومِهَا: هو الحنطة. أو الثوم
- ٱلذِّلَّةُ: الذلّ والهوان
- ٱلْمَسْكَنَةُ: فقر النفس وشحّها
- بَآءُو بِغَضَبٍ: رجعوا وانقلبوا به

ثلاثة أرباع الحزب ١

| | | |
|---|---|---|
| مدّ ٦ حركات لزوماً — مدّ ٢ أو ٤ أو ٦ جوازاً | إخفاء، ومواقع الغنّة (حركتان) | تفخيم |
| مدّ واجب ٤ أو ٥ حركات — مدّ حركتان | إدغام، وما لا يُلفظ | قلقلة |

إِنَّ ٱلَّذِينَ ءَامَنُواْ وَٱلَّذِينَ هَادُواْ وَٱلنَّصَٰرَىٰ وَٱلصَّٰبِـِٔينَ
مَنْ ءَامَنَ بِٱللَّهِ وَٱلْيَوْمِ ٱلْءَاخِرِ وَعَمِلَ صَٰلِحًا فَلَهُمْ أَجْرُهُمْ
عِندَ رَبِّهِمْ وَلَا خَوْفٌ عَلَيْهِمْ وَلَا هُمْ يَحْزَنُونَ ﴿٦٢﴾ وَإِذْ
أَخَذْنَا مِيثَٰقَكُمْ وَرَفَعْنَا فَوْقَكُمُ ٱلطُّورَ خُذُواْ مَآ ءَاتَيْنَٰكُم
بِقُوَّةٍ وَٱذْكُرُواْ مَا فِيهِ لَعَلَّكُمْ تَتَّقُونَ ﴿٦٣﴾ ثُمَّ تَوَلَّيْتُم مِّنۢ
بَعْدِ ذَٰلِكَ ۖ فَلَوْلَا فَضْلُ ٱللَّهِ عَلَيْكُمْ وَرَحْمَتُهُۥ لَكُنتُم مِّنَ
ٱلْخَٰسِرِينَ ﴿٦٤﴾ وَلَقَدْ عَلِمْتُمُ ٱلَّذِينَ ٱعْتَدَوْاْ مِنكُمْ فِى ٱلسَّبْتِ
فَقُلْنَا لَهُمْ كُونُواْ قِرَدَةً خَٰسِـِٔينَ ﴿٦٥﴾ فَجَعَلْنَٰهَا نَكَٰلًا لِّمَا
بَيْنَ يَدَيْهَا وَمَا خَلْفَهَا وَمَوْعِظَةً لِّلْمُتَّقِينَ ﴿٦٦﴾ وَإِذْ قَالَ
مُوسَىٰ لِقَوْمِهِۦٓ إِنَّ ٱللَّهَ يَأْمُرُكُمْ أَن تَذْبَحُواْ بَقَرَةً ۖ قَالُوٓاْ أَتَتَّخِذُنَا
هُزُوًا ۖ قَالَ أَعُوذُ بِٱللَّهِ أَنْ أَكُونَ مِنَ ٱلْجَٰهِلِينَ ﴿٦٧﴾ قَالُواْ
ٱدْعُ لَنَا رَبَّكَ يُبَيِّن لَّنَا مَا هِىَ ۚ قَالَ إِنَّهُۥ يَقُولُ إِنَّهَا بَقَرَةٌ لَّا فَارِضٌ
وَلَا بِكْرٌ عَوَانٌۢ بَيْنَ ذَٰلِكَ ۖ فَٱفْعَلُواْ مَا تُؤْمَرُونَ ﴿٦٨﴾
قَالُواْ ٱدْعُ لَنَا رَبَّكَ يُبَيِّن لَّنَا مَا لَوْنُهَا ۚ قَالَ إِنَّهُۥ يَقُولُ
إِنَّهَا بَقَرَةٌ صَفْرَآءُ فَاقِعٌ لَّوْنُهَا تَسُرُّ ٱلنَّٰظِرِينَ ﴿٦٩﴾

▪ هَادُواْ: صَارُوا يَهُوداً
▪ الصَّٰبِـِٔينَ: عَبَدَةَ المَلائِكَةِ أو الكَوَاكِبِ.
▪ خَٰسِـِٔينَ: مُبْعَدِينَ مَطْرُودِينَ كَالْكِلَابِ
▪ نَكَٰلًا: عِبْرَةً
▪ هُزُوًا: سُخْرِيَةً
▪ لَّا فَارِضٌ: لا مُسِنَّةٌ
▪ وَلَا بِكْرٌ: ولا فَتِيَّةٌ
▪ عَوَانٌ: نَصَفٌ «مُتَوَسِّطَةٌ» بَيْنَ السِّنِّينَ
▪ فَاقِعٌ لَّوْنُهَا: شَدِيدُ الصُّفْرَةِ

| | | |
|---|---|---|
| مدّ ٦ حركات لزوماً ● مدّ ٢ أو ٤ أو ٦ جوازاً ● | إخفاء ، ومواقع الغنّة (حركتان) ● | تفخيم ● |
| مدّ واجب ٤ أو ٥ حركات ● مدّ حركتان ● | إدغام ، وما لا يُلفظ ● | قلقلة ● |

قَالُوا۟ ٱدْعُ لَنَا رَبَّكَ يُبَيِّن لَّنَا مَا هِىَ إِنَّ ٱلْبَقَرَ تَشَٰبَهَ عَلَيْنَا وَإِنَّآ
إِن شَآءَ ٱللَّهُ لَمُهْتَدُونَ ﴿٧٠﴾ قَالَ إِنَّهُۥ يَقُولُ إِنَّهَا بَقَرَةٌ لَّا ذَلُولٌ
تُثِيرُ ٱلْأَرْضَ وَلَا تَسْقِى ٱلْحَرْثَ مُسَلَّمَةٌ لَّا شِيَةَ فِيهَا ۚ قَالُوا۟
ٱلْـَٔـٰنَ جِئْتَ بِٱلْحَقِّ ۚ فَذَبَحُوهَا وَمَا كَادُوا۟ يَفْعَلُونَ ﴿٧١﴾ وَإِذْ
قَتَلْتُمْ نَفْسًا فَٱدَّٰرَٰٔتُمْ فِيهَا ۖ وَٱللَّهُ مُخْرِجٌ مَّا كُنتُمْ تَكْتُمُونَ ﴿٧٢﴾
فَقُلْنَا ٱضْرِبُوهُ بِبَعْضِهَا ۚ كَذَٰلِكَ يُحْىِ ٱللَّهُ ٱلْمَوْتَىٰ وَيُرِيكُمْ
ءَايَٰتِهِۦ لَعَلَّكُمْ تَعْقِلُونَ ﴿٧٣﴾ ثُمَّ قَسَتْ قُلُوبُكُم مِّنۢ بَعْدِ ذَٰلِكَ
فَهِىَ كَٱلْحِجَارَةِ أَوْ أَشَدُّ قَسْوَةً ۚ وَإِنَّ مِنَ ٱلْحِجَارَةِ لَمَا يَتَفَجَّرُ
مِنْهُ ٱلْأَنْهَٰرُ ۚ وَإِنَّ مِنْهَا لَمَا يَشَّقَّقُ فَيَخْرُجُ مِنْهُ ٱلْمَآءُ ۚ وَإِنَّ
مِنْهَا لَمَا يَهْبِطُ مِنْ خَشْيَةِ ٱللَّهِ ۗ وَمَا ٱللَّهُ بِغَٰفِلٍ عَمَّا تَعْمَلُونَ ﴿٧٤﴾
۞ أَفَتَطْمَعُونَ أَن يُؤْمِنُوا۟ لَكُمْ وَقَدْ كَانَ فَرِيقٌ مِّنْهُمْ
يَسْمَعُونَ كَلَٰمَ ٱللَّهِ ثُمَّ يُحَرِّفُونَهُۥ مِنۢ بَعْدِ مَا عَقَلُوهُ
وَهُمْ يَعْلَمُونَ ﴿٧٥﴾ وَإِذَا لَقُوا۟ ٱلَّذِينَ ءَامَنُوا۟ قَالُوٓا۟ ءَامَنَّا
وَإِذَا خَلَا بَعْضُهُمْ إِلَىٰ بَعْضٍ قَالُوٓا۟ أَتُحَدِّثُونَهُم بِمَا فَتَحَ
ٱللَّهُ عَلَيْكُمْ لِيُحَآجُّوكُم بِهِۦ عِندَ رَبِّكُمْ ۚ أَفَلَا تَعْقِلُونَ ﴿٧٦﴾

- لَا ذَلُولٌ: ليست هيّنة، سهلة الانقياد
- تُثِيرُ ٱلْأَرْضَ: تقلبها للزراعة
- ٱلْحَرْثَ: الزرع. أو الأرض المهيّأة له
- مُسَلَّمَةٌ: مبرّأة من العيوب
- لَّا شِيَةَ فِيهَا: لا لون فيها غير الصفرة
- فَٱدَّٰرَٰٔتُمْ: تدافعتم، وتخاصمتم
- الحزب ٢
- يُحَرِّفُونَهُۥ: يبدّلونه. أو يؤوّلونه
- خَلَا: مضى. أو انفرد.
- فَتَحَ ٱللَّهُ: حكم وقضى

| | | |
|---|---|---|
| مدّ ٦ حركات لزوماً ● مدّ ٢ أو ٤ أو ٦ جوازاً | إخفاء، ومواقع الغنّة (حركتان) | تفخيم |
| مدّ واجب ٤ أو ٥ حركات ● مدّ حركتان | إدغام، وما لا يُلفظ | قلقلة |

أَوَلَا يَعْلَمُونَ أَنَّ ٱللَّهَ يَعْلَمُ مَا يُسِرُّونَ وَمَا يُعْلِنُونَ ﴿٧٧﴾
وَمِنْهُمْ أُمِّيُّونَ لَا يَعْلَمُونَ ٱلْكِتَٰبَ إِلَّآ أَمَانِيَّ وَإِنْ هُمْ
إِلَّا يَظُنُّونَ ﴿٧٨﴾ فَوَيْلٌ لِّلَّذِينَ يَكْتُبُونَ ٱلْكِتَٰبَ بِأَيْدِيهِمْ
ثُمَّ يَقُولُونَ هَٰذَا مِنْ عِندِ ٱللَّهِ لِيَشْتَرُوا۟ بِهِۦ ثَمَنًا قَلِيلًا ۖ
فَوَيْلٌ لَّهُم مِّمَّا كَتَبَتْ أَيْدِيهِمْ وَوَيْلٌ لَّهُم مِّمَّا يَكْسِبُونَ
﴿٧٩﴾ وَقَالُوا۟ لَن تَمَسَّنَا ٱلنَّارُ إِلَّآ أَيَّامًا مَّعْدُودَةً ۚ قُلْ
أَتَّخَذْتُمْ عِندَ ٱللَّهِ عَهْدًا فَلَن يُخْلِفَ ٱللَّهُ عَهْدَهُۥٓ ۖ أَمْ تَقُولُونَ
عَلَى ٱللَّهِ مَا لَا تَعْلَمُونَ ﴿٨٠﴾ بَلَىٰ مَن كَسَبَ سَيِّئَةً
وَأَحَٰطَتْ بِهِۦ خَطِيٓـَٔتُهُۥ فَأُو۟لَٰٓئِكَ أَصْحَٰبُ ٱلنَّارِ ۖ هُمْ
فِيهَا خَٰلِدُونَ ﴿٨١﴾ وَٱلَّذِينَ ءَامَنُوا۟ وَعَمِلُوا۟ ٱلصَّٰلِحَٰتِ
أُو۟لَٰٓئِكَ أَصْحَٰبُ ٱلْجَنَّةِ ۖ هُمْ فِيهَا خَٰلِدُونَ ﴿٨٢﴾ وَإِذْ
أَخَذْنَا مِيثَٰقَ بَنِيٓ إِسْرَٰٓءِيلَ لَا تَعْبُدُونَ إِلَّا ٱللَّهَ وَبِٱلْوَٰلِدَيْنِ
إِحْسَانًا وَذِى ٱلْقُرْبَىٰ وَٱلْيَتَٰمَىٰ وَٱلْمَسَٰكِينِ وَقُولُوا۟
لِلنَّاسِ حُسْنًا وَأَقِيمُوا۟ ٱلصَّلَوٰةَ وَءَاتُوا۟ ٱلزَّكَوٰةَ ثُمَّ
تَوَلَّيْتُمْ إِلَّا قَلِيلًا مِّنكُمْ وَأَنتُم مُّعْرِضُونَ ﴿٨٣﴾

أُمِّيُّونَ: جَهَلَةٌ
أَمَانِيَّ: أكاذيبَ افتراها أحبارُهم
فَوَيْلٌ: هَلَكَةٌ، أو حسرةٌ، أو وادٍ في جهنّم
أَحَاطَتْ بِهِ: أحدقتْ به، واستولتْ عليه

| | | |
|---|---|---|
| مدّ ٦ حركات لزوماً ● مدّ ٢ أو ٤ أو ٦ جوازاً | إخفاء، ومواقع الغُنَّة (حركتان) | تفخيم |
| مدّ واجب ٤ أو ٥ حركات ● مدّ حركتان | إدغام، وما لا يُلفَظ | قلقلة |

وَإِذْ أَخَذْنَا مِيثَٰقَكُمْ لَا تَسْفِكُونَ دِمَآءَكُمْ وَلَا تُخْرِجُونَ
أَنفُسَكُم مِّن دِيَٰرِكُمْ ثُمَّ أَقْرَرْتُمْ وَأَنتُمْ تَشْهَدُونَ ﴿٨٤﴾
ثُمَّ أَنتُمْ هَٰٓؤُلَآءِ تَقْتُلُونَ أَنفُسَكُمْ وَتُخْرِجُونَ فَرِيقًا
مِّنكُم مِّن دِيَٰرِهِمْ تَظَٰهَرُونَ عَلَيْهِم بِٱلْإِثْمِ وَٱلْعُدْوَٰنِ
وَإِن يَأْتُوكُمْ أُسَٰرَىٰ تُفَٰدُوهُمْ وَهُوَ مُحَرَّمٌ عَلَيْكُمْ
إِخْرَاجُهُمْ ۚ أَفَتُؤْمِنُونَ بِبَعْضِ ٱلْكِتَٰبِ وَتَكْفُرُونَ
بِبَعْضٍ ۚ فَمَا جَزَآءُ مَن يَفْعَلُ ذَٰلِكَ مِنكُمْ إِلَّا خِزْىٌ
فِى ٱلْحَيَوٰةِ ٱلدُّنْيَا ۖ وَيَوْمَ ٱلْقِيَٰمَةِ يُرَدُّونَ إِلَىٰٓ أَشَدِّ ٱلْعَذَابِ ۗ
وَمَا ٱللَّهُ بِغَٰفِلٍ عَمَّا تَعْمَلُونَ ﴿٨٥﴾ أُو۟لَٰٓئِكَ ٱلَّذِينَ ٱشْتَرَوُا۟
ٱلْحَيَوٰةَ ٱلدُّنْيَا بِٱلْءَاخِرَةِ ۖ فَلَا يُخَفَّفُ عَنْهُمُ ٱلْعَذَابُ وَلَا هُمْ
يُنصَرُونَ ﴿٨٦﴾ وَلَقَدْ ءَاتَيْنَا مُوسَى ٱلْكِتَٰبَ وَقَفَّيْنَا مِنۢ
بَعْدِهِۦ بِٱلرُّسُلِ ۖ وَءَاتَيْنَا عِيسَى ٱبْنَ مَرْيَمَ ٱلْبَيِّنَٰتِ وَأَيَّدْنَٰهُ
بِرُوحِ ٱلْقُدُسِ ۗ أَفَكُلَّمَا جَآءَكُمْ رَسُولٌۢ بِمَا لَا تَهْوَىٰٓ أَنفُسُكُمُ
ٱسْتَكْبَرْتُمْ فَفَرِيقًا كَذَّبْتُمْ وَفَرِيقًا تَقْتُلُونَ ﴿٨٧﴾ وَقَالُوا۟
قُلُوبُنَا غُلْفٌۢ ۚ بَل لَّعَنَهُمُ ٱللَّهُ بِكُفْرِهِمْ فَقَلِيلًا مَّا يُؤْمِنُونَ ﴿٨٨﴾

- تَظَٰهَرُونَ: تتعاونون
- أُسَٰرَىٰ: مأسورين
- تُفَٰدُوهُمْ: تُخرجوهم من الأسر بإعطاء الفدية
- خِزْىٌ: هوانٌ وفضيحةٌ
- قَفَّيْنَا مِنۢ بَعْدِهِۦ: أتبعناهم إياه مترتّبين
- بِرُوحِ ٱلْقُدُسِ: جبريل عليه السلام
- غُلْفٌۢ: مُغشّاة بأغشية خِلقيّة

| | | |
|---|---|---|
| مدّ ٦ حركات لزوماً — مدّ ٢ أو ٤ أو ٦ جوازاً | إخفاء، ومواقع الغُنَّة (حركتان) | تفخيم |
| مدّ واجب ٤ أو ٥ حركات — مدّ حركتان | إدغام، وما لا يُلفَظ | قلقلة |

وَلَمَّا جَآءَهُمْ كِتَٰبٌ مِّنْ عِندِ ٱللَّهِ مُصَدِّقٌ لِّمَا مَعَهُمْ وَكَانُواْ
مِن قَبْلُ يَسْتَفْتِحُونَ عَلَى ٱلَّذِينَ كَفَرُواْ فَلَمَّا جَآءَهُم
مَّا عَرَفُواْ كَفَرُواْ بِهِۦۚ فَلَعْنَةُ ٱللَّهِ عَلَى ٱلْكَٰفِرِينَ ﴿٨٩﴾
بِئْسَمَا ٱشْتَرَوْاْ بِهِۦٓ أَنفُسَهُمْ أَن يَكْفُرُواْ بِمَآ أَنزَلَ
ٱللَّهُ بَغْيًا أَن يُنَزِّلَ ٱللَّهُ مِن فَضْلِهِۦ عَلَىٰ مَن يَشَآءُ مِنْ عِبَادِهِۦۖ
فَبَآءُو بِغَضَبٍ عَلَىٰ غَضَبٍۚ وَلِلْكَٰفِرِينَ عَذَابٌ مُّهِينٌ
﴿٩٠﴾ وَإِذَا قِيلَ لَهُمْ ءَامِنُواْ بِمَآ أَنزَلَ ٱللَّهُ قَالُواْ نُؤْمِنُ بِمَآ
أُنزِلَ عَلَيْنَا وَيَكْفُرُونَ بِمَا وَرَآءَهُۥ وَهُوَ ٱلْحَقُّ مُصَدِّقًا
لِّمَا مَعَهُمْۗ قُلْ فَلِمَ تَقْتُلُونَ أَنۢبِيَآءَ ٱللَّهِ مِن قَبْلُ إِن كُنتُم
مُّؤْمِنِينَ ﴿٩١﴾ ۞ وَلَقَدْ جَآءَكُم مُّوسَىٰ بِٱلْبَيِّنَٰتِ
ثُمَّ ٱتَّخَذْتُمُ ٱلْعِجْلَ مِنۢ بَعْدِهِۦ وَأَنتُمْ ظَٰلِمُونَ ﴿٩٢﴾
وَإِذْ أَخَذْنَا مِيثَٰقَكُمْ وَرَفَعْنَا فَوْقَكُمُ ٱلطُّورَ خُذُواْ
مَآ ءَاتَيْنَٰكُم بِقُوَّةٍ وَٱسْمَعُواْۖ قَالُواْ سَمِعْنَا وَعَصَيْنَا
وَأُشْرِبُواْ فِى قُلُوبِهِمُ ٱلْعِجْلَ بِكُفْرِهِمْۚ قُلْ
بِئْسَمَا يَأْمُرُكُم بِهِۦٓ إِيمَٰنُكُمْ إِن كُنتُم مُّؤْمِنِينَ ﴿٩٣﴾

يَسْتَفْتِحُونَ: يستنصرون ببعثته ﷺ
ٱشْتَرَوْاْ بِهِۦ: باعوا به
بَغْيًا: حسدًا
فَبَآءُو بِغَضَبٍ: فرجعوا وانقلبوا به

| | | |
|---|---|---|
| مدّ ٦ حركات لزوماً ● مدّ ٢ أو ٤ أو ٦ جوازاً | إخفاء، ومواقع الغُنّة (حركتان) | تفخيم |
| مدّ واجب ٤ أو ٥ حركات ● مدّ حركتان | إدغام، وما لا يُلفظ | قلقلة |

قُلْ إِن كَانَتْ لَكُمُ ٱلدَّارُ ٱلْـَٔاخِرَةُ عِندَ ٱللَّهِ خَالِصَةً مِّن
دُونِ ٱلنَّاسِ فَتَمَنَّوُا۟ ٱلْمَوْتَ إِن كُنتُمْ صَـٰدِقِينَ ﴿٩٤﴾
وَلَن يَتَمَنَّوْهُ أَبَدًۢا بِمَا قَدَّمَتْ أَيْدِيهِمْ ۗ وَٱللَّهُ عَلِيمٌۢ بِٱلظَّـٰلِمِينَ
﴿٩٥﴾ وَلَتَجِدَنَّهُمْ أَحْرَصَ ٱلنَّاسِ عَلَىٰ حَيَوٰةٍ وَمِنَ ٱلَّذِينَ
أَشْرَكُوا۟ ۚ يَوَدُّ أَحَدُهُمْ لَوْ يُعَمَّرُ أَلْفَ سَنَةٍ وَمَا هُوَ بِمُزَحْزِحِهِۦ
مِنَ ٱلْعَذَابِ أَن يُعَمَّرَ ۗ وَٱللَّهُ بَصِيرٌۢ بِمَا يَعْمَلُونَ ﴿٩٦﴾ قُلْ
مَن كَانَ عَدُوًّا لِّجِبْرِيلَ فَإِنَّهُۥ نَزَّلَهُۥ عَلَىٰ قَلْبِكَ بِإِذْنِ ٱللَّهِ
مُصَدِّقًا لِّمَا بَيْنَ يَدَيْهِ وَهُدًى وَبُشْرَىٰ لِلْمُؤْمِنِينَ
﴿٩٧﴾ مَن كَانَ عَدُوًّا لِّلَّهِ وَمَلَـٰٓئِكَتِهِۦ وَرُسُلِهِۦ وَجِبْرِيلَ
وَمِيكَىٰلَ فَإِنَّ ٱللَّهَ عَدُوٌّ لِّلْكَـٰفِرِينَ ﴿٩٨﴾ وَلَقَدْ أَنزَلْنَآ
إِلَيْكَ ءَايَـٰتٍۭ بَيِّنَـٰتٍ ۖ وَمَا يَكْفُرُ بِهَآ إِلَّا ٱلْفَـٰسِقُونَ ﴿٩٩﴾
أَوَكُلَّمَا عَـٰهَدُوا۟ عَهْدًا نَّبَذَهُۥ فَرِيقٌ مِّنْهُم ۚ بَلْ أَكْثَرُهُمْ
لَا يُؤْمِنُونَ ﴿١٠٠﴾ وَلَمَّا جَآءَهُمْ رَسُولٌ مِّنْ عِندِ ٱللَّهِ
مُصَدِّقٌ لِّمَا مَعَهُمْ نَبَذَ فَرِيقٌ مِّنَ ٱلَّذِينَ أُوتُوا۟ ٱلْكِتَـٰبَ
كِتَـٰبَ ٱللَّهِ وَرَآءَ ظُهُورِهِمْ كَأَنَّهُمْ لَا يَعْلَمُونَ ﴿١٠١﴾

■ يُعَمَّرُ: يَطُولُ عُمُرُه
■ نَبَذَهُ: طَرَحَهُ ونَقَضَهُ

مدّ ٦ حركات لزوماً — مدّ ٢ أو ٤ أو ٦ جوازاً — مدّ واجب ٤ أو ٥ حركات — مدّ حركتان — إخفاء، ومواقع الغُنَّة (حركتان) — إدغام، وما لا يُلفَظ — تفخيم — قلقلة

وَٱتَّبَعُواْ مَا تَتۡلُواْ ٱلشَّيَٰطِينُ عَلَىٰ مُلۡكِ سُلَيۡمَٰنَۖ وَمَا كَفَرَ
سُلَيۡمَٰنُ وَلَٰكِنَّ ٱلشَّيَٰطِينَ كَفَرُواْ يُعَلِّمُونَ ٱلنَّاسَ
ٱلسِّحۡرَ وَمَآ أُنزِلَ عَلَى ٱلۡمَلَكَيۡنِ بِبَابِلَ هَٰرُوتَ وَمَٰرُوتَۚ
وَمَا يُعَلِّمَانِ مِنۡ أَحَدٍ حَتَّىٰ يَقُولَآ إِنَّمَا نَحۡنُ فِتۡنَةٞ فَلَا تَكۡفُرۡۖ
فَيَتَعَلَّمُونَ مِنۡهُمَا مَا يُفَرِّقُونَ بِهِۦ بَيۡنَ ٱلۡمَرۡءِ وَزَوۡجِهِۦۚ
وَمَا هُم بِضَآرِّينَ بِهِۦ مِنۡ أَحَدٍ إِلَّا بِإِذۡنِ ٱللَّهِۚ وَيَتَعَلَّمُونَ
مَا يَضُرُّهُمۡ وَلَا يَنفَعُهُمۡۚ وَلَقَدۡ عَلِمُواْ لَمَنِ ٱشۡتَرَىٰهُ
مَا لَهُۥ فِي ٱلۡأٓخِرَةِ مِنۡ خَلَٰقٖۚ وَلَبِئۡسَ مَا شَرَوۡاْ بِهِۦٓ
أَنفُسَهُمۡۚ لَوۡ كَانُواْ يَعۡلَمُونَ ١٠٢ وَلَوۡ أَنَّهُمۡ ءَامَنُواْ
وَٱتَّقَوۡاْ لَمَثُوبَةٞ مِّنۡ عِندِ ٱللَّهِ خَيۡرٞۖ لَّوۡ كَانُواْ يَعۡلَمُونَ
١٠٣ يَٰٓأَيُّهَا ٱلَّذِينَ ءَامَنُواْ لَا تَقُولُواْ رَٰعِنَا وَقُولُواْ
ٱنظُرۡنَا وَٱسۡمَعُواْۗ وَلِلۡكَٰفِرِينَ عَذَابٌ أَلِيمٞ ١٠٤
مَّا يَوَدُّ ٱلَّذِينَ كَفَرُواْ مِنۡ أَهۡلِ ٱلۡكِتَٰبِ وَلَا ٱلۡمُشۡرِكِينَ
أَن يُنَزَّلَ عَلَيۡكُم مِّنۡ خَيۡرٖ مِّن رَّبِّكُمۡۗ وَٱللَّهُ يَخۡتَصُّ
بِرَحۡمَتِهِۦ مَن يَشَآءُۚ وَٱللَّهُ ذُو ٱلۡفَضۡلِ ٱلۡعَظِيمِ ١٠٥

تَتۡلُواْ: تقرأ. أو تكذب
فِتۡنَةٞ: ابتلاء واختبار من الله تعالى
خَلَٰقٖ: نصيب من الخير
شَرَوۡاْ بِهِۦ: باعوا به
رَٰعِنَا: كلمة سب وتنقيص عند اليهود
ٱنظُرۡنَا: انتظرنا. أو انظر إلينا

| | | |
|---|---|---|
| مدّ ٦ حركات لزوماً — مدّ ٢ أو ٤ أو ٦ جوازاً | إخفاء، ومواقع الغنّة (حركتان) | تفخيم |
| مدّ واجب ٤ أو ٥ حركات — مدّ حركتان | إدغام، وما لا يُلفظ | قلقلة |

نصف الحزب ٢

۞ مَا نَنسَخۡ مِنۡ ءَايَةٍ أَوۡ نُنسِهَا نَأۡتِ بِخَيۡرٖ مِّنۡهَآ أَوۡ مِثۡلِهَآۗ
أَلَمۡ تَعۡلَمۡ أَنَّ ٱللَّهَ عَلَىٰ كُلِّ شَيۡءٖ قَدِيرٌ ١٠٦ أَلَمۡ تَعۡلَمۡ أَنَّ ٱللَّهَ لَهُۥ
مُلۡكُ ٱلسَّمَٰوَٰتِ وَٱلۡأَرۡضِۗ وَمَا لَكُم مِّن دُونِ ٱللَّهِ مِن
وَلِيّٖ وَلَا نَصِيرٍ ١٠٧ أَمۡ تُرِيدُونَ أَن تَسۡـَٔلُواْ رَسُولَكُمۡ
كَمَا سُئِلَ مُوسَىٰ مِن قَبۡلُۗ وَمَن يَتَبَدَّلِ ٱلۡكُفۡرَ بِٱلۡإِيمَٰنِ
فَقَدۡ ضَلَّ سَوَآءَ ٱلسَّبِيلِ ١٠٨ وَدَّ كَثِيرٞ مِّنۡ أَهۡلِ
ٱلۡكِتَٰبِ لَوۡ يَرُدُّونَكُم مِّنۢ بَعۡدِ إِيمَٰنِكُمۡ كُفَّارًا حَسَدٗا
مِّنۡ عِندِ أَنفُسِهِم مِّنۢ بَعۡدِ مَا تَبَيَّنَ لَهُمُ ٱلۡحَقُّۖ فَٱعۡفُواْ
وَٱصۡفَحُواْ حَتَّىٰ يَأۡتِيَ ٱللَّهُ بِأَمۡرِهِۦٓۗ إِنَّ ٱللَّهَ عَلَىٰ كُلِّ شَيۡءٖ قَدِيرٞ
١٠٩ وَأَقِيمُواْ ٱلصَّلَوٰةَ وَءَاتُواْ ٱلزَّكَوٰةَۚ وَمَا تُقَدِّمُواْ لِأَنفُسِكُم
مِّنۡ خَيۡرٖ تَجِدُوهُ عِندَ ٱللَّهِۗ إِنَّ ٱللَّهَ بِمَا تَعۡمَلُونَ بَصِيرٞ
١١٠ وَقَالُواْ لَن يَدۡخُلَ ٱلۡجَنَّةَ إِلَّا مَن كَانَ هُودًا أَوۡ نَصَٰرَىٰۗ
تِلۡكَ أَمَانِيُّهُمۡۗ قُلۡ هَاتُواْ بُرۡهَٰنَكُمۡ إِن كُنتُمۡ
صَٰدِقِينَ ١١١ بَلَىٰۚ مَنۡ أَسۡلَمَ وَجۡهَهُۥ لِلَّهِ وَهُوَ مُحۡسِنٞ
فَلَهُۥٓ أَجۡرُهُۥ عِندَ رَبِّهِۦ وَلَا خَوۡفٌ عَلَيۡهِمۡ وَلَا هُمۡ يَحۡزَنُونَ ١١٢

- نَنسَخۡ: نُزِلْ ونُبْطِلْ
- نُنسِهَا: نَمْحُها من القُلوبِ
- وَلِيّٖ: مالِكٍ أو مُتولٍ لأمورِكم
- أَمَانِيُّهُمۡ: مُتَمَنَّياتُهم الباطلةُ
- أَسۡلَمَ وَجۡهَهُۥ: أخْلَصَ عبادتَه

| | | |
|---|---|---|
| مدّ ٦ حركات لزوماً — مدّ ٢ أو ٤ أو ٦ جوازاً | إخفاء، ومواقع الغنّة (حركتان) | تفخيم |
| مدّ واجب ٤ أو ٥ حركات — مدّ حركتان | إدغام، وما لا يُلفظ | قلقلة |

وَقَالَتِ ٱلۡيَهُودُ لَيۡسَتِ ٱلنَّصَٰرَىٰ عَلَىٰ شَيۡءٖ وَقَالَتِ ٱلنَّصَٰرَىٰ
لَيۡسَتِ ٱلۡيَهُودُ عَلَىٰ شَيۡءٖ وَهُمۡ يَتۡلُونَ ٱلۡكِتَٰبَۗ كَذَٰلِكَ قَالَ
ٱلَّذِينَ لَا يَعۡلَمُونَ مِثۡلَ قَوۡلِهِمۡۚ فَٱللَّهُ يَحۡكُمُ بَيۡنَهُمۡ يَوۡمَ ٱلۡقِيَٰمَةِ
فِيمَا كَانُواْ فِيهِ يَخۡتَلِفُونَ ﴿١١٣﴾ وَمَنۡ أَظۡلَمُ مِمَّن مَّنَعَ مَسَٰجِدَ
ٱللَّهِ أَن يُذۡكَرَ فِيهَا ٱسۡمُهُۥ وَسَعَىٰ فِي خَرَابِهَآۚ أُوْلَٰٓئِكَ مَا كَانَ
لَهُمۡ أَن يَدۡخُلُوهَآ إِلَّا خَآئِفِينَۚ لَهُمۡ فِي ٱلدُّنۡيَا خِزۡيٞ
وَلَهُمۡ فِي ٱلۡأٓخِرَةِ عَذَابٌ عَظِيمٞ ﴿١١٤﴾ وَلِلَّهِ ٱلۡمَشۡرِقُ وَٱلۡمَغۡرِبُۚ
فَأَيۡنَمَا تُوَلُّواْ فَثَمَّ وَجۡهُ ٱللَّهِۚ إِنَّ ٱللَّهَ وَٰسِعٌ عَلِيمٞ ﴿١١٥﴾
وَقَالُواْ ٱتَّخَذَ ٱللَّهُ وَلَدٗاۗ سُبۡحَٰنَهُۥۖ بَل لَّهُۥ مَا فِي ٱلسَّمَٰوَٰتِ
وَٱلۡأَرۡضِۖ كُلّٞ لَّهُۥ قَٰنِتُونَ ﴿١١٦﴾ بَدِيعُ ٱلسَّمَٰوَٰتِ وَٱلۡأَرۡضِۖ
وَإِذَا قَضَىٰٓ أَمۡرٗا فَإِنَّمَا يَقُولُ لَهُۥ كُن فَيَكُونُ ﴿١١٧﴾ وَقَالَ ٱلَّذِينَ
لَا يَعۡلَمُونَ لَوۡلَا يُكَلِّمُنَا ٱللَّهُ أَوۡ تَأۡتِينَآ ءَايَةٞۗ كَذَٰلِكَ
قَالَ ٱلَّذِينَ مِن قَبۡلِهِم مِّثۡلَ قَوۡلِهِمۡۘ تَشَٰبَهَتۡ قُلُوبُهُمۡۗ
قَدۡ بَيَّنَّا ٱلۡأٓيَٰتِ لِقَوۡمٖ يُوقِنُونَ ﴿١١٨﴾ إِنَّآ أَرۡسَلۡنَٰكَ
بِٱلۡحَقِّ بَشِيرٗا وَنَذِيرٗاۖ وَلَا تُسۡـَٔلُ عَنۡ أَصۡحَٰبِ ٱلۡجَحِيمِ ﴿١١٩﴾

- خِزۡيٞ: ذُلٌّ وصَغارٌ ، وقتلٌ وأَسْرٌ
- سُبۡحَٰنَهُۥ: تنزيهاً له تعالى عن اتّخاذ الولد
- قَٰنِتُونَ: مُطيعونَ خاضِعُونَ
- بَدِيعُ: مُبْدِعُ ومُخْتَرِعُ
- قَضَىٰٓ أَمۡرٗا: أرادَ شيئاً
- كُن فَيَكُونُ: احْدُثْ ؛ فَهُوَ يَحْدُثُ

| | | |
|---|---|---|
| مدّ ٦ حركات لزوماً ● مدّ ٢ أو ٤ أو ٦ جوازاً ● | إخفاء ، ومواقع الغُنَّة (حركتان) ● | تفخيم ● |
| مدّ واجب ٤ أو ٥ حركات ● مدّ حركتان ● | إدغام ، وما لا يُلفَظ ● | قلقلة ● |

وَلَن تَرۡضَىٰ عَنكَ ٱلۡيَهُودُ وَلَا ٱلنَّصَٰرَىٰ حَتَّىٰ تَتَّبِعَ مِلَّتَهُمۡۗ قُلۡ إِنَّ
هُدَى ٱللَّهِ هُوَ ٱلۡهُدَىٰۗ وَلَئِنِ ٱتَّبَعۡتَ أَهۡوَآءَهُم بَعۡدَ ٱلَّذِي جَآءَكَ
مِنَ ٱلۡعِلۡمِ مَا لَكَ مِنَ ٱللَّهِ مِن وَلِيّٖ وَلَا نَصِيرٍ ﴿١٢٠﴾ ٱلَّذِينَ ءَاتَيۡنَٰهُمُ
ٱلۡكِتَٰبَ يَتۡلُونَهُۥ حَقَّ تِلَاوَتِهِۦٓ أُوْلَٰٓئِكَ يُؤۡمِنُونَ بِهِۦۗ وَمَن يَكۡفُرۡ بِهِۦ
فَأُوْلَٰٓئِكَ هُمُ ٱلۡخَٰسِرُونَ ﴿١٢١﴾ يَٰبَنِيٓ إِسۡرَٰٓءِيلَ ٱذۡكُرُواْ نِعۡمَتِيَ ٱلَّتِيٓ
أَنۡعَمۡتُ عَلَيۡكُمۡ وَأَنِّي فَضَّلۡتُكُمۡ عَلَى ٱلۡعَٰلَمِينَ ﴿١٢٢﴾ وَٱتَّقُواْ يَوۡمٗا
لَّا تَجۡزِي نَفۡسٌ عَن نَّفۡسٖ شَيۡـٔٗا وَلَا يُقۡبَلُ مِنۡهَا عَدۡلٞ وَلَا تَنفَعُهَا
شَفَٰعَةٞ وَلَا هُمۡ يُنصَرُونَ ﴿١٢٣﴾ ۞ وَإِذِ ٱبۡتَلَىٰٓ إِبۡرَٰهِـۧمَ رَبُّهُۥ بِكَلِمَٰتٖ
فَأَتَمَّهُنَّۖ قَالَ إِنِّي جَاعِلُكَ لِلنَّاسِ إِمَامٗاۖ قَالَ وَمِن ذُرِّيَّتِيۖ قَالَ لَا
يَنَالُ عَهۡدِي ٱلظَّٰلِمِينَ ﴿١٢٤﴾ وَإِذۡ جَعَلۡنَا ٱلۡبَيۡتَ مَثَابَةٗ لِّلنَّاسِ
وَأَمۡنٗا وَٱتَّخِذُواْ مِن مَّقَامِ إِبۡرَٰهِـۧمَ مُصَلّٗىۖ وَعَهِدۡنَآ إِلَىٰٓ إِبۡرَٰهِـۧمَ
وَإِسۡمَٰعِيلَ أَن طَهِّرَا بَيۡتِيَ لِلطَّآئِفِينَ وَٱلۡعَٰكِفِينَ وَٱلرُّكَّعِ
ٱلسُّجُودِ ﴿١٢٥﴾ وَإِذۡ قَالَ إِبۡرَٰهِـۧمُ رَبِّ ٱجۡعَلۡ هَٰذَا بَلَدًا ءَامِنٗا وَٱرۡزُقۡ
أَهۡلَهُۥ مِنَ ٱلثَّمَرَٰتِ مَنۡ ءَامَنَ مِنۡهُم بِٱللَّهِ وَٱلۡيَوۡمِ ٱلۡأٓخِرِۖ قَالَ وَمَن كَفَرَ
فَأُمَتِّعُهُۥ قَلِيلٗا ثُمَّ أَضۡطَرُّهُۥٓ إِلَىٰ عَذَابِ ٱلنَّارِۖ وَبِئۡسَ ٱلۡمَصِيرُ ﴿١٢٦﴾

- لَا تَجۡزِي: لا تقضي
- عَدۡلٞ: فدية
- ٱبۡتَلَىٰٓ: اختبر وامتحن
- بِكَلِمَٰتٖ: بأوامر ونواهٍ
- مَثَابَةٗ: مرجعاً، أو ملجأً أو موضع ثواب

ثلاثة أرباع الحزب ٢

| | | |
|---|---|---|
| مدّ ٦ حركات لزوماً ● مدّ ٢ أو ٤ أو ٦ جوازاً | إخفاء، ومواقع الغُنَّة (حركتان) | تفخيم |
| مدّ واجب ٤ أو ٥ حركات ● مدّ حركتان | إدغام، وما لا يُلفَظ | قلقلة |

وَإِذۡ يَرۡفَعُ إِبۡرَٰهِـۧمُ ٱلۡقَوَاعِدَ مِنَ ٱلۡبَيۡتِ وَإِسۡمَٰعِيلُ رَبَّنَا تَقَبَّلۡ
مِنَّآۖ إِنَّكَ أَنتَ ٱلسَّمِيعُ ٱلۡعَلِيمُ ﴿١٢٧﴾ رَبَّنَا وَٱجۡعَلۡنَا مُسۡلِمَيۡنِ
لَكَ وَمِن ذُرِّيَّتِنَآ أُمَّةٗ مُّسۡلِمَةٗ لَّكَ وَأَرِنَا مَنَاسِكَنَا وَتُبۡ عَلَيۡنَآۖ
إِنَّكَ أَنتَ ٱلتَّوَّابُ ٱلرَّحِيمُ ﴿١٢٨﴾ رَبَّنَا وَٱبۡعَثۡ فِيهِمۡ رَسُولٗا
مِّنۡهُمۡ يَتۡلُواْ عَلَيۡهِمۡ ءَايَٰتِكَ وَيُعَلِّمُهُمُ ٱلۡكِتَٰبَ وَٱلۡحِكۡمَةَ
وَيُزَكِّيهِمۡۚ إِنَّكَ أَنتَ ٱلۡعَزِيزُ ٱلۡحَكِيمُ ﴿١٢٩﴾ وَمَن يَرۡغَبُ عَن
مِّلَّةِ إِبۡرَٰهِـۧمَ إِلَّا مَن سَفِهَ نَفۡسَهُۥۚ وَلَقَدِ ٱصۡطَفَيۡنَٰهُ فِي ٱلدُّنۡيَاۖ
وَإِنَّهُۥ فِي ٱلۡأٓخِرَةِ لَمِنَ ٱلصَّٰلِحِينَ ﴿١٣٠﴾ إِذۡ قَالَ لَهُۥ رَبُّهُۥٓ أَسۡلِمۡۖ
قَالَ أَسۡلَمۡتُ لِرَبِّ ٱلۡعَٰلَمِينَ ﴿١٣١﴾ وَوَصَّىٰ بِهَآ إِبۡرَٰهِـۧمُ بَنِيهِ
وَيَعۡقُوبُ يَٰبَنِيَّ إِنَّ ٱللَّهَ ٱصۡطَفَىٰ لَكُمُ ٱلدِّينَ فَلَا تَمُوتُنَّ إِلَّا
وَأَنتُم مُّسۡلِمُونَ ﴿١٣٢﴾ أَمۡ كُنتُمۡ شُهَدَآءَ إِذۡ حَضَرَ يَعۡقُوبَ
ٱلۡمَوۡتُ إِذۡ قَالَ لِبَنِيهِ مَا تَعۡبُدُونَ مِنۢ بَعۡدِيۖ قَالُواْ نَعۡبُدُ
إِلَٰهَكَ وَإِلَٰهَ ءَابَآئِكَ إِبۡرَٰهِـۧمَ وَإِسۡمَٰعِيلَ وَإِسۡحَٰقَ إِلَٰهٗا
وَٰحِدٗا وَنَحۡنُ لَهُۥ مُسۡلِمُونَ ﴿١٣٣﴾ تِلۡكَ أُمَّةٞ قَدۡ خَلَتۡۖ لَهَا
مَا كَسَبَتۡ وَلَكُم مَّا كَسَبۡتُمۡۖ وَلَا تُسۡـَٔلُونَ عَمَّا كَانُواْ يَعۡمَلُونَ ﴿١٣٤﴾

- مُسۡلِمَيۡنِ لَكَ: مُنقادَيْن. أو مُخْلِصَيْن لَكَ
- مَنَاسِكَنَا: مَعالِمَ حَجِّنا. شَرائِعَهُ
- يُزَكِّيهِمۡ: يُطَهِّرُهُمْ من الشِّرْكِ والمَعاصِي
- يَرۡغَبُ عَن..: يَزْهَدُ، ويَنْصَرِفُ
- سَفِهَ نَفۡسَهُۥ: امْتَهَنَها واسْتَخَفَّ بِهَا. أو أهْلَكَها
- أَسۡلِمۡ: انْقَدْ. أو أخْلِصِ العِبادَةَ لِي

| | | |
|---|---|---|
| مدّ ٦ حركات لزوماً — مدّ ٢ أو ٤ أو ٦ جوازاً | إخفاء، ومواقع الغُنَّة (حركتان) | تفخيم |
| مدّ واجب ٤ أو ٥ حركات — مدّ حركتان | إدغام، وما لا يُلفَظ | قلقلة |

وَقَالُوا۟ كُونُوا۟ هُودًا أَوْ نَصَٰرَىٰ تَهْتَدُوا۟ ۗ قُلْ بَلْ مِلَّةَ إِبْرَٰهِـۧمَ
حَنِيفًا ۖ وَمَا كَانَ مِنَ ٱلْمُشْرِكِينَ ﴿١٣٥﴾ قُولُوٓا۟ ءَامَنَّا بِٱللَّهِ وَمَآ
أُنزِلَ إِلَيْنَا وَمَآ أُنزِلَ إِلَىٰٓ إِبْرَٰهِـۧمَ وَإِسْمَٰعِيلَ وَإِسْحَٰقَ وَيَعْقُوبَ
وَٱلْأَسْبَاطِ وَمَآ أُوتِىَ مُوسَىٰ وَعِيسَىٰ وَمَآ أُوتِىَ ٱلنَّبِيُّونَ
مِن رَّبِّهِمْ لَا نُفَرِّقُ بَيْنَ أَحَدٍ مِّنْهُمْ وَنَحْنُ لَهُۥ مُسْلِمُونَ ﴿١٣٦﴾
فَإِنْ ءَامَنُوا۟ بِمِثْلِ مَآ ءَامَنتُم بِهِۦ فَقَدِ ٱهْتَدَوا۟ ۖ وَّإِن تَوَلَّوْا۟ فَإِنَّمَا
هُمْ فِى شِقَاقٍ ۖ فَسَيَكْفِيكَهُمُ ٱللَّهُ ۚ وَهُوَ ٱلسَّمِيعُ ٱلْعَلِيمُ
﴿١٣٧﴾ صِبْغَةَ ٱللَّهِ ۖ وَمَنْ أَحْسَنُ مِنَ ٱللَّهِ صِبْغَةً ۖ وَنَحْنُ لَهُۥ
عَٰبِدُونَ ﴿١٣٨﴾ قُلْ أَتُحَآجُّونَنَا فِى ٱللَّهِ وَهُوَ رَبُّنَا وَرَبُّكُمْ
وَلَنَآ أَعْمَٰلُنَا وَلَكُمْ أَعْمَٰلُكُمْ وَنَحْنُ لَهُۥ مُخْلِصُونَ ﴿١٣٩﴾ أَمْ
تَقُولُونَ إِنَّ إِبْرَٰهِـۧمَ وَإِسْمَٰعِيلَ وَإِسْحَٰقَ وَيَعْقُوبَ
وَٱلْأَسْبَاطَ كَانُوا۟ هُودًا أَوْ نَصَٰرَىٰ ۗ قُلْ ءَأَنتُمْ أَعْلَمُ أَمِ ٱللَّهُ ۗ
وَمَنْ أَظْلَمُ مِمَّن كَتَمَ شَهَٰدَةً عِندَهُۥ مِنَ ٱللَّهِ ۗ وَمَا ٱللَّهُ
بِغَٰفِلٍ عَمَّا تَعْمَلُونَ ﴿١٤٠﴾ تِلْكَ أُمَّةٌ قَدْ خَلَتْ ۖ لَهَا مَا كَسَبَتْ
وَلَكُم مَّا كَسَبْتُمْ ۖ وَلَا تُسْـَٔلُونَ عَمَّا كَانُوا۟ يَعْمَلُونَ ﴿١٤١﴾

- حَنِيفًا: مائلاً عن الباطلِ إلى الدِّينِ الحقِّ
- ٱلْأَسْبَاطِ: أوْلادِ يَعْقُوبَ أو أولادِ أولادِه
- صِبْغَةَ ٱللَّهِ: تَطْهيرَ اللهِ النُّفوسَ بالإيمانِ

مدّ ٦ حركات لزوماً · مدّ ٢ أو ٤ أو ٦ جوازاً · إخفاء، ومواقع الغُنَّة (حركتان) · تفخيم
مدّ واجب ٤ أو ٥ حركات · مدّ حركتان · إدغام، وما لا يُلفَظ · قلقلة

۞ سَيَقُولُ ٱلسُّفَهَآءُ مِنَ ٱلنَّاسِ مَا وَلَّىٰهُمْ عَن قِبْلَتِهِمُ ٱلَّتِى كَانُوا۟
عَلَيْهَا ۚ قُل لِّلَّهِ ٱلْمَشْرِقُ وَٱلْمَغْرِبُ ۚ يَهْدِى مَن يَشَآءُ إِلَىٰ صِرَٰطٍ
مُّسْتَقِيمٍ ﴿١٤٢﴾ وَكَذَٰلِكَ جَعَلْنَٰكُمْ أُمَّةً وَسَطًا لِّتَكُونُوا۟
شُهَدَآءَ عَلَى ٱلنَّاسِ وَيَكُونَ ٱلرَّسُولُ عَلَيْكُمْ شَهِيدًا ۗ وَمَا
جَعَلْنَا ٱلْقِبْلَةَ ٱلَّتِى كُنتَ عَلَيْهَآ إِلَّا لِنَعْلَمَ مَن يَتَّبِعُ ٱلرَّسُولَ
مِمَّن يَنقَلِبُ عَلَىٰ عَقِبَيْهِ ۚ وَإِن كَانَتْ لَكَبِيرَةً إِلَّا عَلَى ٱلَّذِينَ
هَدَى ٱللَّهُ ۗ وَمَا كَانَ ٱللَّهُ لِيُضِيعَ إِيمَٰنَكُمْ ۚ إِنَّ ٱللَّهَ بِٱلنَّاسِ
لَرَءُوفٌ رَّحِيمٌ ﴿١٤٣﴾ قَدْ نَرَىٰ تَقَلُّبَ وَجْهِكَ فِى ٱلسَّمَآءِ ۖ
فَلَنُوَلِّيَنَّكَ قِبْلَةً تَرْضَىٰهَا ۚ فَوَلِّ وَجْهَكَ شَطْرَ ٱلْمَسْجِدِ
ٱلْحَرَامِ ۚ وَحَيْثُ مَا كُنتُمْ فَوَلُّوا۟ وُجُوهَكُمْ شَطْرَهُۥ ۗ وَإِنَّ ٱلَّذِينَ
أُوتُوا۟ ٱلْكِتَٰبَ لَيَعْلَمُونَ أَنَّهُ ٱلْحَقُّ مِن رَّبِّهِمْ ۗ وَمَا ٱللَّهُ بِغَٰفِلٍ
عَمَّا يَعْمَلُونَ ﴿١٤٤﴾ وَلَئِنْ أَتَيْتَ ٱلَّذِينَ أُوتُوا۟ ٱلْكِتَٰبَ بِكُلِّ
ءَايَةٍ مَّا تَبِعُوا۟ قِبْلَتَكَ ۚ وَمَآ أَنتَ بِتَابِعٍ قِبْلَتَهُمْ ۚ وَمَا بَعْضُهُم
بِتَابِعٍ قِبْلَةَ بَعْضٍ ۚ وَلَئِنِ ٱتَّبَعْتَ أَهْوَآءَهُم مِّنۢ بَعْدِ
مَا جَآءَكَ مِنَ ٱلْعِلْمِ ۙ إِنَّكَ إِذًا لَّمِنَ ٱلظَّٰلِمِينَ ﴿١٤٥﴾

الجزء ٢ — الحزب ٣

- ٱلسُّفَهَآءُ: الخِفافُ العُقُولِ: اليهودُ ومن اتبعهم
- مَا وَلَّىٰهُمْ: أيُّ شيْءٍ صرفَهُمْ
- وَسَطًا: خياراً. أو متوسّطين معتدلين
- يَنقَلِبُ عَلَىٰ عَقِبَيْهِ: يرْتَدُّ عن الإسلامِ
- لَكَبِيرَةً: لَشاقَّةً ثقيلةً
- إِيمَٰنَكُمْ: صَلاتَكُم إلى بيتِ المقْدِس
- شَطْرَ: جِهَةَ
- ٱلْمَسْجِدِ ٱلْحَرَامِ: الكَعْبَة

| | | |
|---|---|---|
| مدّ ٦ حركات لزوماً ● مدّ ٢ أو ٤ أو ٦ جوازاً | إخفاء، ومواقع الغُنَّة (حركتان) | تفخيم |
| مدّ واجب ٤ أو ٥ حركات ● مدّ حركتان | إدغام، وما لا يُلفَظ | قلقلة |

ٱلَّذِينَ ءَاتَيۡنَٰهُمُ ٱلۡكِتَٰبَ يَعۡرِفُونَهُۥ كَمَا يَعۡرِفُونَ أَبۡنَآءَهُمۡۖ وَإِنَّ
فَرِيقٗا مِّنۡهُمۡ لَيَكۡتُمُونَ ٱلۡحَقَّ وَهُمۡ يَعۡلَمُونَ ﴿١٤٦﴾ ٱلۡحَقُّ مِن
رَّبِّكَۖ فَلَا تَكُونَنَّ مِنَ ٱلۡمُمۡتَرِينَ ﴿١٤٧﴾ وَلِكُلّٖ وِجۡهَةٌ هُوَ مُوَلِّيهَاۖ
فَٱسۡتَبِقُواْ ٱلۡخَيۡرَٰتِۚ أَيۡنَ مَا تَكُونُواْ يَأۡتِ بِكُمُ ٱللَّهُ جَمِيعًاۚ
إِنَّ ٱللَّهَ عَلَىٰ كُلِّ شَيۡءٖ قَدِيرٞ ﴿١٤٨﴾ وَمِنۡ حَيۡثُ خَرَجۡتَ فَوَلِّ
وَجۡهَكَ شَطۡرَ ٱلۡمَسۡجِدِ ٱلۡحَرَامِۖ وَإِنَّهُۥ لَلۡحَقُّ مِن رَّبِّكَۗ وَمَا
ٱللَّهُ بِغَٰفِلٍ عَمَّا تَعۡمَلُونَ ﴿١٤٩﴾ وَمِنۡ حَيۡثُ خَرَجۡتَ فَوَلِّ وَجۡهَكَ
شَطۡرَ ٱلۡمَسۡجِدِ ٱلۡحَرَامِۚ وَحَيۡثُ مَا كُنتُمۡ فَوَلُّواْ وُجُوهَكُمۡ
شَطۡرَهُۥ لِئَلَّا يَكُونَ لِلنَّاسِ عَلَيۡكُمۡ حُجَّةٌ إِلَّا ٱلَّذِينَ ظَلَمُواْ
مِنۡهُمۡ فَلَا تَخۡشَوۡهُمۡ وَٱخۡشَوۡنِي وَلِأُتِمَّ نِعۡمَتِي عَلَيۡكُمۡ وَلَعَلَّكُمۡ
تَهۡتَدُونَ ﴿١٥٠﴾ كَمَآ أَرۡسَلۡنَا فِيكُمۡ رَسُولٗا مِّنكُمۡ
يَتۡلُواْ عَلَيۡكُمۡ ءَايَٰتِنَا وَيُزَكِّيكُمۡ وَيُعَلِّمُكُمُ ٱلۡكِتَٰبَ
وَٱلۡحِكۡمَةَ وَيُعَلِّمُكُم مَّا لَمۡ تَكُونُواْ تَعۡلَمُونَ ﴿١٥١﴾ فَٱذۡكُرُونِيٓ
أَذۡكُرۡكُمۡ وَٱشۡكُرُواْ لِي وَلَا تَكۡفُرُونِ ﴿١٥٢﴾ يَٰٓأَيُّهَا ٱلَّذِينَ
ءَامَنُواْ ٱسۡتَعِينُواْ بِٱلصَّبۡرِ وَٱلصَّلَوٰةِۚ إِنَّ ٱللَّهَ مَعَ ٱلصَّٰبِرِينَ ﴿١٥٣﴾

ٱلۡمُمۡتَرِينَ: الشاكين في أنّ الحقّ من ربك

يُزَكِّيكُمۡ: يُطهّركم من الشّرك والمعاصي

| | | |
|---|---|---|
| مدّ ٦ حركات لزوماً — مدّ ٢ أو ٤ أو ٦ جوازاً | إخفاء، ومواقع الغُنّة (حركتان) | تفخيم |
| مدّ واجب ٤ أو ٥ حركات — مدّ حركتان | إدغام، وما لا يُلفظ | قلقلة |

وَلَا تَقُولُوا لِمَن يُقْتَلُ فِي سَبِيلِ اللَّهِ أَمْوَاتٌ ۚ بَلْ أَحْيَاءٌ وَلَٰكِن
لَّا تَشْعُرُونَ ﴿١٥٤﴾ وَلَنَبْلُوَنَّكُم بِشَيْءٍ مِّنَ الْخَوْفِ وَالْجُوعِ
وَنَقْصٍ مِّنَ الْأَمْوَالِ وَالْأَنفُسِ وَالثَّمَرَاتِ ۗ وَبَشِّرِ الصَّابِرِينَ
﴿١٥٥﴾ الَّذِينَ إِذَا أَصَابَتْهُم مُّصِيبَةٌ قَالُوا إِنَّا لِلَّهِ وَإِنَّا إِلَيْهِ رَاجِعُونَ
﴿١٥٦﴾ أُولَٰئِكَ عَلَيْهِمْ صَلَوَاتٌ مِّن رَّبِّهِمْ وَرَحْمَةٌ ۖ وَأُولَٰئِكَ
هُمُ الْمُهْتَدُونَ ﴿١٥٧﴾ ۞ إِنَّ الصَّفَا وَالْمَرْوَةَ مِن شَعَائِرِ اللَّهِ ۖ
فَمَنْ حَجَّ الْبَيْتَ أَوِ اعْتَمَرَ فَلَا جُنَاحَ عَلَيْهِ أَن يَطَّوَّفَ
بِهِمَا ۚ وَمَن تَطَوَّعَ خَيْرًا فَإِنَّ اللَّهَ شَاكِرٌ عَلِيمٌ ﴿١٥٨﴾ إِنَّ الَّذِينَ
يَكْتُمُونَ مَا أَنزَلْنَا مِنَ الْبَيِّنَاتِ وَالْهُدَىٰ مِن بَعْدِ مَا بَيَّنَّاهُ
لِلنَّاسِ فِي الْكِتَابِ ۙ أُولَٰئِكَ يَلْعَنُهُمُ اللَّهُ وَيَلْعَنُهُمُ اللَّاعِنُونَ
﴿١٥٩﴾ إِلَّا الَّذِينَ تَابُوا وَأَصْلَحُوا وَبَيَّنُوا فَأُولَٰئِكَ أَتُوبُ
عَلَيْهِمْ ۚ وَأَنَا التَّوَّابُ الرَّحِيمُ ﴿١٦٠﴾ إِنَّ الَّذِينَ كَفَرُوا وَمَاتُوا وَهُمْ
كُفَّارٌ أُولَٰئِكَ عَلَيْهِمْ لَعْنَةُ اللَّهِ وَالْمَلَائِكَةِ وَالنَّاسِ أَجْمَعِينَ
﴿١٦١﴾ خَالِدِينَ فِيهَا ۖ لَا يُخَفَّفُ عَنْهُمُ الْعَذَابُ وَلَا هُمْ يُنظَرُونَ
﴿١٦٢﴾ وَإِلَٰهُكُمْ إِلَٰهٌ وَاحِدٌ ۖ لَّا إِلَٰهَ إِلَّا هُوَ الرَّحْمَٰنُ الرَّحِيمُ ﴿١٦٣﴾

■ لَنَبْلُوَنَّكُم: لَنَخْتَبِرَنَّكُم
■ صَلَوَاتٌ: ثناءٌ ومغفرةٌ

■ شَعَائِرِ اللَّهِ: مَعالِمِ دِينِه في الحجِّ والعُمْرة
■ اعْتَمَرَ: زار البيتَ المُعظَّم
■ يَطَّوَّفَ بِهِمَا: يسْعَى بينَهُما
■ يَلْعَنُهُمُ اللَّهُ: يَطْرُدُهم من رَحْمته
■ يُنظَرُونَ: يُؤخَّرُونَ عن العَذابِ لَحْظَةً

مدّ ٦ حركات لزوماً | مدّ ٢ أو ٤ أو ٦ جوازاً | مدّ واجب ٤ أو ٥ حركات | مدّ حركتان
إخفاء ، ومواقع الغُنَّة (حركتان) | إدغام ، وما لا يُلفظ
تفخيم | قلقلة

إِنَّ فِي خَلۡقِ ٱلسَّمَٰوَٰتِ وَٱلۡأَرۡضِ وَٱخۡتِلَٰفِ ٱلَّيۡلِ وَٱلنَّهَارِ
وَٱلۡفُلۡكِ ٱلَّتِي تَجۡرِي فِي ٱلۡبَحۡرِ بِمَا يَنفَعُ ٱلنَّاسَ وَمَآ أَنزَلَ ٱللَّهُ
مِنَ ٱلسَّمَآءِ مِن مَّآءٖ فَأَحۡيَا بِهِ ٱلۡأَرۡضَ بَعۡدَ مَوۡتِهَا وَبَثَّ فِيهَا
مِن كُلِّ دَآبَّةٖ وَتَصۡرِيفِ ٱلرِّيَٰحِ وَٱلسَّحَابِ ٱلۡمُسَخَّرِ
بَيۡنَ ٱلسَّمَآءِ وَٱلۡأَرۡضِ لَأٓيَٰتٖ لِّقَوۡمٖ يَعۡقِلُونَ ﴿١٦٤﴾ وَمِنَ
ٱلنَّاسِ مَن يَتَّخِذُ مِن دُونِ ٱللَّهِ أَندَادٗا يُحِبُّونَهُمۡ كَحُبِّ ٱللَّهِۖ
وَٱلَّذِينَ ءَامَنُوٓاْ أَشَدُّ حُبّٗا لِّلَّهِۗ وَلَوۡ يَرَى ٱلَّذِينَ ظَلَمُوٓاْ إِذۡ يَرَوۡنَ
ٱلۡعَذَابَ أَنَّ ٱلۡقُوَّةَ لِلَّهِ جَمِيعٗا وَأَنَّ ٱللَّهَ شَدِيدُ ٱلۡعَذَابِ ﴿١٦٥﴾
إِذۡ تَبَرَّأَ ٱلَّذِينَ ٱتُّبِعُواْ مِنَ ٱلَّذِينَ ٱتَّبَعُواْ وَرَأَوُاْ ٱلۡعَذَابَ
وَتَقَطَّعَتۡ بِهِمُ ٱلۡأَسۡبَابُ ﴿١٦٦﴾ وَقَالَ ٱلَّذِينَ ٱتَّبَعُواْ لَوۡ أَنَّ
لَنَا كَرَّةٗ فَنَتَبَرَّأَ مِنۡهُمۡ كَمَا تَبَرَّءُواْ مِنَّاۗ كَذَٰلِكَ يُرِيهِمُ ٱللَّهُ
أَعۡمَٰلَهُمۡ حَسَرَٰتٍ عَلَيۡهِمۡۖ وَمَا هُم بِخَٰرِجِينَ مِنَ ٱلنَّارِ ﴿١٦٧﴾
يَٰٓأَيُّهَا ٱلنَّاسُ كُلُواْ مِمَّا فِي ٱلۡأَرۡضِ حَلَٰلٗا طَيِّبٗا وَلَا تَتَّبِعُواْ
خُطُوَٰتِ ٱلشَّيۡطَٰنِۚ إِنَّهُۥ لَكُمۡ عَدُوّٞ مُّبِينٌ ﴿١٦٨﴾ إِنَّمَا يَأۡمُرُكُم
بِٱلسُّوٓءِ وَٱلۡفَحۡشَآءِ وَأَن تَقُولُواْ عَلَى ٱللَّهِ مَا لَا تَعۡلَمُونَ ﴿١٦٩﴾

- بَثَّ: فرّق، و نشَر
- تَصۡرِيفِ ٱلرِّيَٰحِ: تقليبها في مهابّها
- أَندَادٗا: أمثالاً من الأصنام يعبدونها
- ٱلۡأَسۡبَابُ: الصِّلاتُ التي كانت بينهم في الدنيا
- كَرَّةٗ: عَوْدَةً إلى الدُّنيا
- حَسَرَٰتٍ: نَدَاماتٍ شَديدةً
- خُطُوَٰتِ ٱلشَّيۡطَٰنِ: طُرُقَهُ وآثارَه
- بِٱلسُّوٓءِ: بالمعاصي و الذُّنوبِ
- ٱلۡفَحۡشَآءِ: ما عَظُمَ قُبْحُهُ من الذُّنوبِ

| | | |
|---|---|---|
| مدّ ٦ حركات لزوماً ● مدّ ٢ أو ٤ أو ٦ جوازاً | إخفاء ، ومواقع الغُنَّة (حركتان) | تفخيم |
| مدّ واجب ٤ أو ٥ حركات ● مدّ حركتان | إدغام ، وما لا يُلفظ | قلقلة |

وَإِذَا قِيلَ لَهُمُ ٱتَّبِعُوا۟ مَآ أَنزَلَ ٱللَّهُ قَالُوا۟ بَلْ نَتَّبِعُ مَآ أَلْفَيْنَا عَلَيْهِ
ءَابَآءَنَآ ۗ أَوَلَوْ كَانَ ءَابَآؤُهُمْ لَا يَعْقِلُونَ شَيْـًٔا وَلَا
يَهْتَدُونَ ﴿١٧٠﴾ وَمَثَلُ ٱلَّذِينَ كَفَرُوا۟ كَمَثَلِ ٱلَّذِى يَنْعِقُ
بِمَا لَا يَسْمَعُ إِلَّا دُعَآءً وَنِدَآءً ۚ صُمٌّۢ بُكْمٌ عُمْىٌ فَهُمْ لَا يَعْقِلُونَ
﴿١٧١﴾ يَٰٓأَيُّهَا ٱلَّذِينَ ءَامَنُوا۟ كُلُوا۟ مِن طَيِّبَٰتِ مَا رَزَقْنَٰكُمْ
وَٱشْكُرُوا۟ لِلَّهِ إِن كُنتُمْ إِيَّاهُ تَعْبُدُونَ ﴿١٧٢﴾ إِنَّمَا حَرَّمَ
عَلَيْكُمُ ٱلْمَيْتَةَ وَٱلدَّمَ وَلَحْمَ ٱلْخِنزِيرِ وَمَآ أُهِلَّ بِهِۦ
لِغَيْرِ ٱللَّهِ ۖ فَمَنِ ٱضْطُرَّ غَيْرَ بَاغٍ وَلَا عَادٍ فَلَآ إِثْمَ عَلَيْهِ ۚ إِنَّ ٱللَّهَ
غَفُورٌ رَّحِيمٌ ﴿١٧٣﴾ إِنَّ ٱلَّذِينَ يَكْتُمُونَ مَآ أَنزَلَ ٱللَّهُ مِنَ
ٱلْكِتَٰبِ وَيَشْتَرُونَ بِهِۦ ثَمَنًا قَلِيلًا ۙ أُو۟لَٰٓئِكَ مَا يَأْكُلُونَ
فِى بُطُونِهِمْ إِلَّا ٱلنَّارَ وَلَا يُكَلِّمُهُمُ ٱللَّهُ يَوْمَ ٱلْقِيَٰمَةِ
وَلَا يُزَكِّيهِمْ وَلَهُمْ عَذَابٌ أَلِيمٌ ﴿١٧٤﴾ أُو۟لَٰٓئِكَ ٱلَّذِينَ
ٱشْتَرَوُا۟ ٱلضَّلَٰلَةَ بِٱلْهُدَىٰ وَٱلْعَذَابَ بِٱلْمَغْفِرَةِ ۚ فَمَآ
أَصْبَرَهُمْ عَلَى ٱلنَّارِ ﴿١٧٥﴾ ذَٰلِكَ بِأَنَّ ٱللَّهَ نَزَّلَ ٱلْكِتَٰبَ
بِٱلْحَقِّ ۗ وَإِنَّ ٱلَّذِينَ ٱخْتَلَفُوا۟ فِى ٱلْكِتَٰبِ لَفِى شِقَاقٍ بَعِيدٍ ﴿١٧٦﴾

- أَلْفَيْنَا: وَجَدْنَا
- يَنْعِقُ: يُصَوِّتُ وَيَصِيحُ
- بُكْمٌ: خُرْسٌ

تُقرأ عند الوقف: نِدَآءَا

- أُهِلَّ بِهِۦ لِغَيْرِ ٱللَّهِ: ذُكِرَ عند ذبحه غيرُ اسمه تعالى
- غَيْرَ بَاغٍ: غَيْرَ طَالِبٍ للمُحَرَّمِ لِلَذَّةٍ أو استئثار
- وَلَا عَادٍ: ولا مُتجاوِزٍ ما يَسُدُّ الرَّمَقَ
- لَا يُزَكِّيهِمْ: لا يُطَهِّرُهُمْ من دنَسِ ذنوبهم
- شِقَاقٍ: خِلافٍ ومنازعةٍ

| | | |
|---|---|---|
| مدّ ٦ حركات لزوماً — مدّ ٢ أو ٤ أو ٦ جوازاً | إخفاء، ومواقع الغُنّة (حركتان) | تفخيم |
| مدّ واجب ٤ أو ٥ حركات — مدّ حركتان | إدغام، وما لا يُلفظ | قلقلة |

نصف الحزب ٣

۞ لَّيۡسَ ٱلۡبِرَّ أَن تُوَلُّواْ وُجُوهَكُمۡ قِبَلَ ٱلۡمَشۡرِقِ وَٱلۡمَغۡرِبِ وَلَٰكِنَّ
ٱلۡبِرَّ مَنۡ ءَامَنَ بِٱللَّهِ وَٱلۡيَوۡمِ ٱلۡأٓخِرِ وَٱلۡمَلَٰٓئِكَةِ وَٱلۡكِتَٰبِ
وَٱلنَّبِيِّـۧنَ وَءَاتَى ٱلۡمَالَ عَلَىٰ حُبِّهِۦ ذَوِي ٱلۡقُرۡبَىٰ وَٱلۡيَتَٰمَىٰ
وَٱلۡمَسَٰكِينَ وَٱبۡنَ ٱلسَّبِيلِ وَٱلسَّآئِلِينَ وَفِي ٱلرِّقَابِ وَأَقَامَ
ٱلصَّلَوٰةَ وَءَاتَى ٱلزَّكَوٰةَ وَٱلۡمُوفُونَ بِعَهۡدِهِمۡ إِذَا عَٰهَدُواْۖ
وَٱلصَّٰبِرِينَ فِي ٱلۡبَأۡسَآءِ وَٱلضَّرَّآءِ وَحِينَ ٱلۡبَأۡسِۗ أُوْلَٰٓئِكَ ٱلَّذِينَ
صَدَقُواْۖ وَأُوْلَٰٓئِكَ هُمُ ٱلۡمُتَّقُونَ ﴿١٧٧﴾ يَٰٓأَيُّهَا ٱلَّذِينَ ءَامَنُواْ كُتِبَ
عَلَيۡكُمُ ٱلۡقِصَاصُ فِي ٱلۡقَتۡلَىۖ ٱلۡحُرُّ بِٱلۡحُرِّ وَٱلۡعَبۡدُ بِٱلۡعَبۡدِ وَٱلۡأُنثَىٰ
بِٱلۡأُنثَىٰۚ فَمَنۡ عُفِيَ لَهُۥ مِنۡ أَخِيهِ شَيۡءٞ فَٱتِّبَاعُۢ بِٱلۡمَعۡرُوفِ وَأَدَآءٌ
إِلَيۡهِ بِإِحۡسَٰنٖۗ ذَٰلِكَ تَخۡفِيفٞ مِّن رَّبِّكُمۡ وَرَحۡمَةٞۗ فَمَنِ ٱعۡتَدَىٰ
بَعۡدَ ذَٰلِكَ فَلَهُۥ عَذَابٌ أَلِيمٞ ﴿١٧٨﴾ وَلَكُمۡ فِي ٱلۡقِصَاصِ حَيَوٰةٞ
يَٰٓأُوْلِي ٱلۡأَلۡبَٰبِ لَعَلَّكُمۡ تَتَّقُونَ ﴿١٧٩﴾ كُتِبَ عَلَيۡكُمۡ
إِذَا حَضَرَ أَحَدَكُمُ ٱلۡمَوۡتُ إِن تَرَكَ خَيۡرًا ٱلۡوَصِيَّةُ لِلۡوَٰلِدَيۡنِ
وَٱلۡأَقۡرَبِينَ بِٱلۡمَعۡرُوفِۖ حَقًّا عَلَى ٱلۡمُتَّقِينَ ﴿١٨٠﴾ فَمَنۢ بَدَّلَهُۥ
بَعۡدَ مَا سَمِعَهُۥ فَإِنَّمَآ إِثۡمُهُۥ عَلَى ٱلَّذِينَ يُبَدِّلُونَهُۥٓۚ إِنَّ ٱللَّهَ سَمِيعٌ عَلِيمٞ ﴿١٨١﴾

- ٱلۡبِرَّ: هو جميعُ الطاعات وأعمالِ الخير
- فِي ٱلرِّقَابِ: في تحريرِها مِنَ الرِّقِّ. أو الأَسْرِ
- ٱلۡبَأۡسَآءِ: الفقرِ ونحوِه
- ٱلضَّرَّآءِ: السُّقمِ ونحوه
- حِينَ ٱلۡبَأۡسِ: وقتَ مجاهدةِ العدوّ
- عُفِيَ: تُرِكَ
- كُتِبَ: فُرِضَ
- خَيۡرًا: مالاً كثيراً

| | | |
|---|---|---|
| مدّ ٦ حركات لزوماً ● مدّ ٢ أو ٤ أو ٦ جوازاً | إخفاء، ومواقع الغُنَّة (حركتان) | تفخيم |
| مدّ واجب ٤ أو ٥ حركات ● مدّ حركتان | إدغام، وما لا يُلفَظ | قلقلة |

فَمَنْ خَافَ مِن مُّوصٍ جَنَفًا أَوْ إِثْمًا فَأَصْلَحَ بَيْنَهُمْ فَلَآ إِثْمَ
عَلَيْهِ ۚ إِنَّ ٱللَّهَ غَفُورٌ رَّحِيمٌ ﴿١٨٢﴾ يَٰٓأَيُّهَا ٱلَّذِينَ ءَامَنُوا۟ كُتِبَ
عَلَيْكُمُ ٱلصِّيَامُ كَمَا كُتِبَ عَلَى ٱلَّذِينَ مِن قَبْلِكُمْ
لَعَلَّكُمْ تَتَّقُونَ ﴿١٨٣﴾ أَيَّامًا مَّعْدُودَٰتٍ ۚ فَمَن كَانَ مِنكُم
مَّرِيضًا أَوْ عَلَىٰ سَفَرٍ فَعِدَّةٌ مِّنْ أَيَّامٍ أُخَرَ ۚ وَعَلَى ٱلَّذِينَ
يُطِيقُونَهُۥ فِدْيَةٌ طَعَامُ مِسْكِينٍ ۖ فَمَن تَطَوَّعَ خَيْرًا فَهُوَ خَيْرٌ
لَّهُۥ ۚ وَأَن تَصُومُوا۟ خَيْرٌ لَّكُمْ ۖ إِن كُنتُمْ تَعْلَمُونَ ﴿١٨٤﴾ شَهْرُ
رَمَضَانَ ٱلَّذِىٓ أُنزِلَ فِيهِ ٱلْقُرْءَانُ هُدًى لِّلنَّاسِ
وَبَيِّنَٰتٍ مِّنَ ٱلْهُدَىٰ وَٱلْفُرْقَانِ ۚ فَمَن شَهِدَ مِنكُمُ ٱلشَّهْرَ
فَلْيَصُمْهُ ۖ وَمَن كَانَ مَرِيضًا أَوْ عَلَىٰ سَفَرٍ فَعِدَّةٌ مِّنْ
أَيَّامٍ أُخَرَ ۗ يُرِيدُ ٱللَّهُ بِكُمُ ٱلْيُسْرَ وَلَا يُرِيدُ بِكُمُ
ٱلْعُسْرَ وَلِتُكْمِلُوا۟ ٱلْعِدَّةَ وَلِتُكَبِّرُوا۟ ٱللَّهَ عَلَىٰ مَا
هَدَىٰكُمْ وَلَعَلَّكُمْ تَشْكُرُونَ ﴿١٨٥﴾ وَإِذَا سَأَلَكَ
عِبَادِى عَنِّى فَإِنِّى قَرِيبٌ ۖ أُجِيبُ دَعْوَةَ ٱلدَّاعِ إِذَا دَعَانِ ۖ
فَلْيَسْتَجِيبُوا۟ لِى وَلْيُؤْمِنُوا۟ بِى لَعَلَّهُمْ يَرْشُدُونَ ﴿١٨٦﴾

- **جَنَفًا**: مَيْلاً عن الحقّ خطأً وَجَهْلاً
- **إِثْمًا**: ارْتكاباً للظُّلم عَمْداً
- **يُطِيقُونَهُ**: يَسْتَطِيعُونَهُ . والحكمُ مَنْسُوخٌ بالآية التَّالِيَة
- **تَطَوَّعَ خَيْرًا**: زاد في الفِدْيَة

| | | |
|---|---|---|
| مدّ ٦ حركات لزوماً ● مدّ ٢ أو ٤ أو ٦ جوازاً ● | إخفاء ، ومواقع الغُنَّة (حركتان) ● | تفخيم ● |
| مدّ واجب ٤ أو ٥ حركات ● مدّ حركتان ● | إدغام ، وما لا يُلفَظ ● | قلقلة ● |

أُحِلَّ لَكُمْ لَيْلَةَ ٱلصِّيَامِ ٱلرَّفَثُ إِلَىٰ نِسَآئِكُمْ ۚ هُنَّ لِبَاسٌ
لَّكُمْ وَأَنتُمْ لِبَاسٌ لَّهُنَّ ۗ عَلِمَ ٱللَّهُ أَنَّكُمْ كُنتُمْ تَخْتَانُونَ
أَنفُسَكُمْ فَتَابَ عَلَيْكُمْ وَعَفَا عَنكُمْ ۖ فَٱلْـَٔـٰنَ بَـٰشِرُوهُنَّ
وَٱبْتَغُوا۟ مَا كَتَبَ ٱللَّهُ لَكُمْ ۚ وَكُلُوا۟ وَٱشْرَبُوا۟ حَتَّىٰ يَتَبَيَّنَ لَكُمُ
ٱلْخَيْطُ ٱلْأَبْيَضُ مِنَ ٱلْخَيْطِ ٱلْأَسْوَدِ مِنَ ٱلْفَجْرِ ۖ ثُمَّ أَتِمُّوا۟ ٱلصِّيَامَ
إِلَى ٱلَّيْلِ ۚ وَلَا تُبَـٰشِرُوهُنَّ وَأَنتُمْ عَـٰكِفُونَ فِى ٱلْمَسَـٰجِدِ ۗ
تِلْكَ حُدُودُ ٱللَّهِ فَلَا تَقْرَبُوهَا ۗ كَذَٰلِكَ يُبَيِّنُ ٱللَّهُ ءَايَـٰتِهِۦ
لِلنَّاسِ لَعَلَّهُمْ يَتَّقُونَ ﴿١٨٧﴾ وَلَا تَأْكُلُوٓا۟ أَمْوَٰلَكُم بَيْنَكُم
بِٱلْبَـٰطِلِ وَتُدْلُوا۟ بِهَآ إِلَى ٱلْحُكَّامِ لِتَأْكُلُوا۟ فَرِيقًا مِّنْ
أَمْوَٰلِ ٱلنَّاسِ بِٱلْإِثْمِ وَأَنتُمْ تَعْلَمُونَ ﴿١٨٨﴾ ۞ يَسْـَٔلُونَكَ
عَنِ ٱلْأَهِلَّةِ ۖ قُلْ هِىَ مَوَٰقِيتُ لِلنَّاسِ وَٱلْحَجِّ ۗ وَلَيْسَ ٱلْبِرُّ
بِأَن تَأْتُوا۟ ٱلْبُيُوتَ مِن ظُهُورِهَا وَلَـٰكِنَّ ٱلْبِرَّ مَنِ ٱتَّقَىٰ ۗ
وَأْتُوا۟ ٱلْبُيُوتَ مِنْ أَبْوَٰبِهَا ۚ وَٱتَّقُوا۟ ٱللَّهَ لَعَلَّكُمْ
تُفْلِحُونَ ﴿١٨٩﴾ وَقَـٰتِلُوا۟ فِى سَبِيلِ ٱللَّهِ ٱلَّذِينَ يُقَـٰتِلُونَكُمْ
وَلَا تَعْتَدُوٓا۟ ۚ إِنَّ ٱللَّهَ لَا يُحِبُّ ٱلْمُعْتَدِينَ ﴿١٩٠﴾

ٱلرَّفَثُ: الوِقَاع
لِبَاسٌ: سِتْرٌ عن الحرام
حُدُودُ ٱللَّهِ: مَنهيّاتُه . أو أحكامُه المتضمنةُ لها
تُدْلُوا۟ بِهَآ: تُلْقُوا بالخصومةِ فيها

ثلاثة أرباع الحزب ٣

مدّ ٦ حركات لزوماً — مدّ ٢ أو ٤ أو ٦ جوازاً — إخفاء ، ومواقع الغُنّة (حركتان) — تفخيم
مدّ واجب ٤ أو ٥ حركات — مدّ حركتان — إدغام ، وما لا يُلفَظ — قلقلة

وَٱقْتُلُوهُمْ حَيْثُ ثَقِفْتُمُوهُمْ وَأَخْرِجُوهُم مِّنْ حَيْثُ أَخْرَجُوكُمْ ۚ وَٱلْفِتْنَةُ
أَشَدُّ مِنَ ٱلْقَتْلِ ۚ وَلَا تُقَٰتِلُوهُمْ عِندَ ٱلْمَسْجِدِ ٱلْحَرَامِ حَتَّىٰ يُقَٰتِلُوكُمْ
فِيهِ ۖ فَإِن قَٰتَلُوكُمْ فَٱقْتُلُوهُمْ ۗ كَذَٰلِكَ جَزَآءُ ٱلْكَٰفِرِينَ ﴿١٩١﴾ فَإِنِ ٱنتَهَوْا۟
فَإِنَّ ٱللَّهَ غَفُورٌ رَّحِيمٌ ﴿١٩٢﴾ وَقَٰتِلُوهُمْ حَتَّىٰ لَا تَكُونَ فِتْنَةٌ وَيَكُونَ
ٱلدِّينُ لِلَّهِ ۖ فَإِنِ ٱنتَهَوْا۟ فَلَا عُدْوَٰنَ إِلَّا عَلَى ٱلظَّٰلِمِينَ ﴿١٩٣﴾ ٱلشَّهْرُ ٱلْحَرَامُ
بِٱلشَّهْرِ ٱلْحَرَامِ وَٱلْحُرُمَٰتُ قِصَاصٌ ۚ فَمَنِ ٱعْتَدَىٰ عَلَيْكُمْ فَٱعْتَدُوا۟
عَلَيْهِ بِمِثْلِ مَا ٱعْتَدَىٰ عَلَيْكُمْ ۚ وَٱتَّقُوا۟ ٱللَّهَ وَٱعْلَمُوٓا۟ أَنَّ ٱللَّهَ مَعَ
ٱلْمُتَّقِينَ ﴿١٩٤﴾ وَأَنفِقُوا۟ فِى سَبِيلِ ٱللَّهِ وَلَا تُلْقُوا۟ بِأَيْدِيكُمْ إِلَى ٱلتَّهْلُكَةِ ۛ
وَأَحْسِنُوٓا۟ ۛ إِنَّ ٱللَّهَ يُحِبُّ ٱلْمُحْسِنِينَ ﴿١٩٥﴾ وَأَتِمُّوا۟ ٱلْحَجَّ وَٱلْعُمْرَةَ لِلَّهِ ۚ
فَإِنْ أُحْصِرْتُمْ فَمَا ٱسْتَيْسَرَ مِنَ ٱلْهَدْىِ ۖ وَلَا تَحْلِقُوا۟ رُءُوسَكُمْ حَتَّىٰ يَبْلُغَ
ٱلْهَدْىُ مَحِلَّهُۥ ۚ فَمَن كَانَ مِنكُم مَّرِيضًا أَوْ بِهِۦٓ أَذًى مِّن رَّأْسِهِۦ فَفِدْيَةٌ
مِّن صِيَامٍ أَوْ صَدَقَةٍ أَوْ نُسُكٍ ۚ فَإِذَآ أَمِنتُمْ فَمَن تَمَتَّعَ بِٱلْعُمْرَةِ إِلَى ٱلْحَجِّ
فَمَا ٱسْتَيْسَرَ مِنَ ٱلْهَدْىِ ۚ فَمَن لَّمْ يَجِدْ فَصِيَامُ ثَلَٰثَةِ أَيَّامٍ فِى ٱلْحَجِّ وَسَبْعَةٍ
إِذَا رَجَعْتُمْ ۗ تِلْكَ عَشَرَةٌ كَامِلَةٌ ۗ ذَٰلِكَ لِمَن لَّمْ يَكُنْ أَهْلُهُۥ حَاضِرِى
ٱلْمَسْجِدِ ٱلْحَرَامِ ۚ وَٱتَّقُوا۟ ٱللَّهَ وَٱعْلَمُوٓا۟ أَنَّ ٱللَّهَ شَدِيدُ ٱلْعِقَابِ ﴿١٩٦﴾

- ثَقِفْتُمُوهُمْ: وَجَدْتُمُوهُمْ
- ٱلْفِتْنَةُ: الشِّرْكُ في الحَرَم
- ٱلْمَسْجِدِ ٱلْحَرَامِ: الحَرَم
- ٱلْحُرُمَٰتُ: ما تَجِبُ المحافظةُ عليه
- ٱلتَّهْلُكَةِ: الهَلاكِ بترك الجهاد أو الإنفاق فيه
- أُحْصِرْتُمْ: مُنِعْتُم عَنِ البيت بعد الإحرام
- ٱسْتَيْسَرَ: تَيَسَّرَ وتَسَهَّلَ
- ٱلْهَدْىِ: مَا يُهْدَى إلى البيتِ المعَظم من الأنعام
- مَحِلَّهُۥ: الحَرَم
- نُسُكٍ: ذَبيحَة، وأدناها شاةٌ

| | | | |
|---|---|---|---|
| مدّ ٦ حركات لزوماً | مدّ ٢ أو ٤ أو ٦ جوازاً | إخفاء ، ومواقع الغُنَّة (حركتان) | تفخيم |
| مدّ واجب ٤ أو ٥ حركات | مدّ حركتان | إدغام ، وما لا يُلفظ | قلقلة |

ٱلْحَجُّ أَشْهُرٌ مَّعْلُومَٰتٌ ۚ فَمَن فَرَضَ فِيهِنَّ ٱلْحَجَّ فَلَا رَفَثَ
وَلَا فُسُوقَ وَلَا جِدَالَ فِى ٱلْحَجِّ ۗ وَمَا تَفْعَلُوا۟ مِنْ خَيْرٍ
يَعْلَمْهُ ٱللَّهُ ۗ وَتَزَوَّدُوا۟ فَإِنَّ خَيْرَ ٱلزَّادِ ٱلتَّقْوَىٰ ۚ وَٱتَّقُونِ
يَٰٓأُو۟لِى ٱلْأَلْبَٰبِ ﴿١٩٧﴾ لَيْسَ عَلَيْكُمْ جُنَاحٌ أَن
تَبْتَغُوا۟ فَضْلًا مِّن رَّبِّكُمْ ۚ فَإِذَآ أَفَضْتُم مِّنْ
عَرَفَٰتٍ فَٱذْكُرُوا۟ ٱللَّهَ عِندَ ٱلْمَشْعَرِ ٱلْحَرَامِ ۖ
وَٱذْكُرُوهُ كَمَا هَدَىٰكُمْ وَإِن كُنتُم مِّن قَبْلِهِۦ
لَمِنَ ٱلضَّآلِّينَ ﴿١٩٨﴾ ثُمَّ أَفِيضُوا۟ مِنْ حَيْثُ أَفَاضَ
ٱلنَّاسُ وَٱسْتَغْفِرُوا۟ ٱللَّهَ ۚ إِنَّ ٱللَّهَ غَفُورٌ رَّحِيمٌ ﴿١٩٩﴾
فَإِذَا قَضَيْتُم مَّنَٰسِكَكُمْ فَٱذْكُرُوا۟ ٱللَّهَ كَذِكْرِكُمْ
ءَابَآءَكُمْ أَوْ أَشَدَّ ذِكْرًا ۗ فَمِنَ ٱلنَّاسِ مَن
يَقُولُ رَبَّنَآ ءَاتِنَا فِى ٱلدُّنْيَا وَمَا لَهُۥ فِى ٱلْءَاخِرَةِ مِنْ
خَلَٰقٍ ﴿٢٠٠﴾ وَمِنْهُم مَّن يَقُولُ رَبَّنَآ ءَاتِنَا فِى ٱلدُّنْيَا
حَسَنَةً وَفِى ٱلْءَاخِرَةِ حَسَنَةً وَقِنَا عَذَابَ ٱلنَّارِ ﴿٢٠١﴾
أُو۟لَٰٓئِكَ لَهُمْ نَصِيبٌ مِّمَّا كَسَبُوا۟ ۚ وَٱللَّهُ سَرِيعُ ٱلْحِسَابِ ﴿٢٠٢﴾

- **فَلَا رَفَثَ**: فلا وِقاعَ . أو فلا فُحْشَ من القول
- **لَا جِدَالَ**: لا خِصام مع الناس
- **جُنَاحٌ**: إثْمٌ وحَرَجٌ
- **أَفَضْتُم**: دفعتُم أنفسَكم وسِرْتم
- **ٱلْمَشْعَرِ ٱلْحَرَامِ**: مُزْدَلِفَة
- **مَّنَٰسِكَكُمْ**: عباداتِكُم الحجّيّة
- **خَلَٰقٍ**: نَصيبٍ من الخَيْر

الحزب ٤

۞ وَٱذْكُرُوا۟ ٱللَّهَ فِىٓ أَيَّامٍ مَّعْدُودَٰتٍ ۚ فَمَن تَعَجَّلَ فِى
يَوْمَيْنِ فَلَآ إِثْمَ عَلَيْهِ وَمَن تَأَخَّرَ فَلَآ إِثْمَ عَلَيْهِ ۚ لِمَنِ ٱتَّقَىٰ ۗ
وَٱتَّقُوا۟ ٱللَّهَ وَٱعْلَمُوٓا۟ أَنَّكُمْ إِلَيْهِ تُحْشَرُونَ ﴿٢٠٣﴾ وَمِنَ
ٱلنَّاسِ مَن يُعْجِبُكَ قَوْلُهُۥ فِى ٱلْحَيَوٰةِ ٱلدُّنْيَا وَيُشْهِدُ ٱللَّهَ
عَلَىٰ مَا فِى قَلْبِهِۦ وَهُوَ أَلَدُّ ٱلْخِصَامِ ﴿٢٠٤﴾ وَإِذَا تَوَلَّىٰ سَعَىٰ
فِى ٱلْأَرْضِ لِيُفْسِدَ فِيهَا وَيُهْلِكَ ٱلْحَرْثَ وَٱلنَّسْلَ ۗ وَٱللَّهُ
لَا يُحِبُّ ٱلْفَسَادَ ﴿٢٠٥﴾ وَإِذَا قِيلَ لَهُ ٱتَّقِ ٱللَّهَ أَخَذَتْهُ ٱلْعِزَّةُ
بِٱلْإِثْمِ ۚ فَحَسْبُهُۥ جَهَنَّمُ ۚ وَلَبِئْسَ ٱلْمِهَادُ ﴿٢٠٦﴾ وَمِنَ
ٱلنَّاسِ مَن يَشْرِى نَفْسَهُ ٱبْتِغَآءَ مَرْضَاتِ ٱللَّهِ ۗ وَٱللَّهُ
رَءُوفٌۢ بِٱلْعِبَادِ ﴿٢٠٧﴾ يَٰٓأَيُّهَا ٱلَّذِينَ ءَامَنُوا۟ ٱدْخُلُوا۟
فِى ٱلسِّلْمِ كَآفَّةً وَلَا تَتَّبِعُوا۟ خُطُوَٰتِ ٱلشَّيْطَٰنِ ۚ
إِنَّهُۥ لَكُمْ عَدُوٌّ مُّبِينٌ ﴿٢٠٨﴾ فَإِن زَلَلْتُم مِّنۢ بَعْدِ
مَا جَآءَتْكُمُ ٱلْبَيِّنَٰتُ فَٱعْلَمُوٓا۟ أَنَّ ٱللَّهَ عَزِيزٌ حَكِيمٌ
﴿٢٠٩﴾ هَلْ يَنظُرُونَ إِلَّآ أَن يَأْتِيَهُمُ ٱللَّهُ فِى ظُلَلٍ مِّنَ ٱلْغَمَامِ
وَٱلْمَلَٰٓئِكَةُ وَقُضِىَ ٱلْأَمْرُ ۚ وَإِلَى ٱللَّهِ تُرْجَعُ ٱلْأُمُورُ ﴿٢١٠﴾

- أَلَدُّ ٱلْخِصَامِ: شَدِيدُ المُخَاصَمَةِ في البَاطِلِ
- ٱلْحَرْثَ: الزَّرْعَ
- ٱلْعِزَّةُ: الأَنَفَةُ والحَمِيَّةُ
- فَحَسْبُهُۥ: كَافِيهِ جَزَاءً
- ٱلْمِهَادُ: الفِرَاشُ؛ أي المُسْتَقَرُّ
- يَشْرِى: يَبِيعُ
- ٱلسِّلْمِ: شَرَائِعِ الإِسْلامِ وتَكَالِيفِهِ
- خُطُوَٰتِ ٱلشَّيْطَٰنِ: طُرُقَهُ وآثَارَهُ
- ظُلَلٍ: ما يُسْتَظَلُّ بِهِ
- ٱلْغَمَامِ: السَّحَابِ الأَبْيَضِ الرَّقِيقِ

| | | |
|---|---|---|
| مدّ ٦ حركات لزوماً · مدّ ٢ أو ٤ أو ٦ جوازاً | إخفاء، ومواقع الغُنَّة (حركتان) | تفخيم |
| مدّ واجب ٤ أو ٥ حركات · مدّ حركتان | إدغام، وما لا يُلفَظ | قلقلة |

سَلْ بَنِىٓ إِسْرَٰٓءِيلَ كَمْ ءَاتَيْنَٰهُم مِّنْ ءَايَةٍۭ بَيِّنَةٍۗ وَمَن يُبَدِّلْ نِعْمَةَ
ٱللَّهِ مِنۢ بَعْدِ مَا جَآءَتْهُ فَإِنَّ ٱللَّهَ شَدِيدُ ٱلْعِقَابِ ﴿٢١١﴾ زُيِّنَ لِلَّذِينَ
كَفَرُوا۟ ٱلْحَيَوٰةُ ٱلدُّنْيَا وَيَسْخَرُونَ مِنَ ٱلَّذِينَ ءَامَنُوا۟ ۘ وَٱلَّذِينَ
ٱتَّقَوْا۟ فَوْقَهُمْ يَوْمَ ٱلْقِيَٰمَةِۗ وَٱللَّهُ يَرْزُقُ مَن يَشَآءُ بِغَيْرِ حِسَابٍ
﴿٢١٢﴾ كَانَ ٱلنَّاسُ أُمَّةً وَٰحِدَةً فَبَعَثَ ٱللَّهُ ٱلنَّبِيِّـۧنَ مُبَشِّرِينَ
وَمُنذِرِينَ وَأَنزَلَ مَعَهُمُ ٱلْكِتَٰبَ بِٱلْحَقِّ لِيَحْكُمَ بَيْنَ ٱلنَّاسِ
فِيمَا ٱخْتَلَفُوا۟ فِيهِ ۚ وَمَا ٱخْتَلَفَ فِيهِ إِلَّا ٱلَّذِينَ أُوتُوهُ مِنۢ بَعْدِ
مَا جَآءَتْهُمُ ٱلْبَيِّنَٰتُ بَغْيًۢا بَيْنَهُمْ ۖ فَهَدَى ٱللَّهُ ٱلَّذِينَ ءَامَنُوا۟
لِمَا ٱخْتَلَفُوا۟ فِيهِ مِنَ ٱلْحَقِّ بِإِذْنِهِۦ ۗ وَٱللَّهُ يَهْدِى مَن يَشَآءُ إِلَىٰ
صِرَٰطٍ مُّسْتَقِيمٍ ﴿٢١٣﴾ أَمْ حَسِبْتُمْ أَن تَدْخُلُوا۟ ٱلْجَنَّةَ وَلَمَّا
يَأْتِكُم مَّثَلُ ٱلَّذِينَ خَلَوْا۟ مِن قَبْلِكُم ۖ مَّسَّتْهُمُ ٱلْبَأْسَآءُ وَٱلضَّرَّآءُ
وَزُلْزِلُوا۟ حَتَّىٰ يَقُولَ ٱلرَّسُولُ وَٱلَّذِينَ ءَامَنُوا۟ مَعَهُۥ مَتَىٰ نَصْرُ ٱللَّهِ ۗ
أَلَآ إِنَّ نَصْرَ ٱللَّهِ قَرِيبٌ ﴿٢١٤﴾ يَسْـَٔلُونَكَ مَاذَا يُنفِقُونَ ۖ قُلْ
مَآ أَنفَقْتُم مِّنْ خَيْرٍ فَلِلْوَٰلِدَيْنِ وَٱلْأَقْرَبِينَ وَٱلْيَتَٰمَىٰ وَٱلْمَسَٰكِينِ
وَٱبْنِ ٱلسَّبِيلِ ۗ وَمَا تَفْعَلُوا۟ مِنْ خَيْرٍ فَإِنَّ ٱللَّهَ بِهِۦ عَلِيمٌ ﴿٢١٥﴾

- بِغَيْرِ حِسَابٍ: بلا عدٍّ لما يُعطي
- بَغْيًا: حسداً أو ظلماً
- مَثَلُ: حالُ
- خَلَوْا: مضَوْا
- ٱلْبَأْسَآءُ وَٱلضَّرَّآءُ: الفقرُ، والسُّقمُ، ونحوهما
- زُلْزِلُوا: أُزعِجوا إزعاجاً شديداً

| | | |
|---|---|---|
| مدّ ٦ حركات لزوماً ● مدّ ٢ أو ٤ أو ٦ جوازاً ● | إخفاء، ومواقع الغُنّة (حركتان) ● | تفخيم ● |
| مدّ واجب ٤ أو ٥ حركات ● مدّ حركتان ● | إدغام، وما لا يُلفظ ● | قلقلة ● |

كُتِبَ عَلَيۡكُمُ ٱلۡقِتَالُ وَهُوَ كُرۡهٞ لَّكُمۡۖ وَعَسَىٰٓ أَن تَكۡرَهُواْ
شَيۡـٔٗا وَهُوَ خَيۡرٞ لَّكُمۡۖ وَعَسَىٰٓ أَن تُحِبُّواْ شَيۡـٔٗا وَهُوَ شَرّٞ لَّكُمۡۚ
وَٱللَّهُ يَعۡلَمُ وَأَنتُمۡ لَا تَعۡلَمُونَ ﴿٢١٦﴾ يَسۡـَٔلُونَكَ عَنِ ٱلشَّهۡرِ
ٱلۡحَرَامِ قِتَالٖ فِيهِۖ قُلۡ قِتَالٞ فِيهِ كَبِيرٞۚ وَصَدٌّ عَن سَبِيلِ ٱللَّهِ
وَكُفۡرُۢ بِهِۦ وَٱلۡمَسۡجِدِ ٱلۡحَرَامِ وَإِخۡرَاجُ أَهۡلِهِۦ مِنۡهُ أَكۡبَرُ
عِندَ ٱللَّهِۚ وَٱلۡفِتۡنَةُ أَكۡبَرُ مِنَ ٱلۡقَتۡلِۗ وَلَا يَزَالُونَ يُقَٰتِلُونَكُمۡ
حَتَّىٰ يَرُدُّوكُمۡ عَن دِينِكُمۡ إِنِ ٱسۡتَطَٰعُواْۚ وَمَن يَرۡتَدِدۡ
مِنكُمۡ عَن دِينِهِۦ فَيَمُتۡ وَهُوَ كَافِرٞ فَأُوْلَٰٓئِكَ حَبِطَتۡ
أَعۡمَٰلُهُمۡ فِي ٱلدُّنۡيَا وَٱلۡأٓخِرَةِۖ وَأُوْلَٰٓئِكَ أَصۡحَٰبُ ٱلنَّارِۖ
هُمۡ فِيهَا خَٰلِدُونَ ﴿٢١٧﴾ إِنَّ ٱلَّذِينَ ءَامَنُواْ وَٱلَّذِينَ
هَاجَرُواْ وَجَٰهَدُواْ فِي سَبِيلِ ٱللَّهِ أُوْلَٰٓئِكَ يَرۡجُونَ رَحۡمَتَ
ٱللَّهِۚ وَٱللَّهُ غَفُورٞ رَّحِيمٞ ﴿٢١٨﴾ ۞ يَسۡـَٔلُونَكَ عَنِ ٱلۡخَمۡرِ
وَٱلۡمَيۡسِرِۖ قُلۡ فِيهِمَآ إِثۡمٞ كَبِيرٞ وَمَنَٰفِعُ لِلنَّاسِ وَإِثۡمُهُمَآ
أَكۡبَرُ مِن نَّفۡعِهِمَاۗ وَيَسۡـَٔلُونَكَ مَاذَا يُنفِقُونَ قُلِ ٱلۡعَفۡوَۗ
كَذَٰلِكَ يُبَيِّنُ ٱللَّهُ لَكُمُ ٱلۡأٓيَٰتِ لَعَلَّكُمۡ تَتَفَكَّرُونَ ﴿٢١٩﴾

- كُرۡهٞ: مكروهٌ
- ٱلۡمَسۡجِدِ ٱلۡحَرَامِ: الحَرَم
- ٱلۡفِتۡنَةُ: الشِّرْكُ
- حَبِطَتۡ: بَطَلَتْ

ربع الحزب ٤

- ٱلۡمَيۡسِرِ: القِمارِ
- ٱلۡعَفۡوَ: ما فَضَلَ عن الحاجَةِ

| | | |
|---|---|---|
| مدّ ٦ حركات لزوماً — مدّ ٢ أو ٤ أو ٦ جوازاً | إخفاء، ومواقع الغُنَّة (حركتان) | تفخيم |
| مدّ واجب ٤ أو ٥ حركات — مدّ حركتان | إدغام، وما لا يُلفَظ | قلقلة |

فِي ٱلدُّنۡيَا وَٱلۡأٓخِرَةِۗ وَيَسۡـَٔلُونَكَ عَنِ ٱلۡيَتَٰمَىٰۖ قُلۡ إِصۡلَاحٞ لَّهُمۡ
خَيۡرٞۖ وَإِن تُخَالِطُوهُمۡ فَإِخۡوَٰنُكُمۡۚ وَٱللَّهُ يَعۡلَمُ ٱلۡمُفۡسِدَ مِنَ
ٱلۡمُصۡلِحِۚ وَلَوۡ شَآءَ ٱللَّهُ لَأَعۡنَتَكُمۡۚ إِنَّ ٱللَّهَ عَزِيزٌ حَكِيمٞ ﴿٢٢٠﴾
وَلَا تَنكِحُواْ ٱلۡمُشۡرِكَٰتِ حَتَّىٰ يُؤۡمِنَّۚ وَلَأَمَةٞ مُّؤۡمِنَةٌ خَيۡرٞ
مِّن مُّشۡرِكَةٖ وَلَوۡ أَعۡجَبَتۡكُمۡۗ وَلَا تُنكِحُواْ ٱلۡمُشۡرِكِينَ حَتَّىٰ
يُؤۡمِنُواْۚ وَلَعَبۡدٞ مُّؤۡمِنٌ خَيۡرٞ مِّن مُّشۡرِكٖ وَلَوۡ أَعۡجَبَكُمۡۗ أُوْلَٰٓئِكَ
يَدۡعُونَ إِلَى ٱلنَّارِۖ وَٱللَّهُ يَدۡعُوٓاْ إِلَى ٱلۡجَنَّةِ وَٱلۡمَغۡفِرَةِ بِإِذۡنِهِۦۖ
وَيُبَيِّنُ ءَايَٰتِهِۦ لِلنَّاسِ لَعَلَّهُمۡ يَتَذَكَّرُونَ ﴿٢٢١﴾ وَيَسۡـَٔلُونَكَ
عَنِ ٱلۡمَحِيضِۖ قُلۡ هُوَ أَذٗى فَٱعۡتَزِلُواْ ٱلنِّسَآءَ فِي ٱلۡمَحِيضِ
وَلَا تَقۡرَبُوهُنَّ حَتَّىٰ يَطۡهُرۡنَۖ فَإِذَا تَطَهَّرۡنَ فَأۡتُوهُنَّ مِنۡ حَيۡثُ
أَمَرَكُمُ ٱللَّهُۚ إِنَّ ٱللَّهَ يُحِبُّ ٱلتَّوَّٰبِينَ وَيُحِبُّ ٱلۡمُتَطَهِّرِينَ ﴿٢٢٢﴾
نِسَآؤُكُمۡ حَرۡثٞ لَّكُمۡ فَأۡتُواْ حَرۡثَكُمۡ أَنَّىٰ شِئۡتُمۡۖ وَقَدِّمُواْ لِأَنفُسِكُمۡۚ
وَٱتَّقُواْ ٱللَّهَ وَٱعۡلَمُوٓاْ أَنَّكُم مُّلَٰقُوهُۗ وَبَشِّرِ ٱلۡمُؤۡمِنِينَ
﴿٢٢٣﴾ وَلَا تَجۡعَلُواْ ٱللَّهَ عُرۡضَةٗ لِّأَيۡمَٰنِكُمۡ أَن تَبَرُّواْ
وَتَتَّقُواْ وَتُصۡلِحُواْ بَيۡنَ ٱلنَّاسِۗ وَٱللَّهُ سَمِيعٌ عَلِيمٞ ﴿٢٢٤﴾

- لَأَعۡنَتَكُمۡ: لكلّفكم ما يَشُقُّ عليكم
- أَذٗى: قذرٌ أو ضررٌ
- حَرۡثٞ لَّكُمۡ: مَنبتٌ للوَلدِ
- أَنَّىٰ شِئۡتُمۡ: كيفَ شئتُم ما دام في القُبُلِ
- عُرۡضَةٗ لِّأَيۡمَٰنِكُمۡ: مانِعاً لأجل حَلفكم بِهِ عن البِرّ

| | | |
|---|---|---|
| مدّ ٦ حركات لزوماً | مدّ ٢ أو ٤ أو ٦ جوازاً | إخفاء ، ومواقع الغُنّة (حركتان) | تفخيم |
| مدّ واجب ٤ أو ٥ حركات | مدّ حركتان | إدغام ، وما لا يُلفَظ | قلقلة |

لَّا يُؤَاخِذُكُمُ ٱللَّهُ بِٱللَّغْوِ فِىٓ أَيْمَٰنِكُمْ وَلَٰكِن يُؤَاخِذُكُم بِمَا كَسَبَتْ
قُلُوبُكُمْ ۗ وَٱللَّهُ غَفُورٌ حَلِيمٌ ﴿٢٢٥﴾ لِّلَّذِينَ يُؤْلُونَ مِن نِّسَآئِهِمْ تَرَبُّصُ
أَرْبَعَةِ أَشْهُرٍ ۖ فَإِن فَآءُو فَإِنَّ ٱللَّهَ غَفُورٌ رَّحِيمٌ ﴿٢٢٦﴾ وَإِنْ عَزَمُوا۟
ٱلطَّلَٰقَ فَإِنَّ ٱللَّهَ سَمِيعٌ عَلِيمٌ ﴿٢٢٧﴾ وَٱلْمُطَلَّقَٰتُ يَتَرَبَّصْنَ
بِأَنفُسِهِنَّ ثَلَٰثَةَ قُرُوٓءٍ ۚ وَلَا يَحِلُّ لَهُنَّ أَن يَكْتُمْنَ مَا خَلَقَ ٱللَّهُ فِىٓ
أَرْحَامِهِنَّ إِن كُنَّ يُؤْمِنَّ بِٱللَّهِ وَٱلْيَوْمِ ٱلْءَاخِرِ ۚ وَبُعُولَتُهُنَّ أَحَقُّ بِرَدِّهِنَّ
فِى ذَٰلِكَ إِنْ أَرَادُوٓا۟ إِصْلَٰحًا ۚ وَلَهُنَّ مِثْلُ ٱلَّذِى عَلَيْهِنَّ بِٱلْمَعْرُوفِ ۚ
وَلِلرِّجَالِ عَلَيْهِنَّ دَرَجَةٌ ۗ وَٱللَّهُ عَزِيزٌ حَكِيمٌ ﴿٢٢٨﴾ ٱلطَّلَٰقُ مَرَّتَانِ ۖ
فَإِمْسَاكٌۢ بِمَعْرُوفٍ أَوْ تَسْرِيحٌۢ بِإِحْسَٰنٍ ۗ وَلَا يَحِلُّ لَكُمْ أَن
تَأْخُذُوا۟ مِمَّآ ءَاتَيْتُمُوهُنَّ شَيْـًٔا إِلَّآ أَن يَخَافَآ أَلَّا يُقِيمَا حُدُودَ
ٱللَّهِ ۖ فَإِنْ خِفْتُمْ أَلَّا يُقِيمَا حُدُودَ ٱللَّهِ فَلَا جُنَاحَ عَلَيْهِمَا فِيمَا ٱفْتَدَتْ
بِهِۦ ۗ تِلْكَ حُدُودُ ٱللَّهِ فَلَا تَعْتَدُوهَا ۚ وَمَن يَتَعَدَّ حُدُودَ ٱللَّهِ فَأُو۟لَٰٓئِكَ
هُمُ ٱلظَّٰلِمُونَ ﴿٢٢٩﴾ فَإِن طَلَّقَهَا فَلَا تَحِلُّ لَهُۥ مِنۢ بَعْدُ حَتَّىٰ تَنكِحَ
زَوْجًا غَيْرَهُۥ ۗ فَإِن طَلَّقَهَا فَلَا جُنَاحَ عَلَيْهِمَآ أَن يَتَرَاجَعَآ إِن ظَنَّآ أَن
يُقِيمَا حُدُودَ ٱللَّهِ ۗ وَتِلْكَ حُدُودُ ٱللَّهِ يُبَيِّنُهَا لِقَوْمٍ يَعْلَمُونَ ﴿٢٣٠﴾

- **يُؤْلُونَ**: يحلِفون على ترك مُباشرة زوجاتهم
- **تَرَبُّص**: انتظارُ
- **فَآءُو**: رَجعوا في المدة عمَّا حلفُوا عليه
- **قُرُوءٍ**: حِيَض. وقيل أطْهارٌ
- **بُعُولَتُهُنَّ**: أزْوَاجُهُنَّ
- **دَرَجَةٌ**: منْزِلةٌ وفضيلةٌ
- **تَسْرِيحٌ**: طلاقٌ
- **حُدُودُ اللَّهِ**: أحكامُه

| | | |
|---|---|---|
| مدّ ٦ حركات لزوماً — مدّ ٢ أو ٤ أو ٦ جوازاً | إخفاء ، ومواقع الغُنَّة (حركتان) | تفخيم |
| مدّ واجب ٤ أو ٥ حركات — مدّ حركتان | إدغام ، وما لا يُلفَظ | قلقلة |

وَإِذَا طَلَّقْتُمُ ٱلنِّسَآءَ فَبَلَغْنَ أَجَلَهُنَّ فَأَمْسِكُوهُنَّ بِمَعْرُوفٍ أَوْ
سَرِّحُوهُنَّ بِمَعْرُوفٍ ۚ وَلَا تُمْسِكُوهُنَّ ضِرَارًا لِّتَعْتَدُوا۟ ۚ وَمَن يَفْعَلْ
ذَٰلِكَ فَقَدْ ظَلَمَ نَفْسَهُۥ ۚ وَلَا تَتَّخِذُوٓا۟ ءَايَٰتِ ٱللَّهِ هُزُوًا ۚ وَٱذْكُرُوا۟
نِعْمَتَ ٱللَّهِ عَلَيْكُمْ وَمَآ أَنزَلَ عَلَيْكُم مِّنَ ٱلْكِتَٰبِ وَٱلْحِكْمَةِ
يَعِظُكُم بِهِۦ ۚ وَٱتَّقُوا۟ ٱللَّهَ وَٱعْلَمُوٓا۟ أَنَّ ٱللَّهَ بِكُلِّ شَىْءٍ عَلِيمٌ ﴿٢٣١﴾
وَإِذَا طَلَّقْتُمُ ٱلنِّسَآءَ فَبَلَغْنَ أَجَلَهُنَّ فَلَا تَعْضُلُوهُنَّ أَن يَنكِحْنَ
أَزْوَٰجَهُنَّ إِذَا تَرَٰضَوْا۟ بَيْنَهُم بِٱلْمَعْرُوفِ ۗ ذَٰلِكَ يُوعَظُ بِهِۦ مَن كَانَ
مِنكُمْ يُؤْمِنُ بِٱللَّهِ وَٱلْيَوْمِ ٱلْءَاخِرِ ۗ ذَٰلِكُمْ أَزْكَىٰ لَكُمْ وَأَطْهَرُ ۗ وَٱللَّهُ
يَعْلَمُ وَأَنتُمْ لَا تَعْلَمُونَ ﴿٢٣٢﴾ ۞ وَٱلْوَٰلِدَٰتُ يُرْضِعْنَ أَوْلَٰدَهُنَّ
حَوْلَيْنِ كَامِلَيْنِ ۖ لِمَنْ أَرَادَ أَن يُتِمَّ ٱلرَّضَاعَةَ ۚ وَعَلَى ٱلْمَوْلُودِ لَهُۥ رِزْقُهُنَّ
وَكِسْوَتُهُنَّ بِٱلْمَعْرُوفِ ۚ لَا تُكَلَّفُ نَفْسٌ إِلَّا وُسْعَهَا ۚ لَا تُضَآرَّ
وَٰلِدَةٌۢ بِوَلَدِهَا وَلَا مَوْلُودٌ لَّهُۥ بِوَلَدِهِۦ ۚ وَعَلَى ٱلْوَارِثِ مِثْلُ ذَٰلِكَ ۗ
فَإِنْ أَرَادَا فِصَالًا عَن تَرَاضٍ مِّنْهُمَا وَتَشَاوُرٍ فَلَا جُنَاحَ عَلَيْهِمَا ۗ وَإِنْ
أَرَدتُّمْ أَن تَسْتَرْضِعُوٓا۟ أَوْلَٰدَكُمْ فَلَا جُنَاحَ عَلَيْكُمْ إِذَا سَلَّمْتُم مَّآ
ءَاتَيْتُم بِٱلْمَعْرُوفِ ۗ وَٱتَّقُوا۟ ٱللَّهَ وَٱعْلَمُوٓا۟ أَنَّ ٱللَّهَ بِمَا تَعْمَلُونَ بَصِيرٌ ﴿٢٣٣﴾

ضِرَارًا: مُضَارَّةً لَهُنَّ
هُزُوًا: سُخْرِيَّةً بالتَّهاوُنِ بما فيها
فَلَا تَعْضُلُوهُنَّ: فلا تَمْنَعُوهُنَّ
أَزْكَىٰ: أنمى وأنفع
وُسْعَهَا: طاقتها
فِصَالًا: فِطاماً للولد قبل الحولَين

نصف الحزب ٤

| | | |
|---|---|---|
| مدّ ٦ حركات لزوماً — مدّ ٢ أو ٤ أو ٦ جوازاً | إخفاء، ومواقع الغُنَّة (حركتان) | تفخيم |
| مدّ واجب ٤ أو ٥ حركات — مدّ حركتان | إدغام، وما لا يُلفظ | قلقلة |

وَٱلَّذِينَ يُتَوَفَّوْنَ مِنكُمْ وَيَذَرُونَ أَزْوَٰجًا يَتَرَبَّصْنَ بِأَنفُسِهِنَّ
أَرْبَعَةَ أَشْهُرٍ وَعَشْرًا ۖ فَإِذَا بَلَغْنَ أَجَلَهُنَّ فَلَا جُنَاحَ عَلَيْكُمْ
فِيمَا فَعَلْنَ فِىٓ أَنفُسِهِنَّ بِٱلْمَعْرُوفِ ۗ وَٱللَّهُ بِمَا تَعْمَلُونَ خَبِيرٌ
﴿٢٣٤﴾ وَلَا جُنَاحَ عَلَيْكُمْ فِيمَا عَرَّضْتُم بِهِۦ مِنْ خِطْبَةِ ٱلنِّسَآءِ
أَوْ أَكْنَنتُمْ فِىٓ أَنفُسِكُمْ ۚ عَلِمَ ٱللَّهُ أَنَّكُمْ سَتَذْكُرُونَهُنَّ
وَلَٰكِن لَّا تُوَاعِدُوهُنَّ سِرًّا إِلَّآ أَن تَقُولُوا۟ قَوْلًا مَّعْرُوفًا ۚ
وَلَا تَعْزِمُوا۟ عُقْدَةَ ٱلنِّكَاحِ حَتَّىٰ يَبْلُغَ ٱلْكِتَٰبُ أَجَلَهُۥ ۚ
وَٱعْلَمُوٓا۟ أَنَّ ٱللَّهَ يَعْلَمُ مَا فِىٓ أَنفُسِكُمْ فَٱحْذَرُوهُ ۚ وَٱعْلَمُوٓا۟
أَنَّ ٱللَّهَ غَفُورٌ حَلِيمٌ ﴿٢٣٥﴾ لَّا جُنَاحَ عَلَيْكُمْ إِن طَلَّقْتُمُ ٱلنِّسَآءَ
مَا لَمْ تَمَسُّوهُنَّ أَوْ تَفْرِضُوا۟ لَهُنَّ فَرِيضَةً ۚ وَمَتِّعُوهُنَّ عَلَى ٱلْمُوسِعِ
قَدَرُهُۥ وَعَلَى ٱلْمُقْتِرِ قَدَرُهُۥ مَتَٰعًۢا بِٱلْمَعْرُوفِ ۖ حَقًّا عَلَى ٱلْمُحْسِنِينَ
﴿٢٣٦﴾ وَإِن طَلَّقْتُمُوهُنَّ مِن قَبْلِ أَن تَمَسُّوهُنَّ وَقَدْ فَرَضْتُمْ
لَهُنَّ فَرِيضَةً فَنِصْفُ مَا فَرَضْتُمْ إِلَّآ أَن يَعْفُونَ أَوْ يَعْفُوَا۟
ٱلَّذِى بِيَدِهِۦ عُقْدَةُ ٱلنِّكَاحِ ۚ وَأَن تَعْفُوٓا۟ أَقْرَبُ لِلتَّقْوَىٰ ۚ
وَلَا تَنسَوُا۟ ٱلْفَضْلَ بَيْنَكُمْ ۚ إِنَّ ٱللَّهَ بِمَا تَعْمَلُونَ بَصِيرٌ ﴿٢٣٧﴾

- عَرَّضْتُم: لوّحتم وأشرتم
- أَكْنَنتُمْ: أسررتم وأخفيتم
- يَبْلُغَ ٱلْكِتَٰبُ: المفروض من العدّة
- فَرِيضَةً: مهراً
- مَتِّعُوهُنَّ: أعطوهنّ المتعة
- ٱلْمُوسِعِ: الغنيّ
- قَدَرُهُۥ: قدرُ إمكانه وطاقته
- ٱلْمُقْتِرِ: الضيّق الحالِ

| | | |
|---|---|---|
| مدّ ٦ حركات لزوماً ● مدّ ٢ أو ٤ أو ٦ جوازاً | إخفاء ، ومواقع الغنّة (حركتان) | تفخيم |
| مدّ واجب ٤ أو ٥ حركات ● مدّ حركتان | إدغام ، وما لا يُلفظ | قلقلة |

حَٰفِظُواْ عَلَى ٱلصَّلَوَٰتِ وَٱلصَّلَوٰةِ ٱلۡوُسۡطَىٰ وَقُومُواْ لِلَّهِ
قَٰنِتِينَ ﴿٢٣٨﴾ فَإِنۡ خِفۡتُمۡ فَرِجَالًا أَوۡ رُكۡبَانٗاۖ فَإِذَآ أَمِنتُمۡ
فَٱذۡكُرُواْ ٱللَّهَ كَمَا عَلَّمَكُم مَّا لَمۡ تَكُونُواْ تَعۡلَمُونَ
﴿٢٣٩﴾ وَٱلَّذِينَ يُتَوَفَّوۡنَ مِنكُمۡ وَيَذَرُونَ أَزۡوَٰجٗا وَصِيَّةٗ
لِّأَزۡوَٰجِهِم مَّتَٰعًا إِلَى ٱلۡحَوۡلِ غَيۡرَ إِخۡرَاجٖۚ فَإِنۡ خَرَجۡنَ
فَلَا جُنَاحَ عَلَيۡكُمۡ فِي مَا فَعَلۡنَ فِيٓ أَنفُسِهِنَّ مِن
مَّعۡرُوفٖۗ وَٱللَّهُ عَزِيزٌ حَكِيمٞ ﴿٢٤٠﴾ وَلِلۡمُطَلَّقَٰتِ مَتَٰعُۢ
بِٱلۡمَعۡرُوفِۖ حَقًّا عَلَى ٱلۡمُتَّقِينَ ﴿٢٤١﴾ كَذَٰلِكَ يُبَيِّنُ
ٱللَّهُ لَكُمۡ ءَايَٰتِهِۦ لَعَلَّكُمۡ تَعۡقِلُونَ ﴿٢٤٢﴾ ۞ أَلَمۡ تَرَ
إِلَى ٱلَّذِينَ خَرَجُواْ مِن دِيَٰرِهِمۡ وَهُمۡ أُلُوفٌ حَذَرَ ٱلۡمَوۡتِ
فَقَالَ لَهُمُ ٱللَّهُ مُوتُواْ ثُمَّ أَحۡيَٰهُمۡۚ إِنَّ ٱللَّهَ لَذُو فَضۡلٍ عَلَى
ٱلنَّاسِ وَلَٰكِنَّ أَكۡثَرَ ٱلنَّاسِ لَا يَشۡكُرُونَ ﴿٢٤٣﴾
وَقَٰتِلُواْ فِي سَبِيلِ ٱللَّهِ وَٱعۡلَمُوٓاْ أَنَّ ٱللَّهَ سَمِيعٌ عَلِيمٞ ﴿٢٤٤﴾
مَّن ذَا ٱلَّذِي يُقۡرِضُ ٱللَّهَ قَرۡضًا حَسَنٗا فَيُضَٰعِفَهُۥ لَهُۥٓ أَضۡعَافٗا
كَثِيرَةٗۚ وَٱللَّهُ يَقۡبِضُ وَيَبۡصُۜطُ وَإِلَيۡهِ تُرۡجَعُونَ ﴿٢٤٥﴾

- قَٰنِتِينَ: مُطيعينَ خاضِعينَ
- فَرِجَالًا: فَصَلُّوا مُشاةً
- مَتَٰعُۢ: مُتْعةٌ . أو نفقةُ العِدة
- يَقۡبِضُ وَيَبۡصُۜطُ: يُضَيِّقُ ، ويُوَسِّعُ

ثلاثة أرباع الحزب ٤

أَلَمۡ تَرَ إِلَى ٱلۡمَلَإِ مِنۢ بَنِيٓ إِسۡرَٰٓءِيلَ مِنۢ بَعۡدِ مُوسَىٰٓ إِذۡ قَالُواْ
لِنَبِيّٖ لَّهُمُ ٱبۡعَثۡ لَنَا مَلِكٗا نُّقَٰتِلۡ فِي سَبِيلِ ٱللَّهِۖ قَالَ
هَلۡ عَسَيۡتُمۡ إِن كُتِبَ عَلَيۡكُمُ ٱلۡقِتَالُ أَلَّا تُقَٰتِلُواْۖ
قَالُواْ وَمَا لَنَآ أَلَّا نُقَٰتِلَ فِي سَبِيلِ ٱللَّهِ وَقَدۡ أُخۡرِجۡنَا
مِن دِيَٰرِنَا وَأَبۡنَآئِنَاۖ فَلَمَّا كُتِبَ عَلَيۡهِمُ ٱلۡقِتَالُ تَوَلَّوۡاْ
إِلَّا قَلِيلٗا مِّنۡهُمۡۗ وَٱللَّهُ عَلِيمُۢ بِٱلظَّٰلِمِينَ ﴿٢٤٦﴾ وَقَالَ
لَهُمۡ نَبِيُّهُمۡ إِنَّ ٱللَّهَ قَدۡ بَعَثَ لَكُمۡ طَالُوتَ مَلِكٗاۚ
قَالُوٓاْ أَنَّىٰ يَكُونُ لَهُ ٱلۡمُلۡكُ عَلَيۡنَا وَنَحۡنُ أَحَقُّ بِٱلۡمُلۡكِ
مِنۡهُ وَلَمۡ يُؤۡتَ سَعَةٗ مِّنَ ٱلۡمَالِۚ قَالَ إِنَّ ٱللَّهَ ٱصۡطَفَىٰهُ
عَلَيۡكُمۡ وَزَادَهُۥ بَسۡطَةٗ فِي ٱلۡعِلۡمِ وَٱلۡجِسۡمِۖ وَٱللَّهُ
يُؤۡتِي مُلۡكَهُۥ مَن يَشَآءُۚ وَٱللَّهُ وَٰسِعٌ عَلِيمٞ ﴿٢٤٧﴾
وَقَالَ لَهُمۡ نَبِيُّهُمۡ إِنَّ ءَايَةَ مُلۡكِهِۦٓ أَن يَأۡتِيَكُمُ
ٱلتَّابُوتُ فِيهِ سَكِينَةٞ مِّن رَّبِّكُمۡ وَبَقِيَّةٞ مِّمَّا
تَرَكَ ءَالُ مُوسَىٰ وَءَالُ هَٰرُونَ تَحۡمِلُهُ ٱلۡمَلَٰٓئِكَةُۚ
إِنَّ فِي ذَٰلِكَ لَأٓيَةٗ لَّكُمۡ إِن كُنتُم مُّؤۡمِنِينَ ﴿٢٤٨﴾

ٱلۡمَلَإِ: وُجوهِ القَوْمِ وكُبَرائِهم
عَسَيۡتُمۡ: قارَبْتُم
أَنَّىٰ يَكُونُ: كَيْفَ . أو مِنْ أَيْنَ يكون
بَسۡطَةٗ: سَعةً وامتداداً
ٱلتَّابُوتُ: صُنْدوقُ التَّوْراةِ
سَكِينَةٞ: طُمَأنينَةٌ لقُلوبِكُم

مدّ ٦ حركات لزوماً ● مدّ ٢ أو ٤ أو ٦ جوازاً ● مدّ واجب ٤ أو ٥ حركات ● مدّ حركتان
إخفاء ، ومواقع الغنّة (حركتان) ● إدغام ، وما لا يُلفَظ
تفخيم ● قلقلة

فَلَمَّا فَصَلَ طَالُوتُ بِٱلْجُنُودِ قَالَ إِنَّ ٱللَّهَ مُبْتَلِيكُم
بِنَهَرٍ فَمَن شَرِبَ مِنْهُ فَلَيْسَ مِنِّى وَمَن لَّمْ يَطْعَمْهُ فَإِنَّهُۥ
مِنِّىٓ إِلَّا مَنِ ٱغْتَرَفَ غُرْفَةًۢ بِيَدِهِۦ ۚ فَشَرِبُوا۟ مِنْهُ إِلَّا قَلِيلًا
مِّنْهُمْ ۚ فَلَمَّا جَاوَزَهُۥ هُوَ وَٱلَّذِينَ ءَامَنُوا۟ مَعَهُۥ قَالُوا۟
لَا طَاقَةَ لَنَا ٱلْيَوْمَ بِجَالُوتَ وَجُنُودِهِۦ ۚ قَالَ ٱلَّذِينَ
يَظُنُّونَ أَنَّهُم مُّلَـٰقُوا۟ ٱللَّهِ كَم مِّن فِئَةٍ قَلِيلَةٍ
غَلَبَتْ فِئَةً كَثِيرَةًۢ بِإِذْنِ ٱللَّهِ ۗ وَٱللَّهُ مَعَ ٱلصَّـٰبِرِينَ ﴿٢٤٩﴾
وَلَمَّا بَرَزُوا۟ لِجَالُوتَ وَجُنُودِهِۦ قَالُوا۟ رَبَّنَآ أَفْرِغْ
عَلَيْنَا صَبْرًا وَثَبِّتْ أَقْدَامَنَا وَٱنصُرْنَا عَلَى ٱلْقَوْمِ
ٱلْكَـٰفِرِينَ ﴿٢٥٠﴾ فَهَزَمُوهُم بِإِذْنِ ٱللَّهِ وَقَتَلَ
دَاوُۥدُ جَالُوتَ وَءَاتَىٰهُ ٱللَّهُ ٱلْمُلْكَ وَٱلْحِكْمَةَ
وَعَلَّمَهُۥ مِمَّا يَشَآءُ ۗ وَلَوْلَا دَفْعُ ٱللَّهِ ٱلنَّاسَ بَعْضَهُم
بِبَعْضٍ لَّفَسَدَتِ ٱلْأَرْضُ وَلَـٰكِنَّ ٱللَّهَ ذُو
فَضْلٍ عَلَى ٱلْعَـٰلَمِينَ ﴿٢٥١﴾ تِلْكَ ءَايَـٰتُ ٱللَّهِ
نَتْلُوهَا عَلَيْكَ بِٱلْحَقِّ ۚ وَإِنَّكَ لَمِنَ ٱلْمُرْسَلِينَ ﴿٢٥٢﴾

- فَصَلَ: انفصَلَ عن بيتِ المقدسِ
- مُبْتَلِيكُم: مُختبِركم
- ٱغْتَرَفَ: أخذ بيده دون الكَرْع
- لَا طَاقَةَ: لا قُدْرَةَ
- فِئَةٍ: جَمَاعَةٍ
- بَرَزُوا۟: ظَهَرُوا

| | | |
|---|---|---|
| مدّ ٦ حركات لزوماً — مدّ ٢ أو ٤ أو ٦ جوازاً | إخفاء ، ومواقع الغُنّة (حركتان) | تفخيم |
| مدّ واجب ٤ أو ٥ حركات — مدّ حركتان | إدغام ، وما لا يُلفَظ | قلقلة |

۞ تِلْكَ ٱلرُّسُلُ فَضَّلْنَا بَعْضَهُمْ عَلَىٰ بَعْضٍ ۘ مِّنْهُم مَّن كَلَّمَ ٱللَّهُ ۖ
وَرَفَعَ بَعْضَهُمْ دَرَجَٰتٍ ۚ وَءَاتَيْنَا عِيسَى ٱبْنَ مَرْيَمَ ٱلْبَيِّنَٰتِ
وَأَيَّدْنَٰهُ بِرُوحِ ٱلْقُدُسِ ۗ وَلَوْ شَآءَ ٱللَّهُ مَا ٱقْتَتَلَ ٱلَّذِينَ
مِنۢ بَعْدِهِم مِّنۢ بَعْدِ مَا جَآءَتْهُمُ ٱلْبَيِّنَٰتُ وَلَٰكِنِ ٱخْتَلَفُوا۟
فَمِنْهُم مَّنْ ءَامَنَ وَمِنْهُم مَّن كَفَرَ ۚ وَلَوْ شَآءَ ٱللَّهُ مَا ٱقْتَتَلُوا۟
وَلَٰكِنَّ ٱللَّهَ يَفْعَلُ مَا يُرِيدُ ﴿٢٥٣﴾ يَٰٓأَيُّهَا ٱلَّذِينَ ءَامَنُوٓا۟ أَنفِقُوا۟
مِمَّا رَزَقْنَٰكُم مِّن قَبْلِ أَن يَأْتِىَ يَوْمٌ لَّا بَيْعٌ فِيهِ وَلَا خُلَّةٌ وَلَا
شَفَٰعَةٌ ۗ وَٱلْكَٰفِرُونَ هُمُ ٱلظَّٰلِمُونَ ﴿٢٥٤﴾ ٱللَّهُ لَآ إِلَٰهَ إِلَّا هُوَ
ٱلْحَىُّ ٱلْقَيُّومُ ۚ لَا تَأْخُذُهُۥ سِنَةٌ وَلَا نَوْمٌ ۚ لَّهُۥ مَا فِى ٱلسَّمَٰوَٰتِ وَمَا
فِى ٱلْأَرْضِ ۗ مَن ذَا ٱلَّذِى يَشْفَعُ عِندَهُۥٓ إِلَّا بِإِذْنِهِۦ ۚ يَعْلَمُ مَا بَيْنَ
أَيْدِيهِمْ وَمَا خَلْفَهُمْ ۖ وَلَا يُحِيطُونَ بِشَىْءٍ مِّنْ عِلْمِهِۦٓ إِلَّا بِمَا
شَآءَ ۚ وَسِعَ كُرْسِيُّهُ ٱلسَّمَٰوَٰتِ وَٱلْأَرْضَ ۖ وَلَا يَـُٔودُهُۥ حِفْظُهُمَا ۚ
وَهُوَ ٱلْعَلِىُّ ٱلْعَظِيمُ ﴿٢٥٥﴾ لَآ إِكْرَاهَ فِى ٱلدِّينِ ۖ قَد تَّبَيَّنَ ٱلرُّشْدُ
مِنَ ٱلْغَىِّ ۚ فَمَن يَكْفُرْ بِٱلطَّٰغُوتِ وَيُؤْمِنۢ بِٱللَّهِ فَقَدِ
ٱسْتَمْسَكَ بِٱلْعُرْوَةِ ٱلْوُثْقَىٰ لَا ٱنفِصَامَ لَهَا ۗ وَٱللَّهُ سَمِيعٌ عَلِيمٌ ﴿٢٥٦﴾

بِرُوحِ ٱلْقُدُسِ: جبريلَ عليه السلام
خُلَّةٌ: مَوَدَّةٌ وصَداقَةٌ
ٱلْحَىُّ: الدائمُ الحياة
ٱلْقَيُّومُ: الدَّائمُ القيامِ بتَدْبيرِ أمْرِ الخَلْقِ
سِنَةٌ: نُعاسٌ وغَفْوَةٌ
لَا يَـُٔودُهُۥ: لا يُثْقِلُهُ ولا يَشُقُّ عليه
ٱلرُّشْدُ: الهُدَى
ٱلْغَىِّ: الضَّلالِ
بِٱلطَّٰغُوتِ: ما يُطْغي من صَنَمٍ وشيطانٍ ونحوهما
بِٱلْعُرْوَةِ ٱلْوُثْقَىٰ: بالعُقْدَةِ المحْكَمَةِ الوثيقَةِ
لَا ٱنفِصَامَ لَهَا: لا انقطاعَ ولا زوالَ لها

| | | |
|---|---|---|
| مدّ ٦ حركات لزوماً ● مدّ ٢ أو ٤ أو ٦ جوازاً ● | إخفاء ، ومواقع الغنّة (حركتان) ● | تفخيم ● |
| مدّ واجب ٤ أو ٥ حركات ● مدّ حركتان ● | إدغام ، وما لا يُلفَظ ● | قلقلة ● |

ٱللَّهُ وَلِيُّ ٱلَّذِينَ ءَامَنُواْ يُخْرِجُهُم مِّنَ ٱلظُّلُمَٰتِ إِلَى ٱلنُّورِۖ
وَٱلَّذِينَ كَفَرُوٓاْ أَوْلِيَآؤُهُمُ ٱلطَّٰغُوتُ يُخْرِجُونَهُم مِّنَ
ٱلنُّورِ إِلَى ٱلظُّلُمَٰتِۗ أُوْلَٰٓئِكَ أَصْحَٰبُ ٱلنَّارِۖ هُمْ فِيهَا
خَٰلِدُونَ ﴿٢٥٧﴾ أَلَمْ تَرَ إِلَى ٱلَّذِي حَآجَّ إِبْرَٰهِـۧمَ فِي رَبِّهِۦٓ
أَنْ ءَاتَىٰهُ ٱللَّهُ ٱلْمُلْكَ إِذْ قَالَ إِبْرَٰهِـۧمُ رَبِّيَ ٱلَّذِي يُحْيِۦ
وَيُمِيتُ قَالَ أَنَا۠ أُحْيِۦ وَأُمِيتُۖ قَالَ إِبْرَٰهِـۧمُ فَإِنَّ ٱللَّهَ يَأْتِي
بِٱلشَّمْسِ مِنَ ٱلْمَشْرِقِ فَأْتِ بِهَا مِنَ ٱلْمَغْرِبِ فَبُهِتَ ٱلَّذِي
كَفَرَۗ وَٱللَّهُ لَا يَهْدِي ٱلْقَوْمَ ٱلظَّٰلِمِينَ ﴿٢٥٨﴾ أَوْ كَٱلَّذِي مَرَّ
عَلَىٰ قَرْيَةٍ وَهِيَ خَاوِيَةٌ عَلَىٰ عُرُوشِهَا قَالَ أَنَّىٰ يُحْيِۦ هَٰذِهِ ٱللَّهُ
بَعْدَ مَوْتِهَاۖ فَأَمَاتَهُ ٱللَّهُ مِاْئَةَ عَامٍ ثُمَّ بَعَثَهُۥۖ قَالَ كَمْ لَبِثْتَۖ
قَالَ لَبِثْتُ يَوْمًا أَوْ بَعْضَ يَوْمٍۖ قَالَ بَل لَّبِثْتَ مِاْئَةَ عَامٍ
فَٱنظُرْ إِلَىٰ طَعَامِكَ وَشَرَابِكَ لَمْ يَتَسَنَّهْۖ وَٱنظُرْ إِلَىٰ
حِمَارِكَ وَلِنَجْعَلَكَ ءَايَةً لِّلنَّاسِۖ وَٱنظُرْ إِلَى
ٱلْعِظَامِ كَيْفَ نُنشِزُهَا ثُمَّ نَكْسُوهَا لَحْمًاۚ فَلَمَّا
تَبَيَّنَ لَهُۥ قَالَ أَعْلَمُ أَنَّ ٱللَّهَ عَلَىٰ كُلِّ شَيْءٍ قَدِيرٌ ﴿٢٥٩﴾

- **فَبُهِتَ**: غُلِبَ وتحيَّرَ
- **خَاوِيَةٌ عَلَىٰ عُرُوشِهَا**: خَرِبَةٌ. أو خالية من أهلها
- **أَنَّىٰ يُحْيِۦ**: كيف .أو متى يُحْيِي
- **لَمْ يَتَسَنَّهْ**: لَمْ يتغيَّرْ مع مُرُور السِّنين عَلَيْهِ
- **نُنشِزُهَا**: نرْفعُها من الأرض لنؤلِّفها

| | | |
|---|---|---|
| مدّ ٦ حركات لزوماً · مدّ ٢ أو ٤ أو ٦ جوازاً | إخفاء ، ومواقع الغُنَّة (حركتان) | تفخيم |
| مدّ واجب ٤ أو ٥ حركات · مدّ حركتان | إدغام ، وما لا يُلفَظ | قلقلة |

وَإِذۡ قَالَ إِبۡرَٰهِـۧمُ رَبِّ أَرِنِي كَيۡفَ تُحۡيِ ٱلۡمَوۡتَىٰۖ قَالَ أَوَلَمۡ
تُؤۡمِنۖ قَالَ بَلَىٰ وَلَٰكِن لِّيَطۡمَئِنَّ قَلۡبِيۖ قَالَ فَخُذۡ أَرۡبَعَةٗ مِّنَ
ٱلطَّيۡرِ فَصُرۡهُنَّ إِلَيۡكَ ثُمَّ ٱجۡعَلۡ عَلَىٰ كُلِّ جَبَلٖ مِّنۡهُنَّ جُزۡءٗا
ثُمَّ ٱدۡعُهُنَّ يَأۡتِينَكَ سَعۡيٗاۚ وَٱعۡلَمۡ أَنَّ ٱللَّهَ عَزِيزٌ حَكِيمٞ ﴿٢٦٠﴾
مَّثَلُ ٱلَّذِينَ يُنفِقُونَ أَمۡوَٰلَهُمۡ فِي سَبِيلِ ٱللَّهِ كَمَثَلِ حَبَّةٍ
أَنۢبَتَتۡ سَبۡعَ سَنَابِلَ فِي كُلِّ سُنۢبُلَةٖ مِّاْئَةُ حَبَّةٖۗ وَٱللَّهُ يُضَٰعِفُ
لِمَن يَشَآءُۚ وَٱللَّهُ وَٰسِعٌ عَلِيمٌ ﴿٢٦١﴾ ٱلَّذِينَ يُنفِقُونَ أَمۡوَٰلَهُمۡ
فِي سَبِيلِ ٱللَّهِ ثُمَّ لَا يُتۡبِعُونَ مَآ أَنفَقُواْ مَنّٗا وَلَآ أَذٗى لَّهُمۡ
أَجۡرُهُمۡ عِندَ رَبِّهِمۡ وَلَا خَوۡفٌ عَلَيۡهِمۡ وَلَا هُمۡ يَحۡزَنُونَ ﴿٢٦٢﴾
۞ قَوۡلٞ مَّعۡرُوفٞ وَمَغۡفِرَةٌ خَيۡرٞ مِّن صَدَقَةٖ يَتۡبَعُهَآ
أَذٗىۗ وَٱللَّهُ غَنِيٌّ حَلِيمٞ ﴿٢٦٣﴾ يَٰٓأَيُّهَا ٱلَّذِينَ ءَامَنُواْ لَا تُبۡطِلُواْ
صَدَقَٰتِكُم بِٱلۡمَنِّ وَٱلۡأَذَىٰ كَٱلَّذِي يُنفِقُ مَالَهُۥ رِئَآءَ ٱلنَّاسِ
وَلَا يُؤۡمِنُ بِٱللَّهِ وَٱلۡيَوۡمِ ٱلۡأٓخِرِۖ فَمَثَلُهُۥ كَمَثَلِ صَفۡوَانٍ عَلَيۡهِ
تُرَابٞ فَأَصَابَهُۥ وَابِلٞ فَتَرَكَهُۥ صَلۡدٗاۖ لَّا يَقۡدِرُونَ عَلَىٰ
شَيۡءٖ مِّمَّا كَسَبُواْۗ وَٱللَّهُ لَا يَهۡدِي ٱلۡقَوۡمَ ٱلۡكَٰفِرِينَ ﴿٢٦٤﴾

فَصُرۡهُنَّ: أَمِلْهُنَّ . أو قَطِّعْهُنَّ
مَنّٗا: تعْداداً لِلإحسَانِ
أَذٗى: تطاولاً وتفاخراً بالإنفاق
ربع الحزب ٥
رِئَآءَ ٱلنَّاسِ: مُرائياً لهم
صَفۡوَانٍ: حَجَرٍ كبيرٍ أمْلَسَ
وَابِلٞ: مَطَرٌ شديدُ الوَقْعِ
صَلۡدٗا: أجْرَدَ نقيّاً من التُّراب

مدّ ٦ حركات لزوماً — مدّ ٢ أو ٤ أو ٦ جوازاً — إخفاء، ومواقع الغُنَّة (حركتان) — تفخيم
مدّ واجب ٤ أو ٥ حركات — مدّ حركتان — إدغام، وما لا يُلفَظ — قلقلة

وَمَثَلُ ٱلَّذِينَ يُنفِقُونَ أَمْوَٰلَهُمُ ٱبْتِغَآءَ مَرْضَاتِ ٱللَّهِ
وَتَثْبِيتًا مِّنْ أَنفُسِهِمْ كَمَثَلِ جَنَّةٍۭ بِرَبْوَةٍ أَصَابَهَا وَابِلٌ
فَـَٔاتَتْ أُكُلَهَا ضِعْفَيْنِ فَإِن لَّمْ يُصِبْهَا وَابِلٌ فَطَلٌّ ۗ
وَٱللَّهُ بِمَا تَعْمَلُونَ بَصِيرٌ ﴿٢٦٥﴾ أَيَوَدُّ أَحَدُكُمْ أَن تَكُونَ
لَهُۥ جَنَّةٌ مِّن نَّخِيلٍ وَأَعْنَابٍ تَجْرِى مِن تَحْتِهَا ٱلْأَنْهَـٰرُ لَهُۥ
فِيهَا مِن كُلِّ ٱلثَّمَرَٰتِ وَأَصَابَهُ ٱلْكِبَرُ وَلَهُۥ ذُرِّيَّةٌ ضُعَفَآءُ
فَأَصَابَهَآ إِعْصَارٌ فِيهِ نَارٌ فَٱحْتَرَقَتْ ۗ كَذَٰلِكَ يُبَيِّنُ ٱللَّهُ
لَكُمُ ٱلْـَٔايَـٰتِ لَعَلَّكُمْ تَتَفَكَّرُونَ ﴿٢٦٦﴾ يَـٰٓأَيُّهَا ٱلَّذِينَ
ءَامَنُوٓا۟ أَنفِقُوا۟ مِن طَيِّبَـٰتِ مَا كَسَبْتُمْ وَمِمَّآ أَخْرَجْنَا
لَكُم مِّنَ ٱلْأَرْضِ ۖ وَلَا تَيَمَّمُوا۟ ٱلْخَبِيثَ مِنْهُ تُنفِقُونَ وَلَسْتُم
بِـَٔاخِذِيهِ إِلَّآ أَن تُغْمِضُوا۟ فِيهِ ۚ وَٱعْلَمُوٓا۟ أَنَّ ٱللَّهَ غَنِىٌّ حَمِيدٌ
﴿٢٦٧﴾ ٱلشَّيْطَـٰنُ يَعِدُكُمُ ٱلْفَقْرَ وَيَأْمُرُكُم بِٱلْفَحْشَآءِ ۖ
وَٱللَّهُ يَعِدُكُم مَّغْفِرَةً مِّنْهُ وَفَضْلًا ۗ وَٱللَّهُ وَٰسِعٌ عَلِيمٌ ﴿٢٦٨﴾
يُؤْتِى ٱلْحِكْمَةَ مَن يَشَآءُ ۚ وَمَن يُؤْتَ ٱلْحِكْمَةَ فَقَدْ
أُوتِىَ خَيْرًا كَثِيرًا ۗ وَمَا يَذَّكَّرُ إِلَّآ أُو۟لُوا۟ ٱلْأَلْبَـٰبِ ﴿٢٦٩﴾

- بِرَبْوَةٍ: مكان مُرْتفع من الأرض
- أُكُلَهَا: ثمرَها الذي يؤكل
- فَطَلٌّ: مَطرٌ خفيف (رَذَاذٌ)
- إِعْصَارٌ: ريحٌ عاصِفٌ (زَوْبعةٌ)
- فِيهِ نَارٌ: سَمومٌ. أو صاعِقَةٌ
- لَا تَيَمَّمُوا۟: لا تَقْصِدُوا
- ٱلْخَبِيثَ: الرَّديء
- تُغْمِضُوا۟ فِيهِ: تتساهَلُوا وتتسامحوا في أخذه

مدّ ٦ حركات لزوماً • مدّ ٢ أو ٤ أو ٦ جوازاً • إخفاء، ومواقع الغُنَّة (حركتان) • تفخيم
مدّ واجب ٤ أو ٥ حركات • مدّ حركتان • إدغام، وما لا يُلفَظ • قلقلة

وَمَآ أَنفَقْتُم مِّن نَّفَقَةٍ أَوْ نَذَرْتُم مِّن نَّذْرٍ فَإِنَّ ٱللَّهَ
يَعْلَمُهُۥ ۗ وَمَا لِلظَّٰلِمِينَ مِنْ أَنصَارٍ ﴿٢٧٠﴾ إِن تُبْدُوا۟
ٱلصَّدَقَٰتِ فَنِعِمَّا هِىَ ۖ وَإِن تُخْفُوهَا وَتُؤْتُوهَا ٱلْفُقَرَآءَ
فَهُوَ خَيْرٌ لَّكُمْ ۚ وَيُكَفِّرُ عَنكُم مِّن سَيِّـَٔاتِكُمْ ۗ

وَٱللَّهُ بِمَا تَعْمَلُونَ خَبِيرٌ ﴿٢٧١﴾ ۞ لَّيْسَ عَلَيْكَ هُدَىٰهُمْ
وَلَٰكِنَّ ٱللَّهَ يَهْدِى مَن يَشَآءُ ۗ وَمَا تُنفِقُوا۟ مِنْ خَيْرٍ
فَلِأَنفُسِكُمْ ۚ وَمَا تُنفِقُونَ إِلَّا ٱبْتِغَآءَ وَجْهِ ٱللَّهِ ۚ
وَمَا تُنفِقُوا۟ مِنْ خَيْرٍ يُوَفَّ إِلَيْكُمْ وَأَنتُمْ لَا تُظْلَمُونَ
﴿٢٧٢﴾ لِلْفُقَرَآءِ ٱلَّذِينَ أُحْصِرُوا۟ فِى سَبِيلِ ٱللَّهِ
لَا يَسْتَطِيعُونَ ضَرْبًا فِى ٱلْأَرْضِ يَحْسَبُهُمُ
ٱلْجَاهِلُ أَغْنِيَآءَ مِنَ ٱلتَّعَفُّفِ تَعْرِفُهُم بِسِيمَٰهُمْ
لَا يَسْـَٔلُونَ ٱلنَّاسَ إِلْحَافًا ۗ وَمَا تُنفِقُوا۟ مِنْ خَيْرٍ
فَإِنَّ ٱللَّهَ بِهِۦ عَلِيمٌ ﴿٢٧٣﴾ ٱلَّذِينَ يُنفِقُونَ أَمْوَٰلَهُم
بِٱلَّيْلِ وَٱلنَّهَارِ سِرًّا وَعَلَانِيَةً فَلَهُمْ أَجْرُهُمْ عِندَ
رَبِّهِمْ وَلَا خَوْفٌ عَلَيْهِمْ وَلَا هُمْ يَحْزَنُونَ ﴿٢٧٤﴾

أُحْصِرُوا۟: حَبَسهُم الجهادُ
ضَرْبًا: ذهاباً وسَيْراً للتكسُّب
ٱلتَّعَفُّفِ: التنزُّه عن السؤال
بِسِيمَٰهُمْ: بهيئتهمُ الدّالةِ على الفاقة و الحاجة
إِلْحَافًا: إلحاحاً في السؤال

| | | |
|---|---|---|
| مدّ ٦ حركات لزوماً — مدّ ٢ أو ٤ أو ٦ جوازاً | إخفاء ، ومواقع الغُنّة (حركتان) | تفخيم |
| مدّ واجب ٤ أو ٥ حركات — مدّ حركتان | إدغام ، وما لا يُلفَظ | قلقلة |

ٱلَّذِينَ يَأْكُلُونَ ٱلرِّبَوٰاْ لَا يَقُومُونَ إِلَّا كَمَا يَقُومُ ٱلَّذِى
يَتَخَبَّطُهُ ٱلشَّيْطَٰنُ مِنَ ٱلْمَسِّ ۚ ذَٰلِكَ بِأَنَّهُمْ قَالُوٓاْ إِنَّمَا ٱلْبَيْعُ
مِثْلُ ٱلرِّبَوٰاْ ۗ وَأَحَلَّ ٱللَّهُ ٱلْبَيْعَ وَحَرَّمَ ٱلرِّبَوٰاْ ۚ فَمَن جَآءَهُۥ مَوْعِظَةٌ
مِّن رَّبِّهِۦ فَٱنتَهَىٰ فَلَهُۥ مَا سَلَفَ وَأَمْرُهُۥٓ إِلَى ٱللَّهِ ۖ وَمَنْ عَادَ
فَأُوْلَٰٓئِكَ أَصْحَٰبُ ٱلنَّارِ ۖ هُمْ فِيهَا خَٰلِدُونَ ﴿٢٧٥﴾ يَمْحَقُ
ٱللَّهُ ٱلرِّبَوٰاْ وَيُرْبِى ٱلصَّدَقَٰتِ ۗ وَٱللَّهُ لَا يُحِبُّ كُلَّ كَفَّارٍ أَثِيمٍ ﴿٢٧٦﴾
إِنَّ ٱلَّذِينَ ءَامَنُواْ وَعَمِلُواْ ٱلصَّٰلِحَٰتِ وَأَقَامُواْ ٱلصَّلَوٰةَ
وَءَاتَوُاْ ٱلزَّكَوٰةَ لَهُمْ أَجْرُهُمْ عِندَ رَبِّهِمْ وَلَا خَوْفٌ عَلَيْهِمْ
وَلَا هُمْ يَحْزَنُونَ ﴿٢٧٧﴾ يَٰٓأَيُّهَا ٱلَّذِينَ ءَامَنُواْ ٱتَّقُواْ ٱللَّهَ
وَذَرُواْ مَا بَقِىَ مِنَ ٱلرِّبَوٰٓاْ إِن كُنتُم مُّؤْمِنِينَ ﴿٢٧٨﴾ فَإِن لَّمْ تَفْعَلُواْ
فَأْذَنُواْ بِحَرْبٍ مِّنَ ٱللَّهِ وَرَسُولِهِۦ ۖ وَإِن تُبْتُمْ فَلَكُمْ رُءُوسُ
أَمْوَٰلِكُمْ لَا تَظْلِمُونَ وَلَا تُظْلَمُونَ ﴿٢٧٩﴾ وَإِن كَانَ
ذُو عُسْرَةٍ فَنَظِرَةٌ إِلَىٰ مَيْسَرَةٍ ۚ وَأَن تَصَدَّقُواْ خَيْرٌ لَّكُمْ ۖ
إِن كُنتُمْ تَعْلَمُونَ ﴿٢٨٠﴾ وَٱتَّقُواْ يَوْمًا تُرْجَعُونَ فِيهِ إِلَى
ٱللَّهِ ۖ ثُمَّ تُوَفَّىٰ كُلُّ نَفْسٍ مَّا كَسَبَتْ وَهُمْ لَا يُظْلَمُونَ ﴿٢٨١﴾

- يَتَخَبَّطُهُ: يصرعُه ويضربُ به الأرض
- ٱلْمَسِّ: الجنونِ والخبَلِ
- يَمْحَقُ ٱللَّهُ ٱلرِّبَوٰاْ: يُهلك المالَ الذي دخل فيه
- يُرْبِى ٱلصَّدَقَٰتِ: يكثِّرُ المالَ الذي أُخرِجَتْ منه
- فَأْذَنُواْ: فأيقِنوا
- عُسْرَةٍ: ضيقِ الحالِ من عُدْمِ المال
- فَنَظِرَةٌ: فإمْهالٌ وتأخيرٌ

| | | |
|---|---|---|
| مدّ ٦ حركات لزوماً ● مدّ ٢ أو ٤ أو ٦ جوازاً ● | إخفاء ، ومواقع الغُنّة (حركتان) ● | تفخيم ● |
| مدّ واجب ٤ أو ٥ حركات ● مدّ حركتان ● | إدغام ، وما لا يُلفظ ● | قلقلة ● |

يَٰٓأَيُّهَا ٱلَّذِينَ ءَامَنُوٓاْ إِذَا تَدَايَنتُم بِدَيۡنٍ إِلَىٰٓ أَجَلٖ مُّسَمّٗى
فَٱكۡتُبُوهُۚ وَلۡيَكۡتُب بَّيۡنَكُمۡ كَاتِبُۢ بِٱلۡعَدۡلِۚ وَلَا يَأۡبَ
كَاتِبٌ أَن يَكۡتُبَ كَمَا عَلَّمَهُ ٱللَّهُۚ فَلۡيَكۡتُبۡ وَلۡيُمۡلِلِ
ٱلَّذِي عَلَيۡهِ ٱلۡحَقُّ وَلۡيَتَّقِ ٱللَّهَ رَبَّهُۥ وَلَا يَبۡخَسۡ مِنۡهُ شَيۡـٔٗاۚ
فَإِن كَانَ ٱلَّذِي عَلَيۡهِ ٱلۡحَقُّ سَفِيهًا أَوۡ ضَعِيفًا أَوۡ لَا يَسۡتَطِيعُ
أَن يُمِلَّ هُوَ فَلۡيُمۡلِلۡ وَلِيُّهُۥ بِٱلۡعَدۡلِۚ وَٱسۡتَشۡهِدُواْ شَهِيدَيۡنِ
مِن رِّجَالِكُمۡۖ فَإِن لَّمۡ يَكُونَا رَجُلَيۡنِ فَرَجُلٞ وَٱمۡرَأَتَانِ
مِمَّن تَرۡضَوۡنَ مِنَ ٱلشُّهَدَآءِ أَن تَضِلَّ إِحۡدَىٰهُمَا فَتُذَكِّرَ
إِحۡدَىٰهُمَا ٱلۡأُخۡرَىٰۚ وَلَا يَأۡبَ ٱلشُّهَدَآءُ إِذَا مَا دُعُواْۚ وَلَا تَسۡـَٔمُوٓاْ
أَن تَكۡتُبُوهُ صَغِيرًا أَوۡ كَبِيرًا إِلَىٰٓ أَجَلِهِۦۚ ذَٰلِكُمۡ أَقۡسَطُ
عِندَ ٱللَّهِ وَأَقۡوَمُ لِلشَّهَٰدَةِ وَأَدۡنَىٰٓ أَلَّا تَرۡتَابُوٓاْۖ إِلَّآ أَن تَكُونَ
تِجَٰرَةً حَاضِرَةٗ تُدِيرُونَهَا بَيۡنَكُمۡ فَلَيۡسَ عَلَيۡكُمۡ جُنَاحٌ
أَلَّا تَكۡتُبُوهَاۗ وَأَشۡهِدُوٓاْ إِذَا تَبَايَعۡتُمۡۚ وَلَا يُضَآرَّ كَاتِبٞ
وَلَا شَهِيدٞۚ وَإِن تَفۡعَلُواْ فَإِنَّهُۥ فُسُوقُۢ بِكُمۡۗ وَٱتَّقُواْ
ٱللَّهَۖ وَيُعَلِّمُكُمُ ٱللَّهُۗ وَٱللَّهُ بِكُلِّ شَيۡءٍ عَلِيمٞ ﴿٢٨٢﴾

▪ وَلۡيُمۡلِلِ: ولْيُمْلِ ولْيُقِرّ
▪ لَا يَبۡخَسۡ: لا يَنْقُصْ
▪ يُمِلَّ: يُمْلِيَ ويُقِرّ
▪ لَا يَأۡبَ: لا يَمتنع
▪ لَا تَسۡـَٔمُوٓاْ: لا تَملُّوا . أو لا تَضجَرُوا
▪ أَقۡسَطُ: أعْدَلُ
▪ أَقۡوَمُ لِلشَّهَٰدَةِ: أثْبَتُ لَها وأعْوَنُ عليها
▪ أَدۡنَىٰٓ: أقْرَبُ
▪ فُسُوقُۢ: خروجٌ عن الطاعةِ

| | | |
|---|---|---|
| مدّ ٦ حركات لزوماً ● مدّ ٢ أو ٤ أو ٦ جوازاً | إخفاء ، ومواقع الغُنَّة (حركتان) | تفخيم |
| مدّ واجب ٤ أو ٥ حركات ● مدّ حركتان | إدغام ، وما لا يُلفظ | قلقلة |

ثلاثة أرباع الحزب ٥

۞ وَإِن كُنتُمْ عَلَىٰ سَفَرٍ وَلَمْ تَجِدُوا كَاتِبًا فَرِهَانٌ مَّقْبُوضَةٌ ۖ
فَإِنْ أَمِنَ بَعْضُكُم بَعْضًا فَلْيُؤَدِّ الَّذِي اؤْتُمِنَ أَمَانَتَهُ وَلْيَتَّقِ
اللَّهَ رَبَّهُ ۗ وَلَا تَكْتُمُوا الشَّهَادَةَ ۚ وَمَن يَكْتُمْهَا فَإِنَّهُ
آثِمٌ قَلْبُهُ ۗ وَاللَّهُ بِمَا تَعْمَلُونَ عَلِيمٌ ﴿٢٨٣﴾ لِّلَّهِ مَا فِي السَّمَاوَاتِ
وَمَا فِي الْأَرْضِ ۗ وَإِن تُبْدُوا مَا فِي أَنفُسِكُمْ أَوْ تُخْفُوهُ
يُحَاسِبْكُم بِهِ اللَّهُ ۖ فَيَغْفِرُ لِمَن يَشَاءُ وَيُعَذِّبُ مَن يَشَاءُ ۗ
وَاللَّهُ عَلَىٰ كُلِّ شَيْءٍ قَدِيرٌ ﴿٢٨٤﴾ آمَنَ الرَّسُولُ بِمَا أُنزِلَ
إِلَيْهِ مِن رَّبِّهِ وَالْمُؤْمِنُونَ ۚ كُلٌّ آمَنَ بِاللَّهِ وَمَلَائِكَتِهِ وَكُتُبِهِ
وَرُسُلِهِ لَا نُفَرِّقُ بَيْنَ أَحَدٍ مِّن رُّسُلِهِ ۚ وَقَالُوا سَمِعْنَا
وَأَطَعْنَا ۖ غُفْرَانَكَ رَبَّنَا وَإِلَيْكَ الْمَصِيرُ ﴿٢٨٥﴾ لَا يُكَلِّفُ
اللَّهُ نَفْسًا إِلَّا وُسْعَهَا ۚ لَهَا مَا كَسَبَتْ وَعَلَيْهَا مَا اكْتَسَبَتْ ۗ
رَبَّنَا لَا تُؤَاخِذْنَا إِن نَّسِينَا أَوْ أَخْطَأْنَا ۚ رَبَّنَا وَلَا تَحْمِلْ
عَلَيْنَا إِصْرًا كَمَا حَمَلْتَهُ عَلَى الَّذِينَ مِن قَبْلِنَا ۚ رَبَّنَا وَلَا
تُحَمِّلْنَا مَا لَا طَاقَةَ لَنَا بِهِ ۖ وَاعْفُ عَنَّا وَاغْفِرْ لَنَا وَارْحَمْنَا ۚ
أَنتَ مَوْلَانَا فَانصُرْنَا عَلَى الْقَوْمِ الْكَافِرِينَ ﴿٢٨٦﴾

■ وُسْعَهَا: طاقتَها وما تقدِرُ عليه
■ إِصْرًا: عِبْئاً ثقيلاً، وهو التكاليفُ الشّاقة
■ لَاطَاقَةَ: لا قُدْرَةَ

| | | |
|---|---|---|
| مدّ ٦ حركات لزوماً — مدّ ٢ أو ٤ أو ٦ جوازاً | إخفاء ، ومواقع الغُنّة (حركتان) | تفخيم |
| مدّ واجب ٤ أو ٥ حركات — مدّ حركتان | إدغام ، وما لا يُلفَظ | قلقلة |

# سُورَةُ آلِ عِمْرَانَ

ترتيبها ٣ — آياتها ٢٠٠

بِسْمِ ٱللَّهِ ٱلرَّحْمَٰنِ ٱلرَّحِيمِ

الٓمٓ ﴿١﴾ ٱللَّهُ لَآ إِلَٰهَ إِلَّا هُوَ ٱلْحَىُّ ٱلْقَيُّومُ ﴿٢﴾ نَزَّلَ عَلَيْكَ ٱلْكِتَٰبَ
بِٱلْحَقِّ مُصَدِّقًا لِّمَا بَيْنَ يَدَيْهِ وَأَنزَلَ ٱلتَّوْرَىٰةَ وَٱلْإِنجِيلَ ﴿٣﴾ مِن
قَبْلُ هُدًى لِّلنَّاسِ وَأَنزَلَ ٱلْفُرْقَانَ ۗ إِنَّ ٱلَّذِينَ كَفَرُوا۟ بِـَٔايَٰتِ ٱللَّهِ لَهُمْ
عَذَابٌ شَدِيدٌ ۗ وَٱللَّهُ عَزِيزٌ ذُو ٱنتِقَامٍ ﴿٤﴾ إِنَّ ٱللَّهَ لَا يَخْفَىٰ عَلَيْهِ
شَىْءٌ فِى ٱلْأَرْضِ وَلَا فِى ٱلسَّمَآءِ ﴿٥﴾ هُوَ ٱلَّذِى يُصَوِّرُكُمْ
فِى ٱلْأَرْحَامِ كَيْفَ يَشَآءُ ۚ لَآ إِلَٰهَ إِلَّا هُوَ ٱلْعَزِيزُ ٱلْحَكِيمُ ﴿٦﴾ هُوَ
ٱلَّذِىٓ أَنزَلَ عَلَيْكَ ٱلْكِتَٰبَ مِنْهُ ءَايَٰتٌ مُّحْكَمَٰتٌ هُنَّ أُمُّ ٱلْكِتَٰبِ
وَأُخَرُ مُتَشَٰبِهَٰتٌ ۖ فَأَمَّا ٱلَّذِينَ فِى قُلُوبِهِمْ زَيْغٌ فَيَتَّبِعُونَ مَا تَشَٰبَهَ
مِنْهُ ٱبْتِغَآءَ ٱلْفِتْنَةِ وَٱبْتِغَآءَ تَأْوِيلِهِۦ ۗ وَمَا يَعْلَمُ تَأْوِيلَهُۥٓ إِلَّا ٱللَّهُ ۗ
وَٱلرَّٰسِخُونَ فِى ٱلْعِلْمِ يَقُولُونَ ءَامَنَّا بِهِۦ كُلٌّ مِّنْ عِندِ رَبِّنَا ۗ وَمَا يَذَّكَّرُ
إِلَّآ أُو۟لُوا۟ ٱلْأَلْبَٰبِ ﴿٧﴾ رَبَّنَا لَا تُزِغْ قُلُوبَنَا بَعْدَ إِذْ هَدَيْتَنَا وَهَبْ
لَنَا مِن لَّدُنكَ رَحْمَةً ۚ إِنَّكَ أَنتَ ٱلْوَهَّابُ ﴿٨﴾ رَبَّنَآ إِنَّكَ جَامِعُ
ٱلنَّاسِ لِيَوْمٍ لَّا رَيْبَ فِيهِ ۚ إِنَّ ٱللَّهَ لَا يُخْلِفُ ٱلْمِيعَادَ ﴿٩﴾

■ ٱلْقَيُّومُ: الدَّائمُ القِيَامِ بتَدْبيرِ خَلْقِهِ
■ ٱلْفُرْقَانَ: ما فُرِقَ به بَيْنَ الحَقِّ والبَاطِلِ
■ عَزِيزٌ: غالبٌ قويٌّ ، مَنِيعُ الجَانِبِ
■ مُّحْكَمَٰتٌ: وَاضِحَات لا الْتِبَاسَ فيها ولا اشْتِبَاهَ
■ أُمُّ ٱلْكِتَٰبِ: أَصْلُهُ الَّذي يُرْجَعُ إليه
■ مُتَشَٰبِهَٰتٌ: خَفِيَّات استأثر اللهُ بعلمها أوْ لا تَتّضِح إلا بنظرٍ دقيقٍ
■ زَيْغٌ: مَيْلٌ وانْحِرَافٌ عن الحَقِّ
■ لَا تُزِغْ: لَا تُمِلْ عن الحَقِّ

| | | |
|---|---|---|
| مدّ ٦ حركات لزوماً — مدّ ٢ أو ٤ أو ٦ جوازاً | إخفاء ، ومواقع الغُنَّة (حركتان) | تفخيم |
| مدّ واجب ٤ أو ٥ حركات — مدّ حركتان | إدغام ، وما لا يُلفَظ | قلقلة |

إِنَّ ٱلَّذِينَ كَفَرُواْ لَن تُغۡنِيَ عَنۡهُمۡ أَمۡوَٰلُهُمۡ وَلَآ أَوۡلَٰدُهُم
مِّنَ ٱللَّهِ شَيۡـٔٗاۖ وَأُوْلَٰٓئِكَ هُمۡ وَقُودُ ٱلنَّارِ ١٠ كَدَأۡبِ ءَالِ
فِرۡعَوۡنَ وَٱلَّذِينَ مِن قَبۡلِهِمۡۚ كَذَّبُواْ بِـَٔايَٰتِنَا فَأَخَذَهُمُ ٱللَّهُ بِذُنُوبِهِمۡۗ
وَٱللَّهُ شَدِيدُ ٱلۡعِقَابِ ١١ قُل لِّلَّذِينَ كَفَرُواْ سَتُغۡلَبُونَ
وَتُحۡشَرُونَ إِلَىٰ جَهَنَّمَۖ وَبِئۡسَ ٱلۡمِهَادُ ١٢ قَدۡ كَانَ
لَكُمۡ ءَايَةٞ فِي فِئَتَيۡنِ ٱلۡتَقَتَاۖ فِئَةٞ تُقَٰتِلُ فِي سَبِيلِ ٱللَّهِ
وَأُخۡرَىٰ كَافِرَةٞ يَرَوۡنَهُم مِّثۡلَيۡهِمۡ رَأۡيَ ٱلۡعَيۡنِۚ وَٱللَّهُ
يُؤَيِّدُ بِنَصۡرِهِۦ مَن يَشَآءُۚ إِنَّ فِي ذَٰلِكَ لَعِبۡرَةٗ لِّأُوْلِي
ٱلۡأَبۡصَٰرِ ١٣ زُيِّنَ لِلنَّاسِ حُبُّ ٱلشَّهَوَٰتِ مِنَ ٱلنِّسَآءِ
وَٱلۡبَنِينَ وَٱلۡقَنَٰطِيرِ ٱلۡمُقَنطَرَةِ مِنَ ٱلذَّهَبِ وَٱلۡفِضَّةِ
وَٱلۡخَيۡلِ ٱلۡمُسَوَّمَةِ وَٱلۡأَنۡعَٰمِ وَٱلۡحَرۡثِۗ ذَٰلِكَ مَتَٰعُ
ٱلۡحَيَوٰةِ ٱلدُّنۡيَاۖ وَٱللَّهُ عِندَهُۥ حُسۡنُ ٱلۡمَـَٔابِ ١٤ ۞ قُلۡ
أَؤُنَبِّئُكُم بِخَيۡرٖ مِّن ذَٰلِكُمۡۚ لِلَّذِينَ ٱتَّقَوۡاْ عِندَ رَبِّهِمۡ جَنَّٰتٞ
تَجۡرِي مِن تَحۡتِهَا ٱلۡأَنۡهَٰرُ خَٰلِدِينَ فِيهَا وَأَزۡوَٰجٞ مُّطَهَّرَةٞ
وَرِضۡوَٰنٞ مِّنَ ٱللَّهِۗ وَٱللَّهُ بَصِيرُۢ بِٱلۡعِبَادِ ١٥

- كَدَأۡبِ: كعادة
- ٱلۡمِهَادُ: الفراش؛ أي المستقر
- لَعِبۡرَةٗ: لعظة
- ٱلشَّهَوَٰتِ: المشتهيات
- ٱلۡمُقَنطَرَةِ: المضاعفة أو المحكمة
- ٱلۡمُسَوَّمَةِ: المعلَّمة. أو المطهَّمة الحسان
- ٱلۡأَنۡعَٰمِ: الإبل والبقر والغنم
- ٱلۡحَرۡثِ: المزروعات
- ٱلۡمَـَٔابِ: المرجع

الحزب ٦

ٱلَّذِينَ يَقُولُونَ رَبَّنَآ إِنَّنَآ ءَامَنَّا فَٱغْفِرْ لَنَا ذُنُوبَنَا وَقِنَا
عَذَابَ ٱلنَّارِ ﴿١٦﴾ ٱلصَّٰبِرِينَ وَٱلصَّٰدِقِينَ وَٱلْقَٰنِتِينَ
وَٱلْمُنفِقِينَ وَٱلْمُسْتَغْفِرِينَ بِٱلْأَسْحَارِ ﴿١٧﴾ شَهِدَ
ٱللَّهُ أَنَّهُۥ لَآ إِلَٰهَ إِلَّا هُوَ وَٱلْمَلَٰٓئِكَةُ وَأُوْلُواْ ٱلْعِلْمِ قَآئِمَۢا بِٱلْقِسْطِ ۚ
لَآ إِلَٰهَ إِلَّا هُوَ ٱلْعَزِيزُ ٱلْحَكِيمُ ﴿١٨﴾ إِنَّ ٱلدِّينَ عِندَ
ٱللَّهِ ٱلْإِسْلَٰمُ ۗ وَمَا ٱخْتَلَفَ ٱلَّذِينَ أُوتُواْ ٱلْكِتَٰبَ إِلَّا مِنۢ
بَعْدِ مَا جَآءَهُمُ ٱلْعِلْمُ بَغْيًۢا بَيْنَهُمْ ۗ وَمَن يَكْفُرْ بِـَٔايَٰتِ
ٱللَّهِ فَإِنَّ ٱللَّهَ سَرِيعُ ٱلْحِسَابِ ﴿١٩﴾ فَإِنْ حَآجُّوكَ فَقُلْ أَسْلَمْتُ
وَجْهِىَ لِلَّهِ وَمَنِ ٱتَّبَعَنِ ۗ وَقُل لِّلَّذِينَ أُوتُواْ ٱلْكِتَٰبَ وَٱلْأُمِّيِّـۧنَ
ءَأَسْلَمْتُمْ ۚ فَإِنْ أَسْلَمُواْ فَقَدِ ٱهْتَدَواْ ۖ وَّإِن تَوَلَّوْاْ فَإِنَّمَا
عَلَيْكَ ٱلْبَلَٰغُ ۗ وَٱللَّهُ بَصِيرٌۢ بِٱلْعِبَادِ ﴿٢٠﴾ إِنَّ ٱلَّذِينَ يَكْفُرُونَ
بِـَٔايَٰتِ ٱللَّهِ وَيَقْتُلُونَ ٱلنَّبِيِّـۧنَ بِغَيْرِ حَقٍّ وَيَقْتُلُونَ
ٱلَّذِينَ يَأْمُرُونَ بِٱلْقِسْطِ مِنَ ٱلنَّاسِ فَبَشِّرْهُم
بِعَذَابٍ أَلِيمٍ ﴿٢١﴾ أُوْلَٰٓئِكَ ٱلَّذِينَ حَبِطَتْ أَعْمَٰلُهُمْ
فِى ٱلدُّنْيَا وَٱلْأَخِرَةِ وَمَا لَهُم مِّن نَّٰصِرِينَ ﴿٢٢﴾

- ٱلْقَٰنِتِينَ: المُطيعين الخاضعين لله تعالى
- بِٱلْأَسْحَارِ: في أواخرِ اللّيلِ
- بِٱلْقِسْطِ: بالعدْلِ
- ٱلدِّينَ: المِلّة والشَّرِيعَة
- ٱلْإِسْلَٰمُ: الإقرارُ مع التصديقِ بالوَحْدانيّةِ
- بَغْيًا: حَسَداً وطلباً للرِّياسةِ
- أَسْلَمْتُ: أخلصْتُ
- ٱلْأُمِّيِّـۧنَ: مُشْرِكي العربِ
- حَبِطَتْ: بَطَلَتْ

| | | |
|---|---|---|
| مدّ ٦ حركات لزوماً ● مدّ ٢ أو ٤ أو ٦ جوازاً ● | إخفاء ، ومواقع الغُنّة (حركتان) ● | تفخيم ● |
| مدّ واجب ٤ أو ٥ حركات ● مدّ حركتان ● | إدغام ، وما لا يُلفَظ ● | قلقلة ● |

أَلَمۡ تَرَ إِلَى ٱلَّذِينَ أُوتُواْ نَصِيبٗا مِّنَ ٱلۡكِتَٰبِ يُدۡعَوۡنَ إِلَىٰ كِتَٰبِ
ٱللَّهِ لِيَحۡكُمَ بَيۡنَهُمۡ ثُمَّ يَتَوَلَّىٰ فَرِيقٞ مِّنۡهُمۡ وَهُم مُّعۡرِضُونَ ﴿٢٣﴾
ذَٰلِكَ بِأَنَّهُمۡ قَالُواْ لَن تَمَسَّنَا ٱلنَّارُ إِلَّآ أَيَّامٗا مَّعۡدُودَٰتٖۖ وَغَرَّهُمۡ
فِي دِينِهِم مَّا كَانُواْ يَفۡتَرُونَ ﴿٢٤﴾ فَكَيۡفَ إِذَا جَمَعۡنَٰهُمۡ
لِيَوۡمٖ لَّا رَيۡبَ فِيهِ وَوُفِّيَتۡ كُلُّ نَفۡسٖ مَّا كَسَبَتۡ وَهُمۡ
لَا يُظۡلَمُونَ ﴿٢٥﴾ قُلِ ٱللَّهُمَّ مَٰلِكَ ٱلۡمُلۡكِ تُؤۡتِي ٱلۡمُلۡكَ
مَن تَشَآءُ وَتَنزِعُ ٱلۡمُلۡكَ مِمَّن تَشَآءُ وَتُعِزُّ مَن تَشَآءُ وَتُذِلُّ
مَن تَشَآءُۖ بِيَدِكَ ٱلۡخَيۡرُۖ إِنَّكَ عَلَىٰ كُلِّ شَيۡءٖ قَدِيرٞ ﴿٢٦﴾ تُولِجُ ٱلَّيۡلَ
فِي ٱلنَّهَارِ وَتُولِجُ ٱلنَّهَارَ فِي ٱلَّيۡلِۖ وَتُخۡرِجُ ٱلۡحَيَّ مِنَ ٱلۡمَيِّتِ
وَتُخۡرِجُ ٱلۡمَيِّتَ مِنَ ٱلۡحَيِّۖ وَتَرۡزُقُ مَن تَشَآءُ بِغَيۡرِ حِسَابٖ ﴿٢٧﴾
لَّا يَتَّخِذِ ٱلۡمُؤۡمِنُونَ ٱلۡكَٰفِرِينَ أَوۡلِيَآءَ مِن دُونِ ٱلۡمُؤۡمِنِينَۖ وَمَن
يَفۡعَلۡ ذَٰلِكَ فَلَيۡسَ مِنَ ٱللَّهِ فِي شَيۡءٍ إِلَّآ أَن تَتَّقُواْ مِنۡهُمۡ
تُقَىٰةٗۗ وَيُحَذِّرُكُمُ ٱللَّهُ نَفۡسَهُۥۗ وَإِلَى ٱللَّهِ ٱلۡمَصِيرُ ﴿٢٨﴾ قُلۡ
إِن تُخۡفُواْ مَا فِي صُدُورِكُمۡ أَوۡ تُبۡدُوهُ يَعۡلَمۡهُ ٱللَّهُۗ وَيَعۡلَمُ مَا فِي
ٱلسَّمَٰوَٰتِ وَمَا فِي ٱلۡأَرۡضِۗ وَٱللَّهُ عَلَىٰ كُلِّ شَيۡءٖ قَدِيرٞ ﴿٢٩﴾

- غَرَّهُمۡ: خدعهم وأطمعهم
- يَفۡتَرُونَ: يكذبون
- تُولِجُ: تُدخل
- أَوۡلِيَآءَ: بطانة أوداء
- تَتَّقُواْ مِنۡهُمۡ تُقَىٰةٗ: تخافوا من جهتهم أمراً يجب اتقاؤه

| | | |
|---|---|---|
| مدّ ٦ حركات لزوماً ● مدّ ٢ أو ٤ أو ٦ جوازاً | إخفاء ، ومواقع الغُنّة (حركتان) | تفخيم |
| مدّ واجب ٤ أو ٥ حركات ● مدّ حركتان | إدغام ، وما لا يُلفظ | قلقلة |

يَوْمَ تَجِدُ كُلُّ نَفْسٍ مَّا عَمِلَتْ مِنْ خَيْرٍ مُّحْضَرًا وَمَا عَمِلَتْ
مِن سُوٓءٍ تَوَدُّ لَوْ أَنَّ بَيْنَهَا وَبَيْنَهُۥٓ أَمَدًۢا بَعِيدًا ۗ وَيُحَذِّرُكُمُ
ٱللَّهُ نَفْسَهُۥ ۗ وَٱللَّهُ رَءُوفٌۢ بِٱلْعِبَادِ ﴿٣٠﴾ قُلْ إِن كُنتُمْ تُحِبُّونَ ٱللَّهَ
فَٱتَّبِعُونِى يُحْبِبْكُمُ ٱللَّهُ وَيَغْفِرْ لَكُمْ ذُنُوبَكُمْ ۗ وَٱللَّهُ غَفُورٌ رَّحِيمٌ
﴿٣١﴾ قُلْ أَطِيعُوا۟ ٱللَّهَ وَٱلرَّسُولَ ۖ فَإِن تَوَلَّوْا۟ فَإِنَّ ٱللَّهَ لَا يُحِبُّ
ٱلْكَـٰفِرِينَ ﴿٣٢﴾ ۞ إِنَّ ٱللَّهَ ٱصْطَفَىٰٓ ءَادَمَ وَنُوحًا وَءَالَ إِبْرَٰهِيمَ
وَءَالَ عِمْرَٰنَ عَلَى ٱلْعَـٰلَمِينَ ﴿٣٣﴾ ذُرِّيَّةًۢ بَعْضُهَا مِنۢ بَعْضٍ ۗ وَٱللَّهُ
سَمِيعٌ عَلِيمٌ ﴿٣٤﴾ إِذْ قَالَتِ ٱمْرَأَتُ عِمْرَٰنَ رَبِّ إِنِّى نَذَرْتُ لَكَ
مَا فِى بَطْنِى مُحَرَّرًا فَتَقَبَّلْ مِنِّىٓ ۖ إِنَّكَ أَنتَ ٱلسَّمِيعُ ٱلْعَلِيمُ ﴿٣٥﴾ فَلَمَّا
وَضَعَتْهَا قَالَتْ رَبِّ إِنِّى وَضَعْتُهَآ أُنثَىٰ وَٱللَّهُ أَعْلَمُ بِمَا وَضَعَتْ
وَلَيْسَ ٱلذَّكَرُ كَٱلْأُنثَىٰ ۖ وَإِنِّى سَمَّيْتُهَا مَرْيَمَ وَإِنِّىٓ أُعِيذُهَا بِكَ
وَذُرِّيَّتَهَا مِنَ ٱلشَّيْطَـٰنِ ٱلرَّجِيمِ ﴿٣٦﴾ فَتَقَبَّلَهَا رَبُّهَا بِقَبُولٍ
حَسَنٍ وَأَنۢبَتَهَا نَبَاتًا حَسَنًا وَكَفَّلَهَا زَكَرِيَّا ۖ كُلَّمَا دَخَلَ عَلَيْهَا
زَكَرِيَّا ٱلْمِحْرَابَ وَجَدَ عِندَهَا رِزْقًا ۖ قَالَ يَـٰمَرْيَمُ أَنَّىٰ لَكِ هَـٰذَا ۖ
قَالَتْ هُوَ مِنْ عِندِ ٱللَّهِ ۖ إِنَّ ٱللَّهَ يَرْزُقُ مَن يَشَآءُ بِغَيْرِ حِسَابٍ ﴿٣٧﴾

- مُحْضَرًا: مُشاهَداً في صُحُفِ الأعْمالِ
- يُحَذِّرُكُمُ: يُخَوِّفُكُمْ
- مُحَرَّرًا: عَتيقاً مُفَرَّغاً لخدمةِ بيت المقدس
- أُعِيذُهَا: أُجيرُها وأُحَصِّنُها
- كَفَّلَهَا زَكَرِيَّا: جَعَلَهُ اللهُ كافِلاً لَها وضامِناً
- ٱلْمِحْرَابَ: غُرْفَةَ عبادتِها في بيتِ المقدس
- أَنَّىٰ لَكِ هَـٰذَا: كيف . أو مِنْ أينَ لكِ هَذا

ربع الحزب ٦

| | | |
|---|---|---|
| مدّ ٦ حركات لزوماً ● مدّ ٢ أو ٤ أو ٦ جوازاً | إخفاء ، ومواقع الغُنَّة (حركتان) | تفخيم |
| مدّ واجب ٤ أو ٥ حركات ● مدّ حركتان | إدغام ، وما لا يُلفَظ | قلقلة |

هُنَالِكَ دَعَا زَكَرِيَّا رَبَّهُۥۖ قَالَ رَبِّ هَبْ لِى مِن لَّدُنكَ ذُرِّيَّةً
طَيِّبَةًۖ إِنَّكَ سَمِيعُ ٱلدُّعَآءِ ﴿٣٨﴾ فَنَادَتْهُ ٱلْمَلَٰٓئِكَةُ وَهُوَ قَآئِمٌ
يُصَلِّى فِى ٱلْمِحْرَابِ أَنَّ ٱللَّهَ يُبَشِّرُكَ بِيَحْيَىٰ مُصَدِّقًۢا بِكَلِمَةٍ مِّنَ
ٱللَّهِ وَسَيِّدًا وَحَصُورًا وَنَبِيًّا مِّنَ ٱلصَّٰلِحِينَ ﴿٣٩﴾ قَالَ رَبِّ
أَنَّىٰ يَكُونُ لِى غُلَٰمٌ وَقَدْ بَلَغَنِىَ ٱلْكِبَرُ وَٱمْرَأَتِى عَاقِرٌۖ قَالَ
كَذَٰلِكَ ٱللَّهُ يَفْعَلُ مَا يَشَآءُ ﴿٤٠﴾ قَالَ رَبِّ ٱجْعَل لِّىٓ ءَايَةًۖ
قَالَ ءَايَتُكَ أَلَّا تُكَلِّمَ ٱلنَّاسَ ثَلَٰثَةَ أَيَّامٍ إِلَّا رَمْزًاۗ وَٱذْكُر
رَّبَّكَ كَثِيرًا وَسَبِّحْ بِٱلْعَشِىِّ وَٱلْإِبْكَٰرِ ﴿٤١﴾ وَإِذْ قَالَتِ
ٱلْمَلَٰٓئِكَةُ يَٰمَرْيَمُ إِنَّ ٱللَّهَ ٱصْطَفَىٰكِ وَطَهَّرَكِ وَٱصْطَفَىٰكِ
عَلَىٰ نِسَآءِ ٱلْعَٰلَمِينَ ﴿٤٢﴾ يَٰمَرْيَمُ ٱقْنُتِى لِرَبِّكِ وَٱسْجُدِى
وَٱرْكَعِى مَعَ ٱلرَّٰكِعِينَ ﴿٤٣﴾ ذَٰلِكَ مِنْ أَنۢبَآءِ ٱلْغَيْبِ نُوحِيهِ
إِلَيْكَۚ وَمَا كُنتَ لَدَيْهِمْ إِذْ يُلْقُونَ أَقْلَٰمَهُمْ أَيُّهُمْ يَكْفُلُ
مَرْيَمَ وَمَا كُنتَ لَدَيْهِمْ إِذْ يَخْتَصِمُونَ ﴿٤٤﴾ إِذْ قَالَتِ
ٱلْمَلَٰٓئِكَةُ يَٰمَرْيَمُ إِنَّ ٱللَّهَ يُبَشِّرُكِ بِكَلِمَةٍ مِّنْهُ ٱسْمُهُ ٱلْمَسِيحُ
عِيسَى ٱبْنُ مَرْيَمَ وَجِيهًا فِى ٱلدُّنْيَا وَٱلْءَاخِرَةِ وَمِنَ ٱلْمُقَرَّبِينَ ﴿٤٥﴾

- حَصُورًا: لا يأتي النّساء مع القدرة على إتيانهنّ
- ءَايَةً: علامةً على حمْلِ زوجتي
- رَمْزًا: إيماءً وإشارةً
- سَبِّحْ: صَلِّ
- بِٱلْعَشِىِّ: من وقت الزّوالِ إلى الغُروبِ
- ٱلْإِبْكَٰرِ: من وقت الفجرِ إلى الضّحى
- ٱقْنُتِى: أديمي الطاعةَ أوْ أخلِصي العبادةَ
- أَقْلَٰمَهُمْ: سِهامَهُمُ التي يَقْتَرِعُونَ بها
- وَجِيهًا: ذا جاهٍ وقدْرٍ

مدّ ٦ حركات لزوماً | مدّ ٢ أو ٤ أو ٦ جوازاً | إخفاء ، ومواقع الغُنّة (حركتان) | تفخيم
مدّ واجب ٤ أو ٥ حركات | مدّ حركتان | إدغام ، وما لا يُلفظ | قلقلة

وَيُكَلِّمُ ٱلنَّاسَ فِى ٱلْمَهْدِ وَكَهْلًا وَمِنَ ٱلصَّٰلِحِينَ ﴿٤٦﴾
قَالَتْ رَبِّ أَنَّىٰ يَكُونُ لِى وَلَدٌ وَلَمْ يَمْسَسْنِى بَشَرٌ ۖ قَالَ كَذَٰلِكِ
ٱللَّهُ يَخْلُقُ مَا يَشَآءُ ۚ إِذَا قَضَىٰٓ أَمْرًا فَإِنَّمَا يَقُولُ لَهُۥ كُن فَيَكُونُ ﴿٤٧﴾
وَيُعَلِّمُهُ ٱلْكِتَٰبَ وَٱلْحِكْمَةَ وَٱلتَّوْرَىٰةَ وَٱلْإِنجِيلَ ﴿٤٨﴾
وَرَسُولًا إِلَىٰ بَنِىٓ إِسْرَٰٓءِيلَ أَنِّى قَدْ جِئْتُكُم بِـَٔايَةٍ مِّن رَّبِّكُمْ ۖ
أَنِّىٓ أَخْلُقُ لَكُم مِّنَ ٱلطِّينِ كَهَيْـَٔةِ ٱلطَّيْرِ فَأَنفُخُ فِيهِ
فَيَكُونُ طَيْرًۢا بِإِذْنِ ٱللَّهِ ۖ وَأُبْرِئُ ٱلْأَكْمَهَ وَٱلْأَبْرَصَ
وَأُحْىِ ٱلْمَوْتَىٰ بِإِذْنِ ٱللَّهِ ۖ وَأُنَبِّئُكُم بِمَا تَأْكُلُونَ وَمَا تَدَّخِرُونَ
فِى بُيُوتِكُمْ ۚ إِنَّ فِى ذَٰلِكَ لَـَٔايَةً لَّكُمْ إِن كُنتُم مُّؤْمِنِينَ ﴿٤٩﴾
وَمُصَدِّقًا لِّمَا بَيْنَ يَدَىَّ مِنَ ٱلتَّوْرَىٰةِ وَلِأُحِلَّ لَكُم
بَعْضَ ٱلَّذِى حُرِّمَ عَلَيْكُمْ ۚ وَجِئْتُكُم بِـَٔايَةٍ مِّن رَّبِّكُمْ
فَٱتَّقُوا۟ ٱللَّهَ وَأَطِيعُونِ ﴿٥٠﴾ إِنَّ ٱللَّهَ رَبِّى وَرَبُّكُمْ فَٱعْبُدُوهُ ۗ
هَٰذَا صِرَٰطٌ مُّسْتَقِيمٌ ﴿٥١﴾ ۞ فَلَمَّآ أَحَسَّ عِيسَىٰ مِنْهُمُ
ٱلْكُفْرَ قَالَ مَنْ أَنصَارِىٓ إِلَى ٱللَّهِ ۖ قَالَ ٱلْحَوَارِيُّونَ نَحْنُ
أَنصَارُ ٱللَّهِ ءَامَنَّا بِٱللَّهِ وَٱشْهَدْ بِأَنَّا مُسْلِمُونَ ﴿٥٢﴾

■ فِى ٱلْمَهْدِ: في زمن طفولته قبلَ أوانِ الكلامَ
■ كَهْلًا: حالَ اكتمالِ قوّته
■ قَضَىٰٓ أَمْرًا: أراده
■ ٱلْحِكْمَةَ: الصوابَ في القولِ والعملِ
■ أَخْلُقُ: أصوّرُ وأقدّرُ
■ ٱلْأَكْمَهَ: الأعمَى خِلقةً
■ تَدَّخِرُونَ: تُخبئونَهُ للأكلِ فيمابعد
نصف الحزب ٦
■ أَحَسَّ: علِمَ بلا شُبْهَةٍ
■ ٱلْحَوَارِيُّونَ: أصْدِقاءُ عيسَى وَ خواصُّهُ

| | | |
|---|---|---|
| مدّ ٦ حركات لزوماً ● مدّ ٢ أو ٤ أو ٦ جوازاً ● | إخفاء ، ومواقع الغنّة (حركتان) ● | تفخيم ● |
| مدّ واجب ٤ أو ٥ حركات ● مدّ حركتان ● | إدغام ، وما لا يُلفظ ● | قلقلة ● |

رَبَّنَآ ءَامَنَّا بِمَآ أَنزَلۡتَ وَٱتَّبَعۡنَا ٱلرَّسُولَ فَٱكۡتُبۡنَا مَعَ
ٱلشَّٰهِدِينَ ﴿٥٣﴾ وَمَكَرُواْ وَمَكَرَ ٱللَّهُۖ وَٱللَّهُ خَيۡرُ
ٱلۡمَٰكِرِينَ ﴿٥٤﴾ إِذۡ قَالَ ٱللَّهُ يَٰعِيسَىٰٓ إِنِّي مُتَوَفِّيكَ وَرَافِعُكَ
إِلَيَّ وَمُطَهِّرُكَ مِنَ ٱلَّذِينَ كَفَرُواْ وَجَاعِلُ ٱلَّذِينَ ٱتَّبَعُوكَ
فَوۡقَ ٱلَّذِينَ كَفَرُوٓاْ إِلَىٰ يَوۡمِ ٱلۡقِيَٰمَةِۖ ثُمَّ إِلَيَّ مَرۡجِعُكُمۡ
فَأَحۡكُمُ بَيۡنَكُمۡ فِيمَا كُنتُمۡ فِيهِ تَخۡتَلِفُونَ ﴿٥٥﴾ فَأَمَّا ٱلَّذِينَ
كَفَرُواْ فَأُعَذِّبُهُمۡ عَذَابٗا شَدِيدٗا فِي ٱلدُّنۡيَا وَٱلۡأٓخِرَةِ وَمَا
لَهُم مِّن نَّٰصِرِينَ ﴿٥٦﴾ وَأَمَّا ٱلَّذِينَ ءَامَنُواْ وَعَمِلُواْ
ٱلصَّٰلِحَٰتِ فَيُوَفِّيهِمۡ أُجُورَهُمۡۗ وَٱللَّهُ لَا يُحِبُّ ٱلظَّٰلِمِينَ ﴿٥٧﴾
ذَٰلِكَ نَتۡلُوهُ عَلَيۡكَ مِنَ ٱلۡأٓيَٰتِ وَٱلذِّكۡرِ ٱلۡحَكِيمِ ﴿٥٨﴾ إِنَّ
مَثَلَ عِيسَىٰ عِندَ ٱللَّهِ كَمَثَلِ ءَادَمَۖ خَلَقَهُۥ مِن تُرَابٖ ثُمَّ قَالَ
لَهُۥ كُن فَيَكُونُ ﴿٥٩﴾ ٱلۡحَقُّ مِن رَّبِّكَ فَلَا تَكُن مِّنَ ٱلۡمُمۡتَرِينَ ﴿٦٠﴾
فَمَنۡ حَآجَّكَ فِيهِ مِنۢ بَعۡدِ مَا جَآءَكَ مِنَ ٱلۡعِلۡمِ فَقُلۡ تَعَالَوۡاْ نَدۡعُ
أَبۡنَآءَنَا وَأَبۡنَآءَكُمۡ وَنِسَآءَنَا وَنِسَآءَكُمۡ وَأَنفُسَنَا وَأَنفُسَكُمۡ
ثُمَّ نَبۡتَهِلۡ فَنَجۡعَل لَّعۡنَتَ ٱللَّهِ عَلَى ٱلۡكَٰذِبِينَ ﴿٦١﴾

- مُتَوَفِّيكَ: آخِذُكَ وافياً بروحِكَ وبدنِكَ
- مَثَلَ عِيسَىٰ: صفته العجيبة
- ٱلۡمُمۡتَرِينَ: الشَّاكِّين
- تَعَالَوۡاْ: أَقۡبِلُوا
- نَبۡتَهِلۡ: نَدۡعُ باللَّعۡنَةِ

| | | |
|---|---|---|
| مدّ ٦ حركات لزوماً — مدّ ٢ أو ٤ أو ٦ جوازاً | إخفاء ، ومواقع الغُنَّة (حركتان) | تفخيم |
| مدّ واجب ٤ أو ٥ حركات — مدّ حركتان | إدغام ، وما لا يُلفَظ | قلقلة |

إِنَّ هَٰذَا لَهُوَ ٱلْقَصَصُ ٱلْحَقُّ ۚ وَمَا مِنْ إِلَٰهٍ إِلَّا ٱللَّهُ ۚ وَإِنَّ ٱللَّهَ لَهُوَ
ٱلْعَزِيزُ ٱلْحَكِيمُ ﴿٦٢﴾ فَإِن تَوَلَّوْا۟ فَإِنَّ ٱللَّهَ عَلِيمٌۢ بِٱلْمُفْسِدِينَ ﴿٦٣﴾
قُلْ يَٰٓأَهْلَ ٱلْكِتَٰبِ تَعَالَوْا۟ إِلَىٰ كَلِمَةٍ سَوَآءٍۭ بَيْنَنَا وَبَيْنَكُمْ
أَلَّا نَعْبُدَ إِلَّا ٱللَّهَ وَلَا نُشْرِكَ بِهِۦ شَيْـًٔا وَلَا يَتَّخِذَ بَعْضُنَا
بَعْضًا أَرْبَابًا مِّن دُونِ ٱللَّهِ ۚ فَإِن تَوَلَّوْا۟ فَقُولُوا۟ ٱشْهَدُوا۟ بِأَنَّا
مُسْلِمُونَ ﴿٦٤﴾ يَٰٓأَهْلَ ٱلْكِتَٰبِ لِمَ تُحَآجُّونَ فِىٓ
إِبْرَٰهِيمَ وَمَآ أُنزِلَتِ ٱلتَّوْرَىٰةُ وَٱلْإِنجِيلُ إِلَّا مِنۢ بَعْدِهِۦٓ ۚ أَفَلَا
تَعْقِلُونَ ﴿٦٥﴾ هَٰٓأَنتُمْ هَٰٓؤُلَآءِ حَٰجَجْتُمْ فِيمَا لَكُم بِهِۦ
عِلْمٌ فَلِمَ تُحَآجُّونَ فِيمَا لَيْسَ لَكُم بِهِۦ عِلْمٌ ۚ وَٱللَّهُ يَعْلَمُ وَأَنتُمْ
لَا تَعْلَمُونَ ﴿٦٦﴾ مَا كَانَ إِبْرَٰهِيمُ يَهُودِيًّا وَلَا نَصْرَانِيًّا وَلَٰكِن كَانَ
حَنِيفًا مُّسْلِمًا وَمَا كَانَ مِنَ ٱلْمُشْرِكِينَ ﴿٦٧﴾ إِنَّ أَوْلَى ٱلنَّاسِ
بِإِبْرَٰهِيمَ لَلَّذِينَ ٱتَّبَعُوهُ وَهَٰذَا ٱلنَّبِىُّ وَٱلَّذِينَ ءَامَنُوا۟ ۗ وَٱللَّهُ وَلِىُّ
ٱلْمُؤْمِنِينَ ﴿٦٨﴾ وَدَّت طَّآئِفَةٌ مِّنْ أَهْلِ ٱلْكِتَٰبِ لَوْ يُضِلُّونَكُمْ
وَمَا يُضِلُّونَ إِلَّآ أَنفُسَهُمْ وَمَا يَشْعُرُونَ ﴿٦٩﴾ يَٰٓأَهْلَ
ٱلْكِتَٰبِ لِمَ تَكْفُرُونَ بِـَٔايَٰتِ ٱللَّهِ وَأَنتُمْ تَشْهَدُونَ ﴿٧٠﴾

- كَلِمَةٍ سَوَآءٍ: كلامٍ عدْلٍ أو لا تختلِفُ فيه الشرائع
- حَنِيفًا: مائلاً عن الباطلِ إلى الدّين الحق
- مُّسْلِمًا: مُوَحّداً . أو مُنقاداً لله مطيعاً
- وَلِىُّ ٱلْمُؤْمِنِينَ: ناصرُهم ومجازيهم بالحسْنَى

| | | |
|---|---|---|
| مدّ ٦ حركات لزوماً ● مدّ ٢ أو ٤ أو ٦ جوازاً | إخفاء ، ومواقع الغُنّة (حركتان) | تفخيم |
| مدّ واجب ٤ أو ٥ حركات ● مدّ حركتان | إدغام ، وما لا يُلفَظ | قلقلة |

يَٰٓأَهۡلَ ٱلۡكِتَٰبِ لِمَ تَلۡبِسُونَ ٱلۡحَقَّ بِٱلۡبَٰطِلِ وَتَكۡتُمُونَ ٱلۡحَقَّ
وَأَنتُمۡ تَعۡلَمُونَ ﴿٧١﴾ وَقَالَت طَّآئِفَةٞ مِّنۡ أَهۡلِ ٱلۡكِتَٰبِ ءَامِنُواْ
بِٱلَّذِيٓ أُنزِلَ عَلَى ٱلَّذِينَ ءَامَنُواْ وَجۡهَ ٱلنَّهَارِ وَٱكۡفُرُوٓاْ ءَاخِرَهُۥ
لَعَلَّهُمۡ يَرۡجِعُونَ ﴿٧٢﴾ وَلَا تُؤۡمِنُوٓاْ إِلَّا لِمَن تَبِعَ دِينَكُمۡ قُلۡ إِنَّ
ٱلۡهُدَىٰ هُدَى ٱللَّهِ أَن يُؤۡتَىٰٓ أَحَدٞ مِّثۡلَ مَآ أُوتِيتُمۡ أَوۡ يُحَآجُّوكُمۡ
عِندَ رَبِّكُمۡۗ قُلۡ إِنَّ ٱلۡفَضۡلَ بِيَدِ ٱللَّهِ يُؤۡتِيهِ مَن يَشَآءُۗ وَٱللَّهُ وَٰسِعٌ
عَلِيمٞ ﴿٧٣﴾ يَخۡتَصُّ بِرَحۡمَتِهِۦ مَن يَشَآءُۗ وَٱللَّهُ ذُو ٱلۡفَضۡلِ
ٱلۡعَظِيمِ ﴿٧٤﴾ ۞ وَمِنۡ أَهۡلِ ٱلۡكِتَٰبِ مَنۡ إِن تَأۡمَنۡهُ بِقِنطَارٖ
يُؤَدِّهِۦٓ إِلَيۡكَ وَمِنۡهُم مَّنۡ إِن تَأۡمَنۡهُ بِدِينَارٖ لَّا يُؤَدِّهِۦٓ إِلَيۡكَ إِلَّا
مَا دُمۡتَ عَلَيۡهِ قَآئِمٗاۗ ذَٰلِكَ بِأَنَّهُمۡ قَالُواْ لَيۡسَ عَلَيۡنَا فِي ٱلۡأُمِّيِّـۧنَ
سَبِيلٞ وَيَقُولُونَ عَلَى ٱللَّهِ ٱلۡكَذِبَ وَهُمۡ يَعۡلَمُونَ ﴿٧٥﴾
بَلَىٰۚ مَنۡ أَوۡفَىٰ بِعَهۡدِهِۦ وَٱتَّقَىٰ فَإِنَّ ٱللَّهَ يُحِبُّ ٱلۡمُتَّقِينَ ﴿٧٦﴾ إِنَّ
ٱلَّذِينَ يَشۡتَرُونَ بِعَهۡدِ ٱللَّهِ وَأَيۡمَٰنِهِمۡ ثَمَنٗا قَلِيلًا أُوْلَٰٓئِكَ لَا
خَلَٰقَ لَهُمۡ فِي ٱلۡأٓخِرَةِ وَلَا يُكَلِّمُهُمُ ٱللَّهُ وَلَا يَنظُرُ إِلَيۡهِمۡ
يَوۡمَ ٱلۡقِيَٰمَةِ وَلَا يُزَكِّيهِمۡ وَلَهُمۡ عَذَابٌ أَلِيمٞ ﴿٧٧﴾

■ تَلۡبِسُونَ: تخلطونَ . أو تسترُونَ

ثلاثة أرباع الحزب ٦

■ عَلَيۡهِ قَآئِمٗا: ملازماً له
■ ٱلۡأُمِّيِّـۧنَ: العربِ الذين ليسُوا أهلَ كتاب
■ لَا خَلَٰقَ: لاَ نَصِيبَ من الخَيْر
■ لَا يَنظُرُ إِلَيۡهِمۡ: لا يُحسِنُ إليهم ولا يرحمُهم
■ لَا يُزَكِّيهِمۡ: لاَ يُطَهِّرُهُمْ . أوْ لا يُثْني عَلَيْهِمْ

| | | |
|---|---|---|
| ● مدّ ٦ حركات لزوماً ● مدّ ٢ أو ٤ أو ٦ جوازاً | ● إخفاء ، ومواقع الغُنَّة (حركتان) | ● تفخيم |
| ● مدّ واجب ٤ أو ٥ حركات ● مدّ حركتان | ● إدغام ، وما لا يُلفظ | ● قلقلة |

وَإِنَّ مِنۡهُمۡ لَفَرِيقٗا يَلۡوُۥنَ أَلۡسِنَتَهُم بِٱلۡكِتَٰبِ لِتَحۡسَبُوهُ
مِنَ ٱلۡكِتَٰبِ وَمَا هُوَ مِنَ ٱلۡكِتَٰبِ وَيَقُولُونَ هُوَ
مِنۡ عِندِ ٱللَّهِ وَمَا هُوَ مِنۡ عِندِ ٱللَّهِ وَيَقُولُونَ عَلَى ٱللَّهِ ٱلۡكَذِبَ
وَهُمۡ يَعۡلَمُونَ ﴿٧٨﴾ مَا كَانَ لِبَشَرٍ أَن يُؤۡتِيَهُ ٱللَّهُ ٱلۡكِتَٰبَ
وَٱلۡحُكۡمَ وَٱلنُّبُوَّةَ ثُمَّ يَقُولَ لِلنَّاسِ كُونُواْ عِبَادٗا لِّي مِن
دُونِ ٱللَّهِ وَلَٰكِن كُونُواْ رَبَّٰنِيِّـۧنَ بِمَا كُنتُمۡ تُعَلِّمُونَ ٱلۡكِتَٰبَ
وَبِمَا كُنتُمۡ تَدۡرُسُونَ ﴿٧٩﴾ وَلَا يَأۡمُرَكُمۡ أَن تَتَّخِذُواْ ٱلۡمَلَٰٓئِكَةَ
وَٱلنَّبِيِّـۧنَ أَرۡبَابًاۗ أَيَأۡمُرُكُم بِٱلۡكُفۡرِ بَعۡدَ إِذۡ أَنتُم مُّسۡلِمُونَ ﴿٨٠﴾
وَإِذۡ أَخَذَ ٱللَّهُ مِيثَٰقَ ٱلنَّبِيِّـۧنَ لَمَآ ءَاتَيۡتُكُم مِّن كِتَٰبٖ
وَحِكۡمَةٖ ثُمَّ جَآءَكُمۡ رَسُولٞ مُّصَدِّقٞ لِّمَا مَعَكُمۡ لَتُؤۡمِنُنَّ
بِهِۦ وَلَتَنصُرُنَّهُۥۚ قَالَ ءَأَقۡرَرۡتُمۡ وَأَخَذۡتُمۡ عَلَىٰ ذَٰلِكُمۡ إِصۡرِيۖ
قَالُوٓاْ أَقۡرَرۡنَاۚ قَالَ فَٱشۡهَدُواْ وَأَنَا۠ مَعَكُم مِّنَ ٱلشَّٰهِدِينَ ﴿٨١﴾
فَمَن تَوَلَّىٰ بَعۡدَ ذَٰلِكَ فَأُوْلَٰٓئِكَ هُمُ ٱلۡفَٰسِقُونَ ﴿٨٢﴾
أَفَغَيۡرَ دِينِ ٱللَّهِ يَبۡغُونَ وَلَهُۥٓ أَسۡلَمَ مَن فِي ٱلسَّمَٰوَٰتِ
وَٱلۡأَرۡضِ طَوۡعٗا وَكَرۡهٗا وَإِلَيۡهِ يُرۡجَعُونَ ﴿٨٣﴾

■ يَلۡوُۥنَ أَلۡسِنَتَهُم: يُميلونها عن الصحيح إلى المحرّف
■ رَبَّٰنِيِّـۧنَ: عُلماءَ فقهاءَ
■ تَدۡرُسُونَ: تقرؤون
■ إِصۡرِي: عَهۡدي
■ أَسۡلَمَ: انقادَ وخضَع

| | | |
|---|---|---|
| مدّ ٦ حركات لزوماً · مدّ ٢ أو ٤ أو ٦ جوازاً | إخفاء ، ومواقع الغُنَّة (حركتان) | تفخيم |
| مدّ واجب ٤ أو ٥ حركات · مدّ حركتان | إدغام ، وما لا يُلفَظ | قلقلة |

قُلْ ءَامَنَّا بِٱللَّهِ وَمَآ أُنزِلَ عَلَيْنَا وَمَآ أُنزِلَ عَلَىٰٓ إِبْرَٰهِيمَ
وَإِسْمَٰعِيلَ وَإِسْحَٰقَ وَيَعْقُوبَ وَٱلْأَسْبَاطِ وَمَآ أُوتِىَ
مُوسَىٰ وَعِيسَىٰ وَٱلنَّبِيُّونَ مِن رَّبِّهِمْ لَا نُفَرِّقُ بَيْنَ أَحَدٍ
مِّنْهُمْ وَنَحْنُ لَهُۥ مُسْلِمُونَ ﴿٨٤﴾ وَمَن يَبْتَغِ غَيْرَ ٱلْإِسْلَٰمِ
دِينًا فَلَن يُقْبَلَ مِنْهُ وَهُوَ فِى ٱلْءَاخِرَةِ مِنَ ٱلْخَٰسِرِينَ ﴿٨٥﴾
كَيْفَ يَهْدِى ٱللَّهُ قَوْمًا كَفَرُوا۟ بَعْدَ إِيمَٰنِهِمْ وَشَهِدُوٓا۟
أَنَّ ٱلرَّسُولَ حَقٌّ وَجَآءَهُمُ ٱلْبَيِّنَٰتُ ۚ وَٱللَّهُ لَا يَهْدِى ٱلْقَوْمَ
ٱلظَّٰلِمِينَ ﴿٨٦﴾ أُو۟لَٰٓئِكَ جَزَآؤُهُمْ أَنَّ عَلَيْهِمْ لَعْنَةَ ٱللَّهِ
وَٱلْمَلَٰٓئِكَةِ وَٱلنَّاسِ أَجْمَعِينَ ﴿٨٧﴾ خَٰلِدِينَ فِيهَا لَا يُخَفَّفُ
عَنْهُمُ ٱلْعَذَابُ وَلَا هُمْ يُنظَرُونَ ﴿٨٨﴾ إِلَّا ٱلَّذِينَ تَابُوا۟ مِنۢ
بَعْدِ ذَٰلِكَ وَأَصْلَحُوا۟ فَإِنَّ ٱللَّهَ غَفُورٌ رَّحِيمٌ ﴿٨٩﴾ إِنَّ ٱلَّذِينَ
كَفَرُوا۟ بَعْدَ إِيمَٰنِهِمْ ثُمَّ ٱزْدَادُوا۟ كُفْرًا لَّن تُقْبَلَ تَوْبَتُهُمْ
وَأُو۟لَٰٓئِكَ هُمُ ٱلضَّآلُّونَ ﴿٩٠﴾ إِنَّ ٱلَّذِينَ كَفَرُوا۟ وَمَاتُوا۟ وَهُمْ
كُفَّارٌ فَلَن يُقْبَلَ مِنْ أَحَدِهِم مِّلْءُ ٱلْأَرْضِ ذَهَبًا وَلَوِ
ٱفْتَدَىٰ بِهِۦٓ ۗ أُو۟لَٰٓئِكَ لَهُمْ عَذَابٌ أَلِيمٌ وَمَا لَهُم مِّن نَّٰصِرِينَ ﴿٩١﴾

ٱلْأَسْبَاطِ: أولادِ يعقوبَ أو أولادِ أولادِه
ٱلْإِسْلَٰمِ: التوحيدِ، أو شريعة نبينا ﷺ
يُنظَرُونَ: يُؤخَّرُونَ عن العذابِ لحظةً

مدّ ٦ حركات لزوماً — مدّ ٢ أو ٤ أو ٦ جوازاً — إخفاء، ومواقع الغُنَّة (حركتان) — تفخيم
مدّ واجب ٤ أو ٥ حركات — مدّ حركتان — إدغام، وما لا يُلفظ — قلقلة

لَن تَنَالُواْ ٱلۡبِرَّ حَتَّىٰ تُنفِقُواْ مِمَّا تُحِبُّونَۚ وَمَا تُنفِقُواْ مِن شَيۡءٖ
فَإِنَّ ٱللَّهَ بِهِۦ عَلِيمٞ ﴿٩٢﴾ ۞ كُلُّ ٱلطَّعَامِ كَانَ حِلّٗا لِّبَنِيٓ
إِسۡرَٰٓءِيلَ إِلَّا مَا حَرَّمَ إِسۡرَٰٓءِيلُ عَلَىٰ نَفۡسِهِۦ مِن قَبۡلِ أَن تُنَزَّلَ
ٱلتَّوۡرَىٰةُۗ قُلۡ فَأۡتُواْ بِٱلتَّوۡرَىٰةِ فَٱتۡلُوهَآ إِن كُنتُمۡ صَٰدِقِينَ
﴿٩٣﴾ فَمَنِ ٱفۡتَرَىٰ عَلَى ٱللَّهِ ٱلۡكَذِبَ مِنۢ بَعۡدِ ذَٰلِكَ فَأُوْلَٰٓئِكَ
هُمُ ٱلظَّٰلِمُونَ ﴿٩٤﴾ قُلۡ صَدَقَ ٱللَّهُۗ فَٱتَّبِعُواْ مِلَّةَ إِبۡرَٰهِيمَ حَنِيفٗا
وَمَا كَانَ مِنَ ٱلۡمُشۡرِكِينَ ﴿٩٥﴾ إِنَّ أَوَّلَ بَيۡتٖ وُضِعَ لِلنَّاسِ لَلَّذِي
بِبَكَّةَ مُبَارَكٗا وَهُدٗى لِّلۡعَٰلَمِينَ ﴿٩٦﴾ فِيهِ ءَايَٰتُۢ بَيِّنَٰتٞ مَّقَامُ
إِبۡرَٰهِيمَۖ وَمَن دَخَلَهُۥ كَانَ ءَامِنٗاۗ وَلِلَّهِ عَلَى ٱلنَّاسِ حِجُّ ٱلۡبَيۡتِ
مَنِ ٱسۡتَطَاعَ إِلَيۡهِ سَبِيلٗاۚ وَمَن كَفَرَ فَإِنَّ ٱللَّهَ غَنِيٌّ عَنِ ٱلۡعَٰلَمِينَ
﴿٩٧﴾ قُلۡ يَٰٓأَهۡلَ ٱلۡكِتَٰبِ لِمَ تَكۡفُرُونَ بِـَٔايَٰتِ ٱللَّهِ وَٱللَّهُ شَهِيدٌ
عَلَىٰ مَا تَعۡمَلُونَ ﴿٩٨﴾ قُلۡ يَٰٓأَهۡلَ ٱلۡكِتَٰبِ لِمَ تَصُدُّونَ عَن
سَبِيلِ ٱللَّهِ مَنۡ ءَامَنَ تَبۡغُونَهَا عِوَجٗا وَأَنتُمۡ شُهَدَآءُۗ وَمَا ٱللَّهُ
بِغَٰفِلٍ عَمَّا تَعۡمَلُونَ ﴿٩٩﴾ يَٰٓأَيُّهَا ٱلَّذِينَ ءَامَنُوٓاْ إِن تُطِيعُواْ
فَرِيقٗا مِّنَ ٱلَّذِينَ أُوتُواْ ٱلۡكِتَٰبَ يَرُدُّوكُم بَعۡدَ إِيمَٰنِكُمۡ كَٰفِرِينَ ﴿١٠٠﴾

■ ٱلۡبِرَّ: الإحسانَ وكمالَ الخيرِ
■ حَنِيفٗا: مائلاً عن الباطلِ إلى الدينِ الحقّ
■ عِوَجٗا: مُعْوَجَّةً

مدّ ٦ حركات لزوماً • مدّ ٢ أو ٤ أو ٦ جوازاً • إخفاء، ومواقع الغُنَّة (حركتان) • تفخيم
مدّ واجب ٤ أو ٥ حركات • مدّ حركتان • إدغام، وما لا يُلفَظ • قلقلة

وَكَيْفَ تَكْفُرُونَ وَأَنتُمْ تُتْلَىٰ عَلَيْكُمْ ءَايَٰتُ ٱللَّهِ وَفِيكُمْ
رَسُولُهُۥ ۗ وَمَن يَعْتَصِم بِٱللَّهِ فَقَدْ هُدِىَ إِلَىٰ صِرَٰطٍ مُّسْتَقِيمٍ ﴿١٠١﴾
يَٰٓأَيُّهَا ٱلَّذِينَ ءَامَنُوا۟ ٱتَّقُوا۟ ٱللَّهَ حَقَّ تُقَاتِهِۦ وَلَا تَمُوتُنَّ إِلَّا وَأَنتُم
مُّسْلِمُونَ ﴿١٠٢﴾ وَٱعْتَصِمُوا۟ بِحَبْلِ ٱللَّهِ جَمِيعًا وَلَا تَفَرَّقُوا۟ ۚ
وَٱذْكُرُوا۟ نِعْمَتَ ٱللَّهِ عَلَيْكُمْ إِذْ كُنتُمْ أَعْدَآءً فَأَلَّفَ بَيْنَ قُلُوبِكُمْ
فَأَصْبَحْتُم بِنِعْمَتِهِۦٓ إِخْوَٰنًا وَكُنتُمْ عَلَىٰ شَفَا حُفْرَةٍ مِّنَ ٱلنَّارِ
فَأَنقَذَكُم مِّنْهَا ۗ كَذَٰلِكَ يُبَيِّنُ ٱللَّهُ لَكُمْ ءَايَٰتِهِۦ لَعَلَّكُمْ تَهْتَدُونَ
﴿١٠٣﴾ وَلْتَكُن مِّنكُمْ أُمَّةٌ يَدْعُونَ إِلَى ٱلْخَيْرِ وَيَأْمُرُونَ بِٱلْمَعْرُوفِ
وَيَنْهَوْنَ عَنِ ٱلْمُنكَرِ ۚ وَأُو۟لَٰٓئِكَ هُمُ ٱلْمُفْلِحُونَ ﴿١٠٤﴾ وَلَا
تَكُونُوا۟ كَٱلَّذِينَ تَفَرَّقُوا۟ وَٱخْتَلَفُوا۟ مِنۢ بَعْدِ مَا جَآءَهُمُ ٱلْبَيِّنَٰتُ ۚ
وَأُو۟لَٰٓئِكَ لَهُمْ عَذَابٌ عَظِيمٌ ﴿١٠٥﴾ يَوْمَ تَبْيَضُّ وُجُوهٌ وَتَسْوَدُّ
وُجُوهٌ ۚ فَأَمَّا ٱلَّذِينَ ٱسْوَدَّتْ وُجُوهُهُمْ أَكَفَرْتُم بَعْدَ إِيمَٰنِكُمْ
فَذُوقُوا۟ ٱلْعَذَابَ بِمَا كُنتُمْ تَكْفُرُونَ ﴿١٠٦﴾ وَأَمَّا ٱلَّذِينَ ٱبْيَضَّتْ
وُجُوهُهُمْ فَفِى رَحْمَةِ ٱللَّهِ هُمْ فِيهَا خَٰلِدُونَ ﴿١٠٧﴾ تِلْكَ ءَايَٰتُ
ٱللَّهِ نَتْلُوهَا عَلَيْكَ بِٱلْحَقِّ ۗ وَمَا ٱللَّهُ يُرِيدُ ظُلْمًا لِّلْعَٰلَمِينَ ﴿١٠٨﴾

- يَعْتَصِم بِٱللَّهِ: يَلْتَجِئ إِلَيْهِ
- تُقَاتِهِ: تقواه
- شَفَا حُفْرَةٍ: طَرَف حُفْرَةٍ

مدّ ٦ حركات لزوماً | مدّ ٢ أو ٤ أو ٦ جوازاً | إخفاء، ومواقع الغُنَّة (حركتان) | تفخيم
مدّ واجب ٤ أو ٥ حركات | مدّ حركتان | إدغام، وما لا يُلفَظ | قلقلة

وَلِلَّهِ مَا فِي ٱلسَّمَٰوَٰتِ وَمَا فِي ٱلْأَرْضِۚ وَإِلَى ٱللَّهِ تُرْجَعُ ٱلْأُمُورُ
﴿١٠٩﴾ كُنتُمْ خَيْرَ أُمَّةٍ أُخْرِجَتْ لِلنَّاسِ تَأْمُرُونَ بِٱلْمَعْرُوفِ
وَتَنْهَوْنَ عَنِ ٱلْمُنكَرِ وَتُؤْمِنُونَ بِٱللَّهِۗ وَلَوْ ءَامَنَ
أَهْلُ ٱلْكِتَٰبِ لَكَانَ خَيْرًا لَّهُمۚ مِّنْهُمُ ٱلْمُؤْمِنُونَ
وَأَكْثَرُهُمُ ٱلْفَٰسِقُونَ ﴿١١٠﴾ لَن يَضُرُّوكُمْ إِلَّآ أَذًىۖ
وَإِن يُقَٰتِلُوكُمْ يُوَلُّوكُمُ ٱلْأَدْبَارَ ثُمَّ لَا يُنصَرُونَ ﴿١١١﴾ ضُرِبَتْ
عَلَيْهِمُ ٱلذِّلَّةُ أَيْنَ مَا ثُقِفُوٓاْ إِلَّا بِحَبْلٍ مِّنَ ٱللَّهِ وَحَبْلٍ مِّنَ ٱلنَّاسِ
وَبَآءُو بِغَضَبٍ مِّنَ ٱللَّهِ وَضُرِبَتْ عَلَيْهِمُ ٱلْمَسْكَنَةُۚ ذَٰلِكَ
بِأَنَّهُمْ كَانُواْ يَكْفُرُونَ بِـَٔايَٰتِ ٱللَّهِ وَيَقْتُلُونَ ٱلْأَنۢبِيَآءَ بِغَيْرِ
حَقٍّۚ ذَٰلِكَ بِمَا عَصَواْ وَّكَانُواْ يَعْتَدُونَ ﴿١١٢﴾ ۞ لَيْسُواْ سَوَآءًۗ
مِّنْ أَهْلِ ٱلْكِتَٰبِ أُمَّةٌ قَآئِمَةٌ يَتْلُونَ ءَايَٰتِ ٱللَّهِ ءَانَآءَ ٱلَّيْلِ
وَهُمْ يَسْجُدُونَ ﴿١١٣﴾ يُؤْمِنُونَ بِٱللَّهِ وَٱلْيَوْمِ ٱلْءَاخِرِ
وَيَأْمُرُونَ بِٱلْمَعْرُوفِ وَيَنْهَوْنَ عَنِ ٱلْمُنكَرِ وَيُسَٰرِعُونَ
فِي ٱلْخَيْرَٰتِ وَأُوْلَٰٓئِكَ مِنَ ٱلصَّٰلِحِينَ ﴿١١٤﴾ وَمَا يَفْعَلُواْ
مِنْ خَيْرٍ فَلَن يُكْفَرُوهُۗ وَٱللَّهُ عَلِيمُۢ بِٱلْمُتَّقِينَ ﴿١١٥﴾

- أَذًى: ضرراً يسيراً
- يُوَلُّوكُمُ ٱلْأَدْبَارَ: ينهزموا
- ثُقِفُوٓاْ: وُجِدُوا
- بِحَبْلٍ: بعَهْدٍ
- بَآءُو بِغَضَبٍ: رَجَعُوا به
- ٱلْمَسْكَنَةُ: فَقْرُ النَّفْسِ وشُحُّها
- قَآئِمَةٌ: مستقيمةٌ ثابتةٌ على الحقّ

ربع الحزب ٧ — تُقرأ عند الوقف: سَوَآءَا

| | | |
|---|---|---|
| مدّ ٦ حركات لزوماً ● مدّ ٢ أو ٤ أو ٦ جوازاً | إخفاء، ومواقع الغُنَّة (حركتان) | تفخيم |
| مدّ واجب ٤ أو ٥ حركات ● مدّ حركتان | إدغام، وما لا يُلفَظ | قلقلة |

إِنَّ ٱلَّذِينَ كَفَرُواْ لَن تُغۡنِيَ عَنۡهُمۡ أَمۡوَٰلُهُمۡ وَلَآ أَوۡلَٰدُهُم
مِّنَ ٱللَّهِ شَيۡـٔٗاۖ وَأُوْلَٰٓئِكَ أَصۡحَٰبُ ٱلنَّارِۚ هُمۡ فِيهَا خَٰلِدُونَ ﴿١١٦﴾
مَثَلُ مَا يُنفِقُونَ فِي هَٰذِهِ ٱلۡحَيَوٰةِ ٱلدُّنۡيَا كَمَثَلِ رِيحٖ فِيهَا
صِرٌّ أَصَابَتۡ حَرۡثَ قَوۡمٖ ظَلَمُوٓاْ أَنفُسَهُمۡ فَأَهۡلَكَتۡهُۚ وَمَا
ظَلَمَهُمُ ٱللَّهُ وَلَٰكِنۡ أَنفُسَهُمۡ يَظۡلِمُونَ ﴿١١٧﴾ يَٰٓأَيُّهَا ٱلَّذِينَ
ءَامَنُواْ لَا تَتَّخِذُواْ بِطَانَةٗ مِّن دُونِكُمۡ لَا يَأۡلُونَكُمۡ خَبَالٗا
وَدُّواْ مَا عَنِتُّمۡ قَدۡ بَدَتِ ٱلۡبَغۡضَآءُ مِنۡ أَفۡوَٰهِهِمۡ وَمَا تُخۡفِي
صُدُورُهُمۡ أَكۡبَرُۚ قَدۡ بَيَّنَّا لَكُمُ ٱلۡأٓيَٰتِۖ إِن كُنتُمۡ تَعۡقِلُونَ ﴿١١٨﴾
هَٰٓأَنتُمۡ أُوْلَآءِ تُحِبُّونَهُمۡ وَلَا يُحِبُّونَكُمۡ وَتُؤۡمِنُونَ بِٱلۡكِتَٰبِ كُلِّهِۦ
وَإِذَا لَقُوكُمۡ قَالُوٓاْ ءَامَنَّا وَإِذَا خَلَوۡاْ عَضُّواْ عَلَيۡكُمُ ٱلۡأَنَامِلَ
مِنَ ٱلۡغَيۡظِۚ قُلۡ مُوتُواْ بِغَيۡظِكُمۡۗ إِنَّ ٱللَّهَ عَلِيمُۢ بِذَاتِ ٱلصُّدُورِ ﴿١١٩﴾
إِن تَمۡسَسۡكُمۡ حَسَنَةٞ تَسُؤۡهُمۡ وَإِن تُصِبۡكُمۡ سَيِّئَةٞ يَفۡرَحُواْ
بِهَاۖ وَإِن تَصۡبِرُواْ وَتَتَّقُواْ لَا يَضُرُّكُمۡ كَيۡدُهُمۡ شَيۡـًٔاۗ
إِنَّ ٱللَّهَ بِمَا يَعۡمَلُونَ مُحِيطٞ ﴿١٢٠﴾ وَإِذۡ غَدَوۡتَ مِنۡ أَهۡلِكَ
تُبَوِّئُ ٱلۡمُؤۡمِنِينَ مَقَٰعِدَ لِلۡقِتَالِۗ وَٱللَّهُ سَمِيعٌ عَلِيمٌ ﴿١٢١﴾

- صِرٌّ: بَرْدٌ شَدِيدٌ أو نارٌ
- حَرۡثَ قَوۡمٍ: زَرْعَهُمْ
- بِطَانَةً: خواصّ يَسْتَبْطِنُونَ أمْرَكُمْ
- لَا يَأۡلُونَكُمۡ خَبَالًا: لا يُقَصِّرون في إفْسادِ أمْرِكُمْ
- مَا عَنِتُّمۡ: مَشَقَّتُكُمُ الشديدةَ
- خَلَوۡاْ: انْفَرَدَ بَعْضُهُمْ بِبَعضٍ
- ٱلۡغَيۡظِ: أشدّ الغضب والحَنَق
- غَدَوۡتَ: خرجْتَ أوّلَ النّهارِ
- تُبَوِّئُ: تُنْزِلُ وتُوطِّنُ
- مَقَٰعِدَ: مواطِنَ ومواقِفَ

مدّ ٦ حركات لزوماً • مدّ ٢ أو ٤ أو ٦ جوازاً • إخفاء، ومواقع الغُنّة (حركتان) • تفخيم
مدّ واجب ٤ أو ٥ حركات • مدّ حركتان • إدغام، وما لا يُلفظ • قلقلة

إِذْ هَمَّت طَّآئِفَتَانِ مِنكُمْ أَن تَفْشَلَا وَٱللَّهُ وَلِيُّهُمَا ۗ وَعَلَى
ٱللَّهِ فَلْيَتَوَكَّلِ ٱلْمُؤْمِنُونَ ﴿١٢٢﴾ وَلَقَدْ نَصَرَكُمُ ٱللَّهُ بِبَدْرٍ وَأَنتُمْ
أَذِلَّةٌ ۖ فَٱتَّقُوا۟ ٱللَّهَ لَعَلَّكُمْ تَشْكُرُونَ ﴿١٢٣﴾ إِذْ تَقُولُ لِلْمُؤْمِنِينَ
أَلَن يَكْفِيَكُمْ أَن يُمِدَّكُمْ رَبُّكُم بِثَلَٰثَةِ ءَالَٰفٍ مِّنَ ٱلْمَلَٰٓئِكَةِ
مُنزَلِينَ ﴿١٢٤﴾ بَلَىٰٓ ۚ إِن تَصْبِرُوا۟ وَتَتَّقُوا۟ وَيَأْتُوكُم مِّن فَوْرِهِمْ
هَٰذَا يُمْدِدْكُمْ رَبُّكُم بِخَمْسَةِ ءَالَٰفٍ مِّنَ ٱلْمَلَٰٓئِكَةِ مُسَوِّمِينَ
﴿١٢٥﴾ وَمَا جَعَلَهُ ٱللَّهُ إِلَّا بُشْرَىٰ لَكُمْ وَلِتَطْمَئِنَّ قُلُوبُكُم بِهِۦ ۗ وَمَا
ٱلنَّصْرُ إِلَّا مِنْ عِندِ ٱللَّهِ ٱلْعَزِيزِ ٱلْحَكِيمِ ﴿١٢٦﴾ لِيَقْطَعَ طَرَفًا
مِّنَ ٱلَّذِينَ كَفَرُوٓا۟ أَوْ يَكْبِتَهُمْ فَيَنقَلِبُوا۟ خَآئِبِينَ ﴿١٢٧﴾ لَيْسَ لَكَ
مِنَ ٱلْأَمْرِ شَىْءٌ أَوْ يَتُوبَ عَلَيْهِمْ أَوْ يُعَذِّبَهُمْ فَإِنَّهُمْ ظَٰلِمُونَ
﴿١٢٨﴾ وَلِلَّهِ مَا فِى ٱلسَّمَٰوَٰتِ وَمَا فِى ٱلْأَرْضِ ۚ يَغْفِرُ لِمَن يَشَآءُ
وَيُعَذِّبُ مَن يَشَآءُ ۚ وَٱللَّهُ غَفُورٌ رَّحِيمٌ ﴿١٢٩﴾ يَٰٓأَيُّهَا ٱلَّذِينَ
ءَامَنُوا۟ لَا تَأْكُلُوا۟ ٱلرِّبَوٰٓا۟ أَضْعَٰفًا مُّضَٰعَفَةً ۖ وَٱتَّقُوا۟ ٱللَّهَ
لَعَلَّكُمْ تُفْلِحُونَ ﴿١٣٠﴾ وَٱتَّقُوا۟ ٱلنَّارَ ٱلَّتِىٓ أُعِدَّتْ لِلْكَٰفِرِينَ
﴿١٣١﴾ وَأَطِيعُوا۟ ٱللَّهَ وَٱلرَّسُولَ لَعَلَّكُمْ تُرْحَمُونَ ﴿١٣٢﴾

آل عمران

- تَفْشَلَا: تَجْبُنَا عَنِ القِتَالِ
- يُمِدَّكُمْ: يُقَوِّيَكُمْ ويُعِينَكم
- فَوْرِهِمْ: من ساعتِهم
- مُسَوِّمِينَ: مُعَلِّمِينَ أنفسَهُمْ أو خيلهم بعلامات
- لِيَقْطَعَ طَرَفًا: لِيُهلِكَ طائفةً
- يَكْبِتَهُمْ: يُخزِيَهُمْ بالهزيمة
- مُّضَٰعَفَةً: كثيرةً

مدّ ٦ حركات لزوماً · مدّ ٢ أو ٤ أو ٦ جوازاً · مدّ واجب ٤ أو ٥ حركات · مدّ حركتان · إخفاء، ومواقع الغُنَّة (حركتان) · إدغام، وما لا يُلفَظ · تفخيم · قلقلة

نصف الحزب ٧

۞ وَسَارِعُوٓاْ إِلَىٰ مَغْفِرَةٍ مِّن رَّبِّكُمْ وَجَنَّةٍ عَرْضُهَا
ٱلسَّمَٰوَٰتُ وَٱلْأَرْضُ أُعِدَّتْ لِلْمُتَّقِينَ ﴿١٣٣﴾ ٱلَّذِينَ يُنفِقُونَ
فِى ٱلسَّرَّآءِ وَٱلضَّرَّآءِ وَٱلْكَٰظِمِينَ ٱلْغَيْظَ وَٱلْعَافِينَ
عَنِ ٱلنَّاسِ ۗ وَٱللَّهُ يُحِبُّ ٱلْمُحْسِنِينَ ﴿١٣٤﴾ وَٱلَّذِينَ إِذَا
فَعَلُواْ فَٰحِشَةً أَوْ ظَلَمُوٓاْ أَنفُسَهُمْ ذَكَرُواْ ٱللَّهَ فَٱسْتَغْفَرُواْ
لِذُنُوبِهِمْ وَمَن يَغْفِرُ ٱلذُّنُوبَ إِلَّا ٱللَّهُ وَلَمْ يُصِرُّواْ عَلَىٰ
مَا فَعَلُواْ وَهُمْ يَعْلَمُونَ ﴿١٣٥﴾ أُوْلَٰٓئِكَ جَزَآؤُهُم مَّغْفِرَةٌ
مِّن رَّبِّهِمْ وَجَنَّٰتٌ تَجْرِى مِن تَحْتِهَا ٱلْأَنْهَٰرُ خَٰلِدِينَ
فِيهَا ۚ وَنِعْمَ أَجْرُ ٱلْعَٰمِلِينَ ﴿١٣٦﴾ قَدْ خَلَتْ مِن قَبْلِكُمْ سُنَنٌ
فَسِيرُواْ فِى ٱلْأَرْضِ فَٱنظُرُواْ كَيْفَ كَانَ عَٰقِبَةُ ٱلْمُكَذِّبِينَ
﴿١٣٧﴾ هَٰذَا بَيَانٌ لِّلنَّاسِ وَهُدًى وَمَوْعِظَةٌ لِّلْمُتَّقِينَ ﴿١٣٨﴾
وَلَا تَهِنُواْ وَلَا تَحْزَنُواْ وَأَنتُمُ ٱلْأَعْلَوْنَ إِن كُنتُم مُّؤْمِنِينَ
﴿١٣٩﴾ إِن يَمْسَسْكُمْ قَرْحٌ فَقَدْ مَسَّ ٱلْقَوْمَ قَرْحٌ مِّثْلُهُۥ ۚ
وَتِلْكَ ٱلْأَيَّامُ نُدَاوِلُهَا بَيْنَ ٱلنَّاسِ وَلِيَعْلَمَ ٱللَّهُ ٱلَّذِينَ
ءَامَنُواْ وَيَتَّخِذَ مِنكُمْ شُهَدَآءَ ۗ وَٱللَّهُ لَا يُحِبُّ ٱلظَّٰلِمِينَ ﴿١٤٠﴾

- ٱلسَّرَّآءِ وَٱلضَّرَّآءِ: اليُسْرِ والعُسْرِ
- ٱلْكَٰظِمِينَ ٱلْغَيْظَ: الحابِسين غَيْظَهُم في قُلوبِهِم
- فَٰحِشَةً: كبيرَةً مُتناهِيَةً في القُبحِ
- خَلَتْ: مَضَتْ
- سُنَنٌ: وَقائعُ في الأُمَمِ المُكَذِّبَةِ
- لَا تَهِنُواْ: لا تَضْعُفوا عن القِتالِ
- قَرْحٌ: جِراحَةٌ
- نُدَاوِلُهَا: نُصَرِّفُها بأحْوالٍ مُختلِفةٍ

مدّ ٦ حركات لزوماً — مدّ ٢ أو ٤ أو ٦ جوازاً — إخفاء، ومواقع الغُنَّة (حركتان) — تفخيم
مدّ واجب ٤ أو ٥ حركات — مدّ حركتان — إدغام، وما لا يُلفَظ — قلقلة

وَلِيُمَحِّصَ ٱللَّهُ ٱلَّذِينَ ءَامَنُواْ وَيَمۡحَقَ ٱلۡكَٰفِرِينَ ﴿١٤١﴾ أَمۡ
حَسِبۡتُمۡ أَن تَدۡخُلُواْ ٱلۡجَنَّةَ وَلَمَّا يَعۡلَمِ ٱللَّهُ ٱلَّذِينَ جَٰهَدُواْ
مِنكُمۡ وَيَعۡلَمَ ٱلصَّٰبِرِينَ ﴿١٤٢﴾ وَلَقَدۡ كُنتُمۡ تَمَنَّوۡنَ ٱلۡمَوۡتَ مِن
قَبۡلِ أَن تَلۡقَوۡهُ فَقَدۡ رَأَيۡتُمُوهُ وَأَنتُمۡ تَنظُرُونَ ﴿١٤٣﴾ وَمَا مُحَمَّدٌ
إِلَّا رَسُولٞ قَدۡ خَلَتۡ مِن قَبۡلِهِ ٱلرُّسُلُۚ أَفَإِيْن مَّاتَ أَوۡ قُتِلَ
ٱنقَلَبۡتُمۡ عَلَىٰٓ أَعۡقَٰبِكُمۡۚ وَمَن يَنقَلِبۡ عَلَىٰ عَقِبَيۡهِ فَلَن يَضُرَّ
ٱللَّهَ شَيۡـٔٗاۗ وَسَيَجۡزِي ٱللَّهُ ٱلشَّٰكِرِينَ ﴿١٤٤﴾ وَمَا كَانَ
لِنَفۡسٍ أَن تَمُوتَ إِلَّا بِإِذۡنِ ٱللَّهِ كِتَٰبٗا مُّؤَجَّلٗاۗ وَمَن يُرِدۡ
ثَوَابَ ٱلدُّنۡيَا نُؤۡتِهِۦ مِنۡهَا وَمَن يُرِدۡ ثَوَابَ ٱلۡأٓخِرَةِ نُؤۡتِهِۦ
مِنۡهَاۚ وَسَنَجۡزِي ٱلشَّٰكِرِينَ ﴿١٤٥﴾ وَكَأَيِّن مِّن نَّبِيّٖ قَٰتَلَ مَعَهُۥ
رِبِّيُّونَ كَثِيرٞ فَمَا وَهَنُواْ لِمَآ أَصَابَهُمۡ فِي سَبِيلِ ٱللَّهِ وَمَا ضَعُفُواْ
وَمَا ٱسۡتَكَانُواْۗ وَٱللَّهُ يُحِبُّ ٱلصَّٰبِرِينَ ﴿١٤٦﴾ وَمَا كَانَ قَوۡلَهُمۡ
إِلَّآ أَن قَالُواْ رَبَّنَا ٱغۡفِرۡ لَنَا ذُنُوبَنَا وَإِسۡرَافَنَا فِيٓ أَمۡرِنَا وَثَبِّتۡ
أَقۡدَامَنَا وَٱنصُرۡنَا عَلَى ٱلۡقَوۡمِ ٱلۡكَٰفِرِينَ ﴿١٤٧﴾ فَـَٔاتَىٰهُمُ ٱللَّهُ
ثَوَابَ ٱلدُّنۡيَا وَحُسۡنَ ثَوَابِ ٱلۡأٓخِرَةِۗ وَٱللَّهُ يُحِبُّ ٱلۡمُحۡسِنِينَ ﴿١٤٨﴾

- لِيُمَحِّصَ: يُصَفِّيَ من الذُّنُوبِ أو يَخْتَبِرَ ويَبْتَلِيَ
- يَمْحَقَ: يُهْلِكَ و يستأصِلَ
- كَأَيِّن مِّن نَّبِيٍّ: كثيرٌ من الأنبياء
- رِبِّيُّونَ: عُلَمَاءُ فُقَهَاءُ أو جُمُوعٌ كَثِيرَةٌ
- فَمَا وَهَنُواْ: فما عجزوا . أو فما جَبُنُوا
- مَا ٱسْتَكَانُواْ: ما خَضَعُوا . أو ذَلُّوا لِعَدُوِّهم

| | | |
|---|---|---|
| مدّ ٦ حركات لزوماً ● مدّ ٢ أو ٤ أو ٦ جوازاً | إخفاء ، ومواقع الغُنَّة (حركتان) | تفخيم |
| مدّ واجب ٤ أو ٥ حركات ● مدّ حركتان | إدغام ، وما لا يُلفَظ | قلقلة |

يَٰٓأَيُّهَا ٱلَّذِينَ ءَامَنُوٓاْ إِن تُطِيعُواْ ٱلَّذِينَ كَفَرُواْ
يَرُدُّوكُمْ عَلَىٰٓ أَعْقَٰبِكُمْ فَتَنقَلِبُواْ خَٰسِرِينَ ﴿١٤٩﴾
بَلِ ٱللَّهُ مَوْلَىٰكُمْ ۖ وَهُوَ خَيْرُ ٱلنَّٰصِرِينَ ﴿١٥٠﴾ سَنُلْقِى
فِى قُلُوبِ ٱلَّذِينَ كَفَرُواْ ٱلرُّعْبَ بِمَآ أَشْرَكُواْ بِٱللَّهِ
مَا لَمْ يُنَزِّلْ بِهِۦ سُلْطَٰنًا ۖ وَمَأْوَىٰهُمُ ٱلنَّارُ ۚ وَبِئْسَ
مَثْوَى ٱلظَّٰلِمِينَ ﴿١٥١﴾ وَلَقَدْ صَدَقَكُمُ ٱللَّهُ
وَعْدَهُۥٓ إِذْ تَحُسُّونَهُم بِإِذْنِهِۦ ۖ حَتَّىٰٓ إِذَا فَشِلْتُمْ
وَتَنَٰزَعْتُمْ فِى ٱلْأَمْرِ وَعَصَيْتُم مِّنۢ بَعْدِ مَآ أَرَىٰكُم
مَّا تُحِبُّونَ ۚ مِنكُم مَّن يُرِيدُ ٱلدُّنْيَا وَمِنكُم
مَّن يُرِيدُ ٱلْءَاخِرَةَ ۚ ثُمَّ صَرَفَكُمْ عَنْهُمْ لِيَبْتَلِيَكُمْ ۖ
وَلَقَدْ عَفَا عَنكُمْ ۗ وَٱللَّهُ ذُو فَضْلٍ عَلَى ٱلْمُؤْمِنِينَ ﴿١٥٢﴾
۞ إِذْ تُصْعِدُونَ وَلَا تَلْوُۥنَ عَلَىٰٓ أَحَدٍ
وَٱلرَّسُولُ يَدْعُوكُمْ فِىٓ أُخْرَىٰكُمْ فَأَثَٰبَكُمْ
غَمًّۢا بِغَمٍّ لِّكَيْلَا تَحْزَنُواْ عَلَىٰ مَا فَاتَكُمْ
وَلَا مَآ أَصَٰبَكُمْ ۗ وَٱللَّهُ خَبِيرٌۢ بِمَا تَعْمَلُونَ ﴿١٥٣﴾

- مَوْلَىٰكُمْ: نَاصِرُكُمْ
- ٱلرُّعْبَ: الخَوْفَ والفَزَعَ
- سُلْطَٰنًا: حُجَّةً وَبُرْهَاناً
- مَثْوَى ٱلظَّٰلِمِينَ: مَأْوَاهُم وَمُقَامُهُم
- تَحُسُّونَهُم: تستأصِلُونَهُمْ قَتْلاً
- فَشِلْتُمْ: جَبُنْتُمْ عن قتالِ عَدُوِّكم
- لِيَبْتَلِيَكُمْ: لِيَمْتَحِنَ ثَبَاتَكُمْ عَلَى الإِيمَانِ

ثلاثة أرباع الحزب ٧

- تُصْعِدُونَ: تَذْهَبُونَ في الوادي هَرَباً
- لَا تَلْوُۥنَ: لا تُعَرِّجُونَ
- فَأَثَٰبَكُمْ: جازَاكُم
- غَمًّۢا بِغَمٍّ: حُزْناً مُتَّصِلاً بِحُزْنٍ

مدّ ٦ حركات لزوماً | مدّ ٢ أو ٤ أو ٦ جوازاً | إخفاء، ومواقع الغُنّة (حركتان) | تفخيم
مدّ واجب ٤ أو ٥ حركات | مدّ حركتان | إدغام، وما لا يُلفظ | قلقلة

ثُمَّ أَنزَلَ عَلَيۡكُم مِّنۢ بَعۡدِ ٱلۡغَمِّ أَمَنَةً نُّعَاسًا يَغۡشَىٰ طَآئِفَةً
مِّنكُمۡۖ وَطَآئِفَةٞ قَدۡ أَهَمَّتۡهُمۡ أَنفُسُهُمۡ يَظُنُّونَ بِٱللَّهِ غَيۡرَ
ٱلۡحَقِّ ظَنَّ ٱلۡجَٰهِلِيَّةِۖ يَقُولُونَ هَل لَّنَا مِنَ ٱلۡأَمۡرِ مِن شَيۡءٖۗ
قُلۡ إِنَّ ٱلۡأَمۡرَ كُلَّهُۥ لِلَّهِۗ يُخۡفُونَ فِيٓ أَنفُسِهِم مَّا لَا يُبۡدُونَ لَكَۖ
يَقُولُونَ لَوۡ كَانَ لَنَا مِنَ ٱلۡأَمۡرِ شَيۡءٞ مَّا قُتِلۡنَا هَٰهُنَاۗ قُل لَّوۡ كُنتُمۡ
فِي بُيُوتِكُمۡ لَبَرَزَ ٱلَّذِينَ كُتِبَ عَلَيۡهِمُ ٱلۡقَتۡلُ إِلَىٰ مَضَاجِعِهِمۡۖ
وَلِيَبۡتَلِيَ ٱللَّهُ مَا فِي صُدُورِكُمۡ وَلِيُمَحِّصَ مَا فِي قُلُوبِكُمۡۗ
وَٱللَّهُ عَلِيمُۢ بِذَاتِ ٱلصُّدُورِ ﴿١٥٤﴾ إِنَّ ٱلَّذِينَ تَوَلَّوۡاْ مِنكُمۡ
يَوۡمَ ٱلۡتَقَى ٱلۡجَمۡعَانِ إِنَّمَا ٱسۡتَزَلَّهُمُ ٱلشَّيۡطَٰنُ بِبَعۡضِ مَا
كَسَبُواْۖ وَلَقَدۡ عَفَا ٱللَّهُ عَنۡهُمۡۗ إِنَّ ٱللَّهَ غَفُورٌ حَلِيمٞ ﴿١٥٥﴾ يَٰٓأَيُّهَا
ٱلَّذِينَ ءَامَنُواْ لَا تَكُونُواْ كَٱلَّذِينَ كَفَرُواْ وَقَالُواْ لِإِخۡوَٰنِهِمۡ إِذَا
ضَرَبُواْ فِي ٱلۡأَرۡضِ أَوۡ كَانُواْ غُزّٗى لَّوۡ كَانُواْ عِندَنَا مَا مَاتُواْ وَمَا
قُتِلُواْ لِيَجۡعَلَ ٱللَّهُ ذَٰلِكَ حَسۡرَةٗ فِي قُلُوبِهِمۡۗ وَٱللَّهُ يُحۡيِۦ وَيُمِيتُۗ
وَٱللَّهُ بِمَا تَعۡمَلُونَ بَصِيرٞ ﴿١٥٦﴾ وَلَئِن قُتِلۡتُمۡ فِي سَبِيلِ ٱللَّهِ
أَوۡ مُتُّمۡ لَمَغۡفِرَةٞ مِّنَ ٱللَّهِ وَرَحۡمَةٌ خَيۡرٞ مِّمَّا يَجۡمَعُونَ ﴿١٥٧﴾

آل عمران

- أَمَنَةً: أمناً
- نُّعَاسًا: سُكوناً وهُدوءاً أو مُقاربَةً للنوم
- يَغۡشَىٰ: يُلابِسُ كالغِشاء
- لَبَرَزَ: لَخرَجَ
- مَضَاجِعِهِمۡ: مَصارِعِهمْ المقدَّرة لهم
- لِيَبۡتَلِيَ: لِيختَبِرَ
- لِيُمَحِّصَ: يُخلِّص ويُزيل
- ٱسۡتَزَلَّهُمُ ٱلشَّيۡطَٰنُ: أزلَّهم . أو حَمَلَهُم على الزَّلل
- ضَرَبُواْ: سارُوا لتجارة أو غيرها
- غُزّٗى: غُزاة مُجاهِدين

مدّ ٦ حركات لزوماً ● مدّ ٢ أو ٤ أو ٦ جوازاً ● مدّ واجب ٤ أو ٥ حركات ● مدّ حركتان | إخفاء ، ومواقع الغُنّة (حركتان) ● إدغام ، وما لا يُلفظ | تفخيم ● قلقلة

وَلَئِن مُّتُّمْ أَوْ قُتِلْتُمْ لَإِلَى ٱللَّهِ تُحْشَرُونَ ﴿١٥٨﴾ فَبِمَا رَحْمَةٍ مِّنَ
ٱللَّهِ لِنتَ لَهُمْ ۖ وَلَوْ كُنتَ فَظًّا غَلِيظَ ٱلْقَلْبِ لَٱنفَضُّوا۟ مِنْ حَوْلِكَ ۖ
فَٱعْفُ عَنْهُمْ وَٱسْتَغْفِرْ لَهُمْ وَشَاوِرْهُمْ فِى ٱلْأَمْرِ ۖ فَإِذَا عَزَمْتَ
فَتَوَكَّلْ عَلَى ٱللَّهِ ۚ إِنَّ ٱللَّهَ يُحِبُّ ٱلْمُتَوَكِّلِينَ ﴿١٥٩﴾ إِن يَنصُرْكُمُ ٱللَّهُ
فَلَا غَالِبَ لَكُمْ ۖ وَإِن يَخْذُلْكُمْ فَمَن ذَا ٱلَّذِى يَنصُرُكُم مِّنۢ
بَعْدِهِۦ ۗ وَعَلَى ٱللَّهِ فَلْيَتَوَكَّلِ ٱلْمُؤْمِنُونَ ﴿١٦٠﴾ وَمَا كَانَ لِنَبِىٍّ أَن
يَغُلَّ ۚ وَمَن يَغْلُلْ يَأْتِ بِمَا غَلَّ يَوْمَ ٱلْقِيَـٰمَةِ ۚ ثُمَّ تُوَفَّىٰ كُلُّ
نَفْسٍ مَّا كَسَبَتْ وَهُمْ لَا يُظْلَمُونَ ﴿١٦١﴾ أَفَمَنِ ٱتَّبَعَ رِضْوَٰنَ
ٱللَّهِ كَمَنۢ بَآءَ بِسَخَطٍ مِّنَ ٱللَّهِ وَمَأْوَىٰهُ جَهَنَّمُ ۚ وَبِئْسَ ٱلْمَصِيرُ
﴿١٦٢﴾ هُمْ دَرَجَـٰتٌ عِندَ ٱللَّهِ ۗ وَٱللَّهُ بَصِيرٌۢ بِمَا يَعْمَلُونَ ﴿١٦٣﴾
لَقَدْ مَنَّ ٱللَّهُ عَلَى ٱلْمُؤْمِنِينَ إِذْ بَعَثَ فِيهِمْ رَسُولًا مِّنْ أَنفُسِهِمْ
يَتْلُوا۟ عَلَيْهِمْ ءَايَـٰتِهِۦ وَيُزَكِّيهِمْ وَيُعَلِّمُهُمُ ٱلْكِتَـٰبَ
وَٱلْحِكْمَةَ وَإِن كَانُوا۟ مِن قَبْلُ لَفِى ضَلَـٰلٍ مُّبِينٍ ﴿١٦٤﴾
أَوَلَمَّآ أَصَـٰبَتْكُم مُّصِيبَةٌ قَدْ أَصَبْتُم مِّثْلَيْهَا قُلْتُمْ أَنَّىٰ هَـٰذَا ۖ
قُلْ هُوَ مِنْ عِندِ أَنفُسِكُمْ ۗ إِنَّ ٱللَّهَ عَلَىٰ كُلِّ شَىْءٍ قَدِيرٌ ﴿١٦٥﴾

- لِنتَ لَهُمْ: سهّلتَ لهم أخلاقَكَ
- فَظًّا: جافياً في المُعاشَرَةِ
- لَٱنفَضُّوا: لَتفرّقوا
- فَلَا غَالِبَ لَكُمْ: فلا قاهرَ ولا خاذِلَ لكم
- يَغُلَّ: يَخُونَ في الغَنِيمَةِ
- بَآءَ بِسَخَطٍ: رَجَعَ بِغَضَبٍ عظيمٍ
- يُزَكِّيهِمْ: يُطَهِّرُهُم من أدْنَاس الجاهلية
- أَنَّىٰ هَـٰذَا: مِنْ أَيْنَ لنا هَذا الخِذْلانُ

مدّ ٦ حركات لزوماً ● مدّ ٢ أو ٤ أو ٦ جوازاً ● إخفاء، ومواقع الغُنَّة (حركتان) ● تفخيم
مدّ واجب ٤ أو ٥ حركات ● مدّ حركتان ● إدغام، وما لا يُلفَظ ● قلقلة

وَمَآ أَصَٰبَكُمۡ يَوۡمَ ٱلۡتَقَى ٱلۡجَمۡعَانِ فَبِإِذۡنِ ٱللَّهِ وَلِيَعۡلَمَ ٱلۡمُؤۡمِنِينَ
﴿١٦٦﴾ وَلِيَعۡلَمَ ٱلَّذِينَ نَافَقُواْۚ وَقِيلَ لَهُمۡ تَعَالَوۡاْ قَٰتِلُواْ فِي سَبِيلِ ٱللَّهِ
أَوِ ٱدۡفَعُواْۖ قَالُواْ لَوۡ نَعۡلَمُ قِتَالٗا لَّٱتَّبَعۡنَٰكُمۡۗ هُمۡ لِلۡكُفۡرِ
يَوۡمَئِذٍ أَقۡرَبُ مِنۡهُمۡ لِلۡإِيمَٰنِۚ يَقُولُونَ بِأَفۡوَٰهِهِم مَّا لَيۡسَ
فِي قُلُوبِهِمۡۚ وَٱللَّهُ أَعۡلَمُ بِمَا يَكۡتُمُونَ ﴿١٦٧﴾ ٱلَّذِينَ قَالُواْ لِإِخۡوَٰنِهِمۡ
وَقَعَدُواْ لَوۡ أَطَاعُونَا مَا قُتِلُواْۗ قُلۡ فَٱدۡرَءُواْ عَنۡ أَنفُسِكُمُ
ٱلۡمَوۡتَ إِن كُنتُمۡ صَٰدِقِينَ ﴿١٦٨﴾ وَلَا تَحۡسَبَنَّ ٱلَّذِينَ قُتِلُواْ فِي
سَبِيلِ ٱللَّهِ أَمۡوَٰتَۢاۚ بَلۡ أَحۡيَآءٌ عِندَ رَبِّهِمۡ يُرۡزَقُونَ ﴿١٦٩﴾ فَرِحِينَ
بِمَآ ءَاتَىٰهُمُ ٱللَّهُ مِن فَضۡلِهِۦ وَيَسۡتَبۡشِرُونَ بِٱلَّذِينَ لَمۡ يَلۡحَقُواْ
بِهِم مِّنۡ خَلۡفِهِمۡ أَلَّا خَوۡفٌ عَلَيۡهِمۡ وَلَا هُمۡ يَحۡزَنُونَ ﴿١٧٠﴾
۞ يَسۡتَبۡشِرُونَ بِنِعۡمَةٖ مِّنَ ٱللَّهِ وَفَضۡلٖ وَأَنَّ ٱللَّهَ لَا يُضِيعُ أَجۡرَ
ٱلۡمُؤۡمِنِينَ ﴿١٧١﴾ ٱلَّذِينَ ٱسۡتَجَابُواْ لِلَّهِ وَٱلرَّسُولِ مِنۢ بَعۡدِ مَآ
أَصَابَهُمُ ٱلۡقَرۡحُۚ لِلَّذِينَ أَحۡسَنُواْ مِنۡهُمۡ وَٱتَّقَوۡاْ أَجۡرٌ عَظِيمٌ ﴿١٧٢﴾
ٱلَّذِينَ قَالَ لَهُمُ ٱلنَّاسُ إِنَّ ٱلنَّاسَ قَدۡ جَمَعُواْ لَكُمۡ فَٱخۡشَوۡهُمۡ
فَزَادَهُمۡ إِيمَٰنٗا وَقَالُواْ حَسۡبُنَا ٱللَّهُ وَنِعۡمَ ٱلۡوَكِيلُ ﴿١٧٣﴾

فَٱدۡرَءُواْ: فادفعوا
الحزب ٨
ٱلۡقَرۡحُ: الجراح

| مدّ ٦ حركات لزوماً | مدّ ٢ أو ٤ أو ٦ جوازاً | إخفاء ، ومواقع الغُنَّة (حركتان) | تفخيم |
| --- | --- | --- | --- |
| مدّ واجب ٤ أو ٥ حركات | مدّ حركتان | إدغام ، وما لا يُلفَظ | قلقلة |

فَٱنقَلَبُواْ بِنِعۡمَةٖ مِّنَ ٱللَّهِ وَفَضۡلٖ لَّمۡ يَمۡسَسۡهُمۡ سُوٓءٞ وَٱتَّبَعُواْ
رِضۡوَٰنَ ٱللَّهِۗ وَٱللَّهُ ذُو فَضۡلٍ عَظِيمٍ ﴿١٧٤﴾ إِنَّمَا ذَٰلِكُمُ ٱلشَّيۡطَٰنُ
يُخَوِّفُ أَوۡلِيَآءَهُۥ فَلَا تَخَافُوهُمۡ وَخَافُونِ إِن كُنتُم مُّؤۡمِنِينَ ﴿١٧٥﴾
وَلَا يَحۡزُنكَ ٱلَّذِينَ يُسَٰرِعُونَ فِي ٱلۡكُفۡرِۚ إِنَّهُمۡ لَن يَضُرُّواْ ٱللَّهَ
شَيۡـٔٗاۗ يُرِيدُ ٱللَّهُ أَلَّا يَجۡعَلَ لَهُمۡ حَظّٗا فِي ٱلۡأٓخِرَةِۖ وَلَهُمۡ عَذَابٌ
عَظِيمٌ ﴿١٧٦﴾ إِنَّ ٱلَّذِينَ ٱشۡتَرَوُاْ ٱلۡكُفۡرَ بِٱلۡإِيمَٰنِ لَن يَضُرُّواْ
ٱللَّهَ شَيۡـٔٗا وَلَهُمۡ عَذَابٌ أَلِيمٞ ﴿١٧٧﴾ وَلَا يَحۡسَبَنَّ ٱلَّذِينَ كَفَرُوٓاْ
أَنَّمَا نُمۡلِي لَهُمۡ خَيۡرٞ لِّأَنفُسِهِمۡۚ إِنَّمَا نُمۡلِي لَهُمۡ لِيَزۡدَادُوٓاْ إِثۡمٗاۖ
وَلَهُمۡ عَذَابٞ مُّهِينٞ ﴿١٧٨﴾ مَّا كَانَ ٱللَّهُ لِيَذَرَ ٱلۡمُؤۡمِنِينَ عَلَىٰ مَآ
أَنتُمۡ عَلَيۡهِ حَتَّىٰ يَمِيزَ ٱلۡخَبِيثَ مِنَ ٱلطَّيِّبِۗ وَمَا كَانَ ٱللَّهُ لِيُطۡلِعَكُمۡ
عَلَى ٱلۡغَيۡبِ وَلَٰكِنَّ ٱللَّهَ يَجۡتَبِي مِن رُّسُلِهِۦ مَن يَشَآءُۖ فَـَٔامِنُواْ بِٱللَّهِ
وَرُسُلِهِۦۚ وَإِن تُؤۡمِنُواْ وَتَتَّقُواْ فَلَكُمۡ أَجۡرٌ عَظِيمٞ ﴿١٧٩﴾ وَلَا
يَحۡسَبَنَّ ٱلَّذِينَ يَبۡخَلُونَ بِمَآ ءَاتَىٰهُمُ ٱللَّهُ مِن فَضۡلِهِۦ هُوَ خَيۡرٗا
لَّهُمۖ بَلۡ هُوَ شَرّٞ لَّهُمۡۖ سَيُطَوَّقُونَ مَا بَخِلُواْ بِهِۦ يَوۡمَ ٱلۡقِيَٰمَةِۗ
وَلِلَّهِ مِيرَٰثُ ٱلسَّمَٰوَٰتِ وَٱلۡأَرۡضِۗ وَٱللَّهُ بِمَا تَعۡمَلُونَ خَبِيرٞ ﴿١٨٠﴾

- نُمْلِي لَهُمْ: نُمهلهم مع كفرهم
- يَجْتَبِي: يَصْطَفِي وَيَخْتَارُ
- سَيُطَوَّقُونَ: سيُجعلُ طوقاً في أعناقهم

لَقَدْ سَمِعَ ٱللَّهُ قَوْلَ ٱلَّذِينَ قَالُوٓا۟ إِنَّ ٱللَّهَ فَقِيرٌ وَنَحْنُ أَغْنِيَآءُ ۘ
سَنَكْتُبُ مَا قَالُوا۟ وَقَتْلَهُمُ ٱلْأَنۢبِيَآءَ بِغَيْرِ حَقٍّ وَنَقُولُ
ذُوقُوا۟ عَذَابَ ٱلْحَرِيقِ ﴿١٨١﴾ ذَٰلِكَ بِمَا قَدَّمَتْ أَيْدِيكُمْ
وَأَنَّ ٱللَّهَ لَيْسَ بِظَلَّٰمٍ لِّلْعَبِيدِ ﴿١٨٢﴾ ٱلَّذِينَ قَالُوٓا۟ إِنَّ
ٱللَّهَ عَهِدَ إِلَيْنَآ أَلَّا نُؤْمِنَ لِرَسُولٍ حَتَّىٰ يَأْتِيَنَا بِقُرْبَانٍ
تَأْكُلُهُ ٱلنَّارُ ۗ قُلْ قَدْ جَآءَكُمْ رُسُلٌ مِّن قَبْلِى بِٱلْبَيِّنَٰتِ
وَبِٱلَّذِى قُلْتُمْ فَلِمَ قَتَلْتُمُوهُمْ إِن كُنتُمْ صَٰدِقِينَ ﴿١٨٣﴾
فَإِن كَذَّبُوكَ فَقَدْ كُذِّبَ رُسُلٌ مِّن قَبْلِكَ جَآءُو بِٱلْبَيِّنَٰتِ
وَٱلزُّبُرِ وَٱلْكِتَٰبِ ٱلْمُنِيرِ ﴿١٨٤﴾ كُلُّ نَفْسٍ ذَآئِقَةُ ٱلْمَوْتِ ۗ
وَإِنَّمَا تُوَفَّوْنَ أُجُورَكُمْ يَوْمَ ٱلْقِيَٰمَةِ ۖ فَمَن زُحْزِحَ
عَنِ ٱلنَّارِ وَأُدْخِلَ ٱلْجَنَّةَ فَقَدْ فَازَ ۗ وَمَا ٱلْحَيَوٰةُ ٱلدُّنْيَآ
إِلَّا مَتَٰعُ ٱلْغُرُورِ ﴿١٨٥﴾ ۞ لَتُبْلَوُنَّ فِىٓ أَمْوَٰلِكُمْ
وَأَنفُسِكُمْ وَلَتَسْمَعُنَّ مِنَ ٱلَّذِينَ أُوتُوا۟ ٱلْكِتَٰبَ
مِن قَبْلِكُمْ وَمِنَ ٱلَّذِينَ أَشْرَكُوٓا۟ أَذًى كَثِيرًا ۚ
وَإِن تَصْبِرُوا۟ وَتَتَّقُوا۟ فَإِنَّ ذَٰلِكَ مِنْ عَزْمِ ٱلْأُمُورِ ﴿١٨٦﴾

بِقُرْبَانٍ: مَا يُتقرَّبُ به من البِرِّ إليه تعالى
ٱلزُّبُرِ: المواعِظ والزَّواجِر
زُحْزِحَ: بُعِّدَ ونُحِّيَ
ٱلْغُرُورِ: الخِدَاعِ
لَتُبْلَوُنَّ: لَتُمْتَحَنُنَّ وتُخْتَبَرُنَّ بِالمِحَن

ربع الحزب ٨

| | | |
|---|---|---|
| مدّ ٦ حركات لزوماً · مدّ ٢ أو ٤ أو ٦ جوازاً | إخفاء، ومواقع الغُنَّة (حركتان) | تفخيم |
| مدّ واجب ٤ أو ٥ حركات · مدّ حركتان | إدغام، وما لا يُلفَظ | قلقلة |

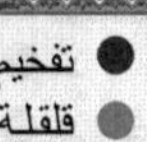

وَإِذْ أَخَذَ ٱللَّهُ مِيثَٰقَ ٱلَّذِينَ أُوتُوا۟ ٱلْكِتَٰبَ لَتُبَيِّنُنَّهُۥ لِلنَّاسِ
وَلَا تَكْتُمُونَهُۥ فَنَبَذُوهُ وَرَآءَ ظُهُورِهِمْ وَٱشْتَرَوْا۟ بِهِۦ ثَمَنًا
قَلِيلًا ۖ فَبِئْسَ مَا يَشْتَرُونَ ﴿١٨٧﴾ لَا تَحْسَبَنَّ ٱلَّذِينَ يَفْرَحُونَ
بِمَآ أَتَوا۟ وَّيُحِبُّونَ أَن يُحْمَدُوا۟ بِمَا لَمْ يَفْعَلُوا۟ فَلَا تَحْسَبَنَّهُم
بِمَفَازَةٍ مِّنَ ٱلْعَذَابِ ۖ وَلَهُمْ عَذَابٌ أَلِيمٌ ﴿١٨٨﴾ وَلِلَّهِ مُلْكُ
ٱلسَّمَٰوَٰتِ وَٱلْأَرْضِ ۗ وَٱللَّهُ عَلَىٰ كُلِّ شَىْءٍ قَدِيرٌ ﴿١٨٩﴾ إِنَّ فِى
خَلْقِ ٱلسَّمَٰوَٰتِ وَٱلْأَرْضِ وَٱخْتِلَٰفِ ٱلَّيْلِ وَٱلنَّهَارِ لَءَايَٰتٍ
لِّأُو۟لِى ٱلْأَلْبَٰبِ ﴿١٩٠﴾ ٱلَّذِينَ يَذْكُرُونَ ٱللَّهَ قِيَٰمًا وَقُعُودًا
وَعَلَىٰ جُنُوبِهِمْ وَيَتَفَكَّرُونَ فِى خَلْقِ ٱلسَّمَٰوَٰتِ وَٱلْأَرْضِ
رَبَّنَا مَا خَلَقْتَ هَٰذَا بَٰطِلًا سُبْحَٰنَكَ فَقِنَا عَذَابَ ٱلنَّارِ ﴿١٩١﴾
رَبَّنَآ إِنَّكَ مَن تُدْخِلِ ٱلنَّارَ فَقَدْ أَخْزَيْتَهُۥ ۖ وَمَا لِلظَّٰلِمِينَ مِنْ
أَنصَارٍ ﴿١٩٢﴾ رَّبَّنَآ إِنَّنَا سَمِعْنَا مُنَادِيًا يُنَادِى لِلْإِيمَٰنِ أَنْ
ءَامِنُوا۟ بِرَبِّكُمْ فَـَٔامَنَّا ۚ رَبَّنَا فَٱغْفِرْ لَنَا ذُنُوبَنَا وَكَفِّرْ عَنَّا
سَيِّـَٔاتِنَا وَتَوَفَّنَا مَعَ ٱلْأَبْرَارِ ﴿١٩٣﴾ رَبَّنَا وَءَاتِنَا مَا وَعَدتَّنَا
عَلَىٰ رُسُلِكَ وَلَا تُخْزِنَا يَوْمَ ٱلْقِيَٰمَةِ ۗ إِنَّكَ لَا تُخْلِفُ ٱلْمِيعَادَ ﴿١٩٤﴾

- فَنَبَذُوهُ: طَرَحُوهُ
- بِمَفَازَةٍ: بفَوْزٍ وَمَنْجَاةٍ
- فَقِنَا عَذَابَ ٱلنَّارِ: احفظنا من عذابها
- أَخْزَيْتَهُۥ: فَضَحْتَهُ وَأَهَنْتَهُ
- كَفِّرْ عَنَّا: أذهِبْ وَأزِلْ عنّا

فَٱسْتَجَابَ لَهُمْ رَبُّهُمْ أَنِّى لَآ أُضِيعُ عَمَلَ عَٰمِلٍ مِّنكُم مِّن
ذَكَرٍ أَوْ أُنثَىٰ ۖ بَعْضُكُم مِّنۢ بَعْضٍ ۖ فَٱلَّذِينَ هَاجَرُوا۟ وَأُخْرِجُوا۟
مِن دِيَٰرِهِمْ وَأُوذُوا۟ فِى سَبِيلِى وَقَٰتَلُوا۟ وَقُتِلُوا۟ لَأُكَفِّرَنَّ
عَنْهُمْ سَيِّـَٔاتِهِمْ وَلَأُدْخِلَنَّهُمْ جَنَّٰتٍ تَجْرِى مِن تَحْتِهَا
ٱلْأَنْهَٰرُ ثَوَابًا مِّنْ عِندِ ٱللَّهِ ۗ وَٱللَّهُ عِندَهُۥ حُسْنُ ٱلثَّوَابِ ﴿١٩٥﴾
لَا يَغُرَّنَّكَ تَقَلُّبُ ٱلَّذِينَ كَفَرُوا۟ فِى ٱلْبِلَٰدِ ﴿١٩٦﴾ مَتَٰعٌ قَلِيلٌ
ثُمَّ مَأْوَىٰهُمْ جَهَنَّمُ ۚ وَبِئْسَ ٱلْمِهَادُ ﴿١٩٧﴾ لَٰكِنِ ٱلَّذِينَ ٱتَّقَوْا۟
رَبَّهُمْ لَهُمْ جَنَّٰتٌ تَجْرِى مِن تَحْتِهَا ٱلْأَنْهَٰرُ خَٰلِدِينَ فِيهَا
نُزُلًا مِّنْ عِندِ ٱللَّهِ ۗ وَمَا عِندَ ٱللَّهِ خَيْرٌ لِّلْأَبْرَارِ ﴿١٩٨﴾ وَإِنَّ مِنْ
أَهْلِ ٱلْكِتَٰبِ لَمَن يُؤْمِنُ بِٱللَّهِ وَمَآ أُنزِلَ إِلَيْكُمْ وَمَآ
أُنزِلَ إِلَيْهِمْ خَٰشِعِينَ لِلَّهِ لَا يَشْتَرُونَ بِـَٔايَٰتِ ٱللَّهِ ثَمَنًا
قَلِيلًا ۗ أُو۟لَٰٓئِكَ لَهُمْ أَجْرُهُمْ عِندَ رَبِّهِمْ ۗ إِنَّ ٱللَّهَ
سَرِيعُ ٱلْحِسَابِ ﴿١٩٩﴾ يَٰٓأَيُّهَا ٱلَّذِينَ ءَامَنُوا۟ ٱصْبِرُوا۟
وَصَابِرُوا۟ وَرَابِطُوا۟ وَٱتَّقُوا۟ ٱللَّهَ لَعَلَّكُمْ تُفْلِحُونَ ﴿٢٠٠﴾

## سُورَةُ النِّسَاءِ

ترتيبها ٤ — آياتها ١٧٦

- لَا يَغُرَّنَّكَ: لا يَخْدَعَنَّكَ عن الحقيقة
- تَقَلُّبُ: تَصَرُّفُ
- ٱلْمِهَادُ: الفِرَاشُ ؛ أي المستقَرُّ
- نُزُلًا: ضِيافَةً وتَكْرِمَةً
- صَابِرُوا۟: غَالِبُوا الأعداءَ في الصَّبْرِ
- رَابِطُوا۟: أقِيمُوا بالحُدودِ مُتَأهِّبِينَ للجهاد

| | | |
|---|---|---|
| مدّ ٦ حركات لزوماً ● مدّ ٢ أو ٤ أو ٦ جوازاً | إخفاء ، ومواقع الغُنَّة (حركتان) | تفخيم |
| مدّ واجب ٤ أو ٥ حركات ● مدّ حركتان | إدغام ، وما لا يُلفَظ | قلقلة |

بِسۡمِ ٱللَّهِ ٱلرَّحۡمَٰنِ ٱلرَّحِيمِ

يَٰٓأَيُّهَا ٱلنَّاسُ ٱتَّقُواْ رَبَّكُمُ ٱلَّذِي خَلَقَكُم مِّن نَّفۡسٖ وَٰحِدَةٖ وَخَلَقَ مِنۡهَا
زَوۡجَهَا وَبَثَّ مِنۡهُمَا رِجَالٗا كَثِيرٗا وَنِسَآءٗۚ وَٱتَّقُواْ ٱللَّهَ ٱلَّذِي تَسَآءَلُونَ
بِهِۦ وَٱلۡأَرۡحَامَۚ إِنَّ ٱللَّهَ كَانَ عَلَيۡكُمۡ رَقِيبٗا ﴿١﴾ وَءَاتُواْ ٱلۡيَتَٰمَىٰٓ أَمۡوَٰلَهُمۡۖ
وَلَا تَتَبَدَّلُواْ ٱلۡخَبِيثَ بِٱلطَّيِّبِۖ وَلَا تَأۡكُلُوٓاْ أَمۡوَٰلَهُمۡ إِلَىٰٓ أَمۡوَٰلِكُمۡۚ إِنَّهُۥ
كَانَ حُوبٗا كَبِيرٗا ﴿٢﴾ وَإِنۡ خِفۡتُمۡ أَلَّا تُقۡسِطُواْ فِي ٱلۡيَتَٰمَىٰ فَٱنكِحُواْ
مَا طَابَ لَكُم مِّنَ ٱلنِّسَآءِ مَثۡنَىٰ وَثُلَٰثَ وَرُبَٰعَۖ فَإِنۡ خِفۡتُمۡ أَلَّا تَعۡدِلُواْ
فَوَٰحِدَةً أَوۡ مَا مَلَكَتۡ أَيۡمَٰنُكُمۡۚ ذَٰلِكَ أَدۡنَىٰٓ أَلَّا تَعُولُواْ ﴿٣﴾ وَءَاتُواْ
ٱلنِّسَآءَ صَدُقَٰتِهِنَّ نِحۡلَةٗۚ فَإِن طِبۡنَ لَكُمۡ عَن شَيۡءٖ مِّنۡهُ نَفۡسٗا فَكُلُوهُ
هَنِيٓـٔٗا مَّرِيٓـٔٗا ﴿٤﴾ وَلَا تُؤۡتُواْ ٱلسُّفَهَآءَ أَمۡوَٰلَكُمُ ٱلَّتِي جَعَلَ ٱللَّهُ لَكُمۡ
قِيَٰمٗا وَٱرۡزُقُوهُمۡ فِيهَا وَٱكۡسُوهُمۡ وَقُولُواْ لَهُمۡ قَوۡلٗا مَّعۡرُوفٗا ﴿٥﴾ وَٱبۡتَلُواْ
ٱلۡيَتَٰمَىٰ حَتَّىٰٓ إِذَا بَلَغُواْ ٱلنِّكَاحَ فَإِنۡ ءَانَسۡتُم مِّنۡهُمۡ رُشۡدٗا فَٱدۡفَعُوٓاْ
إِلَيۡهِمۡ أَمۡوَٰلَهُمۡۖ وَلَا تَأۡكُلُوهَآ إِسۡرَافٗا وَبِدَارًا أَن يَكۡبَرُواْۚ وَمَن كَانَ
غَنِيّٗا فَلۡيَسۡتَعۡفِفۡۖ وَمَن كَانَ فَقِيرٗا فَلۡيَأۡكُلۡ بِٱلۡمَعۡرُوفِۚ فَإِذَا
دَفَعۡتُمۡ إِلَيۡهِمۡ أَمۡوَٰلَهُمۡ فَأَشۡهِدُواْ عَلَيۡهِمۡۚ وَكَفَىٰ بِٱللَّهِ حَسِيبٗا ﴿٦﴾

نصف الحزب ٨

تُقرأ عند الوقف: نِسَآءَا

- بَثَّ: نَشَرَ وفَرَّقَ
- رَقِيبًا: مُطَّلعاً أو حافظاً لأعمالكم
- حُوبًا: إثماً
- تُقۡسِطُواْ: تَعْدِلُوا
- طَابَ: حَلَّ
- أَدۡنَىٰٓ: أقربُ
- أَلَّا تَعُولُواْ: لا تَجُورُوا. أو لا تكثُرَ عِيالُكُم
- صَدُقَٰتِهِنَّ: مُهُورَهُنَّ
- نِحۡلَةٗ: عَطِيَّةً منه تعالى
- هَنِيٓـٔٗا مَّرِيٓـٔٗا: سائغاً حَمِيدَ المَغَبَّة
- قِيَٰمٗا: قِوامَ مَعاشِكُم
- ٱبۡتَلُواْ: اختبِرُوا وامتحِنُوا
- ءَانَسۡتُم: علمتُم وتبيَّنتُم
- رُشۡدٗا: حُسْنَ تَصَرُّفٍ في الأموالِ
- بِدَارًا: مُبادِرِين
- فَلۡيَسۡتَعۡفِفۡ: فليَكُفَّ عن أكلِ أموالِهِم
- حَسِيبٗا: مُحاسِباً لكُم

لِّلرِّجَالِ نَصِيبٌ مِّمَّا تَرَكَ ٱلْوَٰلِدَانِ وَٱلْأَقْرَبُونَ وَلِلنِّسَآءِ نَصِيبٌ
مِّمَّا تَرَكَ ٱلْوَٰلِدَانِ وَٱلْأَقْرَبُونَ مِمَّا قَلَّ مِنْهُ أَوْ كَثُرَ ۚ نَصِيبًا
مَّفْرُوضًا ﴿٧﴾ وَإِذَا حَضَرَ ٱلْقِسْمَةَ أُو۟لُوا۟ ٱلْقُرْبَىٰ وَٱلْيَتَـٰمَىٰ
وَٱلْمَسَـٰكِينُ فَٱرْزُقُوهُم مِّنْهُ وَقُولُوا۟ لَهُمْ قَوْلًا مَّعْرُوفًا
﴿٨﴾ وَلْيَخْشَ ٱلَّذِينَ لَوْ تَرَكُوا۟ مِنْ خَلْفِهِمْ ذُرِّيَّةً ضِعَـٰفًا
خَافُوا۟ عَلَيْهِمْ فَلْيَتَّقُوا۟ ٱللَّهَ وَلْيَقُولُوا۟ قَوْلًا سَدِيدًا ﴿٩﴾
إِنَّ ٱلَّذِينَ يَأْكُلُونَ أَمْوَٰلَ ٱلْيَتَـٰمَىٰ ظُلْمًا إِنَّمَا يَأْكُلُونَ فِى
بُطُونِهِمْ نَارًا ۖ وَسَيَصْلَوْنَ سَعِيرًا ﴿١٠﴾ يُوصِيكُمُ ٱللَّهُ
فِىٓ أَوْلَـٰدِكُمْ ۖ لِلذَّكَرِ مِثْلُ حَظِّ ٱلْأُنثَيَيْنِ ۚ فَإِن كُنَّ نِسَآءً
فَوْقَ ٱثْنَتَيْنِ فَلَهُنَّ ثُلُثَا مَا تَرَكَ ۖ وَإِن كَانَتْ وَٰحِدَةً فَلَهَا
ٱلنِّصْفُ ۚ وَلِأَبَوَيْهِ لِكُلِّ وَٰحِدٍ مِّنْهُمَا ٱلسُّدُسُ مِمَّا تَرَكَ إِن
كَانَ لَهُۥ وَلَدٌ ۚ فَإِن لَّمْ يَكُن لَّهُۥ وَلَدٌ وَوَرِثَهُۥٓ أَبَوَاهُ فَلِأُمِّهِ ٱلثُّلُثُ ۚ
فَإِن كَانَ لَهُۥٓ إِخْوَةٌ فَلِأُمِّهِ ٱلسُّدُسُ ۚ مِنۢ بَعْدِ وَصِيَّةٍ يُوصِى
بِهَآ أَوْ دَيْنٍ ۗ ءَابَآؤُكُمْ وَأَبْنَآؤُكُمْ لَا تَدْرُونَ أَيُّهُمْ أَقْرَبُ لَكُمْ
نَفْعًا ۚ فَرِيضَةً مِّنَ ٱللَّهِ ۗ إِنَّ ٱللَّهَ كَانَ عَلِيمًا حَكِيمًا ﴿١١﴾

- مَّفْرُوضًا: واجباً
- سَدِيدًا: جميلاً ، أوصواباً
- سَيَصْلَوْنَ: سيدخلون
- فَرِيضَةً: مفروضة

مدّ ٦ حركات لزوماً ● مدّ ٢ أو ٤ أو ٦ جوازاً ● إخفاء ، ومواقع الغُنَّة (حركتان) ● تفخيم ●
مدّ واجب ٤ أو ٥ حركات ● مدّ حركتان ● إدغام ، وما لا يُلفَظ ● قلقلة ●

ثلاثة أرباع الحزب ٨

۞ وَلَكُمْ نِصْفُ مَا تَرَكَ أَزْوَٰجُكُمْ إِن لَّمْ يَكُن
لَّهُنَّ وَلَدٌ ۚ فَإِن كَانَ لَهُنَّ وَلَدٌ فَلَكُمُ ٱلرُّبُعُ مِمَّا
تَرَكْنَ ۚ مِنۢ بَعْدِ وَصِيَّةٍ يُوصِينَ بِهَآ أَوْ دَيْنٍ ۚ
وَلَهُنَّ ٱلرُّبُعُ مِمَّا تَرَكْتُمْ إِن لَّمْ يَكُن لَّكُمْ وَلَدٌ ۚ
فَإِن كَانَ لَكُمْ وَلَدٌ فَلَهُنَّ ٱلثُّمُنُ مِمَّا تَرَكْتُم ۚ
مِّنۢ بَعْدِ وَصِيَّةٍ تُوصُونَ بِهَآ أَوْ دَيْنٍ ۗ وَإِن كَانَ
رَجُلٌ يُورَثُ كَلَٰلَةً أَوِ ٱمْرَأَةٌ وَلَهُۥٓ أَخٌ أَوْ أُخْتٌ فَلِكُلِّ
وَٰحِدٍ مِّنْهُمَا ٱلسُّدُسُ ۚ فَإِن كَانُوٓا۟ أَكْثَرَ مِن ذَٰلِكَ
فَهُمْ شُرَكَآءُ فِى ٱلثُّلُثِ ۚ مِنۢ بَعْدِ وَصِيَّةٍ يُوصَىٰ بِهَآ
أَوْ دَيْنٍ غَيْرَ مُضَآرٍّ ۚ وَصِيَّةً مِّنَ ٱللَّهِ ۗ وَٱللَّهُ عَلِيمٌ حَلِيمٌ
١٢ تِلْكَ حُدُودُ ٱللَّهِ ۚ وَمَن يُطِعِ ٱللَّهَ وَرَسُولَهُۥ
يُدْخِلْهُ جَنَّٰتٍ تَجْرِى مِن تَحْتِهَا ٱلْأَنْهَٰرُ
خَٰلِدِينَ فِيهَا ۚ وَذَٰلِكَ ٱلْفَوْزُ ٱلْعَظِيمُ ١٣
وَمَن يَعْصِ ٱللَّهَ وَرَسُولَهُۥ وَيَتَعَدَّ حُدُودَهُۥ يُدْخِلْهُ
نَارًا خَٰلِدًا فِيهَا وَلَهُۥ عَذَابٌ مُّهِينٌ ١٤

▪ كَلَٰلَةً: ميتاً لا وَلَدَ لَهُ ولا وَالِدَ
▪ حُدُودُ ٱللَّهِ: شَرَائِعُه وأحكامُه

مدّ ٦ حركات لزوماً ● مدّ ٢ أو ٤ أو ٦ جوازاً ● إخفاء، ومواقع الغُنَّة (حركتان) ● تفخيم
مدّ واجب ٤ أو ٥ حركات ● مدّ حركتان ● إدغام، وما لا يُلفظ ● قلقلة

وَٱلَّٰتِي يَأۡتِينَ ٱلۡفَٰحِشَةَ مِن نِّسَآئِكُمۡ فَٱسۡتَشۡهِدُواْ
عَلَيۡهِنَّ أَرۡبَعَةٗ مِّنكُمۡۖ فَإِن شَهِدُواْ فَأَمۡسِكُوهُنَّ فِي
ٱلۡبُيُوتِ حَتَّىٰ يَتَوَفَّىٰهُنَّ ٱلۡمَوۡتُ أَوۡ يَجۡعَلَ ٱللَّهُ لَهُنَّ سَبِيلٗا
﴿١٥﴾ وَٱلَّذَانِ يَأۡتِيَٰنِهَا مِنكُمۡ فَـَٔاذُوهُمَاۖ فَإِن تَابَا
وَأَصۡلَحَا فَأَعۡرِضُواْ عَنۡهُمَآۗ إِنَّ ٱللَّهَ كَانَ تَوَّابٗا رَّحِيمًا
﴿١٦﴾ إِنَّمَا ٱلتَّوۡبَةُ عَلَى ٱللَّهِ لِلَّذِينَ يَعۡمَلُونَ ٱلسُّوٓءَ بِجَهَٰلَةٖ
ثُمَّ يَتُوبُونَ مِن قَرِيبٖ فَأُوْلَٰٓئِكَ يَتُوبُ ٱللَّهُ عَلَيۡهِمۡۗ وَكَانَ
ٱللَّهُ عَلِيمًا حَكِيمٗا ﴿١٧﴾ وَلَيۡسَتِ ٱلتَّوۡبَةُ لِلَّذِينَ
يَعۡمَلُونَ ٱلسَّيِّـَٔاتِ حَتَّىٰٓ إِذَا حَضَرَ أَحَدَهُمُ ٱلۡمَوۡتُ
قَالَ إِنِّي تُبۡتُ ٱلۡـَٰٔنَ وَلَا ٱلَّذِينَ يَمُوتُونَ وَهُمۡ كُفَّارٌۚ
أُوْلَٰٓئِكَ أَعۡتَدۡنَا لَهُمۡ عَذَابًا أَلِيمٗا ﴿١٨﴾ يَٰٓأَيُّهَا ٱلَّذِينَ
ءَامَنُواْ لَا يَحِلُّ لَكُمۡ أَن تَرِثُواْ ٱلنِّسَآءَ كَرۡهٗاۖ وَلَا تَعۡضُلُوهُنَّ
لِتَذۡهَبُواْ بِبَعۡضِ مَآ ءَاتَيۡتُمُوهُنَّ إِلَّآ أَن يَأۡتِينَ بِفَٰحِشَةٖ
مُّبَيِّنَةٖۚ وَعَاشِرُوهُنَّ بِٱلۡمَعۡرُوفِۚ فَإِن كَرِهۡتُمُوهُنَّ فَعَسَىٰٓ
أَن تَكۡرَهُواْ شَيۡـٔٗا وَيَجۡعَلَ ٱللَّهُ فِيهِ خَيۡرٗا كَثِيرٗا ﴿١٩﴾

- كَرۡهًا: مُكرِهِينَ لَهُنَّ
- لَا تَعۡضُلُوهُنَّ: لا تُمۡسِكُوهُنَّ مَضارَّةً لَهُنَّ

| | | |
|---|---|---|
| مدّ ٦ حركات لزوماً ● مدّ ٢ أو ٤ أو ٦ جوازاً | إخفاء ، ومواقع الغُنَّة (حركتان) | تفخيم |
| مدّ واجب ٤ أو ٥ حركات ● مدّ حركتان | إدغام ، وما لا يُلفظ | قلقلة |

وَإِنْ أَرَدتُّمُ ٱسْتِبْدَالَ زَوْجٍ مَّكَانَ زَوْجٍ وَءَاتَيْتُمْ
إِحْدَىٰهُنَّ قِنطَارًا فَلَا تَأْخُذُوا۟ مِنْهُ شَيْـًٔا ۚ أَتَأْخُذُونَهُۥ
بُهْتَٰنًا وَإِثْمًا مُّبِينًا ﴿٢٠﴾ وَكَيْفَ تَأْخُذُونَهُۥ وَقَدْ أَفْضَىٰ
بَعْضُكُمْ إِلَىٰ بَعْضٍ وَأَخَذْنَ مِنكُم مِّيثَٰقًا
غَلِيظًا ﴿٢١﴾ وَلَا تَنكِحُوا۟ مَا نَكَحَ ءَابَآؤُكُم مِّنَ
ٱلنِّسَآءِ إِلَّا مَا قَدْ سَلَفَ ۚ إِنَّهُۥ كَانَ فَٰحِشَةً وَمَقْتًا
وَسَآءَ سَبِيلًا ﴿٢٢﴾ حُرِّمَتْ عَلَيْكُمْ أُمَّهَٰتُكُمْ
وَبَنَاتُكُمْ وَأَخَوَٰتُكُمْ وَعَمَّٰتُكُمْ وَخَٰلَٰتُكُمْ وَبَنَاتُ
ٱلْأَخِ وَبَنَاتُ ٱلْأُخْتِ وَأُمَّهَٰتُكُمُ ٱلَّٰتِىٓ أَرْضَعْنَكُمْ
وَأَخَوَٰتُكُم مِّنَ ٱلرَّضَٰعَةِ وَأُمَّهَٰتُ نِسَآئِكُمْ
وَرَبَٰٓئِبُكُمُ ٱلَّٰتِى فِى حُجُورِكُم مِّن نِّسَآئِكُمُ
ٱلَّٰتِى دَخَلْتُم بِهِنَّ فَإِن لَّمْ تَكُونُوا۟ دَخَلْتُم بِهِنَّ
فَلَا جُنَاحَ عَلَيْكُمْ وَحَلَٰٓئِلُ أَبْنَآئِكُمُ ٱلَّذِينَ
مِنْ أَصْلَٰبِكُمْ وَأَن تَجْمَعُوا۟ بَيْنَ ٱلْأُخْتَيْنِ
إِلَّا مَا قَدْ سَلَفَ ۗ إِنَّ ٱللَّهَ كَانَ غَفُورًا رَّحِيمًا ﴿٢٣﴾

- بُهْتَٰنًا: باطلاً . أو ظلماً
- أَفْضَىٰ بَعْضُكُمْ: وَصَل
- مِّيثَٰقًا غَلِيظًا: عهداً وثيقاً
- مَقْتًا: مَبْغوضاً مستحقراً جداً
- رَبَٰٓئِبُكُمُ: بَنَاتُ زَوْجَاتِكُمْ من غَيْرِكُمْ
- فَلَا جُنَاحَ: فلا إِثْم
- حَلَٰٓئِلُ أَبْنَآئِكُمُ: زَوْجَاتُهُمْ

| | | |
|---|---|---|
| مدّ ٦ حركات لزوماً ● مدّ ٢ أو ٤ أو ٦ جوازاً ● | إخفاء ، ومواقع الغُنَّة (حركتان) ● | تفخيم ● |
| مدّ واجب ٤ أو ٥ حركات ● مدّ حركتان ● | إدغام ، وما لا يُلفَظ ● | قلقلة ● |

۞ وَٱلْمُحْصَنَٰتُ مِنَ ٱلنِّسَآءِ إِلَّا مَا مَلَكَتْ أَيْمَٰنُكُمْ ۖ
كِتَٰبَ ٱللَّهِ عَلَيْكُمْ ۚ وَأُحِلَّ لَكُم مَّا وَرَآءَ ذَٰلِكُمْ أَن تَبْتَغُوا۟
بِأَمْوَٰلِكُم مُّحْصِنِينَ غَيْرَ مُسَٰفِحِينَ ۚ فَمَا ٱسْتَمْتَعْتُم بِهِۦ
مِنْهُنَّ فَـَٔاتُوهُنَّ أُجُورَهُنَّ فَرِيضَةً ۚ وَلَا جُنَاحَ عَلَيْكُمْ
فِيمَا تَرَٰضَيْتُم بِهِۦ مِنۢ بَعْدِ ٱلْفَرِيضَةِ ۚ إِنَّ ٱللَّهَ كَانَ عَلِيمًا
حَكِيمًا ﴿٢٤﴾ وَمَن لَّمْ يَسْتَطِعْ مِنكُمْ طَوْلًا أَن يَنكِحَ
ٱلْمُحْصَنَٰتِ ٱلْمُؤْمِنَٰتِ فَمِن مَّا مَلَكَتْ أَيْمَٰنُكُم مِّن
فَتَيَٰتِكُمُ ٱلْمُؤْمِنَٰتِ ۚ وَٱللَّهُ أَعْلَمُ بِإِيمَٰنِكُم ۚ بَعْضُكُم مِّنۢ
بَعْضٍ ۚ فَٱنكِحُوهُنَّ بِإِذْنِ أَهْلِهِنَّ وَءَاتُوهُنَّ أُجُورَهُنَّ
بِٱلْمَعْرُوفِ مُحْصَنَٰتٍ غَيْرَ مُسَٰفِحَٰتٍ وَلَا مُتَّخِذَٰتِ
أَخْدَانٍ ۚ فَإِذَآ أُحْصِنَّ فَإِنْ أَتَيْنَ بِفَٰحِشَةٍ فَعَلَيْهِنَّ نِصْفُ
مَا عَلَى ٱلْمُحْصَنَٰتِ مِنَ ٱلْعَذَابِ ۚ ذَٰلِكَ لِمَنْ خَشِىَ
ٱلْعَنَتَ مِنكُمْ ۚ وَأَن تَصْبِرُوا۟ خَيْرٌ لَّكُمْ ۗ وَٱللَّهُ غَفُورٌ رَّحِيمٌ
﴿٢٥﴾ يُرِيدُ ٱللَّهُ لِيُبَيِّنَ لَكُمْ وَيَهْدِيَكُمْ سُنَنَ ٱلَّذِينَ
مِن قَبْلِكُمْ وَيَتُوبَ عَلَيْكُمْ ۗ وَٱللَّهُ عَلِيمٌ حَكِيمٌ ﴿٢٦﴾

ٱلْمُحْصَنَٰتُ: ذَوَاتُ الأزواجِ
مُّحْصِنِينَ: عَفِيفِينَ عن المعاصي
غَيْرَ مُسَٰفِحِينَ: غَيْرَ زَانِينَ
أُجُورَهُنَّ: مُهُورَهُنَّ
طَوْلًا: غِنىً وَسَعَةً
ٱلْمُحْصَنَٰتِ: الحَرائر
فَتَيَٰتِكُمُ: إمَائِكُم
مُحْصَنَٰتٍ: عَفَائِفَ
غَيْرَ مُسَٰفِحَٰتٍ: غَيْرَ مُجاهِرات بالزّنَى
مُتَّخِذَٰتِ أَخْدَانٍ: مُصَاحِبَات أصدقاء للزّنا سِراً
ٱلْعَنَتَ: الزّنَى . أو الإثْم به
سُنَنَ: طَرائِق ومناهج

● مدّ ٦ حركات لزوماً ● مدّ ٢ أو ٤ أو ٦ جوازاً ● إخفاء ، ومواقع الغُنَّة (حركتان) ● تفخيم
● مدّ واجب ٤ أو ٥ حركات ● مدّ حركتان ● إدغام ، وما لا يُلفظ ● قلقلة

وَٱللَّهُ يُرِيدُ أَن يَتُوبَ عَلَيۡكُمۡ وَيُرِيدُ ٱلَّذِينَ يَتَّبِعُونَ
ٱلشَّهَوَٰتِ أَن تَمِيلُواْ مَيۡلًا عَظِيمٗا ﴿٢٧﴾ يُرِيدُ ٱللَّهُ أَن يُخَفِّفَ
عَنكُمۡۚ وَخُلِقَ ٱلۡإِنسَٰنُ ضَعِيفٗا ﴿٢٨﴾ يَٰٓأَيُّهَا ٱلَّذِينَ
ءَامَنُواْ لَا تَأۡكُلُوٓاْ أَمۡوَٰلَكُم بَيۡنَكُم بِٱلۡبَٰطِلِ إِلَّآ أَن
تَكُونَ تِجَٰرَةً عَن تَرَاضٖ مِّنكُمۡۚ وَلَا تَقۡتُلُوٓاْ أَنفُسَكُمۡۚ
إِنَّ ٱللَّهَ كَانَ بِكُمۡ رَحِيمٗا ﴿٢٩﴾ وَمَن يَفۡعَلۡ ذَٰلِكَ عُدۡوَٰنٗا
وَظُلۡمٗا فَسَوۡفَ نُصۡلِيهِ نَارٗاۚ وَكَانَ ذَٰلِكَ عَلَى ٱللَّهِ
يَسِيرًا ﴿٣٠﴾ إِن تَجۡتَنِبُواْ كَبَآئِرَ مَا تُنۡهَوۡنَ عَنۡهُ نُكَفِّرۡ
عَنكُمۡ سَيِّـَٔاتِكُمۡ وَنُدۡخِلۡكُم مُّدۡخَلٗا كَرِيمٗا ﴿٣١﴾
وَلَا تَتَمَنَّوۡاْ مَا فَضَّلَ ٱللَّهُ بِهِۦ بَعۡضَكُمۡ عَلَىٰ بَعۡضٖۚ لِّلرِّجَالِ
نَصِيبٞ مِّمَّا ٱكۡتَسَبُواْۖ وَلِلنِّسَآءِ نَصِيبٞ مِّمَّا ٱكۡتَسَبۡنَۚ
وَسۡـَٔلُواْ ٱللَّهَ مِن فَضۡلِهِۦٓۚ إِنَّ ٱللَّهَ كَانَ بِكُلِّ شَيۡءٍ
عَلِيمٗا ﴿٣٢﴾ وَلِكُلّٖ جَعَلۡنَا مَوَٰلِيَ مِمَّا تَرَكَ ٱلۡوَٰلِدَانِ
وَٱلۡأَقۡرَبُونَۚ وَٱلَّذِينَ عَقَدَتۡ أَيۡمَٰنُكُمۡ فَـَٔاتُوهُمۡ
نَصِيبَهُمۡۚ إِنَّ ٱللَّهَ كَانَ عَلَىٰ كُلِّ شَيۡءٖ شَهِيدًا ﴿٣٣﴾

- بِٱلۡبَٰطِلِ: بما يخالف حُكمَ الله تعالَى
- نُصۡلِيهِ: نُدخِلُهُ
- مُّدۡخَلٗا كَرِيمٗا: مَكاناً حَسَناً وهو الجنة
- مَوَٰلِيَ: وَرَثَةً عصبةً
- عَقَدَتۡ أَيۡمَٰنُكُمۡ: حالفتُموهم و عاهدتُموهم

مدّ ٦ حركات لزوماً ● مدّ ٢ أو ٤ أو ٦ جوازاً ● مدّ واجب ٤ أو ٥ حركات ● مدّ حركتان ● إخفاء ، ومواقع الغُنَّة (حركتان) ● إدغام ، وما لا يُلفظ ● تفخيم ● قلقلة

ٱلرِّجَالُ قَوَّٰمُونَ عَلَى ٱلنِّسَآءِ بِمَا فَضَّلَ ٱللَّهُ بَعْضَهُمْ
عَلَىٰ بَعْضٍ وَبِمَآ أَنفَقُواْ مِنْ أَمْوَٰلِهِمْ ۚ فَٱلصَّٰلِحَٰتُ
قَٰنِتَٰتٌ حَٰفِظَٰتٌ لِّلْغَيْبِ بِمَا حَفِظَ ٱللَّهُ ۚ وَٱلَّٰتِى تَخَافُونَ
نُشُوزَهُنَّ فَعِظُوهُنَّ وَٱهْجُرُوهُنَّ فِى ٱلْمَضَاجِعِ
وَٱضْرِبُوهُنَّ ۖ فَإِنْ أَطَعْنَكُمْ فَلَا تَبْغُواْ عَلَيْهِنَّ سَبِيلًا ۗ
إِنَّ ٱللَّهَ كَانَ عَلِيًّا كَبِيرًا ﴿٣٤﴾ وَإِنْ خِفْتُمْ شِقَاقَ
بَيْنِهِمَا فَٱبْعَثُواْ حَكَمًا مِّنْ أَهْلِهِۦ وَحَكَمًا مِّنْ أَهْلِهَآ إِن
يُرِيدَآ إِصْلَٰحًا يُوَفِّقِ ٱللَّهُ بَيْنَهُمَآ ۗ إِنَّ ٱللَّهَ كَانَ عَلِيمًا خَبِيرًا ﴿٣٥﴾
۞ وَٱعْبُدُواْ ٱللَّهَ وَلَا تُشْرِكُواْ بِهِۦ شَيْـًٔا ۖ وَبِٱلْوَٰلِدَيْنِ
إِحْسَٰنًا وَبِذِى ٱلْقُرْبَىٰ وَٱلْيَتَٰمَىٰ وَٱلْمَسَٰكِينِ وَٱلْجَارِ
ذِى ٱلْقُرْبَىٰ وَٱلْجَارِ ٱلْجُنُبِ وَٱلصَّاحِبِ بِٱلْجَنۢبِ
وَٱبْنِ ٱلسَّبِيلِ وَمَا مَلَكَتْ أَيْمَٰنُكُمْ ۗ إِنَّ ٱللَّهَ لَا يُحِبُّ مَن
كَانَ مُخْتَالًا فَخُورًا ﴿٣٦﴾ ٱلَّذِينَ يَبْخَلُونَ وَيَأْمُرُونَ
ٱلنَّاسَ بِٱلْبُخْلِ وَيَكْتُمُونَ مَآ ءَاتَىٰهُمُ ٱللَّهُ
مِن فَضْلِهِۦ ۗ وَأَعْتَدْنَا لِلْكَٰفِرِينَ عَذَابًا مُّهِينًا ﴿٣٧﴾

قَوَّٰمُونَ عَلَى ٱلنِّسَآءِ: قيامَ الوُلاة على الرعيّة
قَٰنِتَٰتٌ: مُطيعات لله و لأزواجِهنّ
نُشُوزَهُنَّ: ترَفُّعهُنّ عن طاعتِكم
ٱلْجَارِ ٱلْجُنُبِ: البعيدِ سَكَناً أو نَسَباً
ٱلصَّاحِبِ بِٱلْجَنۢبِ: الرَّفيقِ في أمرٍ مرغوبٍ
ٱبْنِ ٱلسَّبِيلِ: المسافرِ الغَريبِ أو الضيف
مُخْتَالًا: مُتكَبِّراً مُعجَباً بنفسه
فَخُورًا: كثيرَ التَّطاوُلِ والتَّعاظمِ بالمناقِبِ

ربع الحزب ٩

النساء

| | | |
|---|---|---|
| مدّ ٦ حركات لزوماً — مدّ ٢ أو ٤ أو ٦ جوازاً | إخفاء، ومواقع الغُنَّة (حركتان) | تفخيم |
| مدّ واجب ٤ أو ٥ حركات — مدّ حركتان | إدغام، وما لا يُلفَظ | قلقلة |

وَالَّذِينَ يُنفِقُونَ أَمْوَالَهُمْ رِئَاءَ النَّاسِ وَلَا يُؤْمِنُونَ
بِاللَّهِ وَلَا بِالْيَوْمِ الْآخِرِ ۗ وَمَن يَكُنِ الشَّيْطَانُ لَهُ قَرِينًا فَسَاءَ
قَرِينًا ﴿٣٨﴾ وَمَاذَا عَلَيْهِمْ لَوْ آمَنُوا بِاللَّهِ وَالْيَوْمِ الْآخِرِ وَأَنفَقُوا
مِمَّا رَزَقَهُمُ اللَّهُ ۚ وَكَانَ اللَّهُ بِهِمْ عَلِيمًا ﴿٣٩﴾ إِنَّ اللَّهَ لَا يَظْلِمُ
مِثْقَالَ ذَرَّةٍ ۖ وَإِن تَكُ حَسَنَةً يُضَاعِفْهَا وَيُؤْتِ مِن لَّدُنْهُ
أَجْرًا عَظِيمًا ﴿٤٠﴾ فَكَيْفَ إِذَا جِئْنَا مِن كُلِّ أُمَّةٍ بِشَهِيدٍ
وَجِئْنَا بِكَ عَلَىٰ هَٰؤُلَاءِ شَهِيدًا ﴿٤١﴾ يَوْمَئِذٍ يَوَدُّ الَّذِينَ
كَفَرُوا وَعَصَوُا الرَّسُولَ لَوْ تُسَوَّىٰ بِهِمُ الْأَرْضُ وَلَا يَكْتُمُونَ
اللَّهَ حَدِيثًا ﴿٤٢﴾ يَا أَيُّهَا الَّذِينَ آمَنُوا لَا تَقْرَبُوا الصَّلَاةَ
وَأَنتُمْ سُكَارَىٰ حَتَّىٰ تَعْلَمُوا مَا تَقُولُونَ وَلَا جُنُبًا إِلَّا عَابِرِي
سَبِيلٍ حَتَّىٰ تَغْتَسِلُوا ۚ وَإِن كُنتُم مَّرْضَىٰ أَوْ عَلَىٰ سَفَرٍ أَوْ جَاءَ
أَحَدٌ مِّنكُم مِّنَ الْغَائِطِ أَوْ لَامَسْتُمُ النِّسَاءَ فَلَمْ تَجِدُوا مَاءً
فَتَيَمَّمُوا صَعِيدًا طَيِّبًا فَامْسَحُوا بِوُجُوهِكُمْ وَأَيْدِيكُمْ ۗ إِنَّ
اللَّهَ كَانَ عَفُوًّا غَفُورًا ﴿٤٣﴾ أَلَمْ تَرَ إِلَى الَّذِينَ أُوتُوا نَصِيبًا مِّنَ
الْكِتَابِ يَشْتَرُونَ الضَّلَالَةَ وَيُرِيدُونَ أَن تَضِلُّوا السَّبِيلَ ﴿٤٤﴾

- رِئَاءَ النَّاسِ: مُراءاةً لهم
- مِثْقَالَ ذَرَّةٍ: مقدارَ أصغرِ نملةٍ
- تُسَوَّىٰ بِهِمُ الْأَرْضُ: يُدفَنُوا فيها كالموتى
- عَابِرِي سَبِيلٍ: مُسافرين . أو مُجتازي المسجدِ
- الْغَائِطِ: مكانِ قضاءِ الحاجةِ
- صَعِيدًا: تُراباً . أو وَجْهَ الأرض
- طَيِّبًا: طاهراً

وَٱللَّهُ أَعْلَمُ بِأَعْدَآئِكُمْۚ وَكَفَىٰ بِٱللَّهِ وَلِيّٗا وَكَفَىٰ بِٱللَّهِ نَصِيرٗا ﴿٤٥﴾
مِّنَ ٱلَّذِينَ هَادُواْ يُحَرِّفُونَ ٱلۡكَلِمَ عَن مَّوَاضِعِهِۦ وَيَقُولُونَ
سَمِعۡنَا وَعَصَيۡنَا وَٱسۡمَعۡ غَيۡرَ مُسۡمَعٖ وَرَٰعِنَا لَيَّۢا بِأَلۡسِنَتِهِمۡ
وَطَعۡنٗا فِي ٱلدِّينِۚ وَلَوۡ أَنَّهُمۡ قَالُواْ سَمِعۡنَا وَأَطَعۡنَا وَٱسۡمَعۡ وَٱنظُرۡنَا
لَكَانَ خَيۡرٗا لَّهُمۡ وَأَقۡوَمَ وَلَٰكِن لَّعَنَهُمُ ٱللَّهُ بِكُفۡرِهِمۡ فَلَا يُؤۡمِنُونَ
إِلَّا قَلِيلٗا ﴿٤٦﴾ يَٰٓأَيُّهَا ٱلَّذِينَ أُوتُواْ ٱلۡكِتَٰبَ ءَامِنُواْ بِمَا نَزَّلۡنَا
مُصَدِّقٗا لِّمَا مَعَكُم مِّن قَبۡلِ أَن نَّطۡمِسَ وُجُوهٗا فَنَرُدَّهَا
عَلَىٰٓ أَدۡبَارِهَآ أَوۡ نَلۡعَنَهُمۡ كَمَا لَعَنَّآ أَصۡحَٰبَ ٱلسَّبۡتِۚ وَكَانَ أَمۡرُ
ٱللَّهِ مَفۡعُولًا ﴿٤٧﴾ إِنَّ ٱللَّهَ لَا يَغۡفِرُ أَن يُشۡرَكَ بِهِۦ وَيَغۡفِرُ مَا دُونَ
ذَٰلِكَ لِمَن يَشَآءُۚ وَمَن يُشۡرِكۡ بِٱللَّهِ فَقَدِ ٱفۡتَرَىٰٓ إِثۡمًا عَظِيمًا
﴿٤٨﴾ أَلَمۡ تَرَ إِلَى ٱلَّذِينَ يُزَكُّونَ أَنفُسَهُمۚ بَلِ ٱللَّهُ يُزَكِّي مَن يَشَآءُ
وَلَا يُظۡلَمُونَ فَتِيلًا ﴿٤٩﴾ ٱنظُرۡ كَيۡفَ يَفۡتَرُونَ عَلَى ٱللَّهِ ٱلۡكَذِبَۖ
وَكَفَىٰ بِهِۦٓ إِثۡمٗا مُّبِينًا ﴿٥٠﴾ أَلَمۡ تَرَ إِلَى ٱلَّذِينَ أُوتُواْ نَصِيبٗا
مِّنَ ٱلۡكِتَٰبِ يُؤۡمِنُونَ بِٱلۡجِبۡتِ وَٱلطَّٰغُوتِ وَيَقُولُونَ
لِلَّذِينَ كَفَرُواْ هَٰٓؤُلَآءِ أَهۡدَىٰ مِنَ ٱلَّذِينَ ءَامَنُواْ سَبِيلًا ﴿٥١﴾

- يُحَرِّفُونَ ٱلۡكَلِمَ: يُغَيِّرُونَهُ . أو يتأوّلونه
- ٱسۡمَعۡ غَيۡرَ مُسۡمَعٖ: دعاء من اليهود عليه ﷺ
- رَٰعِنَا: سبٌّ من اليهود له ﷺ
- لَيَّۢا: انحرافاً إلى جانب السُّوءِ
- أَقۡوَمَ: أعْدَلَ في نفسه
- نَّطۡمِسَ وُجُوهٗا: نَمْحُوهَا
- يُزَكُّونَ: يَمْدَحُونَ
- فَتِيلًا: هو الخيط الرَّقِيقُ في وسَط النَّوَاةِ
- بِٱلۡجِبۡتِ وَٱلطَّٰغُوتِ: كلِّ مَعْبُودٍ أو مُطاعٍ غَيْرِه تعالى

| | | |
|---|---|---|
| مدّ ٦ حركات لزوماً ● مدّ ٢ أو ٤ أو ٦ جوازاً | إخفاء ، ومواقع الغُنَّة (حركتان) | تفخيم |
| مدّ واجب ٤ أو ٥ حركات ● مدّ حركتان | إدغام ، وما لا يُلفظ | قلقلة |

أُوْلَٰٓئِكَ ٱلَّذِينَ لَعَنَهُمُ ٱللَّهُۖ وَمَن يَلۡعَنِ ٱللَّهُ فَلَن تَجِدَ لَهُۥ نَصِيرًا ﴿٥٢﴾
أَمۡ لَهُمۡ نَصِيبٞ مِّنَ ٱلۡمُلۡكِ فَإِذٗا لَّا يُؤۡتُونَ ٱلنَّاسَ نَقِيرًا ﴿٥٣﴾ أَمۡ
يَحۡسُدُونَ ٱلنَّاسَ عَلَىٰ مَآ ءَاتَىٰهُمُ ٱللَّهُ مِن فَضۡلِهِۦۖ فَقَدۡ ءَاتَيۡنَآ
ءَالَ إِبۡرَٰهِيمَ ٱلۡكِتَٰبَ وَٱلۡحِكۡمَةَ وَءَاتَيۡنَٰهُم مُّلۡكًا عَظِيمٗا ﴿٥٤﴾
فَمِنۡهُم مَّنۡ ءَامَنَ بِهِۦ وَمِنۡهُم مَّن صَدَّ عَنۡهُۚ وَكَفَىٰ بِجَهَنَّمَ سَعِيرًا
﴿٥٥﴾ إِنَّ ٱلَّذِينَ كَفَرُواْ بِـَٔايَٰتِنَا سَوۡفَ نُصۡلِيهِمۡ نَارٗا كُلَّمَا نَضِجَتۡ
جُلُودُهُم بَدَّلۡنَٰهُمۡ جُلُودًا غَيۡرَهَا لِيَذُوقُواْ ٱلۡعَذَابَۗ إِنَّ ٱللَّهَ
كَانَ عَزِيزًا حَكِيمٗا ﴿٥٦﴾ وَٱلَّذِينَ ءَامَنُواْ وَعَمِلُواْ ٱلصَّٰلِحَٰتِ
سَنُدۡخِلُهُمۡ جَنَّٰتٖ تَجۡرِي مِن تَحۡتِهَا ٱلۡأَنۡهَٰرُ خَٰلِدِينَ فِيهَآ أَبَدٗاۖ
لَّهُمۡ فِيهَآ أَزۡوَٰجٞ مُّطَهَّرَةٞۖ وَنُدۡخِلُهُمۡ ظِلّٗا ظَلِيلًا ﴿٥٧﴾ ۞ إِنَّ
ٱللَّهَ يَأۡمُرُكُمۡ أَن تُؤَدُّواْ ٱلۡأَمَٰنَٰتِ إِلَىٰٓ أَهۡلِهَا وَإِذَا حَكَمۡتُم بَيۡنَ
ٱلنَّاسِ أَن تَحۡكُمُواْ بِٱلۡعَدۡلِۚ إِنَّ ٱللَّهَ نِعِمَّا يَعِظُكُم بِهِۦٓۗ إِنَّ ٱللَّهَ كَانَ سَمِيعَۢا
بَصِيرٗا ﴿٥٨﴾ يَٰٓأَيُّهَا ٱلَّذِينَ ءَامَنُوٓاْ أَطِيعُواْ ٱللَّهَ وَأَطِيعُواْ ٱلرَّسُولَ وَأُوْلِي
ٱلۡأَمۡرِ مِنكُمۡۖ فَإِن تَنَٰزَعۡتُمۡ فِي شَيۡءٖ فَرُدُّوهُ إِلَى ٱللَّهِ وَٱلرَّسُولِ إِن كُنتُمۡ
تُؤۡمِنُونَ بِٱللَّهِ وَٱلۡيَوۡمِ ٱلۡأٓخِرِۚ ذَٰلِكَ خَيۡرٞ وَأَحۡسَنُ تَأۡوِيلًا ﴿٥٩﴾

نصف الحزب ٩

- نَقِيرًا: هو النُّقْرَةُ في ظهر النَّوَاةِ
- نُصْلِيهِمْ: نُدْخِلُهُمْ
- نَضِجَتْ: احْتَرَقَتْ وَتَهَرَّتْ
- ظَلِيلًا: دائماً لا حَرَّ فيه ولا قَرَّ
- نِعِمَّا يَعِظُكُم: نِعْمَ مَا يَعِظُكُمْ
- تَأْوِيلًا: عَاقِبَةً ومآلاً

مدّ ٦ حركات لزوماً ● مدّ ٢ أو ٤ أو ٦ جوازاً ● إخفاء، ومواقع الغُنَّة (حركتان) ● تفخيم
مدّ واجب ٤ أو ٥ حركات ● مدّ حركتان ● إدغام، وما لا يُلفَظ ● قلقلة

أَلَمْ تَرَ إِلَى ٱلَّذِينَ يَزْعُمُونَ أَنَّهُمْ ءَامَنُوا۟ بِمَآ أُنزِلَ إِلَيْكَ
وَمَآ أُنزِلَ مِن قَبْلِكَ يُرِيدُونَ أَن يَتَحَاكَمُوٓا۟ إِلَى ٱلطَّٰغُوتِ
وَقَدْ أُمِرُوٓا۟ أَن يَكْفُرُوا۟ بِهِۦ وَيُرِيدُ ٱلشَّيْطَٰنُ أَن يُضِلَّهُمْ
ضَلَٰلًۢا بَعِيدًا ﴿٦٠﴾ وَإِذَا قِيلَ لَهُمْ تَعَالَوْا۟ إِلَىٰ مَآ أَنزَلَ
ٱللَّهُ وَإِلَى ٱلرَّسُولِ رَأَيْتَ ٱلْمُنَٰفِقِينَ يَصُدُّونَ عَنكَ
صُدُودًا ﴿٦١﴾ فَكَيْفَ إِذَآ أَصَٰبَتْهُم مُّصِيبَةٌۢ بِمَا
قَدَّمَتْ أَيْدِيهِمْ ثُمَّ جَآءُوكَ يَحْلِفُونَ بِٱللَّهِ إِنْ أَرَدْنَآ إِلَّآ
إِحْسَٰنًا وَتَوْفِيقًا ﴿٦٢﴾ أُو۟لَٰٓئِكَ ٱلَّذِينَ يَعْلَمُ ٱللَّهُ مَا
فِى قُلُوبِهِمْ فَأَعْرِضْ عَنْهُمْ وَعِظْهُمْ وَقُل لَّهُمْ فِىٓ
أَنفُسِهِمْ قَوْلًۢا بَلِيغًا ﴿٦٣﴾ وَمَآ أَرْسَلْنَا مِن رَّسُولٍ إِلَّا
لِيُطَاعَ بِإِذْنِ ٱللَّهِ ۚ وَلَوْ أَنَّهُمْ إِذ ظَّلَمُوٓا۟ أَنفُسَهُمْ
جَآءُوكَ فَٱسْتَغْفَرُوا۟ ٱللَّهَ وَٱسْتَغْفَرَ لَهُمُ ٱلرَّسُولُ
لَوَجَدُوا۟ ٱللَّهَ تَوَّابًا رَّحِيمًا ﴿٦٤﴾ فَلَا وَرَبِّكَ لَا يُؤْمِنُونَ
حَتَّىٰ يُحَكِّمُوكَ فِيمَا شَجَرَ بَيْنَهُمْ ثُمَّ لَا يَجِدُوا۟
فِىٓ أَنفُسِهِمْ حَرَجًا مِّمَّا قَضَيْتَ وَيُسَلِّمُوا۟ تَسْلِيمًا ﴿٦٥﴾

- ٱلطَّٰغُوتِ: الضّلّيل كَعْب بن الأشرف اليهودي
- يَصُدُّونَ: يُعْرِضُونَ
- شَجَرَ بَيْنَهُمْ: أشْكَلَ عليهم من الأمور
- حَرَجًا: ضِيقاً

| | | |
|---|---|---|
| مدّ ٦ حركات لزوماً ● مدّ ٢ أو ٤ أو ٦ جوازاً | إخفاء ، ومواقع الغُنَّة (حركتان) | تفخيم |
| مدّ واجب ٤ أو ٥ حركات ● مدّ حركتان | إدغام ، وما لا يُلفظ | قلقلة |

وَلَوۡ أَنَّا كَتَبۡنَا عَلَيۡهِمۡ أَنِ ٱقۡتُلُوٓاْ أَنفُسَكُمۡ أَوِ ٱخۡرُجُواْ مِن
دِيَٰرِكُم مَّا فَعَلُوهُ إِلَّا قَلِيلٞ مِّنۡهُمۡۖ وَلَوۡ أَنَّهُمۡ فَعَلُواْ مَا يُوعَظُونَ
بِهِۦ لَكَانَ خَيۡرٗا لَّهُمۡ وَأَشَدَّ تَثۡبِيتٗا ﴿٦٦﴾ وَإِذٗا لَّأٓتَيۡنَٰهُم مِّن
لَّدُنَّآ أَجۡرًا عَظِيمٗا ﴿٦٧﴾ وَلَهَدَيۡنَٰهُمۡ صِرَٰطٗا مُّسۡتَقِيمٗا ﴿٦٨﴾
وَمَن يُطِعِ ٱللَّهَ وَٱلرَّسُولَ فَأُوْلَٰٓئِكَ مَعَ ٱلَّذِينَ أَنۡعَمَ ٱللَّهُ عَلَيۡهِم
مِّنَ ٱلنَّبِيِّـۧنَ وَٱلصِّدِّيقِينَ وَٱلشُّهَدَآءِ وَٱلصَّٰلِحِينَۚ وَحَسُنَ
أُوْلَٰٓئِكَ رَفِيقٗا ﴿٦٩﴾ ذَٰلِكَ ٱلۡفَضۡلُ مِنَ ٱللَّهِۚ وَكَفَىٰ
بِٱللَّهِ عَلِيمٗا ﴿٧٠﴾ يَٰٓأَيُّهَا ٱلَّذِينَ ءَامَنُواْ خُذُواْ حِذۡرَكُمۡ
فَٱنفِرُواْ ثُبَاتٍ أَوِ ٱنفِرُواْ جَمِيعٗا ﴿٧١﴾ وَإِنَّ مِنكُمۡ لَمَن لَّيُبَطِّئَنَّ
فَإِنۡ أَصَٰبَتۡكُم مُّصِيبَةٞ قَالَ قَدۡ أَنۡعَمَ ٱللَّهُ عَلَيَّ إِذۡ لَمۡ أَكُن مَّعَهُمۡ
شَهِيدٗا ﴿٧٢﴾ وَلَئِنۡ أَصَٰبَكُمۡ فَضۡلٞ مِّنَ ٱللَّهِ لَيَقُولَنَّ كَأَن
لَّمۡ تَكُنۢ بَيۡنَكُمۡ وَبَيۡنَهُۥ مَوَدَّةٞ يَٰلَيۡتَنِي كُنتُ مَعَهُمۡ فَأَفُوزَ
فَوۡزًا عَظِيمٗا ﴿٧٣﴾ ۞ فَلۡيُقَٰتِلۡ فِي سَبِيلِ ٱللَّهِ ٱلَّذِينَ
يَشۡرُونَ ٱلۡحَيَوٰةَ ٱلدُّنۡيَا بِٱلۡأٓخِرَةِۚ وَمَن يُقَٰتِلۡ فِي
سَبِيلِ ٱللَّهِ فَيُقۡتَلۡ أَوۡ يَغۡلِبۡ فَسَوۡفَ نُؤۡتِيهِ أَجۡرًا عَظِيمٗا ﴿٧٤﴾

- حِذۡرَكُمۡ: عُدّتكم من السلاح
- فَٱنفِرُواْ: اخرُجوا للجهادِ
- ثُبَاتٍ: جَماعةً إثْرَ جَماعَةٍ
- لَّيُبَطِّئَنَّ: ليتثاقلنّ عن الجهادِ
- يَشۡرُونَ: يَبيعُونَ

ثلاثة أرباع الحزب ٩

● مدّ ٦ حركات لزوماً ● مدّ ٢ أو ٤ أو ٦ جوازاً ● إخفاء، ومواقع الغُنَّة (حركتان) ● تفخيم
● مدّ واجب ٤ أو ٥ حركات ● مدّ حركتان ● إدغام، وما لا يُلفَظ ● قلقلة

وَمَا لَكُمۡ لَا تُقَٰتِلُونَ فِي سَبِيلِ ٱللَّهِ وَٱلۡمُسۡتَضۡعَفِينَ مِنَ ٱلرِّجَالِ
وَٱلنِّسَآءِ وَٱلۡوِلۡدَٰنِ ٱلَّذِينَ يَقُولُونَ رَبَّنَآ أَخۡرِجۡنَا مِنۡ هَٰذِهِ ٱلۡقَرۡيَةِ
ٱلظَّالِمِ أَهۡلُهَا وَٱجۡعَل لَّنَا مِن لَّدُنكَ وَلِيّٗا وَٱجۡعَل لَّنَا مِن لَّدُنكَ
نَصِيرًا ﴿٧٥﴾ ٱلَّذِينَ ءَامَنُواْ يُقَٰتِلُونَ فِي سَبِيلِ ٱللَّهِۖ وَٱلَّذِينَ كَفَرُواْ
يُقَٰتِلُونَ فِي سَبِيلِ ٱلطَّٰغُوتِ فَقَٰتِلُوٓاْ أَوۡلِيَآءَ ٱلشَّيۡطَٰنِۖ إِنَّ كَيۡدَ
ٱلشَّيۡطَٰنِ كَانَ ضَعِيفًا ﴿٧٦﴾ أَلَمۡ تَرَ إِلَى ٱلَّذِينَ قِيلَ لَهُمۡ كُفُّوٓاْ أَيۡدِيَكُمۡ
وَأَقِيمُواْ ٱلصَّلَوٰةَ وَءَاتُواْ ٱلزَّكَوٰةَ فَلَمَّا كُتِبَ عَلَيۡهِمُ ٱلۡقِتَالُ إِذَا فَرِيقٞ
مِّنۡهُمۡ يَخۡشَوۡنَ ٱلنَّاسَ كَخَشۡيَةِ ٱللَّهِ أَوۡ أَشَدَّ خَشۡيَةٗۚ وَقَالُواْ رَبَّنَا لِمَ
كَتَبۡتَ عَلَيۡنَا ٱلۡقِتَالَ لَوۡلَآ أَخَّرۡتَنَآ إِلَىٰٓ أَجَلٖ قَرِيبٖۗ قُلۡ مَتَٰعُ ٱلدُّنۡيَا
قَلِيلٞ وَٱلۡأٓخِرَةُ خَيۡرٞ لِّمَنِ ٱتَّقَىٰ وَلَا تُظۡلَمُونَ فَتِيلًا ﴿٧٧﴾ أَيۡنَمَا
تَكُونُواْ يُدۡرِككُّمُ ٱلۡمَوۡتُ وَلَوۡ كُنتُمۡ فِي بُرُوجٖ مُّشَيَّدَةٖۗ وَإِن تُصِبۡهُمۡ
حَسَنَةٞ يَقُولُواْ هَٰذِهِۦ مِنۡ عِندِ ٱللَّهِۖ وَإِن تُصِبۡهُمۡ سَيِّئَةٞ يَقُولُواْ
هَٰذِهِۦ مِنۡ عِندِكَۚ قُلۡ كُلّٞ مِّنۡ عِندِ ٱللَّهِۖ فَمَالِ هَٰٓؤُلَآءِ ٱلۡقَوۡمِ لَا يَكَادُونَ
يَفۡقَهُونَ حَدِيثٗا ﴿٧٨﴾ مَّآ أَصَابَكَ مِنۡ حَسَنَةٖ فَمِنَ ٱللَّهِۖ وَمَآ أَصَابَكَ مِن
سَيِّئَةٖ فَمِن نَّفۡسِكَۚ وَأَرۡسَلۡنَٰكَ لِلنَّاسِ رَسُولٗاۚ وَكَفَىٰ بِٱللَّهِ شَهِيدٗا ﴿٧٩﴾

- ٱلطَّٰغُوتِ: الشَّيطانِ
- فَتِيلًا: هو الخيطُ الرَّقيقُ في وسَط النَّواة
- بُرُوجٖ: حُصُونٍ وقلاعٍ
- مُّشَيَّدَةٖ: مُطوَّلةٍ رفيعةٍ

مدّ ٦ حركات لزوماً — مدّ ٢ أو ٤ أو ٦ جوازاً — إخفاء، ومواقع الغُنَّة (حركتان) — تفخيم
مدّ واجب ٤ أو ٥ حركات — مدّ حركتان — إدغام، وما لا يُلفظ — قلقلة

مَّن يُطِعِ ٱلرَّسُولَ فَقَدۡ أَطَاعَ ٱللَّهَۖ وَمَن تَوَلَّىٰ فَمَآ أَرۡسَلۡنَٰكَ
عَلَيۡهِمۡ حَفِيظٗا ﴿٨٠﴾ وَيَقُولُونَ طَاعَةٞ فَإِذَا بَرَزُواْ مِنۡ
عِندِكَ بَيَّتَ طَآئِفَةٞ مِّنۡهُمۡ غَيۡرَ ٱلَّذِي تَقُولُۖ وَٱللَّهُ يَكۡتُبُ
مَا يُبَيِّتُونَۖ فَأَعۡرِضۡ عَنۡهُمۡ وَتَوَكَّلۡ عَلَى ٱللَّهِۚ وَكَفَىٰ بِٱللَّهِ وَكِيلًا
﴿٨١﴾ أَفَلَا يَتَدَبَّرُونَ ٱلۡقُرۡءَانَۚ وَلَوۡ كَانَ مِنۡ عِندِ غَيۡرِ ٱللَّهِ لَوَجَدُواْ
فِيهِ ٱخۡتِلَٰفٗا كَثِيرٗا ﴿٨٢﴾ وَإِذَا جَآءَهُمۡ أَمۡرٞ مِّنَ ٱلۡأَمۡنِ
أَوِ ٱلۡخَوۡفِ أَذَاعُواْ بِهِۦۖ وَلَوۡ رَدُّوهُ إِلَى ٱلرَّسُولِ وَإِلَىٰٓ أُوْلِي
ٱلۡأَمۡرِ مِنۡهُمۡ لَعَلِمَهُ ٱلَّذِينَ يَسۡتَنۢبِطُونَهُۥ مِنۡهُمۡۗ وَلَوۡلَا فَضۡلُ
ٱللَّهِ عَلَيۡكُمۡ وَرَحۡمَتُهُۥ لَٱتَّبَعۡتُمُ ٱلشَّيۡطَٰنَ إِلَّا قَلِيلٗا ﴿٨٣﴾
فَقَٰتِلۡ فِي سَبِيلِ ٱللَّهِ لَا تُكَلَّفُ إِلَّا نَفۡسَكَۚ وَحَرِّضِ ٱلۡمُؤۡمِنِينَۖ
عَسَى ٱللَّهُ أَن يَكُفَّ بَأۡسَ ٱلَّذِينَ كَفَرُواْۚ وَٱللَّهُ أَشَدُّ بَأۡسٗا
وَأَشَدُّ تَنكِيلٗا ﴿٨٤﴾ مَّن يَشۡفَعۡ شَفَٰعَةً حَسَنَةٗ يَكُن لَّهُۥ
نَصِيبٞ مِّنۡهَاۖ وَمَن يَشۡفَعۡ شَفَٰعَةٗ سَيِّئَةٗ يَكُن لَّهُۥ كِفۡلٞ مِّنۡهَاۗ
وَكَانَ ٱللَّهُ عَلَىٰ كُلِّ شَيۡءٖ مُّقِيتٗا ﴿٨٥﴾ وَإِذَا حُيِّيتُم بِتَحِيَّةٖ فَحَيُّواْ
بِأَحۡسَنَ مِنۡهَآ أَوۡ رُدُّوهَآۗ إِنَّ ٱللَّهَ كَانَ عَلَىٰ كُلِّ شَيۡءٍ حَسِيبًا ﴿٨٦﴾

- حَفِيظًا: حافظاً ورقيباً
- بَرَزُوا: خرجوا
- بَيَّتَ: دبّر
- أذاعوا به: أفشوه وأشاعوه
- يستنبطونه: يستخرجون علمه
- بأس: نكاية (قتلهم وجرحهم)
- بأسًا: قوّة وشدّة
- تنكيلًا: تعذيباً وعقاباً
- كِفْلٌ: نصيب وحظ
- مُقِيتًا: مقتدراً. أو حفيظاً

| | | |
|---|---|---|
| مدّ ٦ حركات لزوماً · مدّ ٢ أو ٤ أو ٦ جوازاً | إخفاء ، ومواقع الغُنَّة (حركتان) | تفخيم |
| مدّ واجب ٤ أو ٥ حركات · مدّ حركتان | إدغام ، وما لا يُلفظ | قلقلة |

ٱللَّهُ لَآ إِلَٰهَ إِلَّا هُوَۚ لَيَجۡمَعَنَّكُمۡ إِلَىٰ يَوۡمِ ٱلۡقِيَٰمَةِ لَا رَيۡبَ فِيهِۗ
وَمَنۡ أَصۡدَقُ مِنَ ٱللَّهِ حَدِيثٗا ﴿٨٧﴾ ۞ فَمَا لَكُمۡ فِي ٱلۡمُنَٰفِقِينَ
فِئَتَيۡنِ وَٱللَّهُ أَرۡكَسَهُم بِمَا كَسَبُوٓاْۚ أَتُرِيدُونَ أَن تَهۡدُواْ مَنۡ
أَضَلَّ ٱللَّهُۖ وَمَن يُضۡلِلِ ٱللَّهُ فَلَن تَجِدَ لَهُۥ سَبِيلٗا ﴿٨٨﴾ وَدُّواْ لَوۡ
تَكۡفُرُونَ كَمَا كَفَرُواْ فَتَكُونُونَ سَوَآءٗۖ فَلَا تَتَّخِذُواْ مِنۡهُمۡ أَوۡلِيَآءَ
حَتَّىٰ يُهَاجِرُواْ فِي سَبِيلِ ٱللَّهِۚ فَإِن تَوَلَّوۡاْ فَخُذُوهُمۡ وَٱقۡتُلُوهُمۡ
حَيۡثُ وَجَدتُّمُوهُمۡۖ وَلَا تَتَّخِذُواْ مِنۡهُمۡ وَلِيّٗا وَلَا نَصِيرًا ﴿٨٩﴾
إِلَّا ٱلَّذِينَ يَصِلُونَ إِلَىٰ قَوۡمِۭ بَيۡنَكُمۡ وَبَيۡنَهُم مِّيثَٰقٌ أَوۡ جَآءُوكُمۡ
حَصِرَتۡ صُدُورُهُمۡ أَن يُقَٰتِلُوكُمۡ أَوۡ يُقَٰتِلُواْ قَوۡمَهُمۡۚ وَلَوۡ شَآءَ
ٱللَّهُ لَسَلَّطَهُمۡ عَلَيۡكُمۡ فَلَقَٰتَلُوكُمۡۚ فَإِنِ ٱعۡتَزَلُوكُمۡ فَلَمۡ يُقَٰتِلُوكُمۡ
وَأَلۡقَوۡاْ إِلَيۡكُمُ ٱلسَّلَمَ فَمَا جَعَلَ ٱللَّهُ لَكُمۡ عَلَيۡهِمۡ سَبِيلٗا ﴿٩٠﴾
سَتَجِدُونَ ءَاخَرِينَ يُرِيدُونَ أَن يَأۡمَنُوكُمۡ وَيَأۡمَنُواْ قَوۡمَهُمۡ كُلَّ
مَا رُدُّوٓاْ إِلَى ٱلۡفِتۡنَةِ أُرۡكِسُواْ فِيهَاۚ فَإِن لَّمۡ يَعۡتَزِلُوكُمۡ وَيُلۡقُوٓاْ إِلَيۡكُمُ
ٱلسَّلَمَ وَيَكُفُّوٓاْ أَيۡدِيَهُمۡ فَخُذُوهُمۡ وَٱقۡتُلُوهُمۡ حَيۡثُ
ثَقِفۡتُمُوهُمۡۚ وَأُوْلَٰٓئِكُمۡ جَعَلۡنَا لَكُمۡ عَلَيۡهِمۡ سُلۡطَٰنٗا مُّبِينٗا ﴿٩١﴾

▪ أَرۡكَسَهُم: رَدَّهُمْ إلى الكفر

تُقرأ عند الوقف: سَوَآءَا

▪ حَصِرَتۡ: ضَاقَتْ
▪ ٱلسَّلَمَ: الاسْتِسْلامَ والانْقِيَادَ للصُّلح
▪ أُرۡكِسُواْ: قُلِبُوا أشنعَ قَلْبٍ
▪ ثَقِفۡتُمُوهُمۡ: وَجَدْتُمُوهُمْ وأصَبْتُمُوهُمْ

| | | |
|---|---|---|
| مدّ ٦ حركات لزوماً — مدّ ٢ أو ٤ أو ٦ جوازاً | إخفاء، ومواقع الغُنَّة (حركتان) | تفخيم |
| مدّ واجب ٤ أو ٥ حركات — مدّ حركتان | إدغام، وما لا يُلفظ | قلقلة |

وَمَا كَانَ لِمُؤْمِنٍ أَن يَقْتُلَ مُؤْمِنًا إِلَّا خَطَـًٔا ۚ وَمَن قَتَلَ
مُؤْمِنًا خَطَـًٔا فَتَحْرِيرُ رَقَبَةٍ مُّؤْمِنَةٍ وَدِيَةٌ مُّسَلَّمَةٌ إِلَىٰٓ
أَهْلِهِۦٓ إِلَّآ أَن يَصَّدَّقُوا۟ ۚ فَإِن كَانَ مِن قَوْمٍ عَدُوٍّ لَّكُمْ
وَهُوَ مُؤْمِنٌ فَتَحْرِيرُ رَقَبَةٍ مُّؤْمِنَةٍ ۖ وَإِن كَانَ
مِن قَوْمٍۭ بَيْنَكُمْ وَبَيْنَهُم مِّيثَـٰقٌ فَدِيَةٌ مُّسَلَّمَةٌ
إِلَىٰٓ أَهْلِهِۦ وَتَحْرِيرُ رَقَبَةٍ مُّؤْمِنَةٍ ۖ فَمَن لَّمْ يَجِدْ
فَصِيَامُ شَهْرَيْنِ مُتَتَابِعَيْنِ تَوْبَةً مِّنَ ٱللَّهِ ۗ وَكَانَ
ٱللَّهُ عَلِيمًا حَكِيمًا ﴿٩٢﴾ وَمَن يَقْتُلْ مُؤْمِنًا
مُّتَعَمِّدًا فَجَزَآؤُهُۥ جَهَنَّمُ خَـٰلِدًا فِيهَا وَغَضِبَ
ٱللَّهُ عَلَيْهِ وَلَعَنَهُۥ وَأَعَدَّ لَهُۥ عَذَابًا عَظِيمًا ﴿٩٣﴾ يَـٰٓأَيُّهَا
ٱلَّذِينَ ءَامَنُوٓا۟ إِذَا ضَرَبْتُمْ فِى سَبِيلِ ٱللَّهِ فَتَبَيَّنُوا۟ وَلَا تَقُولُوا۟
لِمَنْ أَلْقَىٰٓ إِلَيْكُمُ ٱلسَّلَـٰمَ لَسْتَ مُؤْمِنًا تَبْتَغُونَ
عَرَضَ ٱلْحَيَوٰةِ ٱلدُّنْيَا فَعِندَ ٱللَّهِ مَغَانِمُ كَثِيرَةٌ ۚ
كَذَٰلِكَ كُنتُم مِّن قَبْلُ فَمَنَّ ٱللَّهُ عَلَيْكُمْ
فَتَبَيَّنُوٓا۟ ۚ إِنَّ ٱللَّهَ كَانَ بِمَا تَعْمَلُونَ خَبِيرًا ﴿٩٤﴾

- ضَرَبْتُمْ: سِرْتُم وَذَهَبْتُمْ
- ٱلسَّلَـٰمَ: الاستسلامَ. أو تحيّةَ الإسلام
- عَرَضَ ٱلْحَيَوٰةِ: المالَ الزائلَ

| | | |
|---|---|---|
| مدّ ٦ حركات لزوماً · مدّ ٢ أو ٤ أو ٦ جوازاً | إخفاء ، ومواقع الغُنَّة (حركتان) | تفخيم |
| مدّ واجب ٤ أو ٥ حركات · مدّ حركتان | إدغام ، وما لا يُلفظ | قلقلة |

النساء

لَّا يَسْتَوِى ٱلْقَٰعِدُونَ مِنَ ٱلْمُؤْمِنِينَ غَيْرُ أُو۟لِى ٱلضَّرَرِ وَٱلْمُجَٰهِدُونَ
فِى سَبِيلِ ٱللَّهِ بِأَمْوَٰلِهِمْ وَأَنفُسِهِمْ ۚ فَضَّلَ ٱللَّهُ ٱلْمُجَٰهِدِينَ بِأَمْوَٰلِهِمْ
وَأَنفُسِهِمْ عَلَى ٱلْقَٰعِدِينَ دَرَجَةً ۚ وَكُلًّا وَعَدَ ٱللَّهُ ٱلْحُسْنَىٰ ۚ وَفَضَّلَ ٱللَّهُ
ٱلْمُجَٰهِدِينَ عَلَى ٱلْقَٰعِدِينَ أَجْرًا عَظِيمًا ﴿٩٥﴾ دَرَجَٰتٍ مِّنْهُ وَمَغْفِرَةً
وَرَحْمَةً ۚ وَكَانَ ٱللَّهُ غَفُورًا رَّحِيمًا ﴿٩٦﴾ إِنَّ ٱلَّذِينَ تَوَفَّىٰهُمُ ٱلْمَلَٰٓئِكَةُ
ظَالِمِىٓ أَنفُسِهِمْ قَالُوا۟ فِيمَ كُنتُمْ ۖ قَالُوا۟ كُنَّا مُسْتَضْعَفِينَ فِى ٱلْأَرْضِ ۚ
قَالُوٓا۟ أَلَمْ تَكُنْ أَرْضُ ٱللَّهِ وَٰسِعَةً فَتُهَاجِرُوا۟ فِيهَا ۚ فَأُو۟لَٰٓئِكَ مَأْوَىٰهُمْ
جَهَنَّمُ ۖ وَسَآءَتْ مَصِيرًا ﴿٩٧﴾ إِلَّا ٱلْمُسْتَضْعَفِينَ مِنَ ٱلرِّجَالِ
وَٱلنِّسَآءِ وَٱلْوِلْدَٰنِ لَا يَسْتَطِيعُونَ حِيلَةً وَلَا يَهْتَدُونَ سَبِيلًا ﴿٩٨﴾
فَأُو۟لَٰٓئِكَ عَسَى ٱللَّهُ أَن يَعْفُوَ عَنْهُمْ ۚ وَكَانَ ٱللَّهُ عَفُوًّا غَفُورًا ﴿٩٩﴾
۞ وَمَن يُهَاجِرْ فِى سَبِيلِ ٱللَّهِ يَجِدْ فِى ٱلْأَرْضِ مُرَٰغَمًا كَثِيرًا وَسَعَةً ۚ
وَمَن يَخْرُجْ مِنۢ بَيْتِهِۦ مُهَاجِرًا إِلَى ٱللَّهِ وَرَسُولِهِۦ ثُمَّ يُدْرِكْهُ ٱلْمَوْتُ
فَقَدْ وَقَعَ أَجْرُهُۥ عَلَى ٱللَّهِ ۗ وَكَانَ ٱللَّهُ غَفُورًا رَّحِيمًا ﴿١٠٠﴾ وَإِذَا ضَرَبْتُمْ
فِى ٱلْأَرْضِ فَلَيْسَ عَلَيْكُمْ جُنَاحٌ أَن تَقْصُرُوا۟ مِنَ ٱلصَّلَوٰةِ إِنْ خِفْتُمْ
أَن يَفْتِنَكُمُ ٱلَّذِينَ كَفَرُوٓا۟ ۚ إِنَّ ٱلْكَٰفِرِينَ كَانُوا۟ لَكُمْ عَدُوًّا مُّبِينًا ﴿١٠١﴾

▪ ٱلضَّرَرِ: العُذرِ المانع من الجهاد

ربع الحزب ١٠

▪ مُرَٰغَمًا: مُهاجراً ومتحوّلاً
▪ يَفْتِنَكُمُ: ينالكُمْ بمكروهٍ

● مدّ ٦ حركات لزوماً ● مدّ ٢ أو ٤ أو ٦ جوازاً ● إخفاء، ومواقع الغُنّة (حركتان) ● تفخيم
● مدّ واجب ٤ أو ٥ حركات ● مدّ حركتان ● إدغام، وما لا يُلفظ ● قلقلة

وَإِذَا كُنتَ فِيهِمْ فَأَقَمْتَ لَهُمُ ٱلصَّلَوٰةَ فَلْتَقُمْ طَآئِفَةٌ
مِّنْهُم مَّعَكَ وَلْيَأْخُذُوٓاْ أَسْلِحَتَهُمْ فَإِذَا سَجَدُواْ فَلْيَكُونُواْ
مِن وَرَآئِكُمْ وَلْتَأْتِ طَآئِفَةٌ أُخْرَىٰ لَمْ يُصَلُّواْ
فَلْيُصَلُّواْ مَعَكَ وَلْيَأْخُذُواْ حِذْرَهُمْ وَأَسْلِحَتَهُمْ ۗ وَدَّ ٱلَّذِينَ
كَفَرُواْ لَوْ تَغْفُلُونَ عَنْ أَسْلِحَتِكُمْ وَأَمْتِعَتِكُمْ فَيَمِيلُونَ
عَلَيْكُم مَّيْلَةً وَٰحِدَةً ۚ وَلَا جُنَاحَ عَلَيْكُمْ إِن كَانَ بِكُمْ
أَذًى مِّن مَّطَرٍ أَوْ كُنتُم مَّرْضَىٰٓ أَن تَضَعُوٓاْ أَسْلِحَتَكُمْ ۖ
وَخُذُواْ حِذْرَكُمْ ۗ إِنَّ ٱللَّهَ أَعَدَّ لِلْكَٰفِرِينَ عَذَابًا مُّهِينًا ﴿١٠٢﴾
فَإِذَا قَضَيْتُمُ ٱلصَّلَوٰةَ فَٱذْكُرُواْ ٱللَّهَ قِيَٰمًا وَقُعُودًا وَعَلَىٰ
جُنُوبِكُمْ ۚ فَإِذَا ٱطْمَأْنَنتُمْ فَأَقِيمُواْ ٱلصَّلَوٰةَ ۚ إِنَّ ٱلصَّلَوٰةَ
كَانَتْ عَلَى ٱلْمُؤْمِنِينَ كِتَٰبًا مَّوْقُوتًا ﴿١٠٣﴾ وَلَا تَهِنُواْ
فِي ٱبْتِغَآءِ ٱلْقَوْمِ ۖ إِن تَكُونُواْ تَأْلَمُونَ فَإِنَّهُمْ يَأْلَمُونَ كَمَا
تَأْلَمُونَ ۖ وَتَرْجُونَ مِنَ ٱللَّهِ مَا لَا يَرْجُونَ ۗ وَكَانَ ٱللَّهُ عَلِيمًا
حَكِيمًا ﴿١٠٤﴾ إِنَّآ أَنزَلْنَآ إِلَيْكَ ٱلْكِتَٰبَ بِٱلْحَقِّ لِتَحْكُمَ بَيْنَ
ٱلنَّاسِ بِمَآ أَرَىٰكَ ٱللَّهُ ۚ وَلَا تَكُن لِّلْخَآئِنِينَ خَصِيمًا ﴿١٠٥﴾

- حِذْرَهُمْ: احترازَهُمْ من عَدُوِّهِمْ
- تَغْفُلُونَ: تسهون
- مَّوْقُوتًا: مَحْدُودَ الأَوْقَاتِ مُقَدَّراً
- لَا تَهِنُواْ: لا تَضْعُفُوا ولا تتوانَوا
- خَصِيمًا: مُخَاصِماً مدافعاً عَنْهُمْ

مدّ ٦ حركات لزوماً ● مدّ ٢ أو ٤ أو ٦ جوازاً ● إخفاء، ومواقع الغُنَّة (حركتان) ● تفخيم
مدّ واجب ٤ أو ٥ حركات ● مدّ حركتان ● إدغام، وما لا يُلفَظ ● قلقلة

النساء

يختانون: يخونون
يبيتون: يدبّرون
وكيلا: حافظاً ومحامياً عنهم
بهتانا: كذباً فظيعاً

وَٱسْتَغْفِرِ ٱللَّهَ ۖ إِنَّ ٱللَّهَ كَانَ غَفُورًا رَّحِيمًا ﴿١٠٦﴾ وَلَا تُجَـٰدِلْ
عَنِ ٱلَّذِينَ يَخْتَانُونَ أَنفُسَهُمْ ۚ إِنَّ ٱللَّهَ لَا يُحِبُّ مَن كَانَ
خَوَّانًا أَثِيمًا ﴿١٠٧﴾ يَسْتَخْفُونَ مِنَ ٱلنَّاسِ وَلَا يَسْتَخْفُونَ
مِنَ ٱللَّهِ وَهُوَ مَعَهُمْ إِذْ يُبَيِّتُونَ مَا لَا يَرْضَىٰ مِنَ ٱلْقَوْلِ ۚ وَكَانَ
ٱللَّهُ بِمَا يَعْمَلُونَ مُحِيطًا ﴿١٠٨﴾ هَـٰٓأَنتُمْ هَـٰٓؤُلَآءِ جَـٰدَلْتُمْ
عَنْهُمْ فِى ٱلْحَيَوٰةِ ٱلدُّنْيَا فَمَن يُجَـٰدِلُ ٱللَّهَ عَنْهُمْ يَوْمَ
ٱلْقِيَـٰمَةِ أَم مَّن يَكُونُ عَلَيْهِمْ وَكِيلًا ﴿١٠٩﴾ وَمَن يَعْمَلْ
سُوٓءًا أَوْ يَظْلِمْ نَفْسَهُۥ ثُمَّ يَسْتَغْفِرِ ٱللَّهَ يَجِدِ ٱللَّهَ غَفُورًا
رَّحِيمًا ﴿١١٠﴾ وَمَن يَكْسِبْ إِثْمًا فَإِنَّمَا يَكْسِبُهُۥ عَلَىٰ نَفْسِهِۦ ۚ
وَكَانَ ٱللَّهُ عَلِيمًا حَكِيمًا ﴿١١١﴾ وَمَن يَكْسِبْ خَطِيٓـَٔةً أَوْ إِثْمًا
ثُمَّ يَرْمِ بِهِۦ بَرِيٓـًٔا فَقَدِ ٱحْتَمَلَ بُهْتَـٰنًا وَإِثْمًا مُّبِينًا ﴿١١٢﴾ وَلَوْلَا
فَضْلُ ٱللَّهِ عَلَيْكَ وَرَحْمَتُهُۥ لَهَمَّت طَّآئِفَةٌ مِّنْهُمْ أَن
يُضِلُّوكَ وَمَا يُضِلُّونَ إِلَّآ أَنفُسَهُمْ ۖ وَمَا يَضُرُّونَكَ مِن
شَىْءٍ ۚ وَأَنزَلَ ٱللَّهُ عَلَيْكَ ٱلْكِتَـٰبَ وَٱلْحِكْمَةَ وَعَلَّمَكَ
مَا لَمْ تَكُن تَعْلَمُ ۚ وَكَانَ فَضْلُ ٱللَّهِ عَلَيْكَ عَظِيمًا ﴿١١٣﴾

تفخيم — قلقلة — إخفاء، ومواقع الغنّة (حركتان) — إدغام، وما لا يُلفظ — مدّ ٦ حركات لزوماً — مدّ ٢ أو ٤ أو ٦ جوازاً — مدّ واجب ٤ أو ٥ حركات — مدّ حركتان

۞ لَّا خَيۡرَ فِي كَثِيرٖ مِّن نَّجۡوَىٰهُمۡ إِلَّا مَنۡ أَمَرَ بِصَدَقَةٍ
أَوۡ مَعۡرُوفٍ أَوۡ إِصۡلَٰحِۭ بَيۡنَ ٱلنَّاسِۚ وَمَن يَفۡعَلۡ ذَٰلِكَ
ٱبۡتِغَآءَ مَرۡضَاتِ ٱللَّهِ فَسَوۡفَ نُؤۡتِيهِ أَجۡرًا عَظِيمٗا ﴿١١٤﴾ وَمَن
يُشَاقِقِ ٱلرَّسُولَ مِنۢ بَعۡدِ مَا تَبَيَّنَ لَهُ ٱلۡهُدَىٰ وَيَتَّبِعۡ غَيۡرَ
سَبِيلِ ٱلۡمُؤۡمِنِينَ نُوَلِّهِۦ مَا تَوَلَّىٰ وَنُصۡلِهِۦ جَهَنَّمَۖ وَسَآءَتۡ
مَصِيرًا ﴿١١٥﴾ إِنَّ ٱللَّهَ لَا يَغۡفِرُ أَن يُشۡرَكَ بِهِۦ وَيَغۡفِرُ مَا دُونَ
ذَٰلِكَ لِمَن يَشَآءُۚ وَمَن يُشۡرِكۡ بِٱللَّهِ فَقَدۡ ضَلَّ ضَلَٰلَۢا بَعِيدًا
﴿١١٦﴾ إِن يَدۡعُونَ مِن دُونِهِۦٓ إِلَّآ إِنَٰثٗا وَإِن يَدۡعُونَ
إِلَّا شَيۡطَٰنٗا مَّرِيدٗا ﴿١١٧﴾ لَّعَنَهُ ٱللَّهُۘ وَقَالَ لَأَتَّخِذَنَّ
مِنۡ عِبَادِكَ نَصِيبٗا مَّفۡرُوضٗا ﴿١١٨﴾ وَلَأُضِلَّنَّهُمۡ وَلَأُمَنِّيَنَّهُمۡ
وَلَأٓمُرَنَّهُمۡ فَلَيُبَتِّكُنَّ ءَاذَانَ ٱلۡأَنۡعَٰمِ وَلَأٓمُرَنَّهُمۡ
فَلَيُغَيِّرُنَّ خَلۡقَ ٱللَّهِۚ وَمَن يَتَّخِذِ ٱلشَّيۡطَٰنَ وَلِيّٗا
مِّن دُونِ ٱللَّهِ فَقَدۡ خَسِرَ خُسۡرَانٗا مُّبِينٗا ﴿١١٩﴾
يَعِدُهُمۡ وَيُمَنِّيهِمۡۖ وَمَا يَعِدُهُمُ ٱلشَّيۡطَٰنُ إِلَّا غُرُورًا ﴿١٢٠﴾
أُوْلَٰٓئِكَ مَأۡوَىٰهُمۡ جَهَنَّمُ وَلَا يَجِدُونَ عَنۡهَا مَحِيصٗا ﴿١٢١﴾

- نَجۡوَىٰهُمۡ: ما يَتناجى به الناسُ
- يُشَاقِقِ ٱلرَّسُولَ: يُخالِفُهُ
- نُوَلِّهِۦ مَا تَوَلَّىٰ: نُخَلِّ بينه وبين ما اختارَه
- نُصۡلِهِۦ: نُدْخِلْهُ
- إِنَٰثٗا: أصناماً يزيّنونها كالنّساء
- مَّرِيدٗا: مُتَمَرِّداً مُتَجَرِّداً من الخيرِ
- مَّفۡرُوضٗا: مقطوعاً لي به
- فَلَيُبَتِّكُنَّ: فَلَيُقَطِّعُنَّ أو فَلَيَشُقُّنَّ
- غُرُورًا: خِداعاً وباطلاً
- مَحِيصٗا: مَحِيداً ومَهْرَباً

وَٱلَّذِينَ ءَامَنُواْ وَعَمِلُواْ ٱلصَّٰلِحَٰتِ سَنُدۡخِلُهُمۡ
جَنَّٰتٖ تَجۡرِي مِن تَحۡتِهَا ٱلۡأَنۡهَٰرُ خَٰلِدِينَ فِيهَآ أَبَدٗاۖ وَعۡدَ
ٱللَّهِ حَقّٗاۚ وَمَنۡ أَصۡدَقُ مِنَ ٱللَّهِ قِيلٗا ﴿١٢٢﴾ لَّيۡسَ بِأَمَانِيِّكُمۡ
وَلَآ أَمَانِيِّ أَهۡلِ ٱلۡكِتَٰبِۗ مَن يَعۡمَلۡ سُوٓءٗا يُجۡزَ بِهِۦ
وَلَا يَجِدۡ لَهُۥ مِن دُونِ ٱللَّهِ وَلِيّٗا وَلَا نَصِيرٗا ﴿١٢٣﴾ وَمَن
يَعۡمَلۡ مِنَ ٱلصَّٰلِحَٰتِ مِن ذَكَرٍ أَوۡ أُنثَىٰ وَهُوَ مُؤۡمِنٞ
فَأُوْلَٰٓئِكَ يَدۡخُلُونَ ٱلۡجَنَّةَ وَلَا يُظۡلَمُونَ نَقِيرٗا ﴿١٢٤﴾ وَمَنۡ
أَحۡسَنُ دِينٗا مِّمَّنۡ أَسۡلَمَ وَجۡهَهُۥ لِلَّهِ وَهُوَ مُحۡسِنٞ وَٱتَّبَعَ
مِلَّةَ إِبۡرَٰهِيمَ حَنِيفٗاۗ وَٱتَّخَذَ ٱللَّهُ إِبۡرَٰهِيمَ خَلِيلٗا ﴿١٢٥﴾ وَلِلَّهِ مَا
فِي ٱلسَّمَٰوَٰتِ وَمَا فِي ٱلۡأَرۡضِۚ وَكَانَ ٱللَّهُ بِكُلِّ شَيۡءٖ
مُّحِيطٗا ﴿١٢٦﴾ وَيَسۡتَفۡتُونَكَ فِي ٱلنِّسَآءِۖ قُلِ ٱللَّهُ يُفۡتِيكُمۡ
فِيهِنَّ وَمَا يُتۡلَىٰ عَلَيۡكُمۡ فِي ٱلۡكِتَٰبِ فِي يَتَٰمَى ٱلنِّسَآءِ
ٱلَّٰتِي لَا تُؤۡتُونَهُنَّ مَا كُتِبَ لَهُنَّ وَتَرۡغَبُونَ أَن تَنكِحُوهُنَّ
وَٱلۡمُسۡتَضۡعَفِينَ مِنَ ٱلۡوِلۡدَٰنِ وَأَن تَقُومُواْ لِلۡيَتَٰمَىٰ
بِٱلۡقِسۡطِۚ وَمَا تَفۡعَلُواْ مِنۡ خَيۡرٖ فَإِنَّ ٱللَّهَ كَانَ بِهِۦ عَلِيمٗا ﴿١٢٧﴾

- قِيلًا: قَوْلًا
- نَقِيرًا: هو النُّقرةُ في ظَهْرِ النواةِ
- أَسْلَمَ وَجْهَهُ لِلَّهِ: أخْلَصَ نفسَه أو تَوَجُّهَهُ لله
- حَنِيفًا: مائلاً عن الباطِلِ إلى الدِّينِ الحق
- بِالْقِسْطِ: بِالعَدْلِ

| | | |
|---|---|---|
| مدّ ٦ حركات لزوماً ● مدّ ٢ أو ٤ أو ٦ جوازاً | إخفاء، ومواقع الغُنَّة (حركتان) | تفخيم |
| مدّ واجب ٤ أو ٥ حركات ● مدّ حركتان | إدغام، وما لا يُلفَظ | قلقلة |

وَإِنِ ٱمۡرَأَةٌ خَافَتۡ مِنۢ بَعۡلِهَا نُشُوزًا أَوۡ إِعۡرَاضٗا فَلَا جُنَاحَ
عَلَيۡهِمَآ أَن يُصۡلِحَا بَيۡنَهُمَا صُلۡحٗاۚ وَٱلصُّلۡحُ خَيۡرٞۗ وَأُحۡضِرَتِ
ٱلۡأَنفُسُ ٱلشُّحَّۚ وَإِن تُحۡسِنُواْ وَتَتَّقُواْ فَإِنَّ ٱللَّهَ كَانَ
بِمَا تَعۡمَلُونَ خَبِيرٗا ﴿١٢٨﴾ وَلَن تَسۡتَطِيعُوٓاْ أَن تَعۡدِلُواْ
بَيۡنَ ٱلنِّسَآءِ وَلَوۡ حَرَصۡتُمۡۖ فَلَا تَمِيلُواْ كُلَّ ٱلۡمَيۡلِ
فَتَذَرُوهَا كَٱلۡمُعَلَّقَةِۚ وَإِن تُصۡلِحُواْ وَتَتَّقُواْ فَإِنَّ ٱللَّهَ
كَانَ غَفُورٗا رَّحِيمٗا ﴿١٢٩﴾ وَإِن يَتَفَرَّقَا يُغۡنِ ٱللَّهُ كُلّٗا
مِّن سَعَتِهِۦۚ وَكَانَ ٱللَّهُ وَٰسِعًا حَكِيمٗا ﴿١٣٠﴾ وَلِلَّهِ مَا فِي
ٱلسَّمَٰوَٰتِ وَمَا فِي ٱلۡأَرۡضِۗ وَلَقَدۡ وَصَّيۡنَا ٱلَّذِينَ أُوتُواْ ٱلۡكِتَٰبَ
مِن قَبۡلِكُمۡ وَإِيَّاكُمۡ أَنِ ٱتَّقُواْ ٱللَّهَۚ وَإِن تَكۡفُرُواْ فَإِنَّ لِلَّهِ
مَا فِي ٱلسَّمَٰوَٰتِ وَمَا فِي ٱلۡأَرۡضِۚ وَكَانَ ٱللَّهُ غَنِيًّا حَمِيدٗا ﴿١٣١﴾
وَلِلَّهِ مَا فِي ٱلسَّمَٰوَٰتِ وَمَا فِي ٱلۡأَرۡضِۚ وَكَفَىٰ بِٱللَّهِ وَكِيلًا ﴿١٣٢﴾
إِن يَشَأۡ يُذۡهِبۡكُمۡ أَيُّهَا ٱلنَّاسُ وَيَأۡتِ بِـَٔاخَرِينَۚ وَكَانَ
ٱللَّهُ عَلَىٰ ذَٰلِكَ قَدِيرٗا ﴿١٣٣﴾ مَّن كَانَ يُرِيدُ ثَوَابَ ٱلدُّنۡيَا فَعِندَ
ٱللَّهِ ثَوَابُ ٱلدُّنۡيَا وَٱلۡأٓخِرَةِۚ وَكَانَ ٱللَّهُ سَمِيعَۢا بَصِيرٗا ﴿١٣٤﴾

- بَعۡلِهَا: زوجها
- نُشُوزًا: تجافياً عنها ظلماً
- ٱلشُّحَّ: البُخلَ مَعَ الحِرْص
- سَعَتِهِۦ: فضله وغناه

مدّ ٦ حركات لزوماً ● مدّ ٢ أو ٤ أو ٦ جوازاً ● إخفاء ، ومواقع الغُنَّة (حركتان) ● تفخيم
مدّ واجب ٤ أو ٥ حركات ● مدّ حركتان ● إدغام ، وما لا يُلفَظ ● قلقلة

۞ يَٰٓأَيُّهَا ٱلَّذِينَ ءَامَنُواْ كُونُواْ قَوَّٰمِينَ بِٱلْقِسْطِ شُهَدَآءَ لِلَّهِ
وَلَوْ عَلَىٰٓ أَنفُسِكُمْ أَوِ ٱلْوَٰلِدَيْنِ وَٱلْأَقْرَبِينَ ۚ إِن يَكُنْ غَنِيًّا
أَوْ فَقِيرًا فَٱللَّهُ أَوْلَىٰ بِهِمَا ۖ فَلَا تَتَّبِعُواْ ٱلْهَوَىٰٓ أَن تَعْدِلُواْ ۚ وَإِن
تَلْوُۥٓاْ أَوْ تُعْرِضُواْ فَإِنَّ ٱللَّهَ كَانَ بِمَا تَعْمَلُونَ خَبِيرًا ﴿١٣٥﴾ يَٰٓأَيُّهَا
ٱلَّذِينَ ءَامَنُوٓاْ ءَامِنُواْ بِٱللَّهِ وَرَسُولِهِۦ وَٱلْكِتَٰبِ ٱلَّذِى نَزَّلَ
عَلَىٰ رَسُولِهِۦ وَٱلْكِتَٰبِ ٱلَّذِىٓ أَنزَلَ مِن قَبْلُ ۚ وَمَن يَكْفُرْ
بِٱللَّهِ وَمَلَٰٓئِكَتِهِۦ وَكُتُبِهِۦ وَرُسُلِهِۦ وَٱلْيَوْمِ ٱلْءَاخِرِ فَقَدْ ضَلَّ
ضَلَٰلًۢا بَعِيدًا ﴿١٣٦﴾ إِنَّ ٱلَّذِينَ ءَامَنُواْ ثُمَّ كَفَرُواْ ثُمَّ ءَامَنُواْ
ثُمَّ كَفَرُواْ ثُمَّ ٱزْدَادُواْ كُفْرًا لَّمْ يَكُنِ ٱللَّهُ لِيَغْفِرَ لَهُمْ وَلَا لِيَهْدِيَهُمْ
سَبِيلًۢا ﴿١٣٧﴾ بَشِّرِ ٱلْمُنَٰفِقِينَ بِأَنَّ لَهُمْ عَذَابًا أَلِيمًا ﴿١٣٨﴾ ٱلَّذِينَ
يَتَّخِذُونَ ٱلْكَٰفِرِينَ أَوْلِيَآءَ مِن دُونِ ٱلْمُؤْمِنِينَ ۚ أَيَبْتَغُونَ
عِندَهُمُ ٱلْعِزَّةَ فَإِنَّ ٱلْعِزَّةَ لِلَّهِ جَمِيعًا ﴿١٣٩﴾ وَقَدْ نَزَّلَ عَلَيْكُمْ فِى
ٱلْكِتَٰبِ أَنْ إِذَا سَمِعْتُمْ ءَايَٰتِ ٱللَّهِ يُكْفَرُ بِهَا وَيُسْتَهْزَأُ بِهَا فَلَا
تَقْعُدُواْ مَعَهُمْ حَتَّىٰ يَخُوضُواْ فِى حَدِيثٍ غَيْرِهِۦٓ ۚ إِنَّكُمْ إِذًا مِّثْلُهُمْ ۗ
إِنَّ ٱللَّهَ جَامِعُ ٱلْمُنَٰفِقِينَ وَٱلْكَٰفِرِينَ فِى جَهَنَّمَ جَمِيعًا ﴿١٤٠﴾

■ تَلْوُۥٓاْ: تُحرِّفُوا الشَّهَادَةَ
■ ٱلْعِزَّةَ: المَنَعَة والقُوَّة

| | | |
|---|---|---|
| مدّ ٦ حركات لزوماً ● مدّ ٢ أو ٤ أو ٦ جوازاً | إخفاء ، ومواقع الغنّة (حركتان) | تفخيم |
| مدّ واجب ٤ أو ٥ حركات ● مدّ حركتان | إدغام ، وما لا يُلفظ | قلقلة |

ٱلَّذِينَ يَتَرَبَّصُونَ بِكُمْ فَإِن كَانَ لَكُمْ فَتْحٌ مِّنَ ٱللَّهِ قَالُوٓا۟ أَلَمْ
نَكُن مَّعَكُمْ وَإِن كَانَ لِلْكَٰفِرِينَ نَصِيبٌ قَالُوٓا۟ أَلَمْ نَسْتَحْوِذْ
عَلَيْكُمْ وَنَمْنَعْكُم مِّنَ ٱلْمُؤْمِنِينَ ۚ فَٱللَّهُ يَحْكُمُ بَيْنَكُمْ يَوْمَ
ٱلْقِيَٰمَةِ ۗ وَلَن يَجْعَلَ ٱللَّهُ لِلْكَٰفِرِينَ عَلَى ٱلْمُؤْمِنِينَ سَبِيلًا ﴿١٤١﴾
إِنَّ ٱلْمُنَٰفِقِينَ يُخَٰدِعُونَ ٱللَّهَ وَهُوَ خَٰدِعُهُمْ وَإِذَا قَامُوٓا۟ إِلَى
ٱلصَّلَوٰةِ قَامُوا۟ كُسَالَىٰ يُرَآءُونَ ٱلنَّاسَ وَلَا يَذْكُرُونَ ٱللَّهَ إِلَّا
قَلِيلًا ﴿١٤٢﴾ مُّذَبْذَبِينَ بَيْنَ ذَٰلِكَ لَآ إِلَىٰ هَٰٓؤُلَآءِ وَلَآ إِلَىٰ هَٰٓؤُلَآءِ ۚ
وَمَن يُضْلِلِ ٱللَّهُ فَلَن تَجِدَ لَهُۥ سَبِيلًا ﴿١٤٣﴾ يَٰٓأَيُّهَا ٱلَّذِينَ ءَامَنُوا۟
لَا تَتَّخِذُوا۟ ٱلْكَٰفِرِينَ أَوْلِيَآءَ مِن دُونِ ٱلْمُؤْمِنِينَ ۚ أَتُرِيدُونَ
أَن تَجْعَلُوا۟ لِلَّهِ عَلَيْكُمْ سُلْطَٰنًا مُّبِينًا ﴿١٤٤﴾ إِنَّ ٱلْمُنَٰفِقِينَ
فِى ٱلدَّرْكِ ٱلْأَسْفَلِ مِنَ ٱلنَّارِ وَلَن تَجِدَ لَهُمْ نَصِيرًا ﴿١٤٥﴾
إِلَّا ٱلَّذِينَ تَابُوا۟ وَأَصْلَحُوا۟ وَٱعْتَصَمُوا۟ بِٱللَّهِ وَأَخْلَصُوا۟
دِينَهُمْ لِلَّهِ فَأُو۟لَٰٓئِكَ مَعَ ٱلْمُؤْمِنِينَ ۖ وَسَوْفَ يُؤْتِ ٱللَّهُ
ٱلْمُؤْمِنِينَ أَجْرًا عَظِيمًا ﴿١٤٦﴾ مَّا يَفْعَلُ ٱللَّهُ بِعَذَابِكُمْ
إِن شَكَرْتُمْ وَءَامَنتُمْ ۚ وَكَانَ ٱللَّهُ شَاكِرًا عَلِيمًا ﴿١٤٧﴾

- يَتَرَبَّصُونَ بِكُمْ: يَنْتَظِرُونَ بِكُمُ الدَّوَائِرَ
- فَتْحٌ: نصرٌ وظفرٌ
- نَسْتَحْوِذْ عَلَيْكُمْ: نَغْلِبْكُمْ وَنَسْتَوْلِ عَلَيْكُمْ
- مُّذَبْذَبِينَ: مُرَدَّدِينَ بَيْنَ الكُفْرِ والإيمان
- ٱلدَّرْكِ ٱلْأَسْفَلِ: الطبقةِ السُّفلى

۞ لَّا يُحِبُّ ٱللَّهُ ٱلْجَهْرَ بِٱلسُّوٓءِ مِنَ ٱلْقَوْلِ إِلَّا مَن ظُلِمَ ۚ وَكَانَ
ٱللَّهُ سَمِيعًا عَلِيمًا ﴿١٤٨﴾ إِن تُبْدُوا۟ خَيْرًا أَوْ تُخْفُوهُ أَوْ تَعْفُوا۟ عَن
سُوٓءٍ فَإِنَّ ٱللَّهَ كَانَ عَفُوًّا قَدِيرًا ﴿١٤٩﴾ إِنَّ ٱلَّذِينَ يَكْفُرُونَ
بِٱللَّهِ وَرُسُلِهِۦ وَيُرِيدُونَ أَن يُفَرِّقُوا۟ بَيْنَ ٱللَّهِ وَرُسُلِهِۦ
وَيَقُولُونَ نُؤْمِنُ بِبَعْضٍ وَنَكْفُرُ بِبَعْضٍ وَيُرِيدُونَ
أَن يَتَّخِذُوا۟ بَيْنَ ذَٰلِكَ سَبِيلًا ﴿١٥٠﴾ أُو۟لَٰٓئِكَ هُمُ ٱلْكَٰفِرُونَ
حَقًّا ۚ وَأَعْتَدْنَا لِلْكَٰفِرِينَ عَذَابًا مُّهِينًا ﴿١٥١﴾ وَٱلَّذِينَ ءَامَنُوا۟
بِٱللَّهِ وَرُسُلِهِۦ وَلَمْ يُفَرِّقُوا۟ بَيْنَ أَحَدٍ مِّنْهُمْ أُو۟لَٰٓئِكَ سَوْفَ
يُؤْتِيهِمْ أُجُورَهُمْ ۗ وَكَانَ ٱللَّهُ غَفُورًا رَّحِيمًا ﴿١٥٢﴾ يَسْـَٔلُكَ
أَهْلُ ٱلْكِتَٰبِ أَن تُنَزِّلَ عَلَيْهِمْ كِتَٰبًا مِّنَ ٱلسَّمَآءِ ۚ فَقَدْ سَأَلُوا۟
مُوسَىٰٓ أَكْبَرَ مِن ذَٰلِكَ فَقَالُوٓا۟ أَرِنَا ٱللَّهَ جَهْرَةً فَأَخَذَتْهُمُ
ٱلصَّٰعِقَةُ بِظُلْمِهِمْ ۚ ثُمَّ ٱتَّخَذُوا۟ ٱلْعِجْلَ مِنۢ بَعْدِ مَا جَآءَتْهُمُ
ٱلْبَيِّنَٰتُ فَعَفَوْنَا عَن ذَٰلِكَ ۚ وَءَاتَيْنَا مُوسَىٰ سُلْطَٰنًا مُّبِينًا ﴿١٥٣﴾
وَرَفَعْنَا فَوْقَهُمُ ٱلطُّورَ بِمِيثَٰقِهِمْ وَقُلْنَا لَهُمُ ٱدْخُلُوا۟ ٱلْبَابَ سُجَّدًا
وَقُلْنَا لَهُمْ لَا تَعْدُوا۟ فِى ٱلسَّبْتِ وَأَخَذْنَا مِنْهُم مِّيثَٰقًا غَلِيظًا ﴿١٥٤﴾

▪ جَهْرَةً: عِيَانًا
▪ لَا تَعْدُوا۟: لا تَعْتَدُوا بالصَّيْدِ

| | | |
|---|---|---|
| مدّ ٦ حركات لزوماً ● مدّ ٢ أو ٤ أو ٦ جوازاً | إخفاء، ومواقع الغُنَّة (حركتان) | تفخيم |
| مدّ واجب ٤ أو ٥ حركات ● مدّ حركتان | إدغام، وما لا يُلفظ | قلقلة |

فَبِمَا نَقْضِهِم مِّيثَٰقَهُمْ وَكُفْرِهِم بِـَٔايَٰتِ ٱللَّهِ وَقَتْلِهِمُ ٱلْأَنۢبِيَآءَ
بِغَيْرِ حَقٍّ وَقَوْلِهِمْ قُلُوبُنَا غُلْفٌۢ ۚ بَلْ طَبَعَ ٱللَّهُ عَلَيْهَا بِكُفْرِهِمْ
فَلَا يُؤْمِنُونَ إِلَّا قَلِيلًا ﴿١٥٥﴾ وَبِكُفْرِهِمْ وَقَوْلِهِمْ عَلَىٰ مَرْيَمَ
بُهْتَٰنًا عَظِيمًا ﴿١٥٦﴾ وَقَوْلِهِمْ إِنَّا قَتَلْنَا ٱلْمَسِيحَ عِيسَى ٱبْنَ مَرْيَمَ
رَسُولَ ٱللَّهِ وَمَا قَتَلُوهُ وَمَا صَلَبُوهُ وَلَٰكِن شُبِّهَ لَهُمْ ۚ وَإِنَّ ٱلَّذِينَ
ٱخْتَلَفُوا۟ فِيهِ لَفِى شَكٍّ مِّنْهُ ۚ مَا لَهُم بِهِۦ مِنْ عِلْمٍ إِلَّا ٱتِّبَاعَ ٱلظَّنِّ ۚ
وَمَا قَتَلُوهُ يَقِينًۢا ﴿١٥٧﴾ بَل رَّفَعَهُ ٱللَّهُ إِلَيْهِ ۚ وَكَانَ ٱللَّهُ عَزِيزًا حَكِيمًا
﴿١٥٨﴾ وَإِن مِّنْ أَهْلِ ٱلْكِتَٰبِ إِلَّا لَيُؤْمِنَنَّ بِهِۦ قَبْلَ مَوْتِهِۦ ۖ وَيَوْمَ
ٱلْقِيَٰمَةِ يَكُونُ عَلَيْهِمْ شَهِيدًا ﴿١٥٩﴾ فَبِظُلْمٍ مِّنَ ٱلَّذِينَ هَادُوا۟
حَرَّمْنَا عَلَيْهِمْ طَيِّبَٰتٍ أُحِلَّتْ لَهُمْ وَبِصَدِّهِمْ عَن سَبِيلِ ٱللَّهِ
كَثِيرًا ﴿١٦٠﴾ وَأَخْذِهِمُ ٱلرِّبَوٰا۟ وَقَدْ نُهُوا۟ عَنْهُ وَأَكْلِهِمْ أَمْوَٰلَ ٱلنَّاسِ
بِٱلْبَٰطِلِ ۚ وَأَعْتَدْنَا لِلْكَٰفِرِينَ مِنْهُمْ عَذَابًا أَلِيمًا ﴿١٦١﴾ لَّٰكِنِ
ٱلرَّٰسِخُونَ فِى ٱلْعِلْمِ مِنْهُمْ وَٱلْمُؤْمِنُونَ يُؤْمِنُونَ بِمَآ أُنزِلَ إِلَيْكَ وَمَآ
أُنزِلَ مِن قَبْلِكَ ۚ وَٱلْمُقِيمِينَ ٱلصَّلَوٰةَ ۚ وَٱلْمُؤْتُونَ ٱلزَّكَوٰةَ
وَٱلْمُؤْمِنُونَ بِٱللَّهِ وَٱلْيَوْمِ ٱلْءَاخِرِ أُو۟لَٰٓئِكَ سَنُؤْتِيهِمْ أَجْرًا عَظِيمًا ﴿١٦٢﴾

- غُلْفٌ: مُغشّاة بأغطية خِلْقيّة
- طَبَعَ: خَتَمَ
- بُهْتَٰنًا: كذباً وباطلاً

مدّ ٦ حركات لزوماً ● مدّ ٢ أو ٤ أو ٦ جوازاً ● إخفاء، ومواقع الغُنّة (حركتان) ● تفخيم
مدّ واجب ٤ أو ٥ حركات ● مدّ حركتان ● إدغام، وما لا يُلفظ ● قلقلة

النساء

۞ إِنَّآ أَوۡحَيۡنَآ إِلَيۡكَ كَمَآ أَوۡحَيۡنَآ إِلَىٰ نُوحٖ وَٱلنَّبِيِّـۧنَ مِنۢ بَعۡدِهِۦۚ
وَأَوۡحَيۡنَآ إِلَىٰٓ إِبۡرَٰهِيمَ وَإِسۡمَٰعِيلَ وَإِسۡحَٰقَ وَيَعۡقُوبَ
وَٱلۡأَسۡبَاطِ وَعِيسَىٰ وَأَيُّوبَ وَيُونُسَ وَهَٰرُونَ وَسُلَيۡمَٰنَۚ
وَءَاتَيۡنَا دَاوُۥدَ زَبُورٗا ﴿١٦٣﴾ وَرُسُلٗا قَدۡ قَصَصۡنَٰهُمۡ عَلَيۡكَ
مِن قَبۡلُ وَرُسُلٗا لَّمۡ نَقۡصُصۡهُمۡ عَلَيۡكَۚ وَكَلَّمَ ٱللَّهُ مُوسَىٰ
تَكۡلِيمٗا ﴿١٦٤﴾ رُّسُلٗا مُّبَشِّرِينَ وَمُنذِرِينَ لِئَلَّا يَكُونَ
لِلنَّاسِ عَلَى ٱللَّهِ حُجَّةُۢ بَعۡدَ ٱلرُّسُلِۚ وَكَانَ ٱللَّهُ عَزِيزًا حَكِيمٗا
﴿١٦٥﴾ لَّٰكِنِ ٱللَّهُ يَشۡهَدُ بِمَآ أَنزَلَ إِلَيۡكَۖ أَنزَلَهُۥ بِعِلۡمِهِۦۖ
وَٱلۡمَلَٰٓئِكَةُ يَشۡهَدُونَۚ وَكَفَىٰ بِٱللَّهِ شَهِيدًا ﴿١٦٦﴾ إِنَّ ٱلَّذِينَ
كَفَرُواْ وَصَدُّواْ عَن سَبِيلِ ٱللَّهِ قَدۡ ضَلُّواْ ضَلَٰلَۢا بَعِيدًا
﴿١٦٧﴾ إِنَّ ٱلَّذِينَ كَفَرُواْ وَظَلَمُواْ لَمۡ يَكُنِ ٱللَّهُ لِيَغۡفِرَ لَهُمۡ وَلَا
لِيَهۡدِيَهُمۡ طَرِيقًا ﴿١٦٨﴾ إِلَّا طَرِيقَ جَهَنَّمَ خَٰلِدِينَ فِيهَآ أَبَدٗاۚ
وَكَانَ ذَٰلِكَ عَلَى ٱللَّهِ يَسِيرٗا ﴿١٦٩﴾ يَٰٓأَيُّهَا ٱلنَّاسُ قَدۡ جَآءَكُمُ
ٱلرَّسُولُ بِٱلۡحَقِّ مِن رَّبِّكُمۡ فَـَٔامِنُواْ خَيۡرٗا لَّكُمۡۚ وَإِن تَكۡفُرُواْ
فَإِنَّ لِلَّهِ مَا فِي ٱلسَّمَٰوَٰتِ وَٱلۡأَرۡضِۚ وَكَانَ ٱللَّهُ عَلِيمًا حَكِيمٗا ﴿١٧٠﴾

■ ٱلۡأَسۡبَاطِ: أَوۡلادِ يَعۡقُوبَ. أو أولادِ أولاده
■ زَبُورٗا: كِتاباً فيه مواعِظُ وحِكَمٌ

| | | |
|---|---|---|
| مدّ ٦ حركات لزوماً ● مدّ ٢ أو ٤ أو ٦ جوازاً | ● إخفاء، ومواقع الغُنَّة (حركتان) | ● تفخيم |
| مدّ واجب ٤ أو ٥ حركات ● مدّ حركتان | ● إدغام، وما لا يُلفَظ | ● قلقلة |

يَٰٓأَهۡلَ ٱلۡكِتَٰبِ لَا تَغۡلُواْ فِي دِينِكُمۡ وَلَا تَقُولُواْ
عَلَى ٱللَّهِ إِلَّا ٱلۡحَقَّۚ إِنَّمَا ٱلۡمَسِيحُ عِيسَى ٱبۡنُ مَرۡيَمَ رَسُولُ
ٱللَّهِ وَكَلِمَتُهُۥٓ أَلۡقَىٰهَآ إِلَىٰ مَرۡيَمَ وَرُوحٞ مِّنۡهُۖ فَـَٔامِنُواْ بِٱللَّهِ
وَرُسُلِهِۦۖ وَلَا تَقُولُواْ ثَلَٰثَةٌۚ ٱنتَهُواْ خَيۡرٗا لَّكُمۡۚ إِنَّمَا ٱللَّهُ إِلَٰهٞ
وَٰحِدٞۖ سُبۡحَٰنَهُۥٓ أَن يَكُونَ لَهُۥ وَلَدٞۘ لَّهُۥ مَا فِي ٱلسَّمَٰوَٰتِ
وَمَا فِي ٱلۡأَرۡضِۗ وَكَفَىٰ بِٱللَّهِ وَكِيلٗا ﴿١٧١﴾ لَّن يَسۡتَنكِفَ
ٱلۡمَسِيحُ أَن يَكُونَ عَبۡدٗا لِّلَّهِ وَلَا ٱلۡمَلَٰٓئِكَةُ ٱلۡمُقَرَّبُونَۚ
وَمَن يَسۡتَنكِفۡ عَنۡ عِبَادَتِهِۦ وَيَسۡتَكۡبِرۡ فَسَيَحۡشُرُهُمۡ
إِلَيۡهِ جَمِيعٗا ﴿١٧٢﴾ فَأَمَّا ٱلَّذِينَ ءَامَنُواْ وَعَمِلُواْ ٱلصَّٰلِحَٰتِ
فَيُوَفِّيهِمۡ أُجُورَهُمۡ وَيَزِيدُهُم مِّن فَضۡلِهِۦۖ وَأَمَّا ٱلَّذِينَ
ٱسۡتَنكَفُواْ وَٱسۡتَكۡبَرُواْ فَيُعَذِّبُهُمۡ عَذَابًا أَلِيمٗا وَلَا
يَجِدُونَ لَهُم مِّن دُونِ ٱللَّهِ وَلِيّٗا وَلَا نَصِيرٗا ﴿١٧٣﴾ يَٰٓأَيُّهَا ٱلنَّاسُ
قَدۡ جَآءَكُم بُرۡهَٰنٞ مِّن رَّبِّكُمۡ وَأَنزَلۡنَآ إِلَيۡكُمۡ نُورٗا مُّبِينٗا ﴿١٧٤﴾
فَأَمَّا ٱلَّذِينَ ءَامَنُواْ بِٱللَّهِ وَٱعۡتَصَمُواْ بِهِۦ فَسَيُدۡخِلُهُمۡ
فِي رَحۡمَةٖ مِّنۡهُ وَفَضۡلٖ وَيَهۡدِيهِمۡ إِلَيۡهِ صِرَٰطٗا مُّسۡتَقِيمٗا ﴿١٧٥﴾

▪ لَا تَغۡلُواْ: لا تُجاوِزُوا الحَدَّ ولا تُفرِطوا
▪ يَسۡتَنكِفَ: يَأنَف ويَترفَّع

مدّ ٦ حركات لزوماً — مدّ ٢ أو ٤ أو ٦ جوازاً — إخفاء ، ومواقع الغُنَّة (حركتان) — تفخ
مدّ واجب ٤ أو ٥ حركات — مدّ حركتان — إدغام ، وما لا يُلفَظ — قلق

يَسْتَفْتُونَكَ قُلِ ٱللَّهُ يُفْتِيكُمْ فِى ٱلْكَلَٰلَةِ ۚ إِنِ ٱمْرُؤٌا۟ هَلَكَ
لَيْسَ لَهُۥ وَلَدٌ وَلَهُۥٓ أُخْتٌ فَلَهَا نِصْفُ مَا تَرَكَ ۚ وَهُوَ يَرِثُهَآ
إِن لَّمْ يَكُن لَّهَا وَلَدٌ ۚ فَإِن كَانَتَا ٱثْنَتَيْنِ فَلَهُمَا ٱلثُّلُثَانِ مِمَّا تَرَكَ ۚ
وَإِن كَانُوٓا۟ إِخْوَةً رِّجَالًا وَنِسَآءً فَلِلذَّكَرِ مِثْلُ حَظِّ ٱلْأُنثَيَيْنِ ۗ
يُبَيِّنُ ٱللَّهُ لَكُمْ أَن تَضِلُّوا۟ ۗ وَٱللَّهُ بِكُلِّ شَىْءٍ عَلِيمٌۢ ﴿١٧٦﴾

## سُورَةُ المَائِدَةِ

ترتيبها ٥ — آياتها ١٢٠

بِسْمِ ٱللَّهِ ٱلرَّحْمَٰنِ ٱلرَّحِيمِ

يَٰٓأَيُّهَا ٱلَّذِينَ ءَامَنُوٓا۟ أَوْفُوا۟ بِٱلْعُقُودِ ۚ أُحِلَّتْ لَكُم بَهِيمَةُ
ٱلْأَنْعَٰمِ إِلَّا مَا يُتْلَىٰ عَلَيْكُمْ غَيْرَ مُحِلِّى ٱلصَّيْدِ وَأَنتُمْ حُرُمٌ ۗ إِنَّ ٱللَّهَ
يَحْكُمُ مَا يُرِيدُ ﴿١﴾ يَٰٓأَيُّهَا ٱلَّذِينَ ءَامَنُوا۟ لَا تُحِلُّوا۟ شَعَٰٓئِرَ ٱللَّهِ
وَلَا ٱلشَّهْرَ ٱلْحَرَامَ وَلَا ٱلْهَدْىَ وَلَا ٱلْقَلَٰٓئِدَ وَلَآ ءَآمِّينَ ٱلْبَيْتَ
ٱلْحَرَامَ يَبْتَغُونَ فَضْلًا مِّن رَّبِّهِمْ وَرِضْوَٰنًا ۚ وَإِذَا حَلَلْتُمْ فَٱصْطَادُوا۟ ۚ
وَلَا يَجْرِمَنَّكُمْ شَنَـَٔانُ قَوْمٍ أَن صَدُّوكُمْ عَنِ ٱلْمَسْجِدِ
ٱلْحَرَامِ أَن تَعْتَدُوا۟ ۘ وَتَعَاوَنُوا۟ عَلَى ٱلْبِرِّ وَٱلتَّقْوَىٰ ۖ وَلَا تَعَاوَنُوا۟
عَلَى ٱلْإِثْمِ وَٱلْعُدْوَٰنِ ۚ وَٱتَّقُوا۟ ٱللَّهَ ۖ إِنَّ ٱللَّهَ شَدِيدُ ٱلْعِقَابِ ﴿٢﴾

المائدة

■ ٱلْكَلَٰلَةِ: الميّتِ ، لا وَلَدَ لَهُ ولا والِدَ
■ بِٱلْعُقُودِ: بالعُهودِ المؤكّدةِ
■ ٱلْأَنْعَٰمِ: الإبلِ والبقرِ والغنمِ
نصف الحزب ١١
■ مُحِلِّى ٱلصَّيْدِ: مُستحلّيه
■ حُرُمٌ: مُحْرِمونَ
■ شَعَٰٓئِرَ ٱللَّهِ: مناسكَ الحجِ . أو معالمَ دينه
■ ٱلْهَدْىَ: ما يُهْدَى من الأنعامِ إلى الكعبة
■ ٱلْقَلَٰٓئِدَ: ما يقلّد به الهديُ علامةً لهُ
■ ءَآمِّينَ: قاصِدينَ
■ لَا يَجْرِمَنَّكُمْ: لا يَحْمِلَنَّكُم
■ شَنَـَٔانُ قَوْمٍ: بُغْضُكُمْ لَهُمْ

| | | | |
|---|---|---|---|
| مدّ ٦ حركات لزوماً | مدّ ٢ أو ٤ أو ٦ جوازاً | إخفاء ، ومواقع الغُنّة (حركتان) | تفخيم |
| مدّ واجب ٤ أو ٥ حركات | مدّ حركتان | إدغام ، وما لا يُلفظ | قلقلة |

حُرِّمَتۡ عَلَيۡكُمُ ٱلۡمَيۡتَةُ وَٱلدَّمُ وَلَحۡمُ ٱلۡخِنزِيرِ وَمَآ أُهِلَّ لِغَيۡرِ ٱللَّهِ
بِهِۦ وَٱلۡمُنۡخَنِقَةُ وَٱلۡمَوۡقُوذَةُ وَٱلۡمُتَرَدِّيَةُ وَٱلنَّطِيحَةُ وَمَآ أَكَلَ
ٱلسَّبُعُ إِلَّا مَا ذَكَّيۡتُمۡ وَمَا ذُبِحَ عَلَى ٱلنُّصُبِ وَأَن تَسۡتَقۡسِمُواْ
بِٱلۡأَزۡلَٰمِۚ ذَٰلِكُمۡ فِسۡقٌۗ ٱلۡيَوۡمَ يَئِسَ ٱلَّذِينَ كَفَرُواْ مِن دِينِكُمۡ
فَلَا تَخۡشَوۡهُمۡ وَٱخۡشَوۡنِۚ ٱلۡيَوۡمَ أَكۡمَلۡتُ لَكُمۡ دِينَكُمۡ وَأَتۡمَمۡتُ
عَلَيۡكُمۡ نِعۡمَتِي وَرَضِيتُ لَكُمُ ٱلۡإِسۡلَٰمَ دِينٗاۚ فَمَنِ ٱضۡطُرَّ فِي
مَخۡمَصَةٍ غَيۡرَ مُتَجَانِفٖ لِّإِثۡمٖ فَإِنَّ ٱللَّهَ غَفُورٞ رَّحِيمٞ ﴿٣﴾
يَسۡـَٔلُونَكَ مَاذَآ أُحِلَّ لَهُمۡۖ قُلۡ أُحِلَّ لَكُمُ ٱلطَّيِّبَٰتُ وَمَا عَلَّمۡتُم
مِّنَ ٱلۡجَوَارِحِ مُكَلِّبِينَ تُعَلِّمُونَهُنَّ مِمَّا عَلَّمَكُمُ ٱللَّهُۖ فَكُلُواْ مِمَّآ أَمۡسَكۡنَ
عَلَيۡكُمۡ وَٱذۡكُرُواْ ٱسۡمَ ٱللَّهِ عَلَيۡهِۖ وَٱتَّقُواْ ٱللَّهَۚ إِنَّ ٱللَّهَ سَرِيعُ ٱلۡحِسَابِ ﴿٤﴾
ٱلۡيَوۡمَ أُحِلَّ لَكُمُ ٱلطَّيِّبَٰتُۖ وَطَعَامُ ٱلَّذِينَ أُوتُواْ ٱلۡكِتَٰبَ حِلّٞ
لَّكُمۡ وَطَعَامُكُمۡ حِلّٞ لَّهُمۡۖ وَٱلۡمُحۡصَنَٰتُ مِنَ ٱلۡمُؤۡمِنَٰتِ وَٱلۡمُحۡصَنَٰتُ
مِنَ ٱلَّذِينَ أُوتُواْ ٱلۡكِتَٰبَ مِن قَبۡلِكُمۡ إِذَآ ءَاتَيۡتُمُوهُنَّ أُجُورَهُنَّ
مُحۡصِنِينَ غَيۡرَ مُسَٰفِحِينَ وَلَا مُتَّخِذِيٓ أَخۡدَانٖۗ وَمَن يَكۡفُرۡ
بِٱلۡإِيمَٰنِ فَقَدۡ حَبِطَ عَمَلُهُۥ وَهُوَ فِي ٱلۡأٓخِرَةِ مِنَ ٱلۡخَٰسِرِينَ ﴿٥﴾

- مَآ أُهِلَّ لِغَيۡرِ ٱللَّهِ بِهِۦ: ما ذُكر عند ذبحه غيرُ اسم الله تعالى
- ٱلۡمُنۡخَنِقَةُ: المَيْتَةُ بالخَنْقِ
- ٱلۡمَوۡقُوذَةُ: المَيْتَةُ بالضَّرْبِ
- ٱلۡمُتَرَدِّيَةُ: المَيْتَةُ بالسقوط من عُلُوٍّ
- ٱلنَّطِيحَةُ: المَيْتَةُ بالنَّطْحِ
- مَا ذَكَّيۡتُمۡ: ما أدركتموه وفيه حياة فذبحتموه
- ٱلنُّصُبِ: حجارة حول الكعبة يُعظِّمونها
- تَسۡتَقۡسِمُواْ: تطلبوا معرفة ما قُسِمَ لكُمْ
- بِٱلۡأَزۡلَٰمِ: هي سهامٌ معروفةٌ في الجاهلية
- فِسۡقٌ: ذنبٌ عظيمٌ وخُرُوجٌ عن الطاعةِ
- ٱضۡطُرَّ: أُصيبَ بالضُّرِّ الشديدِ
- مَخۡمَصَةٍ: مَجَاعَةٍ شَدِيدَةٍ
- مُتَجَانِفٖ لِّإِثۡمٖ: مَائِلٍ إليه ومختارٍ له
- ٱلطَّيِّبَٰتُ: ما أَذِنَ الشارع في أكله
- ٱلۡجَوَارِحِ: الكواسِبِ للصَّيدِ من السِّباعِ والطَّيْرِ
- مُكَلِّبِينَ: مُعَلِّمِينَ لها الصَّيْدَ
- ٱلۡمُحۡصَنَٰتُ: العَفائِفُ أو الحرائرُ
- أُجُورَهُنَّ: مُهُورَهُنَّ
- مُحۡصِنِينَ: مُتَعَفِّفِينَ بالزواج
- غَيۡرَ مُسَٰفِحِينَ: غَيْرَ مجاهرين بالزنى
- مُتَّخِذِيٓ أَخۡدَانٖ: مُصَاحِبِي خليلاتٍ للزنى سِرًّا
- حَبِطَ: بَطَلَ

يَٰٓأَيُّهَا ٱلَّذِينَ ءَامَنُوٓاْ إِذَا قُمْتُمْ إِلَى ٱلصَّلَوٰةِ فَٱغْسِلُواْ
وُجُوهَكُمْ وَأَيْدِيَكُمْ إِلَى ٱلْمَرَافِقِ وَٱمْسَحُواْ بِرُءُوسِكُمْ
وَأَرْجُلَكُمْ إِلَى ٱلْكَعْبَيْنِۚ وَإِن كُنتُمْ جُنُبًا فَٱطَّهَّرُواْۚ
وَإِن كُنتُم مَّرْضَىٰٓ أَوْ عَلَىٰ سَفَرٍ أَوْ جَآءَ أَحَدٌ مِّنكُم مِّنَ ٱلْغَآئِطِ
أَوْ لَٰمَسْتُمُ ٱلنِّسَآءَ فَلَمْ تَجِدُواْ مَآءً فَتَيَمَّمُواْ صَعِيدًا طَيِّبًا
فَٱمْسَحُواْ بِوُجُوهِكُمْ وَأَيْدِيكُم مِّنْهُۚ مَا يُرِيدُ ٱللَّهُ
لِيَجْعَلَ عَلَيْكُم مِّنْ حَرَجٍ وَلَٰكِن يُرِيدُ لِيُطَهِّرَكُمْ
وَلِيُتِمَّ نِعْمَتَهُۥ عَلَيْكُمْ لَعَلَّكُمْ تَشْكُرُونَ ﴿٦﴾
وَٱذْكُرُواْ نِعْمَةَ ٱللَّهِ عَلَيْكُمْ وَمِيثَٰقَهُ ٱلَّذِى وَاثَقَكُم
بِهِۦٓ إِذْ قُلْتُمْ سَمِعْنَا وَأَطَعْنَاۖ وَٱتَّقُواْ ٱللَّهَۚ إِنَّ ٱللَّهَ عَلِيمٌۢ بِذَاتِ
ٱلصُّدُورِ ﴿٧﴾ يَٰٓأَيُّهَا ٱلَّذِينَ ءَامَنُواْ كُونُواْ قَوَّٰمِينَ لِلَّهِ
شُهَدَآءَ بِٱلْقِسْطِۖ وَلَا يَجْرِمَنَّكُمْ شَنَـَٔانُ قَوْمٍ عَلَىٰٓ
أَلَّا تَعْدِلُواْۚ ٱعْدِلُواْ هُوَ أَقْرَبُ لِلتَّقْوَىٰۖ وَٱتَّقُواْ ٱللَّهَۚ إِنَّ
ٱللَّهَ خَبِيرٌۢ بِمَا تَعْمَلُونَ ﴿٨﴾ وَعَدَ ٱللَّهُ ٱلَّذِينَ ءَامَنُواْ
وَعَمِلُواْ ٱلصَّٰلِحَٰتِ لَهُم مَّغْفِرَةٌ وَأَجْرٌ عَظِيمٌ ﴿٩﴾

ٱلْغَآئِطِ: مَوْضِع قَضَاء الْحَاجَة
صَعِيدًا طَيِّبًا: تُرَابًا . أو وَجْه الأرْضِ طَاهِرًا
حَرَجٍ: ضِيق
مِيثَٰقَهُ: عَهْدَه
شُهَدَآءَ بِٱلْقِسْطِ: شَاهِدِينَ بِالعَدْلِ
لَا يَجْرِمَنَّكُمْ: لَا يَحْمِلَنَّكُمْ

مدّ ٦ حركات لزوماً | مدّ ٢ أو ٤ أو ٦ جوازاً | إخفاء ، ومواقع الغُنَّة (حركتان) | تفخيم
مدّ واجب ٤ أو ٥ حركات | مدّ حركتان | إدغام ، وما لا يُلفظ | قلقلة

وَٱلَّذِينَ كَفَرُواْ وَكَذَّبُواْ بِـَٔايَٰتِنَآ أُوْلَٰٓئِكَ أَصْحَٰبُ
ٱلْجَحِيمِ ﴿١٠﴾ يَٰٓأَيُّهَا ٱلَّذِينَ ءَامَنُواْ ٱذْكُرُواْ نِعْمَتَ
ٱللَّهِ عَلَيْكُمْ إِذْ هَمَّ قَوْمٌ أَن يَبْسُطُوٓاْ إِلَيْكُمْ أَيْدِيَهُمْ
فَكَفَّ أَيْدِيَهُمْ عَنكُمْ ۖ وَٱتَّقُواْ ٱللَّهَ ۚ وَعَلَى ٱللَّهِ فَلْيَتَوَكَّلِ
ٱلْمُؤْمِنُونَ ﴿١١﴾ ۞ وَلَقَدْ أَخَذَ ٱللَّهُ مِيثَٰقَ بَنِىٓ
إِسْرَٰٓءِيلَ وَبَعَثْنَا مِنْهُمُ ٱثْنَىْ عَشَرَ نَقِيبًا ۖ وَقَالَ ٱللَّهُ
إِنِّى مَعَكُمْ ۖ لَئِنْ أَقَمْتُمُ ٱلصَّلَوٰةَ وَءَاتَيْتُمُ ٱلزَّكَوٰةَ
وَءَامَنتُم بِرُسُلِى وَعَزَّرْتُمُوهُمْ وَأَقْرَضْتُمُ ٱللَّهَ قَرْضًا
حَسَنًا لَّأُكَفِّرَنَّ عَنكُمْ سَيِّـَٔاتِكُمْ وَلَأُدْخِلَنَّكُمْ
جَنَّٰتٍ تَجْرِى مِن تَحْتِهَا ٱلْأَنْهَٰرُ ۚ فَمَن كَفَرَ بَعْدَ
ذَٰلِكَ مِنكُمْ فَقَدْ ضَلَّ سَوَآءَ ٱلسَّبِيلِ ﴿١٢﴾ فَبِمَا
نَقْضِهِم مِّيثَٰقَهُمْ لَعَنَّٰهُمْ وَجَعَلْنَا قُلُوبَهُمْ قَٰسِيَةً ۖ
يُحَرِّفُونَ ٱلْكَلِمَ عَن مَّوَاضِعِهِۦ وَنَسُواْ حَظًّا مِّمَّا
ذُكِّرُواْ بِهِۦ ۚ وَلَا تَزَالُ تَطَّلِعُ عَلَىٰ خَآئِنَةٍ مِّنْهُمْ إِلَّا قَلِيلًا مِّنْهُمْ ۖ
فَٱعْفُ عَنْهُمْ وَٱصْفَحْ ۚ إِنَّ ٱللَّهَ يُحِبُّ ٱلْمُحْسِنِينَ ﴿١٣﴾

ثلاثة أرباع الحزب ١١

- يَبْسُطُوٓاْ إِلَيْكُمْ: يبطشوا بكم بالقتل والإهلاك
- نَقِيبًا: كفيلاً
- عَزَّرْتُمُوهُمْ: نصَرْتُمُوهُمْ. أو عظَّمْتُمُوهُمْ
- يُحَرِّفُونَ ٱلْكَلِمَ: يغيّرونه. أو يؤوّلونه
- حَظًّا: نصيباً وافياً
- خَآئِنَةٍ: خيانة وغدر

● مدّ ٦ حركات لزوماً ● مدّ ٢ أو ٤ أو ٦ جوازاً ● إخفاء، ومواقع الغُنَّة (حركتان) ● تفخيم
● مدّ واجب ٤ أو ٥ حركات ● مدّ حركتان ● إدغام، وما لا يُلفَظ ● قلقلة

وَمِنَ ٱلَّذِينَ قَالُوٓاْ إِنَّا نَصَٰرَىٰٓ أَخَذۡنَا مِيثَٰقَهُمۡ
فَنَسُواْ حَظّٗا مِّمَّا ذُكِّرُواْ بِهِۦ فَأَغۡرَيۡنَا بَيۡنَهُمُ ٱلۡعَدَاوَةَ
وَٱلۡبَغۡضَآءَ إِلَىٰ يَوۡمِ ٱلۡقِيَٰمَةِۚ وَسَوۡفَ يُنَبِّئُهُمُ ٱللَّهُ
بِمَا كَانُواْ يَصۡنَعُونَ ﴿١٤﴾ يَٰٓأَهۡلَ ٱلۡكِتَٰبِ
قَدۡ جَآءَكُمۡ رَسُولُنَا يُبَيِّنُ لَكُمۡ كَثِيرٗا مِّمَّا
كُنتُمۡ تُخۡفُونَ مِنَ ٱلۡكِتَٰبِ وَيَعۡفُواْ عَن
كَثِيرٖۚ قَدۡ جَآءَكُم مِّنَ ٱللَّهِ نُورٞ وَكِتَٰبٞ
مُّبِينٞ ﴿١٥﴾ يَهۡدِي بِهِ ٱللَّهُ مَنِ ٱتَّبَعَ رِضۡوَٰنَهُۥ
سُبُلَ ٱلسَّلَٰمِ وَيُخۡرِجُهُم مِّنَ ٱلظُّلُمَٰتِ إِلَى
ٱلنُّورِ بِإِذۡنِهِۦ وَيَهۡدِيهِمۡ إِلَىٰ صِرَٰطٖ مُّسۡتَقِيمٖ
﴿١٦﴾ لَّقَدۡ كَفَرَ ٱلَّذِينَ قَالُوٓاْ إِنَّ ٱللَّهَ هُوَ ٱلۡمَسِيحُ
ٱبۡنُ مَرۡيَمَۚ قُلۡ فَمَن يَمۡلِكُ مِنَ ٱللَّهِ شَيۡـًٔا إِنۡ أَرَادَ
أَن يُهۡلِكَ ٱلۡمَسِيحَ ٱبۡنَ مَرۡيَمَ وَأُمَّهُۥ وَمَن فِي
ٱلۡأَرۡضِ جَمِيعٗاۗ وَلِلَّهِ مُلۡكُ ٱلسَّمَٰوَٰتِ وَٱلۡأَرۡضِ
وَمَا بَيۡنَهُمَاۚ يَخۡلُقُ مَا يَشَآءُۚ وَٱللَّهُ عَلَىٰ كُلِّ شَيۡءٖ قَدِيرٞ ﴿١٧﴾

فَأَغۡرَيۡنَا: المائدة ■ هَيَّجْنا. أو ألصَقْنا

| | | |
|---|---|---|
| مدّ ٦ حركات لزوماً — مدّ ٢ أو ٤ أو ٦ جوازاً | إخفاء، ومواقع الغُنَّة (حركتان) | تفخيم |
| مدّ واجب ٤ أو ٥ حركات — مدّ حركتان | إدغام، وما لا يُلفَظ | قلقلة |

وَقَالَتِ ٱلْيَهُودُ وَٱلنَّصَٰرَىٰ نَحْنُ أَبْنَٰٓؤُا۟ ٱللَّهِ وَأَحِبَّٰٓؤُهُۥ ۚ قُلْ
فَلِمَ يُعَذِّبُكُم بِذُنُوبِكُم ۖ بَلْ أَنتُم بَشَرٌ مِّمَّنْ خَلَقَ ۚ يَغْفِرُ لِمَن
يَشَآءُ وَيُعَذِّبُ مَن يَشَآءُ ۚ وَلِلَّهِ مُلْكُ ٱلسَّمَٰوَٰتِ وَٱلْأَرْضِ
وَمَا بَيْنَهُمَا ۖ وَإِلَيْهِ ٱلْمَصِيرُ ﴿١٨﴾ يَٰٓأَهْلَ ٱلْكِتَٰبِ قَدْ جَآءَكُمْ
رَسُولُنَا يُبَيِّنُ لَكُمْ عَلَىٰ فَتْرَةٍ مِّنَ ٱلرُّسُلِ أَن تَقُولُوا۟ مَا جَآءَنَا
مِنۢ بَشِيرٍ وَلَا نَذِيرٍ ۖ فَقَدْ جَآءَكُم بَشِيرٌ وَنَذِيرٌ ۗ وَٱللَّهُ عَلَىٰ كُلِّ
شَىْءٍ قَدِيرٌ ﴿١٩﴾ وَإِذْ قَالَ مُوسَىٰ لِقَوْمِهِۦ يَٰقَوْمِ ٱذْكُرُوا۟
نِعْمَةَ ٱللَّهِ عَلَيْكُمْ إِذْ جَعَلَ فِيكُمْ أَنۢبِيَآءَ وَجَعَلَكُم مُّلُوكًا
وَءَاتَىٰكُم مَّا لَمْ يُؤْتِ أَحَدًا مِّنَ ٱلْعَٰلَمِينَ ﴿٢٠﴾ يَٰقَوْمِ ٱدْخُلُوا۟
ٱلْأَرْضَ ٱلْمُقَدَّسَةَ ٱلَّتِى كَتَبَ ٱللَّهُ لَكُمْ وَلَا تَرْتَدُّوا۟ عَلَىٰٓ أَدْبَارِكُمْ
فَتَنقَلِبُوا۟ خَٰسِرِينَ ﴿٢١﴾ قَالُوا۟ يَٰمُوسَىٰٓ إِنَّ فِيهَا قَوْمًا جَبَّارِينَ
وَإِنَّا لَن نَّدْخُلَهَا حَتَّىٰ يَخْرُجُوا۟ مِنْهَا فَإِن يَخْرُجُوا۟ مِنْهَا
فَإِنَّا دَٰخِلُونَ ﴿٢٢﴾ قَالَ رَجُلَانِ مِنَ ٱلَّذِينَ يَخَافُونَ
أَنْعَمَ ٱللَّهُ عَلَيْهِمَا ٱدْخُلُوا۟ عَلَيْهِمُ ٱلْبَابَ فَإِذَا دَخَلْتُمُوهُ
فَإِنَّكُمْ غَٰلِبُونَ ۚ وَعَلَى ٱللَّهِ فَتَوَكَّلُوٓا۟ إِن كُنتُم مُّؤْمِنِينَ ﴿٢٣﴾

فَتْرَةٍ: فُتُورٍ وانْقِطَاعٍ

| | | |
|---|---|---|
| مدّ ٦ حركات لزوماً — مدّ ٢ أو ٤ أو ٦ جوازاً | إخفاء ، ومواقع الغُنَّة (حركتان) | تفخيم |
| مدّ واجب ٤ أو ٥ حركات — مدّ حركتان | إدغام ، وما لا يُلفَظ | قلقلة |

قَالُوا۟ يَـٰمُوسَىٰٓ إِنَّا لَن نَّدْخُلَهَآ أَبَدًا مَّا دَامُوا۟ فِيهَا ۖ فَٱذْهَبْ
أَنتَ وَرَبُّكَ فَقَـٰتِلَآ إِنَّا هَـٰهُنَا قَـٰعِدُونَ ﴿٢٤﴾ قَالَ رَبِّ
إِنِّى لَآ أَمْلِكُ إِلَّا نَفْسِى وَأَخِى ۖ فَٱفْرُقْ بَيْنَنَا وَبَيْنَ ٱلْقَوْمِ
ٱلْفَـٰسِقِينَ ﴿٢٥﴾ قَالَ فَإِنَّهَا مُحَرَّمَةٌ عَلَيْهِمْ ۛ أَرْبَعِينَ سَنَةً ۛ
يَتِيهُونَ فِى ٱلْأَرْضِ ۚ فَلَا تَأْسَ عَلَى ٱلْقَوْمِ ٱلْفَـٰسِقِينَ ﴿٢٦﴾
۞ وَٱتْلُ عَلَيْهِمْ نَبَأَ ٱبْنَىْ ءَادَمَ بِٱلْحَقِّ إِذْ قَرَّبَا قُرْبَانًا
فَتُقُبِّلَ مِنْ أَحَدِهِمَا وَلَمْ يُتَقَبَّلْ مِنَ ٱلْـَٔاخَرِ قَالَ لَأَقْتُلَنَّكَ ۖ
قَالَ إِنَّمَا يَتَقَبَّلُ ٱللَّهُ مِنَ ٱلْمُتَّقِينَ ﴿٢٧﴾ لَئِنۢ بَسَطتَ إِلَىَّ يَدَكَ
لِتَقْتُلَنِى مَآ أَنَا۠ بِبَاسِطٍ يَدِىَ إِلَيْكَ لِأَقْتُلَكَ ۖ إِنِّىٓ أَخَافُ ٱللَّهَ
رَبَّ ٱلْعَـٰلَمِينَ ﴿٢٨﴾ إِنِّىٓ أُرِيدُ أَن تَبُوٓأَ بِإِثْمِى وَإِثْمِكَ فَتَكُونَ
مِنْ أَصْحَـٰبِ ٱلنَّارِ ۚ وَذَٰلِكَ جَزَٰٓؤُا۟ ٱلظَّـٰلِمِينَ ﴿٢٩﴾ فَطَوَّعَتْ
لَهُۥ نَفْسُهُۥ قَتْلَ أَخِيهِ فَقَتَلَهُۥ فَأَصْبَحَ مِنَ ٱلْخَـٰسِرِينَ ﴿٣٠﴾
فَبَعَثَ ٱللَّهُ غُرَابًا يَبْحَثُ فِى ٱلْأَرْضِ لِيُرِيَهُۥ كَيْفَ يُوَٰرِى
سَوْءَةَ أَخِيهِ ۚ قَالَ يَـٰوَيْلَتَىٰٓ أَعَجَزْتُ أَنْ أَكُونَ مِثْلَ هَـٰذَا
ٱلْغُرَابِ فَأُوَٰرِىَ سَوْءَةَ أَخِى ۖ فَأَصْبَحَ مِنَ ٱلنَّـٰدِمِينَ ﴿٣١﴾

المائدة

- يَتِيهُونَ: يَسِيرُونَ مُتَحَيِّرِينَ
- فَلَا تَأْسَ: فَلَا تَحْزَنْ

الحزب ١٢

- قُرْبَانًا: مَا يُتَقَرَّبُ به مِنَ الْبِرِّ إليه تعالى
- تَبُوٓأَ: تَرْجِعَ
- فَطَوَّعَتْ: سَهَّلَتْ وَزَيَّنَتْ
- سَوْءَةَ أَخِيهِ: جيفتَهُ أو عَوْرَتَه

مِنْ أَجْلِ ذَٰلِكَ كَتَبْنَا عَلَىٰ بَنِيٓ إِسْرَٰٓءِيلَ أَنَّهُۥ مَن قَتَلَ
نَفْسًۢا بِغَيْرِ نَفْسٍ أَوْ فَسَادٍ فِي ٱلْأَرْضِ فَكَأَنَّمَا قَتَلَ
ٱلنَّاسَ جَمِيعًا وَمَنْ أَحْيَاهَا فَكَأَنَّمَآ أَحْيَا ٱلنَّاسَ
جَمِيعًاۚ وَلَقَدْ جَآءَتْهُمْ رُسُلُنَا بِٱلْبَيِّنَٰتِ ثُمَّ إِنَّ كَثِيرًا
مِّنْهُم بَعْدَ ذَٰلِكَ فِي ٱلْأَرْضِ لَمُسْرِفُونَ ﴿٣٢﴾ إِنَّمَا
جَزَٰٓؤُاْ ٱلَّذِينَ يُحَارِبُونَ ٱللَّهَ وَرَسُولَهُۥ وَيَسْعَوْنَ فِي ٱلْأَرْضِ
فَسَادًا أَن يُقَتَّلُوٓاْ أَوْ يُصَلَّبُوٓاْ أَوْ تُقَطَّعَ أَيْدِيهِمْ
وَأَرْجُلُهُم مِّنْ خِلَٰفٍ أَوْ يُنفَوْاْ مِنَ ٱلْأَرْضِۚ ذَٰلِكَ
لَهُمْ خِزْيٌ فِي ٱلدُّنْيَاۖ وَلَهُمْ فِي ٱلْأٓخِرَةِ عَذَابٌ عَظِيمٌ
﴿٣٣﴾ إِلَّا ٱلَّذِينَ تَابُواْ مِن قَبْلِ أَن تَقْدِرُواْ عَلَيْهِمْۖ فَٱعْلَمُوٓاْ
أَنَّ ٱللَّهَ غَفُورٌ رَّحِيمٌ ﴿٣٤﴾ يَٰٓأَيُّهَا ٱلَّذِينَ ءَامَنُواْ
ٱتَّقُواْ ٱللَّهَ وَٱبْتَغُوٓاْ إِلَيْهِ ٱلْوَسِيلَةَ وَجَٰهِدُواْ فِي سَبِيلِهِۦ
لَعَلَّكُمْ تُفْلِحُونَ ﴿٣٥﴾ إِنَّ ٱلَّذِينَ كَفَرُواْ لَوْ أَنَّ
لَهُم مَّا فِي ٱلْأَرْضِ جَمِيعًا وَمِثْلَهُۥ مَعَهُۥ لِيَفْتَدُواْ بِهِۦ مِنْ
عَذَابِ يَوْمِ ٱلْقِيَٰمَةِ مَا تُقُبِّلَ مِنْهُمْۖ وَلَهُمْ عَذَابٌ أَلِيمٌ ﴿٣٦﴾

- يُنفَوْاْ: يُبْعَدُوا. أو يُسْجَنُوا
- خِزْيٌ: ذُلٌّ وَهَوانٌ
- ٱلْوَسِيلَةَ: الزُّلْفَى بِفِعْلِ الطَّاعَاتِ وترك المعاصي

يُرِيدُونَ أَن يَخۡرُجُواْ مِنَ ٱلنَّارِ وَمَا هُم بِخَٰرِجِينَ مِنۡهَاۖ
وَلَهُمۡ عَذَابٞ مُّقِيمٞ ﴿٣٧﴾ وَٱلسَّارِقُ وَٱلسَّارِقَةُ فَٱقۡطَعُوٓاْ
أَيۡدِيَهُمَا جَزَآءَۢ بِمَا كَسَبَا نَكَٰلٗا مِّنَ ٱللَّهِۗ وَٱللَّهُ عَزِيزٌ حَكِيمٞ
﴿٣٨﴾ فَمَن تَابَ مِنۢ بَعۡدِ ظُلۡمِهِۦ وَأَصۡلَحَ فَإِنَّ ٱللَّهَ يَتُوبُ
عَلَيۡهِۗ إِنَّ ٱللَّهَ غَفُورٞ رَّحِيمٌ ﴿٣٩﴾ أَلَمۡ تَعۡلَمۡ أَنَّ ٱللَّهَ لَهُۥ مُلۡكُ
ٱلسَّمَٰوَٰتِ وَٱلۡأَرۡضِ يُعَذِّبُ مَن يَشَآءُ وَيَغۡفِرُ لِمَن يَشَآءُۗ
وَٱللَّهُ عَلَىٰ كُلِّ شَيۡءٖ قَدِيرٞ ﴿٤٠﴾ ۞ يَٰٓأَيُّهَا ٱلرَّسُولُ
لَا يَحۡزُنكَ ٱلَّذِينَ يُسَٰرِعُونَ فِي ٱلۡكُفۡرِ مِنَ ٱلَّذِينَ
قَالُوٓاْ ءَامَنَّا بِأَفۡوَٰهِهِمۡ وَلَمۡ تُؤۡمِن قُلُوبُهُمۡۛ وَمِنَ ٱلَّذِينَ
هَادُواْۛ سَمَّٰعُونَ لِلۡكَذِبِ سَمَّٰعُونَ لِقَوۡمٍ
ءَاخَرِينَ لَمۡ يَأۡتُوكَۖ يُحَرِّفُونَ ٱلۡكَلِمَ مِنۢ بَعۡدِ مَوَاضِعِهِۦۖ
يَقُولُونَ إِنۡ أُوتِيتُمۡ هَٰذَا فَخُذُوهُ وَإِن لَّمۡ تُؤۡتَوۡهُ فَٱحۡذَرُواْۚ
وَمَن يُرِدِ ٱللَّهُ فِتۡنَتَهُۥ فَلَن تَمۡلِكَ لَهُۥ مِنَ ٱللَّهِ شَيۡـًٔاۚ
أُوْلَٰٓئِكَ ٱلَّذِينَ لَمۡ يُرِدِ ٱللَّهُ أَن يُطَهِّرَ قُلُوبَهُمۡۚ لَهُمۡ فِي
ٱلدُّنۡيَا خِزۡيٞۖ وَلَهُمۡ فِي ٱلۡأٓخِرَةِ عَذَابٌ عَظِيمٞ ﴿٤١﴾

المائدة

نَكَٰلٗا: عُقُوبَةً . أو مَنۡعاً عن العَوۡدِ

رُبع الحزب ١٢

فِتۡنَتَهُۥ: ضَلالَتَهُ

خِزۡيٞ: افۡتِضاحٌ وَذُلٌّ

| | | |
|---|---|---|
| مدّ ٦ حركات لزوماً — مدّ ٢ أو ٤ أو ٦ جوازاً | إخفاء ، ومواقع الغُنَّة (حركتان) | تفخيم |
| مدّ واجب ٤ أو ٥ حركات — مدّ حركتان | إدغام ، وما لا يُلفَظ | قلقلة |

سَمَّٰعُونَ لِلۡكَذِبِ أَكَّٰلُونَ لِلسُّحۡتِۚ فَإِن جَآءُوكَ
فَٱحۡكُم بَيۡنَهُمۡ أَوۡ أَعۡرِضۡ عَنۡهُمۡۖ وَإِن تُعۡرِضۡ عَنۡهُمۡ فَلَن
يَضُرُّوكَ شَيۡـٔٗاۖ وَإِنۡ حَكَمۡتَ فَٱحۡكُم بَيۡنَهُم بِٱلۡقِسۡطِۚ
إِنَّ ٱللَّهَ يُحِبُّ ٱلۡمُقۡسِطِينَ ﴿٤٢﴾ وَكَيۡفَ يُحَكِّمُونَكَ وَعِندَهُمُ
ٱلتَّوۡرَىٰةُ فِيهَا حُكۡمُ ٱللَّهِ ثُمَّ يَتَوَلَّوۡنَ مِنۢ بَعۡدِ ذَٰلِكَۚ
وَمَآ أُوْلَٰٓئِكَ بِٱلۡمُؤۡمِنِينَ ﴿٤٣﴾ إِنَّآ أَنزَلۡنَا ٱلتَّوۡرَىٰةَ فِيهَا
هُدٗى وَنُورٞۚ يَحۡكُمُ بِهَا ٱلنَّبِيُّونَ ٱلَّذِينَ أَسۡلَمُواْ لِلَّذِينَ
هَادُواْ وَٱلرَّبَّٰنِيُّونَ وَٱلۡأَحۡبَارُ بِمَا ٱسۡتُحۡفِظُواْ مِن كِتَٰبِ
ٱللَّهِ وَكَانُواْ عَلَيۡهِ شُهَدَآءَۚ فَلَا تَخۡشَوُاْ ٱلنَّاسَ
وَٱخۡشَوۡنِ وَلَا تَشۡتَرُواْ بِـَٔايَٰتِي ثَمَنٗا قَلِيلٗاۚ وَمَن لَّمۡ يَحۡكُم
بِمَآ أَنزَلَ ٱللَّهُ فَأُوْلَٰٓئِكَ هُمُ ٱلۡكَٰفِرُونَ ﴿٤٤﴾ وَكَتَبۡنَا عَلَيۡهِمۡ
فِيهَآ أَنَّ ٱلنَّفۡسَ بِٱلنَّفۡسِ وَٱلۡعَيۡنَ بِٱلۡعَيۡنِ وَٱلۡأَنفَ
بِٱلۡأَنفِ وَٱلۡأُذُنَ بِٱلۡأُذُنِ وَٱلسِّنَّ بِٱلسِّنِّ وَٱلۡجُرُوحَ
قِصَاصٞۚ فَمَن تَصَدَّقَ بِهِۦ فَهُوَ كَفَّارَةٞ لَّهُۥۚ وَمَن
لَّمۡ يَحۡكُم بِمَآ أَنزَلَ ٱللَّهُ فَأُوْلَٰٓئِكَ هُمُ ٱلظَّٰلِمُونَ ﴿٤٥﴾

- لِلسُّحۡتِ: للمالِ الحَرَام
- بِٱلۡقِسۡطِ: بالعَدۡلِ
- ٱلۡمُقۡسِطِينَ: العادِلِينَ فيما وُلُّوا
- يَتَوَلَّوۡنَ: يُعرِضُون عن حُكۡمِك
- أَسۡلَمُواْ: انۡقادُوا لِحُكۡمِ ربِّهم
- ٱلرَّبَّٰنِيُّونَ: عُبّادُ اليهودِ
- ٱلۡأَحۡبَارُ: علماءُ اليهود

● مدّ ٦ حركات لزوماً ● مدّ ٢ أو ٤ أو ٦ جوازاً ● إخفاء، ومواقع الغُنَّة (حركتان) ● تفخيم
● مدّ واجب ٤ أو ٥ حركات ● مدّ حركتان ● إدغام، وما لا يُلفَظ ● قلقلة

وَقَفَّيْنَا عَلَىٰٓ ءَاثَٰرِهِم بِعِيسَى ٱبْنِ مَرْيَمَ مُصَدِّقًا لِّمَا بَيْنَ يَدَيْهِ مِنَ
ٱلتَّوْرَىٰةِ ۖ وَءَاتَيْنَٰهُ ٱلْإِنجِيلَ فِيهِ هُدًى وَنُورٌ وَمُصَدِّقًا لِّمَا بَيْنَ
يَدَيْهِ مِنَ ٱلتَّوْرَىٰةِ وَهُدًى وَمَوْعِظَةً لِّلْمُتَّقِينَ ﴿٤٦﴾ وَلْيَحْكُمْ
أَهْلُ ٱلْإِنجِيلِ بِمَآ أَنزَلَ ٱللَّهُ فِيهِ ۚ وَمَن لَّمْ يَحْكُم بِمَآ أَنزَلَ
ٱللَّهُ فَأُو۟لَٰٓئِكَ هُمُ ٱلْفَٰسِقُونَ ﴿٤٧﴾ وَأَنزَلْنَآ إِلَيْكَ ٱلْكِتَٰبَ
بِٱلْحَقِّ مُصَدِّقًا لِّمَا بَيْنَ يَدَيْهِ مِنَ ٱلْكِتَٰبِ وَمُهَيْمِنًا
عَلَيْهِ ۖ فَٱحْكُم بَيْنَهُم بِمَآ أَنزَلَ ٱللَّهُ ۖ وَلَا تَتَّبِعْ أَهْوَآءَهُمْ
عَمَّا جَآءَكَ مِنَ ٱلْحَقِّ ۚ لِكُلٍّ جَعَلْنَا مِنكُمْ شِرْعَةً وَمِنْهَاجًا ۚ
وَلَوْ شَآءَ ٱللَّهُ لَجَعَلَكُمْ أُمَّةً وَٰحِدَةً وَلَٰكِن لِّيَبْلُوَكُمْ فِى مَآ
ءَاتَىٰكُمْ ۖ فَٱسْتَبِقُوا۟ ٱلْخَيْرَٰتِ ۚ إِلَى ٱللَّهِ مَرْجِعُكُمْ جَمِيعًا
فَيُنَبِّئُكُم بِمَا كُنتُمْ فِيهِ تَخْتَلِفُونَ ﴿٤٨﴾ وَأَنِ ٱحْكُم بَيْنَهُم بِمَآ
أَنزَلَ ٱللَّهُ وَلَا تَتَّبِعْ أَهْوَآءَهُمْ وَٱحْذَرْهُمْ أَن يَفْتِنُوكَ عَنۢ
بَعْضِ مَآ أَنزَلَ ٱللَّهُ إِلَيْكَ ۖ فَإِن تَوَلَّوْا۟ فَٱعْلَمْ أَنَّمَا يُرِيدُ ٱللَّهُ أَن يُصِيبَهُم
بِبَعْضِ ذُنُوبِهِمْ ۗ وَإِنَّ كَثِيرًا مِّنَ ٱلنَّاسِ لَفَٰسِقُونَ ﴿٤٩﴾ أَفَحُكْمَ
ٱلْجَٰهِلِيَّةِ يَبْغُونَ ۚ وَمَنْ أَحْسَنُ مِنَ ٱللَّهِ حُكْمًا لِّقَوْمٍ يُوقِنُونَ ﴿٥٠﴾

- قَفَّيْنَا عَلَىٰٓ ءَاثَٰرِهِم: أتبعناهم على آثارهم
- مُهَيْمِنًا: رَقيباً . أو شاهداً
- شِرْعَةً: شَرِيعَةً
- مِنْهَاجًا: طريقاً واضِحاً في الدِّين
- لِّيَبْلُوَكُمْ: لِيَختبرَكم
- يَفْتِنُوكَ: يَصْرفوكَ

| | | |
|---|---|---|
| مدّ ٦ حركات لزوماً ● مدّ ٢ أو ٤ أو ٦ جوازاً | إخفاء ، ومواقع الغُنَّة (حركتان) | تفخيم |
| مدّ واجب ٤ أو ٥ حركات ● مدّ حركتان | إدغام ، وما لا يُلفظ | قلقلة |

نصف الحزب ١٢

يَٰٓأَيُّهَا ٱلَّذِينَ ءَامَنُواْ لَا تَتَّخِذُواْ ٱلۡيَهُودَ وَٱلنَّصَٰرَىٰٓ أَوۡلِيَآءَۘ بَعۡضُهُمۡ
أَوۡلِيَآءُ بَعۡضٖۚ وَمَن يَتَوَلَّهُم مِّنكُمۡ فَإِنَّهُۥ مِنۡهُمۡۗ إِنَّ ٱللَّهَ لَا يَهۡدِي ٱلۡقَوۡمَ
ٱلظَّٰلِمِينَ ﴿٥١﴾ فَتَرَى ٱلَّذِينَ فِي قُلُوبِهِم مَّرَضٞ يُسَٰرِعُونَ فِيهِمۡ
يَقُولُونَ نَخۡشَىٰٓ أَن تُصِيبَنَا دَآئِرَةٞۚ فَعَسَى ٱللَّهُ أَن يَأۡتِيَ بِٱلۡفَتۡحِ أَوۡ أَمۡرٖ
مِّنۡ عِندِهِۦ فَيُصۡبِحُواْ عَلَىٰ مَآ أَسَرُّواْ فِيٓ أَنفُسِهِمۡ نَٰدِمِينَ ﴿٥٢﴾
وَيَقُولُ ٱلَّذِينَ ءَامَنُوٓاْ أَهَٰٓؤُلَآءِ ٱلَّذِينَ أَقۡسَمُواْ بِٱللَّهِ جَهۡدَ أَيۡمَٰنِهِمۡ
إِنَّهُمۡ لَمَعَكُمۡۚ حَبِطَتۡ أَعۡمَٰلُهُمۡ فَأَصۡبَحُواْ خَٰسِرِينَ ﴿٥٣﴾ يَٰٓأَيُّهَا
ٱلَّذِينَ ءَامَنُواْ مَن يَرۡتَدَّ مِنكُمۡ عَن دِينِهِۦ فَسَوۡفَ يَأۡتِي ٱللَّهُ بِقَوۡمٖ يُحِبُّهُمۡ
وَيُحِبُّونَهُۥٓ أَذِلَّةٍ عَلَى ٱلۡمُؤۡمِنِينَ أَعِزَّةٍ عَلَى ٱلۡكَٰفِرِينَ يُجَٰهِدُونَ فِي
سَبِيلِ ٱللَّهِ وَلَا يَخَافُونَ لَوۡمَةَ لَآئِمٖۚ ذَٰلِكَ فَضۡلُ ٱللَّهِ يُؤۡتِيهِ مَن يَشَآءُۚ
وَٱللَّهُ وَٰسِعٌ عَلِيمٌ ﴿٥٤﴾ إِنَّمَا وَلِيُّكُمُ ٱللَّهُ وَرَسُولُهُۥ وَٱلَّذِينَ ءَامَنُواْ ٱلَّذِينَ
يُقِيمُونَ ٱلصَّلَوٰةَ وَيُؤۡتُونَ ٱلزَّكَوٰةَ وَهُمۡ رَٰكِعُونَ ﴿٥٥﴾ وَمَن يَتَوَلَّ ٱللَّهَ
وَرَسُولَهُۥ وَٱلَّذِينَ ءَامَنُواْ فَإِنَّ حِزۡبَ ٱللَّهِ هُمُ ٱلۡغَٰلِبُونَ ﴿٥٦﴾ يَٰٓأَيُّهَا ٱلَّذِينَ
ءَامَنُواْ لَا تَتَّخِذُواْ ٱلَّذِينَ ٱتَّخَذُواْ دِينَكُمۡ هُزُوٗا وَلَعِبٗا مِّنَ ٱلَّذِينَ أُوتُواْ
ٱلۡكِتَٰبَ مِن قَبۡلِكُمۡ وَٱلۡكُفَّارَ أَوۡلِيَآءَۚ وَٱتَّقُواْ ٱللَّهَ إِن كُنتُم مُّؤۡمِنِينَ ﴿٥٧﴾

- دَآئِرَةٞ: نائبةٌ من نوائبِ الدّهر
- بِٱلۡفَتۡحِ: بالنّصر
- جَهۡدَ أَيۡمَٰنِهِمۡ: أغلظَها وأوكدها
- حَبِطَتۡ: بَطلَتْ
- أَذِلَّةٍ: عاطفينَ مُتذلّلين
- أَعِزَّةٍ: أشدّاء متغلّبينَ
- لَوۡمَةَ لَآئِمٖ: اعتراضَ مُعترِضٍ
- هُزُوٗا: سُخرِيَةً

وَإِذَا نَادَيْتُمْ إِلَى ٱلصَّلَوٰةِ ٱتَّخَذُوهَا هُزُوًا وَلَعِبًا ۚ ذَٰلِكَ بِأَنَّهُمْ قَوْمٌ
لَّا يَعْقِلُونَ ﴿٥٨﴾ قُلْ يَٰٓأَهْلَ ٱلْكِتَٰبِ هَلْ تَنقِمُونَ مِنَّآ إِلَّآ أَنْ ءَامَنَّا
بِٱللَّهِ وَمَآ أُنزِلَ إِلَيْنَا وَمَآ أُنزِلَ مِن قَبْلُ وَأَنَّ أَكْثَرَكُمْ فَٰسِقُونَ ﴿٥٩﴾ قُلْ
هَلْ أُنَبِّئُكُم بِشَرٍّ مِّن ذَٰلِكَ مَثُوبَةً عِندَ ٱللَّهِ ۚ مَن لَّعَنَهُ ٱللَّهُ وَغَضِبَ
عَلَيْهِ وَجَعَلَ مِنْهُمُ ٱلْقِرَدَةَ وَٱلْخَنَازِيرَ وَعَبَدَ ٱلطَّٰغُوتَ ۚ أُو۟لَٰٓئِكَ شَرٌّ
مَّكَانًا وَأَضَلُّ عَن سَوَآءِ ٱلسَّبِيلِ ﴿٦٠﴾ وَإِذَا جَآءُوكُمْ قَالُوٓا۟ ءَامَنَّا
وَقَد دَّخَلُوا۟ بِٱلْكُفْرِ وَهُمْ قَدْ خَرَجُوا۟ بِهِۦ ۚ وَٱللَّهُ أَعْلَمُ بِمَا كَانُوا۟ يَكْتُمُونَ
﴿٦١﴾ وَتَرَىٰ كَثِيرًا مِّنْهُمْ يُسَٰرِعُونَ فِى ٱلْإِثْمِ وَٱلْعُدْوَٰنِ وَأَكْلِهِمُ
ٱلسُّحْتَ ۚ لَبِئْسَ مَا كَانُوا۟ يَعْمَلُونَ ﴿٦٢﴾ لَوْلَا يَنْهَىٰهُمُ ٱلرَّبَّٰنِيُّونَ
وَٱلْأَحْبَارُ عَن قَوْلِهِمُ ٱلْإِثْمَ وَأَكْلِهِمُ ٱلسُّحْتَ ۚ لَبِئْسَ مَا كَانُوا۟
يَصْنَعُونَ ﴿٦٣﴾ وَقَالَتِ ٱلْيَهُودُ يَدُ ٱللَّهِ مَغْلُولَةٌ ۚ غُلَّتْ أَيْدِيهِمْ وَلُعِنُوا۟
بِمَا قَالُوا۟ ۘ بَلْ يَدَاهُ مَبْسُوطَتَانِ يُنفِقُ كَيْفَ يَشَآءُ ۚ وَلَيَزِيدَنَّ كَثِيرًا
مِّنْهُم مَّآ أُنزِلَ إِلَيْكَ مِن رَّبِّكَ طُغْيَٰنًا وَكُفْرًا ۚ وَأَلْقَيْنَا بَيْنَهُمُ ٱلْعَدَٰوَةَ
وَٱلْبَغْضَآءَ إِلَىٰ يَوْمِ ٱلْقِيَٰمَةِ ۚ كُلَّمَآ أَوْقَدُوا۟ نَارًا لِّلْحَرْبِ أَطْفَأَهَا ٱللَّهُ ۚ
وَيَسْعَوْنَ فِى ٱلْأَرْضِ فَسَادًا ۚ وَٱللَّهُ لَا يُحِبُّ ٱلْمُفْسِدِينَ ﴿٦٤﴾

المائدة
- تَنقِمُونَ: تكرهون وتعيبون
- مَثُوبَةً: جزاءً وعقوبةً
- ٱلطَّٰغُوتَ: كلّ مُطاعٍ في معصية الله
- سَوَآءِ ٱلسَّبِيلِ: الطريق المعتدل وهو الإسلام
- ٱلسُّحْتَ: المال الحرام
- ٱلرَّبَّٰنِيُّونَ: عُبّاد اليهود
- ٱلْأَحْبَارُ: علماء اليهود
- مَغْلُولَةٌ: مقبوضةٌ عن العطاء بُخلاً منه

| | | |
|---|---|---|
| مدّ ٦ حركات لزوماً ● مدّ ٢ أو ٤ أو ٦ جوازاً | إخفاء، ومواقع الغُنّة (حركتان) | تفخيم |
| مدّ واجب ٤ أو ٥ حركات ● مدّ حركتان | إدغام، وما لا يُلفظ | قلقلة |

وَلَوْ أَنَّ أَهْلَ ٱلْكِتَٰبِ ءَامَنُوا۟ وَٱتَّقَوْا۟ لَكَفَّرْنَا عَنْهُمْ
سَيِّـَٔاتِهِمْ وَلَأَدْخَلْنَٰهُمْ جَنَّٰتِ ٱلنَّعِيمِ ﴿٦٥﴾ وَلَوْ أَنَّهُمْ أَقَامُوا۟
ٱلتَّوْرَىٰةَ وَٱلْإِنجِيلَ وَمَآ أُنزِلَ إِلَيْهِم مِّن رَّبِّهِمْ لَأَكَلُوا۟ مِن
فَوْقِهِمْ وَمِن تَحْتِ أَرْجُلِهِم ۚ مِّنْهُمْ أُمَّةٌ مُّقْتَصِدَةٌ ۖ وَكَثِيرٌ مِّنْهُمْ
سَآءَ مَا يَعْمَلُونَ ﴿٦٦﴾ ۞ يَٰٓأَيُّهَا ٱلرَّسُولُ بَلِّغْ مَآ أُنزِلَ إِلَيْكَ
مِن رَّبِّكَ ۖ وَإِن لَّمْ تَفْعَلْ فَمَا بَلَّغْتَ رِسَالَتَهُۥ ۚ وَٱللَّهُ يَعْصِمُكَ
مِنَ ٱلنَّاسِ ۗ إِنَّ ٱللَّهَ لَا يَهْدِى ٱلْقَوْمَ ٱلْكَٰفِرِينَ ﴿٦٧﴾ قُلْ يَٰٓأَهْلَ
ٱلْكِتَٰبِ لَسْتُمْ عَلَىٰ شَىْءٍ حَتَّىٰ تُقِيمُوا۟ ٱلتَّوْرَىٰةَ وَٱلْإِنجِيلَ
وَمَآ أُنزِلَ إِلَيْكُم مِّن رَّبِّكُمْ ۗ وَلَيَزِيدَنَّ كَثِيرًا مِّنْهُم مَّآ أُنزِلَ
إِلَيْكَ مِن رَّبِّكَ طُغْيَٰنًا وَكُفْرًا ۖ فَلَا تَأْسَ عَلَى ٱلْقَوْمِ ٱلْكَٰفِرِينَ
﴿٦٨﴾ إِنَّ ٱلَّذِينَ ءَامَنُوا۟ وَٱلَّذِينَ هَادُوا۟ وَٱلصَّٰبِـُٔونَ وَٱلنَّصَٰرَىٰ
مَنْ ءَامَنَ بِٱللَّهِ وَٱلْيَوْمِ ٱلْءَاخِرِ وَعَمِلَ صَٰلِحًا فَلَا خَوْفٌ
عَلَيْهِمْ وَلَا هُمْ يَحْزَنُونَ ﴿٦٩﴾ لَقَدْ أَخَذْنَا مِيثَٰقَ بَنِىٓ
إِسْرَٰٓءِيلَ وَأَرْسَلْنَآ إِلَيْهِمْ رُسُلًا ۖ كُلَّمَا جَآءَهُمْ رَسُولٌۢ بِمَا
لَا تَهْوَىٰٓ أَنفُسُهُمْ فَرِيقًا كَذَّبُوا۟ وَفَرِيقًا يَقْتُلُونَ ﴿٧٠﴾

مُقْتَصِدَةٌ: مُعْتَدِلَةٌ، وهم من آمن منهم

ثلاثة أرباع الحزب ١٢

فَلَا تَأْسَ: فلا تحزن

ٱلصَّٰبِـُٔونَ: عَبَدَةُ الكواكبِ، أو الملائكةِ

مدّ ٦ حركات لزوماً ● مدّ ٢ أو ٤ أو ٦ جوازاً ● مدّ واجب ٤ أو ٥ حركات ● مدّ حركتان ● إخفاء، ومواقع الغنّة (حركتان) ● إدغام، وما لا يُلفظ ● تفخيم ● قلقلة

وَحَسِبُوٓاْ أَلَّا تَكُونَ فِتۡنَةٞ فَعَمُواْ وَصَمُّواْ ثُمَّ تَابَ ٱللَّهُ
عَلَيۡهِمۡ ثُمَّ عَمُواْ وَصَمُّواْ كَثِيرٞ مِّنۡهُمۡۚ وَٱللَّهُ بَصِيرُۢ بِمَا
يَعۡمَلُونَ ﴿٧١﴾ لَقَدۡ كَفَرَ ٱلَّذِينَ قَالُوٓاْ إِنَّ ٱللَّهَ هُوَ
ٱلۡمَسِيحُ ٱبۡنُ مَرۡيَمَۖ وَقَالَ ٱلۡمَسِيحُ يَٰبَنِيٓ إِسۡرَٰٓءِيلَ ٱعۡبُدُواْ
ٱللَّهَ رَبِّي وَرَبَّكُمۡۖ إِنَّهُۥ مَن يُشۡرِكۡ بِٱللَّهِ فَقَدۡ حَرَّمَ ٱللَّهُ عَلَيۡهِ
ٱلۡجَنَّةَ وَمَأۡوَىٰهُ ٱلنَّارُۖ وَمَا لِلظَّٰلِمِينَ مِنۡ أَنصَارٖ ﴿٧٢﴾
لَّقَدۡ كَفَرَ ٱلَّذِينَ قَالُوٓاْ إِنَّ ٱللَّهَ ثَالِثُ ثَلَٰثَةٖۘ وَمَا مِنۡ
إِلَٰهٍ إِلَّآ إِلَٰهٞ وَٰحِدٞۚ وَإِن لَّمۡ يَنتَهُواْ عَمَّا يَقُولُونَ لَيَمَسَّنَّ
ٱلَّذِينَ كَفَرُواْ مِنۡهُمۡ عَذَابٌ أَلِيمٌ ﴿٧٣﴾ أَفَلَا يَتُوبُونَ
إِلَى ٱللَّهِ وَيَسۡتَغۡفِرُونَهُۥۚ وَٱللَّهُ غَفُورٞ رَّحِيمٞ ﴿٧٤﴾
مَّا ٱلۡمَسِيحُ ٱبۡنُ مَرۡيَمَ إِلَّا رَسُولٞ قَدۡ خَلَتۡ مِن قَبۡلِهِ
ٱلرُّسُلُ وَأُمُّهُۥ صِدِّيقَةٞۖ كَانَا يَأۡكُلَانِ ٱلطَّعَامَۗ
ٱنظُرۡ كَيۡفَ نُبَيِّنُ لَهُمُ ٱلۡأٓيَٰتِ ثُمَّ ٱنظُرۡ أَنَّىٰ
يُؤۡفَكُونَ ﴿٧٥﴾ قُلۡ أَتَعۡبُدُونَ مِن دُونِ ٱللَّهِ مَا لَا
يَمۡلِكُ لَكُمۡ ضَرّٗا وَلَا نَفۡعٗاۚ وَٱللَّهُ هُوَ ٱلسَّمِيعُ ٱلۡعَلِيمُ ﴿٧٦﴾

المائدة

- فِتۡنَةٌ: بلاءٌ وعذابٌ
- خَلَتۡ: مضَتۡ
- أَنَّىٰ يُؤۡفَكُونَ: كيْفَ يُصْرَفُونَ عنِ الدلائل البيِّنة

مدّ ٦ حركات لزوماً ● مدّ ٢ أو ٤ أو ٦ جوازاً ● إخفاء، ومواقع الغُنَّة (حركتان) ● تفخيم
مدّ واجب ٤ أو ٥ حركات ● مدّ حركتان ● إدغام، وما لا يُلفَظ ● قلقلة

قُلْ يَٰٓأَهْلَ ٱلْكِتَٰبِ لَا تَغْلُوا۟ فِى دِينِكُمْ غَيْرَ ٱلْحَقِّ
وَلَا تَتَّبِعُوٓا۟ أَهْوَآءَ قَوْمٍ قَدْ ضَلُّوا۟ مِن قَبْلُ وَأَضَلُّوا۟
كَثِيرًا وَضَلُّوا۟ عَن سَوَآءِ ٱلسَّبِيلِ ﴿٧٧﴾ لُعِنَ ٱلَّذِينَ
كَفَرُوا۟ مِنۢ بَنِىٓ إِسْرَٰٓءِيلَ عَلَىٰ لِسَانِ دَاوُۥدَ وَعِيسَى
ٱبْنِ مَرْيَمَ ۚ ذَٰلِكَ بِمَا عَصَوا۟ وَّكَانُوا۟ يَعْتَدُونَ ﴿٧٨﴾
كَانُوا۟ لَا يَتَنَاهَوْنَ عَن مُّنكَرٍ فَعَلُوهُ ۚ لَبِئْسَ
مَا كَانُوا۟ يَفْعَلُونَ ﴿٧٩﴾ تَرَىٰ كَثِيرًا مِّنْهُمْ
يَتَوَلَّوْنَ ٱلَّذِينَ كَفَرُوا۟ ۚ لَبِئْسَ مَا قَدَّمَتْ لَهُمْ أَنفُسُهُمْ
أَن سَخِطَ ٱللَّهُ عَلَيْهِمْ وَفِى ٱلْعَذَابِ هُمْ خَٰلِدُونَ ﴿٨٠﴾
وَلَوْ كَانُوا۟ يُؤْمِنُونَ بِٱللَّهِ وَٱلنَّبِىِّ وَمَآ أُنزِلَ إِلَيْهِ
مَا ٱتَّخَذُوهُمْ أَوْلِيَآءَ وَلَٰكِنَّ كَثِيرًا مِّنْهُمْ فَٰسِقُونَ ﴿٨١﴾
۞ لَتَجِدَنَّ أَشَدَّ ٱلنَّاسِ عَدَٰوَةً لِّلَّذِينَ ءَامَنُوا۟ ٱلْيَهُودَ
وَٱلَّذِينَ أَشْرَكُوا۟ ۖ وَلَتَجِدَنَّ أَقْرَبَهُم مَّوَدَّةً لِّلَّذِينَ
ءَامَنُوا۟ ٱلَّذِينَ قَالُوٓا۟ إِنَّا نَصَٰرَىٰ ۚ ذَٰلِكَ بِأَنَّ مِنْهُمْ
قِسِّيسِينَ وَرُهْبَانًا وَأَنَّهُمْ لَا يَسْتَكْبِرُونَ ﴿٨٢﴾

لَا تَغْلُوا۟: لا تجاوزوا الحدّ

سَخِطَ: غضب

مدّ ٦ حركات لزوماً — مدّ ٢ أو ٤ أو ٦ جوازاً — إخفاء، ومواقع الغُنّة (حركتان) — تفخ…
مدّ واجب ٤ أو ٥ حركات — مدّ حركتان — إدغام، وما لا يُلفظ — قلقل…

وَإِذَا سَمِعُوا۟ مَآ أُنزِلَ إِلَى ٱلرَّسُولِ تَرَىٰٓ أَعْيُنَهُمْ تَفِيضُ مِنَ
ٱلدَّمْعِ مِمَّا عَرَفُوا۟ مِنَ ٱلْحَقِّ ۖ يَقُولُونَ رَبَّنَآ ءَامَنَّا فَٱكْتُبْنَا مَعَ
ٱلشَّٰهِدِينَ ﴿٨٣﴾ وَمَا لَنَا لَا نُؤْمِنُ بِٱللَّهِ وَمَا جَآءَنَا مِنَ ٱلْحَقِّ
وَنَطْمَعُ أَن يُدْخِلَنَا رَبُّنَا مَعَ ٱلْقَوْمِ ٱلصَّٰلِحِينَ ﴿٨٤﴾ فَأَثَٰبَهُمُ
ٱللَّهُ بِمَا قَالُوا۟ جَنَّٰتٍ تَجْرِى مِن تَحْتِهَا ٱلْأَنْهَٰرُ خَٰلِدِينَ فِيهَا ۚ
وَذَٰلِكَ جَزَآءُ ٱلْمُحْسِنِينَ ﴿٨٥﴾ وَٱلَّذِينَ كَفَرُوا۟ وَكَذَّبُوا۟
بِـَٔايَٰتِنَآ أُو۟لَٰٓئِكَ أَصْحَٰبُ ٱلْجَحِيمِ ﴿٨٦﴾ يَٰٓأَيُّهَا ٱلَّذِينَ ءَامَنُوا۟
لَا تُحَرِّمُوا۟ طَيِّبَٰتِ مَآ أَحَلَّ ٱللَّهُ لَكُمْ وَلَا تَعْتَدُوٓا۟ ۚ إِنَّ ٱللَّهَ
لَا يُحِبُّ ٱلْمُعْتَدِينَ ﴿٨٧﴾ وَكُلُوا۟ مِمَّا رَزَقَكُمُ ٱللَّهُ حَلَٰلًا طَيِّبًا ۚ
وَٱتَّقُوا۟ ٱللَّهَ ٱلَّذِىٓ أَنتُم بِهِۦ مُؤْمِنُونَ ﴿٨٨﴾ لَا يُؤَاخِذُكُمُ ٱللَّهُ
بِٱللَّغْوِ فِىٓ أَيْمَٰنِكُمْ وَلَٰكِن يُؤَاخِذُكُم بِمَا عَقَّدتُّمُ ٱلْأَيْمَٰنَ ۖ
فَكَفَّٰرَتُهُۥٓ إِطْعَامُ عَشَرَةِ مَسَٰكِينَ مِنْ أَوْسَطِ مَا تُطْعِمُونَ
أَهْلِيكُمْ أَوْ كِسْوَتُهُمْ أَوْ تَحْرِيرُ رَقَبَةٍ ۖ فَمَن لَّمْ يَجِدْ فَصِيَامُ
ثَلَٰثَةِ أَيَّامٍ ۚ ذَٰلِكَ كَفَّٰرَةُ أَيْمَٰنِكُمْ إِذَا حَلَفْتُمْ ۚ وَٱحْفَظُوٓا۟
أَيْمَٰنَكُمْ ۚ كَذَٰلِكَ يُبَيِّنُ ٱللَّهُ لَكُمْ ءَايَٰتِهِۦ لَعَلَّكُمْ تَشْكُرُونَ ﴿٨٩﴾

المائدة

- تَفِيضُ مِنَ ٱلدَّمْعِ: تمتلئ به فتصبه
- بِٱللَّغْوِ: الساقط الذي لا يتعلق به حُكْم
- عَقَّدتُّمُ: وثّقتم بالقصد والنية

| | | |
|---|---|---|
| مدّ ٦ حركات لزوماً — مدّ ٢ أو ٤ أو ٦ جوازاً | إخفاء، ومواقع الغُنّة (حركتان) | تفخيم |
| مدّ واجب ٤ أو ٥ حركات — مدّ حركتان | إدغام، وما لا يُلفظ | قلقلة |

يَٰٓأَيُّهَا ٱلَّذِينَ ءَامَنُوٓاْ إِنَّمَا ٱلۡخَمۡرُ وَٱلۡمَيۡسِرُ وَٱلۡأَنصَابُ وَٱلۡأَزۡلَٰمُ رِجۡسٞ
مِّنۡ عَمَلِ ٱلشَّيۡطَٰنِ فَٱجۡتَنِبُوهُ لَعَلَّكُمۡ تُفۡلِحُونَ ﴿٩٠﴾ إِنَّمَا يُرِيدُ
ٱلشَّيۡطَٰنُ أَن يُوقِعَ بَيۡنَكُمُ ٱلۡعَدَٰوَةَ وَٱلۡبَغۡضَآءَ فِي ٱلۡخَمۡرِ وَٱلۡمَيۡسِرِ
وَيَصُدَّكُمۡ عَن ذِكۡرِ ٱللَّهِ وَعَنِ ٱلصَّلَوٰةِۖ فَهَلۡ أَنتُم مُّنتَهُونَ ﴿٩١﴾ وَأَطِيعُواْ
ٱللَّهَ وَأَطِيعُواْ ٱلرَّسُولَ وَٱحۡذَرُواْۚ فَإِن تَوَلَّيۡتُمۡ فَٱعۡلَمُوٓاْ أَنَّمَا عَلَىٰ
رَسُولِنَا ٱلۡبَلَٰغُ ٱلۡمُبِينُ ﴿٩٢﴾ لَيۡسَ عَلَى ٱلَّذِينَ ءَامَنُواْ وَعَمِلُواْ
ٱلصَّٰلِحَٰتِ جُنَاحٞ فِيمَا طَعِمُوٓاْ إِذَا مَا ٱتَّقَواْ وَّءَامَنُواْ وَعَمِلُواْ
ٱلصَّٰلِحَٰتِ ثُمَّ ٱتَّقَواْ وَّءَامَنُواْ ثُمَّ ٱتَّقَواْ وَّأَحۡسَنُواْۗ وَٱللَّهُ يُحِبُّ ٱلۡمُحۡسِنِينَ
﴿٩٣﴾ يَٰٓأَيُّهَا ٱلَّذِينَ ءَامَنُواْ لَيَبۡلُوَنَّكُمُ ٱللَّهُ بِشَيۡءٖ مِّنَ ٱلصَّيۡدِ تَنَالُهُۥٓ
أَيۡدِيكُمۡ وَرِمَاحُكُمۡ لِيَعۡلَمَ ٱللَّهُ مَن يَخَافُهُۥ بِٱلۡغَيۡبِۚ فَمَنِ ٱعۡتَدَىٰ بَعۡدَ
ذَٰلِكَ فَلَهُۥ عَذَابٌ أَلِيمٞ ﴿٩٤﴾ يَٰٓأَيُّهَا ٱلَّذِينَ ءَامَنُواْ لَا تَقۡتُلُواْ ٱلصَّيۡدَ
وَأَنتُمۡ حُرُمٞۚ وَمَن قَتَلَهُۥ مِنكُم مُّتَعَمِّدٗا فَجَزَآءٞ مِّثۡلُ مَا قَتَلَ مِنَ ٱلنَّعَمِ
يَحۡكُمُ بِهِۦ ذَوَا عَدۡلٖ مِّنكُمۡ هَدۡيَۢا بَٰلِغَ ٱلۡكَعۡبَةِ أَوۡ كَفَّٰرَةٞ طَعَامُ
مَسَٰكِينَ أَوۡ عَدۡلُ ذَٰلِكَ صِيَامٗا لِّيَذُوقَ وَبَالَ أَمۡرِهِۦۗ عَفَا ٱللَّهُ عَمَّا
سَلَفَۚ وَمَنۡ عَادَ فَيَنتَقِمُ ٱللَّهُ مِنۡهُۚ وَٱللَّهُ عَزِيزٞ ذُو ٱنتِقَامٍ ﴿٩٥﴾

- ٱلۡأَنصَابُ: حجارة حول الكعبة يعظمونها
- ٱلۡأَزۡلَٰمُ: سهامُ الاستقسام في الجاهلية
- رِجۡسٞ: قذر
- جُنَاحٞ: إثم
- لَيَبۡلُوَنَّكُمُ: ليختبرنّكم ويمتحننّكم
- حُرُمٞ: مُحرِمون
- بَٰلِغَ ٱلۡكَعۡبَةِ: واصل الحرم
- عَدۡلُ ذَٰلِكَ: مثله
- وَبَالَ أَمۡرِهِۦ: عقوبة ذنبه

مدّ ٦ حركات لزوماً ● مدّ ٢ أو ٤ أو ٦ جوازاً ● إخفاء، ومواقع الغنّة (حركتان) ● تفخ
مدّ واجب ٤ أو ٥ حركات ● مدّ حركتان ● إدغام، وما لا يُلفظ ● قلقلة

أُحِلَّ لَكُمْ صَيْدُ ٱلْبَحْرِ وَطَعَامُهُۥ مَتَٰعًا لَّكُمْ وَلِلسَّيَّارَةِ ۖ وَحُرِّمَ
عَلَيْكُمْ صَيْدُ ٱلْبَرِّ مَا دُمْتُمْ حُرُمًا ۗ وَٱتَّقُوا۟ ٱللَّهَ ٱلَّذِىٓ إِلَيْهِ
تُحْشَرُونَ ﴿٩٦﴾ ۞ جَعَلَ ٱللَّهُ ٱلْكَعْبَةَ ٱلْبَيْتَ ٱلْحَرَامَ
قِيَٰمًا لِّلنَّاسِ وَٱلشَّهْرَ ٱلْحَرَامَ وَٱلْهَدْىَ وَٱلْقَلَٰٓئِدَ ۚ ذَٰلِكَ لِتَعْلَمُوٓا۟
أَنَّ ٱللَّهَ يَعْلَمُ مَا فِى ٱلسَّمَٰوَٰتِ وَمَا فِى ٱلْأَرْضِ وَأَنَّ ٱللَّهَ بِكُلِّ
شَىْءٍ عَلِيمٌ ﴿٩٧﴾ ٱعْلَمُوٓا۟ أَنَّ ٱللَّهَ شَدِيدُ ٱلْعِقَابِ وَأَنَّ ٱللَّهَ
غَفُورٌ رَّحِيمٌ ﴿٩٨﴾ مَّا عَلَى ٱلرَّسُولِ إِلَّا ٱلْبَلَٰغُ ۗ وَٱللَّهُ يَعْلَمُ مَا
تُبْدُونَ وَمَا تَكْتُمُونَ ﴿٩٩﴾ قُل لَّا يَسْتَوِى ٱلْخَبِيثُ وَٱلطَّيِّبُ
وَلَوْ أَعْجَبَكَ كَثْرَةُ ٱلْخَبِيثِ ۚ فَٱتَّقُوا۟ ٱللَّهَ يَٰٓأُو۟لِى ٱلْأَلْبَٰبِ
لَعَلَّكُمْ تُفْلِحُونَ ﴿١٠٠﴾ يَٰٓأَيُّهَا ٱلَّذِينَ ءَامَنُوا۟ لَا تَسْـَٔلُوا۟
عَنْ أَشْيَآءَ إِن تُبْدَ لَكُمْ تَسُؤْكُمْ وَإِن تَسْـَٔلُوا۟ عَنْهَا حِينَ يُنَزَّلُ
ٱلْقُرْءَانُ تُبْدَ لَكُمْ عَفَا ٱللَّهُ عَنْهَا ۗ وَٱللَّهُ غَفُورٌ حَلِيمٌ ﴿١٠١﴾ قَدْ
سَأَلَهَا قَوْمٌ مِّن قَبْلِكُمْ ثُمَّ أَصْبَحُوا۟ بِهَا كَٰفِرِينَ ﴿١٠٢﴾
مَا جَعَلَ ٱللَّهُ مِنۢ بَحِيرَةٍ وَلَا سَآئِبَةٍ وَلَا وَصِيلَةٍ وَلَا حَامٍ وَلَٰكِنَّ
ٱلَّذِينَ كَفَرُوا۟ يَفْتَرُونَ عَلَى ٱللَّهِ ٱلْكَذِبَ ۖ وَأَكْثَرُهُمْ لَا يَعْقِلُونَ ﴿١٠٣﴾

المائدة

- لِلسَّيَّارَةِ: المسافرين
- ٱلْبَيْتَ ٱلْحَرَامَ: جميع الحرَم
- قِيَٰمًا لِّلنَّاسِ: سبباً لإصلاحهم ديناً ودُنيا
- ٱلْهَدْىَ: ما يُهْدَى من الأنعام إلى الكعبة
- ٱلْقَلَٰٓئِدَ: ما يُقلَّد به الهَدْي علامةً له
- بَحِيرَةٍ: النّاقةُ تُشقّ أذُنها وتُخلّى للطواغيت إذا وَلَدَتْ خَمْسَةَ أبْطنٍ آخرُها ذكر
- سَآئِبَةٍ: النّاقةُ تُسَيَّبُ للأصْنامِ في أحوال مخصوصة
- وَصِيلَةٍ: النّاقةُ تُترك للطّواغيت إذا بَكَّرَتْ بأنثى ثم ثَنَّتْ بأنثى
- حَامٍ: الفَحْل لا يُركب ولا يُحمل عليه إذا لقِحَ ولدُ وَلدِه

| | | | |
|---|---|---|---|
| مدّ ٦ حركات لزوماً | مدّ ٢ أو ٤ أو ٦ جوازاً | إخفاء ، ومواقع الغُنَّة (حركتان) | تفخيم |
| مدّ واجب ٤ أو ٥ حركات | مدّ حركتان | إدغام ، وما لا يُلفَظ | قلقلة |

وَإِذَا قِيلَ لَهُمْ تَعَالَوْا۟ إِلَىٰ مَآ أَنزَلَ ٱللَّهُ وَإِلَى ٱلرَّسُولِ قَالُوا۟
حَسْبُنَا مَا وَجَدْنَا عَلَيْهِ ءَابَآءَنَآ ۚ أَوَلَوْ كَانَ ءَابَآؤُهُمْ لَا يَعْلَمُونَ
شَيْـًٔا وَلَا يَهْتَدُونَ ﴿١٠٤﴾ يَٰٓأَيُّهَا ٱلَّذِينَ ءَامَنُوا۟ عَلَيْكُمْ أَنفُسَكُمْ ۖ
لَا يَضُرُّكُم مَّن ضَلَّ إِذَا ٱهْتَدَيْتُمْ ۚ إِلَى ٱللَّهِ مَرْجِعُكُمْ جَمِيعًا
فَيُنَبِّئُكُم بِمَا كُنتُمْ تَعْمَلُونَ ﴿١٠٥﴾ يَٰٓأَيُّهَا ٱلَّذِينَ ءَامَنُوا۟ شَهَٰدَةُ
بَيْنِكُمْ إِذَا حَضَرَ أَحَدَكُمُ ٱلْمَوْتُ حِينَ ٱلْوَصِيَّةِ ٱثْنَانِ ذَوَا
عَدْلٍ مِّنكُمْ أَوْ ءَاخَرَانِ مِنْ غَيْرِكُمْ إِنْ أَنتُمْ ضَرَبْتُمْ فِى ٱلْأَرْضِ
فَأَصَٰبَتْكُم مُّصِيبَةُ ٱلْمَوْتِ ۚ تَحْبِسُونَهُمَا مِنۢ بَعْدِ ٱلصَّلَوٰةِ
فَيُقْسِمَانِ بِٱللَّهِ إِنِ ٱرْتَبْتُمْ لَا نَشْتَرِى بِهِۦ ثَمَنًا وَلَوْ كَانَ ذَا قُرْبَىٰ ۙ
وَلَا نَكْتُمُ شَهَٰدَةَ ٱللَّهِ إِنَّآ إِذًا لَّمِنَ ٱلْءَاثِمِينَ ﴿١٠٦﴾ فَإِنْ عُثِرَ عَلَىٰٓ
أَنَّهُمَا ٱسْتَحَقَّآ إِثْمًا فَـَٔاخَرَانِ يَقُومَانِ مَقَامَهُمَا مِنَ ٱلَّذِينَ
ٱسْتَحَقَّ عَلَيْهِمُ ٱلْأَوْلَيَٰنِ فَيُقْسِمَانِ بِٱللَّهِ لَشَهَٰدَتُنَآ أَحَقُّ
مِن شَهَٰدَتِهِمَا وَمَا ٱعْتَدَيْنَآ إِنَّآ إِذًا لَّمِنَ ٱلظَّٰلِمِينَ ﴿١٠٧﴾ ذَٰلِكَ
أَدْنَىٰٓ أَن يَأْتُوا۟ بِٱلشَّهَٰدَةِ عَلَىٰ وَجْهِهَآ أَوْ يَخَافُوٓا۟ أَن تُرَدَّ أَيْمَٰنٌۢ بَعْدَ
أَيْمَٰنِهِمْ ۗ وَٱتَّقُوا۟ ٱللَّهَ وَٱسْمَعُوا۟ ۗ وَٱللَّهُ لَا يَهْدِى ٱلْقَوْمَ ٱلْفَٰسِقِينَ ﴿١٠٨﴾

- حَسْبُنَا: كافينا
- عَلَيْكُمْ أَنفُسَكُمْ: الزموها واحفظوها من المعاصي
- ضَرَبْتُمْ: سافرتم
- ٱلْأَوْلَيَٰنِ: الأقربان إلى الميّت

المائدة

۞ يَوۡمَ يَجۡمَعُ ٱللَّهُ ٱلرُّسُلَ فَيَقُولُ مَاذَآ أُجِبۡتُمۡۖ قَالُواْ لَا عِلۡمَ
لَنَآۖ إِنَّكَ أَنتَ عَلَّٰمُ ٱلۡغُيُوبِ ﴿١٠٩﴾ إِذۡ قَالَ ٱللَّهُ يَٰعِيسَى ٱبۡنَ مَرۡيَمَ
ٱذۡكُرۡ نِعۡمَتِي عَلَيۡكَ وَعَلَىٰ وَٰلِدَتِكَ إِذۡ أَيَّدتُّكَ بِرُوحِ
ٱلۡقُدُسِ تُكَلِّمُ ٱلنَّاسَ فِي ٱلۡمَهۡدِ وَكَهۡلٗاۖ وَإِذۡ عَلَّمۡتُكَ
ٱلۡكِتَٰبَ وَٱلۡحِكۡمَةَ وَٱلتَّوۡرَىٰةَ وَٱلۡإِنجِيلَۖ وَإِذۡ تَخۡلُقُ
مِنَ ٱلطِّينِ كَهَيۡـَٔةِ ٱلطَّيۡرِ بِإِذۡنِي فَتَنفُخُ فِيهَا فَتَكُونُ طَيۡرَۢا
بِإِذۡنِيۖ وَتُبۡرِئُ ٱلۡأَكۡمَهَ وَٱلۡأَبۡرَصَ بِإِذۡنِيۖ وَإِذۡ تُخۡرِجُ
ٱلۡمَوۡتَىٰ بِإِذۡنِيۖ وَإِذۡ كَفَفۡتُ بَنِيٓ إِسۡرَٰٓءِيلَ عَنكَ إِذۡ
جِئۡتَهُم بِٱلۡبَيِّنَٰتِ فَقَالَ ٱلَّذِينَ كَفَرُواْ مِنۡهُمۡ إِنۡ هَٰذَآ إِلَّا سِحۡرٞ
مُّبِينٞ ﴿١١٠﴾ وَإِذۡ أَوۡحَيۡتُ إِلَى ٱلۡحَوَارِيِّـۧنَ أَنۡ ءَامِنُواْ بِي
وَبِرَسُولِي قَالُوٓاْ ءَامَنَّا وَٱشۡهَدۡ بِأَنَّنَا مُسۡلِمُونَ ﴿١١١﴾ إِذۡ قَالَ
ٱلۡحَوَارِيُّونَ يَٰعِيسَى ٱبۡنَ مَرۡيَمَ هَلۡ يَسۡتَطِيعُ رَبُّكَ أَن
يُنَزِّلَ عَلَيۡنَا مَآئِدَةٗ مِّنَ ٱلسَّمَآءِۖ قَالَ ٱتَّقُواْ ٱللَّهَ إِن كُنتُم
مُّؤۡمِنِينَ ﴿١١٢﴾ قَالُواْ نُرِيدُ أَن نَّأۡكُلَ مِنۡهَا وَتَطۡمَئِنَّ قُلُوبُنَا
وَنَعۡلَمَ أَن قَدۡ صَدَقۡتَنَا وَنَكُونَ عَلَيۡهَا مِنَ ٱلشَّٰهِدِينَ ﴿١١٣﴾

- بِرُوحِ ٱلۡقُدُسِ: جبريلَ عليه السلامُ
- فِي ٱلۡمَهۡدِ: زمنِ الطُّفولةِ قبلَ أوانِ الكلامِ
- كَهۡلٗا: حالَ اكتمالِ القُوّةِ
- تَخۡلُقُ: تُصوِّرُ وتُقدِّرُ
- ٱلۡأَكۡمَهَ: الأعمَى خِلقَةً
- ٱلۡحَوَارِيِّـۧنَ: أنصارِ عيسى عليه السلام
- مَآئِدَةٗ: خِوَاناً عليه طعامٌ

| | | |
|---|---|---|
| مدّ ٦ حركات لزوماً — مدّ ٢ أو ٤ أو ٦ جوازاً | إخفاء ، ومواقع الغُنَّة (حركتان) | تفخيم |
| مدّ واجب ٤ أو ٥ حركات — مدّ حركتان | إدغام ، وما لا يُلفَظ | قلقلة |

قَالَ عِيسَى ٱبْنُ مَرْيَمَ ٱللَّهُمَّ رَبَّنَآ أَنزِلْ عَلَيْنَا مَآئِدَةً مِّنَ ٱلسَّمَآءِ
تَكُونُ لَنَا عِيدًا لِّأَوَّلِنَا وَءَاخِرِنَا وَءَايَةً مِّنكَ ۖ وَٱرْزُقْنَا وَأَنتَ
خَيْرُ ٱلرَّٰزِقِينَ ﴿١١٤﴾ قَالَ ٱللَّهُ إِنِّى مُنَزِّلُهَا عَلَيْكُمْ ۖ فَمَن يَكْفُرْ بَعْدُ
مِنكُمْ فَإِنِّىٓ أُعَذِّبُهُۥ عَذَابًا لَّآ أُعَذِّبُهُۥٓ أَحَدًا مِّنَ ٱلْعَٰلَمِينَ ﴿١١٥﴾
وَإِذْ قَالَ ٱللَّهُ يَٰعِيسَى ٱبْنَ مَرْيَمَ ءَأَنتَ قُلْتَ لِلنَّاسِ ٱتَّخِذُونِى
وَأُمِّىَ إِلَٰهَيْنِ مِن دُونِ ٱللَّهِ ۖ قَالَ سُبْحَٰنَكَ مَا يَكُونُ لِىٓ أَنْ
أَقُولَ مَا لَيْسَ لِى بِحَقٍّ ۚ إِن كُنتُ قُلْتُهُۥ فَقَدْ عَلِمْتَهُۥ ۚ تَعْلَمُ مَا فِى
نَفْسِى وَلَآ أَعْلَمُ مَا فِى نَفْسِكَ ۚ إِنَّكَ أَنتَ عَلَّٰمُ ٱلْغُيُوبِ ﴿١١٦﴾ مَا
قُلْتُ لَهُمْ إِلَّا مَآ أَمَرْتَنِى بِهِۦٓ أَنِ ٱعْبُدُوا۟ ٱللَّهَ رَبِّى وَرَبَّكُمْ ۚ وَكُنتُ
عَلَيْهِمْ شَهِيدًا مَّا دُمْتُ فِيهِمْ ۖ فَلَمَّا تَوَفَّيْتَنِى كُنتَ أَنتَ ٱلرَّقِيبَ
عَلَيْهِمْ ۚ وَأَنتَ عَلَىٰ كُلِّ شَىْءٍ شَهِيدٌ ﴿١١٧﴾ إِن تُعَذِّبْهُمْ فَإِنَّهُمْ عِبَادُكَ ۖ
وَإِن تَغْفِرْ لَهُمْ فَإِنَّكَ أَنتَ ٱلْعَزِيزُ ٱلْحَكِيمُ ﴿١١٨﴾ قَالَ ٱللَّهُ هَٰذَا يَوْمُ
يَنفَعُ ٱلصَّٰدِقِينَ صِدْقُهُمْ ۚ لَهُمْ جَنَّٰتٌ تَجْرِى مِن تَحْتِهَا ٱلْأَنْهَٰرُ
خَٰلِدِينَ فِيهَآ أَبَدًا ۚ رَّضِىَ ٱللَّهُ عَنْهُمْ وَرَضُوا۟ عَنْهُ ۚ ذَٰلِكَ ٱلْفَوْزُ ٱلْعَظِيمُ ﴿١١٩﴾
لِلَّهِ مُلْكُ ٱلسَّمَٰوَٰتِ وَٱلْأَرْضِ وَمَا فِيهِنَّ ۚ وَهُوَ عَلَىٰ كُلِّ شَىْءٍ قَدِيرٌۢ ﴿١٢٠﴾

■ تَوَفَّيْتَنِي: أخذتني إليكَ وافياً برفعي إلى السَّماء

| | | |
|---|---|---|
| مدّ ٦ حركات لزوماً ● مدّ ٢ أو ٤ أو ٦ جوازاً | إخفاء، ومواقع الغُنَّة (حركتان) | تفخيم |
| مدّ واجب ٤ أو ٥ حركات ● مدّ حركتان | إدغام، وما لا يُلفَظ | قلقلة |

بِسْمِ ٱللَّهِ ٱلرَّحْمَٰنِ ٱلرَّحِيمِ

ٱلْحَمْدُ لِلَّهِ ٱلَّذِى خَلَقَ ٱلسَّمَٰوَٰتِ وَٱلْأَرْضَ وَجَعَلَ ٱلظُّلُمَٰتِ
وَٱلنُّورَ ۖ ثُمَّ ٱلَّذِينَ كَفَرُوا۟ بِرَبِّهِمْ يَعْدِلُونَ ﴿١﴾ هُوَ ٱلَّذِى
خَلَقَكُم مِّن طِينٍ ثُمَّ قَضَىٰٓ أَجَلًا ۖ وَأَجَلٌ مُّسَمًّى عِندَهُۥ ۖ ثُمَّ أَنتُمْ
تَمْتَرُونَ ﴿٢﴾ وَهُوَ ٱللَّهُ فِى ٱلسَّمَٰوَٰتِ وَفِى ٱلْأَرْضِ ۖ يَعْلَمُ سِرَّكُمْ
وَجَهْرَكُمْ وَيَعْلَمُ مَا تَكْسِبُونَ ﴿٣﴾ وَمَا تَأْتِيهِم مِّنْ ءَايَةٍ مِّنْ
ءَايَٰتِ رَبِّهِمْ إِلَّا كَانُوا۟ عَنْهَا مُعْرِضِينَ ﴿٤﴾ فَقَدْ كَذَّبُوا۟ بِٱلْحَقِّ
لَمَّا جَآءَهُمْ ۖ فَسَوْفَ يَأْتِيهِمْ أَنۢبَٰٓؤُا۟ مَا كَانُوا۟ بِهِۦ يَسْتَهْزِءُونَ ﴿٥﴾ أَلَمْ
يَرَوْا۟ كَمْ أَهْلَكْنَا مِن قَبْلِهِم مِّن قَرْنٍ مَّكَّنَّٰهُمْ فِى ٱلْأَرْضِ مَا لَمْ
نُمَكِّن لَّكُمْ وَأَرْسَلْنَا ٱلسَّمَآءَ عَلَيْهِم مِّدْرَارًا وَجَعَلْنَا ٱلْأَنْهَٰرَ
تَجْرِى مِن تَحْتِهِمْ فَأَهْلَكْنَٰهُم بِذُنُوبِهِمْ وَأَنشَأْنَا مِنۢ بَعْدِهِمْ قَرْنًا
ءَاخَرِينَ ﴿٦﴾ وَلَوْ نَزَّلْنَا عَلَيْكَ كِتَٰبًا فِى قِرْطَاسٍ فَلَمَسُوهُ بِأَيْدِيهِمْ
لَقَالَ ٱلَّذِينَ كَفَرُوٓا۟ إِنْ هَٰذَآ إِلَّا سِحْرٌ مُّبِينٌ ﴿٧﴾ وَقَالُوا۟ لَوْلَآ أُنزِلَ
عَلَيْهِ مَلَكٌ ۖ وَلَوْ أَنزَلْنَا مَلَكًا لَّقُضِىَ ٱلْأَمْرُ ثُمَّ لَا يُنظَرُونَ ﴿٨﴾

الأنعام

- جَعَلَ: أنشأ وأبدَع
- بِرَبِّهِمْ يَعْدِلُونَ: يُسَوُّون به غيرَه في العبادة
- قَضَىٰٓ أَجَلًا: كتبه وقدّره
- تَمْتَرُونَ: تَشكُّون في البعث أو تَجحَدُونَه
- أَنۢبَٰٓؤُا۟: ما ينالُهم من العقُوبات
- قَرْنٍ: أمّة
- مَّكَّنَّٰهُمْ: أعطيناهُمْ
- مِّدْرَارًا: غزيراً كثيرَ الصَّبّ
- قِرْطَاسٍ: مايُكتَبُ فيه كالكاغَد (الورقة التي يكتب عليها) والرّق (الجلد الرقيق يكتب عليه)
- لَا يُنظَرُونَ: لا يُمهَلُونَ

| | | |
|---|---|---|
| ● تفخيم | ● إخفاء، ومواقع الغُنَّة (حركتان) | ● مدّ ٦ حركات لزوماً ● مدّ ٢ أو ٤ أو ٦ جوازاً |
| ● قلقلة | ● إدغام، وما لا يُلفَظ | ● مدّ واجب ٤ أو ٥ حركات ● مدّ حركتان |

وَلَوْ جَعَلْنَٰهُ مَلَكًا لَّجَعَلْنَٰهُ رَجُلًا وَلَلَبَسْنَا عَلَيْهِم مَّا
يَلْبِسُونَ ﴿٩﴾ وَلَقَدِ ٱسْتُهْزِئَ بِرُسُلٍ مِّن قَبْلِكَ فَحَاقَ
بِٱلَّذِينَ سَخِرُوا۟ مِنْهُم مَّا كَانُوا۟ بِهِۦ يَسْتَهْزِءُونَ ﴿١٠﴾
قُلْ سِيرُوا۟ فِى ٱلْأَرْضِ ثُمَّ ٱنظُرُوا۟ كَيْفَ كَانَ عَٰقِبَةُ
ٱلْمُكَذِّبِينَ ﴿١١﴾ قُل لِّمَن مَّا فِى ٱلسَّمَٰوَٰتِ وَٱلْأَرْضِ ۖ قُل لِّلَّهِ ۚ
كَتَبَ عَلَىٰ نَفْسِهِ ٱلرَّحْمَةَ ۚ لَيَجْمَعَنَّكُمْ إِلَىٰ يَوْمِ ٱلْقِيَٰمَةِ
لَا رَيْبَ فِيهِ ۚ ٱلَّذِينَ خَسِرُوٓا۟ أَنفُسَهُمْ فَهُمْ لَا يُؤْمِنُونَ ﴿١٢﴾
۞ وَلَهُۥ مَا سَكَنَ فِى ٱلَّيْلِ وَٱلنَّهَارِ ۚ وَهُوَ ٱلسَّمِيعُ ٱلْعَلِيمُ
﴿١٣﴾ قُلْ أَغَيْرَ ٱللَّهِ أَتَّخِذُ وَلِيًّا فَاطِرِ ٱلسَّمَٰوَٰتِ وَٱلْأَرْضِ وَهُوَ يُطْعِمُ
وَلَا يُطْعَمُ ۗ قُلْ إِنِّىٓ أُمِرْتُ أَنْ أَكُونَ أَوَّلَ مَنْ أَسْلَمَ ۖ وَلَا
تَكُونَنَّ مِنَ ٱلْمُشْرِكِينَ ﴿١٤﴾ قُلْ إِنِّىٓ أَخَافُ إِنْ عَصَيْتُ
رَبِّى عَذَابَ يَوْمٍ عَظِيمٍ ﴿١٥﴾ مَّن يُصْرَفْ عَنْهُ يَوْمَئِذٍ فَقَدْ
رَحِمَهُۥ ۚ وَذَٰلِكَ ٱلْفَوْزُ ٱلْمُبِينُ ﴿١٦﴾ وَإِن يَمْسَسْكَ ٱللَّهُ بِضُرٍّ
فَلَا كَاشِفَ لَهُۥٓ إِلَّا هُوَ ۖ وَإِن يَمْسَسْكَ بِخَيْرٍ فَهُوَ عَلَىٰ كُلِّ شَىْءٍ
قَدِيرٌ ﴿١٧﴾ وَهُوَ ٱلْقَاهِرُ فَوْقَ عِبَادِهِۦ ۚ وَهُوَ ٱلْحَكِيمُ ٱلْخَبِيرُ ﴿١٨﴾

- لَلَبَسْنَا عَلَيْهِم: لَخَلَطْنا وأشكَلْنا عليهم
- مَا يَلْبِسُونَ: ما يَخْلِطُونَ على أنفُسِهِم
- فَحَاقَ: أحاطَ . أو نزَلَ
- كَتَبَ: قَضَى وأوجبَ ؛ تفضُّلاً
- فَاطِرِ: مُبْدِعِ
- يُطْعِمُ: يَرْزُقُ
- أَسْلَمَ: انقادَ لله تعالى من هذه الأمة

ثلاثة أرباع الحزب ١٣

قُلْ أَيُّ شَيْءٍ أَكْبَرُ شَهَٰدَةً ۖ قُلِ ٱللَّهُ ۖ شَهِيدٌۢ بَيْنِى وَبَيْنَكُمْ ۚ وَأُوحِىَ إِلَىَّ هَٰذَا
ٱلْقُرْءَانُ لِأُنذِرَكُم بِهِۦ وَمَنۢ بَلَغَ ۚ أَئِنَّكُمْ لَتَشْهَدُونَ أَنَّ مَعَ ٱللَّهِ
ءَالِهَةً أُخْرَىٰ ۚ قُل لَّآ أَشْهَدُ ۚ قُلْ إِنَّمَا هُوَ إِلَٰهٌ وَٰحِدٌ وَإِنَّنِى بَرِىٓءٌ مِّمَّا
تُشْرِكُونَ ﴿١٩﴾ ٱلَّذِينَ ءَاتَيْنَٰهُمُ ٱلْكِتَٰبَ يَعْرِفُونَهُۥ كَمَا يَعْرِفُونَ
أَبْنَآءَهُمُ ۘ ٱلَّذِينَ خَسِرُوٓا۟ أَنفُسَهُمْ فَهُمْ لَا يُؤْمِنُونَ ﴿٢٠﴾ وَمَنْ أَظْلَمُ
مِمَّنِ ٱفْتَرَىٰ عَلَى ٱللَّهِ كَذِبًا أَوْ كَذَّبَ بِـَٔايَٰتِهِۦٓ ۗ إِنَّهُۥ لَا يُفْلِحُ ٱلظَّٰلِمُونَ
﴿٢١﴾ وَيَوْمَ نَحْشُرُهُمْ جَمِيعًا ثُمَّ نَقُولُ لِلَّذِينَ أَشْرَكُوٓا۟ أَيْنَ شُرَكَآؤُكُمُ
ٱلَّذِينَ كُنتُمْ تَزْعُمُونَ ﴿٢٢﴾ ثُمَّ لَمْ تَكُن فِتْنَتُهُمْ إِلَّآ أَن قَالُوا۟ وَٱللَّهِ
رَبِّنَا مَا كُنَّا مُشْرِكِينَ ﴿٢٣﴾ ٱنظُرْ كَيْفَ كَذَبُوا۟ عَلَىٰٓ أَنفُسِهِمْ ۚ وَضَلَّ
عَنْهُم مَّا كَانُوا۟ يَفْتَرُونَ ﴿٢٤﴾ وَمِنْهُم مَّن يَسْتَمِعُ إِلَيْكَ ۖ وَجَعَلْنَا عَلَىٰ
قُلُوبِهِمْ أَكِنَّةً أَن يَفْقَهُوهُ وَفِىٓ ءَاذَانِهِمْ وَقْرًا ۚ وَإِن يَرَوْا۟ كُلَّ ءَايَةٍ
لَّا يُؤْمِنُوا۟ بِهَا ۚ حَتَّىٰٓ إِذَا جَآءُوكَ يُجَٰدِلُونَكَ يَقُولُ ٱلَّذِينَ كَفَرُوٓا۟ إِنْ هَٰذَآ
إِلَّآ أَسَٰطِيرُ ٱلْأَوَّلِينَ ﴿٢٥﴾ وَهُمْ يَنْهَوْنَ عَنْهُ وَيَنْـَٔوْنَ عَنْهُ ۖ وَإِن
يُهْلِكُونَ إِلَّآ أَنفُسَهُمْ وَمَا يَشْعُرُونَ ﴿٢٦﴾ وَلَوْ تَرَىٰٓ إِذْ وُقِفُوا۟ عَلَى ٱلنَّارِ
فَقَالُوا۟ يَٰلَيْتَنَا نُرَدُّ وَلَا نُكَذِّبَ بِـَٔايَٰتِ رَبِّنَا وَنَكُونَ مِنَ ٱلْمُؤْمِنِينَ ﴿٢٧﴾

- فِتْنَتُهُمْ: معذرتهم أو ضلالتهم
- ضَلَّ: غابَ
- يَفْتَرُونَ: يكذِبون
- أَكِنَّةً: أغطيةً كثيرةً
- وَقْرًا: صَمَماً وثِقلاً في السمع
- أَسَٰطِيرُ ٱلْأَوَّلِينَ: أكاذيبُهم المسطَّرةُ في كُتبِهم
- يَنْـَٔوْنَ عَنْهُ: يتباعدون عنه بأنفسهم
- وُقِفُوا۟ عَلَى ٱلنَّارِ: حُبِسوا عليها أو عُرِّفوها

| | | |
|---|---|---|
| مدّ ٦ حركات لزوماً ● مدّ ٢ أو ٤ أو ٦ جوازاً | إخفاء، ومواقع الغُنَّة (حركتان) | تفخيم |
| مدّ واجب ٤ أو ٥ حركات ● مدّ حركتان | إدغام، وما لا يُلفَظ | قلقلة |

بَلْ بَدَا لَهُم مَّا كَانُوا۟ يُخْفُونَ مِن قَبْلُ ۖ وَلَوْ رُدُّوا۟ لَعَادُوا۟ لِمَا نُهُوا۟ عَنْهُ
وَإِنَّهُمْ لَكَـٰذِبُونَ ﴿٢٨﴾ وَقَالُوٓا۟ إِنْ هِىَ إِلَّا حَيَاتُنَا ٱلدُّنْيَا وَمَا نَحْنُ
بِمَبْعُوثِينَ ﴿٢٩﴾ وَلَوْ تَرَىٰٓ إِذْ وُقِفُوا۟ عَلَىٰ رَبِّهِمْ ۚ قَالَ أَلَيْسَ هَـٰذَا
بِٱلْحَقِّ ۚ قَالُوا۟ بَلَىٰ وَرَبِّنَا ۚ قَالَ فَذُوقُوا۟ ٱلْعَذَابَ بِمَا كُنتُمْ تَكْفُرُونَ
﴿٣٠﴾ قَدْ خَسِرَ ٱلَّذِينَ كَذَّبُوا۟ بِلِقَآءِ ٱللَّهِ ۖ حَتَّىٰٓ إِذَا جَآءَتْهُمُ ٱلسَّاعَةُ
بَغْتَةً قَالُوا۟ يَـٰحَسْرَتَنَا عَلَىٰ مَا فَرَّطْنَا فِيهَا وَهُمْ يَحْمِلُونَ أَوْزَارَهُمْ
عَلَىٰ ظُهُورِهِمْ ۚ أَلَا سَآءَ مَا يَزِرُونَ ﴿٣١﴾ وَمَا ٱلْحَيَوٰةُ ٱلدُّنْيَآ إِلَّا
لَعِبٌ وَلَهْوٌ ۖ وَلَلدَّارُ ٱلْـَٔاخِرَةُ خَيْرٌ لِّلَّذِينَ يَتَّقُونَ ۗ أَفَلَا تَعْقِلُونَ
﴿٣٢﴾ قَدْ نَعْلَمُ إِنَّهُۥ لَيَحْزُنُكَ ٱلَّذِى يَقُولُونَ ۖ فَإِنَّهُمْ لَا يُكَذِّبُونَكَ
وَلَـٰكِنَّ ٱلظَّـٰلِمِينَ بِـَٔايَـٰتِ ٱللَّهِ يَجْحَدُونَ ﴿٣٣﴾ وَلَقَدْ كُذِّبَتْ
رُسُلٌ مِّن قَبْلِكَ فَصَبَرُوا۟ عَلَىٰ مَا كُذِّبُوا۟ وَأُوذُوا۟ حَتَّىٰٓ أَتَىٰهُمْ نَصْرُنَا ۚ
وَلَا مُبَدِّلَ لِكَلِمَـٰتِ ٱللَّهِ ۚ وَلَقَدْ جَآءَكَ مِن نَّبَإِى۟ ٱلْمُرْسَلِينَ
﴿٣٤﴾ وَإِن كَانَ كَبُرَ عَلَيْكَ إِعْرَاضُهُمْ فَإِنِ ٱسْتَطَعْتَ أَن تَبْتَغِىَ
نَفَقًا فِى ٱلْأَرْضِ أَوْ سُلَّمًا فِى ٱلسَّمَآءِ فَتَأْتِيَهُم بِـَٔايَةٍ ۚ وَلَوْ شَآءَ
ٱللَّهُ لَجَمَعَهُمْ عَلَى ٱلْهُدَىٰ ۚ فَلَا تَكُونَنَّ مِنَ ٱلْجَـٰهِلِينَ ﴿٣٥﴾

- وُقِفُوا۟ عَلَىٰ رَبِّهِمْ: حُبِسُوا على حُكْمِه تعالى
- بَغْتَةً: فجأةً
- أَوْزَارَهُمْ: ذنوبَهم وخطاياهم
- كَبُرَ: شقّ وعَظُمَ
- نَفَقًا: سَرَباً ومنفذاً

مدّ ٦ حركات لزوماً | مدّ ٢ أو ٤ أو ٦ جوازاً | إخفاء ، ومواقع الغنّة (حركتان) | تفخيم
مدّ واجب ٤ أو ٥ حركات | مدّ حركتان | إدغام ، وما لا يُلفظ | قلقلة

۞ إِنَّمَا يَسْتَجِيبُ ٱلَّذِينَ يَسْمَعُونَ ۘ وَٱلْمَوْتَىٰ يَبْعَثُهُمُ ٱللَّهُ ثُمَّ إِلَيْهِ
يُرْجَعُونَ ﴿٣٦﴾ وَقَالُوا۟ لَوْلَا نُزِّلَ عَلَيْهِ ءَايَةٌ مِّن رَّبِّهِۦ ۚ قُلْ إِنَّ ٱللَّهَ
قَادِرٌ عَلَىٰٓ أَن يُنَزِّلَ ءَايَةً وَلَـٰكِنَّ أَكْثَرَهُمْ لَا يَعْلَمُونَ ﴿٣٧﴾ وَمَا
مِن دَآبَّةٍ فِى ٱلْأَرْضِ وَلَا طَـٰٓئِرٍ يَطِيرُ بِجَنَاحَيْهِ إِلَّآ أُمَمٌ أَمْثَالُكُم ۚ
مَّا فَرَّطْنَا فِى ٱلْكِتَـٰبِ مِن شَىْءٍ ۚ ثُمَّ إِلَىٰ رَبِّهِمْ يُحْشَرُونَ ﴿٣٨﴾
وَٱلَّذِينَ كَذَّبُوا۟ بِـَٔايَـٰتِنَا صُمٌّ وَبُكْمٌ فِى ٱلظُّلُمَـٰتِ ۗ مَن يَشَإِ ٱللَّهُ
يُضْلِلْهُ وَمَن يَشَأْ يَجْعَلْهُ عَلَىٰ صِرَٰطٍ مُّسْتَقِيمٍ ﴿٣٩﴾ قُلْ
أَرَءَيْتَكُمْ إِنْ أَتَىٰكُمْ عَذَابُ ٱللَّهِ أَوْ أَتَتْكُمُ ٱلسَّاعَةُ أَغَيْرَ ٱللَّهِ
تَدْعُونَ إِن كُنتُمْ صَـٰدِقِينَ ﴿٤٠﴾ بَلْ إِيَّاهُ تَدْعُونَ فَيَكْشِفُ مَا
تَدْعُونَ إِلَيْهِ إِن شَآءَ وَتَنسَوْنَ مَا تُشْرِكُونَ ﴿٤١﴾ وَلَقَدْ أَرْسَلْنَآ
إِلَىٰٓ أُمَمٍ مِّن قَبْلِكَ فَأَخَذْنَـٰهُم بِٱلْبَأْسَآءِ وَٱلضَّرَّآءِ لَعَلَّهُمْ يَتَضَرَّعُونَ
﴿٤٢﴾ فَلَوْلَآ إِذْ جَآءَهُم بَأْسُنَا تَضَرَّعُوا۟ وَلَـٰكِن قَسَتْ قُلُوبُهُمْ
وَزَيَّنَ لَهُمُ ٱلشَّيْطَـٰنُ مَا كَانُوا۟ يَعْمَلُونَ ﴿٤٣﴾ فَلَمَّا
نَسُوا۟ مَا ذُكِّرُوا۟ بِهِۦ فَتَحْنَا عَلَيْهِمْ أَبْوَٰبَ كُلِّ شَىْءٍ
حَتَّىٰٓ إِذَا فَرِحُوا۟ بِمَآ أُوتُوٓا۟ أَخَذْنَـٰهُم بَغْتَةً فَإِذَا هُم مُّبْلِسُونَ ﴿٤٤﴾

▪ مَّا فَرَّطْنَا: ما أغفلنا وتركنا
▪ أَرَءَيْتَكُمْ: أخبروني
▪ بِٱلْبَأْسَآءِ: الفقر ونحوه
▪ ٱلضَّرَّآءِ: السُّقم ونحوه
▪ يَتَضَرَّعُونَ: يتذلّلون ويتخشّعون
▪ بَأْسُنَا: عذابُنا
▪ بَغْتَةً: فجأةً
▪ مُّبْلِسُونَ: آيسون . أو مُكتئبون

| | | |
|---|---|---|
| مدّ ٦ حركات لزوماً ● مدّ ٢ أو ٤ أو ٦ جوازاً ● | إخفاء ، ومواقع الغُنَّة (حركتان) ● | تفخيم ● |
| مدّ واجب ٤ أو ٥ حركات ● مدّ حركتان ● | إدغام ، وما لا يُلفَظ ● | قلقلة ● |

فَقُطِعَ دَابِرُ ٱلْقَوْمِ ٱلَّذِينَ ظَلَمُوا۟ ۚ وَٱلْحَمْدُ لِلَّهِ رَبِّ ٱلْعَٰلَمِينَ ﴿٤٥﴾
قُلْ أَرَءَيْتُمْ إِنْ أَخَذَ ٱللَّهُ سَمْعَكُمْ وَأَبْصَٰرَكُمْ وَخَتَمَ عَلَىٰ قُلُوبِكُم
مَّنْ إِلَٰهٌ غَيْرُ ٱللَّهِ يَأْتِيكُم بِهِ ۗ ٱنظُرْ كَيْفَ نُصَرِّفُ ٱلْـَٔايَٰتِ
ثُمَّ هُمْ يَصْدِفُونَ ﴿٤٦﴾ قُلْ أَرَءَيْتَكُمْ إِنْ أَتَىٰكُمْ عَذَابُ ٱللَّهِ
بَغْتَةً أَوْ جَهْرَةً هَلْ يُهْلَكُ إِلَّا ٱلْقَوْمُ ٱلظَّٰلِمُونَ ﴿٤٧﴾ وَمَا
نُرْسِلُ ٱلْمُرْسَلِينَ إِلَّا مُبَشِّرِينَ وَمُنذِرِينَ ۖ فَمَنْ ءَامَنَ وَأَصْلَحَ
فَلَا خَوْفٌ عَلَيْهِمْ وَلَا هُمْ يَحْزَنُونَ ﴿٤٨﴾ وَٱلَّذِينَ كَذَّبُوا۟ بِـَٔايَٰتِنَا
يَمَسُّهُمُ ٱلْعَذَابُ بِمَا كَانُوا۟ يَفْسُقُونَ ﴿٤٩﴾ قُل لَّآ أَقُولُ لَكُمْ
عِندِى خَزَآئِنُ ٱللَّهِ وَلَآ أَعْلَمُ ٱلْغَيْبَ وَلَآ أَقُولُ لَكُمْ إِنِّى مَلَكٌ ۖ
إِنْ أَتَّبِعُ إِلَّا مَا يُوحَىٰٓ إِلَىَّ ۚ قُلْ هَلْ يَسْتَوِى ٱلْأَعْمَىٰ وَٱلْبَصِيرُ ۚ
أَفَلَا تَتَفَكَّرُونَ ﴿٥٠﴾ وَأَنذِرْ بِهِ ٱلَّذِينَ يَخَافُونَ أَن يُحْشَرُوٓا۟
إِلَىٰ رَبِّهِمْ ۙ لَيْسَ لَهُم مِّن دُونِهِۦ وَلِىٌّ وَلَا شَفِيعٌ لَّعَلَّهُمْ يَتَّقُونَ
﴿٥١﴾ وَلَا تَطْرُدِ ٱلَّذِينَ يَدْعُونَ رَبَّهُم بِٱلْغَدَوٰةِ وَٱلْعَشِىِّ يُرِيدُونَ
وَجْهَهُۥ ۖ مَا عَلَيْكَ مِنْ حِسَابِهِم مِّن شَىْءٍ وَمَا مِنْ حِسَابِكَ
عَلَيْهِم مِّن شَىْءٍ فَتَطْرُدَهُمْ فَتَكُونَ مِنَ ٱلظَّٰلِمِينَ ﴿٥٢﴾

- دَابِرُ ٱلْقَوْمِ: آخرهم
- أَرَءَيْتُمْ: أخبروني
- نُصَرِّفُ: نكرّر على أنحاء مختلفة
- يَصْدِفُونَ: يُعرِضون
- أَرَءَيْتَكُمْ: أخبروني
- جَهْرَةً: معاينةً. أو نهاراً
- بِٱلْغَدَوٰةِ وَٱلْعَشِىِّ: أوّل النهار وآخره

مدّ ٦ حركات لزوماً ● مدّ ٢ أو ٤ أو ٦ جوازاً ● إخفاء، ومواقع الغُنّة (حركتان) ● تفخ
مدّ واجب ٤ أو ٥ حركات ● مدّ حركتان ● إدغام، وما لا يُلفظ ● قلقل

وَكَذَٰلِكَ فَتَنَّا بَعۡضَهُم بِبَعۡضٖ لِّيَقُولُوٓاْ أَهَٰٓؤُلَآءِ مَنَّ ٱللَّهُ
عَلَيۡهِم مِّنۢ بَيۡنِنَآۗ أَلَيۡسَ ٱللَّهُ بِأَعۡلَمَ بِٱلشَّٰكِرِينَ ﴿٥٣﴾ وَإِذَا
جَآءَكَ ٱلَّذِينَ يُؤۡمِنُونَ بِـَٔايَٰتِنَا فَقُلۡ سَلَٰمٌ عَلَيۡكُمۡۖ كَتَبَ
رَبُّكُمۡ عَلَىٰ نَفۡسِهِ ٱلرَّحۡمَةَۖ أَنَّهُۥ مَنۡ عَمِلَ مِنكُمۡ سُوٓءَۢا
بِجَهَٰلَةٖ ثُمَّ تَابَ مِنۢ بَعۡدِهِۦ وَأَصۡلَحَ فَأَنَّهُۥ غَفُورٞ رَّحِيمٞ ﴿٥٤﴾
وَكَذَٰلِكَ نُفَصِّلُ ٱلۡأٓيَٰتِ وَلِتَسۡتَبِينَ سَبِيلُ ٱلۡمُجۡرِمِينَ ﴿٥٥﴾
قُلۡ إِنِّي نُهِيتُ أَنۡ أَعۡبُدَ ٱلَّذِينَ تَدۡعُونَ مِن دُونِ ٱللَّهِۚ قُل لَّآ أَتَّبِعُ
أَهۡوَآءَكُمۡ قَدۡ ضَلَلۡتُ إِذٗا وَمَآ أَنَا۠ مِنَ ٱلۡمُهۡتَدِينَ ﴿٥٦﴾
قُلۡ إِنِّي عَلَىٰ بَيِّنَةٖ مِّن رَّبِّي وَكَذَّبۡتُم بِهِۦۚ مَا عِندِي مَا
تَسۡتَعۡجِلُونَ بِهِۦٓۚ إِنِ ٱلۡحُكۡمُ إِلَّا لِلَّهِۖ يَقُصُّ ٱلۡحَقَّۖ وَهُوَ خَيۡرُ
ٱلۡفَٰصِلِينَ ﴿٥٧﴾ قُل لَّوۡ أَنَّ عِندِي مَا تَسۡتَعۡجِلُونَ بِهِۦ لَقُضِيَ
ٱلۡأَمۡرُ بَيۡنِي وَبَيۡنَكُمۡۗ وَٱللَّهُ أَعۡلَمُ بِٱلظَّٰلِمِينَ ﴿٥٨﴾

۞ وَعِندَهُۥ مَفَاتِحُ ٱلۡغَيۡبِ لَا يَعۡلَمُهَآ إِلَّا هُوَۚ وَيَعۡلَمُ مَا فِي
ٱلۡبَرِّ وَٱلۡبَحۡرِۚ وَمَا تَسۡقُطُ مِن وَرَقَةٍ إِلَّا يَعۡلَمُهَا وَلَا حَبَّةٖ
فِي ظُلُمَٰتِ ٱلۡأَرۡضِ وَلَا رَطۡبٖ وَلَا يَابِسٍ إِلَّا فِي كِتَٰبٖ مُّبِينٖ ﴿٥٩﴾

الأنعام

- فَتَنَّا: ابتلَيْنا وامْتَحَنَّا
- يَقُصُّ ٱلۡحَقَّ: يتتبّعه. أو يقوله فيما يحكم به
- ٱلۡفَٰصِلِينَ: الحاكِمينَ

| | | |
|---|---|---|
| مدّ ٦ حركات لزوماً — مدّ ٢ أو ٤ أو ٦ جوازاً | إخفاء، ومواقع الغُنَّة (حركتان) | تفخيم |
| مدّ واجب ٤ أو ٥ حركات — مدّ حركتان | إدغام، وما لا يُلفَظ | قلقلة |

وَهُوَ ٱلَّذِى يَتَوَفَّىٰكُم بِٱلَّيْلِ وَيَعْلَمُ مَا جَرَحْتُم بِٱلنَّهَارِ ثُمَّ
يَبْعَثُكُمْ فِيهِ لِيُقْضَىٰٓ أَجَلٌ مُّسَمًّى ۖ ثُمَّ إِلَيْهِ مَرْجِعُكُمْ
ثُمَّ يُنَبِّئُكُم بِمَا كُنتُمْ تَعْمَلُونَ ﴿٦٠﴾ وَهُوَ ٱلْقَاهِرُ فَوْقَ عِبَادِهِۦ ۖ
وَيُرْسِلُ عَلَيْكُمْ حَفَظَةً حَتَّىٰٓ إِذَا جَآءَ أَحَدَكُمُ ٱلْمَوْتُ تَوَفَّتْهُ
رُسُلُنَا وَهُمْ لَا يُفَرِّطُونَ ﴿٦١﴾ ثُمَّ رُدُّوٓا۟ إِلَى ٱللَّهِ مَوْلَىٰهُمُ ٱلْحَقِّ ۚ
أَلَا لَهُ ٱلْحُكْمُ وَهُوَ أَسْرَعُ ٱلْحَٰسِبِينَ ﴿٦٢﴾ قُلْ مَن يُنَجِّيكُم مِّن
ظُلُمَٰتِ ٱلْبَرِّ وَٱلْبَحْرِ تَدْعُونَهُۥ تَضَرُّعًا وَخُفْيَةً لَّئِنْ أَنجَىٰنَا مِنْ هَٰذِهِۦ
لَنَكُونَنَّ مِنَ ٱلشَّٰكِرِينَ ﴿٦٣﴾ قُلِ ٱللَّهُ يُنَجِّيكُم مِّنْهَا وَمِن كُلِّ كَرْبٍ
ثُمَّ أَنتُمْ تُشْرِكُونَ ﴿٦٤﴾ قُلْ هُوَ ٱلْقَادِرُ عَلَىٰٓ أَن يَبْعَثَ عَلَيْكُمْ عَذَابًا
مِّن فَوْقِكُمْ أَوْ مِن تَحْتِ أَرْجُلِكُمْ أَوْ يَلْبِسَكُمْ شِيَعًا وَيُذِيقَ بَعْضَكُم
بَأْسَ بَعْضٍ ۗ ٱنظُرْ كَيْفَ نُصَرِّفُ ٱلْءَايَٰتِ لَعَلَّهُمْ يَفْقَهُونَ ﴿٦٥﴾
وَكَذَّبَ بِهِۦ قَوْمُكَ وَهُوَ ٱلْحَقُّ ۚ قُل لَّسْتُ عَلَيْكُم بِوَكِيلٍ ﴿٦٦﴾ لِّكُلِّ
نَبَإٍ مُّسْتَقَرٌّ ۚ وَسَوْفَ تَعْلَمُونَ ﴿٦٧﴾ وَإِذَا رَأَيْتَ ٱلَّذِينَ يَخُوضُونَ فِىٓ
ءَايَٰتِنَا فَأَعْرِضْ عَنْهُمْ حَتَّىٰ يَخُوضُوا۟ فِى حَدِيثٍ غَيْرِهِۦ ۚ وَإِمَّا يُنسِيَنَّكَ
ٱلشَّيْطَٰنُ فَلَا تَقْعُدْ بَعْدَ ٱلذِّكْرَىٰ مَعَ ٱلْقَوْمِ ٱلظَّٰلِمِينَ ﴿٦٨﴾

- **جَرَحْتُم**: كسبتُم
- **لَا يُفَرِّطُونَ**: لا يتوانَوْنَ. أوْ لا يُقصِّرُونَ
- **تَضَرُّعًا**: مُعْلنينَ الضَّراعةَ والتَّذلُّلَ
- **خُفْيَةً**: مُسِرِّينَ بالدعاء
- **يَلْبِسَكُمْ**: يَخْلِطَكُمْ في القتالِ
- **شِيَعًا**: فِرَقاً مختلفةَ الأهواء
- **بَأْسَ بَعْضٍ**: شِدَّةَ بعض في القتالِ
- **نُصَرِّفُ**: نُكرِّرُ بأساليبَ مختلفةٍ

وَمَا عَلَى ٱلَّذِينَ يَتَّقُونَ مِنْ حِسَابِهِم مِّن شَيْءٍ وَلَٰكِن
ذِكْرَىٰ لَعَلَّهُمْ يَتَّقُونَ ﴿٦٩﴾ وَذَرِ ٱلَّذِينَ ٱتَّخَذُوا۟
دِينَهُمْ لَعِبًا وَلَهْوًا وَغَرَّتْهُمُ ٱلْحَيَوٰةُ ٱلدُّنْيَا ۚ وَذَكِّرْ بِهِۦٓ
أَن تُبْسَلَ نَفْسٌۢ بِمَا كَسَبَتْ لَيْسَ لَهَا مِن دُونِ ٱللَّهِ وَلِىٌّ
وَلَا شَفِيعٌ وَإِن تَعْدِلْ كُلَّ عَدْلٍ لَّا يُؤْخَذْ مِنْهَآ ۗ أُو۟لَٰٓئِكَ
ٱلَّذِينَ أُبْسِلُوا۟ بِمَا كَسَبُوا۟ ۖ لَهُمْ شَرَابٌ مِّنْ حَمِيمٍ وَعَذَابٌ
أَلِيمٌۢ بِمَا كَانُوا۟ يَكْفُرُونَ ﴿٧٠﴾ قُلْ أَنَدْعُوا۟ مِن دُونِ ٱللَّهِ
مَا لَا يَنفَعُنَا وَلَا يَضُرُّنَا وَنُرَدُّ عَلَىٰٓ أَعْقَابِنَا بَعْدَ إِذْ هَدَىٰنَا ٱللَّهُ
كَٱلَّذِى ٱسْتَهْوَتْهُ ٱلشَّيَٰطِينُ فِى ٱلْأَرْضِ حَيْرَانَ لَهُۥٓ أَصْحَٰبٌ
يَدْعُونَهُۥٓ إِلَى ٱلْهُدَى ٱئْتِنَا ۗ قُلْ إِنَّ هُدَى ٱللَّهِ هُوَ ٱلْهُدَىٰ ۖ
وَأُمِرْنَا لِنُسْلِمَ لِرَبِّ ٱلْعَٰلَمِينَ ﴿٧١﴾ وَأَنْ أَقِيمُوا۟ ٱلصَّلَوٰةَ
وَٱتَّقُوهُ ۚ وَهُوَ ٱلَّذِىٓ إِلَيْهِ تُحْشَرُونَ ﴿٧٢﴾ وَهُوَ ٱلَّذِى
خَلَقَ ٱلسَّمَٰوَٰتِ وَٱلْأَرْضَ بِٱلْحَقِّ ۖ وَيَوْمَ يَقُولُ كُن
فَيَكُونُ ۚ قَوْلُهُ ٱلْحَقُّ ۚ وَلَهُ ٱلْمُلْكُ يَوْمَ يُنفَخُ فِى ٱلصُّورِ ۚ
عَٰلِمُ ٱلْغَيْبِ وَٱلشَّهَٰدَةِ ۚ وَهُوَ ٱلْحَكِيمُ ٱلْخَبِيرُ ﴿٧٣﴾

الأنعام

- غَرَّتْهُمُ: خدعتهم و أطمعتهم بالباطل
- تُبْسَلَ: تُحبَس في جهنّم
- تَعْدِلْ كُلَّ عَدْلٍ: تَفتَدِ بكلّ فداءٍ
- أُبْسِلُوا۟: حُبِسُوا في النارِ
- حَمِيمٍ: ماء بالغٍ نهايةَ الحرارةِ
- ٱسْتَهْوَتْهُ: أضلّتْهُ
- ٱلصُّورِ: القَرْنِ

مدّ ٦ حركات لزوماً | مدّ ٢ أو ٤ أو ٦ جوازاً | إخفاء ، ومواقع الغُنَّة (حركتان) | تفخيم
مدّ واجب ٤ أو ٥ حركات | مدّ حركتان | إدغام ، وما لا يُلفَظ | قلقلة

۞ وَإِذْ قَالَ إِبْرَٰهِيمُ لِأَبِيهِ ءَازَرَ أَتَتَّخِذُ أَصْنَامًا ءَالِهَةً ۖ إِنِّىٓ
أَرَىٰكَ وَقَوْمَكَ فِى ضَلَٰلٍ مُّبِينٍ ﴿٧٤﴾ وَكَذَٰلِكَ نُرِىٓ إِبْرَٰهِيمَ
مَلَكُوتَ ٱلسَّمَٰوَٰتِ وَٱلْأَرْضِ وَلِيَكُونَ مِنَ ٱلْمُوقِنِينَ ﴿٧٥﴾
فَلَمَّا جَنَّ عَلَيْهِ ٱلَّيْلُ رَءَا كَوْكَبًا ۖ قَالَ هَٰذَا رَبِّى ۖ فَلَمَّآ أَفَلَ قَالَ
لَآ أُحِبُّ ٱلْـَٔافِلِينَ ﴿٧٦﴾ فَلَمَّا رَءَا ٱلْقَمَرَ بَازِغًا قَالَ هَٰذَا
رَبِّى ۖ فَلَمَّآ أَفَلَ قَالَ لَئِن لَّمْ يَهْدِنِى رَبِّى لَأَكُونَنَّ مِنَ ٱلْقَوْمِ
ٱلضَّآلِّينَ ﴿٧٧﴾ فَلَمَّا رَءَا ٱلشَّمْسَ بَازِغَةً قَالَ هَٰذَا رَبِّى هَٰذَآ
أَكْبَرُ ۖ فَلَمَّآ أَفَلَتْ قَالَ يَٰقَوْمِ إِنِّى بَرِىٓءٌ مِّمَّا تُشْرِكُونَ ﴿٧٨﴾
إِنِّى وَجَّهْتُ وَجْهِىَ لِلَّذِى فَطَرَ ٱلسَّمَٰوَٰتِ وَٱلْأَرْضَ
حَنِيفًا ۖ وَمَآ أَنَا۠ مِنَ ٱلْمُشْرِكِينَ ﴿٧٩﴾ وَحَآجَّهُۥ قَوْمُهُۥ ۚ قَالَ
أَتُحَٰٓجُّوٓنِّى فِى ٱللَّهِ وَقَدْ هَدَىٰنِ ۚ وَلَآ أَخَافُ مَا تُشْرِكُونَ بِهِۦٓ
إِلَّآ أَن يَشَآءَ رَبِّى شَيْـًٔا ۗ وَسِعَ رَبِّى كُلَّ شَىْءٍ عِلْمًا ۗ أَفَلَا
تَتَذَكَّرُونَ ﴿٨٠﴾ وَكَيْفَ أَخَافُ مَآ أَشْرَكْتُمْ وَلَا
تَخَافُونَ أَنَّكُمْ أَشْرَكْتُم بِٱللَّهِ مَا لَمْ يُنَزِّلْ بِهِۦ عَلَيْكُمْ
سُلْطَٰنًا ۚ فَأَىُّ ٱلْفَرِيقَيْنِ أَحَقُّ بِٱلْأَمْنِ ۖ إِن كُنتُمْ تَعْلَمُونَ ﴿٨١﴾

- ءَازَرَ: لقبِ والدِ إبراهيمَ
- مَلَكُوتَ: عجائبَ
- جَنَّ عَلَيْهِ ٱلَّيْلُ: سَتَرَهُ بِظَلامِهِ
- أَفَلَ: غَابَ وغَرَبَ تحتَ الأُفُقِ
- بَازِغًا: طَالِعاً من الأُفُقِ
- فَطَرَ: أوْجَدَ وأنْشأ
- حَنِيفًا: مائلاً عن الباطِلِ إلى الدِّينِ الحقِّ
- حَآجَّهُۥ: خَاصَمَهُ
- سُلْطَٰنًا: حُجَّةً وبُرْهَاناً

ٱلَّذِينَ ءَامَنُوا۟ وَلَمْ يَلْبِسُوٓا۟ إِيمَٰنَهُم بِظُلْمٍ أُو۟لَٰٓئِكَ لَهُمُ ٱلْأَمْنُ
وَهُم مُّهْتَدُونَ ﴿٨٢﴾ وَتِلْكَ حُجَّتُنَآ ءَاتَيْنَٰهَآ إِبْرَٰهِيمَ عَلَىٰ
قَوْمِهِۦ ۚ نَرْفَعُ دَرَجَٰتٍ مَّن نَّشَآءُ ۗ إِنَّ رَبَّكَ حَكِيمٌ عَلِيمٌ ﴿٨٣﴾
وَوَهَبْنَا لَهُۥٓ إِسْحَٰقَ وَيَعْقُوبَ ۚ كُلًّا هَدَيْنَا ۚ وَنُوحًا
هَدَيْنَا مِن قَبْلُ ۖ وَمِن ذُرِّيَّتِهِۦ دَاوُۥدَ وَسُلَيْمَٰنَ وَأَيُّوبَ
وَيُوسُفَ وَمُوسَىٰ وَهَٰرُونَ ۚ وَكَذَٰلِكَ نَجْزِى ٱلْمُحْسِنِينَ ﴿٨٤﴾
وَزَكَرِيَّا وَيَحْيَىٰ وَعِيسَىٰ وَإِلْيَاسَ ۖ كُلٌّ مِّنَ ٱلصَّٰلِحِينَ ﴿٨٥﴾
وَإِسْمَٰعِيلَ وَٱلْيَسَعَ وَيُونُسَ وَلُوطًا ۚ وَكُلًّا فَضَّلْنَا عَلَى
ٱلْعَٰلَمِينَ ﴿٨٦﴾ وَمِنْ ءَابَآئِهِمْ وَذُرِّيَّٰتِهِمْ وَإِخْوَٰنِهِمْ ۖ وَٱجْتَبَيْنَٰهُمْ
وَهَدَيْنَٰهُمْ إِلَىٰ صِرَٰطٍ مُّسْتَقِيمٍ ﴿٨٧﴾ ذَٰلِكَ هُدَى ٱللَّهِ يَهْدِى
بِهِۦ مَن يَشَآءُ مِنْ عِبَادِهِۦ ۚ وَلَوْ أَشْرَكُوا۟ لَحَبِطَ عَنْهُم مَّا كَانُوا۟
يَعْمَلُونَ ﴿٨٨﴾ أُو۟لَٰٓئِكَ ٱلَّذِينَ ءَاتَيْنَٰهُمُ ٱلْكِتَٰبَ وَٱلْحُكْمَ وَٱلنُّبُوَّةَ ۚ
فَإِن يَكْفُرْ بِهَا هَٰٓؤُلَآءِ فَقَدْ وَكَّلْنَا بِهَا قَوْمًا لَّيْسُوا۟ بِهَا بِكَٰفِرِينَ
﴿٨٩﴾ أُو۟لَٰٓئِكَ ٱلَّذِينَ هَدَى ٱللَّهُ ۖ فَبِهُدَىٰهُمُ ٱقْتَدِهْ ۗ قُل لَّآ
أَسْـَٔلُكُمْ عَلَيْهِ أَجْرًا ۖ إِنْ هُوَ إِلَّا ذِكْرَىٰ لِلْعَٰلَمِينَ ﴿٩٠﴾

- لَمْ يَلْبِسُوٓا۟: لَمْ يَخْلِطُوا
- بِظُلْمٍ: بِشِرْكٍ
- ٱجْتَبَيْنَٰهُمْ: اصْطَفَيْنَاهُمْ
- لَحَبِطَ: لَبَطَلَ وسَقَطَ
- ٱلْحُكْمَ: الفَصْلَ بين الناس بالحقّ



| | | |
|---|---|---|
| مدّ ٦ حركات لزوماً · مدّ ٢ أو ٤ أو ٦ جوازاً | إخفاء ، ومواقع الغُنَّة (حركتان) | تفخيم |
| مدّ واجب ٤ أو ٥ حركات · مدّ حركتان | إدغام ، وما لا يُلفظ | قلقلة |

وَمَا قَدَرُوا۟ ٱللَّهَ حَقَّ قَدْرِهِۦٓ إِذْ قَالُوا۟ مَآ أَنزَلَ ٱللَّهُ عَلَىٰ بَشَرٍ مِّن شَىْءٍ ۗ
قُلْ مَنْ أَنزَلَ ٱلْكِتَٰبَ ٱلَّذِى جَآءَ بِهِۦ مُوسَىٰ نُورًا وَهُدًى لِّلنَّاسِ ۖ
تَجْعَلُونَهُۥ قَرَاطِيسَ تُبْدُونَهَا وَتُخْفُونَ كَثِيرًا ۖ وَعُلِّمْتُم مَّا لَمْ تَعْلَمُوٓا۟
أَنتُمْ وَلَآ ءَابَآؤُكُمْ ۖ قُلِ ٱللَّهُ ۖ ثُمَّ ذَرْهُمْ فِى خَوْضِهِمْ يَلْعَبُونَ ﴿٩١﴾
وَهَٰذَا كِتَٰبٌ أَنزَلْنَٰهُ مُبَارَكٌ مُّصَدِّقُ ٱلَّذِى بَيْنَ يَدَيْهِ وَلِتُنذِرَ
أُمَّ ٱلْقُرَىٰ وَمَنْ حَوْلَهَا ۚ وَٱلَّذِينَ يُؤْمِنُونَ بِٱلْءَاخِرَةِ يُؤْمِنُونَ بِهِۦ ۖ
وَهُمْ عَلَىٰ صَلَاتِهِمْ يُحَافِظُونَ ﴿٩٢﴾ وَمَنْ أَظْلَمُ مِمَّنِ ٱفْتَرَىٰ عَلَى
ٱللَّهِ كَذِبًا أَوْ قَالَ أُوحِىَ إِلَىَّ وَلَمْ يُوحَ إِلَيْهِ شَىْءٌ وَمَن قَالَ سَأُنزِلُ
مِثْلَ مَآ أَنزَلَ ٱللَّهُ ۗ وَلَوْ تَرَىٰٓ إِذِ ٱلظَّٰلِمُونَ فِى غَمَرَٰتِ ٱلْمَوْتِ
وَٱلْمَلَٰٓئِكَةُ بَاسِطُوٓا۟ أَيْدِيهِمْ أَخْرِجُوٓا۟ أَنفُسَكُمُ ۖ ٱلْيَوْمَ
تُجْزَوْنَ عَذَابَ ٱلْهُونِ بِمَا كُنتُمْ تَقُولُونَ عَلَى ٱللَّهِ غَيْرَ ٱلْحَقِّ
وَكُنتُمْ عَنْ ءَايَٰتِهِۦ تَسْتَكْبِرُونَ ﴿٩٣﴾ وَلَقَدْ جِئْتُمُونَا فُرَٰدَىٰ
كَمَا خَلَقْنَٰكُمْ أَوَّلَ مَرَّةٍ وَتَرَكْتُم مَّا خَوَّلْنَٰكُمْ وَرَآءَ ظُهُورِكُمْ ۖ
وَمَا نَرَىٰ مَعَكُمْ شُفَعَآءَكُمُ ٱلَّذِينَ زَعَمْتُمْ أَنَّهُمْ فِيكُمْ شُرَكَٰٓؤُا۟ ۚ
لَقَد تَّقَطَّعَ بَيْنَكُمْ وَضَلَّ عَنكُم مَّا كُنتُمْ تَزْعُمُونَ ﴿٩٤﴾

- مَا قَدَرُوا۟ ٱللَّهَ: مَا عَرَفُوا اللهَ أو مَا عَظَّمُوه
- قَرَاطِيسَ: أوْرَاقًا مَكْتُوبَةً مُفَرَّقَةً
- خَوْضِهِمْ: بَاطِلِهِمْ
- مُبَارَكٌ: كَثِيرُ المنافِعِ والفوائِدِ
- غَمَرَٰتِ ٱلْمَوْتِ: سَكَرَاتِهِ وشدائِدِهِ
- ٱلْهُونِ: الْهَوَانِ
- مَّا خَوَّلْنَٰكُمْ: مَا أَعْطَيْنَاكُمْ من مَتَاعِ الدُّنْيَا
- تَّقَطَّعَ بَيْنَكُمْ: تَفَرَّقَ الاتصالُ بينَكُم

مدّ ٦ حركات لزوماً — مدّ ٢ أو ٤ أو ٦ جوازاً — إخفاء، ومواقع الغُنَّة (حركتان) — تفخ…
مدّ واجب ٤ أو ٥ حركات — مدّ حركتان — إدغام، وما لا يُلفظ — قلق…

ثلاثة أرباع الحزب ١٤

إِنَّ ٱللَّهَ فَالِقُ ٱلۡحَبِّ وَٱلنَّوَىٰۖ يُخۡرِجُ ٱلۡحَيَّ مِنَ ٱلۡمَيِّتِ وَمُخۡرِجُ
ٱلۡمَيِّتِ مِنَ ٱلۡحَيِّۚ ذَٰلِكُمُ ٱللَّهُۖ فَأَنَّىٰ تُؤۡفَكُونَ ﴿٩٥﴾ فَالِقُ ٱلۡإِصۡبَاحِ
وَجَعَلَ ٱلَّيۡلَ سَكَنٗا وَٱلشَّمۡسَ وَٱلۡقَمَرَ حُسۡبَانٗاۚ ذَٰلِكَ تَقۡدِيرُ
ٱلۡعَزِيزِ ٱلۡعَلِيمِ ﴿٩٦﴾ وَهُوَ ٱلَّذِي جَعَلَ لَكُمُ ٱلنُّجُومَ لِتَهۡتَدُواْ
بِهَا فِي ظُلُمَٰتِ ٱلۡبَرِّ وَٱلۡبَحۡرِۗ قَدۡ فَصَّلۡنَا ٱلۡأٓيَٰتِ لِقَوۡمٖ يَعۡلَمُونَ
﴿٩٧﴾ وَهُوَ ٱلَّذِيٓ أَنشَأَكُم مِّن نَّفۡسٖ وَٰحِدَةٖ فَمُسۡتَقَرّٞ وَمُسۡتَوۡدَعٞۗ
قَدۡ فَصَّلۡنَا ٱلۡأٓيَٰتِ لِقَوۡمٖ يَفۡقَهُونَ ﴿٩٨﴾ وَهُوَ ٱلَّذِيٓ أَنزَلَ
مِنَ ٱلسَّمَآءِ مَآءٗ فَأَخۡرَجۡنَا بِهِۦ نَبَاتَ كُلِّ شَيۡءٖ فَأَخۡرَجۡنَا مِنۡهُ
خَضِرٗا نُّخۡرِجُ مِنۡهُ حَبّٗا مُّتَرَاكِبٗا وَمِنَ ٱلنَّخۡلِ مِن طَلۡعِهَا
قِنۡوَانٞ دَانِيَةٞ وَجَنَّٰتٖ مِّنۡ أَعۡنَابٖ وَٱلزَّيۡتُونَ وَٱلرُّمَّانَ مُشۡتَبِهٗا
وَغَيۡرَ مُتَشَٰبِهٍۗ ٱنظُرُوٓاْ إِلَىٰ ثَمَرِهِۦٓ إِذَآ أَثۡمَرَ وَيَنۡعِهِۦٓۚ إِنَّ فِي ذَٰلِكُمۡ
لَأٓيَٰتٖ لِّقَوۡمٖ يُؤۡمِنُونَ ﴿٩٩﴾ وَجَعَلُواْ لِلَّهِ شُرَكَآءَ ٱلۡجِنَّ وَخَلَقَهُمۡۖ
وَخَرَقُواْ لَهُۥ بَنِينَ وَبَنَٰتِۭ بِغَيۡرِ عِلۡمٖۚ سُبۡحَٰنَهُۥ وَتَعَٰلَىٰ عَمَّا
يَصِفُونَ ﴿١٠٠﴾ بَدِيعُ ٱلسَّمَٰوَٰتِ وَٱلۡأَرۡضِۖ أَنَّىٰ يَكُونُ لَهُۥ وَلَدٞ
وَلَمۡ تَكُن لَّهُۥ صَٰحِبَةٞۖ وَخَلَقَ كُلَّ شَيۡءٖۖ وَهُوَ بِكُلِّ شَيۡءٍ عَلِيمٞ ﴿١٠١﴾

الأنعام

- فَالِقُ ٱلۡحَبِّ: شاقُّه عن النبات
- فَأَنَّىٰ تُؤۡفَكُونَ: فكيف تُصرفون عن عبادته
- فَالِقُ ٱلۡإِصۡبَاحِ: شاقّ ظُلمته عن بياض النهار
- حُسۡبَانٗا: علامتي حساب للأوقات
- خَضِرٗا: أخضر غضاً
- مُّتَرَاكِبٗا: متراكماً كسنابل الحنطة
- طَلۡعِهَا: أوّل ما يخرج من ثمر النخل
- قِنۡوَانٞ: عراجين كالعناقيد
- دَانِيَةٞ: قريبة من المتناول
- يَنۡعِهِۦٓ: نضجه وإدراكه
- ٱلۡجِنَّ: الشياطين حيث أطاعوهم
- خَرَقُواْ: اختلقوا وافتروا (كذبوا)
- بَدِيعُ: مُبدع ومخترع
- أَنَّىٰ يَكُونُ: كيف أو من أين يكون

| | | |
|---|---|---|
| مدّ ٦ حركات لزوماً ● مدّ ٢ أو ٤ أو ٦ جوازاً | ● إخفاء، ومواقع الغنّة (حركتان) | ● تفخيم |
| مدّ واجب ٤ أو ٥ حركات ● مدّ حركتان | ● إدغام، وما لا يُلفظ | ● قلقلة |

ذَٰلِكُمُ ٱللَّهُ رَبُّكُمْ ۖ لَآ إِلَٰهَ إِلَّا هُوَ ۖ خَٰلِقُ كُلِّ شَىْءٍ
فَٱعْبُدُوهُ ۚ وَهُوَ عَلَىٰ كُلِّ شَىْءٍ وَكِيلٌ ﴿١٠٢﴾ لَّا تُدْرِكُهُ
ٱلْأَبْصَٰرُ وَهُوَ يُدْرِكُ ٱلْأَبْصَٰرَ ۖ وَهُوَ ٱللَّطِيفُ ٱلْخَبِيرُ ﴿١٠٣﴾
قَدْ جَآءَكُم بَصَآئِرُ مِن رَّبِّكُمْ ۖ فَمَنْ أَبْصَرَ فَلِنَفْسِهِۦ ۖ وَمَنْ عَمِىَ
فَعَلَيْهَا ۚ وَمَآ أَنَا۠ عَلَيْكُم بِحَفِيظٍ ﴿١٠٤﴾ وَكَذَٰلِكَ نُصَرِّفُ
ٱلْأَيَٰتِ وَلِيَقُولُوا۟ دَرَسْتَ وَلِنُبَيِّنَهُۥ لِقَوْمٍ يَعْلَمُونَ ﴿١٠٥﴾
ٱتَّبِعْ مَآ أُوحِىَ إِلَيْكَ مِن رَّبِّكَ ۖ لَآ إِلَٰهَ إِلَّا هُوَ ۖ وَأَعْرِضْ عَنِ
ٱلْمُشْرِكِينَ ﴿١٠٦﴾ وَلَوْ شَآءَ ٱللَّهُ مَآ أَشْرَكُوا۟ ۗ وَمَا جَعَلْنَٰكَ عَلَيْهِمْ
حَفِيظًا ۖ وَمَآ أَنتَ عَلَيْهِم بِوَكِيلٍ ﴿١٠٧﴾ وَلَا تَسُبُّوا۟ ٱلَّذِينَ
يَدْعُونَ مِن دُونِ ٱللَّهِ فَيَسُبُّوا۟ ٱللَّهَ عَدْوًۢا بِغَيْرِ عِلْمٍ ۗ كَذَٰلِكَ زَيَّنَّا
لِكُلِّ أُمَّةٍ عَمَلَهُمْ ثُمَّ إِلَىٰ رَبِّهِم مَّرْجِعُهُمْ فَيُنَبِّئُهُم بِمَا كَانُوا۟
يَعْمَلُونَ ﴿١٠٨﴾ وَأَقْسَمُوا۟ بِٱللَّهِ جَهْدَ أَيْمَٰنِهِمْ لَئِن جَآءَتْهُمْ ءَايَةٌ
لَّيُؤْمِنُنَّ بِهَا ۚ قُلْ إِنَّمَا ٱلْأَيَٰتُ عِندَ ٱللَّهِ ۖ وَمَا يُشْعِرُكُمْ أَنَّهَآ إِذَا
جَآءَتْ لَا يُؤْمِنُونَ ﴿١٠٩﴾ وَنُقَلِّبُ أَفْـِٔدَتَهُمْ وَأَبْصَٰرَهُمْ كَمَا لَمْ
يُؤْمِنُوا۟ بِهِۦٓ أَوَّلَ مَرَّةٍ وَنَذَرُهُمْ فِى طُغْيَٰنِهِمْ يَعْمَهُونَ ﴿١١٠﴾

- لَا تُدْرِكُهُ ٱلْأَبْصَٰرُ: لا تُحيط به
- بِحَفِيظٍ: برقيب
- نُصَرِّفُ: نكرّرُ بأساليبَ مختلفةٍ
- دَرَسْتَ: قرأتَ وتعلّمتَ من أهل الكتاب
- عَدْوًا: اعتداءً وظُلماً
- جَهْدَ أَيْمَٰنِهِمْ: أغلظَها وأوكدَها
- نَذَرُهُمْ: نترُكُهُم
- طُغْيَٰنِهِمْ: تجاوُزِهِمُ الحدَّ بالكفر
- يَعْمَهُونَ: يَعْمَوْنَ عن الرُّشدِ، أو يتحيَّرون

- مدّ ٦ حركات لزوماً
- مدّ ٢ أو ٤ أو ٦ جوازاً
- مدّ واجب ٤ أو ٥ حركات
- مدّ حركتان
- إخفاء، ومواقع الغُنَّة (حركتان)
- إدغام، وما لا يُلفظ
- تفخ…
- قلقلة

۞ وَلَوْ أَنَّنَا نَزَّلْنَآ إِلَيْهِمُ ٱلْمَلَٰٓئِكَةَ وَكَلَّمَهُمُ ٱلْمَوْتَىٰ وَحَشَرْنَا
عَلَيْهِمْ كُلَّ شَىْءٍ قُبُلًا مَّا كَانُوا۟ لِيُؤْمِنُوٓا۟ إِلَّآ أَن يَشَآءَ ٱللَّهُ وَلَٰكِنَّ
أَكْثَرَهُمْ يَجْهَلُونَ ﴿١١١﴾ وَكَذَٰلِكَ جَعَلْنَا لِكُلِّ نَبِىٍّ عَدُوًّا
شَيَٰطِينَ ٱلْإِنسِ وَٱلْجِنِّ يُوحِى بَعْضُهُمْ إِلَىٰ بَعْضٍ زُخْرُفَ
ٱلْقَوْلِ غُرُورًا ۚ وَلَوْ شَآءَ رَبُّكَ مَا فَعَلُوهُ ۖ فَذَرْهُمْ وَمَا يَفْتَرُونَ
﴿١١٢﴾ وَلِتَصْغَىٰٓ إِلَيْهِ أَفْـِٔدَةُ ٱلَّذِينَ لَا يُؤْمِنُونَ بِٱلْـَٔاخِرَةِ
وَلِيَرْضَوْهُ وَلِيَقْتَرِفُوا۟ مَا هُم مُّقْتَرِفُونَ ﴿١١٣﴾ أَفَغَيْرَ ٱللَّهِ
أَبْتَغِى حَكَمًا وَهُوَ ٱلَّذِىٓ أَنزَلَ إِلَيْكُمُ ٱلْكِتَٰبَ مُفَصَّلًا ۚ
وَٱلَّذِينَ ءَاتَيْنَٰهُمُ ٱلْكِتَٰبَ يَعْلَمُونَ أَنَّهُۥ مُنَزَّلٌ مِّن رَّبِّكَ بِٱلْحَقِّ ۖ
فَلَا تَكُونَنَّ مِنَ ٱلْمُمْتَرِينَ ﴿١١٤﴾ وَتَمَّتْ كَلِمَتُ رَبِّكَ صِدْقًا
وَعَدْلًا ۚ لَّا مُبَدِّلَ لِكَلِمَٰتِهِۦ ۚ وَهُوَ ٱلسَّمِيعُ ٱلْعَلِيمُ ﴿١١٥﴾ وَإِن
تُطِعْ أَكْثَرَ مَن فِى ٱلْأَرْضِ يُضِلُّوكَ عَن سَبِيلِ ٱللَّهِ ۚ إِن
يَتَّبِعُونَ إِلَّا ٱلظَّنَّ وَإِنْ هُمْ إِلَّا يَخْرُصُونَ ﴿١١٦﴾ إِنَّ رَبَّكَ هُوَ
أَعْلَمُ مَن يَضِلُّ عَن سَبِيلِهِۦ ۖ وَهُوَ أَعْلَمُ بِٱلْمُهْتَدِينَ ﴿١١٧﴾
فَكُلُوا۟ مِمَّا ذُكِرَ ٱسْمُ ٱللَّهِ عَلَيْهِ إِن كُنتُم بِـَٔايَٰتِهِۦ مُؤْمِنِينَ ﴿١١٨﴾

- حَشَرْنَا: جَمَعْنَا
- قُبُلًا: مُقَابَلَةً . أو جماعةً جماعةً
- زُخْرُفَ ٱلْقَوْلِ: باطِلَه المُمَوَّه
- غُرُورًا: خِداعاً
- لِتَصْغَىٰٓ: لِتَمِيلَ
- لِيَقْتَرِفُوا۟: لِيَكْتَسِبُوا
- ٱلْمُمْتَرِينَ: الشاكِّين المتردِّدين
- يَخْرُصُونَ: يَكْذِبُونَ

| | | |
|---|---|---|
| مدّ ٦ حركات لزوماً ● مدّ ٢ أو ٤ أو ٦ جوازاً | إخفاء ، ومواقع الغُنَّة (حركتان) | تفخيم |
| مدّ واجب ٤ أو ٥ حركات ● مدّ حركتان | إدغام ، وما لا يُلفَظ | قلقلة |

وَمَا لَكُمْ أَلَّا تَأْكُلُوا۟ مِمَّا ذُكِرَ ٱسْمُ ٱللَّهِ عَلَيْهِ وَقَدْ فَصَّلَ
لَكُم مَّا حَرَّمَ عَلَيْكُمْ إِلَّا مَا ٱضْطُرِرْتُمْ إِلَيْهِ ۗ وَإِنَّ كَثِيرًا لَّيُضِلُّونَ
بِأَهْوَآئِهِم بِغَيْرِ عِلْمٍ ۗ إِنَّ رَبَّكَ هُوَ أَعْلَمُ بِٱلْمُعْتَدِينَ ﴿١١٩﴾
وَذَرُوا۟ ظَـٰهِرَ ٱلْإِثْمِ وَبَاطِنَهُۥٓ ۚ إِنَّ ٱلَّذِينَ يَكْسِبُونَ ٱلْإِثْمَ
سَيُجْزَوْنَ بِمَا كَانُوا۟ يَقْتَرِفُونَ ﴿١٢٠﴾ وَلَا تَأْكُلُوا۟ مِمَّا لَمْ يُذْكَرِ
ٱسْمُ ٱللَّهِ عَلَيْهِ وَإِنَّهُۥ لَفِسْقٌ ۗ وَإِنَّ ٱلشَّيَـٰطِينَ لَيُوحُونَ إِلَىٰٓ
أَوْلِيَآئِهِمْ لِيُجَـٰدِلُوكُمْ ۖ وَإِنْ أَطَعْتُمُوهُمْ إِنَّكُمْ لَمُشْرِكُونَ ﴿١٢١﴾
أَوَمَن كَانَ مَيْتًا فَأَحْيَيْنَـٰهُ وَجَعَلْنَا لَهُۥ نُورًا يَمْشِى بِهِۦ فِى
ٱلنَّاسِ كَمَن مَّثَلُهُۥ فِى ٱلظُّلُمَـٰتِ لَيْسَ بِخَارِجٍ مِّنْهَا ۚ كَذَٰلِكَ
زُيِّنَ لِلْكَـٰفِرِينَ مَا كَانُوا۟ يَعْمَلُونَ ﴿١٢٢﴾ وَكَذَٰلِكَ جَعَلْنَا
فِى كُلِّ قَرْيَةٍ أَكَـٰبِرَ مُجْرِمِيهَا لِيَمْكُرُوا۟ فِيهَا ۖ وَمَا
يَمْكُرُونَ إِلَّا بِأَنفُسِهِمْ وَمَا يَشْعُرُونَ ﴿١٢٣﴾ وَإِذَا جَآءَتْهُمْ
ءَايَةٌ قَالُوا۟ لَن نُّؤْمِنَ حَتَّىٰ نُؤْتَىٰ مِثْلَ مَآ أُوتِىَ رُسُلُ ٱللَّهِ ۘ ٱللَّهُ
أَعْلَمُ حَيْثُ يَجْعَلُ رِسَالَتَهُۥ ۗ سَيُصِيبُ ٱلَّذِينَ أَجْرَمُوا۟
صَغَارٌ عِندَ ٱللَّهِ وَعَذَابٌ شَدِيدٌۢ بِمَا كَانُوا۟ يَمْكُرُونَ ﴿١٢٤﴾

ذَرُوا: اتركوا
يقترفون: يكتسبون
لَفِسْقٌ: خروج عن الطاعة
صَغَارٌ: ذلّ وهوان

مدّ ٦ حركات لزوماً | مدّ ٢ أو ٤ أو ٦ جوازاً | إخفاء، ومواقع الغنّة (حركتان) | تفخ
مدّ واجب ٤ أو ٥ حركات | مدّ حركتان | إدغام، وما لا يُلفظ | قلقل

فَمَن يُرِدِ ٱللَّهُ أَن يَهْدِيَهُۥ يَشْرَحْ صَدْرَهُۥ لِلْإِسْلَٰمِ ۖ وَمَن يُرِدْ
أَن يُضِلَّهُۥ يَجْعَلْ صَدْرَهُۥ ضَيِّقًا حَرَجًا كَأَنَّمَا يَصَّعَّدُ
فِى ٱلسَّمَآءِ ۚ كَذَٰلِكَ يَجْعَلُ ٱللَّهُ ٱلرِّجْسَ عَلَى ٱلَّذِينَ
لَا يُؤْمِنُونَ ﴿١٢٥﴾ وَهَٰذَا صِرَٰطُ رَبِّكَ مُسْتَقِيمًا ۗ قَدْ فَصَّلْنَا
ٱلْءَايَٰتِ لِقَوْمٍ يَذَّكَّرُونَ ﴿١٢٦﴾ ۞ لَهُمْ دَارُ ٱلسَّلَٰمِ عِندَ رَبِّهِمْ ۖ
وَهُوَ وَلِيُّهُم بِمَا كَانُوا۟ يَعْمَلُونَ ﴿١٢٧﴾ وَيَوْمَ يَحْشُرُهُمْ جَمِيعًا
يَٰمَعْشَرَ ٱلْجِنِّ قَدِ ٱسْتَكْثَرْتُم مِّنَ ٱلْإِنسِ ۖ وَقَالَ أَوْلِيَآؤُهُم
مِّنَ ٱلْإِنسِ رَبَّنَا ٱسْتَمْتَعَ بَعْضُنَا بِبَعْضٍ وَبَلَغْنَآ أَجَلَنَا ٱلَّذِىٓ
أَجَّلْتَ لَنَا ۚ قَالَ ٱلنَّارُ مَثْوَىٰكُمْ خَٰلِدِينَ فِيهَآ إِلَّا مَا شَآءَ ٱللَّهُ ۗ إِنَّ
رَبَّكَ حَكِيمٌ عَلِيمٌ ﴿١٢٨﴾ وَكَذَٰلِكَ نُوَلِّى بَعْضَ ٱلظَّٰلِمِينَ بَعْضًۢا
بِمَا كَانُوا۟ يَكْسِبُونَ ﴿١٢٩﴾ يَٰمَعْشَرَ ٱلْجِنِّ وَٱلْإِنسِ أَلَمْ يَأْتِكُمْ
رُسُلٌ مِّنكُمْ يَقُصُّونَ عَلَيْكُمْ ءَايَٰتِى وَيُنذِرُونَكُمْ لِقَآءَ
يَوْمِكُمْ هَٰذَا ۚ قَالُوا۟ شَهِدْنَا عَلَىٰٓ أَنفُسِنَا ۖ وَغَرَّتْهُمُ ٱلْحَيَوٰةُ ٱلدُّنْيَا
وَشَهِدُوا۟ عَلَىٰٓ أَنفُسِهِمْ أَنَّهُمْ كَانُوا۟ كَٰفِرِينَ ﴿١٣٠﴾ ذَٰلِكَ
أَن لَّمْ يَكُن رَّبُّكَ مُهْلِكَ ٱلْقُرَىٰ بِظُلْمٍ وَأَهْلُهَا غَٰفِلُونَ ﴿١٣١﴾

الأنعام

حَرَجًا: متزايدَ الضّيقِ
يَصَّعَّدُ فِي ٱلسَّمَآءِ: يتكلّفُ صعودَها فلا يستطيعُه
ٱلرِّجْسَ: العذابَ أو الخذلانَ
ربع الحزب ١٥
مَثْوَىٰكُمْ: مأواكُم ومُستقرُّكُم
غَرَّتْهُمُ: خدعَتْهُم

| | | |
|---|---|---|
| مدّ ٦ حركات لزوماً ● مدّ ٢ أو ٤ أو ٦ جوازاً | إخفاء ، ومواقع الغُنّة (حركتان) | تفخيم |
| مدّ واجب ٤ أو ٥ حركات ● مدّ حركتان | إدغام ، وما لا يُلفَظ | قلقلة |

وَلِكُلٍّ دَرَجَٰتٌ مِّمَّا عَمِلُواْ ۚ وَمَا رَبُّكَ بِغَٰفِلٍ عَمَّا
يَعْمَلُونَ ﴿١٣٢﴾ وَرَبُّكَ ٱلْغَنِىُّ ذُو ٱلرَّحْمَةِ ۚ إِن يَشَأْ
يُذْهِبْكُمْ وَيَسْتَخْلِفْ مِنۢ بَعْدِكُم مَّا يَشَآءُ كَمَآ
أَنشَأَكُم مِّن ذُرِّيَّةِ قَوْمٍ ءَاخَرِينَ ﴿١٣٣﴾ إِنَّ مَا
تُوعَدُونَ لَءَاتٍ ۖ وَمَآ أَنتُم بِمُعْجِزِينَ ﴿١٣٤﴾ قُلْ يَٰقَوْمِ
ٱعْمَلُواْ عَلَىٰ مَكَانَتِكُمْ إِنِّى عَامِلٌ ۖ فَسَوْفَ تَعْلَمُونَ
مَن تَكُونُ لَهُۥ عَٰقِبَةُ ٱلدَّارِ ۗ إِنَّهُۥ لَا يُفْلِحُ ٱلظَّٰلِمُونَ
﴿١٣٥﴾ وَجَعَلُواْ لِلَّهِ مِمَّا ذَرَأَ مِنَ ٱلْحَرْثِ وَٱلْأَنْعَٰمِ
نَصِيبًا فَقَالُواْ هَٰذَا لِلَّهِ بِزَعْمِهِمْ وَهَٰذَا لِشُرَكَآئِنَا ۖ
فَمَا كَانَ لِشُرَكَآئِهِمْ فَلَا يَصِلُ إِلَى ٱللَّهِ ۖ
وَمَا كَانَ لِلَّهِ فَهُوَ يَصِلُ إِلَىٰ شُرَكَآئِهِمْ ۗ
سَآءَ مَا يَحْكُمُونَ ﴿١٣٦﴾ وَكَذَٰلِكَ زَيَّنَ
لِكَثِيرٍ مِّنَ ٱلْمُشْرِكِينَ قَتْلَ أَوْلَٰدِهِمْ
شُرَكَآؤُهُمْ لِيُرْدُوهُمْ وَلِيَلْبِسُواْ عَلَيْهِمْ دِينَهُمْ ۖ
وَلَوْ شَآءَ ٱللَّهُ مَا فَعَلُوهُ ۖ فَذَرْهُمْ وَمَا يَفْتَرُونَ ﴿١٣٧﴾

- بِمُعْجِزِينَ: فَائِتِينَ من عذاب الله بالهَرَب.
- مَكَانَتِكُمْ: غاية تمَكُّنِكُم واستطاعتِكُم
- ذَرَأَ: خَلَقَ على وجه الاختراع
- ٱلْحَرْثِ: الزَّرع
- ٱلْأَنْعَٰمِ: الإبلِ والبقرِ والغنم
- لِيُرْدُوهُمْ: ليُهلِكوهُم بالإغْوَاءِ
- لِيَلْبِسُواْ: لِيَخْلطوا
- يَفْتَرُونَ: يَخْتلقُونَه من الكَذِب

وَقَالُواْ هَٰذِهِۦٓ أَنۡعَٰمٞ وَحَرۡثٌ حِجۡرٞ لَّا يَطۡعَمُهَآ إِلَّا مَن
نَّشَآءُ بِزَعۡمِهِمۡ وَأَنۡعَٰمٌ حُرِّمَتۡ ظُهُورُهَا وَأَنۡعَٰمٞ لَّا يَذۡكُرُونَ
ٱسۡمَ ٱللَّهِ عَلَيۡهَا ٱفۡتِرَآءً عَلَيۡهِۚ سَيَجۡزِيهِم بِمَا كَانُواْ
يَفۡتَرُونَ ﴿١٣٨﴾ وَقَالُواْ مَا فِي بُطُونِ هَٰذِهِ ٱلۡأَنۡعَٰمِ
خَالِصَةٞ لِّذُكُورِنَا وَمُحَرَّمٌ عَلَىٰٓ أَزۡوَٰجِنَاۖ وَإِن يَكُن
مَّيۡتَةٗ فَهُمۡ فِيهِ شُرَكَآءُۚ سَيَجۡزِيهِمۡ وَصۡفَهُمۡۚ إِنَّهُۥ
حَكِيمٌ عَلِيمٞ ﴿١٣٩﴾ قَدۡ خَسِرَ ٱلَّذِينَ قَتَلُوٓاْ أَوۡلَٰدَهُمۡ
سَفَهَۢا بِغَيۡرِ عِلۡمٖ وَحَرَّمُواْ مَا رَزَقَهُمُ ٱللَّهُ ٱفۡتِرَآءً عَلَى ٱللَّهِۚ
قَدۡ ضَلُّواْ وَمَا كَانُواْ مُهۡتَدِينَ ﴿١٤٠﴾ ۞ وَهُوَ ٱلَّذِيٓ
أَنشَأَ جَنَّٰتٖ مَّعۡرُوشَٰتٖ وَغَيۡرَ مَعۡرُوشَٰتٖ وَٱلنَّخۡلَ وَٱلزَّرۡعَ
مُخۡتَلِفًا أُكُلُهُۥ وَٱلزَّيۡتُونَ وَٱلرُّمَّانَ مُتَشَٰبِهٗا وَغَيۡرَ
مُتَشَٰبِهٖۚ كُلُواْ مِن ثَمَرِهِۦٓ إِذَآ أَثۡمَرَ وَءَاتُواْ حَقَّهُۥ يَوۡمَ
حَصَادِهِۦۖ وَلَا تُسۡرِفُوٓاْۚ إِنَّهُۥ لَا يُحِبُّ ٱلۡمُسۡرِفِينَ ﴿١٤١﴾
وَمِنَ ٱلۡأَنۡعَٰمِ حَمُولَةٗ وَفَرۡشٗاۚ كُلُواْ مِمَّا رَزَقَكُمُ
ٱللَّهُ وَلَا تَتَّبِعُواْ خُطُوَٰتِ ٱلشَّيۡطَٰنِۚ إِنَّهُۥ لَكُمۡ عَدُوّٞ مُّبِينٞ ﴿١٤٢﴾

الأنعام

نصف الحزب ١٥

حَرۡثٌ: زرعٌ
حِجۡرٌ: محجورةٌ مُحرَّمةٌ
مَّعۡرُوشَٰتٖ: مُحتاجةً للعريش، كالكرْم ونحوه
غَيۡرَ مَعۡرُوشَٰتٖ: مستغنيةً عنه باستوائها كالنخل
أُكُلُهُۥ: ثَمَرُهُ الذي يُؤكل منه
حَمُولَةٗ: كِباراً صالحةً للحَمْلِ
فَرۡشٗا: صغاراً كالغنم
خُطُوَٰتِ ٱلشَّيۡطَٰنِ: طُرُقه وآثاره

مدّ ٦ حركات لزوماً | مدّ ٢ أو ٤ أو ٦ جوازاً | إخفاء، ومواقع الغُنَّة (حركتان) | تفخيم
مدّ واجب ٤ أو ٥ حركات | مدّ حركتان | إدغام، وما لا يُلفَظ | قلقلة

ثَمَٰنِيَةَ أَزۡوَٰجٖۖ مِّنَ ٱلضَّأۡنِ ٱثۡنَيۡنِ وَمِنَ ٱلۡمَعۡزِ ٱثۡنَيۡنِۗ
قُلۡ ءَآلذَّكَرَيۡنِ حَرَّمَ أَمِ ٱلۡأُنثَيَيۡنِ أَمَّا ٱشۡتَمَلَتۡ عَلَيۡهِ
أَرۡحَامُ ٱلۡأُنثَيَيۡنِۖ نَبِّـُٔونِي بِعِلۡمٍ إِن كُنتُمۡ صَٰدِقِينَ ﴿١٤٣﴾
وَمِنَ ٱلۡإِبِلِ ٱثۡنَيۡنِ وَمِنَ ٱلۡبَقَرِ ٱثۡنَيۡنِۗ قُلۡ ءَآلذَّكَرَيۡنِ
حَرَّمَ أَمِ ٱلۡأُنثَيَيۡنِ أَمَّا ٱشۡتَمَلَتۡ عَلَيۡهِ أَرۡحَامُ ٱلۡأُنثَيَيۡنِۖ
أَمۡ كُنتُمۡ شُهَدَآءَ إِذۡ وَصَّىٰكُمُ ٱللَّهُ بِهَٰذَاۚ فَمَنۡ
أَظۡلَمُ مِمَّنِ ٱفۡتَرَىٰ عَلَى ٱللَّهِ كَذِبٗا لِّيُضِلَّ ٱلنَّاسَ بِغَيۡرِ
عِلۡمٍۗ إِنَّ ٱللَّهَ لَا يَهۡدِي ٱلۡقَوۡمَ ٱلظَّٰلِمِينَ ﴿١٤٤﴾ قُل لَّآ أَجِدُ
فِي مَآ أُوحِيَ إِلَيَّ مُحَرَّمًا عَلَىٰ طَاعِمٖ يَطۡعَمُهُۥٓ إِلَّآ أَن يَكُونَ
مَيۡتَةً أَوۡ دَمٗا مَّسۡفُوحًا أَوۡ لَحۡمَ خِنزِيرٖ فَإِنَّهُۥ رِجۡسٌ أَوۡ
فِسۡقًا أُهِلَّ لِغَيۡرِ ٱللَّهِ بِهِۦۚ فَمَنِ ٱضۡطُرَّ غَيۡرَ بَاغٖ وَلَا عَادٖ فَإِنَّ
رَبَّكَ غَفُورٞ رَّحِيمٞ ﴿١٤٥﴾ وَعَلَى ٱلَّذِينَ هَادُواْ حَرَّمۡنَا
كُلَّ ذِي ظُفُرٖۖ وَمِنَ ٱلۡبَقَرِ وَٱلۡغَنَمِ حَرَّمۡنَا عَلَيۡهِمۡ
شُحُومَهُمَآ إِلَّا مَا حَمَلَتۡ ظُهُورُهُمَآ أَوِ ٱلۡحَوَايَآ أَوۡ مَا
ٱخۡتَلَطَ بِعَظۡمٖۚ ذَٰلِكَ جَزَيۡنَٰهُم بِبَغۡيِهِمۡۖ وَإِنَّا لَصَٰدِقُونَ ﴿١٤٦﴾

- طَاعِمٖ: آكِلٍ
- مَّسۡفُوحًا: مُهْرَاقاً
- رِجۡسٌ: نَجِسٌ أو حَرَامٌ
- أُهِلَّ لِغَيۡرِ ٱللَّهِ بِهِۦ: ذُكِرَ عند ذبحه غيرُ اسمه تعالى
- غَيۡرَ بَاغٖ: غَيْرَ طَالِبٍ للمُحَرَّمِ لِلَذَّة أو استئثار
- وَلَا عَادٖ: ولامُتَجَاوِزٍ ما يَسُدُّ الرَّمَقَ
- ذِي ظُفُرٖ: ما لَهُ إِصبَعٌ دابَّةً أو طيراً
- ٱلۡحَوَايَآ: المَبَاعِرَ . أو المصارين والأمعاء

مدّ ٦ حركات لزوماً ● مدّ ٢ أو ٤ أو ٦ جوازاً ● مدّ واجب ٤ أو ٥ حركات ● مدّ حركتان ● إخفاء ، ومواقع الغُنَّة (حركتان) ● إدغام ، وما لا يُلفَظ ● تفخ[يم] ● قلقل[ة]

فَإِن كَذَّبُوكَ فَقُل رَّبُّكُمْ ذُو رَحْمَةٍ وَٰسِعَةٍ وَلَا يُرَدُّ
بَأْسُهُۥ عَنِ ٱلْقَوْمِ ٱلْمُجْرِمِينَ ﴿١٤٧﴾ سَيَقُولُ ٱلَّذِينَ أَشْرَكُوا۟
لَوْ شَآءَ ٱللَّهُ مَآ أَشْرَكْنَا وَلَآ ءَابَآؤُنَا وَلَا حَرَّمْنَا مِن شَىْءٍ ۚ
كَذَٰلِكَ كَذَّبَ ٱلَّذِينَ مِن قَبْلِهِمْ حَتَّىٰ ذَاقُوا۟ بَأْسَنَا ۗ
قُلْ هَلْ عِندَكُم مِّنْ عِلْمٍ فَتُخْرِجُوهُ لَنَآ ۖ إِن تَتَّبِعُونَ إِلَّا
ٱلظَّنَّ وَإِنْ أَنتُمْ إِلَّا تَخْرُصُونَ ﴿١٤٨﴾ قُلْ فَلِلَّهِ ٱلْحُجَّةُ ٱلْبَٰلِغَةُ ۖ
فَلَوْ شَآءَ لَهَدَىٰكُمْ أَجْمَعِينَ ﴿١٤٩﴾ قُلْ هَلُمَّ شُهَدَآءَكُمُ ٱلَّذِينَ
يَشْهَدُونَ أَنَّ ٱللَّهَ حَرَّمَ هَٰذَا ۖ فَإِن شَهِدُوا۟ فَلَا تَشْهَدْ
مَعَهُمْ ۚ وَلَا تَتَّبِعْ أَهْوَآءَ ٱلَّذِينَ كَذَّبُوا۟ بِـَٔايَٰتِنَا وَٱلَّذِينَ
لَا يُؤْمِنُونَ بِٱلْءَاخِرَةِ وَهُم بِرَبِّهِمْ يَعْدِلُونَ ﴿١٥٠﴾ ۞ قُلْ
تَعَالَوْا۟ أَتْلُ مَا حَرَّمَ رَبُّكُمْ عَلَيْكُمْ ۖ أَلَّا تُشْرِكُوا۟ بِهِۦ
شَيْـًٔا ۖ وَبِٱلْوَٰلِدَيْنِ إِحْسَٰنًا ۖ وَلَا تَقْتُلُوٓا۟ أَوْلَٰدَكُم مِّنْ
إِمْلَٰقٍ ۖ نَّحْنُ نَرْزُقُكُمْ وَإِيَّاهُمْ ۖ وَلَا تَقْرَبُوا۟ ٱلْفَوَٰحِشَ
مَا ظَهَرَ مِنْهَا وَمَا بَطَنَ ۖ وَلَا تَقْتُلُوا۟ ٱلنَّفْسَ ٱلَّتِى
حَرَّمَ ٱللَّهُ إِلَّا بِٱلْحَقِّ ۚ ذَٰلِكُمْ وَصَّىٰكُم بِهِۦ لَعَلَّكُمْ تَعْقِلُونَ ﴿١٥١﴾

الأنعام

ثلاثة أرباع الحزب ١٥

- بَأْسُهُ: عَذابُهُ
- تَخْرُصُونَ: تكْذِبُونَ على الله تعالى
- هَلُمَّ: أحْضِرُوا. أو هَاتُوا
- بِرَبِّهِمْ يَعْدِلُونَ: يُسَوُّونَ بِهِ الأصنامَ
- أَتْلُ: أقْرَأْ
- إِمْلَٰقٍ: فَقْرٍ
- ٱلْفَوَٰحِشَ: كبائرَ المعاصِي

مدّ ٦ حركات لزوماً — مدّ ٢ أو ٤ أو ٦ جوازاً — إخفاء، ومواقع الغُنَّة (حركتان) — تفخيم
مدّ واجب ٤ أو ٥ حركات — مدّ حركتان — إدغام، وما لا يُلفَظ — قلقلة

وَلَا تَقْرَبُوا مَالَ الْيَتِيمِ إِلَّا بِالَّتِي هِيَ أَحْسَنُ حَتَّىٰ يَبْلُغَ أَشُدَّهُ
وَأَوْفُوا الْكَيْلَ وَالْمِيزَانَ بِالْقِسْطِ لَا نُكَلِّفُ نَفْسًا إِلَّا
وُسْعَهَا وَإِذَا قُلْتُمْ فَاعْدِلُوا وَلَوْ كَانَ ذَا قُرْبَىٰ وَبِعَهْدِ
اللَّهِ أَوْفُوا ذَٰلِكُمْ وَصَّاكُم بِهِ لَعَلَّكُمْ تَذَكَّرُونَ ﴿١٥٢﴾
وَأَنَّ هَٰذَا صِرَاطِي مُسْتَقِيمًا فَاتَّبِعُوهُ وَلَا تَتَّبِعُوا السُّبُلَ
فَتَفَرَّقَ بِكُمْ عَن سَبِيلِهِ ذَٰلِكُمْ وَصَّاكُم بِهِ لَعَلَّكُمْ
تَتَّقُونَ ﴿١٥٣﴾ ثُمَّ آتَيْنَا مُوسَى الْكِتَابَ تَمَامًا عَلَى الَّذِي
أَحْسَنَ وَتَفْصِيلًا لِّكُلِّ شَيْءٍ وَهُدًى وَرَحْمَةً لَّعَلَّهُم بِلِقَاءِ
رَبِّهِمْ يُؤْمِنُونَ ﴿١٥٤﴾ وَهَٰذَا كِتَابٌ أَنزَلْنَاهُ مُبَارَكٌ فَاتَّبِعُوهُ
وَاتَّقُوا لَعَلَّكُمْ تُرْحَمُونَ ﴿١٥٥﴾ أَن تَقُولُوا إِنَّمَا أُنزِلَ الْكِتَابُ
عَلَىٰ طَائِفَتَيْنِ مِن قَبْلِنَا وَإِن كُنَّا عَن دِرَاسَتِهِمْ لَغَافِلِينَ
﴿١٥٦﴾ أَوْ تَقُولُوا لَوْ أَنَّا أُنزِلَ عَلَيْنَا الْكِتَابُ لَكُنَّا أَهْدَىٰ مِنْهُمْ
فَقَدْ جَاءَكُم بَيِّنَةٌ مِّن رَّبِّكُمْ وَهُدًى وَرَحْمَةٌ فَمَنْ
أَظْلَمُ مِمَّن كَذَّبَ بِآيَاتِ اللَّهِ وَصَدَفَ عَنْهَا سَنَجْزِي الَّذِينَ
يَصْدِفُونَ عَنْ آيَاتِنَا سُوءَ الْعَذَابِ بِمَا كَانُوا يَصْدِفُونَ ﴿١٥٧﴾

أَشُدَّهُ: استحكامَ قُوَّتِه؛ بأنْ يَحتلِمَ
بِالْقِسْطِ: بالعَدْلِ
وُسْعَهَا: طَاقَتَها
صَدَفَ عَنْهَا: أعْرَضَ عنها

مدّ ٦ حركات لزوماً — مدّ ٢ أو ٤ أو ٦ جوازاً — إخفاء، ومواقع الغُنَّة (حركتان) — تفخيم
مدّ واجب ٤ أو ٥ حركات — مدّ حركتان — إدغام، وما لا يُلفظ — قلقلة

هَلْ يَنظُرُونَ إِلَّآ أَن تَأْتِيَهُمُ ٱلْمَلَٰٓئِكَةُ أَوْ يَأْتِىَ رَبُّكَ أَوْ يَأْتِىَ
بَعْضُ ءَايَٰتِ رَبِّكَ ۗ يَوْمَ يَأْتِى بَعْضُ ءَايَٰتِ رَبِّكَ لَا يَنفَعُ نَفْسًا إِيمَٰنُهَا
لَمْ تَكُنْ ءَامَنَتْ مِن قَبْلُ أَوْ كَسَبَتْ فِىٓ إِيمَٰنِهَا خَيْرًا ۗ قُلِ ٱنتَظِرُوٓا۟
إِنَّا مُنتَظِرُونَ ﴿١٥٨﴾ إِنَّ ٱلَّذِينَ فَرَّقُوا۟ دِينَهُمْ وَكَانُوا۟ شِيَعًا لَّسْتَ
مِنْهُمْ فِى شَىْءٍ ۚ إِنَّمَآ أَمْرُهُمْ إِلَى ٱللَّهِ ثُمَّ يُنَبِّئُهُم بِمَا كَانُوا۟ يَفْعَلُونَ
﴿١٥٩﴾ مَن جَآءَ بِٱلْحَسَنَةِ فَلَهُۥ عَشْرُ أَمْثَالِهَا ۖ وَمَن جَآءَ بِٱلسَّيِّئَةِ
فَلَا يُجْزَىٰٓ إِلَّا مِثْلَهَا وَهُمْ لَا يُظْلَمُونَ ﴿١٦٠﴾ قُلْ إِنَّنِى هَدَىٰنِى رَبِّىٓ
إِلَىٰ صِرَٰطٍ مُّسْتَقِيمٍ دِينًا قِيَمًا مِّلَّةَ إِبْرَٰهِيمَ حَنِيفًا ۚ وَمَا كَانَ مِنَ
ٱلْمُشْرِكِينَ ﴿١٦١﴾ قُلْ إِنَّ صَلَاتِى وَنُسُكِى وَمَحْيَاىَ وَمَمَاتِى لِلَّهِ
رَبِّ ٱلْعَٰلَمِينَ ﴿١٦٢﴾ لَا شَرِيكَ لَهُۥ ۖ وَبِذَٰلِكَ أُمِرْتُ وَأَنَا۠ أَوَّلُ ٱلْمُسْلِمِينَ
﴿١٦٣﴾ قُلْ أَغَيْرَ ٱللَّهِ أَبْغِى رَبًّا وَهُوَ رَبُّ كُلِّ شَىْءٍ ۚ وَلَا تَكْسِبُ كُلُّ
نَفْسٍ إِلَّا عَلَيْهَا ۚ وَلَا تَزِرُ وَازِرَةٌ وِزْرَ أُخْرَىٰ ۚ ثُمَّ إِلَىٰ رَبِّكُم مَّرْجِعُكُمْ
فَيُنَبِّئُكُم بِمَا كُنتُمْ فِيهِ تَخْتَلِفُونَ ﴿١٦٤﴾ وَهُوَ ٱلَّذِى جَعَلَكُمْ
خَلَٰٓئِفَ ٱلْأَرْضِ وَرَفَعَ بَعْضَكُمْ فَوْقَ بَعْضٍ دَرَجَٰتٍ لِّيَبْلُوَكُمْ
فِى مَآ ءَاتَىٰكُمْ ۗ إِنَّ رَبَّكَ سَرِيعُ ٱلْعِقَابِ وَإِنَّهُۥ لَغَفُورٌ رَّحِيمٌۢ ﴿١٦٥﴾

- شِيَعًا: فِرَقًا وأحزابًا في الضلالة
- قِيَمًا: مُستقيمًا لا عِوَجَ فيه
- حَنِيفًا: مائلًا عن الباطل إلى الدِّين الحقّ
- نُسُكِى: عِبادَتي
- تَزِرُ: تَحمِلُ
- خَلَٰٓئِفَ ٱلْأَرْضِ: يَخْلُفُ بَعْضُكُم بَعْضًا فيها
- لِّيَبْلُوَكُمْ: ليختبِرَكُم

| | | |
|---|---|---|
| مدّ ٦ حركات لزومًا ● مدّ ٢ أو ٤ أو ٦ جوازًا | إخفاء، ومواقع الغُنّة (حركتان) | تفخيم |
| مدّ واجب ٤ أو ٥ حركات ● مدّ حركتان | إدغام، وما لا يُلفَظ | قلقلة |

# سُورَةُ الأَعۡرَافِ

ترتيبها ٧ — آياتها ٢٠٦

بِسۡمِ ٱللَّهِ ٱلرَّحۡمَٰنِ ٱلرَّحِيمِ

الٓمٓصٓ ﴿١﴾ كِتَٰبٌ أُنزِلَ إِلَيۡكَ فَلَا يَكُن فِي صَدۡرِكَ حَرَجٞ مِّنۡهُ
لِتُنذِرَ بِهِۦ وَذِكۡرَىٰ لِلۡمُؤۡمِنِينَ ﴿٢﴾ ٱتَّبِعُواْ مَآ أُنزِلَ إِلَيۡكُم
مِّن رَّبِّكُمۡ وَلَا تَتَّبِعُواْ مِن دُونِهِۦٓ أَوۡلِيَآءَۗ قَلِيلٗا مَّا تَذَكَّرُونَ ﴿٣﴾
وَكَم مِّن قَرۡيَةٍ أَهۡلَكۡنَٰهَا فَجَآءَهَا بَأۡسُنَا بَيَٰتًا أَوۡ هُمۡ قَآئِلُونَ
﴿٤﴾ فَمَا كَانَ دَعۡوَىٰهُمۡ إِذۡ جَآءَهُم بَأۡسُنَآ إِلَّآ أَن قَالُوٓاْ إِنَّا كُنَّا
ظَٰلِمِينَ ﴿٥﴾ فَلَنَسۡـَٔلَنَّ ٱلَّذِينَ أُرۡسِلَ إِلَيۡهِمۡ وَلَنَسۡـَٔلَنَّ
ٱلۡمُرۡسَلِينَ ﴿٦﴾ فَلَنَقُصَّنَّ عَلَيۡهِم بِعِلۡمٖۖ وَمَا كُنَّا غَآئِبِينَ ﴿٧﴾
وَٱلۡوَزۡنُ يَوۡمَئِذٍ ٱلۡحَقُّۚ فَمَن ثَقُلَتۡ مَوَٰزِينُهُۥ فَأُوْلَٰٓئِكَ هُمُ
ٱلۡمُفۡلِحُونَ ﴿٨﴾ وَمَنۡ خَفَّتۡ مَوَٰزِينُهُۥ فَأُوْلَٰٓئِكَ ٱلَّذِينَ خَسِرُوٓاْ
أَنفُسَهُم بِمَا كَانُواْ بِـَٔايَٰتِنَا يَظۡلِمُونَ ﴿٩﴾ وَلَقَدۡ مَكَّنَّٰكُمۡ
فِي ٱلۡأَرۡضِ وَجَعَلۡنَا لَكُمۡ فِيهَا مَعَٰيِشَۗ قَلِيلٗا مَّا تَشۡكُرُونَ ﴿١٠﴾
وَلَقَدۡ خَلَقۡنَٰكُمۡ ثُمَّ صَوَّرۡنَٰكُمۡ ثُمَّ قُلۡنَا لِلۡمَلَٰٓئِكَةِ ٱسۡجُدُواْ
لِأٓدَمَ فَسَجَدُوٓاْ إِلَّآ إِبۡلِيسَ لَمۡ يَكُن مِّنَ ٱلسَّٰجِدِينَ ﴿١١﴾

الحزب ١٦

- حَرَجٌ مِّنۡهُ: ضيقٌ من تبليغه
- كَم: كثير
- بَأۡسُنَا: عذابُنا
- بَيَٰتًا: ليلاً وهم نائمونَ
- قَآئِلُونَ: مستريحُونَ نصفَ النّهار
- مَكَّنَّٰكُمۡ: جعلنا لكم مكاناً وقراراً
- مَعَٰيِشَ: ما تعيشونَ بِهِ وتَحْيَوْنَ

مدّ ٦ حركات لزوماً ● مدّ ٢ أو ٤ أو ٦ جوازاً ● مدّ واجب ٤ أو ٥ حركات ● مدّ حركتان ● إخفاء، ومواقع الغُنَّة (حركتان) ● إدغام، وما لا يُلفظ ● تفخيم ● قلقلة

قَالَ مَا مَنَعَكَ أَلَّا تَسۡجُدَ إِذۡ أَمَرۡتُكَۖ قَالَ أَنَا۠ خَيۡرٞ مِّنۡهُ خَلَقۡتَنِي مِن نَّارٖ
وَخَلَقۡتَهُۥ مِن طِينٖ ﴿١٢﴾ قَالَ فَٱهۡبِطۡ مِنۡهَا فَمَا يَكُونُ لَكَ أَن تَتَكَبَّرَ
فِيهَا فَٱخۡرُجۡ إِنَّكَ مِنَ ٱلصَّٰغِرِينَ ﴿١٣﴾ قَالَ أَنظِرۡنِيٓ إِلَىٰ يَوۡمِ يُبۡعَثُونَ
﴿١٤﴾ قَالَ إِنَّكَ مِنَ ٱلۡمُنظَرِينَ ﴿١٥﴾ قَالَ فَبِمَآ أَغۡوَيۡتَنِي لَأَقۡعُدَنَّ لَهُمۡ
صِرَٰطَكَ ٱلۡمُسۡتَقِيمَ ﴿١٦﴾ ثُمَّ لَأٓتِيَنَّهُم مِّنۢ بَيۡنِ أَيۡدِيهِمۡ وَمِنۡ خَلۡفِهِمۡ
وَعَنۡ أَيۡمَٰنِهِمۡ وَعَن شَمَآئِلِهِمۡۖ وَلَا تَجِدُ أَكۡثَرَهُمۡ شَٰكِرِينَ ﴿١٧﴾ قَالَ
ٱخۡرُجۡ مِنۡهَا مَذۡءُومٗا مَّدۡحُورٗاۖ لَّمَن تَبِعَكَ مِنۡهُمۡ لَأَمۡلَأَنَّ جَهَنَّمَ مِنكُمۡ
أَجۡمَعِينَ ﴿١٨﴾ وَيَٰٓـَٔادَمُ ٱسۡكُنۡ أَنتَ وَزَوۡجُكَ ٱلۡجَنَّةَ فَكُلَا مِنۡ حَيۡثُ
شِئۡتُمَا وَلَا تَقۡرَبَا هَٰذِهِ ٱلشَّجَرَةَ فَتَكُونَا مِنَ ٱلظَّٰلِمِينَ ﴿١٩﴾ فَوَسۡوَسَ
لَهُمَا ٱلشَّيۡطَٰنُ لِيُبۡدِيَ لَهُمَا مَا وُۥرِيَ عَنۡهُمَا مِن سَوۡءَٰتِهِمَا وَقَالَ
مَا نَهَىٰكُمَا رَبُّكُمَا عَنۡ هَٰذِهِ ٱلشَّجَرَةِ إِلَّآ أَن تَكُونَا مَلَكَيۡنِ أَوۡ تَكُونَا
مِنَ ٱلۡخَٰلِدِينَ ﴿٢٠﴾ وَقَاسَمَهُمَآ إِنِّي لَكُمَا لَمِنَ ٱلنَّٰصِحِينَ ﴿٢١﴾
فَدَلَّىٰهُمَا بِغُرُورٖۚ فَلَمَّا ذَاقَا ٱلشَّجَرَةَ بَدَتۡ لَهُمَا سَوۡءَٰتُهُمَا وَطَفِقَا
يَخۡصِفَانِ عَلَيۡهِمَا مِن وَرَقِ ٱلۡجَنَّةِۖ وَنَادَىٰهُمَا رَبُّهُمَآ أَلَمۡ أَنۡهَكُمَا
عَن تِلۡكُمَا ٱلشَّجَرَةِ وَأَقُل لَّكُمَآ إِنَّ ٱلشَّيۡطَٰنَ لَكُمَا عَدُوّٞ مُّبِينٞ ﴿٢٢﴾

الأعراف

- مَا مَنَعَكَ: ما اضطرّك . أو ما دعاك
- ٱلصَّٰغِرِينَ: الأذلّاء المُهانين
- أَنظِرۡنِيٓ: أخّرني وأمهلني
- أَغۡوَيۡتَنِي: أضللتني
- لَأَقۡعُدَنَّ لَهُمۡ: لأترصّدنّهم
- مَذۡءُومٗا: معيباً مُحقّراً
- مَّدۡحُورٗا: مطروداً مُبعداً
- فَوَسۡوَسَ لَهُمَا: ألقى في قلبيهما ما أراد
- وُۥرِيَ: سُتر وأُخفي
- سَوۡءَٰتِهِمَا: عوراتهما
- قَاسَمَهُمَآ: حلف لهما
- فَدَلَّىٰهُمَا: أنزلهما عن رتبة الطاعة
- بِغُرُورٖ: بخداع
- طَفِقَا: شرعا وأخذا
- يَخۡصِفَانِ: يلزقان

| | | |
|---|---|---|
| مدّ ٦ حركات لزوماً — مدّ ٢ أو ٤ أو ٦ جوازاً | إخفاء ، ومواقع الغُنّة (حركتان) | تفخيم |
| مدّ واجب ٤ أو ٥ حركات — مدّ حركتان | إدغام ، وما لا يُلفظ | قلقلة |

قَالَا رَبَّنَا ظَلَمْنَآ أَنفُسَنَا وَإِن لَّمْ تَغْفِرْ لَنَا وَتَرْحَمْنَا لَنَكُونَنَّ مِنَ
ٱلْخَٰسِرِينَ ﴿٢٣﴾ قَالَ ٱهْبِطُوا۟ بَعْضُكُمْ لِبَعْضٍ عَدُوٌّ ۖ وَلَكُمْ فِى
ٱلْأَرْضِ مُسْتَقَرٌّ وَمَتَٰعٌ إِلَىٰ حِينٍ ﴿٢٤﴾ قَالَ فِيهَا تَحْيَوْنَ وَفِيهَا
تَمُوتُونَ وَمِنْهَا تُخْرَجُونَ ﴿٢٥﴾ يَٰبَنِىٓ ءَادَمَ قَدْ أَنزَلْنَا عَلَيْكُمْ لِبَاسًا
يُوَٰرِى سَوْءَٰتِكُمْ وَرِيشًا ۖ وَلِبَاسُ ٱلتَّقْوَىٰ ذَٰلِكَ خَيْرٌ ۚ ذَٰلِكَ مِنْ
ءَايَٰتِ ٱللَّهِ لَعَلَّهُمْ يَذَّكَّرُونَ ﴿٢٦﴾ يَٰبَنِىٓ ءَادَمَ لَا يَفْتِنَنَّكُمُ
ٱلشَّيْطَٰنُ كَمَآ أَخْرَجَ أَبَوَيْكُم مِّنَ ٱلْجَنَّةِ يَنزِعُ عَنْهُمَا لِبَاسَهُمَا
لِيُرِيَهُمَا سَوْءَٰتِهِمَآ ۗ إِنَّهُۥ يَرَىٰكُمْ هُوَ وَقَبِيلُهُۥ مِنْ حَيْثُ لَا تَرَوْنَهُمْ ۗ
إِنَّا جَعَلْنَا ٱلشَّيَٰطِينَ أَوْلِيَآءَ لِلَّذِينَ لَا يُؤْمِنُونَ ﴿٢٧﴾ وَإِذَا فَعَلُوا۟
فَٰحِشَةً قَالُوا۟ وَجَدْنَا عَلَيْهَآ ءَابَآءَنَا وَٱللَّهُ أَمَرَنَا بِهَا ۗ قُلْ إِنَّ ٱللَّهَ
لَا يَأْمُرُ بِٱلْفَحْشَآءِ ۖ أَتَقُولُونَ عَلَى ٱللَّهِ مَا لَا تَعْلَمُونَ ﴿٢٨﴾ قُلْ
أَمَرَ رَبِّى بِٱلْقِسْطِ ۖ وَأَقِيمُوا۟ وُجُوهَكُمْ عِندَ كُلِّ مَسْجِدٍ
وَٱدْعُوهُ مُخْلِصِينَ لَهُ ٱلدِّينَ ۚ كَمَا بَدَأَكُمْ تَعُودُونَ ﴿٢٩﴾ فَرِيقًا
هَدَىٰ وَفَرِيقًا حَقَّ عَلَيْهِمُ ٱلضَّلَٰلَةُ ۗ إِنَّهُمُ ٱتَّخَذُوا۟ ٱلشَّيَٰطِينَ
أَوْلِيَآءَ مِن دُونِ ٱللَّهِ وَيَحْسَبُونَ أَنَّهُم مُّهْتَدُونَ ﴿٣٠﴾

- أَنزَلْنَا عَلَيْكُمْ: أعطيناكم
- رِيشًا: لِباساً زينةً. أو مالاً
- لَا يَفْتِنَنَّكُمُ: لا يُضلّنّكمْ وَ يَخدَعنّكمْ
- يَنزِعُ عَنْهُمَا: يُزيلُ عنهما ؛ استلاباً
- قَبِيلُهُۥ: جُنودُه . أو ذُرّيّتُه
- فَٰحِشَةً: فَعْلَةً متناهيةً في القبح
- بِٱلْقِسْطِ: بالعَدْل
- أَقِيمُوا۟ وُجُوهَكُمْ: توجّهوا إلى عبادتِه مستقيمين
- مَسْجِدٍ: وقتَ سُجودٍ أو مكانه

● مدّ ٦ حركات لزوماً ● مدّ ٢ أو ٤ أو ٦ جوازاً ● إخفاء ، ومواقع الغُنّة (حركتان) ● تفخيم
● مدّ واجب ٤ أو ٥ حركات ● مدّ حركتان ● إدغام ، وما لا يُلفظ ● قلقلة

ربع الحزب ١٦

۞ يَٰبَنِيٓ ءَادَمَ خُذُواْ زِينَتَكُمۡ عِندَ كُلِّ مَسۡجِدٖ وَكُلُواْ وَٱشۡرَبُواْ
وَلَا تُسۡرِفُوٓاْۚ إِنَّهُۥ لَا يُحِبُّ ٱلۡمُسۡرِفِينَ ٣١ قُلۡ مَنۡ حَرَّمَ زِينَةَ ٱللَّهِ
ٱلَّتِيٓ أَخۡرَجَ لِعِبَادِهِۦ وَٱلطَّيِّبَٰتِ مِنَ ٱلرِّزۡقِۚ قُلۡ هِيَ لِلَّذِينَ ءَامَنُواْ
فِي ٱلۡحَيَوٰةِ ٱلدُّنۡيَا خَالِصَةٗ يَوۡمَ ٱلۡقِيَٰمَةِۗ كَذَٰلِكَ نُفَصِّلُ ٱلۡأٓيَٰتِ
لِقَوۡمٖ يَعۡلَمُونَ ٣٢ قُلۡ إِنَّمَا حَرَّمَ رَبِّيَ ٱلۡفَوَٰحِشَ مَا ظَهَرَ مِنۡهَا وَمَا
بَطَنَ وَٱلۡإِثۡمَ وَٱلۡبَغۡيَ بِغَيۡرِ ٱلۡحَقِّ وَأَن تُشۡرِكُواْ بِٱللَّهِ مَا لَمۡ يُنَزِّلۡ بِهِۦ
سُلۡطَٰنٗا وَأَن تَقُولُواْ عَلَى ٱللَّهِ مَا لَا تَعۡلَمُونَ ٣٣ وَلِكُلِّ أُمَّةٍ أَجَلٞۖ
فَإِذَا جَآءَ أَجَلُهُمۡ لَا يَسۡتَـٔۡخِرُونَ سَاعَةٗ وَلَا يَسۡتَقۡدِمُونَ ٣٤
يَٰبَنِيٓ ءَادَمَ إِمَّا يَأۡتِيَنَّكُمۡ رُسُلٞ مِّنكُمۡ يَقُصُّونَ عَلَيۡكُمۡ ءَايَٰتِي فَمَنِ
ٱتَّقَىٰ وَأَصۡلَحَ فَلَا خَوۡفٌ عَلَيۡهِمۡ وَلَا هُمۡ يَحۡزَنُونَ ٣٥ وَٱلَّذِينَ
كَذَّبُواْ بِـَٔايَٰتِنَا وَٱسۡتَكۡبَرُواْ عَنۡهَآ أُوْلَٰٓئِكَ أَصۡحَٰبُ ٱلنَّارِۖ هُمۡ
فِيهَا خَٰلِدُونَ ٣٦ فَمَنۡ أَظۡلَمُ مِمَّنِ ٱفۡتَرَىٰ عَلَى ٱللَّهِ كَذِبًا أَوۡ كَذَّبَ
بِـَٔايَٰتِهِۦٓۚ أُوْلَٰٓئِكَ يَنَالُهُمۡ نَصِيبُهُم مِّنَ ٱلۡكِتَٰبِۖ حَتَّىٰٓ إِذَا جَآءَتۡهُمۡ
رُسُلُنَا يَتَوَفَّوۡنَهُمۡ قَالُوٓاْ أَيۡنَ مَا كُنتُمۡ تَدۡعُونَ مِن دُونِ ٱللَّهِۖ
قَالُواْ ضَلُّواْ عَنَّا وَشَهِدُواْ عَلَىٰٓ أَنفُسِهِمۡ أَنَّهُمۡ كَانُواْ كَٰفِرِينَ ٣٧

الأعراف

- زِينَتَكُمۡ: ثيابكم
- ٱلۡفَوَٰحِشَ: كبائر المعاصي
- ٱلۡبَغۡيَ: الظلم والاستطالة على الناس
- سُلۡطَٰنٗا: حجةً وبرهاناً

قَالَ ٱدْخُلُوا۟ فِىٓ أُمَمٍ قَدْ خَلَتْ مِن قَبْلِكُم مِّنَ ٱلْجِنِّ وَٱلْإِنسِ
فِى ٱلنَّارِ ۖ كُلَّمَا دَخَلَتْ أُمَّةٌ لَّعَنَتْ أُخْتَهَا ۖ حَتَّىٰٓ إِذَا ٱدَّارَكُوا۟ فِيهَا
جَمِيعًا قَالَتْ أُخْرَىٰهُمْ لِأُولَىٰهُمْ رَبَّنَا هَٰٓؤُلَآءِ أَضَلُّونَا فَـَٔاتِهِمْ
عَذَابًا ضِعْفًا مِّنَ ٱلنَّارِ ۖ قَالَ لِكُلٍّ ضِعْفٌ وَلَٰكِن لَّا تَعْلَمُونَ ﴿٣٨﴾
وَقَالَتْ أُولَىٰهُمْ لِأُخْرَىٰهُمْ فَمَا كَانَ لَكُمْ عَلَيْنَا مِن فَضْلٍ
فَذُوقُوا۟ ٱلْعَذَابَ بِمَا كُنتُمْ تَكْسِبُونَ ﴿٣٩﴾ إِنَّ ٱلَّذِينَ كَذَّبُوا۟
بِـَٔايَٰتِنَا وَٱسْتَكْبَرُوا۟ عَنْهَا لَا تُفَتَّحُ لَهُمْ أَبْوَٰبُ ٱلسَّمَآءِ وَلَا يَدْخُلُونَ
ٱلْجَنَّةَ حَتَّىٰ يَلِجَ ٱلْجَمَلُ فِى سَمِّ ٱلْخِيَاطِ ۚ وَكَذَٰلِكَ نَجْزِى
ٱلْمُجْرِمِينَ ﴿٤٠﴾ لَهُم مِّن جَهَنَّمَ مِهَادٌ وَمِن فَوْقِهِمْ غَوَاشٍ ۚ
وَكَذَٰلِكَ نَجْزِى ٱلظَّٰلِمِينَ ﴿٤١﴾ وَٱلَّذِينَ ءَامَنُوا۟ وَعَمِلُوا۟
ٱلصَّٰلِحَٰتِ لَا نُكَلِّفُ نَفْسًا إِلَّا وُسْعَهَآ أُو۟لَٰٓئِكَ أَصْحَٰبُ
ٱلْجَنَّةِ ۖ هُمْ فِيهَا خَٰلِدُونَ ﴿٤٢﴾ وَنَزَعْنَا مَا فِى صُدُورِهِم مِّنْ غِلٍّ
تَجْرِى مِن تَحْتِهِمُ ٱلْأَنْهَٰرُ ۖ وَقَالُوا۟ ٱلْحَمْدُ لِلَّهِ ٱلَّذِى هَدَىٰنَا لِهَٰذَا
وَمَا كُنَّا لِنَهْتَدِىَ لَوْلَآ أَنْ هَدَىٰنَا ٱللَّهُ ۖ لَقَدْ جَآءَتْ رُسُلُ رَبِّنَا بِٱلْحَقِّ ۖ
وَنُودُوٓا۟ أَن تِلْكُمُ ٱلْجَنَّةُ أُورِثْتُمُوهَا بِمَا كُنتُمْ تَعْمَلُونَ ﴿٤٣﴾

▪ ٱدَّارَكُوا۟ فِيهَا: تلاحقوا في النار
▪ ضِعْفًا: مُضاعفًا
▪ يَلِجَ: يَدْخُلَ
▪ سَمِّ ٱلْخِيَاطِ: ثَقْبِ الإبْرَةِ
▪ مِهَادٌ: فِراشٌ ؛ أي مُستقَرٌّ
▪ غَوَاشٍ: أغطيَةٌ كاللُّحف
▪ وُسْعَهَآ: طاقتها
▪ غِلٍّ: حِقْدٍ وضِغْنٍ

مدّ ٦ حركات لزوماً — مدّ ٢ أو ٤ أو ٦ جوازاً — إخفاء ، ومواقع الغُنَّة (حركتان) — تفخيم
مدّ واجب ٤ أو ٥ حركات — مدّ حركتان — إدغام ، وما لا يُلفظ — قلقلة

وَنَادَىٰٓ أَصۡحَٰبُ ٱلۡجَنَّةِ أَصۡحَٰبَ ٱلنَّارِ أَن قَدۡ وَجَدۡنَا مَا وَعَدَنَا رَبُّنَا حَقّٗا
فَهَلۡ وَجَدتُّم مَّا وَعَدَ رَبُّكُمۡ حَقّٗاۖ قَالُواْ نَعَمۡۚ فَأَذَّنَ مُؤَذِّنُۢ بَيۡنَهُمۡ أَن
لَّعۡنَةُ ٱللَّهِ عَلَى ٱلظَّٰلِمِينَ ﴿٤٤﴾ ٱلَّذِينَ يَصُدُّونَ عَن سَبِيلِ ٱللَّهِ وَيَبۡغُونَهَا
عِوَجٗا وَهُم بِٱلۡأٓخِرَةِ كَٰفِرُونَ ﴿٤٥﴾ وَبَيۡنَهُمَا حِجَابٞۚ وَعَلَى ٱلۡأَعۡرَافِ
رِجَالٞ يَعۡرِفُونَ كُلَّۢا بِسِيمَىٰهُمۡۚ وَنَادَوۡاْ أَصۡحَٰبَ ٱلۡجَنَّةِ أَن سَلَٰمٌ عَلَيۡكُمۡۚ
لَمۡ يَدۡخُلُوهَا وَهُمۡ يَطۡمَعُونَ ﴿٤٦﴾ ۞ وَإِذَا صُرِفَتۡ أَبۡصَٰرُهُمۡ تِلۡقَآءَ
أَصۡحَٰبِ ٱلنَّارِ قَالُواْ رَبَّنَا لَا تَجۡعَلۡنَا مَعَ ٱلۡقَوۡمِ ٱلظَّٰلِمِينَ ﴿٤٧﴾ وَنَادَىٰٓ أَصۡحَٰبُ
ٱلۡأَعۡرَافِ رِجَالٗا يَعۡرِفُونَهُم بِسِيمَىٰهُمۡ قَالُواْ مَآ أَغۡنَىٰ عَنكُمۡ جَمۡعُكُمۡ
وَمَا كُنتُمۡ تَسۡتَكۡبِرُونَ ﴿٤٨﴾ أَهَٰٓؤُلَآءِ ٱلَّذِينَ أَقۡسَمۡتُمۡ لَا يَنَالُهُمُ
ٱللَّهُ بِرَحۡمَةٍۚ ٱدۡخُلُواْ ٱلۡجَنَّةَ لَا خَوۡفٌ عَلَيۡكُمۡ وَلَآ أَنتُمۡ تَحۡزَنُونَ
﴿٤٩﴾ وَنَادَىٰٓ أَصۡحَٰبُ ٱلنَّارِ أَصۡحَٰبَ ٱلۡجَنَّةِ أَنۡ أَفِيضُواْ عَلَيۡنَا
مِنَ ٱلۡمَآءِ أَوۡ مِمَّا رَزَقَكُمُ ٱللَّهُۚ قَالُوٓاْ إِنَّ ٱللَّهَ حَرَّمَهُمَا عَلَى
ٱلۡكَٰفِرِينَ ﴿٥٠﴾ ٱلَّذِينَ ٱتَّخَذُواْ دِينَهُمۡ لَهۡوٗا وَلَعِبٗا
وَغَرَّتۡهُمُ ٱلۡحَيَوٰةُ ٱلدُّنۡيَاۚ فَٱلۡيَوۡمَ نَنسَىٰهُمۡ كَمَا نَسُواْ
لِقَآءَ يَوۡمِهِمۡ هَٰذَا وَمَا كَانُواْ بِـَٔايَٰتِنَا يَجۡحَدُونَ ﴿٥١﴾

فَأَذَّنَ مُؤَذِّنُۢ: أَعْلَمَ مُعْلِمٌ
عِوَجًا: مُعْوَجَّةً
حِجَابٌ: حَاجِزٌ. وهو السُّورُ
ٱلۡأَعۡرَافِ: أعالي السُّورِ
بِسِيمَىٰهُمۡ: بِعَلَامَتِهِم
نصف الحزب ١٦
أَفِيضُواْ: صُبُّوا. أو أَلْقُوا
غَرَّتۡهُمُ: خَدَعَتْهُمْ
نَنسَىٰهُمۡ: نَتْرُكُهُمْ في العذابِ كالمنسِيِّينَ

مدّ ٦ حركات لزوماً — مدّ ٢ أو ٤ أو ٦ جوازاً — إخفاء، ومواقع الغُنَّة (حركتان) — تفخيم
مدّ واجب ٤ أو ٥ حركات — مدّ حركتان — إدغام، وما لا يُلفظ — قلقلة

وَٱلْبَلَدُ ٱلطَّيِّبُ يَخْرُجُ نَبَاتُهُۥ بِإِذْنِ رَبِّهِۦ ۖ وَٱلَّذِى خَبُثَ لَا يَخْرُجُ
إِلَّا نَكِدًا ۚ كَذَٰلِكَ نُصَرِّفُ ٱلْءَايَٰتِ لِقَوْمٍ يَشْكُرُونَ ﴿٥٨﴾
لَقَدْ أَرْسَلْنَا نُوحًا إِلَىٰ قَوْمِهِۦ فَقَالَ يَٰقَوْمِ ٱعْبُدُوا۟ ٱللَّهَ مَا لَكُم
مِّنْ إِلَٰهٍ غَيْرُهُۥٓ إِنِّىٓ أَخَافُ عَلَيْكُمْ عَذَابَ يَوْمٍ عَظِيمٍ ﴿٥٩﴾
قَالَ ٱلْمَلَأُ مِن قَوْمِهِۦٓ إِنَّا لَنَرَىٰكَ فِى ضَلَٰلٍ مُّبِينٍ ﴿٦٠﴾ قَالَ
يَٰقَوْمِ لَيْسَ بِى ضَلَٰلَةٌ وَلَٰكِنِّى رَسُولٌ مِّن رَّبِّ ٱلْعَٰلَمِينَ
﴿٦١﴾ أُبَلِّغُكُمْ رِسَٰلَٰتِ رَبِّى وَأَنصَحُ لَكُمْ وَأَعْلَمُ مِنَ ٱللَّهِ
مَا لَا تَعْلَمُونَ ﴿٦٢﴾ أَوَعَجِبْتُمْ أَن جَآءَكُمْ ذِكْرٌ مِّن رَّبِّكُمْ عَلَىٰ
رَجُلٍ مِّنكُمْ لِيُنذِرَكُمْ وَلِتَتَّقُوا۟ وَلَعَلَّكُمْ تُرْحَمُونَ ﴿٦٣﴾ فَكَذَّبُوهُ
فَأَنجَيْنَٰهُ وَٱلَّذِينَ مَعَهُۥ فِى ٱلْفُلْكِ وَأَغْرَقْنَا ٱلَّذِينَ كَذَّبُوا۟
بِـَٔايَٰتِنَآ ۚ إِنَّهُمْ كَانُوا۟ قَوْمًا عَمِينَ ﴿٦٤﴾ ۞ وَإِلَىٰ عَادٍ أَخَاهُمْ
هُودًا ۗ قَالَ يَٰقَوْمِ ٱعْبُدُوا۟ ٱللَّهَ مَا لَكُم مِّنْ إِلَٰهٍ غَيْرُهُۥٓ ۚ أَفَلَا تَتَّقُونَ
﴿٦٥﴾ قَالَ ٱلْمَلَأُ ٱلَّذِينَ كَفَرُوا۟ مِن قَوْمِهِۦٓ إِنَّا لَنَرَىٰكَ فِى
سَفَاهَةٍ وَإِنَّا لَنَظُنُّكَ مِنَ ٱلْكَٰذِبِينَ ﴿٦٦﴾ قَالَ يَٰقَوْمِ
لَيْسَ بِى سَفَاهَةٌ وَلَٰكِنِّى رَسُولٌ مِّن رَّبِّ ٱلْعَٰلَمِينَ ﴿٦٧﴾

نَكِدًا: قليلاً لا خير فيه
ٱلْمَلَأُ: سَادَةُ القَوْمِ
عَمِينَ: عُمْيَ القُلُوبِ
سَفَاهَةٍ: خِفَّةُ عقلٍ

الأعراف

ثلاثة أرباع الحزب ١٦

مدّ ٦ حركات لزوماً | مدّ ٢ أو ٤ أو ٦ جوازاً | إخفاء، ومواقع الغُنَّة (حركتان) | تفخيم
مدّ واجب ٤ أو ٥ حركات | مدّ حركتان | إدغام، وما لا يُلفَظ | قلقلة

أُبَلِّغُكُمْ رِسَٰلَٰتِ رَبِّي وَأَنَا۠ لَكُمْ نَاصِحٌ أَمِينٌ ﴿٦٨﴾ أَوَعَجِبْتُمْ
أَن جَآءَكُمْ ذِكْرٌ مِّن رَّبِّكُمْ عَلَىٰ رَجُلٍ مِّنكُمْ لِيُنذِرَكُمْ ۚ
وَٱذْكُرُوٓا۟ إِذْ جَعَلَكُمْ خُلَفَآءَ مِنۢ بَعْدِ قَوْمِ نُوحٍ وَزَادَكُمْ
فِى ٱلْخَلْقِ بَصْۜطَةً ۖ فَٱذْكُرُوٓا۟ ءَالَآءَ ٱللَّهِ لَعَلَّكُمْ تُفْلِحُونَ
﴿٦٩﴾ قَالُوٓا۟ أَجِئْتَنَا لِنَعْبُدَ ٱللَّهَ وَحْدَهُۥ وَنَذَرَ مَا كَانَ
يَعْبُدُ ءَابَآؤُنَا ۖ فَأْتِنَا بِمَا تَعِدُنَآ إِن كُنتَ مِنَ ٱلصَّٰدِقِينَ
﴿٧٠﴾ قَالَ قَدْ وَقَعَ عَلَيْكُم مِّن رَّبِّكُمْ رِجْسٌ وَغَضَبٌ ۖ
أَتُجَٰدِلُونَنِى فِىٓ أَسْمَآءٍ سَمَّيْتُمُوهَآ أَنتُمْ وَءَابَآؤُكُم
مَّا نَزَّلَ ٱللَّهُ بِهَا مِن سُلْطَٰنٍ ۚ فَٱنتَظِرُوٓا۟ إِنِّى مَعَكُم مِّنَ
ٱلْمُنتَظِرِينَ ﴿٧١﴾ فَأَنجَيْنَٰهُ وَٱلَّذِينَ مَعَهُۥ بِرَحْمَةٍ مِّنَّا
وَقَطَعْنَا دَابِرَ ٱلَّذِينَ كَذَّبُوا۟ بِـَٔايَٰتِنَا ۖ وَمَا كَانُوا۟ مُؤْمِنِينَ
﴿٧٢﴾ وَإِلَىٰ ثَمُودَ أَخَاهُمْ صَٰلِحًا ۗ قَالَ يَٰقَوْمِ ٱعْبُدُوا۟ ٱللَّهَ
مَا لَكُم مِّنْ إِلَٰهٍ غَيْرُهُۥ ۖ قَدْ جَآءَتْكُم بَيِّنَةٌ مِّن
رَّبِّكُمْ ۖ هَٰذِهِۦ نَاقَةُ ٱللَّهِ لَكُمْ ءَايَةً ۖ فَذَرُوهَا تَأْكُلْ
فِىٓ أَرْضِ ٱللَّهِ ۖ وَلَا تَمَسُّوهَا بِسُوٓءٍ فَيَأْخُذَكُمْ عَذَابٌ أَلِيمٌ ﴿٧٣﴾

- بَصْۜطَةً: قوةً وعِظَمَ أجسامٍ
- ءَالَآءَ ٱللَّهِ: نِعَمَهُ
- رِجْسٌ: عَذابٌ
- دَابِرَ: آخِرَ
- ءَايَةً: معجزة دالةً على صِدْقي

وَٱذۡكُرُوٓاْ إِذۡ جَعَلَكُمۡ خُلَفَآءَ مِنۢ بَعۡدِ عَادٖ وَبَوَّأَكُمۡ
فِي ٱلۡأَرۡضِ تَتَّخِذُونَ مِن سُهُولِهَا قُصُورٗا وَتَنۡحِتُونَ
ٱلۡجِبَالَ بُيُوتٗاۖ فَٱذۡكُرُوٓاْ ءَالَآءَ ٱللَّهِ وَلَا تَعۡثَوۡاْ فِي ٱلۡأَرۡضِ
مُفۡسِدِينَ ٧٤ قَالَ ٱلۡمَلَأُ ٱلَّذِينَ ٱسۡتَكۡبَرُواْ مِن
قَوۡمِهِۦ لِلَّذِينَ ٱسۡتُضۡعِفُواْ لِمَنۡ ءَامَنَ مِنۡهُمۡ أَتَعۡلَمُونَ
أَنَّ صَٰلِحٗا مُّرۡسَلٞ مِّن رَّبِّهِۦۚ قَالُوٓاْ إِنَّا بِمَآ أُرۡسِلَ بِهِۦ
مُؤۡمِنُونَ ٧٥ قَالَ ٱلَّذِينَ ٱسۡتَكۡبَرُوٓاْ إِنَّا بِٱلَّذِيٓ
ءَامَنتُم بِهِۦ كَٰفِرُونَ ٧٦ فَعَقَرُواْ ٱلنَّاقَةَ وَعَتَوۡاْ عَنۡ
أَمۡرِ رَبِّهِمۡ وَقَالُواْ يَٰصَٰلِحُ ٱئۡتِنَا بِمَا تَعِدُنَآ إِن كُنتَ مِنَ
ٱلۡمُرۡسَلِينَ ٧٧ فَأَخَذَتۡهُمُ ٱلرَّجۡفَةُ فَأَصۡبَحُواْ فِي دَارِهِمۡ
جَٰثِمِينَ ٧٨ فَتَوَلَّىٰ عَنۡهُمۡ وَقَالَ يَٰقَوۡمِ لَقَدۡ أَبۡلَغۡتُكُمۡ
رِسَالَةَ رَبِّي وَنَصَحۡتُ لَكُمۡ وَلَٰكِن لَّا تُحِبُّونَ ٱلنَّٰصِحِينَ
٧٩ وَلُوطًا إِذۡ قَالَ لِقَوۡمِهِۦٓ أَتَأۡتُونَ ٱلۡفَٰحِشَةَ مَا سَبَقَكُم
بِهَا مِنۡ أَحَدٖ مِّنَ ٱلۡعَٰلَمِينَ ٨٠ إِنَّكُمۡ لَتَأۡتُونَ ٱلرِّجَالَ
شَهۡوَةٗ مِّن دُونِ ٱلنِّسَآءِۚ بَلۡ أَنتُمۡ قَوۡمٞ مُّسۡرِفُونَ ٨١

الأعراف

- بَوَّأَكُمۡ: أسكنكم وأنزلكم
- لَا تَعۡثَوۡاْ: لا تفسدوا إفساداً شديداً
- عَتَوۡاْ: استكبروا
- ٱلرَّجۡفَةُ: الزلزلة الشديدة أو الصيحة
- جَٰثِمِينَ: موتى قعوداً

مدّ ٦ حركات لزوماً — مدّ ٢ أو ٤ أو ٦ جوازاً — إخفاء، ومواقع الغنّة (حركتان) — تفخيم
مدّ واجب ٤ أو ٥ حركات — مدّ حركتان — إدغام، وما لا يُلفظ — قلقلة

وَمَا كَانَ جَوَابَ قَوۡمِهِۦٓ إِلَّآ أَن قَالُوٓاْ أَخۡرِجُوهُم مِّن
قَرۡيَتِكُمۡۖ إِنَّهُمۡ أُنَاسٞ يَتَطَهَّرُونَ ﴿٨٢﴾ فَأَنجَيۡنَٰهُ وَأَهۡلَهُۥٓ
إِلَّا ٱمۡرَأَتَهُۥ كَانَتۡ مِنَ ٱلۡغَٰبِرِينَ ﴿٨٣﴾ وَأَمۡطَرۡنَا عَلَيۡهِم
مَّطَرٗاۖ فَٱنظُرۡ كَيۡفَ كَانَ عَٰقِبَةُ ٱلۡمُجۡرِمِينَ ﴿٨٤﴾
وَإِلَىٰ مَدۡيَنَ أَخَاهُمۡ شُعَيۡبٗاۗ قَالَ يَٰقَوۡمِ ٱعۡبُدُواْ ٱللَّهَ
مَا لَكُم مِّنۡ إِلَٰهٍ غَيۡرُهُۥۖ قَدۡ جَآءَتۡكُم بَيِّنَةٞ مِّن
رَّبِّكُمۡۖ فَأَوۡفُواْ ٱلۡكَيۡلَ وَٱلۡمِيزَانَ وَلَا تَبۡخَسُواْ
ٱلنَّاسَ أَشۡيَآءَهُمۡ وَلَا تُفۡسِدُواْ فِي ٱلۡأَرۡضِ بَعۡدَ
إِصۡلَٰحِهَاۚ ذَٰلِكُمۡ خَيۡرٞ لَّكُمۡ إِن كُنتُم مُّؤۡمِنِينَ
﴿٨٥﴾ وَلَا تَقۡعُدُواْ بِكُلِّ صِرَٰطٖ تُوعِدُونَ وَتَصُدُّونَ
عَن سَبِيلِ ٱللَّهِ مَنۡ ءَامَنَ بِهِۦ وَتَبۡغُونَهَا عِوَجٗاۚ
وَٱذۡكُرُوٓاْ إِذۡ كُنتُمۡ قَلِيلٗا فَكَثَّرَكُمۡۖ وَٱنظُرُواْ
كَيۡفَ كَانَ عَٰقِبَةُ ٱلۡمُفۡسِدِينَ ﴿٨٦﴾ وَإِن كَانَ طَآئِفَةٞ
مِّنكُمۡ ءَامَنُواْ بِٱلَّذِيٓ أُرۡسِلۡتُ بِهِۦ وَطَآئِفَةٞ لَّمۡ يُؤۡمِنُواْ
فَٱصۡبِرُواْ حَتَّىٰ يَحۡكُمَ ٱللَّهُ بَيۡنَنَاۚ وَهُوَ خَيۡرُ ٱلۡحَٰكِمِينَ ﴿٨٧﴾

- ٱلۡغَٰبِرِينَ: الباقِينَ في العَذابِ
- لَا تَبۡخَسُواْ: لا تَنْقُصُوا
- صِرَٰطٖ: طَرِيقٍ
- عِوَجٗا: مُعْوَجَّةً

● مدّ ٦ حركات لزوماً ● مدّ ٢ أو ٤ أو ٦ جوازاً ● إخفاء، ومواقع الغُنَّة (حركتان) ● تفخيم
● مدّ واجب ٤ أو ٥ حركات ● مدّ حركتان ● إدغام، وما لا يُلفَظ ● قلقلة

۞ قَالَ ٱلۡمَلَأُ ٱلَّذِينَ ٱسۡتَكۡبَرُواْ مِن قَوۡمِهِۦ لَنُخۡرِجَنَّكَ يَٰشُعَيۡبُ
وَٱلَّذِينَ ءَامَنُواْ مَعَكَ مِن قَرۡيَتِنَآ أَوۡ لَتَعُودُنَّ فِي مِلَّتِنَاۚ قَالَ أَوَلَوۡ
كُنَّا كَٰرِهِينَ ﴿٨٨﴾ قَدِ ٱفۡتَرَيۡنَا عَلَى ٱللَّهِ كَذِبًا إِنۡ عُدۡنَا فِي مِلَّتِكُم
بَعۡدَ إِذۡ نَجَّىٰنَا ٱللَّهُ مِنۡهَاۚ وَمَا يَكُونُ لَنَآ أَن نَّعُودَ فِيهَآ إِلَّآ أَن يَشَآءَ
ٱللَّهُ رَبُّنَاۚ وَسِعَ رَبُّنَا كُلَّ شَيۡءٍ عِلۡمًاۚ عَلَى ٱللَّهِ تَوَكَّلۡنَاۚ رَبَّنَا ٱفۡتَحۡ
بَيۡنَنَا وَبَيۡنَ قَوۡمِنَا بِٱلۡحَقِّ وَأَنتَ خَيۡرُ ٱلۡفَٰتِحِينَ ﴿٨٩﴾ وَقَالَ ٱلۡمَلَأُ
ٱلَّذِينَ كَفَرُواْ مِن قَوۡمِهِۦ لَئِنِ ٱتَّبَعۡتُمۡ شُعَيۡبًا إِنَّكُمۡ إِذٗا لَّخَٰسِرُونَ
﴿٩٠﴾ فَأَخَذَتۡهُمُ ٱلرَّجۡفَةُ فَأَصۡبَحُواْ فِي دَارِهِمۡ جَٰثِمِينَ ﴿٩١﴾
ٱلَّذِينَ كَذَّبُواْ شُعَيۡبٗا كَأَن لَّمۡ يَغۡنَوۡاْ فِيهَاۚ ٱلَّذِينَ كَذَّبُواْ شُعَيۡبٗا
كَانُواْ هُمُ ٱلۡخَٰسِرِينَ ﴿٩٢﴾ فَتَوَلَّىٰ عَنۡهُمۡ وَقَالَ يَٰقَوۡمِ لَقَدۡ
أَبۡلَغۡتُكُمۡ رِسَٰلَٰتِ رَبِّي وَنَصَحۡتُ لَكُمۡۖ فَكَيۡفَ ءَاسَىٰ
عَلَىٰ قَوۡمٖ كَٰفِرِينَ ﴿٩٣﴾ وَمَآ أَرۡسَلۡنَا فِي قَرۡيَةٖ مِّن نَّبِيٍّ إِلَّآ
أَخَذۡنَآ أَهۡلَهَا بِٱلۡبَأۡسَآءِ وَٱلضَّرَّآءِ لَعَلَّهُمۡ يَضَّرَّعُونَ ﴿٩٤﴾ ثُمَّ
بَدَّلۡنَا مَكَانَ ٱلسَّيِّئَةِ ٱلۡحَسَنَةَ حَتَّىٰ عَفَواْ وَّقَالُواْ قَدۡ مَسَّ
ءَابَآءَنَا ٱلضَّرَّآءُ وَٱلسَّرَّآءُ فَأَخَذۡنَٰهُم بَغۡتَةٗ وَهُمۡ لَا يَشۡعُرُونَ ﴿٩٥﴾

- ٱفۡتَحۡ: احكُمْ واقضِ
- ٱلرَّجۡفَةُ: الزَّلْزَلَةُ الشَّدِيدةُ أو الصيحةُ
- جَٰثِمِينَ: مَوْتَى قُعُوداً
- لَّمۡ يَغۡنَوۡاْ: لم يُقِيمُوا ناعِمينَ
- ءَاسَىٰ: أحْزَنُ
- بِٱلۡبَأۡسَآءِ وَٱلضَّرَّآءِ: الفقرِ والسُّقْمِ ونحوهِمَا
- يَضَّرَّعُونَ: يَتَذلَّلونَ ويَخْضَعُونَ
- عَفَواْ: كثُرُوا عدداً وعُدداً
- بَغۡتَةٗ: فَجْأةً

مدّ ٦ حركات لزوماً ● مدّ ٢ أو ٤ أو ٦ جوازاً ● إخفاء، ومواقع الغُنَّة (حركتان) ● تفخيم
مدّ واجب ٤ أو ٥ حركات ● مدّ حركتان ● إدغام، وما لا يُلفَظ ● قلقلة

وَلَوْ أَنَّ أَهْلَ ٱلْقُرَىٰٓ ءَامَنُوا۟ وَٱتَّقَوْا۟ لَفَتَحْنَا عَلَيْهِم بَرَكَٰتٍ
مِّنَ ٱلسَّمَآءِ وَٱلْأَرْضِ وَلَٰكِن كَذَّبُوا۟ فَأَخَذْنَٰهُم بِمَا كَانُوا۟
يَكْسِبُونَ ﴿٩٦﴾ أَفَأَمِنَ أَهْلُ ٱلْقُرَىٰٓ أَن يَأْتِيَهُم بَأْسُنَا بَيَٰتًا
وَهُمْ نَآئِمُونَ ﴿٩٧﴾ أَوَأَمِنَ أَهْلُ ٱلْقُرَىٰٓ أَن يَأْتِيَهُم بَأْسُنَا
ضُحًى وَهُمْ يَلْعَبُونَ ﴿٩٨﴾ أَفَأَمِنُوا۟ مَكْرَ ٱللَّهِ ۚ فَلَا يَأْمَنُ
مَكْرَ ٱللَّهِ إِلَّا ٱلْقَوْمُ ٱلْخَٰسِرُونَ ﴿٩٩﴾ أَوَلَمْ يَهْدِ لِلَّذِينَ
يَرِثُونَ ٱلْأَرْضَ مِنۢ بَعْدِ أَهْلِهَآ أَن لَّوْ نَشَآءُ أَصَبْنَٰهُم
بِذُنُوبِهِمْ ۚ وَنَطْبَعُ عَلَىٰ قُلُوبِهِمْ فَهُمْ لَا يَسْمَعُونَ ﴿١٠٠﴾
تِلْكَ ٱلْقُرَىٰ نَقُصُّ عَلَيْكَ مِنْ أَنۢبَآئِهَا ۚ وَلَقَدْ جَآءَتْهُمْ رُسُلُهُم
بِٱلْبَيِّنَٰتِ فَمَا كَانُوا۟ لِيُؤْمِنُوا۟ بِمَا كَذَّبُوا۟ مِن قَبْلُ ۚ
كَذَٰلِكَ يَطْبَعُ ٱللَّهُ عَلَىٰ قُلُوبِ ٱلْكَٰفِرِينَ ﴿١٠١﴾ وَمَا وَجَدْنَا
لِأَكْثَرِهِم مِّنْ عَهْدٍ ۖ وَإِن وَجَدْنَآ أَكْثَرَهُمْ لَفَٰسِقِينَ
﴿١٠٢﴾ ثُمَّ بَعَثْنَا مِنۢ بَعْدِهِم مُّوسَىٰ بِـَٔايَٰتِنَآ إِلَىٰ فِرْعَوْنَ وَمَلَإِي۟هِۦ
فَظَلَمُوا۟ بِهَا ۖ فَٱنظُرْ كَيْفَ كَانَ عَٰقِبَةُ ٱلْمُفْسِدِينَ ﴿١٠٣﴾
وَقَالَ مُوسَىٰ يَٰفِرْعَوْنُ إِنِّى رَسُولٌ مِّن رَّبِّ ٱلْعَٰلَمِينَ ﴿١٠٤﴾

- بَأْسُنَا: عذابُنا
- بَيَٰتًا: ليلاً
- مَكْرَ ٱللَّهِ: عقوبَتَهُ . أو استدراجه
- أَوَلَمْ يَهْدِ: ألم يَتَبيَّنْ
- نَطْبَعُ: نَختِم
- فَظَلَمُوا۟ بِهَا: كفرُوا بها

مدّ ٦ حركات لزوماً ● مدّ ٢ أو ٤ أو ٦ جوازاً ● إخفاء ، ومواقع الغُنَّة (حركتان) ● تفخـ
مدّ واجب ٤ أو ٥ حركات ● مدّ حركتان ● إدغام ، وما لا يُلفَظ ● قلقلـ

حَقِيقٌ عَلَىٰٓ أَن لَّآ أَقُولَ عَلَى ٱللَّهِ إِلَّا ٱلْحَقَّ ۚ قَدْ جِئْتُكُم
بِبَيِّنَةٍ مِّن رَّبِّكُمْ فَأَرْسِلْ مَعِىَ بَنِىٓ إِسْرَٰٓءِيلَ ﴿١٠٥﴾ قَالَ إِن كُنتَ
جِئْتَ بِـَٔايَةٍ فَأْتِ بِهَآ إِن كُنتَ مِنَ ٱلصَّٰدِقِينَ ﴿١٠٦﴾ فَأَلْقَىٰ
عَصَاهُ فَإِذَا هِىَ ثُعْبَانٌ مُّبِينٌ ﴿١٠٧﴾ وَنَزَعَ يَدَهُۥ فَإِذَا هِىَ بَيْضَآءُ
لِلنَّٰظِرِينَ ﴿١٠٨﴾ قَالَ ٱلْمَلَأُ مِن قَوْمِ فِرْعَوْنَ إِنَّ هَٰذَا لَسَٰحِرٌ
عَلِيمٌ ﴿١٠٩﴾ يُرِيدُ أَن يُخْرِجَكُم مِّنْ أَرْضِكُمْ ۖ فَمَاذَا تَأْمُرُونَ ﴿١١٠﴾
قَالُوٓا۟ أَرْجِهْ وَأَخَاهُ وَأَرْسِلْ فِى ٱلْمَدَآئِنِ حَٰشِرِينَ ﴿١١١﴾ يَأْتُوكَ
بِكُلِّ سَٰحِرٍ عَلِيمٍ ﴿١١٢﴾ وَجَآءَ ٱلسَّحَرَةُ فِرْعَوْنَ قَالُوٓا۟ إِنَّ
لَنَا لَأَجْرًا إِن كُنَّا نَحْنُ ٱلْغَٰلِبِينَ ﴿١١٣﴾ قَالَ نَعَمْ وَإِنَّكُمْ
لَمِنَ ٱلْمُقَرَّبِينَ ﴿١١٤﴾ قَالُوا۟ يَٰمُوسَىٰٓ إِمَّآ أَن تُلْقِىَ وَإِمَّآ أَن
نَّكُونَ نَحْنُ ٱلْمُلْقِينَ ﴿١١٥﴾ قَالَ أَلْقُوا۟ ۖ فَلَمَّآ أَلْقَوْا۟ سَحَرُوٓا۟
أَعْيُنَ ٱلنَّاسِ وَٱسْتَرْهَبُوهُمْ وَجَآءُو بِسِحْرٍ عَظِيمٍ ﴿١١٦﴾
۞ وَأَوْحَيْنَآ إِلَىٰ مُوسَىٰٓ أَنْ أَلْقِ عَصَاكَ ۖ فَإِذَا هِىَ تَلْقَفُ مَا
يَأْفِكُونَ ﴿١١٧﴾ فَوَقَعَ ٱلْحَقُّ وَبَطَلَ مَا كَانُوا۟ يَعْمَلُونَ ﴿١١٨﴾ فَغُلِبُوا۟
هُنَالِكَ وَٱنقَلَبُوا۟ صَٰغِرِينَ ﴿١١٩﴾ وَأُلْقِىَ ٱلسَّحَرَةُ سَٰجِدِينَ ﴿١٢٠﴾

ربع الحزب ١٧

- حَقِيقٌ: جَدِيرٌ وَخَلِيقٌ
- مُّبِينٌ: ظاهرٌ لا يشكّ فيه
- أَرْجِهْ وَأَخَاهُ: أخِّرْ أمْرَ عُقُوبَتِهِمَا
- حَٰشِرِينَ: جَامِعِينَ لِلسَّحَرَةِ
- ٱسْتَرْهَبُوهُمْ: خَوَّفُوهُمْ تَخْوِيفاً شَدِيداً
- تَلْقَفُ: تَبْتَلِعُ بِسُرْعَةٍ
- يَأْفِكُونَ: يَكْذِبُونَ وَيُمَوِّهُونَ

الأعراف

مدّ ٦ حركات لزوماً ● مدّ ٢ أو ٤ أو ٦ جوازاً ● إخفاء، ومواقع الغُنَّة (حركتان) ● تفخيم
مدّ واجب ٤ أو ٥ حركات ● مدّ حركتان ● إدغام، وما لا يُلفَظ ● قلقلة

قَالُوٓاْ ءَامَنَّا بِرَبِّ ٱلۡعَٰلَمِينَ ﴿١٢١﴾ رَبِّ مُوسَىٰ وَهَٰرُونَ ﴿١٢٢﴾ قَالَ
فِرۡعَوۡنُ ءَامَنتُم بِهِۦ قَبۡلَ أَنۡ ءَاذَنَ لَكُمۡۖ إِنَّ هَٰذَا لَمَكۡرٞ مَّكَرۡتُمُوهُ
فِي ٱلۡمَدِينَةِ لِتُخۡرِجُواْ مِنۡهَآ أَهۡلَهَاۖ فَسَوۡفَ تَعۡلَمُونَ ﴿١٢٣﴾ لَأُقَطِّعَنَّ
أَيۡدِيَكُمۡ وَأَرۡجُلَكُم مِّنۡ خِلَٰفٖ ثُمَّ لَأُصَلِّبَنَّكُمۡ أَجۡمَعِينَ ﴿١٢٤﴾
قَالُوٓاْ إِنَّآ إِلَىٰ رَبِّنَا مُنقَلِبُونَ ﴿١٢٥﴾ وَمَا تَنقِمُ مِنَّآ إِلَّآ أَنۡ ءَامَنَّا
بِـَٔايَٰتِ رَبِّنَا لَمَّا جَآءَتۡنَاۚ رَبَّنَآ أَفۡرِغۡ عَلَيۡنَا صَبۡرٗا وَتَوَفَّنَا مُسۡلِمِينَ
﴿١٢٦﴾ وَقَالَ ٱلۡمَلَأُ مِن قَوۡمِ فِرۡعَوۡنَ أَتَذَرُ مُوسَىٰ وَقَوۡمَهُۥ لِيُفۡسِدُواْ
فِي ٱلۡأَرۡضِ وَيَذَرَكَ وَءَالِهَتَكَۚ قَالَ سَنُقَتِّلُ أَبۡنَآءَهُمۡ وَنَسۡتَحۡيِۦ
نِسَآءَهُمۡ وَإِنَّا فَوۡقَهُمۡ قَٰهِرُونَ ﴿١٢٧﴾ قَالَ مُوسَىٰ لِقَوۡمِهِ
ٱسۡتَعِينُواْ بِٱللَّهِ وَٱصۡبِرُوٓاْۖ إِنَّ ٱلۡأَرۡضَ لِلَّهِ يُورِثُهَا مَن
يَشَآءُ مِنۡ عِبَادِهِۦۖ وَٱلۡعَٰقِبَةُ لِلۡمُتَّقِينَ ﴿١٢٨﴾ قَالُوٓاْ أُوذِينَا
مِن قَبۡلِ أَن تَأۡتِيَنَا وَمِنۢ بَعۡدِ مَا جِئۡتَنَاۚ قَالَ عَسَىٰ رَبُّكُمۡ
أَن يُهۡلِكَ عَدُوَّكُمۡ وَيَسۡتَخۡلِفَكُمۡ فِي ٱلۡأَرۡضِ
فَيَنظُرَ كَيۡفَ تَعۡمَلُونَ ﴿١٢٩﴾ وَلَقَدۡ أَخَذۡنَآ ءَالَ فِرۡعَوۡنَ
بِٱلسِّنِينَ وَنَقۡصٖ مِّنَ ٱلثَّمَرَٰتِ لَعَلَّهُمۡ يَذَّكَّرُونَ ﴿١٣٠﴾

- مَا تَنقِمُ: ما تكرَهُ وما تَعيبُ
- بِٱلسِّنِينَ: بالجُدُوبِ والقُحوطِ

مدّ ٦ حركات لزوماً — مدّ ٢ أو ٤ أو ٦ جوازاً — إخفاء، ومواقع الغُنَّة (حركتان) — تفخيم
مدّ واجب ٤ أو ٥ حركات — مدّ حركتان — إدغام، وما لا يُلفظ — قلقلة

فَإِذَا جَآءَتۡهُمُ ٱلۡحَسَنَةُ قَالُواْ لَنَا هَٰذِهِۦۖ وَإِن تُصِبۡهُمۡ سَيِّئَةٞ
يَطَّيَّرُواْ بِمُوسَىٰ وَمَن مَّعَهُۥٓۗ أَلَآ إِنَّمَا طَٰٓئِرُهُمۡ عِندَ ٱللَّهِ وَلَٰكِنَّ
أَكۡثَرَهُمۡ لَا يَعۡلَمُونَ ١٣١ وَقَالُواْ مَهۡمَا تَأۡتِنَا بِهِۦ مِنۡ ءَايَةٖ
لِّتَسۡحَرَنَا بِهَا فَمَا نَحۡنُ لَكَ بِمُؤۡمِنِينَ ١٣٢ فَأَرۡسَلۡنَا عَلَيۡهِمُ
ٱلطُّوفَانَ وَٱلۡجَرَادَ وَٱلۡقُمَّلَ وَٱلضَّفَادِعَ وَٱلدَّمَ ءَايَٰتٖ مُّفَصَّلَٰتٖ
فَٱسۡتَكۡبَرُواْ وَكَانُواْ قَوۡمٗا مُّجۡرِمِينَ ١٣٣ وَلَمَّا وَقَعَ عَلَيۡهِمُ
ٱلرِّجۡزُ قَالُواْ يَٰمُوسَى ٱدۡعُ لَنَا رَبَّكَ بِمَا عَهِدَ عِندَكَۖ لَئِن
كَشَفۡتَ عَنَّا ٱلرِّجۡزَ لَنُؤۡمِنَنَّ لَكَ وَلَنُرۡسِلَنَّ مَعَكَ بَنِيٓ
إِسۡرَٰٓءِيلَ ١٣٤ فَلَمَّا كَشَفۡنَا عَنۡهُمُ ٱلرِّجۡزَ إِلَىٰٓ أَجَلٍ
هُم بَٰلِغُوهُ إِذَا هُمۡ يَنكُثُونَ ١٣٥ فَٱنتَقَمۡنَا مِنۡهُمۡ فَأَغۡرَقۡنَٰهُمۡ
فِي ٱلۡيَمِّ بِأَنَّهُمۡ كَذَّبُواْ بِـَٔايَٰتِنَا وَكَانُواْ عَنۡهَا غَٰفِلِينَ ١٣٦
وَأَوۡرَثۡنَا ٱلۡقَوۡمَ ٱلَّذِينَ كَانُواْ يُسۡتَضۡعَفُونَ مَشَٰرِقَ
ٱلۡأَرۡضِ وَمَغَٰرِبَهَا ٱلَّتِي بَٰرَكۡنَا فِيهَاۖ وَتَمَّتۡ كَلِمَتُ رَبِّكَ
ٱلۡحُسۡنَىٰ عَلَىٰ بَنِيٓ إِسۡرَٰٓءِيلَ بِمَا صَبَرُواْۖ وَدَمَّرۡنَا مَا كَانَ
يَصۡنَعُ فِرۡعَوۡنُ وَقَوۡمُهُۥ وَمَا كَانُواْ يَعۡرِشُونَ ١٣٧

الأعراف

- يَطَّيَّرُوا: يَتَشَاءَمُوا
- طَٰٓئِرُهُمۡ: شُؤْمُهُمْ
- ٱلطُّوفَانَ: الماء الكثيرَ . أو الموتَ الجارِفَ
- ٱلۡقُمَّلَ: القُرادَ . أو القَمْلَ المَعْرُوفَ
- ٱلرِّجۡزُ: العَذابُ بما ذُكِرَ من الآيات
- يَنكُثُونَ: يَنْقُضُونَ عَهْدَهُمْ
- دَمَّرۡنَا: أَهْلَكْنَا وَخَرَّبْنَا
- يَعۡرِشُونَ: يَرْفَعُونَ من الأبنِيَةِ

| | | |
|---|---|---|
| مدّ ٦ حركات لزوماً ● مدّ ٢ أو ٤ أو ٦ جوازاً | إخفاء ، ومواقع الغُنَّة (حركتان) | تفخيم |
| مدّ واجب ٤ أو ٥ حركات ● مدّ حركتان | إدغام ، وما لا يُلفظ | قلقلة |

وَجَٰوَزۡنَا بِبَنِيٓ إِسۡرَٰٓءِيلَ ٱلۡبَحۡرَ فَأَتَوۡاْ عَلَىٰ قَوۡمٖ يَعۡكُفُونَ عَلَىٰٓ
أَصۡنَامٖ لَّهُمۡۚ قَالُواْ يَٰمُوسَى ٱجۡعَل لَّنَآ إِلَٰهٗا كَمَا لَهُمۡ ءَالِهَةٞۚ
قَالَ إِنَّكُمۡ قَوۡمٞ تَجۡهَلُونَ ﴿١٣٨﴾ إِنَّ هَٰٓؤُلَآءِ مُتَبَّرٞ مَّا هُمۡ فِيهِ وَبَٰطِلٞ
مَّا كَانُواْ يَعۡمَلُونَ ﴿١٣٩﴾ قَالَ أَغَيۡرَ ٱللَّهِ أَبۡغِيكُمۡ إِلَٰهٗا
وَهُوَ فَضَّلَكُمۡ عَلَى ٱلۡعَٰلَمِينَ ﴿١٤٠﴾ وَإِذۡ أَنجَيۡنَٰكُم
مِّنۡ ءَالِ فِرۡعَوۡنَ يَسُومُونَكُمۡ سُوٓءَ ٱلۡعَذَابِ يُقَتِّلُونَ
أَبۡنَآءَكُمۡ وَيَسۡتَحۡيُونَ نِسَآءَكُمۡۚ وَفِي ذَٰلِكُم بَلَآءٞ مِّن
رَّبِّكُمۡ عَظِيمٞ ﴿١٤١﴾ ۞ وَوَٰعَدۡنَا مُوسَىٰ ثَلَٰثِينَ لَيۡلَةٗ
وَأَتۡمَمۡنَٰهَا بِعَشۡرٖ فَتَمَّ مِيقَٰتُ رَبِّهِۦٓ أَرۡبَعِينَ لَيۡلَةٗۚ وَقَالَ
مُوسَىٰ لِأَخِيهِ هَٰرُونَ ٱخۡلُفۡنِي فِي قَوۡمِي وَأَصۡلِحۡ وَلَا تَتَّبِعۡ
سَبِيلَ ٱلۡمُفۡسِدِينَ ﴿١٤٢﴾ وَلَمَّا جَآءَ مُوسَىٰ لِمِيقَٰتِنَا وَكَلَّمَهُۥ
رَبُّهُۥ قَالَ رَبِّ أَرِنِيٓ أَنظُرۡ إِلَيۡكَۚ قَالَ لَن تَرَىٰنِي وَلَٰكِنِ ٱنظُرۡ
إِلَى ٱلۡجَبَلِ فَإِنِ ٱسۡتَقَرَّ مَكَانَهُۥ فَسَوۡفَ تَرَىٰنِيۚ فَلَمَّا تَجَلَّىٰ
رَبُّهُۥ لِلۡجَبَلِ جَعَلَهُۥ دَكّٗا وَخَرَّ مُوسَىٰ صَعِقٗاۚ فَلَمَّآ أَفَاقَ
قَالَ سُبۡحَٰنَكَ تُبۡتُ إِلَيۡكَ وَأَنَا۠ أَوَّلُ ٱلۡمُؤۡمِنِينَ ﴿١٤٣﴾

- مُتَبَّرٌ: مُهلَكٌ مُدمَّر
- أَبۡغِيكُمۡ: أطلبُ لكُمْ
- يَسُومُونَكُمۡ: يُذيقُونَكُمْ . أو يُكلِّفونكمْ
- يَسۡتَحۡيُونَ: يَسْتَبْقُونَ لِلْخِدْمَةِ
- بَلَآءٌ: ابْتِلاءٌ وامْتِحانٌ

نصف الحزب ١٧

- تَجَلَّىٰ رَبُّهُۥ لِلۡجَبَلِ: بَدا لَهُ شيء من نورِ عرشه
- دَكّٗا: مَدْكُوكاً مُفَتّتاً
- صَعِقٗا: مَغْشِيّاً عليه
- سُبۡحَٰنَكَ: تَنْزِيهاً لَكَ من مشابهة خلقك

قَالَ يَٰمُوسَىٰٓ إِنِّي ٱصۡطَفَيۡتُكَ عَلَى ٱلنَّاسِ بِرِسَٰلَٰتِي وَبِكَلَٰمِي
فَخُذۡ مَآ ءَاتَيۡتُكَ وَكُن مِّنَ ٱلشَّٰكِرِينَ ﴿١٤٤﴾ وَكَتَبۡنَا
لَهُۥ فِي ٱلۡأَلۡوَاحِ مِن كُلِّ شَيۡءٖ مَّوۡعِظَةٗ وَتَفۡصِيلٗا لِّكُلِّ
شَيۡءٖ فَخُذۡهَا بِقُوَّةٖ وَأۡمُرۡ قَوۡمَكَ يَأۡخُذُواْ بِأَحۡسَنِهَاۚ سَأُوْرِيكُمۡ
دَارَ ٱلۡفَٰسِقِينَ ﴿١٤٥﴾ سَأَصۡرِفُ عَنۡ ءَايَٰتِيَ ٱلَّذِينَ يَتَكَبَّرُونَ
فِي ٱلۡأَرۡضِ بِغَيۡرِ ٱلۡحَقِّ وَإِن يَرَوۡاْ كُلَّ ءَايَةٖ لَّا يُؤۡمِنُواْ
بِهَا وَإِن يَرَوۡاْ سَبِيلَ ٱلرُّشۡدِ لَا يَتَّخِذُوهُ سَبِيلٗا وَإِن يَرَوۡاْ
سَبِيلَ ٱلۡغَيِّ يَتَّخِذُوهُ سَبِيلٗاۚ ذَٰلِكَ بِأَنَّهُمۡ كَذَّبُواْ بِـَٔايَٰتِنَا
وَكَانُواْ عَنۡهَا غَٰفِلِينَ ﴿١٤٦﴾ وَٱلَّذِينَ كَذَّبُواْ بِـَٔايَٰتِنَا وَلِقَآءِ
ٱلۡأٓخِرَةِ حَبِطَتۡ أَعۡمَٰلُهُمۡۚ هَلۡ يُجۡزَوۡنَ إِلَّا مَا كَانُواْ
يَعۡمَلُونَ ﴿١٤٧﴾ وَٱتَّخَذَ قَوۡمُ مُوسَىٰ مِنۢ بَعۡدِهِۦ مِنۡ حُلِيِّهِمۡ
عِجۡلٗا جَسَدٗا لَّهُۥ خُوَارٌۚ أَلَمۡ يَرَوۡاْ أَنَّهُۥ لَا يُكَلِّمُهُمۡ وَلَا يَهۡدِيهِمۡ
سَبِيلًاۘ ٱتَّخَذُوهُ وَكَانُواْ ظَٰلِمِينَ ﴿١٤٨﴾ وَلَمَّا سُقِطَ
فِيٓ أَيۡدِيهِمۡ وَرَأَوۡاْ أَنَّهُمۡ قَدۡ ضَلُّواْ قَالُواْ لَئِن لَّمۡ يَرۡحَمۡنَا
رَبُّنَا وَيَغۡفِرۡ لَنَا لَنَكُونَنَّ مِنَ ٱلۡخَٰسِرِينَ ﴿١٤٩﴾

الأعراف

- سَبِيلَ ٱلرُّشۡدِ: طَرِيقَ الهُدَى
- سَبِيلَ ٱلۡغَيِّ: طَرِيقَ الضَّلالِ
- حَبِطَتۡ: بَطَلَتْ
- جَسَدٗا: أَحْمَرَ من ذهب
- خُوَارٌ: صَوْتٌ كَصَوْتِ البَقَرِ
- سُقِطَ فِيٓ أَيۡدِيهِمۡ: نَدِمُوا أَشَدَّ النَّدَمِ

مدّ ٦ حركات لزوماً | مدّ ٢ أو ٤ أو ٦ جوازاً | إخفاء، ومواقع الغُنَّة (حركتان) | تفخيم
مدّ واجب ٤ أو ٥ حركات | مدّ حركتان | إدغام، وما لا يُلفظ | قلقلة

وَلَمَّا رَجَعَ مُوسَىٰٓ إِلَىٰ قَوْمِهِۦ غَضْبَٰنَ أَسِفًا قَالَ بِئْسَمَا خَلَفْتُمُونِى
مِنۢ بَعْدِىٓ ۖ أَعَجِلْتُمْ أَمْرَ رَبِّكُمْ ۖ وَأَلْقَى ٱلْأَلْوَاحَ وَأَخَذَ بِرَأْسِ
أَخِيهِ يَجُرُّهُۥٓ إِلَيْهِ ۚ قَالَ ٱبْنَ أُمَّ إِنَّ ٱلْقَوْمَ ٱسْتَضْعَفُونِى وَكَادُوا۟
يَقْتُلُونَنِى فَلَا تُشْمِتْ بِىَ ٱلْأَعْدَآءَ وَلَا تَجْعَلْنِى مَعَ ٱلْقَوْمِ
ٱلظَّٰلِمِينَ (١٥٠) قَالَ رَبِّ ٱغْفِرْ لِى وَلِأَخِى وَأَدْخِلْنَا فِى
رَحْمَتِكَ ۖ وَأَنتَ أَرْحَمُ ٱلرَّٰحِمِينَ (١٥١) إِنَّ ٱلَّذِينَ ٱتَّخَذُوا۟
ٱلْعِجْلَ سَيَنَالُهُمْ غَضَبٌ مِّن رَّبِّهِمْ وَذِلَّةٌ فِى ٱلْحَيَوٰةِ ٱلدُّنْيَا ۚ
وَكَذَٰلِكَ نَجْزِى ٱلْمُفْتَرِينَ (١٥٢) وَٱلَّذِينَ عَمِلُوا۟ ٱلسَّيِّـَٔاتِ ثُمَّ
تَابُوا۟ مِنۢ بَعْدِهَا وَءَامَنُوٓا۟ إِنَّ رَبَّكَ مِنۢ بَعْدِهَا لَغَفُورٌ رَّحِيمٌ
(١٥٣) وَلَمَّا سَكَتَ عَن مُّوسَى ٱلْغَضَبُ أَخَذَ ٱلْأَلْوَاحَ ۖ وَفِى
نُسْخَتِهَا هُدًى وَرَحْمَةٌ لِّلَّذِينَ هُمْ لِرَبِّهِمْ يَرْهَبُونَ (١٥٤) وَٱخْتَارَ
مُوسَىٰ قَوْمَهُۥ سَبْعِينَ رَجُلًا لِّمِيقَٰتِنَا ۖ فَلَمَّآ أَخَذَتْهُمُ ٱلرَّجْفَةُ
قَالَ رَبِّ لَوْ شِئْتَ أَهْلَكْتَهُم مِّن قَبْلُ وَإِيَّٰىَ ۖ أَتُهْلِكُنَا بِمَا فَعَلَ
ٱلسُّفَهَآءُ مِنَّآ ۖ إِنْ هِىَ إِلَّا فِتْنَتُكَ تُضِلُّ بِهَا مَن تَشَآءُ وَتَهْدِى
مَن تَشَآءُ ۖ أَنتَ وَلِيُّنَا فَٱغْفِرْ لَنَا وَٱرْحَمْنَا ۖ وَأَنتَ خَيْرُ ٱلْغَٰفِرِينَ (١٥٥)

- أَسِفًا: شَدِيدَ الغَضَبِ
- أَعَجِلْتُمْ: أَسَبَقْتُمْ بعبادة العجل
- فَلَا تُشْمِتْ: فلا تَسُرَّ
- ٱلرَّجْفَةُ: الزَّلْزَلَةُ الشَّدِيدَةُ . أو الصاعقةُ
- فِتْنَتُكَ: مِحنتُكَ وابتلاؤُك

| | | |
|---|---|---|
| مدّ ٦ حركات لزوماً — مدّ ٢ أو ٤ أو ٦ جوازاً | إخفاء ، ومواقع الغُنّة (حركتان) | تفخيم |
| مدّ واجب ٤ أو ٥ حركات — مدّ حركتان | إدغام ، وما لا يُلفظ | قلقلة |

وَٱكۡتُبۡ لَنَا فِي هَٰذِهِ ٱلدُّنۡيَا حَسَنَةٗ وَفِي ٱلۡأٓخِرَةِ إِنَّا
هُدۡنَآ إِلَيۡكَۚ قَالَ عَذَابِيٓ أُصِيبُ بِهِۦ مَنۡ أَشَآءُۖ وَرَحۡمَتِي
وَسِعَتۡ كُلَّ شَيۡءٖۚ فَسَأَكۡتُبُهَا لِلَّذِينَ يَتَّقُونَ وَيُؤۡتُونَ
ٱلزَّكَوٰةَ وَٱلَّذِينَ هُم بِـَٔايَٰتِنَا يُؤۡمِنُونَ ﴿١٥٦﴾ ٱلَّذِينَ يَتَّبِعُونَ
ٱلرَّسُولَ ٱلنَّبِيَّ ٱلۡأُمِّيَّ ٱلَّذِي يَجِدُونَهُۥ مَكۡتُوبًا عِندَهُمۡ
فِي ٱلتَّوۡرَىٰةِ وَٱلۡإِنجِيلِ يَأۡمُرُهُم بِٱلۡمَعۡرُوفِ وَيَنۡهَىٰهُمۡ
عَنِ ٱلۡمُنكَرِ وَيُحِلُّ لَهُمُ ٱلطَّيِّبَٰتِ وَيُحَرِّمُ عَلَيۡهِمُ
ٱلۡخَبَٰٓئِثَ وَيَضَعُ عَنۡهُمۡ إِصۡرَهُمۡ وَٱلۡأَغۡلَٰلَ ٱلَّتِي كَانَتۡ
عَلَيۡهِمۡۚ فَٱلَّذِينَ ءَامَنُواْ بِهِۦ وَعَزَّرُوهُ وَنَصَرُوهُ وَٱتَّبَعُواْ
ٱلنُّورَ ٱلَّذِيٓ أُنزِلَ مَعَهُۥٓ أُوْلَٰٓئِكَ هُمُ ٱلۡمُفۡلِحُونَ ﴿١٥٧﴾ قُلۡ
يَٰٓأَيُّهَا ٱلنَّاسُ إِنِّي رَسُولُ ٱللَّهِ إِلَيۡكُمۡ جَمِيعًا ٱلَّذِي
لَهُۥ مُلۡكُ ٱلسَّمَٰوَٰتِ وَٱلۡأَرۡضِۖ لَآ إِلَٰهَ إِلَّا هُوَ يُحۡيِۦ وَيُمِيتُۖ
فَـَٔامِنُواْ بِٱللَّهِ وَرَسُولِهِ ٱلنَّبِيِّ ٱلۡأُمِّيِّ ٱلَّذِي يُؤۡمِنُ بِٱللَّهِ
وَكَلِمَٰتِهِۦ وَٱتَّبِعُوهُ لَعَلَّكُمۡ تَهۡتَدُونَ ﴿١٥٨﴾
وَمِن قَوۡمِ مُوسَىٰٓ أُمَّةٞ يَهۡدُونَ بِٱلۡحَقِّ وَبِهِۦ يَعۡدِلُونَ ﴿١٥٩﴾

هُدۡنَآ إِلَيۡكَ: تُبنا ورجَعْنا إليك
إِصۡرَهُمۡ: عَهدَهُمْ بالقيامِ بأعمالٍ ثِقالٍ
ٱلۡأَغۡلَٰلَ: التّكاليفَ الشّاقّةَ في التوراة
عَزَّرُوهُ: وَقّرُوه وَعَظّمُوهُ
بِهِۦ يَعۡدِلُونَ: بالحَقّ يحْكُمون فيما بَيْنَهُمْ

الأعراف

مدّ ٦ حركات لزوماً | مدّ ٢ أو ٤ أو ٦ جوازاً | إخفاء، ومواقع الغُنَّة (حركتان) | تفخيم
مدّ واجب ٤ أو ٥ حركات | مدّ حركتان | إدغام، وما لا يُلفَظ | قلقلة

وَقَطَّعْنَٰهُمُ ٱثْنَتَىْ عَشْرَةَ أَسْبَاطًا أُمَمًا ۚ وَأَوْحَيْنَآ إِلَىٰ مُوسَىٰٓ
إِذِ ٱسْتَسْقَىٰهُ قَوْمُهُۥٓ أَنِ ٱضْرِب بِّعَصَاكَ ٱلْحَجَرَ ۖ
فَٱنۢبَجَسَتْ مِنْهُ ٱثْنَتَا عَشْرَةَ عَيْنًا ۖ قَدْ عَلِمَ كُلُّ أُنَاسٍ
مَّشْرَبَهُمْ ۚ وَظَلَّلْنَا عَلَيْهِمُ ٱلْغَمَٰمَ وَأَنزَلْنَا عَلَيْهِمُ ٱلْمَنَّ
وَٱلسَّلْوَىٰ ۖ كُلُوا۟ مِن طَيِّبَٰتِ مَا رَزَقْنَٰكُمْ ۚ وَمَا
ظَلَمُونَا وَلَٰكِن كَانُوٓا۟ أَنفُسَهُمْ يَظْلِمُونَ ﴿١٦٠﴾ وَإِذْ
قِيلَ لَهُمُ ٱسْكُنُوا۟ هَٰذِهِ ٱلْقَرْيَةَ وَكُلُوا۟ مِنْهَا حَيْثُ
شِئْتُمْ وَقُولُوا۟ حِطَّةٌ وَٱدْخُلُوا۟ ٱلْبَابَ سُجَّدًا نَّغْفِرْ
لَكُمْ خَطِيٓـَٰٔتِكُمْ ۚ سَنَزِيدُ ٱلْمُحْسِنِينَ ﴿١٦١﴾
فَبَدَّلَ ٱلَّذِينَ ظَلَمُوا۟ مِنْهُمْ قَوْلًا غَيْرَ ٱلَّذِى قِيلَ لَهُمْ
فَأَرْسَلْنَا عَلَيْهِمْ رِجْزًا مِّنَ ٱلسَّمَآءِ بِمَا كَانُوا۟
يَظْلِمُونَ ﴿١٦٢﴾ وَسْـَٔلْهُمْ عَنِ ٱلْقَرْيَةِ ٱلَّتِى كَانَتْ
حَاضِرَةَ ٱلْبَحْرِ إِذْ يَعْدُونَ فِى ٱلسَّبْتِ إِذْ تَأْتِيهِمْ
حِيتَانُهُمْ يَوْمَ سَبْتِهِمْ شُرَّعًا وَيَوْمَ لَا يَسْبِتُونَ
لَا تَأْتِيهِمْ ۚ كَذَٰلِكَ نَبْلُوهُم بِمَا كَانُوا۟ يَفْسُقُونَ ﴿١٦٣﴾

- قَطَّعْنَاهُم: فرّقناهم . أو صيّرناهم
- أَسْبَاطًا: جماعات كالقبائل في العرب
- فَانْبَجَسَتْ: انفجرتْ
- مَشْرَبَهُمْ: عينَهُم الخاصّة بهم
- الْغَمَامَ: السّحابَ الأبيضَ الرّقيقَ
- الْمَنَّ: مادّةً صَمْغيّةً حُلوةً كالعَسلِ
- السَّلْوَى: الطّائرَ المعروف بالسُّماني
- حِطَّةٌ: مسْألتُنا حُطّ ذُنوبَنا عنّا
- رِجْزًا: عذاباً
- حَاضِرَةَ الْبَحْرِ: قريبةً منه
- يَعْدُونَ: يَعْتَدُونَ بالصّيدِ المحرّم
- شُرَّعًا: ظاهرةً على وَجْهِ الماء
- لَا يَسْبِتُونَ: لا يُراعُون أمْرَ السّبْت
- نَبْلُوهُمْ: نمتحنُهُم ونختبرُهُم بالشّدّة

مدّ ٦ حركات لزوماً — مدّ ٢ أو ٤ أو ٦ جوازاً — إخفاء، ومواقع الغُنّة (حركتان) — تفخيـ
مدّ واجب ٤ أو ٥ حركات — مدّ حركتان — إدغام، وما لا يُلفظ — قلقلـ

وَإِذْ قَالَتْ أُمَّةٌ مِّنْهُمْ لِمَ تَعِظُونَ قَوْمًا ٱللَّهُ مُهْلِكُهُمْ أَوْ مُعَذِّبُهُمْ
عَذَابًا شَدِيدًا ۖ قَالُوا۟ مَعْذِرَةً إِلَىٰ رَبِّكُمْ وَلَعَلَّهُمْ يَتَّقُونَ ﴿١٦٤﴾
فَلَمَّا نَسُوا۟ مَا ذُكِّرُوا۟ بِهِۦٓ أَنجَيْنَا ٱلَّذِينَ يَنْهَوْنَ عَنِ ٱلسُّوٓءِ
وَأَخَذْنَا ٱلَّذِينَ ظَلَمُوا۟ بِعَذَابٍۭ بَـِٔيسٍۭ بِمَا كَانُوا۟ يَفْسُقُونَ
﴿١٦٥﴾ فَلَمَّا عَتَوْا۟ عَن مَّا نُهُوا۟ عَنْهُ قُلْنَا لَهُمْ كُونُوا۟ قِرَدَةً خَٰسِـِٔينَ
﴿١٦٦﴾ وَإِذْ تَأَذَّنَ رَبُّكَ لَيَبْعَثَنَّ عَلَيْهِمْ إِلَىٰ يَوْمِ ٱلْقِيَٰمَةِ مَن
يَسُومُهُمْ سُوٓءَ ٱلْعَذَابِ ۗ إِنَّ رَبَّكَ لَسَرِيعُ ٱلْعِقَابِ ۖ وَإِنَّهُۥ
لَغَفُورٌ رَّحِيمٌ ﴿١٦٧﴾ وَقَطَّعْنَٰهُمْ فِى ٱلْأَرْضِ أُمَمًا ۖ مِّنْهُمُ
ٱلصَّٰلِحُونَ وَمِنْهُمْ دُونَ ذَٰلِكَ ۖ وَبَلَوْنَٰهُم بِٱلْحَسَنَٰتِ
وَٱلسَّيِّـَٔاتِ لَعَلَّهُمْ يَرْجِعُونَ ﴿١٦٨﴾ فَخَلَفَ مِنۢ بَعْدِهِمْ خَلْفٌ
وَرِثُوا۟ ٱلْكِتَٰبَ يَأْخُذُونَ عَرَضَ هَٰذَا ٱلْأَدْنَىٰ وَيَقُولُونَ سَيُغْفَرُ لَنَا
وَإِن يَأْتِهِمْ عَرَضٌ مِّثْلُهُۥ يَأْخُذُوهُ ۚ أَلَمْ يُؤْخَذْ عَلَيْهِم مِّيثَٰقُ ٱلْكِتَٰبِ
أَن لَّا يَقُولُوا۟ عَلَى ٱللَّهِ إِلَّا ٱلْحَقَّ وَدَرَسُوا۟ مَا فِيهِ ۗ وَٱلدَّارُ ٱلْءَاخِرَةُ
خَيْرٌ لِّلَّذِينَ يَتَّقُونَ ۗ أَفَلَا تَعْقِلُونَ ﴿١٦٩﴾ وَٱلَّذِينَ يُمَسِّكُونَ
بِٱلْكِتَٰبِ وَأَقَامُوا۟ ٱلصَّلَوٰةَ إِنَّا لَا نُضِيعُ أَجْرَ ٱلْمُصْلِحِينَ ﴿١٧٠﴾

- مَعْذِرَةً: للاعتذار والتنصّل من الذنب
- بَـِٔيسٍ: شديد وجيع
- عَتَوْا: استكبروا واستعصوا
- خَٰسِـِٔينَ: أذلاء مُبْعَدين كالكلاب
- تَأَذَّنَ: أعلَم . أو عزم . أو قضى
- يَسُومُهُمْ: يُذيقهم
- بَلَوْنَٰهُم: امتحنّاهم واختبرناهم
- خَلْفٌ: بدل سوء
- عَرَضَ هَٰذَا ٱلْأَدْنَىٰ: حُطام هذه الدنيا
- دَرَسُوا: قرؤوا

الأعراف

| | | |
|---|---|---|
| تفخيم | إخفاء ، ومواقع الغُنَّة (حركتان) | مدّ ٦ حركات لزوماً — مدّ ٢ أو ٤ أو ٦ جوازاً |
| قلقلة | إدغام ، وما لا يُلفَظ | مدّ واجب ٤ أو ٥ حركات — مدّ حركتان |

۞ وَإِذْ نَتَقْنَا ٱلْجَبَلَ فَوْقَهُمْ كَأَنَّهُۥ ظُلَّةٌ وَظَنُّوٓا۟ أَنَّهُۥ وَاقِعٌۢ بِهِمْ
خُذُوا۟ مَآ ءَاتَيْنَٰكُم بِقُوَّةٍ وَٱذْكُرُوا۟ مَا فِيهِ لَعَلَّكُمْ تَتَّقُونَ ﴿١٧١﴾
وَإِذْ أَخَذَ رَبُّكَ مِنۢ بَنِىٓ ءَادَمَ مِن ظُهُورِهِمْ ذُرِّيَّتَهُمْ وَأَشْهَدَهُمْ
عَلَىٰٓ أَنفُسِهِمْ أَلَسْتُ بِرَبِّكُمْ ۖ قَالُوا۟ بَلَىٰ ۛ شَهِدْنَآ ۛ أَن تَقُولُوا۟ يَوْمَ
ٱلْقِيَٰمَةِ إِنَّا كُنَّا عَنْ هَٰذَا غَٰفِلِينَ ﴿١٧٢﴾ أَوْ تَقُولُوٓا۟ إِنَّمَآ أَشْرَكَ
ءَابَآؤُنَا مِن قَبْلُ وَكُنَّا ذُرِّيَّةً مِّنۢ بَعْدِهِمْ ۖ أَفَتُهْلِكُنَا بِمَا فَعَلَ
ٱلْمُبْطِلُونَ ﴿١٧٣﴾ وَكَذَٰلِكَ نُفَصِّلُ ٱلْءَايَٰتِ وَلَعَلَّهُمْ يَرْجِعُونَ
﴿١٧٤﴾ وَٱتْلُ عَلَيْهِمْ نَبَأَ ٱلَّذِىٓ ءَاتَيْنَٰهُ ءَايَٰتِنَا فَٱنسَلَخَ مِنْهَا
فَأَتْبَعَهُ ٱلشَّيْطَٰنُ فَكَانَ مِنَ ٱلْغَاوِينَ ﴿١٧٥﴾ وَلَوْ شِئْنَا
لَرَفَعْنَٰهُ بِهَا وَلَٰكِنَّهُۥٓ أَخْلَدَ إِلَى ٱلْأَرْضِ وَٱتَّبَعَ هَوَىٰهُ ۚ فَمَثَلُهُۥ
كَمَثَلِ ٱلْكَلْبِ إِن تَحْمِلْ عَلَيْهِ يَلْهَثْ أَوْ تَتْرُكْهُ
يَلْهَث ۚ ذَّٰلِكَ مَثَلُ ٱلْقَوْمِ ٱلَّذِينَ كَذَّبُوا۟ بِـَٔايَٰتِنَا ۚ فَٱقْصُصِ
ٱلْقَصَصَ لَعَلَّهُمْ يَتَفَكَّرُونَ ﴿١٧٦﴾ سَآءَ مَثَلًا ٱلْقَوْمُ ٱلَّذِينَ
كَذَّبُوا۟ بِـَٔايَٰتِنَا وَأَنفُسَهُمْ كَانُوا۟ يَظْلِمُونَ ﴿١٧٧﴾ مَن يَهْدِ ٱللَّهُ
فَهُوَ ٱلْمُهْتَدِى ۖ وَمَن يُضْلِلْ فَأُو۟لَٰٓئِكَ هُمُ ٱلْخَٰسِرُونَ ﴿١٧٨﴾

- نَتَقْنَا ٱلْجَبَلَ: قلعناه ورفعناه
- ظُلَّةٌ: غمامة أو سقيفة تُظلّ
- فَٱنسَلَخَ مِنْهَا: خرج منها بكفره بها
- ٱلْغَاوِينَ: الضالّين
- أَخْلَدَ إِلَى ٱلْأَرْضِ: ركن إلى الدُّنيا ورضيَ بها
- تَحْمِلْ عَلَيْهِ: تشدُد عليه وتزجُره
- يَلْهَثْ: يُخرج لسانَه بالنَّفس الشديد

وَلَقَدْ ذَرَأْنَا لِجَهَنَّمَ كَثِيرًا مِّنَ الْجِنِّ وَالْإِنسِ ۖ لَهُمْ قُلُوبٌ
لَّا يَفْقَهُونَ بِهَا وَلَهُمْ أَعْيُنٌ لَّا يُبْصِرُونَ بِهَا وَلَهُمْ آذَانٌ لَّا يَسْمَعُونَ
بِهَا ۚ أُولَٰئِكَ كَالْأَنْعَامِ بَلْ هُمْ أَضَلُّ ۚ أُولَٰئِكَ هُمُ الْغَافِلُونَ ﴿١٧٩﴾
وَلِلَّهِ الْأَسْمَاءُ الْحُسْنَىٰ فَادْعُوهُ بِهَا ۖ وَذَرُوا الَّذِينَ يُلْحِدُونَ فِي
أَسْمَائِهِ ۚ سَيُجْزَوْنَ مَا كَانُوا يَعْمَلُونَ ﴿١٨٠﴾ وَمِمَّنْ خَلَقْنَا أُمَّةٌ
يَهْدُونَ بِالْحَقِّ وَبِهِ يَعْدِلُونَ ﴿١٨١﴾ وَالَّذِينَ كَذَّبُوا بِآيَاتِنَا
سَنَسْتَدْرِجُهُم مِّنْ حَيْثُ لَا يَعْلَمُونَ ﴿١٨٢﴾ وَأُمْلِي لَهُمْ ۚ إِنَّ
كَيْدِي مَتِينٌ ﴿١٨٣﴾ أَوَلَمْ يَتَفَكَّرُوا ۗ مَا بِصَاحِبِهِم مِّن جِنَّةٍ ۚ إِنْ
هُوَ إِلَّا نَذِيرٌ مُّبِينٌ ﴿١٨٤﴾ أَوَلَمْ يَنظُرُوا فِي مَلَكُوتِ السَّمَاوَاتِ
وَالْأَرْضِ وَمَا خَلَقَ اللَّهُ مِن شَيْءٍ وَأَنْ عَسَىٰ أَن يَكُونَ قَدِ اقْتَرَبَ
أَجَلُهُمْ ۖ فَبِأَيِّ حَدِيثٍ بَعْدَهُ يُؤْمِنُونَ ﴿١٨٥﴾ مَن يُضْلِلِ اللَّهُ فَلَا
هَادِيَ لَهُ ۚ وَيَذَرُهُمْ فِي طُغْيَانِهِمْ يَعْمَهُونَ ﴿١٨٦﴾ يَسْأَلُونَكَ عَنِ السَّاعَةِ
أَيَّانَ مُرْسَاهَا ۖ قُلْ إِنَّمَا عِلْمُهَا عِندَ رَبِّي ۖ لَا يُجَلِّيهَا لِوَقْتِهَا إِلَّا هُوَ ۚ ثَقُلَتْ
فِي السَّمَاوَاتِ وَالْأَرْضِ ۚ لَا تَأْتِيكُمْ إِلَّا بَغْتَةً ۗ يَسْأَلُونَكَ كَأَنَّكَ حَفِيٌّ
عَنْهَا ۖ قُلْ إِنَّمَا عِلْمُهَا عِندَ اللَّهِ وَلَٰكِنَّ أَكْثَرَ النَّاسِ لَا يَعْلَمُونَ ﴿١٨٧﴾

الأعراف

- ذَرَأْنَا: خلقنا وأوجدنا
- يُلْحِدُونَ: يميلون وينحرفون عن الحقّ
- بِهِ يَعْدِلُونَ: بالحقّ يحكمون فيما بينهم
- سَنَسْتَدْرِجُهُم: سنقرّبهم للهلاك بالإنعام والإمهال
- أُمْلِي لَهُمْ: أُمهلهم
- جِنَّةٍ: جنونٍ كما يزعمون
- طُغْيَانِهِمْ: تجاوزهم الحدّ في الكفر
- يَعْمَهُونَ: يَعْمَوْنَ عن الرُّشد أو يتحيّرون
- أَيَّانَ مُرْسَاهَا: متى إثباتها و وقوعها
- لَا يُجَلِّيهَا: لا يُظهرها ولا يكشف عنها
- ثَقُلَتْ: عظُمت لشدّتها
- حَفِيٌّ عَنْهَا: عالِمٌ بها

| | | | |
|---|---|---|---|
| مدّ ٦ حركات لزوماً | مدّ ٢ أو ٤ أو ٦ جوازاً | إخفاء ، ومواقع الغُنّة (حركتان) | تفخيم |
| مدّ واجب ٤ أو ٥ حركات | مدّ حركتان | إدغام ، وما لا يُلفظ | قلقلة |

قُل لَّآ أَمۡلِكُ لِنَفۡسِي نَفۡعٗا وَلَا ضَرًّا إِلَّا مَا شَآءَ ٱللَّهُۚ وَلَوۡ كُنتُ
أَعۡلَمُ ٱلۡغَيۡبَ لَٱسۡتَكۡثَرۡتُ مِنَ ٱلۡخَيۡرِ وَمَا مَسَّنِيَ ٱلسُّوٓءُۚ إِنۡ
أَنَا۠ إِلَّا نَذِيرٞ وَبَشِيرٞ لِّقَوۡمٖ يُؤۡمِنُونَ ﴿١٨٨﴾ ۞ هُوَ ٱلَّذِي خَلَقَكُم
مِّن نَّفۡسٖ وَٰحِدَةٖ وَجَعَلَ مِنۡهَا زَوۡجَهَا لِيَسۡكُنَ إِلَيۡهَاۖ فَلَمَّا
تَغَشَّىٰهَا حَمَلَتۡ حَمۡلًا خَفِيفٗا فَمَرَّتۡ بِهِۦۖ فَلَمَّآ أَثۡقَلَت دَّعَوَا
ٱللَّهَ رَبَّهُمَا لَئِنۡ ءَاتَيۡتَنَا صَٰلِحٗا لَّنَكُونَنَّ مِنَ ٱلشَّٰكِرِينَ ﴿١٨٩﴾
فَلَمَّآ ءَاتَىٰهُمَا صَٰلِحٗا جَعَلَا لَهُۥ شُرَكَآءَ فِيمَآ ءَاتَىٰهُمَاۚ فَتَعَٰلَى
ٱللَّهُ عَمَّا يُشۡرِكُونَ ﴿١٩٠﴾ أَيُشۡرِكُونَ مَا لَا يَخۡلُقُ شَيۡـٔٗا وَهُمۡ يُخۡلَقُونَ
﴿١٩١﴾ وَلَا يَسۡتَطِيعُونَ لَهُمۡ نَصۡرٗا وَلَآ أَنفُسَهُمۡ يَنصُرُونَ ﴿١٩٢﴾
وَإِن تَدۡعُوهُمۡ إِلَى ٱلۡهُدَىٰ لَا يَتَّبِعُوكُمۡۚ سَوَآءٌ عَلَيۡكُمۡ أَدَعَوۡتُمُوهُمۡ
أَمۡ أَنتُمۡ صَٰمِتُونَ ﴿١٩٣﴾ إِنَّ ٱلَّذِينَ تَدۡعُونَ مِن دُونِ ٱللَّهِ
عِبَادٌ أَمۡثَالُكُمۡۖ فَٱدۡعُوهُمۡ فَلۡيَسۡتَجِيبُواْ لَكُمۡ إِن
كُنتُمۡ صَٰدِقِينَ ﴿١٩٤﴾ أَلَهُمۡ أَرۡجُلٞ يَمۡشُونَ بِهَآۖ أَمۡ لَهُمۡ أَيۡدٖ
يَبۡطِشُونَ بِهَآۖ أَمۡ لَهُمۡ أَعۡيُنٞ يُبۡصِرُونَ بِهَآۖ أَمۡ لَهُمۡ ءَاذَانٞ
يَسۡمَعُونَ بِهَاۗ قُلِ ٱدۡعُواْ شُرَكَآءَكُمۡ ثُمَّ كِيدُونِ فَلَا تُنظِرُونِ ﴿١٩٥﴾

ربع الحزب ١٨

- تَغَشَّىٰهَا: وَاقَعَهَا
- فَمَرَّتۡ بِهِۦ: فاستَمَرَّتْ به بغَيْرِ مَشَقَّةٍ
- أَثۡقَلَت: صَارَتْ ذاتَ ثِقْلٍ
- صَٰلِحٗا: بشراً سوياً مثلنا
- فَلَا تُنظِرُونِ: فلا تُمْهِلُون

مدّ ٦ حركات لزوماً | مدّ ٢ أو ٤ أو ٦ جوازاً | إخفاء، ومواقع الغُنَّة (حركتان) | تفخيم
مدّ واجب ٤ أو ٥ حركات | مدّ حركتان | إدغام، وما لا يُلفظ | قلقلة

إِنَّ وَلِـِّۧيَ ٱللَّهُ ٱلَّذِي نَزَّلَ ٱلۡكِتَٰبَۖ وَهُوَ يَتَوَلَّى ٱلصَّٰلِحِينَ ﴿١٩٦﴾
وَٱلَّذِينَ تَدۡعُونَ مِن دُونِهِۦ لَا يَسۡتَطِيعُونَ نَصۡرَكُمۡ وَلَآ
أَنفُسَهُمۡ يَنصُرُونَ ﴿١٩٧﴾ وَإِن تَدۡعُوهُمۡ إِلَى ٱلۡهُدَىٰ لَا يَسۡمَعُواْۖ
وَتَرَىٰهُمۡ يَنظُرُونَ إِلَيۡكَ وَهُمۡ لَا يُبۡصِرُونَ ﴿١٩٨﴾ خُذِ ٱلۡعَفۡوَ وَأۡمُرۡ
بِٱلۡعُرۡفِ وَأَعۡرِضۡ عَنِ ٱلۡجَٰهِلِينَ ﴿١٩٩﴾ وَإِمَّا يَنزَغَنَّكَ مِنَ
ٱلشَّيۡطَٰنِ نَزۡغٞ فَٱسۡتَعِذۡ بِٱللَّهِۚ إِنَّهُۥ سَمِيعٌ عَلِيمٌ ﴿٢٠٠﴾ إِنَّ
ٱلَّذِينَ ٱتَّقَوۡاْ إِذَا مَسَّهُمۡ طَٰٓئِفٞ مِّنَ ٱلشَّيۡطَٰنِ تَذَكَّرُواْ
فَإِذَا هُم مُّبۡصِرُونَ ﴿٢٠١﴾ وَإِخۡوَٰنُهُمۡ يَمُدُّونَهُمۡ فِي ٱلۡغَيِّ ثُمَّ
لَا يُقۡصِرُونَ ﴿٢٠٢﴾ وَإِذَا لَمۡ تَأۡتِهِم بِـَٔايَةٖ قَالُواْ لَوۡلَا ٱجۡتَبَيۡتَهَاۚ
قُلۡ إِنَّمَآ أَتَّبِعُ مَا يُوحَىٰٓ إِلَيَّ مِن رَّبِّيۚ هَٰذَا بَصَآئِرُ مِن رَّبِّكُمۡ
وَهُدٗى وَرَحۡمَةٞ لِّقَوۡمٖ يُؤۡمِنُونَ ﴿٢٠٣﴾ وَإِذَا قُرِئَ ٱلۡقُرۡءَانُ
فَٱسۡتَمِعُواْ لَهُۥ وَأَنصِتُواْ لَعَلَّكُمۡ تُرۡحَمُونَ ﴿٢٠٤﴾ وَٱذۡكُر رَّبَّكَ
فِي نَفۡسِكَ تَضَرُّعٗا وَخِيفَةٗ وَدُونَ ٱلۡجَهۡرِ مِنَ ٱلۡقَوۡلِ بِٱلۡغُدُوِّ
وَٱلۡأٓصَالِ وَلَا تَكُن مِّنَ ٱلۡغَٰفِلِينَ ﴿٢٠٥﴾ إِنَّ ٱلَّذِينَ عِندَ رَبِّكَ
لَا يَسۡتَكۡبِرُونَ عَنۡ عِبَادَتِهِۦ وَيُسَبِّحُونَهُۥ وَلَهُۥ يَسۡجُدُونَ ۩ ﴿٢٠٦﴾

سجدة

- لَا يُبۡصِرُونَ: ببصائر قلوبهم
- خُذِ ٱلۡعَفۡوَ: ما تيسّر من أخلاق النّاس
- وَأۡمُرۡ بِٱلۡعُرۡفِ: المعروف حُسْنُهُ في الشرع
- يَنزَغَنَّكَ: يُصيبنّك أو يَصْرفنّك
- نَزۡغٞ: وَسْوَسَةٌ أو صارفٌ
- طَٰٓئِفٞ: وَسْوَسَةٌ ما
- يَمُدُّونَهُمۡ: تُعاوِنُهم الشياطينُ بالإغواءِ
- لَا يُقۡصِرُونَ: لا يَكُفُّونَ عن إغوائهم
- ٱجۡتَبَيۡتَهَا: اخترعْتَها من عندكَ
- تَضَرُّعٗا: مُظهِراً الضراعةَ والذِّلّة
- خِيفَةٗ: خوفاً
- بِٱلۡغُدُوِّ وَٱلۡأٓصَالِ: أوائلِ النّهارِ وأواخِرِه. أو كلّ وقت
- يَسۡجُدُونَ: يَخضعُونَ ويَعْبُدُونَ

| | | |
|---|---|---|
| مدّ ٦ حركات لزوماً ● مدّ ٢ أو ٤ أو ٦ جوازاً | إخفاء، ومواقع الغُنَّة (حركتان) | تفخيم |
| مدّ واجب ٤ أو ٥ حركات ● مدّ حركتان | إدغام، وما لا يُلفَظ | قلقلة |

# سُورَةُ الأَنفَالِ

ترتيبها ٨ — آياتها ٧٥

بِسۡمِ ٱللَّهِ ٱلرَّحۡمَٰنِ ٱلرَّحِيمِ

يَسۡـَٔلُونَكَ عَنِ ٱلۡأَنفَالِۖ قُلِ ٱلۡأَنفَالُ لِلَّهِ وَٱلرَّسُولِۖ فَٱتَّقُواْ ٱللَّهَ
وَأَصۡلِحُواْ ذَاتَ بَيۡنِكُمۡۖ وَأَطِيعُواْ ٱللَّهَ وَرَسُولَهُۥٓ إِن كُنتُم
مُّؤۡمِنِينَ ﴿١﴾ إِنَّمَا ٱلۡمُؤۡمِنُونَ ٱلَّذِينَ إِذَا ذُكِرَ ٱللَّهُ وَجِلَتۡ
قُلُوبُهُمۡ وَإِذَا تُلِيَتۡ عَلَيۡهِمۡ ءَايَٰتُهُۥ زَادَتۡهُمۡ إِيمَٰنٗا وَعَلَىٰ رَبِّهِمۡ
يَتَوَكَّلُونَ ﴿٢﴾ ٱلَّذِينَ يُقِيمُونَ ٱلصَّلَوٰةَ وَمِمَّا رَزَقۡنَٰهُمۡ
يُنفِقُونَ ﴿٣﴾ أُوْلَٰٓئِكَ هُمُ ٱلۡمُؤۡمِنُونَ حَقّٗاۚ لَّهُمۡ دَرَجَٰتٌ عِندَ
رَبِّهِمۡ وَمَغۡفِرَةٞ وَرِزۡقٞ كَرِيمٞ ﴿٤﴾ كَمَآ أَخۡرَجَكَ رَبُّكَ
مِنۢ بَيۡتِكَ بِٱلۡحَقِّ وَإِنَّ فَرِيقٗا مِّنَ ٱلۡمُؤۡمِنِينَ لَكَٰرِهُونَ ﴿٥﴾
يُجَٰدِلُونَكَ فِي ٱلۡحَقِّ بَعۡدَ مَا تَبَيَّنَ كَأَنَّمَا يُسَاقُونَ إِلَى ٱلۡمَوۡتِ
وَهُمۡ يَنظُرُونَ ﴿٦﴾ وَإِذۡ يَعِدُكُمُ ٱللَّهُ إِحۡدَى ٱلطَّآئِفَتَيۡنِ أَنَّهَا
لَكُمۡ وَتَوَدُّونَ أَنَّ غَيۡرَ ذَاتِ ٱلشَّوۡكَةِ تَكُونُ لَكُمۡ
وَيُرِيدُ ٱللَّهُ أَن يُحِقَّ ٱلۡحَقَّ بِكَلِمَٰتِهِۦ وَيَقۡطَعَ دَابِرَ ٱلۡكَٰفِرِينَ
﴿٧﴾ لِيُحِقَّ ٱلۡحَقَّ وَيُبۡطِلَ ٱلۡبَٰطِلَ وَلَوۡ كَرِهَ ٱلۡمُجۡرِمُونَ ﴿٨﴾

- ٱلۡأَنفَالِ: الغنائم
- وَجِلَتۡ: خافت وفزعت
- يَتَوَكَّلُونَ: يعتمدون
- ذَاتِ ٱلشَّوۡكَةِ: ذات السلاح والقوة. وهي النفير
- دَابِرَ ٱلۡكَٰفِرِينَ: آخرهم

| | | |
|---|---|---|
| مدّ ٦ حركات لزوماً — مدّ ٢ أو ٤ أو ٦ جوازاً | إخفاء، ومواقع الغنة (حركتان) | تفخـ |
| مدّ واجب ٤ أو ٥ حركات — مدّ حركتان | إدغام، وما لا يُلفظ | قلقلـ |

إِذۡ تَسۡتَغِيثُونَ رَبَّكُمۡ فَٱسۡتَجَابَ لَكُمۡ أَنِّي مُمِدُّكُم بِأَلۡفٖ
مِّنَ ٱلۡمَلَٰٓئِكَةِ مُرۡدِفِينَ ﴿٩﴾ وَمَا جَعَلَهُ ٱللَّهُ إِلَّا بُشۡرَىٰ
وَلِتَطۡمَئِنَّ بِهِۦ قُلُوبُكُمۡۚ وَمَا ٱلنَّصۡرُ إِلَّا مِنۡ عِندِ ٱللَّهِۚ إِنَّ ٱللَّهَ
عَزِيزٌ حَكِيمٌ ﴿١٠﴾ إِذۡ يُغَشِّيكُمُ ٱلنُّعَاسَ أَمَنَةٗ مِّنۡهُ وَيُنَزِّلُ
عَلَيۡكُم مِّنَ ٱلسَّمَآءِ مَآءٗ لِّيُطَهِّرَكُم بِهِۦ وَيُذۡهِبَ عَنكُمۡ رِجۡزَ
ٱلشَّيۡطَٰنِ وَلِيَرۡبِطَ عَلَىٰ قُلُوبِكُمۡ وَيُثَبِّتَ بِهِ ٱلۡأَقۡدَامَ ﴿١١﴾
إِذۡ يُوحِي رَبُّكَ إِلَى ٱلۡمَلَٰٓئِكَةِ أَنِّي مَعَكُمۡ فَثَبِّتُواْ ٱلَّذِينَ ءَامَنُواْۚ
سَأُلۡقِي فِي قُلُوبِ ٱلَّذِينَ كَفَرُواْ ٱلرُّعۡبَ فَٱضۡرِبُواْ فَوۡقَ
ٱلۡأَعۡنَاقِ وَٱضۡرِبُواْ مِنۡهُمۡ كُلَّ بَنَانٖ ﴿١٢﴾ ذَٰلِكَ بِأَنَّهُمۡ
شَآقُّواْ ٱللَّهَ وَرَسُولَهُۥۚ وَمَن يُشَاقِقِ ٱللَّهَ وَرَسُولَهُۥ فَإِنَّ ٱللَّهَ
شَدِيدُ ٱلۡعِقَابِ ﴿١٣﴾ ذَٰلِكُمۡ فَذُوقُوهُ وَأَنَّ لِلۡكَٰفِرِينَ
عَذَابَ ٱلنَّارِ ﴿١٤﴾ يَٰٓأَيُّهَا ٱلَّذِينَ ءَامَنُوٓاْ إِذَا لَقِيتُمُ ٱلَّذِينَ
كَفَرُواْ زَحۡفٗا فَلَا تُوَلُّوهُمُ ٱلۡأَدۡبَارَ ﴿١٥﴾ وَمَن يُوَلِّهِمۡ يَوۡمَئِذٖ
دُبُرَهُۥٓ إِلَّا مُتَحَرِّفٗا لِّقِتَالٍ أَوۡ مُتَحَيِّزًا إِلَىٰ فِئَةٖ فَقَدۡ بَآءَ
بِغَضَبٖ مِّنَ ٱللَّهِ وَمَأۡوَىٰهُ جَهَنَّمُۖ وَبِئۡسَ ٱلۡمَصِيرُ ﴿١٦﴾

مُرۡدِفِينَ: مُتبِعاً بعضُهم بعضاً
يُغَشِّيكُمُ ٱلنُّعَاسَ: يجعلُه غاشياً كالغطاء عليكم
أَمَنَةٗ: أمناً وتقويةً
رِجۡزَ ٱلشَّيۡطَٰنِ: وَسْوَسَتَه
لِيَرۡبِطَ: يَشُدَّ ويُقَوِّيَ
ٱلرُّعۡبَ: الخوفَ والفزَعَ
بَنَانٖ: أصابعَ . أو مَفاصِلَ
شَآقُّواْ: خالفوا وعادَوا
زَحۡفٗا: مُتَّجِهين نحوَكم لقتالكم
مُتَحَرِّفٗا لِّقِتَالٍ: مُظْهِراً الانهزامَ خِدْعةً
مُتَحَيِّزًا إِلَىٰ فِئَةٖ: مُنضمّاً إليها ليُقاتِلَ العدوَّ معها
بَآءَ: رَجَعَ

الأنفال

| | | |
|---|---|---|
| مدّ ٦ حركات لزوماً ● مدّ ٢ أو ٤ أو ٦ جوازاً | ● إخفاء ، ومواقع الغُنَّة (حركتان) | ● تفخيم |
| مدّ واجب ٤ أو ٥ حركات ● مدّ حركتان | ● إدغام ، وما لا يُلفَظ | ● قلقلة |

فَلَمْ تَقْتُلُوهُمْ وَلَٰكِنَّ ٱللَّهَ قَتَلَهُمْ ۚ وَمَا رَمَيْتَ إِذْ رَمَيْتَ
وَلَٰكِنَّ ٱللَّهَ رَمَىٰ ۚ وَلِيُبْلِىَ ٱلْمُؤْمِنِينَ مِنْهُ بَلَآءً حَسَنًا ۚ
إِنَّ ٱللَّهَ سَمِيعٌ عَلِيمٌ ﴿١٧﴾ ذَٰلِكُمْ وَأَنَّ ٱللَّهَ مُوهِنُ كَيْدِ
ٱلْكَٰفِرِينَ ﴿١٨﴾ إِن تَسْتَفْتِحُوا۟ فَقَدْ جَآءَكُمُ ٱلْفَتْحُ ۖ
وَإِن تَنتَهُوا۟ فَهُوَ خَيْرٌ لَّكُمْ ۖ وَإِن تَعُودُوا۟ نَعُدْ وَلَن تُغْنِىَ عَنكُمْ
فِئَتُكُمْ شَيْـًٔا وَلَوْ كَثُرَتْ وَأَنَّ ٱللَّهَ مَعَ ٱلْمُؤْمِنِينَ ﴿١٩﴾ يَٰٓأَيُّهَا
ٱلَّذِينَ ءَامَنُوٓا۟ أَطِيعُوا۟ ٱللَّهَ وَرَسُولَهُۥ وَلَا تَوَلَّوْا۟ عَنْهُ وَأَنتُمْ
تَسْمَعُونَ ﴿٢٠﴾ وَلَا تَكُونُوا۟ كَٱلَّذِينَ قَالُوا۟ سَمِعْنَا وَهُمْ
لَا يَسْمَعُونَ ﴿٢١﴾ ۞ إِنَّ شَرَّ ٱلدَّوَآبِّ عِندَ ٱللَّهِ ٱلصُّمُّ ٱلْبُكْمُ
ٱلَّذِينَ لَا يَعْقِلُونَ ﴿٢٢﴾ وَلَوْ عَلِمَ ٱللَّهُ فِيهِمْ خَيْرًا لَّأَسْمَعَهُمْ ۖ
وَلَوْ أَسْمَعَهُمْ لَتَوَلَّوا۟ وَّهُم مُّعْرِضُونَ ﴿٢٣﴾ يَٰٓأَيُّهَا ٱلَّذِينَ
ءَامَنُوا۟ ٱسْتَجِيبُوا۟ لِلَّهِ وَلِلرَّسُولِ إِذَا دَعَاكُمْ لِمَا يُحْيِيكُمْ ۖ
وَٱعْلَمُوٓا۟ أَنَّ ٱللَّهَ يَحُولُ بَيْنَ ٱلْمَرْءِ وَقَلْبِهِۦ وَأَنَّهُۥٓ إِلَيْهِ
تُحْشَرُونَ ﴿٢٤﴾ وَٱتَّقُوا۟ فِتْنَةً لَّا تُصِيبَنَّ ٱلَّذِينَ ظَلَمُوا۟
مِنكُمْ خَآصَّةً ۖ وَٱعْلَمُوٓا۟ أَنَّ ٱللَّهَ شَدِيدُ ٱلْعِقَابِ ﴿٢٥﴾

- لِيُبْلِىَ ٱلْمُؤْمِنِينَ: ليُنعِمَ عليهِمْ
- مُوهِنُ: مُضْعِف
- تَسْتَفْتِحُوا۟: تطْلُبوا النَّصْرَ لأهْدَى الفِئتَيْن

ثلاثة أرباع الحزب ١٨

مدّ ٦ حركات لزوماً — مدّ ٢ أو ٤ أو ٦ جوازاً — إخفاء، ومواقع الغُنَّة (حركتان) — تفخيم
مدّ واجب ٤ أو ٥ حركات — مدّ حركتان — إدغام، وما لا يُلفَظ — قلقلة

وَٱذْكُرُوٓاْ إِذْ أَنتُمْ قَلِيلٌ مُّسْتَضْعَفُونَ فِى ٱلْأَرْضِ تَخَافُونَ
أَن يَتَخَطَّفَكُمُ ٱلنَّاسُ فَـَٔاوَىٰكُمْ وَأَيَّدَكُم بِنَصْرِهِۦ وَرَزَقَكُم
مِّنَ ٱلطَّيِّبَٰتِ لَعَلَّكُمْ تَشْكُرُونَ ﴿٢٦﴾ يَٰٓأَيُّهَا ٱلَّذِينَ ءَامَنُواْ
لَا تَخُونُواْ ٱللَّهَ وَٱلرَّسُولَ وَتَخُونُوٓاْ أَمَٰنَٰتِكُمْ وَأَنتُمْ تَعْلَمُونَ
﴿٢٧﴾ وَٱعْلَمُوٓاْ أَنَّمَآ أَمْوَٰلُكُمْ وَأَوْلَٰدُكُمْ فِتْنَةٌ وَأَنَّ ٱللَّهَ
عِندَهُۥٓ أَجْرٌ عَظِيمٌ ﴿٢٨﴾ يَٰٓأَيُّهَا ٱلَّذِينَ ءَامَنُوٓاْ إِن تَتَّقُواْ
ٱللَّهَ يَجْعَل لَّكُمْ فُرْقَانًا وَيُكَفِّرْ عَنكُمْ سَيِّـَٔاتِكُمْ وَيَغْفِرْ
لَكُمْ ۗ وَٱللَّهُ ذُو ٱلْفَضْلِ ٱلْعَظِيمِ ﴿٢٩﴾ وَإِذْ يَمْكُرُ بِكَ ٱلَّذِينَ
كَفَرُواْ لِيُثْبِتُوكَ أَوْ يَقْتُلُوكَ أَوْ يُخْرِجُوكَ ۚ وَيَمْكُرُونَ وَيَمْكُرُ
ٱللَّهُ ۖ وَٱللَّهُ خَيْرُ ٱلْمَٰكِرِينَ ﴿٣٠﴾ وَإِذَا تُتْلَىٰ عَلَيْهِمْ ءَايَٰتُنَا
قَالُواْ قَدْ سَمِعْنَا لَوْ نَشَآءُ لَقُلْنَا مِثْلَ هَٰذَآ ۙ إِنْ هَٰذَآ إِلَّآ
أَسَٰطِيرُ ٱلْأَوَّلِينَ ﴿٣١﴾ وَإِذْ قَالُواْ ٱللَّهُمَّ إِن كَانَ هَٰذَا
هُوَ ٱلْحَقَّ مِنْ عِندِكَ فَأَمْطِرْ عَلَيْنَا حِجَارَةً مِّنَ ٱلسَّمَآءِ
أَوِ ٱئْتِنَا بِعَذَابٍ أَلِيمٍ ﴿٣٢﴾ وَمَا كَانَ ٱللَّهُ لِيُعَذِّبَهُمْ
وَأَنتَ فِيهِمْ ۚ وَمَا كَانَ ٱللَّهُ مُعَذِّبَهُمْ وَهُمْ يَسْتَغْفِرُونَ ﴿٣٣﴾

يَتَخَطَّفَكُمُ ٱلنَّاسُ: يستلبوكم بسرعة
فُرْقَانًا: نوراً أو نجاةً مِمّا تخافون
لِيُثْبِتُوكَ: ليقيّدوك بالوثاق
أَسَٰطِيرُ ٱلْأَوَّلِينَ: أكاذيبهم المسطورة في كتبهم

الأنفال

| | | |
|---|---|---|
| مدّ ٦ حركات لزوماً ● مدّ ٢ أو ٤ أو ٦ جوازاً | إخفاء ، ومواقع الغُنّة (حركتان) | تفخيم |
| مدّ واجب ٤ أو ٥ حركات ● مدّ حركتان | إدغام ، وما لا يُلفظ | قلقلة |

وَمَا لَهُمْ أَلَّا يُعَذِّبَهُمُ ٱللَّهُ وَهُمْ يَصُدُّونَ عَنِ ٱلْمَسْجِدِ
ٱلْحَرَامِ وَمَا كَانُوٓا۟ أَوْلِيَآءَهُۥٓ ۚ إِنْ أَوْلِيَآؤُهُۥٓ إِلَّا ٱلْمُتَّقُونَ
وَلَٰكِنَّ أَكْثَرَهُمْ لَا يَعْلَمُونَ ﴿٣٤﴾ وَمَا كَانَ صَلَاتُهُمْ
عِندَ ٱلْبَيْتِ إِلَّا مُكَآءً وَتَصْدِيَةً ۚ فَذُوقُوا۟ ٱلْعَذَابَ
بِمَا كُنتُمْ تَكْفُرُونَ ﴿٣٥﴾ إِنَّ ٱلَّذِينَ كَفَرُوا۟ يُنفِقُونَ
أَمْوَٰلَهُمْ لِيَصُدُّوا۟ عَن سَبِيلِ ٱللَّهِ ۚ فَسَيُنفِقُونَهَا ثُمَّ تَكُونُ
عَلَيْهِمْ حَسْرَةً ثُمَّ يُغْلَبُونَ ۗ وَٱلَّذِينَ كَفَرُوٓا۟ إِلَىٰ جَهَنَّمَ
يُحْشَرُونَ ﴿٣٦﴾ لِيَمِيزَ ٱللَّهُ ٱلْخَبِيثَ مِنَ ٱلطَّيِّبِ وَيَجْعَلَ
ٱلْخَبِيثَ بَعْضَهُۥ عَلَىٰ بَعْضٍ فَيَرْكُمَهُۥ جَمِيعًا فَيَجْعَلَهُۥ
فِى جَهَنَّمَ ۚ أُو۟لَٰٓئِكَ هُمُ ٱلْخَٰسِرُونَ ﴿٣٧﴾ قُل لِّلَّذِينَ
كَفَرُوٓا۟ إِن يَنتَهُوا۟ يُغْفَرْ لَهُم مَّا قَدْ سَلَفَ وَإِن يَعُودُوا۟
فَقَدْ مَضَتْ سُنَّتُ ٱلْأَوَّلِينَ ﴿٣٨﴾ وَقَٰتِلُوهُمْ حَتَّىٰ
لَا تَكُونَ فِتْنَةٌ وَيَكُونَ ٱلدِّينُ كُلُّهُۥ لِلَّهِ ۚ فَإِنِ
ٱنتَهَوْا۟ فَإِنَّ ٱللَّهَ بِمَا يَعْمَلُونَ بَصِيرٌ ﴿٣٩﴾ وَإِن تَوَلَّوْا۟
فَٱعْلَمُوٓا۟ أَنَّ ٱللَّهَ مَوْلَىٰكُمْ ۚ نِعْمَ ٱلْمَوْلَىٰ وَنِعْمَ ٱلنَّصِيرُ ﴿٤٠﴾

■ مُكَآءً وَتَصْدِيَةً: صَفِيراً وتَصْفِيقاً
■ حَسْرَةً: نَدَماً وتأسُّفاً
■ فَيَرْكُمَهُۥ: فيَضُمَّ بَعْضَهُ إلى بَعْضٍ
■ فِتْنَةٌ: شِرْكٌ

۞ وَٱعۡلَمُوٓاْ أَنَّمَا غَنِمۡتُم مِّن شَيۡءٖ فَأَنَّ لِلَّهِ خُمُسَهُۥ وَلِلرَّسُولِ
وَلِذِي ٱلۡقُرۡبَىٰ وَٱلۡيَتَٰمَىٰ وَٱلۡمَسَٰكِينِ وَٱبۡنِ ٱلسَّبِيلِ إِن
كُنتُمۡ ءَامَنتُم بِٱللَّهِ وَمَآ أَنزَلۡنَا عَلَىٰ عَبۡدِنَا يَوۡمَ ٱلۡفُرۡقَانِ
يَوۡمَ ٱلۡتَقَى ٱلۡجَمۡعَانِۗ وَٱللَّهُ عَلَىٰ كُلِّ شَيۡءٖ قَدِيرٌ ﴿٤١﴾ إِذۡ
أَنتُم بِٱلۡعُدۡوَةِ ٱلدُّنۡيَا وَهُم بِٱلۡعُدۡوَةِ ٱلۡقُصۡوَىٰ وَٱلرَّكۡبُ
أَسۡفَلَ مِنكُمۡۚ وَلَوۡ تَوَاعَدتُّمۡ لَٱخۡتَلَفۡتُمۡ فِي ٱلۡمِيعَٰدِ
وَلَٰكِن لِّيَقۡضِيَ ٱللَّهُ أَمۡرٗا كَانَ مَفۡعُولٗا لِّيَهۡلِكَ مَنۡ
هَلَكَ عَنۢ بَيِّنَةٖ وَيَحۡيَىٰ مَنۡ حَيَّ عَنۢ بَيِّنَةٖۗ وَإِنَّ ٱللَّهَ
لَسَمِيعٌ عَلِيمٌ ﴿٤٢﴾ إِذۡ يُرِيكَهُمُ ٱللَّهُ فِي مَنَامِكَ قَلِيلٗاۖ
وَلَوۡ أَرَىٰكَهُمۡ كَثِيرٗا لَّفَشِلۡتُمۡ وَلَتَنَٰزَعۡتُمۡ فِي ٱلۡأَمۡرِ
وَلَٰكِنَّ ٱللَّهَ سَلَّمَۗ إِنَّهُۥ عَلِيمُۢ بِذَاتِ ٱلصُّدُورِ ﴿٤٣﴾ وَإِذۡ
يُرِيكُمُوهُمۡ إِذِ ٱلۡتَقَيۡتُمۡ فِيٓ أَعۡيُنِكُمۡ قَلِيلٗا وَيُقَلِّلُكُمۡ
فِيٓ أَعۡيُنِهِمۡ لِيَقۡضِيَ ٱللَّهُ أَمۡرٗا كَانَ مَفۡعُولٗاۗ وَإِلَى ٱللَّهِ
تُرۡجَعُ ٱلۡأُمُورُ ﴿٤٤﴾ يَٰٓأَيُّهَا ٱلَّذِينَ ءَامَنُوٓاْ إِذَا لَقِيتُمۡ فِئَةٗ
فَٱثۡبُتُواْ وَٱذۡكُرُواْ ٱللَّهَ كَثِيرٗا لَّعَلَّكُمۡ تُفۡلِحُونَ ﴿٤٥﴾

الجزء ١٠ الحزب ١٩

الأنفال

- يَوۡمَ ٱلۡفُرۡقَانِ: يومَ بدر
- بِٱلۡعُدۡوَةِ: حَافَةِ الوادي وضَفَّتِه
- لَفَشِلۡتُمۡ: جَبُنۡتُمۡ عَنِ القِتَالِ

مدّ ٦ حركات لزوماً ● مدّ ٢ أو ٤ أو ٦ جوازاً ● مدّ واجب ٤ أو ٥ حركات ● مدّ حركتان ● إخفاء ، ومواقع الغُنَّة (حركتان) ● إدغام ، وما لا يُلفَظ ● تفخيم ● قلقلة

وَأَطِيعُوا۟ ٱللَّهَ وَرَسُولَهُۥ وَلَا تَنَـٰزَعُوا۟ فَتَفْشَلُوا۟ وَتَذْهَبَ رِيحُكُمْ ۖ
وَٱصْبِرُوٓا۟ ۚ إِنَّ ٱللَّهَ مَعَ ٱلصَّـٰبِرِينَ ﴿٤٦﴾ وَلَا تَكُونُوا۟ كَٱلَّذِينَ
خَرَجُوا۟ مِن دِيَـٰرِهِم بَطَرًا وَرِئَآءَ ٱلنَّاسِ وَيَصُدُّونَ
عَن سَبِيلِ ٱللَّهِ ۚ وَٱللَّهُ بِمَا يَعْمَلُونَ مُحِيطٌ ﴿٤٧﴾ وَإِذْ زَيَّنَ لَهُمُ
ٱلشَّيْطَـٰنُ أَعْمَـٰلَهُمْ وَقَالَ لَا غَالِبَ لَكُمُ ٱلْيَوْمَ مِنَ
ٱلنَّاسِ وَإِنِّى جَارٌ لَّكُمْ ۖ فَلَمَّا تَرَآءَتِ ٱلْفِئَتَانِ نَكَصَ
عَلَىٰ عَقِبَيْهِ وَقَالَ إِنِّى بَرِىٓءٌ مِّنكُمْ إِنِّىٓ أَرَىٰ مَا لَا تَرَوْنَ
إِنِّىٓ أَخَافُ ٱللَّهَ ۚ وَٱللَّهُ شَدِيدُ ٱلْعِقَابِ ﴿٤٨﴾ إِذْ يَقُولُ
ٱلْمُنَـٰفِقُونَ وَٱلَّذِينَ فِى قُلُوبِهِم مَّرَضٌ غَرَّ هَـٰٓؤُلَآءِ دِينُهُمْ ۗ
وَمَن يَتَوَكَّلْ عَلَى ٱللَّهِ فَإِنَّ ٱللَّهَ عَزِيزٌ حَكِيمٌ ﴿٤٩﴾
وَلَوْ تَرَىٰٓ إِذْ يَتَوَفَّى ٱلَّذِينَ كَفَرُوا۟ ۙ ٱلْمَلَـٰٓئِكَةُ يَضْرِبُونَ
وُجُوهَهُمْ وَأَدْبَـٰرَهُمْ وَذُوقُوا۟ عَذَابَ ٱلْحَرِيقِ ﴿٥٠﴾ ذَٰلِكَ
بِمَا قَدَّمَتْ أَيْدِيكُمْ وَأَنَّ ٱللَّهَ لَيْسَ بِظَلَّـٰمٍ لِّلْعَبِيدِ ﴿٥١﴾
كَدَأْبِ ءَالِ فِرْعَوْنَ ۙ وَٱلَّذِينَ مِن قَبْلِهِمْ ۚ كَفَرُوا۟ بِـَٔايَـٰتِ ٱللَّهِ
فَأَخَذَهُمُ ٱللَّهُ بِذُنُوبِهِمْ ۗ إِنَّ ٱللَّهَ قَوِىٌّ شَدِيدُ ٱلْعِقَابِ ﴿٥٢﴾

- وَتَذْهَبَ رِيحُكُمْ: تتلاشى قوّتكم ودولتكم
- بَطَرًا: طُغياناً أو فخراً
- جَارٌ لَّكُمْ: مُجيرٌ ومُعينٌ لكم
- نَكَصَ عَلَىٰ عَقِبَيْهِ: ولّى مُدبراً

مدّ ٦ حركات لزوماً ● مدّ ٢ أو ٤ أو ٦ جوازاً ● مدّ واجب ٤ أو ٥ حركات ● مدّ حركتان ● إخفاء، ومواقع الغُنّة (حركتان) ● إدغام، وما لا يُلفَظ ● تفخيم ● قلقلة

ذَٰلِكَ بِأَنَّ ٱللَّهَ لَمْ يَكُ مُغَيِّرًا نِّعْمَةً أَنْعَمَهَا عَلَىٰ قَوْمٍ حَتَّىٰ يُغَيِّرُوا۟
مَا بِأَنفُسِهِمْ وَأَنَّ ٱللَّهَ سَمِيعٌ عَلِيمٌ ﴿٥٣﴾ كَدَأْبِ ءَالِ
فِرْعَوْنَ وَٱلَّذِينَ مِن قَبْلِهِمْ كَذَّبُوا۟ بِـَٔايَٰتِ رَبِّهِمْ فَأَهْلَكْنَٰهُم
بِذُنُوبِهِمْ وَأَغْرَقْنَآ ءَالَ فِرْعَوْنَ وَكُلٌّ كَانُوا۟ ظَٰلِمِينَ ﴿٥٤﴾
إِنَّ شَرَّ ٱلدَّوَآبِّ عِندَ ٱللَّهِ ٱلَّذِينَ كَفَرُوا۟ فَهُمْ لَا يُؤْمِنُونَ ﴿٥٥﴾
ٱلَّذِينَ عَٰهَدتَّ مِنْهُمْ ثُمَّ يَنقُضُونَ عَهْدَهُمْ فِى كُلِّ مَرَّةٍ
وَهُمْ لَا يَتَّقُونَ ﴿٥٦﴾ فَإِمَّا تَثْقَفَنَّهُمْ فِى ٱلْحَرْبِ فَشَرِّدْ بِهِم
مَّنْ خَلْفَهُمْ لَعَلَّهُمْ يَذَّكَّرُونَ ﴿٥٧﴾ وَإِمَّا تَخَافَنَّ مِن
قَوْمٍ خِيَانَةً فَٱنۢبِذْ إِلَيْهِمْ عَلَىٰ سَوَآءٍ إِنَّ ٱللَّهَ لَا يُحِبُّ ٱلْخَآئِنِينَ
﴿٥٨﴾ وَلَا يَحْسَبَنَّ ٱلَّذِينَ كَفَرُوا۟ سَبَقُوٓا۟ إِنَّهُمْ لَا يُعْجِزُونَ ﴿٥٩﴾
وَأَعِدُّوا۟ لَهُم مَّا ٱسْتَطَعْتُم مِّن قُوَّةٍ وَمِن رِّبَاطِ ٱلْخَيْلِ
تُرْهِبُونَ بِهِۦ عَدُوَّ ٱللَّهِ وَعَدُوَّكُمْ وَءَاخَرِينَ مِن دُونِهِمْ
لَا تَعْلَمُونَهُمُ ٱللَّهُ يَعْلَمُهُمْ وَمَا تُنفِقُوا۟ مِن شَىْءٍ فِى سَبِيلِ
ٱللَّهِ يُوَفَّ إِلَيْكُمْ وَأَنتُمْ لَا تُظْلَمُونَ ﴿٦٠﴾ ۞ وَإِن جَنَحُوا۟
لِلسَّلْمِ فَٱجْنَحْ لَهَا وَتَوَكَّلْ عَلَى ٱللَّهِ إِنَّهُۥ هُوَ ٱلسَّمِيعُ ٱلْعَلِيمُ ﴿٦١﴾

- تَثْقَفَنَّهُمْ: تظفرنّ بهم
- فَشَرِّدْ بِهِم: ففرّق وخوّف بهم
- فَٱنۢبِذْ إِلَيْهِمْ: فاطرح إليهم عهدهم
- عَلَىٰ سَوَآءٍ: على استواء في العلم بنبذه
- سَبَقُوٓا۟: خلصوا ونجوا من العذاب
- رِّبَاطِ ٱلْخَيْلِ: حبسها في سبيل الله
- جَنَحُوا۟ لِلسَّلْمِ: مالوا للمسالمة والمصالحة

ربع الحزب ١٩

| | | |
|---|---|---|
| مدّ ٦ حركات لزوماً — مدّ ٢ أو ٤ أو ٦ جوازاً | إخفاء، ومواقع الغنّة (حركتان) | تفخيم |
| مدّ واجب ٤ أو ٥ حركات — مدّ حركتان | إدغام، وما لا يُلفظ | قلقلة |

وَإِن يُرِيدُوٓاْ أَن يَخۡدَعُوكَ فَإِنَّ حَسۡبَكَ ٱللَّهُۚ هُوَ ٱلَّذِيٓ أَيَّدَكَ
بِنَصۡرِهِۦ وَبِٱلۡمُؤۡمِنِينَ ﴿٦٢﴾ وَأَلَّفَ بَيۡنَ قُلُوبِهِمۡۚ لَوۡ أَنفَقۡتَ
مَا فِي ٱلۡأَرۡضِ جَمِيعٗا مَّآ أَلَّفۡتَ بَيۡنَ قُلُوبِهِمۡ وَلَٰكِنَّ
ٱللَّهَ أَلَّفَ بَيۡنَهُمۡۚ إِنَّهُۥ عَزِيزٌ حَكِيمٞ ﴿٦٣﴾ يَٰٓأَيُّهَا ٱلنَّبِيُّ حَسۡبُكَ
ٱللَّهُ وَمَنِ ٱتَّبَعَكَ مِنَ ٱلۡمُؤۡمِنِينَ ﴿٦٤﴾ يَٰٓأَيُّهَا ٱلنَّبِيُّ حَرِّضِ
ٱلۡمُؤۡمِنِينَ عَلَى ٱلۡقِتَالِۚ إِن يَكُن مِّنكُمۡ عِشۡرُونَ صَٰبِرُونَ
يَغۡلِبُواْ مِاْئَتَيۡنِۚ وَإِن يَكُن مِّنكُم مِّاْئَةٞ يَغۡلِبُوٓاْ أَلۡفٗا مِّنَ
ٱلَّذِينَ كَفَرُواْ بِأَنَّهُمۡ قَوۡمٞ لَّا يَفۡقَهُونَ ﴿٦٥﴾ ٱلۡـَٰٔنَ خَفَّفَ
ٱللَّهُ عَنكُمۡ وَعَلِمَ أَنَّ فِيكُمۡ ضَعۡفٗاۚ فَإِن يَكُن مِّنكُم مِّاْئَةٞ
صَابِرَةٞ يَغۡلِبُواْ مِاْئَتَيۡنِۚ وَإِن يَكُن مِّنكُمۡ أَلۡفٞ يَغۡلِبُوٓاْ أَلۡفَيۡنِ
بِإِذۡنِ ٱللَّهِۗ وَٱللَّهُ مَعَ ٱلصَّٰبِرِينَ ﴿٦٦﴾ مَا كَانَ لِنَبِيٍّ أَن يَكُونَ
لَهُۥٓ أَسۡرَىٰ حَتَّىٰ يُثۡخِنَ فِي ٱلۡأَرۡضِۚ تُرِيدُونَ عَرَضَ ٱلدُّنۡيَا
وَٱللَّهُ يُرِيدُ ٱلۡأٓخِرَةَۗ وَٱللَّهُ عَزِيزٌ حَكِيمٞ ﴿٦٧﴾ لَّوۡلَا كِتَٰبٞ مِّنَ
ٱللَّهِ سَبَقَ لَمَسَّكُمۡ فِيمَآ أَخَذۡتُمۡ عَذَابٌ عَظِيمٞ ﴿٦٨﴾ فَكُلُواْ مِمَّا
غَنِمۡتُمۡ حَلَٰلٗا طَيِّبٗاۚ وَٱتَّقُواْ ٱللَّهَۚ إِنَّ ٱللَّهَ غَفُورٞ رَّحِيمٞ ﴿٦٩﴾

- حَسۡبَكَ ٱللَّهُ: كافيكَ في جميعِ أمورِكَ
- حَرِّضِ ٱلۡمُؤۡمِنِينَ: بالِغْ في حَثِّهِمْ
- يُثۡخِنَ: يُبالِغَ في القَتْلِ
- عَرَضَ ٱلدُّنۡيَا: حُطامَها بأخذِكُمُ الفِدْيَةَ

يَٰٓأَيُّهَا ٱلنَّبِيُّ قُل لِّمَن فِيٓ أَيۡدِيكُم مِّنَ ٱلۡأَسۡرَىٰٓ إِن يَعۡلَمِ ٱللَّهُ
فِي قُلُوبِكُمۡ خَيۡرٗا يُؤۡتِكُمۡ خَيۡرٗا مِّمَّآ أُخِذَ مِنكُمۡ وَيَغۡفِرۡ لَكُمۡۚ
وَٱللَّهُ غَفُورٞ رَّحِيمٞ ٧٠ وَإِن يُرِيدُواْ خِيَانَتَكَ فَقَدۡ خَانُواْ
ٱللَّهَ مِن قَبۡلُ فَأَمۡكَنَ مِنۡهُمۡۗ وَٱللَّهُ عَلِيمٌ حَكِيمٌ ٧١ إِنَّ ٱلَّذِينَ
ءَامَنُواْ وَهَاجَرُواْ وَجَٰهَدُواْ بِأَمۡوَٰلِهِمۡ وَأَنفُسِهِمۡ فِي سَبِيلِ
ٱللَّهِ وَٱلَّذِينَ ءَاوَواْ وَّنَصَرُوٓاْ أُوْلَٰٓئِكَ بَعۡضُهُمۡ أَوۡلِيَآءُ بَعۡضٖۚ وَٱلَّذِينَ
ءَامَنُواْ وَلَمۡ يُهَاجِرُواْ مَا لَكُم مِّن وَلَٰيَتِهِم مِّن شَيۡءٍ حَتَّىٰ يُهَاجِرُواْۚ
وَإِنِ ٱسۡتَنصَرُوكُمۡ فِي ٱلدِّينِ فَعَلَيۡكُمُ ٱلنَّصۡرُ إِلَّا عَلَىٰ قَوۡمِۭ
بَيۡنَكُمۡ وَبَيۡنَهُم مِّيثَٰقٞۗ وَٱللَّهُ بِمَا تَعۡمَلُونَ بَصِيرٞ ٧٢ وَٱلَّذِينَ
كَفَرُواْ بَعۡضُهُمۡ أَوۡلِيَآءُ بَعۡضٍۚ إِلَّا تَفۡعَلُوهُ تَكُن فِتۡنَةٞ فِي
ٱلۡأَرۡضِ وَفَسَادٞ كَبِيرٞ ٧٣ وَٱلَّذِينَ ءَامَنُواْ وَهَاجَرُواْ
وَجَٰهَدُواْ فِي سَبِيلِ ٱللَّهِ وَٱلَّذِينَ ءَاوَواْ وَّنَصَرُوٓاْ أُوْلَٰٓئِكَ هُمُ
ٱلۡمُؤۡمِنُونَ حَقّٗاۚ لَّهُم مَّغۡفِرَةٞ وَرِزۡقٞ كَرِيمٞ ٧٤ وَٱلَّذِينَ ءَامَنُواْ مِنۢ
بَعۡدُ وَهَاجَرُواْ وَجَٰهَدُواْ مَعَكُمۡ فَأُوْلَٰٓئِكَ مِنكُمۡۚ وَأُوْلُواْ ٱلۡأَرۡحَامِ
بَعۡضُهُمۡ أَوۡلَىٰ بِبَعۡضٖ فِي كِتَٰبِ ٱللَّهِۚ إِنَّ ٱللَّهَ بِكُلِّ شَيۡءٍ عَلِيمُۢ ٧٥

الأنفال

ٱلۡأَرۡحَامِ: القَرَابَاتِ

| | | |
|---|---|---|
| مدّ ٦ حركات لزوماً ● مدّ ٢ أو ٤ أو ٦ جوازاً | إخفاء ، ومواقع الغُنَّة (حركتان) | تفخيم |
| مدّ واجب ٤ أو ٥ حركات ● مدّ حركتان | إدغام ، وما لا يُلفَظ | قلقلة |

# سُورَةُ التَّوبَةِ

ترتيبها ٩ — آياتها ١٢٩

بَرَآءَةٞ مِّنَ ٱللَّهِ وَرَسُولِهِۦٓ إِلَى ٱلَّذِينَ عَٰهَدتُّم مِّنَ ٱلۡمُشۡرِكِينَ ١
فَسِيحُواْ فِي ٱلۡأَرۡضِ أَرۡبَعَةَ أَشۡهُرٖ وَٱعۡلَمُوٓاْ أَنَّكُمۡ غَيۡرُ مُعۡجِزِي
ٱللَّهِ وَأَنَّ ٱللَّهَ مُخۡزِي ٱلۡكَٰفِرِينَ ٢ وَأَذَٰنٞ مِّنَ ٱللَّهِ وَرَسُولِهِۦٓ
إِلَى ٱلنَّاسِ يَوۡمَ ٱلۡحَجِّ ٱلۡأَكۡبَرِ أَنَّ ٱللَّهَ بَرِيٓءٞ مِّنَ ٱلۡمُشۡرِكِينَ
وَرَسُولُهُۥۚ فَإِن تُبۡتُمۡ فَهُوَ خَيۡرٞ لَّكُمۡۖ وَإِن تَوَلَّيۡتُمۡ فَٱعۡلَمُوٓاْ
أَنَّكُمۡ غَيۡرُ مُعۡجِزِي ٱللَّهِۗ وَبَشِّرِ ٱلَّذِينَ كَفَرُواْ بِعَذَابٍ أَلِيمٍ
٣ إِلَّا ٱلَّذِينَ عَٰهَدتُّم مِّنَ ٱلۡمُشۡرِكِينَ ثُمَّ لَمۡ يَنقُصُوكُمۡ
شَيۡـٔٗا وَلَمۡ يُظَٰهِرُواْ عَلَيۡكُمۡ أَحَدٗا فَأَتِمُّوٓاْ إِلَيۡهِمۡ عَهۡدَهُمۡ إِلَىٰ
مُدَّتِهِمۡۚ إِنَّ ٱللَّهَ يُحِبُّ ٱلۡمُتَّقِينَ ٤ فَإِذَا ٱنسَلَخَ ٱلۡأَشۡهُرُ ٱلۡحُرُمُ
فَٱقۡتُلُواْ ٱلۡمُشۡرِكِينَ حَيۡثُ وَجَدتُّمُوهُمۡ وَخُذُوهُمۡ وَٱحۡصُرُوهُمۡ
وَٱقۡعُدُواْ لَهُمۡ كُلَّ مَرۡصَدٖۚ فَإِن تَابُواْ وَأَقَامُواْ ٱلصَّلَوٰةَ
وَءَاتَوُاْ ٱلزَّكَوٰةَ فَخَلُّواْ سَبِيلَهُمۡۚ إِنَّ ٱللَّهَ غَفُورٞ رَّحِيمٞ ٥
وَإِنۡ أَحَدٞ مِّنَ ٱلۡمُشۡرِكِينَ ٱسۡتَجَارَكَ فَأَجِرۡهُ حَتَّىٰ يَسۡمَعَ
كَلَٰمَ ٱللَّهِ ثُمَّ أَبۡلِغۡهُ مَأۡمَنَهُۥۚ ذَٰلِكَ بِأَنَّهُمۡ قَوۡمٞ لَّا يَعۡلَمُونَ ٦

نصف الحزب ١٩

- بَرَآءَةٞ: تبرُّؤٌ وتباعُدٌ
- غَيۡرُ مُعۡجِزِي ٱللَّهِ: غيرُ فائتينَ من عذابه بالهَرَب
- أَذَٰنٞ: إعلامٌ وإيذانٌ
- لَمۡ يُظَٰهِرُواْ: لم يُعاونوا
- ٱنسَلَخَ ٱلۡأَشۡهُرُ: انقضَتْ ومَضَتْ
- ٱحۡصُرُوهُمۡ: ضَيِّقوا عليهم
- مَرۡصَدٖ: طريقٍ ومَمَرٍّ

مدّ ٦ حركات لزوماً — مدّ ٢ أو ٤ أو ٦ جوازاً — إخفاء، ومواقع الغُنّة (حركتان) — تفخ
مدّ واجب ٤ أو ٥ حركات — مدّ حركتان — إدغام، وما لا يُلفَظ — قلقلة

كَيْفَ يَكُونُ لِلْمُشْرِكِينَ عَهْدٌ عِندَ ٱللَّهِ وَعِندَ
رَسُولِهِۦٓ إِلَّا ٱلَّذِينَ عَٰهَدتُّمْ عِندَ ٱلْمَسْجِدِ ٱلْحَرَامِ ۖ فَمَا
ٱسْتَقَٰمُوا۟ لَكُمْ فَٱسْتَقِيمُوا۟ لَهُمْ ۚ إِنَّ ٱللَّهَ يُحِبُّ ٱلْمُتَّقِينَ
﴿٧﴾ كَيْفَ وَإِن يَظْهَرُوا۟ عَلَيْكُمْ لَا يَرْقُبُوا۟ فِيكُمْ إِلًّا
وَلَا ذِمَّةً ۚ يُرْضُونَكُم بِأَفْوَٰهِهِمْ وَتَأْبَىٰ قُلُوبُهُمْ وَأَكْثَرُهُمْ
فَٰسِقُونَ ﴿٨﴾ ٱشْتَرَوْا۟ بِـَٔايَٰتِ ٱللَّهِ ثَمَنًا قَلِيلًا فَصَدُّوا۟
عَن سَبِيلِهِۦٓ ۚ إِنَّهُمْ سَآءَ مَا كَانُوا۟ يَعْمَلُونَ ﴿٩﴾ لَا يَرْقُبُونَ
فِى مُؤْمِنٍ إِلًّا وَلَا ذِمَّةً ۚ وَأُو۟لَٰٓئِكَ هُمُ ٱلْمُعْتَدُونَ ﴿١٠﴾
فَإِن تَابُوا۟ وَأَقَامُوا۟ ٱلصَّلَوٰةَ وَءَاتَوُا۟ ٱلزَّكَوٰةَ فَإِخْوَٰنُكُمْ
فِى ٱلدِّينِ ۗ وَنُفَصِّلُ ٱلْءَايَٰتِ لِقَوْمٍ يَعْلَمُونَ ﴿١١﴾ وَإِن نَّكَثُوٓا۟
أَيْمَٰنَهُم مِّنۢ بَعْدِ عَهْدِهِمْ وَطَعَنُوا۟ فِى دِينِكُمْ فَقَٰتِلُوٓا۟
أَئِمَّةَ ٱلْكُفْرِ ۙ إِنَّهُمْ لَآ أَيْمَٰنَ لَهُمْ لَعَلَّهُمْ يَنتَهُونَ
﴿١٢﴾ أَلَا تُقَٰتِلُونَ قَوْمًا نَّكَثُوٓا۟ أَيْمَٰنَهُمْ وَهَمُّوا۟
بِإِخْرَاجِ ٱلرَّسُولِ وَهُم بَدَءُوكُمْ أَوَّلَ مَرَّةٍ ۚ
أَتَخْشَوْنَهُمْ ۚ فَٱللَّهُ أَحَقُّ أَن تَخْشَوْهُ إِن كُنتُم مُّؤْمِنِينَ ﴿١٣﴾

فَمَا ٱسْتَقَٰمُوا۟: فما أقاموا على العهد
يَظْهَرُوا۟ عَلَيْكُمْ: يظفروا بكم
إِلًّا: قرابة، أو حلفاً
ذِمَّةً: عهداً أو أماناً
نَّكَثُوٓا۟: نقضوا

التوبة

| | | |
|---|---|---|
| مدّ ٦ حركات لزوماً ● مدّ ٢ أو ٤ أو ٦ جوازاً | إخفاء، ومواقع الغنّة (حركتان) | تفخيم |
| مدّ واجب ٤ أو ٥ حركات ● مدّ حركتان | إدغام، وما لا يُلفظ | قلقلة |

قَٰتِلُوهُمْ يُعَذِّبْهُمُ ٱللَّهُ بِأَيْدِيكُمْ وَيُخْزِهِمْ وَيَنصُرْكُمْ
عَلَيْهِمْ وَيَشْفِ صُدُورَ قَوْمٍ مُّؤْمِنِينَ ﴿١٤﴾ وَيُذْهِبْ
غَيْظَ قُلُوبِهِمْ ۗ وَيَتُوبُ ٱللَّهُ عَلَىٰ مَن يَشَآءُ ۗ وَٱللَّهُ عَلِيمٌ حَكِيمٌ
﴿١٥﴾ أَمْ حَسِبْتُمْ أَن تُتْرَكُوا۟ وَلَمَّا يَعْلَمِ ٱللَّهُ ٱلَّذِينَ جَٰهَدُوا۟
مِنكُمْ وَلَمْ يَتَّخِذُوا۟ مِن دُونِ ٱللَّهِ وَلَا رَسُولِهِۦ وَلَا ٱلْمُؤْمِنِينَ
وَلِيجَةً ۚ وَٱللَّهُ خَبِيرٌۢ بِمَا تَعْمَلُونَ ﴿١٦﴾ مَا كَانَ لِلْمُشْرِكِينَ
أَن يَعْمُرُوا۟ مَسَٰجِدَ ٱللَّهِ شَٰهِدِينَ عَلَىٰٓ أَنفُسِهِم بِٱلْكُفْرِ ۚ
أُو۟لَٰٓئِكَ حَبِطَتْ أَعْمَٰلُهُمْ وَفِى ٱلنَّارِ هُمْ خَٰلِدُونَ ﴿١٧﴾
إِنَّمَا يَعْمُرُ مَسَٰجِدَ ٱللَّهِ مَنْ ءَامَنَ بِٱللَّهِ وَٱلْيَوْمِ ٱلْءَاخِرِ
وَأَقَامَ ٱلصَّلَوٰةَ وَءَاتَى ٱلزَّكَوٰةَ وَلَمْ يَخْشَ إِلَّا ٱللَّهَ ۖ فَعَسَىٰٓ
أُو۟لَٰٓئِكَ أَن يَكُونُوا۟ مِنَ ٱلْمُهْتَدِينَ ﴿١٨﴾ ۞ أَجَعَلْتُمْ سِقَايَةَ
ٱلْحَآجِّ وَعِمَارَةَ ٱلْمَسْجِدِ ٱلْحَرَامِ كَمَنْ ءَامَنَ بِٱللَّهِ وَٱلْيَوْمِ ٱلْءَاخِرِ
وَجَٰهَدَ فِى سَبِيلِ ٱللَّهِ ۚ لَا يَسْتَوُۥنَ عِندَ ٱللَّهِ ۗ وَٱللَّهُ لَا يَهْدِى ٱلْقَوْمَ
ٱلظَّٰلِمِينَ ﴿١٩﴾ ٱلَّذِينَ ءَامَنُوا۟ وَهَاجَرُوا۟ وَجَٰهَدُوا۟ فِى سَبِيلِ ٱللَّهِ
بِأَمْوَٰلِهِمْ وَأَنفُسِهِمْ أَعْظَمُ دَرَجَةً عِندَ ٱللَّهِ ۚ وَأُو۟لَٰٓئِكَ هُمُ ٱلْفَآئِزُونَ ﴿٢٠﴾

- غَيْظَ قُلُوبِهِمْ: غضبها الشديدَ
- وَلِيجَةً: بطانةً وأصحابَ سِرٍّ
- حَبِطَتْ: بَطَلَتْ
- سِقَايَةَ ٱلْحَآجِّ: سَقْيَ الحَجيجِ الماءَ

ثلاثة أرباع الحزب ١٩

مدّ ٦ حركات لزوماً — مدّ ٢ أو ٤ أو ٦ جوازاً — إخفاء، ومواقع الغُنَّة (حركتان)
مدّ واجب ٤ أو ٥ حركات — مدّ حركتان — إدغام، وما لا يُلفَظ

يُبَشِّرُهُمْ رَبُّهُم بِرَحْمَةٍ مِّنْهُ وَرِضْوَٰنٍ وَجَنَّٰتٍ لَّهُمْ فِيهَا
نَعِيمٌ مُّقِيمٌ ﴿٢١﴾ خَٰلِدِينَ فِيهَآ أَبَدًا ۚ إِنَّ ٱللَّهَ عِندَهُۥٓ أَجْرٌ
عَظِيمٌ ﴿٢٢﴾ يَٰٓأَيُّهَا ٱلَّذِينَ ءَامَنُوا۟ لَا تَتَّخِذُوٓا۟ ءَابَآءَكُمْ
وَإِخْوَٰنَكُمْ أَوْلِيَآءَ إِنِ ٱسْتَحَبُّوا۟ ٱلْكُفْرَ عَلَى ٱلْإِيمَٰنِ ۚ
وَمَن يَتَوَلَّهُم مِّنكُمْ فَأُو۟لَٰٓئِكَ هُمُ ٱلظَّٰلِمُونَ ﴿٢٣﴾ قُلْ إِن
كَانَ ءَابَآؤُكُمْ وَأَبْنَآؤُكُمْ وَإِخْوَٰنُكُمْ وَأَزْوَٰجُكُمْ وَعَشِيرَتُكُمْ
وَأَمْوَٰلٌ ٱقْتَرَفْتُمُوهَا وَتِجَٰرَةٌ تَخْشَوْنَ كَسَادَهَا وَمَسَٰكِنُ
تَرْضَوْنَهَآ أَحَبَّ إِلَيْكُم مِّنَ ٱللَّهِ وَرَسُولِهِۦ وَجِهَادٍ
فِى سَبِيلِهِۦ فَتَرَبَّصُوا۟ حَتَّىٰ يَأْتِىَ ٱللَّهُ بِأَمْرِهِۦ ۗ وَٱللَّهُ لَا يَهْدِى
ٱلْقَوْمَ ٱلْفَٰسِقِينَ ﴿٢٤﴾ لَقَدْ نَصَرَكُمُ ٱللَّهُ فِى مَوَاطِنَ
كَثِيرَةٍ وَيَوْمَ حُنَيْنٍ إِذْ أَعْجَبَتْكُمْ كَثْرَتُكُمْ فَلَمْ
تُغْنِ عَنكُمْ شَيْـًٔا وَضَاقَتْ عَلَيْكُمُ ٱلْأَرْضُ
بِمَا رَحُبَتْ ثُمَّ وَلَّيْتُم مُّدْبِرِينَ ﴿٢٥﴾ ثُمَّ أَنزَلَ ٱللَّهُ سَكِينَتَهُۥ
عَلَىٰ رَسُولِهِۦ وَعَلَى ٱلْمُؤْمِنِينَ وَأَنزَلَ جُنُودًا لَّمْ تَرَوْهَا
وَعَذَّبَ ٱلَّذِينَ كَفَرُوا۟ ۚ وَذَٰلِكَ جَزَآءُ ٱلْكَٰفِرِينَ ﴿٢٦﴾

التوبة
- ٱسْتَحَبُّوا۟: اختاروا
- ٱقْتَرَفْتُمُوهَا: اكتسبتموها
- كَسَادَهَا: بوارها
- فَتَرَبَّصُوا۟: فانتظروا
- بِمَا رَحُبَتْ: مع سعتها

| | | |
|---|---|---|
| مدّ ٦ حركات لزوماً ● مدّ ٢ أو ٤ أو ٦ جوازاً | إخفاء ، ومواقع الغنّة (حركتان) | تفخيم |
| مدّ واجب ٤ أو ٥ حركات ● مدّ حركتان | إدغام ، وما لا يُلفظ | قلقلة |

ثُمَّ يَتُوبُ ٱللَّهُ مِنۢ بَعْدِ ذَٰلِكَ عَلَىٰ مَن يَشَآءُۗ وَٱللَّهُ غَفُورٌ
رَّحِيمٌ ﴿٢٧﴾ يَٰٓأَيُّهَا ٱلَّذِينَ ءَامَنُوٓاْ إِنَّمَا ٱلْمُشْرِكُونَ
نَجَسٌ فَلَا يَقْرَبُواْ ٱلْمَسْجِدَ ٱلْحَرَامَ بَعْدَ عَامِهِمْ هَٰذَاۚ
وَإِنْ خِفْتُمْ عَيْلَةً فَسَوْفَ يُغْنِيكُمُ ٱللَّهُ مِن فَضْلِهِۦٓ إِن
شَآءَۚ إِنَّ ٱللَّهَ عَلِيمٌ حَكِيمٌ ﴿٢٨﴾ قَٰتِلُواْ ٱلَّذِينَ
لَا يُؤْمِنُونَ بِٱللَّهِ وَلَا بِٱلْيَوْمِ ٱلْءَاخِرِ وَلَا يُحَرِّمُونَ مَا حَرَّمَ
ٱللَّهُ وَرَسُولُهُۥ وَلَا يَدِينُونَ دِينَ ٱلْحَقِّ مِنَ ٱلَّذِينَ أُوتُواْ
ٱلْكِتَٰبَ حَتَّىٰ يُعْطُواْ ٱلْجِزْيَةَ عَن يَدٍ وَهُمْ صَٰغِرُونَ
﴿٢٩﴾ وَقَالَتِ ٱلْيَهُودُ عُزَيْرٌ ٱبْنُ ٱللَّهِ وَقَالَتِ ٱلنَّصَٰرَى
ٱلْمَسِيحُ ٱبْنُ ٱللَّهِۖ ذَٰلِكَ قَوْلُهُم بِأَفْوَٰهِهِمْۖ
يُضَٰهِـُٔونَ قَوْلَ ٱلَّذِينَ كَفَرُواْ مِن قَبْلُۚ قَٰتَلَهُمُ
ٱللَّهُۚ أَنَّىٰ يُؤْفَكُونَ ﴿٣٠﴾ ٱتَّخَذُوٓاْ أَحْبَارَهُمْ
وَرُهْبَٰنَهُمْ أَرْبَابًا مِّن دُونِ ٱللَّهِ وَٱلْمَسِيحَ ٱبْنَ
مَرْيَمَ وَمَآ أُمِرُوٓاْ إِلَّا لِيَعْبُدُوٓاْ إِلَٰهًا وَٰحِدًاۖ
لَّآ إِلَٰهَ إِلَّا هُوَۚ سُبْحَٰنَهُۥ عَمَّا يُشْرِكُونَ ﴿٣١﴾

- نَجَسٌ: شيءٌ قَذِرٌ أو خبيثٌ
- عَيْلَةً: فقراً
- ٱلْجِزْيَةَ: الخَراجَ المقدَّرَ على رؤوسهم
- صَٰغِرُونَ: مُنْقادُونَ
- يُضَٰهِـُٔونَ: يُشابِهُونَ
- أَنَّىٰ يُؤْفَكُونَ: كَيْفَ يُصْرَفُونَ عَنِ الحَقّ
- أَحْبَارَهُمْ: عُلَماءَ اليَهُودِ
- رُهْبَٰنَهُمْ: مُتَنَسِّكِي النَّصارَى

مدّ ٦ حركات لزوماً · مدّ ٢ أو ٤ أو ٦ جوازاً · إخفاء ، ومواقع الغُنَّة (حركتان)
مدّ واجب ٤ أو ٥ حركات · مدّ حركتان · إدغام ، وما لا يُلفَظ

يُرِيدُونَ أَن يُطۡفِـُٔواْ نُورَ ٱللَّهِ بِأَفۡوَٰهِهِمۡ وَيَأۡبَى ٱللَّهُ إِلَّآ
أَن يُتِمَّ نُورَهُۥ وَلَوۡ كَرِهَ ٱلۡكَٰفِرُونَ ﴿٣٢﴾ هُوَ ٱلَّذِيٓ
أَرۡسَلَ رَسُولَهُۥ بِٱلۡهُدَىٰ وَدِينِ ٱلۡحَقِّ لِيُظۡهِرَهُۥ عَلَى ٱلدِّينِ
كُلِّهِۦ وَلَوۡ كَرِهَ ٱلۡمُشۡرِكُونَ ﴿٣٣﴾ ۞ يَـٰٓأَيُّهَا ٱلَّذِينَ
ءَامَنُوٓاْ إِنَّ كَثِيرٗا مِّنَ ٱلۡأَحۡبَارِ وَٱلرُّهۡبَانِ لَيَأۡكُلُونَ
أَمۡوَٰلَ ٱلنَّاسِ بِٱلۡبَٰطِلِ وَيَصُدُّونَ عَن سَبِيلِ ٱللَّهِۗ
وَٱلَّذِينَ يَكۡنِزُونَ ٱلذَّهَبَ وَٱلۡفِضَّةَ وَلَا يُنفِقُونَهَا
فِي سَبِيلِ ٱللَّهِ فَبَشِّرۡهُم بِعَذَابٍ أَلِيمٖ ﴿٣٤﴾ يَوۡمَ يُحۡمَىٰ
عَلَيۡهَا فِي نَارِ جَهَنَّمَ فَتُكۡوَىٰ بِهَا جِبَاهُهُمۡ وَجُنُوبُهُمۡ
وَظُهُورُهُمۡۖ هَٰذَا مَا كَنَزۡتُمۡ لِأَنفُسِكُمۡ فَذُوقُواْ مَا كُنتُمۡ
تَكۡنِزُونَ ﴿٣٥﴾ إِنَّ عِدَّةَ ٱلشُّهُورِ عِندَ ٱللَّهِ ٱثۡنَا عَشَرَ
شَهۡرٗا فِي كِتَٰبِ ٱللَّهِ يَوۡمَ خَلَقَ ٱلسَّمَٰوَٰتِ وَٱلۡأَرۡضَ
مِنۡهَآ أَرۡبَعَةٌ حُرُمٞۚ ذَٰلِكَ ٱلدِّينُ ٱلۡقَيِّمُۚ فَلَا تَظۡلِمُواْ فِيهِنَّ
أَنفُسَكُمۡۚ وَقَٰتِلُواْ ٱلۡمُشۡرِكِينَ كَآفَّةٗ كَمَا
يُقَٰتِلُونَكُمۡ كَآفَّةٗۚ وَٱعۡلَمُوٓاْ أَنَّ ٱللَّهَ مَعَ ٱلۡمُتَّقِينَ ﴿٣٦﴾

لِيُظۡهِرَهُۥ: لِيُعْلِيَهُ
الحزب ٢٠ — التوبة
ٱلۡقَيِّمُ: المُسْتَقِيمُ

| | | |
|---|---|---|
| مدّ ٦ حركات لزوماً — مدّ ٢ أو ٤ أو ٦ جوازاً | إخفاء، ومواقع الغُنَّة (حركتان) | تفخيم |
| مدّ واجب ٤ أو ٥ حركات — مدّ حركتان | إدغام، وما لا يُلفَظ | قلقلة |

إِنَّمَا ٱلنَّسِيٓءُ زِيَادَةٞ فِي ٱلۡكُفۡرِۖ يُضَلُّ بِهِ ٱلَّذِينَ كَفَرُواْ
يُحِلُّونَهُۥ عَامٗا وَيُحَرِّمُونَهُۥ عَامٗا لِّيُوَاطِـُٔواْ عِدَّةَ مَا حَرَّمَ ٱللَّهُ
فَيُحِلُّواْ مَا حَرَّمَ ٱللَّهُۚ زُيِّنَ لَهُمۡ سُوٓءُ أَعۡمَٰلِهِمۡۗ وَٱللَّهُ
لَا يَهۡدِي ٱلۡقَوۡمَ ٱلۡكَٰفِرِينَ ﴿٣٧﴾ يَٰٓأَيُّهَا ٱلَّذِينَ
ءَامَنُواْ مَا لَكُمۡ إِذَا قِيلَ لَكُمُ ٱنفِرُواْ فِي سَبِيلِ ٱللَّهِ ٱثَّاقَلۡتُمۡ
إِلَى ٱلۡأَرۡضِۚ أَرَضِيتُم بِٱلۡحَيَوٰةِ ٱلدُّنۡيَا مِنَ ٱلۡأٓخِرَةِۚ
فَمَا مَتَٰعُ ٱلۡحَيَوٰةِ ٱلدُّنۡيَا فِي ٱلۡأٓخِرَةِ إِلَّا قَلِيلٌ ﴿٣٨﴾
إِلَّا تَنفِرُواْ يُعَذِّبۡكُمۡ عَذَابًا أَلِيمٗا وَيَسۡتَبۡدِلۡ قَوۡمًا
غَيۡرَكُمۡ وَلَا تَضُرُّوهُ شَيۡـٔٗاۗ وَٱللَّهُ عَلَىٰ كُلِّ شَيۡءٖ
قَدِيرٌ ﴿٣٩﴾ إِلَّا تَنصُرُوهُ فَقَدۡ نَصَرَهُ ٱللَّهُ إِذۡ أَخۡرَجَهُ
ٱلَّذِينَ كَفَرُواْ ثَانِيَ ٱثۡنَيۡنِ إِذۡ هُمَا فِي ٱلۡغَارِ إِذۡ
يَقُولُ لِصَٰحِبِهِۦ لَا تَحۡزَنۡ إِنَّ ٱللَّهَ مَعَنَاۖ فَأَنزَلَ
ٱللَّهُ سَكِينَتَهُۥ عَلَيۡهِ وَأَيَّدَهُۥ بِجُنُودٖ لَّمۡ تَرَوۡهَا
وَجَعَلَ كَلِمَةَ ٱلَّذِينَ كَفَرُواْ ٱلسُّفۡلَىٰۗ
وَكَلِمَةُ ٱللَّهِ هِيَ ٱلۡعُلۡيَاۗ وَٱللَّهُ عَزِيزٌ حَكِيمٌ ﴿٤٠﴾

- ٱلنَّسِيٓءُ: تأخير حرمة شهر إلى آخر
- لِّيُوَاطِـُٔواْ: ليوافقوا
- ٱنفِرُواْ: اخرجوا
- ٱثَّاقَلۡتُمۡ: تباطأتم

مدّ ٦ حركات لزوماً ● مدّ ٢ أو ٤ أو ٦ جوازاً ● مدّ واجب ٤ أو ٥ حركات ● مدّ حركتان ● إخفاء، ومواقع الغُنَّة (حركتان) ● إدغام، وما لا يُلفَظ ● تفخ… ● قلق…

ٱنفِرُواْ خِفَافًا وَثِقَالًا وَجَٰهِدُواْ بِأَمْوَٰلِكُمْ وَأَنفُسِكُمْ
فِي سَبِيلِ ٱللَّهِۚ ذَٰلِكُمْ خَيْرٌ لَّكُمْ إِن كُنتُمْ تَعْلَمُونَ ﴿٤١﴾
لَوْ كَانَ عَرَضًا قَرِيبًا وَسَفَرًا قَاصِدًا لَّٱتَّبَعُوكَ وَلَٰكِنۢ بَعُدَتْ
عَلَيْهِمُ ٱلشُّقَّةُۚ وَسَيَحْلِفُونَ بِٱللَّهِ لَوِ ٱسْتَطَعْنَا لَخَرَجْنَا
مَعَكُمْ يُهْلِكُونَ أَنفُسَهُمْ وَٱللَّهُ يَعْلَمُ إِنَّهُمْ لَكَٰذِبُونَ ﴿٤٢﴾
عَفَا ٱللَّهُ عَنكَ لِمَ أَذِنتَ لَهُمْ حَتَّىٰ يَتَبَيَّنَ لَكَ ٱلَّذِينَ
صَدَقُواْ وَتَعْلَمَ ٱلْكَٰذِبِينَ ﴿٤٣﴾ لَا يَسْتَـْٔذِنُكَ ٱلَّذِينَ
يُؤْمِنُونَ بِٱللَّهِ وَٱلْيَوْمِ ٱلْءَاخِرِ أَن يُجَٰهِدُواْ بِأَمْوَٰلِهِمْ
وَأَنفُسِهِمْۗ وَٱللَّهُ عَلِيمٌۢ بِٱلْمُتَّقِينَ ﴿٤٤﴾ إِنَّمَا يَسْتَـْٔذِنُكَ ٱلَّذِينَ
لَا يُؤْمِنُونَ بِٱللَّهِ وَٱلْيَوْمِ ٱلْءَاخِرِ وَٱرْتَابَتْ قُلُوبُهُمْ فَهُمْ
فِي رَيْبِهِمْ يَتَرَدَّدُونَ ﴿٤٥﴾ ۞ وَلَوْ أَرَادُواْ ٱلْخُرُوجَ
لَأَعَدُّواْ لَهُۥ عُدَّةً وَلَٰكِن كَرِهَ ٱللَّهُ ٱنۢبِعَاثَهُمْ فَثَبَّطَهُمْ
وَقِيلَ ٱقْعُدُواْ مَعَ ٱلْقَٰعِدِينَ ﴿٤٦﴾ لَوْ خَرَجُواْ فِيكُم
مَّا زَادُوكُمْ إِلَّا خَبَالًا وَلَأَوْضَعُواْ خِلَٰلَكُمْ يَبْغُونَكُمُ
ٱلْفِتْنَةَ وَفِيكُمْ سَمَّٰعُونَ لَهُمْۗ وَٱللَّهُ عَلِيمٌۢ بِٱلظَّٰلِمِينَ ﴿٤٧﴾

التوبة

- خِفَافًا وَثِقَالًا: عَلَى أيَّةِ حَالَةٍ كُنتُم
- عَرَضًا قَرِيبًا: مَغْنَماً سهلَ المأخَذِ
- سَفَرًا قَاصِدًا: مُتَوسِّطاً بين القَرِيبِ والبَعِيدِ
- ٱلشُّقَّةُ: المَسَافَةُ التي تُقطَع بمَشقَّة
- ٱنۢبِعَاثَهُمْ: نُهُوضَهُمْ للخُرُوجِ
- فَثَبَّطَهُمْ: حَبَسَهُمْ عن الخُرُوجِ معكم
- خَبَالًا: شَرّاً وفَسَاداً
- لَأَوْضَعُواْ خِلَٰلَكُمْ: أَسْرَعُوا بَيْنَكُمْ بالنَّمائِمِ للإفْسَادِ

رُبع الحزب ٢٠

مدّ ٦ حركات لزوماً • مدّ ٢ أو ٤ أو ٦ جوازاً • إخفاء، ومواقع الغُنَّة (حركتان) • تفخيم
مدّ واجب ٤ أو ٥ حركات • مدّ حركتان • إدغام، وما لا يُلفَظ • قلقلة

لَقَدِ ٱبْتَغَوُاْ ٱلْفِتْنَةَ مِن قَبْلُ وَقَلَّبُواْ لَكَ ٱلْأُمُورَ حَتَّىٰ
جَآءَ ٱلْحَقُّ وَظَهَرَ أَمْرُ ٱللَّهِ وَهُمْ كَٰرِهُونَ ﴿٤٨﴾
وَمِنْهُم مَّن يَقُولُ ٱئْذَن لِّي وَلَا تَفْتِنِّيٓۚ أَلَا فِي ٱلْفِتْنَةِ
سَقَطُواْۗ وَإِنَّ جَهَنَّمَ لَمُحِيطَةُۢ بِٱلْكَٰفِرِينَ
﴿٤٩﴾ إِن تُصِبْكَ حَسَنَةٞ تَسُؤْهُمْۖ وَإِن تُصِبْكَ
مُصِيبَةٞ يَقُولُواْ قَدْ أَخَذْنَآ أَمْرَنَا مِن قَبْلُ وَيَتَوَلَّواْ
وَّهُمْ فَرِحُونَ ﴿٥٠﴾ قُل لَّن يُصِيبَنَآ إِلَّا مَا كَتَبَ
ٱللَّهُ لَنَا هُوَ مَوْلَىٰنَاۚ وَعَلَى ٱللَّهِ فَلْيَتَوَكَّلِ ٱلْمُؤْمِنُونَ
﴿٥١﴾ قُلْ هَلْ تَرَبَّصُونَ بِنَآ إِلَّآ إِحْدَى ٱلْحُسْنَيَيْنِۖ وَنَحْنُ
نَتَرَبَّصُ بِكُمْ أَن يُصِيبَكُمُ ٱللَّهُ بِعَذَابٖ مِّنْ عِندِهِۦٓ
أَوْ بِأَيْدِينَاۖ فَتَرَبَّصُوٓاْ إِنَّا مَعَكُم مُّتَرَبِّصُونَ ﴿٥٢﴾ قُلْ
أَنفِقُواْ طَوْعًا أَوْ كَرْهٗا لَّن يُتَقَبَّلَ مِنكُمْۖ إِنَّكُمْ كُنتُمْ
قَوْمٗا فَٰسِقِينَ ﴿٥٣﴾ وَمَا مَنَعَهُمْ أَن تُقْبَلَ مِنْهُمْ نَفَقَٰتُهُمْ
إِلَّآ أَنَّهُمْ كَفَرُواْ بِٱللَّهِ وَبِرَسُولِهِۦ وَلَا يَأْتُونَ ٱلصَّلَوٰةَ
إِلَّا وَهُمْ كُسَالَىٰ وَلَا يُنفِقُونَ إِلَّا وَهُمْ كَٰرِهُونَ ﴿٥٤﴾

▪ قَلَّبُواْ لَكَ ٱلْأُمُورَ: دبّروا لك الحِيَلَ والمكائدَ
▪ تَرَبَّصُونَ: تنتظرون

مدّ ٦ حركات لزوماً ● مدّ ٢ أو ٤ أو ٦ جوازاً ● إخفاء ، ومواقع الغُنَّة (حركتان) ● تفـ
مدّ واجب ٤ أو ٥ حركات ● مدّ حركتان ● إدغام ، وما لا يُلفَظ ● قلقـ

فَلَا تُعۡجِبۡكَ أَمۡوَٰلُهُمۡ وَلَآ أَوۡلَٰدُهُمۡۚ إِنَّمَا يُرِيدُ ٱللَّهُ لِيُعَذِّبَهُم
بِهَا فِي ٱلۡحَيَوٰةِ ٱلدُّنۡيَا وَتَزۡهَقَ أَنفُسُهُمۡ وَهُمۡ كَٰفِرُونَ ﴿٥٥﴾
وَيَحۡلِفُونَ بِٱللَّهِ إِنَّهُمۡ لَمِنكُمۡ وَمَا هُم مِّنكُمۡ وَلَٰكِنَّهُمۡ
قَوۡمٞ يَفۡرَقُونَ ﴿٥٦﴾ لَوۡ يَجِدُونَ مَلۡجَـًٔا أَوۡ مَغَٰرَٰتٍ
أَوۡ مُدَّخَلٗا لَّوَلَّوۡاْ إِلَيۡهِ وَهُمۡ يَجۡمَحُونَ ﴿٥٧﴾ وَمِنۡهُم مَّن يَلۡمِزُكَ
فِي ٱلصَّدَقَٰتِ فَإِنۡ أُعۡطُواْ مِنۡهَا رَضُواْ وَإِن لَّمۡ يُعۡطَوۡاْ مِنۡهَآ إِذَا
هُمۡ يَسۡخَطُونَ ﴿٥٨﴾ وَلَوۡ أَنَّهُمۡ رَضُواْ مَآ ءَاتَىٰهُمُ ٱللَّهُ
وَرَسُولُهُۥ وَقَالُواْ حَسۡبُنَا ٱللَّهُ سَيُؤۡتِينَا ٱللَّهُ مِن فَضۡلِهِۦ
وَرَسُولُهُۥٓ إِنَّآ إِلَى ٱللَّهِ رَٰغِبُونَ ﴿٥٩﴾ ۞ إِنَّمَا ٱلصَّدَقَٰتُ
لِلۡفُقَرَآءِ وَٱلۡمَسَٰكِينِ وَٱلۡعَٰمِلِينَ عَلَيۡهَا وَٱلۡمُؤَلَّفَةِ قُلُوبُهُمۡ
وَفِي ٱلرِّقَابِ وَٱلۡغَٰرِمِينَ وَفِي سَبِيلِ ٱللَّهِ وَٱبۡنِ ٱلسَّبِيلِۖ
فَرِيضَةٗ مِّنَ ٱللَّهِۗ وَٱللَّهُ عَلِيمٌ حَكِيمٞ ﴿٦٠﴾ وَمِنۡهُمُ
ٱلَّذِينَ يُؤۡذُونَ ٱلنَّبِيَّ وَيَقُولُونَ هُوَ أُذُنٞۚ قُلۡ أُذُنُ خَيۡرٖ
لَّكُمۡ يُؤۡمِنُ بِٱللَّهِ وَيُؤۡمِنُ لِلۡمُؤۡمِنِينَ وَرَحۡمَةٞ لِّلَّذِينَ
ءَامَنُواْ مِنكُمۡۚ وَٱلَّذِينَ يُؤۡذُونَ رَسُولَ ٱللَّهِ لَهُمۡ عَذَابٌ أَلِيمٞ ﴿٦١﴾

تَزۡهَقَ أَنفُسُهُمۡ: تَخرجَ أرواحُهُمْ
يَفۡرَقُونَ: يَخافون منكم فيُنافقون
مَلۡجَـًٔا: حِصْناً يَلْجَؤون إليه
مَغَٰرَٰتٍ: كهوفاً في الجبال
مُدَّخَلٗا: سِرْداباً في الأرض
يَجۡمَحُونَ: يُسْرِعون في الدُّخول فيه
يَلۡمِزُكَ: يَعيبُكَ
نصف الحزب ٢٠
ٱلۡعَٰمِلِينَ عَلَيۡهَا: كالجُباة والكُتّاب
فِي ٱلرِّقَابِ: فكاكِ الأرِقّاء والأسْرَى
ٱلۡغَٰرِمِينَ: المدينينَ الذين لا يجدون قضاءً
فِي سَبِيلِ ٱللَّهِ: في جميع القُرَب
ٱبۡنِ ٱلسَّبِيلِ: المسافرِ المنقطع عن ماله
أُذُنٞ: يَسْمَعُ ما يقالُ له ويُصَدِّقُهُ
أُذُنُ خَيۡرٖ لَّكُمۡ: يَسْمَعُ ما يعودُ بالخير عليكم

التوبة

مدّ ٦ حركات لزوماً • مدّ ٢ أو ٤ أو ٦ جوازاً • إخفاء، ومواقع الغُنَّة (حركتان) • تفخيم
مدّ واجب ٤ أو ٥ حركات • مدّ حركتان • إدغام، وما لا يُلفظ • قلقلة

يَحْلِفُونَ بِٱللَّهِ لَكُمْ لِيُرْضُوكُمْ وَٱللَّهُ وَرَسُولُهُۥٓ أَحَقُّ
أَن يُرْضُوهُ إِن كَانُوا۟ مُؤْمِنِينَ ﴿٦٢﴾ أَلَمْ يَعْلَمُوٓا۟ أَنَّهُۥ
مَن يُحَادِدِ ٱللَّهَ وَرَسُولَهُۥ فَأَنَّ لَهُۥ نَارَ جَهَنَّمَ خَٰلِدًا فِيهَا ۚ
ذَٰلِكَ ٱلْخِزْىُ ٱلْعَظِيمُ ﴿٦٣﴾ يَحْذَرُ ٱلْمُنَٰفِقُونَ
أَن تُنَزَّلَ عَلَيْهِمْ سُورَةٌ تُنَبِّئُهُم بِمَا فِى قُلُوبِهِمْ ۚ قُلِ ٱسْتَهْزِءُوٓا۟
إِنَّ ٱللَّهَ مُخْرِجٌ مَّا تَحْذَرُونَ ﴿٦٤﴾ وَلَئِن سَأَلْتَهُمْ
لَيَقُولُنَّ إِنَّمَا كُنَّا نَخُوضُ وَنَلْعَبُ ۚ قُلْ أَبِٱللَّهِ وَءَايَٰتِهِۦ
وَرَسُولِهِۦ كُنتُمْ تَسْتَهْزِءُونَ ﴿٦٥﴾ لَا تَعْتَذِرُوا۟ قَدْ كَفَرْتُم
بَعْدَ إِيمَٰنِكُمْ ۚ إِن نَّعْفُ عَن طَآئِفَةٍ مِّنكُمْ نُعَذِّبْ طَآئِفَةًۢ
بِأَنَّهُمْ كَانُوا۟ مُجْرِمِينَ ﴿٦٦﴾ ٱلْمُنَٰفِقُونَ وَٱلْمُنَٰفِقَٰتُ
بَعْضُهُم مِّنۢ بَعْضٍ ۚ يَأْمُرُونَ بِٱلْمُنكَرِ وَيَنْهَوْنَ
عَنِ ٱلْمَعْرُوفِ وَيَقْبِضُونَ أَيْدِيَهُمْ ۚ نَسُوا۟ ٱللَّهَ فَنَسِيَهُمْ ۗ
إِنَّ ٱلْمُنَٰفِقِينَ هُمُ ٱلْفَٰسِقُونَ ﴿٦٧﴾ وَعَدَ ٱللَّهُ
ٱلْمُنَٰفِقِينَ وَٱلْمُنَٰفِقَٰتِ وَٱلْكُفَّارَ نَارَ جَهَنَّمَ خَٰلِدِينَ
فِيهَا ۚ هِىَ حَسْبُهُمْ ۚ وَلَعَنَهُمُ ٱللَّهُ ۖ وَلَهُمْ عَذَابٌ مُّقِيمٌ ﴿٦٨﴾

- يُحَادِدِ: يُخالِفْ ويُعادِ
- نَخُوضُ: نتحدَّثُ أحاديثَ المُسافرينَ
- يَقْبِضُونَ أَيْدِيَهُمْ: يَبْخلُون في الخير والطاعة
- هِىَ حَسْبُهُمْ: كافيتُهُمْ عِقاباً

كَٱلَّذِينَ مِن قَبۡلِكُمۡ كَانُوٓاْ أَشَدَّ مِنكُمۡ قُوَّةٗ وَأَكۡثَرَ
أَمۡوَٰلٗا وَأَوۡلَٰدٗا فَٱسۡتَمۡتَعُواْ بِخَلَٰقِهِمۡ فَٱسۡتَمۡتَعۡتُم بِخَلَٰقِكُمۡ
كَمَا ٱسۡتَمۡتَعَ ٱلَّذِينَ مِن قَبۡلِكُم بِخَلَٰقِهِمۡ وَخُضۡتُمۡ
كَٱلَّذِي خَاضُوٓاْۚ أُوْلَٰٓئِكَ حَبِطَتۡ أَعۡمَٰلُهُمۡ فِي ٱلدُّنۡيَا
وَٱلۡأٓخِرَةِۖ وَأُوْلَٰٓئِكَ هُمُ ٱلۡخَٰسِرُونَ ٦٩ أَلَمۡ يَأۡتِهِمۡ
نَبَأُ ٱلَّذِينَ مِن قَبۡلِهِمۡ قَوۡمِ نُوحٖ وَعَادٖ وَثَمُودَ وَقَوۡمِ
إِبۡرَٰهِيمَ وَأَصۡحَٰبِ مَدۡيَنَ وَٱلۡمُؤۡتَفِكَٰتِۚ أَتَتۡهُمۡ
رُسُلُهُم بِٱلۡبَيِّنَٰتِۖ فَمَا كَانَ ٱللَّهُ لِيَظۡلِمَهُمۡ وَلَٰكِن
كَانُوٓاْ أَنفُسَهُمۡ يَظۡلِمُونَ ٧٠ وَٱلۡمُؤۡمِنُونَ وَٱلۡمُؤۡمِنَٰتُ بَعۡضُهُمۡ
أَوۡلِيَآءُ بَعۡضٖۚ يَأۡمُرُونَ بِٱلۡمَعۡرُوفِ وَيَنۡهَوۡنَ عَنِ ٱلۡمُنكَرِ
وَيُقِيمُونَ ٱلصَّلَوٰةَ وَيُؤۡتُونَ ٱلزَّكَوٰةَ وَيُطِيعُونَ ٱللَّهَ
وَرَسُولَهُۥٓۚ أُوْلَٰٓئِكَ سَيَرۡحَمُهُمُ ٱللَّهُۗ إِنَّ ٱللَّهَ عَزِيزٌ حَكِيمٞ ٧١
وَعَدَ ٱللَّهُ ٱلۡمُؤۡمِنِينَ وَٱلۡمُؤۡمِنَٰتِ جَنَّٰتٖ تَجۡرِي مِن تَحۡتِهَا
ٱلۡأَنۡهَٰرُ خَٰلِدِينَ فِيهَا وَمَسَٰكِنَ طَيِّبَةٗ فِي جَنَّٰتِ عَدۡنٖۚ
وَرِضۡوَٰنٞ مِّنَ ٱللَّهِ أَكۡبَرُۚ ذَٰلِكَ هُوَ ٱلۡفَوۡزُ ٱلۡعَظِيمُ ٧٢

التوبة

- بِخَلَٰقِهِمۡ: بنصيبهِمْ من ملاذّ الدنيا
- خُضۡتُمۡ: دَخلْتُمْ في البَاطِلِ
- حَبِطَتۡ: بَطَلَتْ
- ٱلۡمُؤۡتَفِكَٰتِ: المُنْقلِبات « قُرَى قَوْمِ لُوطٍ »

| | | |
|---|---|---|
| مدّ ٦ حركات لزوماً ● مدّ ٢ أو ٤ أو ٦ جوازاً | ● إخفاء ، ومواقع الغُنَّة (حركتان) | ● تفخيم |
| مدّ واجب ٤ أو ٥ حركات ● مدّ حركتان | ● إدغام ، وما لا يُلفَظ | ● قلقلة |

يَٰٓأَيُّهَا ٱلنَّبِىُّ جَٰهِدِ ٱلْكُفَّارَ وَٱلْمُنَٰفِقِينَ وَٱغْلُظْ عَلَيْهِمْ ۚ
وَمَأْوَىٰهُمْ جَهَنَّمُ ۖ وَبِئْسَ ٱلْمَصِيرُ ﴿٧٣﴾ يَحْلِفُونَ بِٱللَّهِ
مَا قَالُوا۟ وَلَقَدْ قَالُوا۟ كَلِمَةَ ٱلْكُفْرِ وَكَفَرُوا۟ بَعْدَ إِسْلَٰمِهِمْ
وَهَمُّوا۟ بِمَا لَمْ يَنَالُوا۟ ۚ وَمَا نَقَمُوٓا۟ إِلَّآ أَنْ أَغْنَىٰهُمُ ٱللَّهُ وَرَسُولُهُۥ
مِن فَضْلِهِۦ ۚ فَإِن يَتُوبُوا۟ يَكُ خَيْرًا لَّهُمْ ۖ وَإِن يَتَوَلَّوْا۟ يُعَذِّبْهُمُ
ٱللَّهُ عَذَابًا أَلِيمًا فِى ٱلدُّنْيَا وَٱلْءَاخِرَةِ ۚ وَمَا لَهُمْ فِى ٱلْأَرْضِ
مِن وَلِىٍّ وَلَا نَصِيرٍ ﴿٧٤﴾ ۞ وَمِنْهُم مَّنْ عَٰهَدَ ٱللَّهَ لَئِنْ
ءَاتَىٰنَا مِن فَضْلِهِۦ لَنَصَّدَّقَنَّ وَلَنَكُونَنَّ مِنَ ٱلصَّٰلِحِينَ ﴿٧٥﴾
فَلَمَّآ ءَاتَىٰهُم مِّن فَضْلِهِۦ بَخِلُوا۟ بِهِۦ وَتَوَلَّوا۟ وَّهُم مُّعْرِضُونَ
﴿٧٦﴾ فَأَعْقَبَهُمْ نِفَاقًا فِى قُلُوبِهِمْ إِلَىٰ يَوْمِ يَلْقَوْنَهُۥ بِمَآ أَخْلَفُوا۟
ٱللَّهَ مَا وَعَدُوهُ وَبِمَا كَانُوا۟ يَكْذِبُونَ ﴿٧٧﴾ أَلَمْ يَعْلَمُوٓا۟
أَنَّ ٱللَّهَ يَعْلَمُ سِرَّهُمْ وَنَجْوَىٰهُمْ وَأَنَّ ٱللَّهَ عَلَّٰمُ
ٱلْغُيُوبِ ﴿٧٨﴾ ٱلَّذِينَ يَلْمِزُونَ ٱلْمُطَّوِّعِينَ مِنَ
ٱلْمُؤْمِنِينَ فِى ٱلصَّدَقَٰتِ وَٱلَّذِينَ لَا يَجِدُونَ إِلَّا
جُهْدَهُمْ فَيَسْخَرُونَ مِنْهُمْ ۙ سَخِرَ ٱللَّهُ مِنْهُمْ وَلَهُمْ عَذَابٌ أَلِيمٌ ﴿٧٩﴾

■ اغْلُظْ عَلَيْهِمْ: شَدِّدْ عليهم
■ مَا نَقَمُوٓا۟: ما كرِهُوا وَمَا عَابُوا
ثلاثة أرباع الحزب ٢٠
■ نَجْوَىٰهُمْ: مَا يَتَنَاجَوْنَ بِهِ فِيمَا بَيْنَهُمْ
■ يَلْمِزُونَ: يَعِيبُونَ
■ جُهْدَهُمْ: طاقتهم وَوُسْعَهُمْ

مدّ ٦ حركات لزوماً ● مدّ ٢ أو ٤ أو ٦ جوازاً ● مدّ واجب ٤ أو ٥ حركات ● مدّ حركتان ● إخفاء، ومواقع الغنّة (حركتان) ● إدغام، وما لا يُلفظ ● تفخ… ● قلقـ…

ٱسْتَغْفِرْ لَهُمْ أَوْ لَا تَسْتَغْفِرْ لَهُمْ إِن تَسْتَغْفِرْ لَهُمْ سَبْعِينَ مَرَّةً
فَلَن يَغْفِرَ ٱللَّهُ لَهُمْ ۚ ذَٰلِكَ بِأَنَّهُمْ كَفَرُوا۟ بِٱللَّهِ وَرَسُولِهِۦ ۗ
وَٱللَّهُ لَا يَهْدِى ٱلْقَوْمَ ٱلْفَٰسِقِينَ ﴿٨٠﴾ فَرِحَ ٱلْمُخَلَّفُونَ
بِمَقْعَدِهِمْ خِلَٰفَ رَسُولِ ٱللَّهِ وَكَرِهُوٓا۟ أَن يُجَٰهِدُوا۟ بِأَمْوَٰلِهِمْ
وَأَنفُسِهِمْ فِى سَبِيلِ ٱللَّهِ وَقَالُوا۟ لَا تَنفِرُوا۟ فِى ٱلْحَرِّ ۗ قُلْ نَارُ جَهَنَّمَ
أَشَدُّ حَرًّا ۚ لَّوْ كَانُوا۟ يَفْقَهُونَ ﴿٨١﴾ فَلْيَضْحَكُوا۟ قَلِيلًا وَلْيَبْكُوا۟ كَثِيرًا
جَزَآءًۢ بِمَا كَانُوا۟ يَكْسِبُونَ ﴿٨٢﴾ فَإِن رَّجَعَكَ ٱللَّهُ إِلَىٰ طَآئِفَةٍ
مِّنْهُمْ فَٱسْتَـْٔذَنُوكَ لِلْخُرُوجِ فَقُل لَّن تَخْرُجُوا۟ مَعِىَ أَبَدًا وَلَن
تُقَٰتِلُوا۟ مَعِىَ عَدُوًّا ۖ إِنَّكُمْ رَضِيتُم بِٱلْقُعُودِ أَوَّلَ مَرَّةٍ فَٱقْعُدُوا۟
مَعَ ٱلْخَٰلِفِينَ ﴿٨٣﴾ وَلَا تُصَلِّ عَلَىٰٓ أَحَدٍ مِّنْهُم مَّاتَ أَبَدًا وَلَا تَقُمْ
عَلَىٰ قَبْرِهِۦٓ ۖ إِنَّهُمْ كَفَرُوا۟ بِٱللَّهِ وَرَسُولِهِۦ وَمَاتُوا۟ وَهُمْ فَٰسِقُونَ
﴿٨٤﴾ وَلَا تُعْجِبْكَ أَمْوَٰلُهُمْ وَأَوْلَٰدُهُمْ ۚ إِنَّمَا يُرِيدُ ٱللَّهُ أَن يُعَذِّبَهُم
بِهَا فِى ٱلدُّنْيَا وَتَزْهَقَ أَنفُسُهُمْ وَهُمْ كَٰفِرُونَ ﴿٨٥﴾ وَإِذَآ
أُنزِلَتْ سُورَةٌ أَنْ ءَامِنُوا۟ بِٱللَّهِ وَجَٰهِدُوا۟ مَعَ رَسُولِهِ ٱسْتَـْٔذَنَكَ
أُو۟لُوا۟ ٱلطَّوْلِ مِنْهُمْ وَقَالُوا۟ ذَرْنَا نَكُن مَّعَ ٱلْقَٰعِدِينَ ﴿٨٦﴾

التوبة

- لَا تَنفِرُوا۟: لا تخرجوا للجهاد
- ٱلْخَٰلِفِينَ: المتخلّفين عن الجهاد ؛ كالنّساء
- تَزْهَقَ أَنفُسُهُمْ: تخرج أرواحهم
- ٱلطَّوْلِ: الغنى والسّعة

| | | |
|---|---|---|
| مدّ ٦ حركات لزوماً ● مدّ ٢ أو ٤ أو ٦ جوازاً | إخفاء ، ومواقع الغنّة (حركتان) | تفخيم |
| مدّ واجب ٤ أو ٥ حركات ● مدّ حركتان | إدغام ، وما لا يُلفظ | قلقلة |

رَضُواْ بِأَن يَكُونُواْ مَعَ ٱلۡخَوَالِفِ وَطُبِعَ عَلَىٰ قُلُوبِهِمۡ فَهُمۡ
لَا يَفۡقَهُونَ ﴿٨٧﴾ لَٰكِنِ ٱلرَّسُولُ وَٱلَّذِينَ ءَامَنُواْ مَعَهُۥ
جَٰهَدُواْ بِأَمۡوَٰلِهِمۡ وَأَنفُسِهِمۡۚ وَأُوْلَٰٓئِكَ لَهُمُ ٱلۡخَيۡرَٰتُۖ
وَأُوْلَٰٓئِكَ هُمُ ٱلۡمُفۡلِحُونَ ﴿٨٨﴾ أَعَدَّ ٱللَّهُ لَهُمۡ جَنَّٰتٖ تَجۡرِي
مِن تَحۡتِهَا ٱلۡأَنۡهَٰرُ خَٰلِدِينَ فِيهَاۚ ذَٰلِكَ ٱلۡفَوۡزُ ٱلۡعَظِيمُ ﴿٨٩﴾ وَجَآءَ
ٱلۡمُعَذِّرُونَ مِنَ ٱلۡأَعۡرَابِ لِيُؤۡذَنَ لَهُمۡ وَقَعَدَ ٱلَّذِينَ كَذَبُواْ
ٱللَّهَ وَرَسُولَهُۥۚ سَيُصِيبُ ٱلَّذِينَ كَفَرُواْ مِنۡهُمۡ عَذَابٌ أَلِيمٞ
﴿٩٠﴾ لَّيۡسَ عَلَى ٱلضُّعَفَآءِ وَلَا عَلَى ٱلۡمَرۡضَىٰ وَلَا عَلَى ٱلَّذِينَ
لَا يَجِدُونَ مَا يُنفِقُونَ حَرَجٌ إِذَا نَصَحُواْ لِلَّهِ وَرَسُولِهِۦۚ
مَا عَلَى ٱلۡمُحۡسِنِينَ مِن سَبِيلٖۚ وَٱللَّهُ غَفُورٞ رَّحِيمٞ ﴿٩١﴾
وَلَا عَلَى ٱلَّذِينَ إِذَا مَآ أَتَوۡكَ لِتَحۡمِلَهُمۡ قُلۡتَ لَآ أَجِدُ
مَآ أَحۡمِلُكُمۡ عَلَيۡهِ تَوَلَّواْ وَّأَعۡيُنُهُمۡ تَفِيضُ مِنَ ٱلدَّمۡعِ
حَزَنًا أَلَّا يَجِدُواْ مَا يُنفِقُونَ ﴿٩٢﴾ ۞ إِنَّمَا ٱلسَّبِيلُ عَلَى
ٱلَّذِينَ يَسۡتَـٔۡذِنُونَكَ وَهُمۡ أَغۡنِيَآءُۚ رَضُواْ بِأَن يَكُونُواْ
مَعَ ٱلۡخَوَالِفِ وَطَبَعَ ٱللَّهُ عَلَىٰ قُلُوبِهِمۡ فَهُمۡ لَا يَعۡلَمُونَ ﴿٩٣﴾

- ٱلۡخَوَالِفِ: النِّسَاء المُتَخَلِّفَاتِ عَنِ الجِهَادِ
- ٱلۡمُعَذِّرُونَ: المُعْتَذِرُونَ بِالأَعْذَارِ الكَاذِبَةِ
- حَرَجٌ: إِثْم أو ذَنْبٌ
- تَفِيضُ: تَمتَلِئُ بِهِ فَتَصُبُّهُ

الجُزْءُ ١١ — الحِزْبُ ٢١

مدّ ٦ حركات لزوماً — مدّ ٢ أو ٤ أو ٦ جوازاً — إخفاء، ومواقع الغُنَّة (حركتان) — تفخيم
مدّ واجب ٤ أو ٥ حركات — مدّ حركتان — إدغام، وما لا يُلفَظ — قلقلة

يَعۡتَذِرُونَ إِلَيۡكُمۡ إِذَا رَجَعۡتُمۡ إِلَيۡهِمۡۚ قُل لَّا تَعۡتَذِرُواْ
لَن نُّؤۡمِنَ لَكُمۡ قَدۡ نَبَّأَنَا ٱللَّهُ مِنۡ أَخۡبَارِكُمۡۚ وَسَيَرَى
ٱللَّهُ عَمَلَكُمۡ وَرَسُولُهُۥ ثُمَّ تُرَدُّونَ إِلَىٰ عَٰلِمِ ٱلۡغَيۡبِ
وَٱلشَّهَٰدَةِ فَيُنَبِّئُكُم بِمَا كُنتُمۡ تَعۡمَلُونَ ﴿٩٤﴾ سَيَحۡلِفُونَ
بِٱللَّهِ لَكُمۡ إِذَا ٱنقَلَبۡتُمۡ إِلَيۡهِمۡ لِتُعۡرِضُواْ عَنۡهُمۡۖ فَأَعۡرِضُواْ
عَنۡهُمۡۖ إِنَّهُمۡ رِجۡسٞۖ وَمَأۡوَىٰهُمۡ جَهَنَّمُ جَزَآءَۢ بِمَا كَانُواْ
يَكۡسِبُونَ ﴿٩٥﴾ يَحۡلِفُونَ لَكُمۡ لِتَرۡضَوۡاْ عَنۡهُمۡۖ فَإِن
تَرۡضَوۡاْ عَنۡهُمۡ فَإِنَّ ٱللَّهَ لَا يَرۡضَىٰ عَنِ ٱلۡقَوۡمِ ٱلۡفَٰسِقِينَ
﴿٩٦﴾ ٱلۡأَعۡرَابُ أَشَدُّ كُفۡرٗا وَنِفَاقٗا وَأَجۡدَرُ أَلَّا يَعۡلَمُواْ
حُدُودَ مَآ أَنزَلَ ٱللَّهُ عَلَىٰ رَسُولِهِۦۗ وَٱللَّهُ عَلِيمٌ حَكِيمٞ ﴿٩٧﴾ وَمِنَ
ٱلۡأَعۡرَابِ مَن يَتَّخِذُ مَا يُنفِقُ مَغۡرَمٗا وَيَتَرَبَّصُ بِكُمُ ٱلدَّوَآئِرَۚ
عَلَيۡهِمۡ دَآئِرَةُ ٱلسَّوۡءِۗ وَٱللَّهُ سَمِيعٌ عَلِيمٞ ﴿٩٨﴾ وَمِنَ
ٱلۡأَعۡرَابِ مَن يُؤۡمِنُ بِٱللَّهِ وَٱلۡيَوۡمِ ٱلۡأٓخِرِ وَيَتَّخِذُ
مَا يُنفِقُ قُرُبَٰتٍ عِندَ ٱللَّهِ وَصَلَوَٰتِ ٱلرَّسُولِۚ أَلَآ إِنَّهَا قُرۡبَةٞ
لَّهُمۡۚ سَيُدۡخِلُهُمُ ٱللَّهُ فِي رَحۡمَتِهِۦٓۗ إِنَّ ٱللَّهَ غَفُورٞ رَّحِيمٞ ﴿٩٩﴾

التوبة

- رِجۡسٌ: قَذَرٌ
- مَغۡرَمًا: غَرَامَةً وخسرانًا
- يَتَرَبَّصُ: يَنتظِرُ
- ٱلدَّوَآئِرَ: نُوَبَ الدهرِ ومصائبَهُ
- دَآئِرَةُ ٱلسَّوۡءِ: الضَّرَرِ والشَّرِّ

| | | |
|---|---|---|
| مدّ ٦ حركات لزوماً ● مدّ ٢ أو ٤ أو ٦ جوازاً | ● إخفاء ، ومواقع الغُنَّة (حركتان) | ● تفخيم |
| مدّ واجب ٤ أو ٥ حركات ● مدّ حركتان | ● إدغام ، وما لا يُلفَظ | ● قلقلة |

وَٱلسَّٰبِقُونَ ٱلۡأَوَّلُونَ مِنَ ٱلۡمُهَٰجِرِينَ وَٱلۡأَنصَارِ وَٱلَّذِينَ
ٱتَّبَعُوهُم بِإِحۡسَٰنٖ رَّضِيَ ٱللَّهُ عَنۡهُمۡ وَرَضُواْ عَنۡهُ وَأَعَدَّ
لَهُمۡ جَنَّٰتٖ تَجۡرِي تَحۡتَهَا ٱلۡأَنۡهَٰرُ خَٰلِدِينَ فِيهَآ أَبَدٗاۚ
ذَٰلِكَ ٱلۡفَوۡزُ ٱلۡعَظِيمُ ﴿١٠٠﴾ وَمِمَّنۡ حَوۡلَكُم مِّنَ ٱلۡأَعۡرَابِ
مُنَٰفِقُونَۖ وَمِنۡ أَهۡلِ ٱلۡمَدِينَةِۖ مَرَدُواْ عَلَى ٱلنِّفَاقِ لَا تَعۡلَمُهُمۡۖ
نَحۡنُ نَعۡلَمُهُمۡۚ سَنُعَذِّبُهُم مَّرَّتَيۡنِ ثُمَّ يُرَدُّونَ إِلَىٰ عَذَابٍ
عَظِيمٖ ﴿١٠١﴾ وَءَاخَرُونَ ٱعۡتَرَفُواْ بِذُنُوبِهِمۡ خَلَطُواْ عَمَلٗا صَٰلِحٗا
وَءَاخَرَ سَيِّئًا عَسَى ٱللَّهُ أَن يَتُوبَ عَلَيۡهِمۡۚ إِنَّ ٱللَّهَ غَفُورٞ رَّحِيمٌ ﴿١٠٢﴾
خُذۡ مِنۡ أَمۡوَٰلِهِمۡ صَدَقَةٗ تُطَهِّرُهُمۡ وَتُزَكِّيهِم بِهَا وَصَلِّ عَلَيۡهِمۡۖ
إِنَّ صَلَوٰتَكَ سَكَنٞ لَّهُمۡۗ وَٱللَّهُ سَمِيعٌ عَلِيمٌ ﴿١٠٣﴾ أَلَمۡ يَعۡلَمُوٓاْ
أَنَّ ٱللَّهَ هُوَ يَقۡبَلُ ٱلتَّوۡبَةَ عَنۡ عِبَادِهِۦ وَيَأۡخُذُ ٱلصَّدَقَٰتِ وَأَنَّ
ٱللَّهَ هُوَ ٱلتَّوَّابُ ٱلرَّحِيمُ ﴿١٠٤﴾ وَقُلِ ٱعۡمَلُواْ فَسَيَرَى ٱللَّهُ عَمَلَكُمۡ
وَرَسُولُهُۥ وَٱلۡمُؤۡمِنُونَۖ وَسَتُرَدُّونَ إِلَىٰ عَٰلِمِ ٱلۡغَيۡبِ وَٱلشَّهَٰدَةِ
فَيُنَبِّئُكُم بِمَا كُنتُمۡ تَعۡمَلُونَ ﴿١٠٥﴾ وَءَاخَرُونَ مُرۡجَوۡنَ لِأَمۡرِ
ٱللَّهِ إِمَّا يُعَذِّبُهُمۡ وَإِمَّا يَتُوبُ عَلَيۡهِمۡۗ وَٱللَّهُ عَلِيمٌ حَكِيمٞ ﴿١٠٦﴾

- مَرَدُوا: مَرَنُوا وتدرَّبوا
- تُزَكِّيهِم بها: تُنَمِّي بها حَسَنَاتِهِمْ وأموالَهم
- سَكَنٌ: طُمَأنينةٌ أو رحمةٌ
- مُرْجَوْنَ: مؤخَّرونَ عن قبولِ التَّوبةِ

| | |
|---|---|
| مدّ ٦ حركات لزوماً ● مدّ ٢ أو ٤ أو ٦ جوازاً | إخفاء، ومواقع الغُنَّة (حركتان) |
| مدّ واجب ٤ أو ٥ حركات ● مدّ حركتان | إدغام، وما لا يُلفظ |

وَالَّذِينَ اتَّخَذُوا مَسْجِدًا ضِرَارًا وَكُفْرًا وَتَفْرِيقًا بَيْنَ
الْمُؤْمِنِينَ وَإِرْصَادًا لِّمَنْ حَارَبَ اللَّهَ وَرَسُولَهُ مِن قَبْلُ
وَلَيَحْلِفُنَّ إِنْ أَرَدْنَا إِلَّا الْحُسْنَىٰ ۖ وَاللَّهُ يَشْهَدُ إِنَّهُمْ لَكَاذِبُونَ
(١٠٧) لَا تَقُمْ فِيهِ أَبَدًا ۚ لَّمَسْجِدٌ أُسِّسَ عَلَى التَّقْوَىٰ مِنْ أَوَّلِ
يَوْمٍ أَحَقُّ أَن تَقُومَ فِيهِ ۚ فِيهِ رِجَالٌ يُحِبُّونَ أَن يَتَطَهَّرُوا ۚ
وَاللَّهُ يُحِبُّ الْمُطَّهِّرِينَ (١٠٨) أَفَمَنْ أَسَّسَ بُنْيَانَهُ
عَلَىٰ تَقْوَىٰ مِنَ اللَّهِ وَرِضْوَانٍ خَيْرٌ أَم مَّنْ أَسَّسَ بُنْيَانَهُ
عَلَىٰ شَفَا جُرُفٍ هَارٍ فَانْهَارَ بِهِ فِي نَارِ جَهَنَّمَ ۗ وَاللَّهُ لَا يَهْدِي
الْقَوْمَ الظَّالِمِينَ (١٠٩) لَا يَزَالُ بُنْيَانُهُمُ الَّذِي بَنَوْا رِيبَةً
فِي قُلُوبِهِمْ إِلَّا أَن تَقَطَّعَ قُلُوبُهُمْ ۗ وَاللَّهُ عَلِيمٌ حَكِيمٌ (١١٠)
۞ إِنَّ اللَّهَ اشْتَرَىٰ مِنَ الْمُؤْمِنِينَ أَنفُسَهُمْ وَأَمْوَالَهُم
بِأَنَّ لَهُمُ الْجَنَّةَ ۚ يُقَاتِلُونَ فِي سَبِيلِ اللَّهِ فَيَقْتُلُونَ
وَيُقْتَلُونَ ۖ وَعْدًا عَلَيْهِ حَقًّا فِي التَّوْرَاةِ وَالْإِنجِيلِ
وَالْقُرْآنِ ۚ وَمَنْ أَوْفَىٰ بِعَهْدِهِ مِنَ اللَّهِ ۚ فَاسْتَبْشِرُوا
بِبَيْعِكُمُ الَّذِي بَايَعْتُم بِهِ ۚ وَذَٰلِكَ هُوَ الْفَوْزُ الْعَظِيمُ (١١١)

التوبة

- ضِرَارًا: مُضَارَّةً لِلْمُؤْمِنِينَ
- إِرْصَادًا: تَرَقُّباً وانتظاراً
- عَلَىٰ شَفَا: على طَرَف وحَرْف
- جُرُفٍ: هُوَّة. أو بئر لم تُبنَ بالحجارة
- هَارٍ: متصدّع، أشفى على التهدّم
- فَانْهَارَ بِهِ: فسقط البنيان بالباني
- تَقَطَّعَ قُلُوبُهُمْ: تتقطّع أجزاءً بالموت

ربع الحزب ٢١

| | | |
|---|---|---|
| مدّ ٦ حركات لزوماً ● مدّ ٢ أو ٤ أو ٦ جوازاً | ● إخفاء ، ومواقع الغُنّة (حركتان) | ● تفخيم |
| مدّ واجب ٤ أو ٥ حركات ● مدّ حركتان | ● إدغام ، وما لا يُلفظ | ● قلقلة |

ٱلتَّٰٓئِبُونَ ٱلۡعَٰبِدُونَ ٱلۡحَٰمِدُونَ ٱلسَّٰٓئِحُونَ
ٱلرَّٰكِعُونَ ٱلسَّٰجِدُونَ ٱلۡأٓمِرُونَ بِٱلۡمَعۡرُوفِ
وَٱلنَّاهُونَ عَنِ ٱلۡمُنكَرِ وَٱلۡحَٰفِظُونَ لِحُدُودِ ٱللَّهِۗ
وَبَشِّرِ ٱلۡمُؤۡمِنِينَ ﴿١١٢﴾ مَا كَانَ لِلنَّبِيِّ وَٱلَّذِينَ ءَامَنُوٓاْ أَن
يَسۡتَغۡفِرُواْ لِلۡمُشۡرِكِينَ وَلَوۡ كَانُوٓاْ أُوْلِي قُرۡبَىٰ مِنۢ بَعۡدِ
مَا تَبَيَّنَ لَهُمۡ أَنَّهُمۡ أَصۡحَٰبُ ٱلۡجَحِيمِ ﴿١١٣﴾ وَمَا كَانَ
ٱسۡتِغۡفَارُ إِبۡرَٰهِيمَ لِأَبِيهِ إِلَّا عَن مَّوۡعِدَةٖ وَعَدَهَآ إِيَّاهُ
فَلَمَّا تَبَيَّنَ لَهُۥٓ أَنَّهُۥ عَدُوّٞ لِّلَّهِ تَبَرَّأَ مِنۡهُۚ إِنَّ إِبۡرَٰهِيمَ لَأَوَّٰهٌ حَلِيمٞ
﴿١١٤﴾ وَمَا كَانَ ٱللَّهُ لِيُضِلَّ قَوۡمَۢا بَعۡدَ إِذۡ هَدَىٰهُمۡ حَتَّىٰ
يُبَيِّنَ لَهُم مَّا يَتَّقُونَۚ إِنَّ ٱللَّهَ بِكُلِّ شَيۡءٍ عَلِيمٌ ﴿١١٥﴾ إِنَّ ٱللَّهَ
لَهُۥ مُلۡكُ ٱلسَّمَٰوَٰتِ وَٱلۡأَرۡضِۖ يُحۡيِۦ وَيُمِيتُۚ وَمَا لَكُم مِّن
دُونِ ٱللَّهِ مِن وَلِيّٖ وَلَا نَصِيرٖ ﴿١١٦﴾ لَّقَد تَّابَ ٱللَّهُ عَلَى
ٱلنَّبِيِّ وَٱلۡمُهَٰجِرِينَ وَٱلۡأَنصَارِ ٱلَّذِينَ ٱتَّبَعُوهُ فِي
سَاعَةِ ٱلۡعُسۡرَةِ مِنۢ بَعۡدِ مَا كَادَ يَزِيغُ قُلُوبُ فَرِيقٖ
مِّنۡهُمۡ ثُمَّ تَابَ عَلَيۡهِمۡۚ إِنَّهُۥ بِهِمۡ رَءُوفٞ رَّحِيمٞ ﴿١١٧﴾

- ٱلسَّٰٓئِحُونَ: الغُزاة المجاهِدون أو الصّائِمون
- لِحُدُودِ ٱللَّهِ: لأوامره ونواهيه
- لَأَوَّٰهٌ: كثيرُ التأوّهِ خوفاً من ربّهِ
- ٱلۡعُسۡرَةِ: الشِّدّة والضّيق
- يَزِيغُ: يميل إلى التخلّف عن الجهاد

مدّ ٦ حركات لزوماً — مدّ ٢ أو ٤ أو ٦ جوازاً — إخفاء، ومواقع الغُنّة (حركتان) — تفخ[يم]
مدّ واجب ٤ أو ٥ حركات — مدّ حركتان — إدغام، وما لا يُلفظ — قلقل[ة]

وَعَلَى ٱلثَّلَٰثَةِ ٱلَّذِينَ خُلِّفُواْ حَتَّىٰٓ إِذَا ضَاقَتۡ عَلَيۡهِمُ ٱلۡأَرۡضُ
بِمَا رَحُبَتۡ وَضَاقَتۡ عَلَيۡهِمۡ أَنفُسُهُمۡ وَظَنُّوٓاْ أَن لَّا مَلۡجَأَ
مِنَ ٱللَّهِ إِلَّآ إِلَيۡهِ ثُمَّ تَابَ عَلَيۡهِمۡ لِيَتُوبُوٓاْۚ إِنَّ ٱللَّهَ هُوَ ٱلتَّوَّابُ
ٱلرَّحِيمُ ﴿١١٨﴾ يَٰٓأَيُّهَا ٱلَّذِينَ ءَامَنُواْ ٱتَّقُواْ ٱللَّهَ وَكُونُواْ مَعَ
ٱلصَّٰدِقِينَ ﴿١١٩﴾ مَا كَانَ لِأَهۡلِ ٱلۡمَدِينَةِ وَمَنۡ حَوۡلَهُم
مِّنَ ٱلۡأَعۡرَابِ أَن يَتَخَلَّفُواْ عَن رَّسُولِ ٱللَّهِ وَلَا يَرۡغَبُواْ بِأَنفُسِهِمۡ
عَن نَّفۡسِهِۦۚ ذَٰلِكَ بِأَنَّهُمۡ لَا يُصِيبُهُمۡ ظَمَأٞ وَلَا نَصَبٞ
وَلَا مَخۡمَصَةٞ فِي سَبِيلِ ٱللَّهِ وَلَا يَطَـُٔونَ مَوۡطِئٗا يَغِيظُ
ٱلۡكُفَّارَ وَلَا يَنَالُونَ مِنۡ عَدُوّٖ نَّيۡلًا إِلَّا كُتِبَ لَهُم
بِهِۦ عَمَلٞ صَٰلِحٌۚ إِنَّ ٱللَّهَ لَا يُضِيعُ أَجۡرَ ٱلۡمُحۡسِنِينَ ﴿١٢٠﴾
وَلَا يُنفِقُونَ نَفَقَةٗ صَغِيرَةٗ وَلَا كَبِيرَةٗ وَلَا يَقۡطَعُونَ
وَادِيًا إِلَّا كُتِبَ لَهُمۡ لِيَجۡزِيَهُمُ ٱللَّهُ أَحۡسَنَ مَا كَانُواْ
يَعۡمَلُونَ ﴿١٢١﴾ ۞ وَمَا كَانَ ٱلۡمُؤۡمِنُونَ لِيَنفِرُواْ كَآفَّةٗۚ

فَلَوۡلَا نَفَرَ مِن كُلِّ فِرۡقَةٖ مِّنۡهُمۡ طَآئِفَةٞ لِّيَتَفَقَّهُواْ فِي ٱلدِّينِ
وَلِيُنذِرُواْ قَوۡمَهُمۡ إِذَا رَجَعُوٓاْ إِلَيۡهِمۡ لَعَلَّهُمۡ يَحۡذَرُونَ ﴿١٢٢﴾

التوبة

- بِمَا رَحُبَتۡ: مَعَ سَعَتِهَا
- لَا يَرۡغَبُواْ بِأَنفُسِهِمۡ: لَا يَتَرَفَّعُوا بِهَا
- نَصَبٞ: تَعَبٌ مَا
- مَخۡمَصَةٞ: مَجَاعَةٌ مَا
- يَغِيظُ ٱلۡكُفَّارَ: يُغْضِبُهُمْ
- نَّيۡلًا: شيئاً يُنَالُ و يؤخذ
- لِيَنفِرُواْ: لِيَخْرُجُوا إلى الجهاد

| | | |
|---|---|---|
| مدّ ٦ حركات لزوماً ● مدّ ٢ أو ٤ أو ٦ جوازاً | إخفاء ، ومواقع الغُنَّة (حركتان) | تفخيم |
| مدّ واجب ٤ أو ٥ حركات ● مدّ حركتان | إدغام ، وما لا يُلفَظ | قلقلة |

يَٰٓأَيُّهَا ٱلَّذِينَ ءَامَنُواْ قَٰتِلُواْ ٱلَّذِينَ يَلُونَكُم مِّنَ ٱلۡكُفَّارِ
وَلۡيَجِدُواْ فِيكُمۡ غِلۡظَةٗۚ وَٱعۡلَمُوٓاْ أَنَّ ٱللَّهَ مَعَ ٱلۡمُتَّقِينَ ﴿١٢٣﴾
وَإِذَا مَآ أُنزِلَتۡ سُورَةٞ فَمِنۡهُم مَّن يَقُولُ أَيُّكُمۡ زَادَتۡهُ هَٰذِهِۦٓ
إِيمَٰنٗاۚ فَأَمَّا ٱلَّذِينَ ءَامَنُواْ فَزَادَتۡهُمۡ إِيمَٰنٗا وَهُمۡ يَسۡتَبۡشِرُونَ
﴿١٢٤﴾ وَأَمَّا ٱلَّذِينَ فِي قُلُوبِهِم مَّرَضٞ فَزَادَتۡهُمۡ رِجۡسًا
إِلَىٰ رِجۡسِهِمۡ وَمَاتُواْ وَهُمۡ كَٰفِرُونَ ﴿١٢٥﴾ أَوَلَا يَرَوۡنَ
أَنَّهُمۡ يُفۡتَنُونَ فِي كُلِّ عَامٖ مَّرَّةً أَوۡ مَرَّتَيۡنِ ثُمَّ
لَا يَتُوبُونَ وَلَا هُمۡ يَذَّكَّرُونَ ﴿١٢٦﴾ وَإِذَا مَآ أُنزِلَتۡ
سُورَةٞ نَّظَرَ بَعۡضُهُمۡ إِلَىٰ بَعۡضٍ هَلۡ يَرَىٰكُم مِّنۡ أَحَدٖ
ثُمَّ ٱنصَرَفُواْۚ صَرَفَ ٱللَّهُ قُلُوبَهُم بِأَنَّهُمۡ قَوۡمٞ لَّا يَفۡقَهُونَ
﴿١٢٧﴾ لَقَدۡ جَآءَكُمۡ رَسُولٞ مِّنۡ أَنفُسِكُمۡ عَزِيزٌ
عَلَيۡهِ مَا عَنِتُّمۡ حَرِيصٌ عَلَيۡكُم بِٱلۡمُؤۡمِنِينَ
رَءُوفٞ رَّحِيمٞ ﴿١٢٨﴾ فَإِن تَوَلَّوۡاْ فَقُلۡ حَسۡبِيَ ٱللَّهُ لَآ إِلَٰهَ
إِلَّا هُوَۖ عَلَيۡهِ تَوَكَّلۡتُۖ وَهُوَ رَبُّ ٱلۡعَرۡشِ ٱلۡعَظِيمِ ﴿١٢٩﴾

## سُورَةُ يُونُسَ

ترتيبها ١٠ — آياتها ١٠٩

- غِلۡظَةٗ: شدّة وخشونة
- رِجۡسًا: نفاقاً
- يُفۡتَنُونَ: يُمتحنون بالشدائد والبلايا
- عَزِيزٌ: صعبٌ وشاقٌّ
- مَا عَنِتُّمۡ: عنتُكم ومشقّتُكم

| | | |
|---|---|---|
| مدّ ٦ حركات لزوماً — مدّ ٢ أو ٤ أو ٦ جوازاً | إخفاء ، ومواقع الغُنّة (حركتان) | تفخ[...] |
| مدّ واجب ٤ أو ٥ حركات — مدّ حركتان | إدغام ، وما لا يُلفظ | قلقل[...] |

بِسۡمِ ٱللَّهِ ٱلرَّحۡمَٰنِ ٱلرَّحِيمِ

الٓرۚ تِلۡكَ ءَايَٰتُ ٱلۡكِتَٰبِ ٱلۡحَكِيمِ ﴿١﴾ أَكَانَ لِلنَّاسِ عَجَبًا
أَنۡ أَوۡحَيۡنَآ إِلَىٰ رَجُلٖ مِّنۡهُمۡ أَنۡ أَنذِرِ ٱلنَّاسَ وَبَشِّرِ ٱلَّذِينَ ءَامَنُوٓاْ
أَنَّ لَهُمۡ قَدَمَ صِدۡقٍ عِندَ رَبِّهِمۡۗ قَالَ ٱلۡكَٰفِرُونَ إِنَّ هَٰذَا
لَسَٰحِرٞ مُّبِينٌ ﴿٢﴾ إِنَّ رَبَّكُمُ ٱللَّهُ ٱلَّذِي خَلَقَ ٱلسَّمَٰوَٰتِ وَٱلۡأَرۡضَ
فِي سِتَّةِ أَيَّامٖ ثُمَّ ٱسۡتَوَىٰ عَلَى ٱلۡعَرۡشِۖ يُدَبِّرُ ٱلۡأَمۡرَۖ مَا مِن شَفِيعٍ
إِلَّا مِنۢ بَعۡدِ إِذۡنِهِۦۚ ذَٰلِكُمُ ٱللَّهُ رَبُّكُمۡ فَٱعۡبُدُوهُۚ أَفَلَا
تَذَكَّرُونَ ﴿٣﴾ إِلَيۡهِ مَرۡجِعُكُمۡ جَمِيعٗاۖ وَعۡدَ ٱللَّهِ حَقًّاۚ إِنَّهُۥ
يَبۡدَؤُاْ ٱلۡخَلۡقَ ثُمَّ يُعِيدُهُۥ لِيَجۡزِيَ ٱلَّذِينَ ءَامَنُواْ وَعَمِلُواْ ٱلصَّٰلِحَٰتِ
بِٱلۡقِسۡطِۚ وَٱلَّذِينَ كَفَرُواْ لَهُمۡ شَرَابٞ مِّنۡ حَمِيمٖ وَعَذَابٌ
أَلِيمُۢ بِمَا كَانُواْ يَكۡفُرُونَ ﴿٤﴾ هُوَ ٱلَّذِي جَعَلَ ٱلشَّمۡسَ
ضِيَآءٗ وَٱلۡقَمَرَ نُورٗا وَقَدَّرَهُۥ مَنَازِلَ لِتَعۡلَمُواْ عَدَدَ ٱلسِّنِينَ
وَٱلۡحِسَابَۚ مَا خَلَقَ ٱللَّهُ ذَٰلِكَ إِلَّا بِٱلۡحَقِّۚ يُفَصِّلُ ٱلۡأٓيَٰتِ
لِقَوۡمٖ يَعۡلَمُونَ ﴿٥﴾ إِنَّ فِي ٱخۡتِلَٰفِ ٱلَّيۡلِ وَٱلنَّهَارِ وَمَا خَلَقَ
ٱللَّهُ فِي ٱلسَّمَٰوَٰتِ وَٱلۡأَرۡضِ لَأٓيَٰتٖ لِّقَوۡمٖ يَتَّقُونَ ﴿٦﴾

يونس

- قَدَمَ صِدۡقٍ: سابِقَةَ فَضْلٍ، وَ مَنْزِلَةً رَفيعةً
- بِٱلۡقِسۡطِ: بالعَدْلِ
- حَمِيمٍ: ماء بالغٍ غايةَ الحرارةِ

| مدّ ٦ حركات لزوماً | مدّ ٢ أو ٤ أو ٦ جوازاً | إخفاء، ومواقع الغُنّة (حركتان) | تفخيم |
| --- | --- | --- | --- |
| مدّ واجب ٤ أو ٥ حركات | مدّ حركتان | إدغام، وما لا يُلفظ | قلقلة |

إِنَّ ٱلَّذِينَ لَا يَرۡجُونَ لِقَآءَنَا وَرَضُواْ بِٱلۡحَيَوٰةِ ٱلدُّنۡيَا وَٱطۡمَأَنُّواْ
بِهَا وَٱلَّذِينَ هُمۡ عَنۡ ءَايَٰتِنَا غَٰفِلُونَ ﴿٧﴾ أُوْلَٰٓئِكَ مَأۡوَىٰهُمُ
ٱلنَّارُ بِمَا كَانُواْ يَكۡسِبُونَ ﴿٨﴾ إِنَّ ٱلَّذِينَ ءَامَنُواْ
وَعَمِلُواْ ٱلصَّٰلِحَٰتِ يَهۡدِيهِمۡ رَبُّهُم بِإِيمَٰنِهِمۡۖ تَجۡرِي مِن
تَحۡتِهِمُ ٱلۡأَنۡهَٰرُ فِي جَنَّٰتِ ٱلنَّعِيمِ ﴿٩﴾ دَعۡوَىٰهُمۡ فِيهَا سُبۡحَٰنَكَ
ٱللَّهُمَّ وَتَحِيَّتُهُمۡ فِيهَا سَلَٰمٞۚ وَءَاخِرُ دَعۡوَىٰهُمۡ أَنِ ٱلۡحَمۡدُ لِلَّهِ
رَبِّ ٱلۡعَٰلَمِينَ ﴿١٠﴾ ۞ وَلَوۡ يُعَجِّلُ ٱللَّهُ لِلنَّاسِ ٱلشَّرَّ
ٱسۡتِعۡجَالَهُم بِٱلۡخَيۡرِ لَقُضِيَ إِلَيۡهِمۡ أَجَلُهُمۡۖ فَنَذَرُ ٱلَّذِينَ
لَا يَرۡجُونَ لِقَآءَنَا فِي طُغۡيَٰنِهِمۡ يَعۡمَهُونَ ﴿١١﴾ وَإِذَا مَسَّ
ٱلۡإِنسَٰنَ ٱلضُّرُّ دَعَانَا لِجَنۢبِهِۦٓ أَوۡ قَاعِدًا أَوۡ قَآئِمٗا فَلَمَّا كَشَفۡنَا
عَنۡهُ ضُرَّهُۥ مَرَّ كَأَن لَّمۡ يَدۡعُنَآ إِلَىٰ ضُرّٖ مَّسَّهُۥۚ كَذَٰلِكَ زُيِّنَ
لِلۡمُسۡرِفِينَ مَا كَانُواْ يَعۡمَلُونَ ﴿١٢﴾ وَلَقَدۡ أَهۡلَكۡنَا ٱلۡقُرُونَ
مِن قَبۡلِكُمۡ لَمَّا ظَلَمُواْ وَجَآءَتۡهُمۡ رُسُلُهُم بِٱلۡبَيِّنَٰتِ وَمَا كَانُواْ
لِيُؤۡمِنُواْۚ كَذَٰلِكَ نَجۡزِي ٱلۡقَوۡمَ ٱلۡمُجۡرِمِينَ ﴿١٣﴾ ثُمَّ جَعَلۡنَٰكُمۡ
خَلَٰٓئِفَ فِي ٱلۡأَرۡضِ مِنۢ بَعۡدِهِمۡ لِنَنظُرَ كَيۡفَ تَعۡمَلُونَ ﴿١٤﴾

ثلاثة أرباع الحزب ٢١

- لَقُضِيَ إِلَيۡهِمۡ أَجَلُهُمۡ: لأُهْلِكوا وأُبيدوا
- طُغۡيَٰنِهِمۡ: تجاوُزِهِم الحَدَّ في الكفر
- يَعۡمَهُونَ: يَعْمَوْنَ عن الرُّشْدِ أو يَتَحَيَّرُون
- ٱلضُّرُّ: الجَهْدُ والبلاء
- دَعَانَا لِجَنۢبِهِۦٓ: مُلْقًى لِجَنْبِهِ
- مَرَّ: اسْتَمَرَّ على حالته الأولى
- ٱلۡقُرُونَ: الأُمَم
- خَلَٰٓئِفَ: خُلَفَاءَ

مدّ ٦ حركات لزوماً | مدّ ٢ أو ٤ أو ٦ جوازاً | إخفاء ، ومواقع الغُنَّة (حركتان) | تفخيم
مدّ واجب ٤ أو ٥ حركات | مدّ حركتان | إدغام ، وما لا يُلفظ | قلقلة

وَإِذَا تُتْلَىٰ عَلَيْهِمْ ءَايَاتُنَا بَيِّنَٰتٍ قَالَ ٱلَّذِينَ لَا يَرْجُونَ
لِقَآءَنَا ٱئْتِ بِقُرْءَانٍ غَيْرِ هَٰذَآ أَوْ بَدِّلْهُ ۚ قُلْ مَا يَكُونُ لِىٓ
أَنْ أُبَدِّلَهُۥ مِن تِلْقَآىِٕ نَفْسِىٓ ۖ إِنْ أَتَّبِعُ إِلَّا مَا يُوحَىٰٓ إِلَىَّ ۖ إِنِّىٓ
أَخَافُ إِنْ عَصَيْتُ رَبِّى عَذَابَ يَوْمٍ عَظِيمٍ ﴿١٥﴾ قُل لَّوْ شَآءَ
ٱللَّهُ مَا تَلَوْتُهُۥ عَلَيْكُمْ وَلَآ أَدْرَىٰكُم بِهِۦ ۖ فَقَدْ لَبِثْتُ
فِيكُمْ عُمُرًا مِّن قَبْلِهِۦٓ ۚ أَفَلَا تَعْقِلُونَ ﴿١٦﴾ فَمَنْ أَظْلَمُ
مِمَّنِ ٱفْتَرَىٰ عَلَى ٱللَّهِ كَذِبًا أَوْ كَذَّبَ بِـَٔايَٰتِهِۦٓ ۚ إِنَّهُۥ
لَا يُفْلِحُ ٱلْمُجْرِمُونَ ﴿١٧﴾ وَيَعْبُدُونَ مِن دُونِ ٱللَّهِ
مَا لَا يَضُرُّهُمْ وَلَا يَنفَعُهُمْ وَيَقُولُونَ هَٰٓؤُلَآءِ شُفَعَٰٓؤُنَا
عِندَ ٱللَّهِ ۚ قُلْ أَتُنَبِّـُٔونَ ٱللَّهَ بِمَا لَا يَعْلَمُ فِى ٱلسَّمَٰوَٰتِ وَلَا
فِى ٱلْأَرْضِ ۚ سُبْحَٰنَهُۥ وَتَعَٰلَىٰ عَمَّا يُشْرِكُونَ ﴿١٨﴾ وَمَا كَانَ
ٱلنَّاسُ إِلَّآ أُمَّةً وَٰحِدَةً فَٱخْتَلَفُوا۟ ۚ وَلَوْلَا كَلِمَةٌ
سَبَقَتْ مِن رَّبِّكَ لَقُضِىَ بَيْنَهُمْ فِيمَا فِيهِ يَخْتَلِفُونَ
﴿١٩﴾ وَيَقُولُونَ لَوْلَآ أُنزِلَ عَلَيْهِ ءَايَةٌ مِّن رَّبِّهِۦ ۖ فَقُلْ إِنَّمَا
ٱلْغَيْبُ لِلَّهِ فَٱنتَظِرُوٓا۟ إِنِّى مَعَكُم مِّنَ ٱلْمُنتَظِرِينَ ﴿٢٠﴾

يونس
لَا أَدْرَىٰكُم بِهِۦ: لا أعْلَمَكُمْ به
لَا يُفْلِحُ: لا يفوزُ

وَإِذَآ أَذَقۡنَا ٱلنَّاسَ رَحۡمَةً مِّنۢ بَعۡدِ ضَرَّآءَ مَسَّتۡهُمۡ إِذَا لَهُم مَّكۡرٞ فِيٓ
ءَايَاتِنَاۚ قُلِ ٱللَّهُ أَسۡرَعُ مَكۡرًاۚ إِنَّ رُسُلَنَا يَكۡتُبُونَ مَا تَمۡكُرُونَ
﴿٢١﴾ هُوَ ٱلَّذِي يُسَيِّرُكُمۡ فِي ٱلۡبَرِّ وَٱلۡبَحۡرِۖ حَتَّىٰٓ إِذَا كُنتُمۡ فِي ٱلۡفُلۡكِ
وَجَرَيۡنَ بِهِم بِرِيحٖ طَيِّبَةٖ وَفَرِحُواْ بِهَا جَآءَتۡهَا رِيحٌ عَاصِفٞ
وَجَآءَهُمُ ٱلۡمَوۡجُ مِن كُلِّ مَكَانٖ وَظَنُّوٓاْ أَنَّهُمۡ أُحِيطَ بِهِمۡ دَعَوُاْ
ٱللَّهَ مُخۡلِصِينَ لَهُ ٱلدِّينَ لَئِنۡ أَنجَيۡتَنَا مِنۡ هَٰذِهِۦ لَنَكُونَنَّ مِنَ
ٱلشَّٰكِرِينَ ﴿٢٢﴾ فَلَمَّآ أَنجَىٰهُمۡ إِذَا هُمۡ يَبۡغُونَ فِي ٱلۡأَرۡضِ بِغَيۡرِ
ٱلۡحَقِّۗ يَٰٓأَيُّهَا ٱلنَّاسُ إِنَّمَا بَغۡيُكُمۡ عَلَىٰٓ أَنفُسِكُمۖ مَّتَٰعَ ٱلۡحَيَوٰةِ
ٱلدُّنۡيَاۖ ثُمَّ إِلَيۡنَا مَرۡجِعُكُمۡ فَنُنَبِّئُكُم بِمَا كُنتُمۡ تَعۡمَلُونَ ﴿٢٣﴾
إِنَّمَا مَثَلُ ٱلۡحَيَوٰةِ ٱلدُّنۡيَا كَمَآءٍ أَنزَلۡنَٰهُ مِنَ ٱلسَّمَآءِ فَٱخۡتَلَطَ بِهِۦ
نَبَاتُ ٱلۡأَرۡضِ مِمَّا يَأۡكُلُ ٱلنَّاسُ وَٱلۡأَنۡعَٰمُ حَتَّىٰٓ إِذَآ أَخَذَتِ ٱلۡأَرۡضُ
زُخۡرُفَهَا وَٱزَّيَّنَتۡ وَظَنَّ أَهۡلُهَآ أَنَّهُمۡ قَٰدِرُونَ عَلَيۡهَآ
أَتَىٰهَآ أَمۡرُنَا لَيۡلًا أَوۡ نَهَارٗا فَجَعَلۡنَٰهَا حَصِيدٗا كَأَن لَّمۡ تَغۡنَ
بِٱلۡأَمۡسِۚ كَذَٰلِكَ نُفَصِّلُ ٱلۡأٓيَٰتِ لِقَوۡمٖ يَتَفَكَّرُونَ ﴿٢٤﴾ وَٱللَّهُ
يَدۡعُوٓاْ إِلَىٰ دَارِ ٱلسَّلَٰمِ وَيَهۡدِي مَن يَشَآءُ إِلَىٰ صِرَٰطٖ مُّسۡتَقِيمٖ ﴿٢٥﴾

- ضَرَّآءَ: نائبة وبليّة
- مَّكۡرٞ: دفْعٌ وطَعْنٌ
- عَاصِفٞ: شَدِيدَةُ الهُبُوبِ
- أُحِيطَ بِهِمۡ: أهْلِكوا
- يَبۡغُونَ: يُفْسِدُونَ
- زُخۡرُفَهَا: نَضارَتَها بألوان النبات
- حَصِيدٗا: كالمَحْصُودِ بالمناجِلِ
- لَّمۡ تَغۡنَ: لم تَمْكُثْ زُرُوعها ولم تُقِمْ

مدّ ٦ حركات لزوماً ● مدّ ٢ أو ٤ أو ٦ جوازاً ● إخفاء، ومواقع الغُنَّة (حركتان) ● تفخيم
مدّ واجب ٤ أو ٥ حركات ● مدّ حركتان ● إدغام، وما لا يُلفَظ ● قلقلة

۞ لِّلَّذِينَ أَحْسَنُوا۟ ٱلْحُسْنَىٰ وَزِيَادَةٌ ۖ وَلَا يَرْهَقُ وُجُوهَهُمْ قَتَرٌ
وَلَا ذِلَّةٌ ۚ أُو۟لَـٰٓئِكَ أَصْحَـٰبُ ٱلْجَنَّةِ ۖ هُمْ فِيهَا خَـٰلِدُونَ ﴿٢٦﴾ وَٱلَّذِينَ
كَسَبُوا۟ ٱلسَّيِّـَٔاتِ جَزَآءُ سَيِّئَةٍۭ بِمِثْلِهَا وَتَرْهَقُهُمْ ذِلَّةٌ ۖ مَّا لَهُم مِّنَ
ٱللَّهِ مِنْ عَاصِمٍ ۖ كَأَنَّمَآ أُغْشِيَتْ وُجُوهُهُمْ قِطَعًا مِّنَ ٱلَّيْلِ مُظْلِمًا ۚ
أُو۟لَـٰٓئِكَ أَصْحَـٰبُ ٱلنَّارِ ۖ هُمْ فِيهَا خَـٰلِدُونَ ﴿٢٧﴾ وَيَوْمَ نَحْشُرُهُمْ
جَمِيعًا ثُمَّ نَقُولُ لِلَّذِينَ أَشْرَكُوا۟ مَكَانَكُمْ أَنتُمْ وَشُرَكَآؤُكُمْ ۚ فَزَيَّلْنَا
بَيْنَهُمْ ۖ وَقَالَ شُرَكَآؤُهُم مَّا كُنتُمْ إِيَّانَا تَعْبُدُونَ ﴿٢٨﴾ فَكَفَىٰ بِٱللَّهِ
شَهِيدًۢا بَيْنَنَا وَبَيْنَكُمْ إِن كُنَّا عَنْ عِبَادَتِكُمْ لَغَـٰفِلِينَ ﴿٢٩﴾
هُنَالِكَ تَبْلُوا۟ كُلُّ نَفْسٍ مَّآ أَسْلَفَتْ ۚ وَرُدُّوٓا۟ إِلَى ٱللَّهِ مَوْلَىٰهُمُ
ٱلْحَقِّ ۖ وَضَلَّ عَنْهُم مَّا كَانُوا۟ يَفْتَرُونَ ﴿٣٠﴾ قُلْ مَن يَرْزُقُكُم
مِّنَ ٱلسَّمَآءِ وَٱلْأَرْضِ أَمَّن يَمْلِكُ ٱلسَّمْعَ وَٱلْأَبْصَـٰرَ وَمَن يُخْرِجُ
ٱلْحَىَّ مِنَ ٱلْمَيِّتِ وَيُخْرِجُ ٱلْمَيِّتَ مِنَ ٱلْحَىِّ وَمَن يُدَبِّرُ ٱلْأَمْرَ ۚ
فَسَيَقُولُونَ ٱللَّهُ ۚ فَقُلْ أَفَلَا تَتَّقُونَ ﴿٣١﴾ فَذَٰلِكُمُ ٱللَّهُ رَبُّكُمُ ٱلْحَقُّ ۖ
فَمَاذَا بَعْدَ ٱلْحَقِّ إِلَّا ٱلضَّلَـٰلُ ۖ فَأَنَّىٰ تُصْرَفُونَ ﴿٣٢﴾ كَذَٰلِكَ
حَقَّتْ كَلِمَتُ رَبِّكَ عَلَى ٱلَّذِينَ فَسَقُوٓا۟ أَنَّهُمْ لَا يُؤْمِنُونَ ﴿٣٣﴾

الحزب ٢٢

يونس

- لَا يَرْهَقُ: لا يَغْشَى
- قَتَرٌ: دُخان معه سوادٌ
- ذِلَّةٌ: أثرُ هَوانٍ
- عَاصِمٍ: مانع من عذابه
- أُغْشِيَتْ: كُسِيَتْ وأُلبِسَتْ
- مَكَانَكُمْ: الْزَمُوا مكانَكم
- فَزَيَّلْنَا بَيْنَهُمْ: فرَّقْنا ومَيَّزْنا بينَهم
- تَبْلُوا: تَختَبِرُ وتَعْلَم
- فَأَنَّىٰ تُصْرَفُونَ: فكيف يُعدَلُ بكم عن الحق
- حَقَّتْ: ثَبَتَتْ

قُلْ هَلْ مِن شُرَكَآئِكُم مَّن يَبْدَؤُاْ ٱلْخَلْقَ ثُمَّ يُعِيدُهُۥ ۚ قُلِ ٱللَّهُ يَبْدَؤُاْ
ٱلْخَلْقَ ثُمَّ يُعِيدُهُۥ ۖ فَأَنَّىٰ تُؤْفَكُونَ ﴿٣٤﴾ قُلْ هَلْ مِن شُرَكَآئِكُم مَّن يَهْدِىٓ
إِلَى ٱلْحَقِّ ۚ قُلِ ٱللَّهُ يَهْدِى لِلْحَقِّ ۗ أَفَمَن يَهْدِىٓ إِلَى ٱلْحَقِّ أَحَقُّ أَن
يُتَّبَعَ أَمَّن لَّا يَهِدِّىٓ إِلَّآ أَن يُهْدَىٰ ۖ فَمَا لَكُمْ كَيْفَ تَحْكُمُونَ ﴿٣٥﴾
وَمَا يَتَّبِعُ أَكْثَرُهُمْ إِلَّا ظَنًّا ۚ إِنَّ ٱلظَّنَّ لَا يُغْنِى مِنَ ٱلْحَقِّ شَيْـًٔا ۚ إِنَّ ٱللَّهَ
عَلِيمٌۢ بِمَا يَفْعَلُونَ ﴿٣٦﴾ وَمَا كَانَ هَٰذَا ٱلْقُرْءَانُ أَن يُفْتَرَىٰ مِن دُونِ
ٱللَّهِ وَلَٰكِن تَصْدِيقَ ٱلَّذِى بَيْنَ يَدَيْهِ وَتَفْصِيلَ ٱلْكِتَٰبِ لَا رَيْبَ
فِيهِ مِن رَّبِّ ٱلْعَٰلَمِينَ ﴿٣٧﴾ أَمْ يَقُولُونَ ٱفْتَرَىٰهُ ۖ قُلْ فَأْتُواْ بِسُورَةٍ
مِّثْلِهِۦ وَٱدْعُواْ مَنِ ٱسْتَطَعْتُم مِّن دُونِ ٱللَّهِ إِن كُنتُمْ صَٰدِقِينَ ﴿٣٨﴾
بَلْ كَذَّبُواْ بِمَا لَمْ يُحِيطُواْ بِعِلْمِهِۦ وَلَمَّا يَأْتِهِمْ تَأْوِيلُهُۥ ۚ كَذَٰلِكَ كَذَّبَ
ٱلَّذِينَ مِن قَبْلِهِمْ ۖ فَٱنظُرْ كَيْفَ كَانَ عَٰقِبَةُ ٱلظَّٰلِمِينَ ﴿٣٩﴾
وَمِنْهُم مَّن يُؤْمِنُ بِهِۦ وَمِنْهُم مَّن لَّا يُؤْمِنُ بِهِۦ ۚ وَرَبُّكَ أَعْلَمُ
بِٱلْمُفْسِدِينَ ﴿٤٠﴾ وَإِن كَذَّبُوكَ فَقُل لِّى عَمَلِى وَلَكُمْ عَمَلُكُمْ ۖ
أَنتُم بَرِيٓـُٔونَ مِمَّآ أَعْمَلُ وَأَنَا۠ بَرِىٓءٌ مِّمَّا تَعْمَلُونَ ﴿٤١﴾ وَمِنْهُم مَّن
يَسْتَمِعُونَ إِلَيْكَ ۚ أَفَأَنتَ تُسْمِعُ ٱلصُّمَّ وَلَوْ كَانُواْ لَا يَعْقِلُونَ ﴿٤٢﴾

- فَأَنَّىٰ تُؤْفَكُونَ: فَكَيْفَ تُصْرَفونَ عن قصدِ السَّبيلِ
- لَّا يَهِدِّىٓ: لا يَهْتَدي
- تَأْوِيلُهُۥ: تَفسيرُهُ أو عاقبتُه ومآلُه

مدّ ٦ حركات لزوماً ● مدّ ٢ أو ٤ أو ٦ جوازاً ● إخفاء ، ومواقع الغُنّة (حركتان) ● تفخ
مدّ واجب ٤ أو ٥ حركات ● مدّ حركتان ● إدغام ، وما لا يُلفظ ● قلقل

وَمِنْهُم مَّن يَنظُرُ إِلَيْكَ ۚ أَفَأَنتَ تَهْدِى ٱلْعُمْىَ وَلَوْ كَانُوا۟
لَا يُبْصِرُونَ ﴿٤٣﴾ إِنَّ ٱللَّهَ لَا يَظْلِمُ ٱلنَّاسَ شَيْـًٔا وَلَـٰكِنَّ
ٱلنَّاسَ أَنفُسَهُمْ يَظْلِمُونَ ﴿٤٤﴾ وَيَوْمَ يَحْشُرُهُمْ كَأَن لَّمْ يَلْبَثُوٓا۟ إِلَّا
سَاعَةً مِّنَ ٱلنَّهَارِ يَتَعَارَفُونَ بَيْنَهُمْ ۚ قَدْ خَسِرَ ٱلَّذِينَ كَذَّبُوا۟ بِلِقَآءِ ٱللَّهِ
وَمَا كَانُوا۟ مُهْتَدِينَ ﴿٤٥﴾ وَإِمَّا نُرِيَنَّكَ بَعْضَ ٱلَّذِى نَعِدُهُمْ أَوْ نَتَوَفَّيَنَّكَ
فَإِلَيْنَا مَرْجِعُهُمْ ثُمَّ ٱللَّهُ شَهِيدٌ عَلَىٰ مَا يَفْعَلُونَ ﴿٤٦﴾ وَلِكُلِّ
أُمَّةٍ رَّسُولٌ ۖ فَإِذَا جَآءَ رَسُولُهُمْ قُضِىَ بَيْنَهُم بِٱلْقِسْطِ وَهُمْ
لَا يُظْلَمُونَ ﴿٤٧﴾ وَيَقُولُونَ مَتَىٰ هَـٰذَا ٱلْوَعْدُ إِن كُنتُمْ صَـٰدِقِينَ
﴿٤٨﴾ قُل لَّآ أَمْلِكُ لِنَفْسِى ضَرًّا وَلَا نَفْعًا إِلَّا مَا شَآءَ ٱللَّهُ ۗ لِكُلِّ أُمَّةٍ
أَجَلٌ ۚ إِذَا جَآءَ أَجَلُهُمْ فَلَا يَسْتَـْٔخِرُونَ سَاعَةً ۖ وَلَا يَسْتَقْدِمُونَ ﴿٤٩﴾
قُلْ أَرَءَيْتُمْ إِنْ أَتَىٰكُمْ عَذَابُهُۥ بَيَـٰتًا أَوْ نَهَارًا مَّاذَا يَسْتَعْجِلُ مِنْهُ
ٱلْمُجْرِمُونَ ﴿٥٠﴾ أَثُمَّ إِذَا مَا وَقَعَ ءَامَنتُم بِهِۦٓ ۚ ءَآلْـَٔـٰنَ وَقَدْ كُنتُم بِهِۦ
تَسْتَعْجِلُونَ ﴿٥١﴾ ثُمَّ قِيلَ لِلَّذِينَ ظَلَمُوا۟ ذُوقُوا۟ عَذَابَ ٱلْخُلْدِ
هَلْ تُجْزَوْنَ إِلَّا بِمَا كُنتُمْ تَكْسِبُونَ ﴿٥٢﴾ ۞ وَيَسْتَنۢبِـُٔونَكَ
أَحَقٌّ هُوَ ۖ قُلْ إِى وَرَبِّىٓ إِنَّهُۥ لَحَقٌّ ۖ وَمَآ أَنتُم بِمُعْجِزِينَ ﴿٥٣﴾

■ يَنظُرُ إِلَيْكَ: يُعَاينُ دلائلَ نبوّتك
■ بِٱلْقِسْطِ: بالعدْلِ
■ أَرَءَيْتُمْ: أخبِرُوني
■ بَيَـٰتًا: لَيْلاً
■ ءَآلْـَٔـٰنَ: الآنَ تؤمنون بوقوعه
■ يَسْتَنۢبِـُٔونَكَ: يَستخبِرُونَكَ
■ إِى: نَعَمْ
■ بِمُعْجِزِينَ: فَائِتينَ اللهَ بالهَرَبِ

يونس — ربع الحزب ٢٢

| | | |
|---|---|---|
| مدّ ٦ حركات لزوماً ● مدّ ٢ أو ٤ أو ٦ جوازاً | ● إخفاء، ومواقع الغُنّة (حركتان) | ● تفخيم |
| مدّ واجب ٤ أو ٥ حركات ● مدّ حركتان | ● إدغام، وما لا يُلفَظ | ● قلقلة |

وَلَوْ أَنَّ لِكُلِّ نَفْسٍ ظَلَمَتْ مَا فِي ٱلْأَرْضِ لَٱفْتَدَتْ بِهِۦ ۗ وَأَسَرُّوا۟
ٱلنَّدَامَةَ لَمَّا رَأَوُا۟ ٱلْعَذَابَ ۖ وَقُضِىَ بَيْنَهُم بِٱلْقِسْطِ ۚ وَهُمْ
لَا يُظْلَمُونَ ﴿٥٤﴾ أَلَآ إِنَّ لِلَّهِ مَا فِي ٱلسَّمَٰوَٰتِ وَٱلْأَرْضِ ۗ أَلَآ إِنَّ
وَعْدَ ٱللَّهِ حَقٌّ وَلَٰكِنَّ أَكْثَرَهُمْ لَا يَعْلَمُونَ ﴿٥٥﴾ هُوَ يُحْىِۦ وَيُمِيتُ
وَإِلَيْهِ تُرْجَعُونَ ﴿٥٦﴾ يَٰٓأَيُّهَا ٱلنَّاسُ قَدْ جَآءَتْكُم مَّوْعِظَةٌ
مِّن رَّبِّكُمْ وَشِفَآءٌ لِّمَا فِي ٱلصُّدُورِ وَهُدًى وَرَحْمَةٌ لِّلْمُؤْمِنِينَ
﴿٥٧﴾ قُلْ بِفَضْلِ ٱللَّهِ وَبِرَحْمَتِهِۦ فَبِذَٰلِكَ فَلْيَفْرَحُوا۟ هُوَ خَيْرٌ مِّمَّا
يَجْمَعُونَ ﴿٥٨﴾ قُلْ أَرَءَيْتُم مَّآ أَنزَلَ ٱللَّهُ لَكُم مِّن رِّزْقٍ
فَجَعَلْتُم مِّنْهُ حَرَامًا وَحَلَٰلًا قُلْ ءَآللَّهُ أَذِنَ لَكُمْ ۖ أَمْ عَلَى ٱللَّهِ
تَفْتَرُونَ ﴿٥٩﴾ وَمَا ظَنُّ ٱلَّذِينَ يَفْتَرُونَ عَلَى ٱللَّهِ ٱلْكَذِبَ
يَوْمَ ٱلْقِيَٰمَةِ ۗ إِنَّ ٱللَّهَ لَذُو فَضْلٍ عَلَى ٱلنَّاسِ وَلَٰكِنَّ أَكْثَرَهُمْ
لَا يَشْكُرُونَ ﴿٦٠﴾ وَمَا تَكُونُ فِي شَأْنٍ وَمَا تَتْلُوا۟ مِنْهُ مِن قُرْءَانٍ
وَلَا تَعْمَلُونَ مِنْ عَمَلٍ إِلَّا كُنَّا عَلَيْكُمْ شُهُودًا إِذْ تُفِيضُونَ
فِيهِ ۚ وَمَا يَعْزُبُ عَن رَّبِّكَ مِن مِّثْقَالِ ذَرَّةٍ فِي ٱلْأَرْضِ وَلَا فِي
ٱلسَّمَآءِ وَلَآ أَصْغَرَ مِن ذَٰلِكَ وَلَآ أَكْبَرَ إِلَّا فِي كِتَٰبٍ مُّبِينٍ ﴿٦١﴾

- ٱلنَّدَامَةَ: الغَمّ والأسف
- أَرَءَيْتُم: أخبروني
- تَفْتَرُونَ: تكذبون
- فِي شَأْنٍ: في أمر مُعْتَنًى به
- تُفِيضُونَ فِيهِ: تشرعون فيه
- مَا يَعْزُبُ: ما يَبْعُدُ وما يَغيبُ
- مِّثْقَالِ ذَرَّةٍ: وزنِ أصغرِ نملةٍ

| | | |
|---|---|---|
| مدّ ٦ حركات لزوماً ● مدّ ٢ أو ٤ أو ٦ جوازاً | إخفاء ، ومواقع الغنّة (حركتان) | تفخ[يم] |
| مدّ واجب ٤ أو ٥ حركات ● مدّ حركتان | إدغام ، وما لا يُلفظ | قلقل[ة] |

أَلَآ إِنَّ أَوۡلِيَآءَ ٱللَّهِ لَا خَوۡفٌ عَلَيۡهِمۡ وَلَا هُمۡ يَحۡزَنُونَ
﴿٦٢﴾ ٱلَّذِينَ ءَامَنُواْ وَكَانُواْ يَتَّقُونَ ﴿٦٣﴾ لَهُمُ ٱلۡبُشۡرَىٰ
فِي ٱلۡحَيَوٰةِ ٱلدُّنۡيَا وَفِي ٱلۡأٓخِرَةِۚ لَا تَبۡدِيلَ لِكَلِمَٰتِ ٱللَّهِۚ
ذَٰلِكَ هُوَ ٱلۡفَوۡزُ ٱلۡعَظِيمُ ﴿٦٤﴾ وَلَا يَحۡزُنكَ قَوۡلُهُمۡۘ إِنَّ
ٱلۡعِزَّةَ لِلَّهِ جَمِيعًاۚ هُوَ ٱلسَّمِيعُ ٱلۡعَلِيمُ ﴿٦٥﴾ أَلَآ إِنَّ لِلَّهِ
مَن فِي ٱلسَّمَٰوَٰتِ وَمَن فِي ٱلۡأَرۡضِۗ وَمَا يَتَّبِعُ ٱلَّذِينَ
يَدۡعُونَ مِن دُونِ ٱللَّهِ شُرَكَآءَۚ إِن يَتَّبِعُونَ إِلَّا
ٱلظَّنَّ وَإِنۡ هُمۡ إِلَّا يَخۡرُصُونَ ﴿٦٦﴾ هُوَ ٱلَّذِي جَعَلَ لَكُمُ
ٱلَّيۡلَ لِتَسۡكُنُواْ فِيهِ وَٱلنَّهَارَ مُبۡصِرًاۚ إِنَّ فِي ذَٰلِكَ
لَأٓيَٰتٖ لِّقَوۡمٖ يَسۡمَعُونَ ﴿٦٧﴾ قَالُواْ ٱتَّخَذَ ٱللَّهُ وَلَدٗاۗ
سُبۡحَٰنَهُۥۖ هُوَ ٱلۡغَنِيُّۖ لَهُۥ مَا فِي ٱلسَّمَٰوَٰتِ وَمَا فِي ٱلۡأَرۡضِۚ
إِنۡ عِندَكُم مِّن سُلۡطَٰنِۭ بِهَٰذَآۚ أَتَقُولُونَ عَلَى ٱللَّهِ مَا
لَا تَعۡلَمُونَ ﴿٦٨﴾ قُلۡ إِنَّ ٱلَّذِينَ يَفۡتَرُونَ عَلَى ٱللَّهِ ٱلۡكَذِبَ
لَا يُفۡلِحُونَ ﴿٦٩﴾ مَتَٰعٞ فِي ٱلدُّنۡيَا ثُمَّ إِلَيۡنَا مَرۡجِعُهُمۡ ثُمَّ
نُذِيقُهُمُ ٱلۡعَذَابَ ٱلشَّدِيدَ بِمَا كَانُواْ يَكۡفُرُونَ ﴿٧٠﴾

يونس

- ٱلۡعِزَّةَ: الغلبة والقُدرة
- يَخۡرُصُونَ: يكذبون فيما ينسُبُونه إليه تعالى
- سُلۡطَٰنِۭ: حُجّة وبُرهان

| مدّ ٦ حركات لزوماً ● مدّ ٢ أو ٤ أو ٦ جوازاً | إخفاء، ومواقع الغُنّة (حركتان) | تفخيم |
| --- | --- | --- |
| مدّ واجب ٤ أو ٥ حركات ● مدّ حركتان | إدغام، وما لا يُلفَظ | قلقلة |

نصف الحزب ٢٢

۞ وَٱتۡلُ عَلَيۡهِمۡ نَبَأَ نُوحٍ إِذۡ قَالَ لِقَوۡمِهِۦ يَٰقَوۡمِ إِن كَانَ كَبُرَ عَلَيۡكُم
مَّقَامِي وَتَذۡكِيرِي بِـَٔايَٰتِ ٱللَّهِ فَعَلَى ٱللَّهِ تَوَكَّلۡتُ فَأَجۡمِعُوٓاْ
أَمۡرَكُمۡ وَشُرَكَآءَكُمۡ ثُمَّ لَا يَكُنۡ أَمۡرُكُمۡ عَلَيۡكُمۡ غُمَّةٗ ثُمَّ ٱقۡضُوٓاْ
إِلَيَّ وَلَا تُنظِرُونِ ﴿٧١﴾ فَإِن تَوَلَّيۡتُمۡ فَمَا سَأَلۡتُكُم مِّنۡ أَجۡرٍۖ إِنۡ
أَجۡرِيَ إِلَّا عَلَى ٱللَّهِۖ وَأُمِرۡتُ أَنۡ أَكُونَ مِنَ ٱلۡمُسۡلِمِينَ ﴿٧٢﴾
فَكَذَّبُوهُ فَنَجَّيۡنَٰهُ وَمَن مَّعَهُۥ فِي ٱلۡفُلۡكِ وَجَعَلۡنَٰهُمۡ خَلَٰٓئِفَ
وَأَغۡرَقۡنَا ٱلَّذِينَ كَذَّبُواْ بِـَٔايَٰتِنَاۖ فَٱنظُرۡ كَيۡفَ كَانَ عَٰقِبَةُ ٱلۡمُنذَرِينَ
﴿٧٣﴾ ثُمَّ بَعَثۡنَا مِنۢ بَعۡدِهِۦ رُسُلًا إِلَىٰ قَوۡمِهِمۡ فَجَآءُوهُم بِٱلۡبَيِّنَٰتِ
فَمَا كَانُواْ لِيُؤۡمِنُواْ بِمَا كَذَّبُواْ بِهِۦ مِن قَبۡلُۚ كَذَٰلِكَ نَطۡبَعُ عَلَىٰ قُلُوبِ
ٱلۡمُعۡتَدِينَ ﴿٧٤﴾ ثُمَّ بَعَثۡنَا مِنۢ بَعۡدِهِم مُّوسَىٰ وَهَٰرُونَ إِلَىٰ
فِرۡعَوۡنَ وَمَلَإِيْهِۦ بِـَٔايَٰتِنَا فَٱسۡتَكۡبَرُواْ وَكَانُواْ قَوۡمٗا مُّجۡرِمِينَ ﴿٧٥﴾
فَلَمَّا جَآءَهُمُ ٱلۡحَقُّ مِنۡ عِندِنَا قَالُوٓاْ إِنَّ هَٰذَا لَسِحۡرٞ مُّبِينٞ ﴿٧٦﴾
قَالَ مُوسَىٰٓ أَتَقُولُونَ لِلۡحَقِّ لَمَّا جَآءَكُمۡۖ أَسِحۡرٌ هَٰذَا وَلَا يُفۡلِحُ
ٱلسَّٰحِرُونَ ﴿٧٧﴾ قَالُوٓاْ أَجِئۡتَنَا لِتَلۡفِتَنَا عَمَّا وَجَدۡنَا عَلَيۡهِ ءَابَآءَنَا
وَتَكُونَ لَكُمَا ٱلۡكِبۡرِيَآءُ فِي ٱلۡأَرۡضِ وَمَا نَحۡنُ لَكُمَا بِمُؤۡمِنِينَ ﴿٧٨﴾

- كَبُرَ: عَظُمَ وَشَقَّ
- مَّقَامِي: إقامتي بينكم طويلاً
- فَأَجۡمِعُوٓاْ أَمۡرَكُمۡ: صَمِّمُوا على إهلاكي
- غُمَّةٗ: ضيقاً وهمّاً، أو مُبهماً
- ٱقۡضُوٓاْ إِلَيَّ: أنفِذُوا قضاءَكم فيَّ
- لَا تُنظِرُونِ: لا تُمهلونِ
- خَلَٰٓئِفَ: يَخلُفُونَ المُغرَقِينَ
- نَطۡبَعُ: نختِمُ
- لِتَلۡفِتَنَا: لِتَلوِيَنا وتَصرِفَنا

مدّ ٦ حركات لزوماً — مدّ ٢ أو ٤ أو ٦ جوازاً — إخفاء، ومواقع الغُنّة (حركتان) — تفخـ
مدّ واجب ٤ أو ٥ حركات — مدّ حركتان — إدغام، وما لا يُلفظ — قلقلـ

وَقَالَ فِرۡعَوۡنُ ٱئۡتُونِي بِكُلِّ سَٰحِرٍ عَلِيمٖ ﴿٧٩﴾ فَلَمَّا جَآءَ ٱلسَّحَرَةُ
قَالَ لَهُم مُّوسَىٰٓ أَلۡقُواْ مَآ أَنتُم مُّلۡقُونَ ﴿٨٠﴾ فَلَمَّآ أَلۡقَوۡاْ قَالَ
مُوسَىٰ مَا جِئۡتُم بِهِ ٱلسِّحۡرُۖ إِنَّ ٱللَّهَ سَيُبۡطِلُهُۥٓۖ إِنَّ ٱللَّهَ لَا يُصۡلِحُ
عَمَلَ ٱلۡمُفۡسِدِينَ ﴿٨١﴾ وَيُحِقُّ ٱللَّهُ ٱلۡحَقَّ بِكَلِمَٰتِهِۦ وَلَوۡ كَرِهَ
ٱلۡمُجۡرِمُونَ ﴿٨٢﴾ فَمَآ ءَامَنَ لِمُوسَىٰٓ إِلَّا ذُرِّيَّةٞ مِّن قَوۡمِهِۦ عَلَىٰ
خَوۡفٖ مِّن فِرۡعَوۡنَ وَمَلَإِيْهِمۡ أَن يَفۡتِنَهُمۡۚ وَإِنَّ فِرۡعَوۡنَ لَعَالٖ
فِي ٱلۡأَرۡضِ وَإِنَّهُۥ لَمِنَ ٱلۡمُسۡرِفِينَ ﴿٨٣﴾ وَقَالَ مُوسَىٰ يَٰقَوۡمِ إِن كُنتُمۡ
ءَامَنتُم بِٱللَّهِ فَعَلَيۡهِ تَوَكَّلُوٓاْ إِن كُنتُم مُّسۡلِمِينَ ﴿٨٤﴾ فَقَالُواْ عَلَى ٱللَّهِ
تَوَكَّلۡنَا رَبَّنَا لَا تَجۡعَلۡنَا فِتۡنَةٗ لِّلۡقَوۡمِ ٱلظَّٰلِمِينَ ﴿٨٥﴾ وَنَجِّنَا
بِرَحۡمَتِكَ مِنَ ٱلۡقَوۡمِ ٱلۡكَٰفِرِينَ ﴿٨٦﴾ وَأَوۡحَيۡنَآ إِلَىٰ مُوسَىٰ وَأَخِيهِ
أَن تَبَوَّءَا لِقَوۡمِكُمَا بِمِصۡرَ بُيُوتٗا وَٱجۡعَلُواْ بُيُوتَكُمۡ قِبۡلَةٗ
وَأَقِيمُواْ ٱلصَّلَوٰةَۗ وَبَشِّرِ ٱلۡمُؤۡمِنِينَ ﴿٨٧﴾ وَقَالَ مُوسَىٰ
رَبَّنَآ إِنَّكَ ءَاتَيۡتَ فِرۡعَوۡنَ وَمَلَأَهُۥ زِينَةٗ وَأَمۡوَٰلٗا فِي ٱلۡحَيَوٰةِ
ٱلدُّنۡيَا رَبَّنَا لِيُضِلُّواْ عَن سَبِيلِكَۖ رَبَّنَا ٱطۡمِسۡ عَلَىٰٓ أَمۡوَٰلِهِمۡ
وَٱشۡدُدۡ عَلَىٰ قُلُوبِهِمۡ فَلَا يُؤۡمِنُواْ حَتَّىٰ يَرَوُاْ ٱلۡعَذَابَ ٱلۡأَلِيمَ ﴿٨٨﴾

يونس

- يَفۡتِنَهُمۡ: يَبْتَلِيَهُمْ ويُعَذِّبَهُمْ
- فِتۡنَةٗ: موضعَ عذاب لَهُمْ
- تَبَوَّءَا لِقَوۡمِكُمَا: اتَّخِذَا واجْعَلَا لَهُمْ
- قِبۡلَةٗ: مُصَلًّى
- ٱطۡمِسۡ عَلَىٰٓ أَمۡوَٰلِهِمۡ: أَهْلِكْهَا وَأَذْهِبْهَا
- ٱشۡدُدۡ عَلَىٰ قُلُوبِهِمۡ: اطْبَعْ عليها

| | | |
|---|---|---|
| مدّ ٦ حركات لزوماً ● مدّ ٢ أو ٤ أو ٦ جوازاً ● | إخفاء ، ومواقع الغُنَّة (حركتان) ● | تفخيم ● |
| مدّ واجب ٤ أو ٥ حركات ● مدّ حركتان ● | إدغام ، وما لا يُلفظ ● | قلقلة ● |

قَالَ قَدْ أُجِيبَت دَّعْوَتُكُمَا فَٱسْتَقِيمَا وَلَا تَتَّبِعَآنِّ سَبِيلَ
ٱلَّذِينَ لَا يَعْلَمُونَ ﴿٨٩﴾ ۞ وَجَٰوَزْنَا بِبَنِىٓ إِسْرَٰٓءِيلَ ٱلْبَحْرَ
فَأَتْبَعَهُمْ فِرْعَوْنُ وَجُنُودُهُۥ بَغْيًا وَعَدْوًا ۖ حَتَّىٰٓ إِذَآ أَدْرَكَهُ
ٱلْغَرَقُ قَالَ ءَامَنتُ أَنَّهُۥ لَآ إِلَٰهَ إِلَّا ٱلَّذِىٓ ءَامَنَتْ بِهِۦ بَنُوٓاْ إِسْرَٰٓءِيلَ
وَأَنَا۠ مِنَ ٱلْمُسْلِمِينَ ﴿٩٠﴾ ءَآلْـَٰٔنَ وَقَدْ عَصَيْتَ قَبْلُ وَكُنتَ
مِنَ ٱلْمُفْسِدِينَ ﴿٩١﴾ فَٱلْيَوْمَ نُنَجِّيكَ بِبَدَنِكَ لِتَكُونَ لِمَنْ
خَلْفَكَ ءَايَةً ۚ وَإِنَّ كَثِيرًا مِّنَ ٱلنَّاسِ عَنْ ءَايَٰتِنَا لَغَٰفِلُونَ ﴿٩٢﴾
وَلَقَدْ بَوَّأْنَا بَنِىٓ إِسْرَٰٓءِيلَ مُبَوَّأَ صِدْقٍ وَرَزَقْنَٰهُم مِّنَ ٱلطَّيِّبَٰتِ
فَمَا ٱخْتَلَفُواْ حَتَّىٰ جَآءَهُمُ ٱلْعِلْمُ ۚ إِنَّ رَبَّكَ يَقْضِى بَيْنَهُمْ يَوْمَ ٱلْقِيَٰمَةِ
فِيمَا كَانُواْ فِيهِ يَخْتَلِفُونَ ﴿٩٣﴾ فَإِن كُنتَ فِى شَكٍّ مِّمَّآ أَنزَلْنَآ إِلَيْكَ
فَسْـَٔلِ ٱلَّذِينَ يَقْرَءُونَ ٱلْكِتَٰبَ مِن قَبْلِكَ ۚ لَقَدْ جَآءَكَ
ٱلْحَقُّ مِن رَّبِّكَ فَلَا تَكُونَنَّ مِنَ ٱلْمُمْتَرِينَ ﴿٩٤﴾ وَلَا تَكُونَنَّ
مِنَ ٱلَّذِينَ كَذَّبُواْ بِـَٔايَٰتِ ٱللَّهِ فَتَكُونَ مِنَ ٱلْخَٰسِرِينَ
﴿٩٥﴾ إِنَّ ٱلَّذِينَ حَقَّتْ عَلَيْهِمْ كَلِمَتُ رَبِّكَ لَا يُؤْمِنُونَ
﴿٩٦﴾ وَلَوْ جَآءَتْهُمْ كُلُّ ءَايَةٍ حَتَّىٰ يَرَوُاْ ٱلْعَذَابَ ٱلْأَلِيمَ ﴿٩٧﴾

ثلاثة أرباع الحزب ٢٢

- بَغْيًا وَعَدْوًا: ظُلْماً واعْتِداءً
- ءَآلْـَٰٔنَ: آلآنَ تُؤمِنُ
- ءَايَةً: عِبْرَةً وعِظَةً
- بَوَّأْنَا: أسْكَنَّا
- مُبَوَّأَ صِدْقٍ: مَنْزِلاً صالحاً مَرْضِياً
- ٱلْمُمْتَرِينَ: الشَّاكِّينَ المُتَزَلْزِلِينَ

مدّ ٦ حركات لزوماً — مدّ ٢ أو ٤ أو ٦ جوازاً — إخفاء، ومواقع الغُنَّة (حركتان) — تفخيم
مدّ واجب ٤ أو ٥ حركات — مدّ حركتان — إدغام، وما لا يُلفَظ — قلقلة

فَلَوْلَا كَانَتْ قَرْيَةٌ ءَامَنَتْ فَنَفَعَهَآ إِيمَٰنُهَآ إِلَّا قَوْمَ يُونُسَ لَمَّآ
ءَامَنُوا۟ كَشَفْنَا عَنْهُمْ عَذَابَ ٱلْخِزْىِ فِى ٱلْحَيَوٰةِ ٱلدُّنْيَا وَمَتَّعْنَٰهُمْ
إِلَىٰ حِينٍ ﴿٩٨﴾ وَلَوْ شَآءَ رَبُّكَ لَءَامَنَ مَن فِى ٱلْأَرْضِ كُلُّهُمْ
جَمِيعًا ۚ أَفَأَنتَ تُكْرِهُ ٱلنَّاسَ حَتَّىٰ يَكُونُوا۟ مُؤْمِنِينَ ﴿٩٩﴾ وَمَا
كَانَ لِنَفْسٍ أَن تُؤْمِنَ إِلَّا بِإِذْنِ ٱللَّهِ ۚ وَيَجْعَلُ ٱلرِّجْسَ
عَلَى ٱلَّذِينَ لَا يَعْقِلُونَ ﴿١٠٠﴾ قُلِ ٱنظُرُوا۟ مَاذَا فِى ٱلسَّمَٰوَٰتِ
وَٱلْأَرْضِ ۚ وَمَا تُغْنِى ٱلْءَايَٰتُ وَٱلنُّذُرُ عَن قَوْمٍ لَّا يُؤْمِنُونَ ﴿١٠١﴾
فَهَلْ يَنتَظِرُونَ إِلَّا مِثْلَ أَيَّامِ ٱلَّذِينَ خَلَوْا۟ مِن قَبْلِهِمْ ۚ
قُلْ فَٱنتَظِرُوٓا۟ إِنِّى مَعَكُم مِّنَ ٱلْمُنتَظِرِينَ ﴿١٠٢﴾ ثُمَّ نُنَجِّى
رُسُلَنَا وَٱلَّذِينَ ءَامَنُوا۟ ۚ كَذَٰلِكَ حَقًّا عَلَيْنَا نُنجِ ٱلْمُؤْمِنِينَ
﴿١٠٣﴾ قُلْ يَٰٓأَيُّهَا ٱلنَّاسُ إِن كُنتُمْ فِى شَكٍّ مِّن دِينِى فَلَآ أَعْبُدُ ٱلَّذِينَ
تَعْبُدُونَ مِن دُونِ ٱللَّهِ وَلَٰكِنْ أَعْبُدُ ٱللَّهَ ٱلَّذِى يَتَوَفَّىٰكُمْ ۖ وَأُمِرْتُ
أَنْ أَكُونَ مِنَ ٱلْمُؤْمِنِينَ ﴿١٠٤﴾ وَأَنْ أَقِمْ وَجْهَكَ لِلدِّينِ حَنِيفًا
وَلَا تَكُونَنَّ مِنَ ٱلْمُشْرِكِينَ ﴿١٠٥﴾ وَلَا تَدْعُ مِن دُونِ ٱللَّهِ
مَا لَا يَنفَعُكَ وَلَا يَضُرُّكَ ۖ فَإِن فَعَلْتَ فَإِنَّكَ إِذًا مِّنَ ٱلظَّٰلِمِينَ ﴿١٠٦﴾

يونس
- ٱلرِّجْسَ: العَذَابَ. أو السُّخْطَ
- حَنِيفًا: مائلاً عن الباطلِ إلى الدِّينِ الْحقِّ

| | | |
|---|---|---|
| مدّ ٦ حركات لزوماً ● مدّ ٢ أو ٤ أو ٦ جوازاً | إخفاء، ومواقع الغُنَّة (حركتان) | تفخيم |
| مدّ واجب ٤ أو ٥ حركات ● مدّ حركتان | إدغام، وما لا يُلفظ | قلقلة |

وَإِن يَمْسَسْكَ ٱللَّهُ بِضُرٍّ فَلَا كَاشِفَ لَهُۥٓ إِلَّا هُوَ ۖ وَإِن
يُرِدْكَ بِخَيْرٍ فَلَا رَآدَّ لِفَضْلِهِۦ ۚ يُصِيبُ بِهِۦ مَن يَشَآءُ مِنْ عِبَادِهِۦ ۚ
وَهُوَ ٱلْغَفُورُ ٱلرَّحِيمُ ﴿١٠٧﴾ قُلْ يَٰٓأَيُّهَا ٱلنَّاسُ قَدْ جَآءَكُمُ
ٱلْحَقُّ مِن رَّبِّكُمْ ۖ فَمَنِ ٱهْتَدَىٰ فَإِنَّمَا يَهْتَدِى لِنَفْسِهِۦ ۖ وَمَن
ضَلَّ فَإِنَّمَا يَضِلُّ عَلَيْهَا ۖ وَمَآ أَنَا۠ عَلَيْكُم بِوَكِيلٍ ﴿١٠٨﴾ وَٱتَّبِعْ
مَا يُوحَىٰٓ إِلَيْكَ وَٱصْبِرْ حَتَّىٰ يَحْكُمَ ٱللَّهُ ۚ وَهُوَ خَيْرُ ٱلْحَٰكِمِينَ ﴿١٠٩﴾

## سُورَةُ هُودٍ

ترتيبها ١١ — آياتها ١٢٣

بِسْمِ ٱللَّهِ ٱلرَّحْمَٰنِ ٱلرَّحِيمِ

الٓر ۚ كِتَٰبٌ أُحْكِمَتْ ءَايَٰتُهُۥ ثُمَّ فُصِّلَتْ مِن لَّدُنْ حَكِيمٍ خَبِيرٍ ﴿١﴾
أَلَّا تَعْبُدُوٓا۟ إِلَّا ٱللَّهَ ۚ إِنَّنِى لَكُم مِّنْهُ نَذِيرٌ وَبَشِيرٌ ﴿٢﴾ وَأَنِ ٱسْتَغْفِرُوا۟
رَبَّكُمْ ثُمَّ تُوبُوٓا۟ إِلَيْهِ يُمَتِّعْكُم مَّتَٰعًا حَسَنًا إِلَىٰٓ أَجَلٍ مُّسَمًّى وَيُؤْتِ
كُلَّ ذِى فَضْلٍ فَضْلَهُۥ ۖ وَإِن تَوَلَّوْا۟ فَإِنِّىٓ أَخَافُ عَلَيْكُمْ عَذَابَ يَوْمٍ
كَبِيرٍ ﴿٣﴾ إِلَى ٱللَّهِ مَرْجِعُكُمْ ۖ وَهُوَ عَلَىٰ كُلِّ شَىْءٍ قَدِيرٌ ﴿٤﴾ أَلَآ إِنَّهُمْ
يَثْنُونَ صُدُورَهُمْ لِيَسْتَخْفُوا۟ مِنْهُ ۚ أَلَا حِينَ يَسْتَغْشُونَ ثِيَابَهُمْ
يَعْلَمُ مَا يُسِرُّونَ وَمَا يُعْلِنُونَ ۚ إِنَّهُۥ عَلِيمٌۢ بِذَاتِ ٱلصُّدُورِ ﴿٥﴾

- أُحْكِمَتْ ءَايَٰتُهُۥ: نُظِّمَتْ نظماً مُتقناً
- فُصِّلَتْ: فُرِّقَتْ في التَّنزيل
- يَثْنُونَ صُدُورَهُمْ: يَطوونَها على العَداوة
- يَسْتَغْشُونَ ثِيَابَهُمْ: يُبالغُون في التَّستُّر

۞وَمَا مِن دَآبَّةٍ فِى ٱلْأَرْضِ إِلَّا عَلَى ٱللَّهِ رِزْقُهَا وَيَعْلَمُ مُسْتَقَرَّهَا
وَمُسْتَوْدَعَهَا ۚ كُلٌّ فِى كِتَٰبٍ مُّبِينٍ ﴿٦﴾ وَهُوَ ٱلَّذِى خَلَقَ
ٱلسَّمَٰوَٰتِ وَٱلْأَرْضَ فِى سِتَّةِ أَيَّامٍ وَكَانَ عَرْشُهُۥ
عَلَى ٱلْمَآءِ لِيَبْلُوَكُمْ أَيُّكُمْ أَحْسَنُ عَمَلًا ۗ وَلَئِن قُلْتَ
إِنَّكُم مَّبْعُوثُونَ مِنۢ بَعْدِ ٱلْمَوْتِ لَيَقُولَنَّ ٱلَّذِينَ كَفَرُوٓا۟
إِنْ هَٰذَآ إِلَّا سِحْرٌ مُّبِينٌ ﴿٧﴾ وَلَئِنْ أَخَّرْنَا عَنْهُمُ ٱلْعَذَابَ إِلَىٰٓ
أُمَّةٍ مَّعْدُودَةٍ لَّيَقُولُنَّ مَا يَحْبِسُهُۥٓ ۗ أَلَا يَوْمَ يَأْتِيهِمْ لَيْسَ
مَصْرُوفًا عَنْهُمْ وَحَاقَ بِهِم مَّا كَانُوا۟ بِهِۦ يَسْتَهْزِءُونَ ﴿٨﴾
وَلَئِنْ أَذَقْنَا ٱلْإِنسَٰنَ مِنَّا رَحْمَةً ثُمَّ نَزَعْنَٰهَا مِنْهُ إِنَّهُۥ
لَيَـُٔوسٌ كَفُورٌ ﴿٩﴾ وَلَئِنْ أَذَقْنَٰهُ نَعْمَآءَ بَعْدَ ضَرَّآءَ
مَسَّتْهُ لَيَقُولَنَّ ذَهَبَ ٱلسَّيِّـَٔاتُ عَنِّىٓ ۚ إِنَّهُۥ لَفَرِحٌ فَخُورٌ ﴿١٠﴾
إِلَّا ٱلَّذِينَ صَبَرُوا۟ وَعَمِلُوا۟ ٱلصَّٰلِحَٰتِ أُو۟لَٰٓئِكَ لَهُم مَّغْفِرَةٌ
وَأَجْرٌ كَبِيرٌ ﴿١١﴾ فَلَعَلَّكَ تَارِكٌۢ بَعْضَ مَا يُوحَىٰٓ إِلَيْكَ
وَضَآئِقٌۢ بِهِۦ صَدْرُكَ أَن يَقُولُوا۟ لَوْلَآ أُنزِلَ عَلَيْهِ كَنزٌ أَوْ جَآءَ
مَعَهُۥ مَلَكٌ ۚ إِنَّمَآ أَنتَ نَذِيرٌ ۚ وَٱللَّهُ عَلَىٰ كُلِّ شَىْءٍ وَكِيلٌ ﴿١٢﴾

هود

- لِيَبْلُوَكُمْ: لِيَخْتَبِرَكُمْ
- أُمَّةٍ: مُدَّة من الزَّمانِ
- حَاقَ: نَزَلَ . أو أحاطَ
- لَيَـُٔوسٌ: شَدِيدُ اليَأْسِ و القُنوطِ
- ضَرَّآءَ: نائِبَةٍ ونَكْبَةٍ
- فَرِحٌ: بَطِرٌ بالنِّعْمَةِ ، مُغْتَرٌّ بها

| | | |
|---|---|---|
| مدّ ٦ حركات لزوماً ● مدّ ٢ أو ٤ أو ٦ جوازاً ● | إخفاء ، ومواقع الغُنَّة (حركتان) ● | تفخيم ● |
| مدّ واجب ٤ أو ٥ حركات ● مدّ حركتان ● | إدغام ، وما لا يُلفظ ● | قلقلة ● |

أَمْ يَقُولُونَ ٱفْتَرَىٰهُ ۖ قُلْ فَأْتُوا۟ بِعَشْرِ سُوَرٍ مِّثْلِهِۦ مُفْتَرَيَـٰتٍ
وَٱدْعُوا۟ مَنِ ٱسْتَطَعْتُم مِّن دُونِ ٱللَّهِ إِن كُنتُمْ صَـٰدِقِينَ ﴿١٣﴾
فَإِلَّمْ يَسْتَجِيبُوا۟ لَكُمْ فَٱعْلَمُوٓا۟ أَنَّمَآ أُنزِلَ بِعِلْمِ ٱللَّهِ وَأَن لَّآ إِلَـٰهَ
إِلَّا هُوَ ۖ فَهَلْ أَنتُم مُّسْلِمُونَ ﴿١٤﴾ مَن كَانَ يُرِيدُ ٱلْحَيَوٰةَ
ٱلدُّنْيَا وَزِينَتَهَا نُوَفِّ إِلَيْهِمْ أَعْمَـٰلَهُمْ فِيهَا وَهُمْ فِيهَا لَا يُبْخَسُونَ
﴿١٥﴾ أُو۟لَـٰٓئِكَ ٱلَّذِينَ لَيْسَ لَهُمْ فِى ٱلْـَٔاخِرَةِ إِلَّا ٱلنَّارُ ۖ وَحَبِطَ
مَا صَنَعُوا۟ فِيهَا وَبَـٰطِلٌ مَّا كَانُوا۟ يَعْمَلُونَ ﴿١٦﴾ أَفَمَن كَانَ
عَلَىٰ بَيِّنَةٍ مِّن رَّبِّهِۦ وَيَتْلُوهُ شَاهِدٌ مِّنْهُ وَمِن قَبْلِهِۦ كِتَـٰبُ
مُوسَىٰٓ إِمَامًا وَرَحْمَةً ۚ أُو۟لَـٰٓئِكَ يُؤْمِنُونَ بِهِۦ ۚ وَمَن يَكْفُرْ بِهِۦ
مِنَ ٱلْأَحْزَابِ فَٱلنَّارُ مَوْعِدُهُۥ ۚ فَلَا تَكُ فِى مِرْيَةٍ مِّنْهُ ۚ إِنَّهُ ٱلْحَقُّ
مِن رَّبِّكَ وَلَـٰكِنَّ أَكْثَرَ ٱلنَّاسِ لَا يُؤْمِنُونَ ﴿١٧﴾ وَمَنْ
أَظْلَمُ مِمَّنِ ٱفْتَرَىٰ عَلَى ٱللَّهِ كَذِبًا ۚ أُو۟لَـٰٓئِكَ يُعْرَضُونَ
عَلَىٰ رَبِّهِمْ وَيَقُولُ ٱلْأَشْهَـٰدُ هَـٰٓؤُلَآءِ ٱلَّذِينَ كَذَبُوا۟ عَلَىٰ
رَبِّهِمْ ۚ أَلَا لَعْنَةُ ٱللَّهِ عَلَى ٱلظَّـٰلِمِينَ ﴿١٨﴾ ٱلَّذِينَ يَصُدُّونَ
عَن سَبِيلِ ٱللَّهِ وَيَبْغُونَهَا عِوَجًا وَهُم بِٱلْـَٔاخِرَةِ هُمْ كَـٰفِرُونَ ﴿١٩﴾

- لَا يُبْخَسُونَ: لا يُنقَصُونَ شيئاً من أجورهم
- حَبِطَ: بَطَل
- مِرْيَةٍ: شَكّ
- عِوَجًا: مُعْوَجَّة

| | | |
|---|---|---|
| مدّ ٦ حركات لزوماً ● مدّ ٢ أو ٤ أو ٦ جوازاً | إخفاء ، ومواقع الغُنَّة (حركتان) | تف |
| مدّ واجب ٤ أو ٥ حركات ● مدّ حركتان | إدغام ، وما لا يُلفَظ | قلة |

أُولَٰٓئِكَ لَمْ يَكُونُوا۟ مُعْجِزِينَ فِى ٱلْأَرْضِ وَمَا كَانَ لَهُم مِّن
دُونِ ٱللَّهِ مِنْ أَوْلِيَآءَ ۘ يُضَٰعَفُ لَهُمُ ٱلْعَذَابُ ۚ مَا كَانُوا۟ يَسْتَطِيعُونَ
ٱلسَّمْعَ وَمَا كَانُوا۟ يُبْصِرُونَ ﴿٢٠﴾ أُو۟لَٰٓئِكَ ٱلَّذِينَ خَسِرُوٓا۟
أَنفُسَهُمْ وَضَلَّ عَنْهُم مَّا كَانُوا۟ يَفْتَرُونَ ﴿٢١﴾ لَا جَرَمَ أَنَّهُمْ
فِى ٱلْءَاخِرَةِ هُمُ ٱلْأَخْسَرُونَ ﴿٢٢﴾ إِنَّ ٱلَّذِينَ ءَامَنُوا۟ وَعَمِلُوا۟
ٱلصَّٰلِحَٰتِ وَأَخْبَتُوٓا۟ إِلَىٰ رَبِّهِمْ أُو۟لَٰٓئِكَ أَصْحَٰبُ ٱلْجَنَّةِ ۖ
هُمْ فِيهَا خَٰلِدُونَ ﴿٢٣﴾ ۞ مَثَلُ ٱلْفَرِيقَيْنِ كَٱلْأَعْمَىٰ
وَٱلْأَصَمِّ وَٱلْبَصِيرِ وَٱلسَّمِيعِ ۚ هَلْ يَسْتَوِيَانِ مَثَلًا ۚ أَفَلَا تَذَكَّرُونَ
﴿٢٤﴾ وَلَقَدْ أَرْسَلْنَا نُوحًا إِلَىٰ قَوْمِهِۦٓ إِنِّى لَكُمْ نَذِيرٌ مُّبِينٌ ﴿٢٥﴾
أَن لَّا تَعْبُدُوٓا۟ إِلَّا ٱللَّهَ ۖ إِنِّىٓ أَخَافُ عَلَيْكُمْ عَذَابَ يَوْمٍ أَلِيمٍ
﴿٢٦﴾ فَقَالَ ٱلْمَلَأُ ٱلَّذِينَ كَفَرُوا۟ مِن قَوْمِهِۦ مَا نَرَىٰكَ إِلَّا بَشَرًا
مِّثْلَنَا وَمَا نَرَىٰكَ ٱتَّبَعَكَ إِلَّا ٱلَّذِينَ هُمْ أَرَاذِلُنَا بَادِىَ
ٱلرَّأْىِ وَمَا نَرَىٰ لَكُمْ عَلَيْنَا مِن فَضْلٍۭ بَلْ نَظُنُّكُمْ كَٰذِبِينَ
﴿٢٧﴾ قَالَ يَٰقَوْمِ أَرَءَيْتُمْ إِن كُنتُ عَلَىٰ بَيِّنَةٍ مِّن رَّبِّى وَءَاتَىٰنِى رَحْمَةً
مِّنْ عِندِهِۦ فَعُمِّيَتْ عَلَيْكُمْ أَنُلْزِمُكُمُوهَا وَأَنتُمْ لَهَا كَٰرِهُونَ ﴿٢٨﴾

- مُعْجِزِينَ: فائتين عذابه لو أراده
- لَا جَرَمَ: حقٌّ وثبت. أو لا محالة
- أَخْبَتُوا۟: اطمأنوا وخشعوا

هود

ربع الحزب ٢٣

- بَادِىَ ٱلرَّأْىِ: أوّله دون تفكرٍ وتثبّتٍ
- أَرَءَيْتُمْ: أخبروني
- فَعُمِّيَتْ: أُخفيت

مدّ ٦ حركات لزوماً — مدّ ٢ أو ٤ أو ٦ جوازاً — إخفاء، ومواقع الغُنّة (حركتان) — تفخيم
مدّ واجب ٤ أو ٥ حركات — مدّ حركتان — إدغام، وما لا يُلفظ — قلقلة

وَيَٰقَوۡمِ لَآ أَسۡـَٔلُكُمۡ عَلَيۡهِ مَالًاۖ إِنۡ أَجۡرِيَ إِلَّا عَلَى ٱللَّهِۚ وَمَآ
أَنَا۠ بِطَارِدِ ٱلَّذِينَ ءَامَنُوٓاْۚ إِنَّهُم مُّلَٰقُواْ رَبِّهِمۡ وَلَٰكِنِّيٓ أَرَىٰكُمۡ
قَوۡمٗا تَجۡهَلُونَ ﴿٢٩﴾ وَيَٰقَوۡمِ مَن يَنصُرُنِي مِنَ ٱللَّهِ إِن طَرَدتُّهُمۡۚ
أَفَلَا تَذَكَّرُونَ ﴿٣٠﴾ وَلَآ أَقُولُ لَكُمۡ عِندِي خَزَآئِنُ ٱللَّهِ وَلَآ
أَعۡلَمُ ٱلۡغَيۡبَ وَلَآ أَقُولُ إِنِّي مَلَكٞ وَلَآ أَقُولُ لِلَّذِينَ تَزۡدَرِيٓ
أَعۡيُنُكُمۡ لَن يُؤۡتِيَهُمُ ٱللَّهُ خَيۡرًاۖ ٱللَّهُ أَعۡلَمُ بِمَا فِيٓ أَنفُسِهِمۡۖ إِنِّيٓ إِذٗا
لَّمِنَ ٱلظَّٰلِمِينَ ﴿٣١﴾ قَالُواْ يَٰنُوحُ قَدۡ جَٰدَلۡتَنَا فَأَكۡثَرۡتَ
جِدَٰلَنَا فَأۡتِنَا بِمَا تَعِدُنَآ إِن كُنتَ مِنَ ٱلصَّٰدِقِينَ ﴿٣٢﴾ قَالَ
إِنَّمَا يَأۡتِيكُم بِهِ ٱللَّهُ إِن شَآءَ وَمَآ أَنتُم بِمُعۡجِزِينَ ﴿٣٣﴾ وَلَا يَنفَعُكُمۡ
نُصۡحِيٓ إِنۡ أَرَدتُّ أَنۡ أَنصَحَ لَكُمۡ إِن كَانَ ٱللَّهُ يُرِيدُ أَن يُغۡوِيَكُمۡۚ
هُوَ رَبُّكُمۡ وَإِلَيۡهِ تُرۡجَعُونَ ﴿٣٤﴾ أَمۡ يَقُولُونَ ٱفۡتَرَىٰهُۖ
قُلۡ إِنِ ٱفۡتَرَيۡتُهُۥ فَعَلَيَّ إِجۡرَامِي وَأَنَا۠ بَرِيٓءٞ مِّمَّا تُجۡرِمُونَ ﴿٣٥﴾
وَأُوحِيَ إِلَىٰ نُوحٍ أَنَّهُۥ لَن يُؤۡمِنَ مِن قَوۡمِكَ إِلَّا مَن قَدۡ ءَامَنَ
فَلَا تَبۡتَئِسۡ بِمَا كَانُواْ يَفۡعَلُونَ ﴿٣٦﴾ وَٱصۡنَعِ ٱلۡفُلۡكَ بِأَعۡيُنِنَا
وَوَحۡيِنَا وَلَا تُخَٰطِبۡنِي فِي ٱلَّذِينَ ظَلَمُوٓاْ إِنَّهُم مُّغۡرَقُونَ ﴿٣٧﴾

- تَزۡدَرِيٓ: تستحقر
- بِمُعۡجِزِينَ: فائتين الله بالهرب
- يُغۡوِيَكُمۡ: يضلكم
- فَعَلَيَّ إِجۡرَامِي: عقاب ذنبي
- فَلَا تَبۡتَئِسۡ: فلا تحزن
- بِأَعۡيُنِنَا: بحفظنا وكلاءتنا

مدّ ٦ حركات لزوماً — مدّ ٢ أو ٤ أو ٦ جوازاً — إخفاء، ومواقع الغُنَّة (حركتان) — تفـ
مدّ واجب ٤ أو ٥ حركات — مدّ حركتان — إدغام، وما لا يُلفظ — قلقـ

وَيَصۡنَعُ ٱلۡفُلۡكَ وَكُلَّمَا مَرَّ عَلَيۡهِ مَلَأٞ مِّن قَوۡمِهِۦ سَخِرُواْ
مِنۡهُۚ قَالَ إِن تَسۡخَرُواْ مِنَّا فَإِنَّا نَسۡخَرُ مِنكُمۡ كَمَا تَسۡخَرُونَ ﴿٣٨﴾
فَسَوۡفَ تَعۡلَمُونَ مَن يَأۡتِيهِ عَذَابٞ يُخۡزِيهِ وَيَحِلُّ عَلَيۡهِ عَذَابٞ
مُّقِيمٌ ﴿٣٩﴾ حَتَّىٰٓ إِذَا جَآءَ أَمۡرُنَا وَفَارَ ٱلتَّنُّورُ قُلۡنَا ٱحۡمِلۡ فِيهَا
مِن كُلّٖ زَوۡجَيۡنِ ٱثۡنَيۡنِ وَأَهۡلَكَ إِلَّا مَن سَبَقَ عَلَيۡهِ ٱلۡقَوۡلُ
وَمَنۡ ءَامَنَۚ وَمَآ ءَامَنَ مَعَهُۥٓ إِلَّا قَلِيلٞ ﴿٤٠﴾ ۞ وَقَالَ ٱرۡكَبُواْ
فِيهَا بِسۡمِ ٱللَّهِ مَجۡرٜىٰهَا وَمُرۡسَىٰهَآۚ إِنَّ رَبِّي لَغَفُورٞ رَّحِيمٞ ﴿٤١﴾ وَهِيَ
تَجۡرِي بِهِمۡ فِي مَوۡجٖ كَٱلۡجِبَالِ وَنَادَىٰ نُوحٌ ٱبۡنَهُۥ وَكَانَ
فِي مَعۡزِلٖ يَٰبُنَيَّ ٱرۡكَب مَّعَنَا وَلَا تَكُن مَّعَ ٱلۡكَٰفِرِينَ ﴿٤٢﴾
قَالَ سَـَٔاوِيٓ إِلَىٰ جَبَلٖ يَعۡصِمُنِي مِنَ ٱلۡمَآءِۚ قَالَ لَا عَاصِمَ
ٱلۡيَوۡمَ مِنۡ أَمۡرِ ٱللَّهِ إِلَّا مَن رَّحِمَۚ وَحَالَ بَيۡنَهُمَا ٱلۡمَوۡجُ فَكَانَ
مِنَ ٱلۡمُغۡرَقِينَ ﴿٤٣﴾ وَقِيلَ يَٰٓأَرۡضُ ٱبۡلَعِي مَآءَكِ وَيَٰسَمَآءُ
أَقۡلِعِي وَغِيضَ ٱلۡمَآءُ وَقُضِيَ ٱلۡأَمۡرُ وَٱسۡتَوَتۡ عَلَى ٱلۡجُودِيِّۖ وَقِيلَ
بُعۡدٗا لِّلۡقَوۡمِ ٱلظَّٰلِمِينَ ﴿٤٤﴾ وَنَادَىٰ نُوحٞ رَّبَّهُۥ فَقَالَ رَبِّ إِنَّ
ٱبۡنِي مِنۡ أَهۡلِي وَإِنَّ وَعۡدَكَ ٱلۡحَقُّ وَأَنتَ أَحۡكَمُ ٱلۡحَٰكِمِينَ ﴿٤٥﴾

هود

نصف الحزب ٢٣

إمالة الألف إلى الياء

- يَحِلُّ: يجبُ
- ٱلتَّنُّورُ: تَنُّورُ الخبزِ المَعْرُوفُ
- مَجۡرٜىٰهَا: وقتَ إجْرائِها
- مُرۡسَىٰهَآ: وقت إرسائِها
- سَـَٔاوِيٓ: سألتجئُ
- أَقۡلِعِي: أمْسِكِي عن إنْزالِ المَطَرِ
- غِيضَ ٱلۡمَآءُ: نَقَصَ وذَهَبَ في الأرْضِ
- ٱلۡجُودِيِّ: جَبَلٍ بالمَوْصِلِ
- بُعۡدٗا: هَلاكاً

| | | |
|---|---|---|
| مدّ ٦ حركات لزوماً ● مدّ ٢ أو ٤ أو ٦ جوازاً | ● إخفاء ، ومواقع الغُنَّة (حركتان) | ● تفخيم |
| مدّ واجب ٤ أو ٥ حركات ● مدّ حركتان | ● إدغام ، وما لا يُلفَظ | ● قلقلة |

قَالَ يَٰنُوحُ إِنَّهُۥ لَيۡسَ مِنۡ أَهۡلِكَۖ إِنَّهُۥ عَمَلٌ غَيۡرُ صَٰلِحٖۖ فَلَا تَسۡـَٔلۡنِ
مَا لَيۡسَ لَكَ بِهِۦ عِلۡمٌۖ إِنِّيٓ أَعِظُكَ أَن تَكُونَ مِنَ ٱلۡجَٰهِلِينَ ﴿٤٦﴾
قَالَ رَبِّ إِنِّيٓ أَعُوذُ بِكَ أَنۡ أَسۡـَٔلَكَ مَا لَيۡسَ لِي بِهِۦ عِلۡمٞۖ وَإِلَّا
تَغۡفِرۡ لِي وَتَرۡحَمۡنِيٓ أَكُن مِّنَ ٱلۡخَٰسِرِينَ ﴿٤٧﴾ قِيلَ يَٰنُوحُ
ٱهۡبِطۡ بِسَلَٰمٖ مِّنَّا وَبَرَكَٰتٍ عَلَيۡكَ وَعَلَىٰٓ أُمَمٖ مِّمَّن مَّعَكَۚ
وَأُمَمٞ سَنُمَتِّعُهُمۡ ثُمَّ يَمَسُّهُم مِّنَّا عَذَابٌ أَلِيمٞ ﴿٤٨﴾ تِلۡكَ
مِنۡ أَنۢبَآءِ ٱلۡغَيۡبِ نُوحِيهَآ إِلَيۡكَۖ مَا كُنتَ تَعۡلَمُهَآ أَنتَ وَلَا قَوۡمُكَ
مِن قَبۡلِ هَٰذَاۖ فَٱصۡبِرۡۖ إِنَّ ٱلۡعَٰقِبَةَ لِلۡمُتَّقِينَ ﴿٤٩﴾ وَإِلَىٰ عَادٍ
أَخَاهُمۡ هُودٗاۚ قَالَ يَٰقَوۡمِ ٱعۡبُدُواْ ٱللَّهَ مَا لَكُم مِّنۡ إِلَٰهٍ
غَيۡرُهُۥٓۖ إِنۡ أَنتُمۡ إِلَّا مُفۡتَرُونَ ﴿٥٠﴾ يَٰقَوۡمِ لَآ أَسۡـَٔلُكُمۡ عَلَيۡهِ
أَجۡرًاۖ إِنۡ أَجۡرِيَ إِلَّا عَلَى ٱلَّذِي فَطَرَنِيٓۚ أَفَلَا تَعۡقِلُونَ ﴿٥١﴾
وَيَٰقَوۡمِ ٱسۡتَغۡفِرُواْ رَبَّكُمۡ ثُمَّ تُوبُوٓاْ إِلَيۡهِ يُرۡسِلِ ٱلسَّمَآءَ
عَلَيۡكُم مِّدۡرَارٗا وَيَزِدۡكُمۡ قُوَّةً إِلَىٰ قُوَّتِكُمۡ وَلَا تَتَوَلَّوۡاْ
مُجۡرِمِينَ ﴿٥٢﴾ قَالُواْ يَٰهُودُ مَا جِئۡتَنَا بِبَيِّنَةٖ وَمَا نَحۡنُ
بِتَارِكِيٓ ءَالِهَتِنَا عَن قَوۡلِكَ وَمَا نَحۡنُ لَكَ بِمُؤۡمِنِينَ ﴿٥٣﴾

- بَرَكَٰتٍ: خيرات ناميات
- فَطَرَنِيٓ: خلقني وأبدعني
- مِّدۡرَارٗا: غزيراً متتابعاً

مدّ ٦ حركات لزوماً | مدّ ٢ أو ٤ أو ٦ جوازاً | إخفاء، ومواقع الغُنَّة (حركتان) | تف
مدّ واجب ٤ أو ٥ حركات | مدّ حركتان | إدغام، وما لا يُلفَظ | قلق

إِن نَّقُولُ إِلَّا ٱعْتَرَىٰكَ بَعْضُ ءَالِهَتِنَا بِسُوٓءٍۗ قَالَ إِنِّىٓ أُشْهِدُ ٱللَّهَ
وَٱشْهَدُوٓاْ أَنِّى بَرِىٓءٌ مِّمَّا تُشْرِكُونَ ﴿٥٤﴾ مِن دُونِهِۦۖ فَكِيدُونِى
جَمِيعًا ثُمَّ لَا تُنظِرُونِ ﴿٥٥﴾ إِنِّى تَوَكَّلْتُ عَلَى ٱللَّهِ رَبِّى وَرَبِّكُمۚ مَّا
مِن دَآبَّةٍ إِلَّا هُوَ ءَاخِذٌۢ بِنَاصِيَتِهَآۚ إِنَّ رَبِّى عَلَىٰ صِرَٰطٍ مُّسْتَقِيمٍ
﴿٥٦﴾ فَإِن تَوَلَّوْاْ فَقَدْ أَبْلَغْتُكُم مَّآ أُرْسِلْتُ بِهِۦٓ إِلَيْكُمْۚ وَيَسْتَخْلِفُ
رَبِّى قَوْمًا غَيْرَكُمْ وَلَا تَضُرُّونَهُۥ شَيْـًٔاۚ إِنَّ رَبِّى عَلَىٰ كُلِّ شَىْءٍ حَفِيظٌ
﴿٥٧﴾ وَلَمَّا جَآءَ أَمْرُنَا نَجَّيْنَا هُودًا وَٱلَّذِينَ ءَامَنُواْ مَعَهُۥ بِرَحْمَةٍ
مِّنَّا وَنَجَّيْنَٰهُم مِّنْ عَذَابٍ غَلِيظٍ ﴿٥٨﴾ وَتِلْكَ عَادٌۖ جَحَدُواْ بِـَٔايَٰتِ
رَبِّهِمْ وَعَصَوْاْ رُسُلَهُۥ وَٱتَّبَعُوٓاْ أَمْرَ كُلِّ جَبَّارٍ عَنِيدٍ ﴿٥٩﴾ وَأُتْبِعُواْ
فِى هَٰذِهِ ٱلدُّنْيَا لَعْنَةً وَيَوْمَ ٱلْقِيَٰمَةِۗ أَلَآ إِنَّ عَادًا كَفَرُواْ رَبَّهُمْۗ أَلَا
بُعْدًا لِّعَادٍ قَوْمِ هُودٍ ﴿٦٠﴾ ۞ وَإِلَىٰ ثَمُودَ أَخَاهُمْ صَٰلِحًاۚ قَالَ
يَٰقَوْمِ ٱعْبُدُواْ ٱللَّهَ مَا لَكُم مِّنْ إِلَٰهٍ غَيْرُهُۥۖ هُوَ أَنشَأَكُم مِّنَ ٱلْأَرْضِ
وَٱسْتَعْمَرَكُمْ فِيهَا فَٱسْتَغْفِرُوهُ ثُمَّ تُوبُوٓاْ إِلَيْهِۚ إِنَّ رَبِّى قَرِيبٌ مُّجِيبٌ
﴿٦١﴾ قَالُواْ يَٰصَٰلِحُ قَدْ كُنتَ فِينَا مَرْجُوًّا قَبْلَ هَٰذَآۖ أَتَنْهَىٰنَآ أَن
نَّعْبُدَ مَا يَعْبُدُ ءَابَآؤُنَا وَإِنَّنَا لَفِى شَكٍّ مِّمَّا تَدْعُونَآ إِلَيْهِ مُرِيبٍ ﴿٦٢﴾

ٱعْتَرَىٰكَ: أصابك
لَا تُنظِرُونِ: لا تُمهلون
ءَاخِذٌۢ بِنَاصِيَتِهَآ: مالكها وقادر عليها
غَلِيظٍ: شديد مضاعف
جَبَّارٍ: متعاظم متكبر
عَنِيدٍ: معاند للحق مجانب له
بُعْدًا: هلاكًا
مُرِيبٍ: موقع في الرِّيبة والقلق

هود

ثلاثة أرباع الحزب ٢٣

مدّ ٦ حركات لزومًا — مدّ ٢ أو ٤ أو ٦ جوازًا — إخفاء، ومواقع الغُنَّة (حركتان) — تفخيم
مدّ واجب ٤ أو ٥ حركات — مدّ حركتان — إدغام، وما لا يُلفَظ — قلقلة

قَالَ يَٰقَوۡمِ أَرَءَيۡتُمۡ إِن كُنتُ عَلَىٰ بَيِّنَةٖ مِّن رَّبِّي وَءَاتَىٰنِي
مِنۡهُ رَحۡمَةٗ فَمَن يَنصُرُنِي مِنَ ٱللَّهِ إِنۡ عَصَيۡتُهُۥۖ فَمَا تَزِيدُونَنِي
غَيۡرَ تَخۡسِيرٖ ﴿٦٣﴾ وَيَٰقَوۡمِ هَٰذِهِۦ نَاقَةُ ٱللَّهِ لَكُمۡ ءَايَةٗۖ
فَذَرُوهَا تَأۡكُلۡ فِيٓ أَرۡضِ ٱللَّهِۖ وَلَا تَمَسُّوهَا بِسُوٓءٖ فَيَأۡخُذَكُمۡ
عَذَابٞ قَرِيبٞ ﴿٦٤﴾ فَعَقَرُوهَا فَقَالَ تَمَتَّعُواْ فِي دَارِكُمۡ
ثَلَٰثَةَ أَيَّامٖۖ ذَٰلِكَ وَعۡدٌ غَيۡرُ مَكۡذُوبٖ ﴿٦٥﴾ فَلَمَّا جَآءَ
أَمۡرُنَا نَجَّيۡنَا صَٰلِحٗا وَٱلَّذِينَ ءَامَنُواْ مَعَهُۥ بِرَحۡمَةٖ مِّنَّا
وَمِنۡ خِزۡيِ يَوۡمِئِذٍۚ إِنَّ رَبَّكَ هُوَ ٱلۡقَوِيُّ ٱلۡعَزِيزُ ﴿٦٦﴾ وَأَخَذَ
ٱلَّذِينَ ظَلَمُواْ ٱلصَّيۡحَةُ فَأَصۡبَحُواْ فِي دِيَٰرِهِمۡ جَٰثِمِينَ
﴿٦٧﴾ كَأَن لَّمۡ يَغۡنَوۡاْ فِيهَآۗ أَلَآ إِنَّ ثَمُودَاْ كَفَرُواْ رَبَّهُمۡۗ أَلَا بُعۡدٗا
لِّثَمُودَ ﴿٦٨﴾ وَلَقَدۡ جَآءَتۡ رُسُلُنَآ إِبۡرَٰهِيمَ بِٱلۡبُشۡرَىٰ قَالُواْ
سَلَٰمٗاۖ قَالَ سَلَٰمٞۖ فَمَا لَبِثَ أَن جَآءَ بِعِجۡلٍ حَنِيذٖ ﴿٦٩﴾ فَلَمَّا
رَءَآ أَيۡدِيَهُمۡ لَا تَصِلُ إِلَيۡهِ نَكِرَهُمۡ وَأَوۡجَسَ مِنۡهُمۡ خِيفَةٗۚ
قَالُواْ لَا تَخَفۡ إِنَّآ أُرۡسِلۡنَآ إِلَىٰ قَوۡمِ لُوطٖ ﴿٧٠﴾ وَٱمۡرَأَتُهُۥ قَآئِمَةٞ
فَضَحِكَتۡ فَبَشَّرۡنَٰهَا بِإِسۡحَٰقَ وَمِن وَرَآءِ إِسۡحَٰقَ يَعۡقُوبَ ﴿٧١﴾

- أَرَءَيۡتُمۡ: أخبِروني
- تَخۡسِيرٖ: خُسْرانٍ إنْ عَصَيْتُه
- ءَايَةٗ: معجزة دالّة على نُبوّتي
- ٱلصَّيۡحَةُ: صوتٌ من السماءِ مُهلِكٌ
- جَٰثِمِينَ: ميّتين قُعوداً
- لَّمۡ يَغۡنَوۡاْ: لَمْ يُقيموا طويلاً في رَغَد
- بِعِجۡلٍ حَنِيذٖ: مَشْويٍّ على الحجارة المحماة في حُفْرَة
- نَكِرَهُمۡ: أنكرَهم ونَفَرَ منهم
- أَوۡجَسَ مِنۡهُمۡ: أحسَّ في قلبِه منهم
- خِيفَةٗ: خَوْفاً

قَالَتْ يَٰوَيْلَتَىٰٓ ءَأَلِدُ وَأَنَا۠ عَجُوزٌ وَهَٰذَا بَعْلِى شَيْخًا ۖ إِنَّ هَٰذَا
لَشَىْءٌ عَجِيبٌ ﴿٧٢﴾ قَالُوٓا۟ أَتَعْجَبِينَ مِنْ أَمْرِ ٱللَّهِ ۖ رَحْمَتُ ٱللَّهِ
وَبَرَكَٰتُهُۥ عَلَيْكُمْ أَهْلَ ٱلْبَيْتِ ۚ إِنَّهُۥ حَمِيدٌ مَّجِيدٌ ﴿٧٣﴾ فَلَمَّا ذَهَبَ
عَنْ إِبْرَٰهِيمَ ٱلرَّوْعُ وَجَآءَتْهُ ٱلْبُشْرَىٰ يُجَٰدِلُنَا فِى قَوْمِ لُوطٍ ﴿٧٤﴾
إِنَّ إِبْرَٰهِيمَ لَحَلِيمٌ أَوَّٰهٌ مُّنِيبٌ ﴿٧٥﴾ يَٰٓإِبْرَٰهِيمُ أَعْرِضْ عَنْ هَٰذَآ ۖ إِنَّهُۥ
قَدْ جَآءَ أَمْرُ رَبِّكَ ۖ وَإِنَّهُمْ ءَاتِيهِمْ عَذَابٌ غَيْرُ مَرْدُودٍ ﴿٧٦﴾ وَلَمَّا
جَآءَتْ رُسُلُنَا لُوطًا سِىٓءَ بِهِمْ وَضَاقَ بِهِمْ ذَرْعًا وَقَالَ هَٰذَا
يَوْمٌ عَصِيبٌ ﴿٧٧﴾ وَجَآءَهُۥ قَوْمُهُۥ يُهْرَعُونَ إِلَيْهِ وَمِن قَبْلُ كَانُوا۟
يَعْمَلُونَ ٱلسَّيِّـَٔاتِ ۚ قَالَ يَٰقَوْمِ هَٰٓؤُلَآءِ بَنَاتِى هُنَّ أَطْهَرُ لَكُمْ ۖ
فَٱتَّقُوا۟ ٱللَّهَ وَلَا تُخْزُونِ فِى ضَيْفِىٓ ۖ أَلَيْسَ مِنكُمْ رَجُلٌ رَّشِيدٌ
﴿٧٨﴾ قَالُوا۟ لَقَدْ عَلِمْتَ مَا لَنَا فِى بَنَاتِكَ مِنْ حَقٍّ وَإِنَّكَ لَتَعْلَمُ مَا نُرِيدُ
﴿٧٩﴾ قَالَ لَوْ أَنَّ لِى بِكُمْ قُوَّةً أَوْ ءَاوِىٓ إِلَىٰ رُكْنٍ شَدِيدٍ ﴿٨٠﴾ قَالُوا۟
يَٰلُوطُ إِنَّا رُسُلُ رَبِّكَ لَن يَصِلُوٓا۟ إِلَيْكَ ۖ فَأَسْرِ بِأَهْلِكَ بِقِطْعٍ
مِّنَ ٱلَّيْلِ وَلَا يَلْتَفِتْ مِنكُمْ أَحَدٌ إِلَّا ٱمْرَأَتَكَ ۖ إِنَّهُۥ مُصِيبُهَا
مَآ أَصَابَهُمْ ۚ إِنَّ مَوْعِدَهُمُ ٱلصُّبْحُ ۚ أَلَيْسَ ٱلصُّبْحُ بِقَرِيبٍ ﴿٨١﴾

هود

- مَجِيدٌ: كثيرُ الخير والإحسانِ
- ٱلرَّوْعُ: الخَوْفُ والفَزَعُ
- أَوَّٰهٌ: كثيرُ التأوُّهِ من خوفِ الله
- مُّنِيبٌ: رَاجِعٌ إلى الله
- سِىٓءَ بِهِمْ: نَالَتْهُ المساءةُ بمَجيئهِمْ
- ذَرْعًا: طاقَةً وَوُسْعاً
- عَصِيبٌ: شَدِيدٌ شَرُّهُ
- يُهْرَعُونَ إِلَيْهِ: يُسُوقُ بعضُهم بعضاً إليه
- حَقٍّ: حاجَةٍ وأَرَبٍ
- ءَاوِىٓ: أنْضَمُّ . أو أستَنِدُ
- بِقِطْعٍ: بطائِفَةٍ

فَلَمَّا جَآءَ أَمۡرُنَا جَعَلۡنَا عَٰلِيَهَا سَافِلَهَا وَأَمۡطَرۡنَا عَلَيۡهَا
حِجَارَةٗ مِّن سِجِّيلٖ مَّنضُودٖ ﴿٨٢﴾ مُّسَوَّمَةً عِندَ رَبِّكَۖ
وَمَا هِيَ مِنَ ٱلظَّٰلِمِينَ بِبَعِيدٖ ﴿٨٣﴾ ۞ وَإِلَىٰ مَدۡيَنَ أَخَاهُمۡ
شُعَيۡبٗاۚ قَالَ يَٰقَوۡمِ ٱعۡبُدُواْ ٱللَّهَ مَا لَكُم مِّنۡ إِلَٰهٍ غَيۡرُهُۥۖ
وَلَا تَنقُصُواْ ٱلۡمِكۡيَالَ وَٱلۡمِيزَانَۚ إِنِّيٓ أَرَىٰكُم بِخَيۡرٖ
وَإِنِّيٓ أَخَافُ عَلَيۡكُمۡ عَذَابَ يَوۡمٖ مُّحِيطٖ ﴿٨٤﴾ وَيَٰقَوۡمِ
أَوۡفُواْ ٱلۡمِكۡيَالَ وَٱلۡمِيزَانَ بِٱلۡقِسۡطِۖ وَلَا تَبۡخَسُواْ
ٱلنَّاسَ أَشۡيَآءَهُمۡ وَلَا تَعۡثَوۡاْ فِي ٱلۡأَرۡضِ مُفۡسِدِينَ ﴿٨٥﴾
بَقِيَّتُ ٱللَّهِ خَيۡرٞ لَّكُمۡ إِن كُنتُم مُّؤۡمِنِينَۚ وَمَآ أَنَا۠ عَلَيۡكُم
بِحَفِيظٖ ﴿٨٦﴾ قَالُواْ يَٰشُعَيۡبُ أَصَلَوٰتُكَ تَأۡمُرُكَ أَن
نَّتۡرُكَ مَا يَعۡبُدُ ءَابَآؤُنَآ أَوۡ أَن نَّفۡعَلَ فِيٓ أَمۡوَٰلِنَا مَا نَشَٰٓؤُاْۖ
إِنَّكَ لَأَنتَ ٱلۡحَلِيمُ ٱلرَّشِيدُ ﴿٨٧﴾ قَالَ يَٰقَوۡمِ أَرَءَيۡتُمۡ إِن
كُنتُ عَلَىٰ بَيِّنَةٖ مِّن رَّبِّي وَرَزَقَنِي مِنۡهُ رِزۡقًا حَسَنٗاۚ وَمَآ أُرِيدُ أَنۡ
أُخَالِفَكُمۡ إِلَىٰ مَآ أَنۡهَىٰكُمۡ عَنۡهُۚ إِنۡ أُرِيدُ إِلَّا ٱلۡإِصۡلَٰحَ
مَا ٱسۡتَطَعۡتُۚ وَمَا تَوۡفِيقِيٓ إِلَّا بِٱللَّهِۚ عَلَيۡهِ تَوَكَّلۡتُ وَإِلَيۡهِ أُنِيبُ ﴿٨٨﴾

الحزب ٢٤

- سِجِّيلٖ: طِين طُبخ بالنار
- مَّنضُودٖ: مُتتابع في الإرسالِ
- مُّسَوَّمَةً: مُعلَّمة للعذاب
- يَوۡمٖ مُّحِيطٖ: مُهلِك
- لَا تَبۡخَسُواْ: لا تَنقُصوا
- لَا تَعۡثَوۡاْ: لا تُفسِدوا أشدَّ الإفسادِ
- بَقِيَّتُ ٱللَّهِ: ما أبقاهُ لكُم من الحلالِ
- أَرَءَيۡتُمۡ: أخبِروني

وَيَٰقَوْمِ لَا يَجْرِمَنَّكُمْ شِقَاقِيٓ أَن يُصِيبَكُم مِّثْلُ مَآ أَصَابَ
قَوْمَ نُوحٍ أَوْ قَوْمَ هُودٍ أَوْ قَوْمَ صَٰلِحٖۚ وَمَا قَوْمُ لُوطٖ مِّنكُم
بِبَعِيدٖ ﴿٨٩﴾ وَٱسْتَغْفِرُواْ رَبَّكُمْ ثُمَّ تُوبُوٓاْ إِلَيْهِۚ إِنَّ رَبِّي
رَحِيمٞ وَدُودٞ ﴿٩٠﴾ قَالُواْ يَٰشُعَيْبُ مَا نَفْقَهُ كَثِيرٗا مِّمَّا تَقُولُ
وَإِنَّا لَنَرَىٰكَ فِينَا ضَعِيفٗاۖ وَلَوْلَا رَهْطُكَ لَرَجَمْنَٰكَۖ وَمَآ أَنتَ
عَلَيْنَا بِعَزِيزٖ ﴿٩١﴾ قَالَ يَٰقَوْمِ أَرَهْطِيٓ أَعَزُّ عَلَيْكُم مِّنَ
ٱللَّهِ وَٱتَّخَذْتُمُوهُ وَرَآءَكُمْ ظِهْرِيًّاۖ إِنَّ رَبِّي بِمَا تَعْمَلُونَ
مُحِيطٞ ﴿٩٢﴾ وَيَٰقَوْمِ ٱعْمَلُواْ عَلَىٰ مَكَانَتِكُمْ إِنِّي عَٰمِلٞۖ
سَوْفَ تَعْلَمُونَ مَن يَأْتِيهِ عَذَابٞ يُخْزِيهِ وَمَنْ هُوَ
كَٰذِبٞۖ وَٱرْتَقِبُوٓاْ إِنِّي مَعَكُمْ رَقِيبٞ ﴿٩٣﴾ وَلَمَّا جَآءَ
أَمْرُنَا نَجَّيْنَا شُعَيْبٗا وَٱلَّذِينَ ءَامَنُواْ مَعَهُۥ بِرَحْمَةٖ مِّنَّا وَأَخَذَتِ
ٱلَّذِينَ ظَلَمُواْ ٱلصَّيْحَةُ فَأَصْبَحُواْ فِي دِيَٰرِهِمْ جَٰثِمِينَ ﴿٩٤﴾
كَأَن لَّمْ يَغْنَوْاْ فِيهَآۗ أَلَا بُعْدٗا لِّمَدْيَنَ كَمَا بَعِدَتْ ثَمُودُ ﴿٩٥﴾ وَلَقَدْ
أَرْسَلْنَا مُوسَىٰ بِـَٔايَٰتِنَا وَسُلْطَٰنٖ مُّبِينٍ ﴿٩٦﴾ إِلَىٰ فِرْعَوْنَ
وَمَلَإِيْهِۦ فَٱتَّبَعُوٓاْ أَمْرَ فِرْعَوْنَۖ وَمَآ أَمْرُ فِرْعَوْنَ بِرَشِيدٖ ﴿٩٧﴾

- لَا يَجْرِمَنَّكُمْ: لا يَكسِبنّكُم
- رَهْطُكَ: جماعتُك وعشيرتُك
- وَرَآءَكُمْ ظِهْرِيًّا: منبوذاً وراء ظهورِكم
- مَكَانَتِكُمْ: غايَة تمكّنِكُم من أمرِكم
- ٱرْتَقِبُوٓاْ: انتظِروا
- ٱلصَّيْحَةُ: صوتٌ من السّماءِ مُهلِكٌ
- جَٰثِمِينَ: ميّتينَ قُعوداً
- لَّمْ يَغْنَوْاْ: لم يُقيمُوا طويلاً في رغَدٍ
- بُعْدٗا: هَلاكاً
- بَعِدَتْ: هلَكتْ

هود

| مدّ ٦ حركات لزوماً | مدّ ٢ أو ٤ أو ٦ جوازاً | إخفاء، ومواقع الغُنّة (حركتان) | تفخيم |
| --- | --- | --- | --- |
| مدّ واجب ٤ أو ٥ حركات | مدّ حركتان | إدغام، وما لا يُلفظ | قلقلة |

يَقْدُمُ قَوْمَهُۥ يَوْمَ ٱلْقِيَـٰمَةِ فَأَوْرَدَهُمُ ٱلنَّارَ ۖ وَبِئْسَ ٱلْوِرْدُ
ٱلْمَوْرُودُ ﴿٩٨﴾ وَأُتْبِعُوا۟ فِى هَـٰذِهِۦ لَعْنَةً وَيَوْمَ ٱلْقِيَـٰمَةِ ۚ بِئْسَ
ٱلرِّفْدُ ٱلْمَرْفُودُ ﴿٩٩﴾ ذَٰلِكَ مِنْ أَنۢبَآءِ ٱلْقُرَىٰ نَقُصُّهُۥ عَلَيْكَ ۖ
مِنْهَا قَآئِمٌ وَحَصِيدٌ ﴿١٠٠﴾ وَمَا ظَلَمْنَـٰهُمْ وَلَـٰكِن ظَلَمُوٓا۟
أَنفُسَهُمْ ۖ فَمَآ أَغْنَتْ عَنْهُمْ ءَالِهَتُهُمُ ٱلَّتِى يَدْعُونَ مِن دُونِ
ٱللَّهِ مِن شَىْءٍ لَّمَّا جَآءَ أَمْرُ رَبِّكَ ۖ وَمَا زَادُوهُمْ غَيْرَ تَتْبِيبٍ ﴿١٠١﴾
وَكَذَٰلِكَ أَخْذُ رَبِّكَ إِذَآ أَخَذَ ٱلْقُرَىٰ وَهِىَ ظَـٰلِمَةٌ ۚ إِنَّ أَخْذَهُۥٓ
أَلِيمٌ شَدِيدٌ ﴿١٠٢﴾ إِنَّ فِى ذَٰلِكَ لَـَٔايَةً لِّمَنْ خَافَ عَذَابَ ٱلْـَٔاخِرَةِ ۚ
ذَٰلِكَ يَوْمٌ مَّجْمُوعٌ لَّهُ ٱلنَّاسُ وَذَٰلِكَ يَوْمٌ مَّشْهُودٌ ﴿١٠٣﴾ وَمَا
نُؤَخِّرُهُۥٓ إِلَّا لِأَجَلٍ مَّعْدُودٍ ﴿١٠٤﴾ يَوْمَ يَأْتِ لَا تَكَلَّمُ نَفْسٌ
إِلَّا بِإِذْنِهِۦ ۚ فَمِنْهُمْ شَقِىٌّ وَسَعِيدٌ ﴿١٠٥﴾ فَأَمَّا ٱلَّذِينَ شَقُوا۟ فَفِى
ٱلنَّارِ لَهُمْ فِيهَا زَفِيرٌ وَشَهِيقٌ ﴿١٠٦﴾ خَـٰلِدِينَ فِيهَا مَا دَامَتِ
ٱلسَّمَـٰوَٰتُ وَٱلْأَرْضُ إِلَّا مَا شَآءَ رَبُّكَ ۚ إِنَّ رَبَّكَ فَعَّالٌ لِّمَا يُرِيدُ ﴿١٠٧﴾
۞ وَأَمَّا ٱلَّذِينَ سُعِدُوا۟ فَفِى ٱلْجَنَّةِ خَـٰلِدِينَ فِيهَا مَا دَامَتِ
ٱلسَّمَـٰوَٰتُ وَٱلْأَرْضُ إِلَّا مَا شَآءَ رَبُّكَ ۖ عَطَآءً غَيْرَ مَجْذُوذٍ ﴿١٠٨﴾

- يَقْدُمُ قَوْمَهُ: يتقدّمهم
- ٱلرِّفْدُ ٱلْمَرْفُودُ: العطاءُ المعطى لهم
- حَصِيدٌ: عافي الأثر ؛ كالزرع المحصود
- غَيْرَ تَتْبِيبٍ: غيرَ تخسيرٍ وإهلاكٍ
- زَفِيرٌ: إخراجُ النَّفَسِ من الصدْرِ
- شَهِيقٌ: ردُّ النَّفَس إلى الصدْرِ
- غَيْرَ مَجْذُوذٍ: غيرَ مقطوعٍ

ربع الحزب ٢٤

مدّ ٦ حركات لزوماً | مدّ ٢ أو ٤ أو ٦ جوازاً | إخفاء ، ومواقع الغُنَّة (حركتان) | تفـ
مدّ واجب ٤ أو ٥ حركات | مدّ حركتان | إدغام ، وما لا يُلفَظ | قلق

فَلَا تَكُ فِى مِرْيَةٍ مِّمَّا يَعْبُدُ هَٰٓؤُلَآءِ ۚ مَا يَعْبُدُونَ إِلَّا كَمَا يَعْبُدُ
ءَابَآؤُهُم مِّن قَبْلُ ۚ وَإِنَّا لَمُوَفُّوهُمْ نَصِيبَهُمْ غَيْرَ مَنقُوصٍ ﴿١٠٩﴾
وَلَقَدْ ءَاتَيْنَا مُوسَى ٱلْكِتَٰبَ فَٱخْتُلِفَ فِيهِ ۚ وَلَوْلَا كَلِمَةٌ
سَبَقَتْ مِن رَّبِّكَ لَقُضِىَ بَيْنَهُمْ ۚ وَإِنَّهُمْ لَفِى شَكٍّ مِّنْهُ مُرِيبٍ
﴿١١٠﴾ وَإِنَّ كُلًّا لَّمَّا لَيُوَفِّيَنَّهُمْ رَبُّكَ أَعْمَٰلَهُمْ ۚ إِنَّهُۥ بِمَا يَعْمَلُونَ
خَبِيرٌ ﴿١١١﴾ فَٱسْتَقِمْ كَمَآ أُمِرْتَ وَمَن تَابَ مَعَكَ وَلَا تَطْغَوْا۟ ۚ
إِنَّهُۥ بِمَا تَعْمَلُونَ بَصِيرٌ ﴿١١٢﴾ وَلَا تَرْكَنُوٓا۟ إِلَى ٱلَّذِينَ ظَلَمُوا۟
فَتَمَسَّكُمُ ٱلنَّارُ وَمَا لَكُم مِّن دُونِ ٱللَّهِ مِنْ أَوْلِيَآءَ ثُمَّ
لَا تُنصَرُونَ ﴿١١٣﴾ وَأَقِمِ ٱلصَّلَوٰةَ طَرَفَىِ ٱلنَّهَارِ وَزُلَفًا مِّنَ
ٱلَّيْلِ ۚ إِنَّ ٱلْحَسَنَٰتِ يُذْهِبْنَ ٱلسَّيِّـَٔاتِ ۚ ذَٰلِكَ ذِكْرَىٰ لِلذَّٰكِرِينَ
﴿١١٤﴾ وَٱصْبِرْ فَإِنَّ ٱللَّهَ لَا يُضِيعُ أَجْرَ ٱلْمُحْسِنِينَ ﴿١١٥﴾ فَلَوْلَا
كَانَ مِنَ ٱلْقُرُونِ مِن قَبْلِكُمْ أُو۟لُوا۟ بَقِيَّةٍ يَنْهَوْنَ عَنِ ٱلْفَسَادِ
فِى ٱلْأَرْضِ إِلَّا قَلِيلًا مِّمَّنْ أَنجَيْنَا مِنْهُمْ ۗ وَٱتَّبَعَ ٱلَّذِينَ
ظَلَمُوا۟ مَآ أُتْرِفُوا۟ فِيهِ وَكَانُوا۟ مُجْرِمِينَ ﴿١١٦﴾ وَمَا كَانَ
رَبُّكَ لِيُهْلِكَ ٱلْقُرَىٰ بِظُلْمٍ وَأَهْلُهَا مُصْلِحُونَ ﴿١١٧﴾

هود

- لَا تَطْغَوْا۟: لا تجاوزوا ما حُدَّ لكُم
- لَا تَرْكَنُوٓا۟: لا تَميلُوا
- زُلَفًا: ساعاتٍ
- ٱلْقُرُونِ: الأممِ
- أُو۟لُوا۟ بَقِيَّةٍ: أصْحابُ فَضْلٍ وخيرٍ
- أُتْرِفُوا۟: أُنعِمُوا

| | | |
|---|---|---|
| مدّ ٦ حركات لزوماً ● مدّ ٢ أو ٤ أو ٦ جوازاً | ● إخفاء ، ومواقع الغُنَّة (حركتان) | ● تفخيم |
| مدّ واجب ٤ أو ٥ حركات ● مدّ حركتان | ● إدغام ، وما لا يُلفَظ | ● قلقلة |

وَلَوْ شَآءَ رَبُّكَ لَجَعَلَ ٱلنَّاسَ أُمَّةً وَٰحِدَةً ۖ وَلَا يَزَالُونَ مُخْتَلِفِينَ
﴿١١٨﴾ إِلَّا مَن رَّحِمَ رَبُّكَ ۚ وَلِذَٰلِكَ خَلَقَهُمْ ۗ وَتَمَّتْ كَلِمَةُ رَبِّكَ
لَأَمْلَأَنَّ جَهَنَّمَ مِنَ ٱلْجِنَّةِ وَٱلنَّاسِ أَجْمَعِينَ ﴿١١٩﴾ وَكُلًّا نَّقُصُّ
عَلَيْكَ مِنْ أَنۢبَآءِ ٱلرُّسُلِ مَا نُثَبِّتُ بِهِۦ فُؤَادَكَ ۚ وَجَآءَكَ فِى هَٰذِهِ
ٱلْحَقُّ وَمَوْعِظَةٌ وَذِكْرَىٰ لِلْمُؤْمِنِينَ ﴿١٢٠﴾ وَقُل لِّلَّذِينَ لَا يُؤْمِنُونَ
ٱعْمَلُوا۟ عَلَىٰ مَكَانَتِكُمْ إِنَّا عَٰمِلُونَ ﴿١٢١﴾ وَٱنتَظِرُوٓا۟ إِنَّا مُنتَظِرُونَ
﴿١٢٢﴾ وَلِلَّهِ غَيْبُ ٱلسَّمَٰوَٰتِ وَٱلْأَرْضِ وَإِلَيْهِ يُرْجَعُ ٱلْأَمْرُ كُلُّهُۥ
فَٱعْبُدْهُ وَتَوَكَّلْ عَلَيْهِ ۚ وَمَا رَبُّكَ بِغَٰفِلٍ عَمَّا تَعْمَلُونَ ﴿١٢٣﴾

## سُورَةُ يُوسُفَ

ترتيبها ١٢ — آياتها ١١١

بِسْمِ ٱللَّهِ ٱلرَّحْمَٰنِ ٱلرَّحِيمِ

الٓر ۚ تِلْكَ ءَايَٰتُ ٱلْكِتَٰبِ ٱلْمُبِينِ ﴿١﴾ إِنَّآ أَنزَلْنَٰهُ قُرْءَٰنًا عَرَبِيًّا
لَّعَلَّكُمْ تَعْقِلُونَ ﴿٢﴾ نَحْنُ نَقُصُّ عَلَيْكَ أَحْسَنَ ٱلْقَصَصِ
بِمَآ أَوْحَيْنَآ إِلَيْكَ هَٰذَا ٱلْقُرْءَانَ وَإِن كُنتَ مِن قَبْلِهِۦ
لَمِنَ ٱلْغَٰفِلِينَ ﴿٣﴾ إِذْ قَالَ يُوسُفُ لِأَبِيهِ يَٰٓأَبَتِ إِنِّى رَأَيْتُ
أَحَدَ عَشَرَ كَوْكَبًا وَٱلشَّمْسَ وَٱلْقَمَرَ رَأَيْتُهُمْ لِى سَٰجِدِينَ ﴿٤﴾

▪ مَكَانَتِكُمْ: غاية تمكُّنكم من أمركم

▪ نَقُصُّ عَلَيْكَ: نُحدِّثك أو نُبيِّن لك

مدّ ٦ حركات لزوماً — مدّ ٢ أو ٤ أو ٦ جوازاً — إخفاء، ومواقع الغُنَّة (حركتان) — تفـ
مدّ واجب ٤ أو ٥ حركات — مدّ حركتان — إدغام، وما لا يُلفَظ — قلـ

قَالَ يَٰبُنَيَّ لَا تَقۡصُصۡ رُءۡيَاكَ عَلَىٰٓ إِخۡوَتِكَ فَيَكِيدُواْ لَكَ كَيۡدًاۖ
إِنَّ ٱلشَّيۡطَٰنَ لِلۡإِنسَٰنِ عَدُوّٞ مُّبِينٞ ٥ وَكَذَٰلِكَ يَجۡتَبِيكَ
رَبُّكَ وَيُعَلِّمُكَ مِن تَأۡوِيلِ ٱلۡأَحَادِيثِ وَيُتِمُّ نِعۡمَتَهُۥ عَلَيۡكَ
وَعَلَىٰٓ ءَالِ يَعۡقُوبَ كَمَآ أَتَمَّهَا عَلَىٰٓ أَبَوَيۡكَ مِن قَبۡلُ إِبۡرَٰهِيمَ وَإِسۡحَٰقَۚ
إِنَّ رَبَّكَ عَلِيمٌ حَكِيمٞ ٦ ۞ لَّقَدۡ كَانَ فِي يُوسُفَ وَإِخۡوَتِهِۦٓ
ءَايَٰتٞ لِّلسَّآئِلِينَ ٧ إِذۡ قَالُواْ لَيُوسُفُ وَأَخُوهُ أَحَبُّ إِلَىٰٓ
أَبِينَا مِنَّا وَنَحۡنُ عُصۡبَةٌ إِنَّ أَبَانَا لَفِي ضَلَٰلٖ مُّبِينٍ ٨ ٱقۡتُلُواْ
يُوسُفَ أَوِ ٱطۡرَحُوهُ أَرۡضٗا يَخۡلُ لَكُمۡ وَجۡهُ أَبِيكُمۡ وَتَكُونُواْ مِنۢ
بَعۡدِهِۦ قَوۡمٗا صَٰلِحِينَ ٩ قَالَ قَآئِلٞ مِّنۡهُمۡ لَا تَقۡتُلُواْ يُوسُفَ
وَأَلۡقُوهُ فِي غَيَٰبَتِ ٱلۡجُبِّ يَلۡتَقِطۡهُ بَعۡضُ ٱلسَّيَّارَةِ إِن كُنتُمۡ
فَٰعِلِينَ ١٠ قَالُواْ يَٰٓأَبَانَا مَا لَكَ لَا تَأۡمَ۫نَّا عَلَىٰ يُوسُفَ وَإِنَّا لَهُۥ
لَنَٰصِحُونَ ١١ أَرۡسِلۡهُ مَعَنَا غَدٗا يَرۡتَعۡ وَيَلۡعَبۡ وَإِنَّا لَهُۥ
لَحَٰفِظُونَ ١٢ قَالَ إِنِّي لَيَحۡزُنُنِيٓ أَن تَذۡهَبُواْ بِهِۦ وَأَخَافُ
أَن يَأۡكُلَهُ ٱلذِّئۡبُ وَأَنتُمۡ عَنۡهُ غَٰفِلُونَ ١٣ قَالُواْ لَئِنۡ
أَكَلَهُ ٱلذِّئۡبُ وَنَحۡنُ عُصۡبَةٌ إِنَّآ إِذٗا لَّخَٰسِرُونَ ١٤

نصف الحزب ٢٤

يوسف

يجب الإشمام أو الرَّوْم

- يَجۡتَبِيكَ: يَصطفيكَ لأمورٍ عِظامٍ
- تَأۡوِيلِ ٱلۡأَحَادِيثِ: تعبير الرؤيا
- عُصۡبَةٌ: جماعةٌ كُفاةٌ
- ضَلَٰلٖ: خطأ في صرفِ محبّته إليه
- ٱطۡرَحُوهُ أَرۡضٗا: ألقوه في أرضٍ بعيدةٍ
- يَخۡلُ لَكُمۡ: يَخلُصْ لكمْ
- غَيَٰبَتِ ٱلۡجُبِّ: ما أظلَمَ مِن قَعْرِ البِئرِ
- ٱلسَّيَّارَةِ: المسافِرين
- يَرۡتَعۡ: يَتوسَّعْ في الملاذّ
- يَلۡعَبۡ: يُسابِقْ بالسهام

| | | |
|---|---|---|
| مدّ ٦ حركات لزوماً ● مدّ ٢ أو ٤ أو ٦ جوازاً | ● إخفاء، ومواقع الغُنَّة (حركتان) | ● تفخيم |
| مدّ واجب ٤ أو ٥ حركات ● مدّ حركتان | ● إدغام، وما لا يُلفَظ | ● قلقلة |

فَلَمَّا ذَهَبُوا۟ بِهِۦ وَأَجْمَعُوٓا۟ أَن يَجْعَلُوهُ فِى غَيَٰبَتِ ٱلْجُبِّ ۚ وَأَوْحَيْنَآ
إِلَيْهِ لَتُنَبِّئَنَّهُم بِأَمْرِهِمْ هَٰذَا وَهُمْ لَا يَشْعُرُونَ ﴿١٥﴾ وَجَآءُوٓ
أَبَاهُمْ عِشَآءً يَبْكُونَ ﴿١٦﴾ قَالُوا۟ يَٰٓأَبَانَآ إِنَّا ذَهَبْنَا نَسْتَبِقُ
وَتَرَكْنَا يُوسُفَ عِندَ مَتَٰعِنَا فَأَكَلَهُ ٱلذِّئْبُ ۖ وَمَآ أَنتَ
بِمُؤْمِنٍ لَّنَا وَلَوْ كُنَّا صَٰدِقِينَ ﴿١٧﴾ وَجَآءُو عَلَىٰ قَمِيصِهِۦ
بِدَمٍ كَذِبٍ ۚ قَالَ بَلْ سَوَّلَتْ لَكُمْ أَنفُسُكُمْ أَمْرًا ۖ فَصَبْرٌ جَمِيلٌ ۖ
وَٱللَّهُ ٱلْمُسْتَعَانُ عَلَىٰ مَا تَصِفُونَ ﴿١٨﴾ وَجَآءَتْ سَيَّارَةٌ فَأَرْسَلُوا۟
وَارِدَهُمْ فَأَدْلَىٰ دَلْوَهُۥ ۖ قَالَ يَٰبُشْرَىٰ هَٰذَا غُلَٰمٌ ۚ وَأَسَرُّوهُ بِضَٰعَةً ۚ
وَٱللَّهُ عَلِيمٌۢ بِمَا يَعْمَلُونَ ﴿١٩﴾ وَشَرَوْهُ بِثَمَنٍۭ بَخْسٍ
دَرَٰهِمَ مَعْدُودَةٍ وَكَانُوا۟ فِيهِ مِنَ ٱلزَّٰهِدِينَ ﴿٢٠﴾ وَقَالَ
ٱلَّذِى ٱشْتَرَىٰهُ مِن مِّصْرَ لِٱمْرَأَتِهِۦٓ أَكْرِمِى مَثْوَىٰهُ عَسَىٰٓ
أَن يَنفَعَنَآ أَوْ نَتَّخِذَهُۥ وَلَدًا ۚ وَكَذَٰلِكَ مَكَّنَّا لِيُوسُفَ فِى
ٱلْأَرْضِ وَلِنُعَلِّمَهُۥ مِن تَأْوِيلِ ٱلْأَحَادِيثِ ۚ وَٱللَّهُ غَالِبٌ عَلَىٰٓ
أَمْرِهِۦ وَلَٰكِنَّ أَكْثَرَ ٱلنَّاسِ لَا يَعْلَمُونَ ﴿٢١﴾ وَلَمَّا بَلَغَ
أَشُدَّهُۥٓ ءَاتَيْنَٰهُ حُكْمًا وَعِلْمًا ۚ وَكَذَٰلِكَ نَجْزِى ٱلْمُحْسِنِينَ ﴿٢٢﴾

- أَجْمَعُوٓا۟: عَزَمُوا وَصَمَّمُوا
- نَسْتَبِقُ: نتسابق في الرَّمْي بالسِّهام
- سَوَّلَتْ: زَيَّنَتْ أو سَهَّلَتْ
- وَارِدَهُمْ: مَنْ يَتَقَدَّمُهُمْ لِيَسْتَقِيَ لهم
- فَأَدْلَىٰ دَلْوَهُۥ: أرْسَلَها في الجُبّ ليملأها
- أَسَرُّوهُ: أخْفَوهُ عن بقية الرُّفقة
- بِضَٰعَةً: مَتاعاً للتِّجارة
- شَرَوْهُ: باعُوهُ
- بَخْسٍ: مَنْقُوصٍ نُقْصَاناً ظاهراً
- أَكْرِمِى مَثْوَىٰهُ: اجعلي محلَّ إقامته كريماً
- غَالِبٌ عَلَىٰٓ أَمْرِهِۦ: لا يقهرُه شيء، ولا يدفعه عنه أحدٌ
- أَشُدَّهُۥٓ: مُنْتَهى شِدَّتِهِ وقوته

وَرَٰوَدَتۡهُ ٱلَّتِي هُوَ فِي بَيۡتِهَا عَن نَّفۡسِهِۦ وَغَلَّقَتِ ٱلۡأَبۡوَٰبَ
وَقَالَتۡ هَيۡتَ لَكَۚ قَالَ مَعَاذَ ٱللَّهِۖ إِنَّهُۥ رَبِّيٓ أَحۡسَنَ مَثۡوَايَۖ
إِنَّهُۥ لَا يُفۡلِحُ ٱلظَّٰلِمُونَ ﴿٢٣﴾ وَلَقَدۡ هَمَّتۡ بِهِۦۖ وَهَمَّ بِهَا
لَوۡلَآ أَن رَّءَا بُرۡهَٰنَ رَبِّهِۦۚ كَذَٰلِكَ لِنَصۡرِفَ عَنۡهُ ٱلسُّوٓءَ
وَٱلۡفَحۡشَآءَۚ إِنَّهُۥ مِنۡ عِبَادِنَا ٱلۡمُخۡلَصِينَ ﴿٢٤﴾ وَٱسۡتَبَقَا
ٱلۡبَابَ وَقَدَّتۡ قَمِيصَهُۥ مِن دُبُرٖ وَأَلۡفَيَا سَيِّدَهَا لَدَا ٱلۡبَابِۚ
قَالَتۡ مَا جَزَآءُ مَنۡ أَرَادَ بِأَهۡلِكَ سُوٓءًا إِلَّآ أَن يُسۡجَنَ أَوۡ عَذَابٌ
أَلِيمٞ ﴿٢٥﴾ قَالَ هِيَ رَٰوَدَتۡنِي عَن نَّفۡسِيۚ وَشَهِدَ شَاهِدٞ مِّنۡ
أَهۡلِهَآ إِن كَانَ قَمِيصُهُۥ قُدَّ مِن قُبُلٖ فَصَدَقَتۡ وَهُوَ مِنَ
ٱلۡكَٰذِبِينَ ﴿٢٦﴾ وَإِن كَانَ قَمِيصُهُۥ قُدَّ مِن دُبُرٖ فَكَذَبَتۡ وَهُوَ
مِنَ ٱلصَّٰدِقِينَ ﴿٢٧﴾ فَلَمَّا رَءَا قَمِيصَهُۥ قُدَّ مِن دُبُرٖ قَالَ إِنَّهُۥ
مِن كَيۡدِكُنَّۖ إِنَّ كَيۡدَكُنَّ عَظِيمٞ ﴿٢٨﴾ يُوسُفُ أَعۡرِضۡ عَنۡ
هَٰذَاۚ وَٱسۡتَغۡفِرِي لِذَنۢبِكِۖ إِنَّكِ كُنتِ مِنَ ٱلۡخَاطِـِٔينَ ﴿٢٩﴾
۞ وَقَالَ نِسۡوَةٞ فِي ٱلۡمَدِينَةِ ٱمۡرَأَتُ ٱلۡعَزِيزِ تُرَٰوِدُ فَتَىٰهَا
عَن نَّفۡسِهِۦۖ قَدۡ شَغَفَهَا حُبًّاۖ إِنَّا لَنَرَىٰهَا فِي ضَلَٰلٖ مُّبِينٖ ﴿٣٠﴾

رَٰوَدَتۡهُ: تَمَحَّلَتۡ لِمُوَاقَعَتِهِ إِيَّاهَا
هَيۡتَ لَكَ: أَسۡرِعۡ وَأَقۡبِلۡ
مَعَاذَ ٱللَّهِ: أَعُوذُ بِاللهِ مَعَاذاً
ٱلۡمُخۡلَصِينَ: المختارين لطاعتنا
قَدَّتۡ قَمِيصَهُ: قطَعَتۡهُ وَشَقَّتۡهُ
أَلۡفَيَا: وَجَدَا
شَغَفَهَا حُبًّا: خَرَقَ حُبُّهُ سُوَيۡدَاء قَلۡبِهَا

يوسف

| | | |
|---|---|---|
| مدّ ٦ حركات لزوماً ● مدّ ٢ أو ٤ أو ٦ جوازاً | ● إخفاء ، ومواقع الغُنَّة (حركتان) | ● تفخيم |
| مدّ واجب ٤ أو ٥ حركات ● مدّ حركتان | ● إدغام ، وما لا يُلفظ | ● قلقلة |

فَلَمَّا سَمِعَتْ بِمَكْرِهِنَّ أَرْسَلَتْ إِلَيْهِنَّ وَأَعْتَدَتْ لَهُنَّ مُتَّكَـًٔا وَءَاتَتْ
كُلَّ وَٰحِدَةٍ مِّنْهُنَّ سِكِّينًا وَقَالَتِ ٱخْرُجْ عَلَيْهِنَّ ۖ فَلَمَّا رَأَيْنَهُۥٓ أَكْبَرْنَهُۥ
وَقَطَّعْنَ أَيْدِيَهُنَّ وَقُلْنَ حَٰشَ لِلَّهِ مَا هَٰذَا بَشَرًا إِنْ هَٰذَآ إِلَّا مَلَكٌ
كَرِيمٌ ﴿٣١﴾ قَالَتْ فَذَٰلِكُنَّ ٱلَّذِى لُمْتُنَّنِى فِيهِ ۖ وَلَقَدْ رَٰوَدتُّهُۥ عَن
نَّفْسِهِۦ فَٱسْتَعْصَمَ ۖ وَلَئِن لَّمْ يَفْعَلْ مَآ ءَامُرُهُۥ لَيُسْجَنَنَّ وَلَيَكُونًا
مِّنَ ٱلصَّٰغِرِينَ ﴿٣٢﴾ قَالَ رَبِّ ٱلسِّجْنُ أَحَبُّ إِلَىَّ مِمَّا يَدْعُونَنِىٓ
إِلَيْهِ ۖ وَإِلَّا تَصْرِفْ عَنِّى كَيْدَهُنَّ أَصْبُ إِلَيْهِنَّ وَأَكُن مِّنَ ٱلْجَٰهِلِينَ
﴿٣٣﴾ فَٱسْتَجَابَ لَهُۥ رَبُّهُۥ فَصَرَفَ عَنْهُ كَيْدَهُنَّ ۚ إِنَّهُۥ هُوَ ٱلسَّمِيعُ
ٱلْعَلِيمُ ﴿٣٤﴾ ثُمَّ بَدَا لَهُم مِّنۢ بَعْدِ مَا رَأَوُا۟ ٱلْءَايَٰتِ لَيَسْجُنُنَّهُۥ
حَتَّىٰ حِينٍ ﴿٣٥﴾ وَدَخَلَ مَعَهُ ٱلسِّجْنَ فَتَيَانِ ۖ قَالَ أَحَدُهُمَآ
إِنِّىٓ أَرَىٰنِىٓ أَعْصِرُ خَمْرًا ۖ وَقَالَ ٱلْءَاخَرُ إِنِّىٓ أَرَىٰنِىٓ أَحْمِلُ فَوْقَ
رَأْسِى خُبْزًا تَأْكُلُ ٱلطَّيْرُ مِنْهُ ۖ نَبِّئْنَا بِتَأْوِيلِهِۦٓ ۖ إِنَّا نَرَىٰكَ مِنَ
ٱلْمُحْسِنِينَ ﴿٣٦﴾ قَالَ لَا يَأْتِيكُمَا طَعَامٌ تُرْزَقَانِهِۦٓ إِلَّا نَبَّأْتُكُمَا
بِتَأْوِيلِهِۦ قَبْلَ أَن يَأْتِيَكُمَا ۚ ذَٰلِكُمَا مِمَّا عَلَّمَنِى رَبِّىٓ ۚ إِنِّى تَرَكْتُ
مِلَّةَ قَوْمٍ لَّا يُؤْمِنُونَ بِٱللَّهِ وَهُم بِٱلْءَاخِرَةِ هُمْ كَٰفِرُونَ ﴿٣٧﴾

- مُتَّكَـًٔا: وَسائِدَ يَتَّكِئنَ عَلَيْها
- أَكْبَرْنَهُۥ: دَهِشْنَ برؤية جمالِه الفائق
- قَطَّعْنَ أَيْدِيَهُنَّ: خَدَشْنَها
- حَٰشَ لِلَّهِ: تنزيهاً لله
- فَٱسْتَعْصَمَ: امْتَنَعَ امتناعاً شَديداً
- أَصْبُ إِلَيْهِنَّ: أَمِلْ إلى إجابتِهنَّ
- خَمْرًا: عِنباً يَؤُول إلى خَمْرٍ

مدّ ٦ حركات لزوماً ● مدّ ٢ أو ٤ أو ٦ جوازاً ● إخفاء، ومواقع الغُنَّة (حركتان) ● تفخ...
مدّ واجب ٤ أو ٥ حركات ● مدّ حركتان ● إدغام، وما لا يُلفظ ● قلقلة

وَٱتَّبَعۡتُ مِلَّةَ ءَابَآءِيٓ إِبۡرَٰهِيمَ وَإِسۡحَٰقَ وَيَعۡقُوبَۚ مَا كَانَ
لَنَآ أَن نُّشۡرِكَ بِٱللَّهِ مِن شَيۡءٖۚ ذَٰلِكَ مِن فَضۡلِ ٱللَّهِ عَلَيۡنَا وَعَلَى
ٱلنَّاسِ وَلَٰكِنَّ أَكۡثَرَ ٱلنَّاسِ لَا يَشۡكُرُونَ ﴿٣٨﴾ يَٰصَٰحِبَيِ
ٱلسِّجۡنِ ءَأَرۡبَابٞ مُّتَفَرِّقُونَ خَيۡرٌ أَمِ ٱللَّهُ ٱلۡوَٰحِدُ ٱلۡقَهَّارُ
﴿٣٩﴾ مَا تَعۡبُدُونَ مِن دُونِهِۦٓ إِلَّآ أَسۡمَآءٗ سَمَّيۡتُمُوهَآ أَنتُمۡ
وَءَابَآؤُكُم مَّآ أَنزَلَ ٱللَّهُ بِهَا مِن سُلۡطَٰنٍۚ إِنِ ٱلۡحُكۡمُ إِلَّا لِلَّهِۚ
أَمَرَ أَلَّا تَعۡبُدُوٓاْ إِلَّآ إِيَّاهُۚ ذَٰلِكَ ٱلدِّينُ ٱلۡقَيِّمُ وَلَٰكِنَّ أَكۡثَرَ
ٱلنَّاسِ لَا يَعۡلَمُونَ ﴿٤٠﴾ يَٰصَٰحِبَيِ ٱلسِّجۡنِ أَمَّآ أَحَدُكُمَا
فَيَسۡقِي رَبَّهُۥ خَمۡرٗاۖ وَأَمَّا ٱلۡأٓخَرُ فَيُصۡلَبُ فَتَأۡكُلُ ٱلطَّيۡرُ
مِن رَّأۡسِهِۦۚ قُضِيَ ٱلۡأَمۡرُ ٱلَّذِي فِيهِ تَسۡتَفۡتِيَانِ ﴿٤١﴾ وَقَالَ لِلَّذِي
ظَنَّ أَنَّهُۥ نَاجٖ مِّنۡهُمَا ٱذۡكُرۡنِي عِندَ رَبِّكَ فَأَنسَىٰهُ
ٱلشَّيۡطَٰنُ ذِكۡرَ رَبِّهِۦ فَلَبِثَ فِي ٱلسِّجۡنِ بِضۡعَ سِنِينَ
﴿٤٢﴾ وَقَالَ ٱلۡمَلِكُ إِنِّيٓ أَرَىٰ سَبۡعَ بَقَرَٰتٖ سِمَانٖ يَأۡكُلُهُنَّ
سَبۡعٌ عِجَافٞ وَسَبۡعَ سُنۢبُلَٰتٍ خُضۡرٖ وَأُخَرَ يَابِسَٰتٖۖ
يَٰٓأَيُّهَا ٱلۡمَلَأُ أَفۡتُونِي فِي رُءۡيَٰيَ إِن كُنتُمۡ لِلرُّءۡيَا تَعۡبُرُونَ ﴿٤٣﴾

يوسف

- ٱلۡقَيِّمُ: المستقيمُ . أو الثابتُ بالبراهين
- عِجَافٌ: مهازيلُ جدّاً
- تَعۡبُرُونَ: تعلمونَ تأويلَها

مدّ ٦ حركات لزوماً ● مدّ ٢ أو ٤ أو ٦ جوازاً ● مدّ واجب ٤ أو ٥ حركات ● مدّ حركتان ● إخفاء ، ومواقع الغُنَّة (حركتان) ● إدغام ، وما لا يُلفظ ● تفخيم ● قلقلة

قَالُوٓاْ أَضۡغَٰثُ أَحۡلَٰمٖۖ وَمَا نَحۡنُ بِتَأۡوِيلِ ٱلۡأَحۡلَٰمِ بِعَٰلِمِينَ ﴿٤٤﴾
وَقَالَ ٱلَّذِي نَجَا مِنۡهُمَا وَٱدَّكَرَ بَعۡدَ أُمَّةٍ أَنَا۠ أُنَبِّئُكُم بِتَأۡوِيلِهِۦ
فَأَرۡسِلُونِ ﴿٤٥﴾ يُوسُفُ أَيُّهَا ٱلصِّدِّيقُ أَفۡتِنَا فِي سَبۡعِ بَقَرَٰتٖ
سِمَانٖ يَأۡكُلُهُنَّ سَبۡعٌ عِجَافٞ وَسَبۡعِ سُنۢبُلَٰتٍ خُضۡرٖ
وَأُخَرَ يَابِسَٰتٖ لَّعَلِّيٓ أَرۡجِعُ إِلَى ٱلنَّاسِ لَعَلَّهُمۡ يَعۡلَمُونَ ﴿٤٦﴾ قَالَ
تَزۡرَعُونَ سَبۡعَ سِنِينَ دَأَبٗا فَمَا حَصَدتُّمۡ فَذَرُوهُ فِي سُنۢبُلِهِۦٓ إِلَّا
قَلِيلٗا مِّمَّا تَأۡكُلُونَ ﴿٤٧﴾ ثُمَّ يَأۡتِي مِنۢ بَعۡدِ ذَٰلِكَ سَبۡعٞ شِدَادٞ يَأۡكُلۡنَ
مَا قَدَّمۡتُمۡ لَهُنَّ إِلَّا قَلِيلٗا مِّمَّا تُحۡصِنُونَ ﴿٤٨﴾ ثُمَّ يَأۡتِي مِنۢ بَعۡدِ ذَٰلِكَ
عَامٞ فِيهِ يُغَاثُ ٱلنَّاسُ وَفِيهِ يَعۡصِرُونَ ﴿٤٩﴾ وَقَالَ ٱلۡمَلِكُ ٱئۡتُونِي
بِهِۦۖ فَلَمَّا جَآءَهُ ٱلرَّسُولُ قَالَ ٱرۡجِعۡ إِلَىٰ رَبِّكَ فَسۡـَٔلۡهُ مَا بَالُ
ٱلنِّسۡوَةِ ٱلَّٰتِي قَطَّعۡنَ أَيۡدِيَهُنَّۚ إِنَّ رَبِّي بِكَيۡدِهِنَّ عَلِيمٞ ﴿٥٠﴾ قَالَ
مَا خَطۡبُكُنَّ إِذۡ رَٰوَدتُّنَّ يُوسُفَ عَن نَّفۡسِهِۦۚ قُلۡنَ حَٰشَ لِلَّهِ
مَا عَلِمۡنَا عَلَيۡهِ مِن سُوٓءٖۚ قَالَتِ ٱمۡرَأَتُ ٱلۡعَزِيزِ ٱلۡـَٰٔنَ حَصۡحَصَ
ٱلۡحَقُّ أَنَا۠ رَٰوَدتُّهُۥ عَن نَّفۡسِهِۦ وَإِنَّهُۥ لَمِنَ ٱلصَّٰدِقِينَ ﴿٥١﴾ ذَٰلِكَ
لِيَعۡلَمَ أَنِّي لَمۡ أَخُنۡهُ بِٱلۡغَيۡبِ وَأَنَّ ٱللَّهَ لَا يَهۡدِي كَيۡدَ ٱلۡخَآئِنِينَ ﴿٥٢﴾

- أَضۡغَٰثُ أَحۡلَٰمٖ: تخاليطها وأباطيلها
- ٱدَّكَرَ: تذكّر
- بَعۡدَ أُمَّةٍ: بعد مدة طويلة
- دَأَبٗا: دائبين كعادتكم في الزراعة
- تُحۡصِنُونَ: تخبئونه من البذر للزراعة
- يُغَاثُ ٱلنَّاسُ: يُمطرون فتخصب أراضيهم
- يَعۡصِرُونَ: ما شأنه أن يُعصر؛ كالزيتون
- مَا بَالُ ٱلنِّسۡوَةِ: ما حالهنّ
- مَا خَطۡبُكُنَّ: ما شأنكنّ
- حَٰشَ لِلَّهِ: تنزيهاً لله
- حَصۡحَصَ ٱلۡحَقُّ: ظهر وانكشف بعد خفاء

﴿ وَمَآ أُبَرِّئُ نَفۡسِيٓۚ إِنَّ ٱلنَّفۡسَ لَأَمَّارَةُۢ بِٱلسُّوٓءِ إِلَّا مَا رَحِمَ
رَبِّيٓۚ إِنَّ رَبِّي غَفُورٞ رَّحِيمٞ ﴿٥٣﴾ وَقَالَ ٱلۡمَلِكُ ٱئۡتُونِي بِهِۦٓ أَسۡتَخۡلِصۡهُ
لِنَفۡسِيۖ فَلَمَّا كَلَّمَهُۥ قَالَ إِنَّكَ ٱلۡيَوۡمَ لَدَيۡنَا مَكِينٌ أَمِينٞ ﴿٥٤﴾ قَالَ
ٱجۡعَلۡنِي عَلَىٰ خَزَآئِنِ ٱلۡأَرۡضِۖ إِنِّي حَفِيظٌ عَلِيمٞ ﴿٥٥﴾ وَكَذَٰلِكَ
مَكَّنَّا لِيُوسُفَ فِي ٱلۡأَرۡضِ يَتَبَوَّأُ مِنۡهَا حَيۡثُ يَشَآءُۚ نُصِيبُ
بِرَحۡمَتِنَا مَن نَّشَآءُۖ وَلَا نُضِيعُ أَجۡرَ ٱلۡمُحۡسِنِينَ ﴿٥٦﴾ وَلَأَجۡرُ
ٱلۡأٓخِرَةِ خَيۡرٞ لِّلَّذِينَ ءَامَنُواْ وَكَانُواْ يَتَّقُونَ ﴿٥٧﴾ وَجَآءَ إِخۡوَةُ
يُوسُفَ فَدَخَلُواْ عَلَيۡهِ فَعَرَفَهُمۡ وَهُمۡ لَهُۥ مُنكِرُونَ ﴿٥٨﴾ وَلَمَّا
جَهَّزَهُم بِجَهَازِهِمۡ قَالَ ٱئۡتُونِي بِأَخٖ لَّكُم مِّنۡ أَبِيكُمۡۚ أَلَا تَرَوۡنَ
أَنِّيٓ أُوفِي ٱلۡكَيۡلَ وَأَنَا۠ خَيۡرُ ٱلۡمُنزِلِينَ ﴿٥٩﴾ فَإِن لَّمۡ تَأۡتُونِي بِهِۦ فَلَا
كَيۡلَ لَكُمۡ عِندِي وَلَا تَقۡرَبُونِ ﴿٦٠﴾ قَالُواْ سَنُرَٰوِدُ عَنۡهُ أَبَاهُ
وَإِنَّا لَفَٰعِلُونَ ﴿٦١﴾ وَقَالَ لِفِتۡيَٰنِهِ ٱجۡعَلُواْ بِضَٰعَتَهُمۡ فِي رِحَالِهِمۡ
لَعَلَّهُمۡ يَعۡرِفُونَهَآ إِذَا ٱنقَلَبُوٓاْ إِلَىٰٓ أَهۡلِهِمۡ لَعَلَّهُمۡ يَرۡجِعُونَ
﴿٦٢﴾ فَلَمَّا رَجَعُوٓاْ إِلَىٰٓ أَبِيهِمۡ قَالُواْ يَٰٓأَبَانَا مُنِعَ مِنَّا ٱلۡكَيۡلُ
فَأَرۡسِلۡ مَعَنَآ أَخَانَا نَكۡتَلۡ وَإِنَّا لَهُۥ لَحَٰفِظُونَ ﴿٦٣﴾

- مَكِينٌ: ذو مكانة رفيعة
- يَتَبَوَّأُ مِنۡهَا: يتّخذ منها منزلاً
- جَهَّزَهُم بِجَهَازِهِمۡ: أعطاهم ما قدِموا لأجله
- بِضَٰعَتَهُمۡ: ثمن ما اشتروْه من الطعام
- رِحَالِهِمۡ: أوعيتهم التي فيها الطعامُ

| | | |
|---|---|---|
| مدّ ٦ حركات لزوماً ● مدّ ٢ أو ٤ أو ٦ جوازاً | ● إخفاء ، ومواقع الغُنَّة (حركتان) | ● تفخيم |
| مدّ واجب ٤ أو ٥ حركات ● مدّ حركتان | ● إدغام ، وما لا يُلفَظ | ● قلقلة |

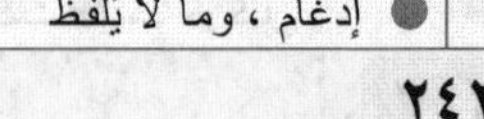

قَالَ هَلْ ءَامَنُكُمْ عَلَيْهِ إِلَّا كَمَآ أَمِنتُكُمْ عَلَىٰٓ أَخِيهِ مِن
قَبْلُ فَٱللَّهُ خَيْرٌ حَٰفِظًا وَهُوَ أَرْحَمُ ٱلرَّٰحِمِينَ ﴿٦٤﴾ وَلَمَّا فَتَحُوا۟
مَتَٰعَهُمْ وَجَدُوا۟ بِضَٰعَتَهُمْ رُدَّتْ إِلَيْهِمْ قَالُوا۟ يَٰٓأَبَانَا
مَا نَبْغِى هَٰذِهِۦ بِضَٰعَتُنَا رُدَّتْ إِلَيْنَا وَنَمِيرُ أَهْلَنَا وَنَحْفَظُ
أَخَانَا وَنَزْدَادُ كَيْلَ بَعِيرٍ ذَٰلِكَ كَيْلٌ يَسِيرٌ ﴿٦٥﴾ قَالَ لَنْ
أُرْسِلَهُۥ مَعَكُمْ حَتَّىٰ تُؤْتُونِ مَوْثِقًا مِّنَ ٱللَّهِ لَتَأْتُنَّنِى بِهِۦٓ إِلَّآ
أَن يُحَاطَ بِكُمْ فَلَمَّآ ءَاتَوْهُ مَوْثِقَهُمْ قَالَ ٱللَّهُ عَلَىٰ مَا نَقُولُ وَكِيلٌ
﴿٦٦﴾ وَقَالَ يَٰبَنِىَّ لَا تَدْخُلُوا۟ مِنۢ بَابٍ وَٰحِدٍ وَٱدْخُلُوا۟ مِنْ أَبْوَٰبٍ
مُّتَفَرِّقَةٍ وَمَآ أُغْنِى عَنكُم مِّنَ ٱللَّهِ مِن شَىْءٍ إِنِ ٱلْحُكْمُ إِلَّا
لِلَّهِ عَلَيْهِ تَوَكَّلْتُ وَعَلَيْهِ فَلْيَتَوَكَّلِ ٱلْمُتَوَكِّلُونَ ﴿٦٧﴾ وَلَمَّا
دَخَلُوا۟ مِنْ حَيْثُ أَمَرَهُمْ أَبُوهُم مَّا كَانَ يُغْنِى عَنْهُم
مِّنَ ٱللَّهِ مِن شَىْءٍ إِلَّا حَاجَةً فِى نَفْسِ يَعْقُوبَ قَضَىٰهَا وَإِنَّهُۥ
لَذُو عِلْمٍ لِّمَا عَلَّمْنَٰهُ وَلَٰكِنَّ أَكْثَرَ ٱلنَّاسِ لَا يَعْلَمُونَ
﴿٦٨﴾ وَلَمَّا دَخَلُوا۟ عَلَىٰ يُوسُفَ ءَاوَىٰٓ إِلَيْهِ أَخَاهُ قَالَ
إِنِّىٓ أَنَا۠ أَخُوكَ فَلَا تَبْتَئِسْ بِمَا كَانُوا۟ يَعْمَلُونَ ﴿٦٩﴾

- مَتَٰعَهُمْ: طعامَهم . أو رحالَهم
- مَا نَبْغِى: ما نطلبُ من الإحسانِ بعد ذلك
- نَمِيرُ أَهْلَنَا: نَجْلبُ لهُمُ الطَّعامَ من مِصْرَ
- مَوْثِقًا: عَهْداً مُؤكّداً باليَمِينِ
- يُحَاطَ بِكُمْ: تَهْلِكوا جميعاً
- وَكِيلٌ: مطّلعٌ رقيبٌ
- ءَاوَىٰٓ إِلَيْهِ أَخَاهُ: ضَمَّ إليه أخاهُ
- فَلَا تَبْتَئِسْ: فلا تَحْزَنْ

مدّ ٦ حركات لزوماً • مدّ ٢ أو ٤ أو ٦ جوازاً • إخفاء ، ومواقع الغنّة (حركتان) • تفخ…
مدّ واجب ٤ أو ٥ حركات • مدّ حركتان • إدغام ، وما لا يُلفظ • قلقل…

فَلَمَّا جَهَّزَهُم بِجَهَازِهِمْ جَعَلَ ٱلسِّقَايَةَ فِى رَحْلِ أَخِيهِ ثُمَّ
أَذَّنَ مُؤَذِّنٌ أَيَّتُهَا ٱلْعِيرُ إِنَّكُمْ لَسَٰرِقُونَ ﴿٧٠﴾ قَالُوا۟ وَأَقْبَلُوا۟
عَلَيْهِم مَّاذَا تَفْقِدُونَ ﴿٧١﴾ قَالُوا۟ نَفْقِدُ صُوَاعَ ٱلْمَلِكِ
وَلِمَن جَآءَ بِهِۦ حِمْلُ بَعِيرٍ وَأَنَا۠ بِهِۦ زَعِيمٌ ﴿٧٢﴾ قَالُوا۟ تَٱللَّهِ
لَقَدْ عَلِمْتُم مَّا جِئْنَا لِنُفْسِدَ فِى ٱلْأَرْضِ وَمَا كُنَّا سَٰرِقِينَ
﴿٧٣﴾ قَالُوا۟ فَمَا جَزَٰٓؤُهُۥٓ إِن كُنتُمْ كَٰذِبِينَ ﴿٧٤﴾ قَالُوا۟ جَزَٰٓؤُهُۥ
مَن وُجِدَ فِى رَحْلِهِۦ فَهُوَ جَزَٰٓؤُهُۥ ۚ كَذَٰلِكَ نَجْزِى ٱلظَّٰلِمِينَ
﴿٧٥﴾ فَبَدَأَ بِأَوْعِيَتِهِمْ قَبْلَ وِعَآءِ أَخِيهِ ثُمَّ ٱسْتَخْرَجَهَا مِن
وِعَآءِ أَخِيهِ ۚ كَذَٰلِكَ كِدْنَا لِيُوسُفَ ۖ مَا كَانَ لِيَأْخُذَ أَخَاهُ
فِى دِينِ ٱلْمَلِكِ إِلَّآ أَن يَشَآءَ ٱللَّهُ ۚ نَرْفَعُ دَرَجَٰتٍ مَّن نَّشَآءُ ۗ
وَفَوْقَ كُلِّ ذِى عِلْمٍ عَلِيمٌ ﴿٧٦﴾ ۞ قَالُوٓا۟ إِن يَسْرِقْ
فَقَدْ سَرَقَ أَخٌ لَّهُۥ مِن قَبْلُ ۚ فَأَسَرَّهَا يُوسُفُ فِى نَفْسِهِۦ
وَلَمْ يُبْدِهَا لَهُمْ ۚ قَالَ أَنتُمْ شَرٌّ مَّكَانًا ۖ وَٱللَّهُ أَعْلَمُ بِمَا
تَصِفُونَ ﴿٧٧﴾ قَالُوا۟ يَٰٓأَيُّهَا ٱلْعَزِيزُ إِنَّ لَهُۥٓ أَبًا شَيْخًا كَبِيرًا
فَخُذْ أَحَدَنَا مَكَانَهُۥٓ ۖ إِنَّا نَرَىٰكَ مِنَ ٱلْمُحْسِنِينَ ﴿٧٨﴾

- ٱلسِّقَايَةَ: إناء للشُّرْب اتُّخِذَ للكَيْل
- أَذَّنَ مُؤَذِّنٌ: نادَى مُنادٍ
- ٱلْعِيرُ: القافلة
- صُوَاعَ ٱلْمَلِكِ: صَاعَه، وهو السِّقَايَة
- زَعِيمٌ: كَفيلٌ
- كِدْنَا لِيُوسُفَ: دبَّرنا لتحصيل غَرَضِه

يوسف

رُبع الحزب ٢٥

- تفخيم
- قلقلة
- إخفاء، ومواقع الغُنَّة (حركتان)
- إدغام، وما لا يُلفظ
- مدّ ٦ حركات لزوماً
- مدّ ٢ أو ٤ أو ٦ جوازاً
- مدّ واجب ٤ أو ٥ حركات
- مدّ حركتان

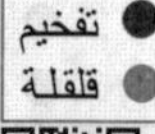

قَالَ مَعَاذَ ٱللَّهِ أَن نَّأۡخُذَ إِلَّا مَن وَجَدۡنَا مَتَٰعَنَا عِندَهُۥٓ إِنَّآ
إِذٗا لَّظَٰلِمُونَ ﴿٧٩﴾ فَلَمَّا ٱسۡتَيۡـَٔسُواْ مِنۡهُ خَلَصُواْ نَجِيّٗاۖ
قَالَ كَبِيرُهُمۡ أَلَمۡ تَعۡلَمُوٓاْ أَنَّ أَبَاكُمۡ قَدۡ أَخَذَ عَلَيۡكُم
مَّوۡثِقٗا مِّنَ ٱللَّهِ وَمِن قَبۡلُ مَا فَرَّطتُمۡ فِي يُوسُفَۖ فَلَنۡ أَبۡرَحَ
ٱلۡأَرۡضَ حَتَّىٰ يَأۡذَنَ لِيٓ أَبِيٓ أَوۡ يَحۡكُمَ ٱللَّهُ لِيۖ وَهُوَ خَيۡرُ ٱلۡحَٰكِمِينَ
﴿٨٠﴾ ٱرۡجِعُوٓاْ إِلَىٰٓ أَبِيكُمۡ فَقُولُواْ يَٰٓأَبَانَآ إِنَّ ٱبۡنَكَ سَرَقَ
وَمَا شَهِدۡنَآ إِلَّا بِمَا عَلِمۡنَا وَمَا كُنَّا لِلۡغَيۡبِ حَٰفِظِينَ
﴿٨١﴾ وَسۡـَٔلِ ٱلۡقَرۡيَةَ ٱلَّتِي كُنَّا فِيهَا وَٱلۡعِيرَ ٱلَّتِيٓ أَقۡبَلۡنَا فِيهَاۖ
وَإِنَّا لَصَٰدِقُونَ ﴿٨٢﴾ قَالَ بَلۡ سَوَّلَتۡ لَكُمۡ أَنفُسُكُمۡ أَمۡرٗاۖ
فَصَبۡرٞ جَمِيلٌۖ عَسَى ٱللَّهُ أَن يَأۡتِيَنِي بِهِمۡ جَمِيعًاۚ إِنَّهُۥ هُوَ
ٱلۡعَلِيمُ ٱلۡحَكِيمُ ﴿٨٣﴾ وَتَوَلَّىٰ عَنۡهُمۡ وَقَالَ يَٰٓأَسَفَىٰ عَلَىٰ
يُوسُفَ وَٱبۡيَضَّتۡ عَيۡنَاهُ مِنَ ٱلۡحُزۡنِ فَهُوَ كَظِيمٞ ﴿٨٤﴾
قَالُواْ تَٱللَّهِ تَفۡتَؤُاْ تَذۡكُرُ يُوسُفَ حَتَّىٰ تَكُونَ حَرَضًا
أَوۡ تَكُونَ مِنَ ٱلۡهَٰلِكِينَ ﴿٨٥﴾ قَالَ إِنَّمَآ أَشۡكُواْ بَثِّي
وَحُزۡنِيٓ إِلَى ٱللَّهِ وَأَعۡلَمُ مِنَ ٱللَّهِ مَا لَا تَعۡلَمُونَ ﴿٨٦﴾

- مَعَاذَ ٱللَّهِ: نَعُوذُ باللهِ معاذاً
- ٱسۡتَيۡـَٔسُواْ: يَئِسُوا
- خَلَصُواْ نَجِيّٗا: انْفَرَدُوا للتَّناجِي والتَّشاوُرِ
- ٱلۡعِيرَ: القافِلَة
- سَوَّلَتۡ: زَيَّنَتْ، أَوْ سَهَّلَتْ
- يَٰٓأَسَفَىٰ: يا حُزْنِي
- كَظِيمٞ: مُمْتَلِئٌ من الغَيْظِ
- تَفۡتَؤُاْ: لا تَفْتَؤُا ولا تَزَالُ
- حَرَضًا: مَرِيضاً مُشْرِفاً على الهلاك
- بَثِّي: أشدّ غَمّي

● مدّ ٦ حركات لزوماً ● مدّ ٢ أو ٤ أو ٦ جوازاً ● إخفاء، ومواقع الغُنَّة (حركتان) ● تفخيم
● مدّ واجب ٤ أو ٥ حركات ● مدّ حركتان ● إدغام، وما لا يُلفَظ ● قلقلة

يَٰبَنِيَّ ٱذۡهَبُواْ فَتَحَسَّسُواْ مِن يُوسُفَ وَأَخِيهِ وَلَا تَاْيۡـَٔسُواْ
مِن رَّوۡحِ ٱللَّهِۖ إِنَّهُۥ لَا يَاْيۡـَٔسُ مِن رَّوۡحِ ٱللَّهِ إِلَّا ٱلۡقَوۡمُ ٱلۡكَٰفِرُونَ
﴿٨٧﴾ فَلَمَّا دَخَلُواْ عَلَيۡهِ قَالُواْ يَٰٓأَيُّهَا ٱلۡعَزِيزُ مَسَّنَا وَأَهۡلَنَا ٱلضُّرُّ
وَجِئۡنَا بِبِضَٰعَةٖ مُّزۡجَىٰةٖ فَأَوۡفِ لَنَا ٱلۡكَيۡلَ وَتَصَدَّقۡ عَلَيۡنَآۖ
إِنَّ ٱللَّهَ يَجۡزِي ٱلۡمُتَصَدِّقِينَ ﴿٨٨﴾ قَالَ هَلۡ عَلِمۡتُم مَّا فَعَلۡتُم
بِيُوسُفَ وَأَخِيهِ إِذۡ أَنتُمۡ جَٰهِلُونَ ﴿٨٩﴾ قَالُوٓاْ أَءِنَّكَ
لَأَنتَ يُوسُفُۖ قَالَ أَنَا۠ يُوسُفُ وَهَٰذَآ أَخِيۖ قَدۡ مَنَّ ٱللَّهُ
عَلَيۡنَآۖ إِنَّهُۥ مَن يَتَّقِ وَيَصۡبِرۡ فَإِنَّ ٱللَّهَ لَا يُضِيعُ أَجۡرَ
ٱلۡمُحۡسِنِينَ ﴿٩٠﴾ قَالُواْ تَٱللَّهِ لَقَدۡ ءَاثَرَكَ ٱللَّهُ عَلَيۡنَا
وَإِن كُنَّا لَخَٰطِـِٔينَ ﴿٩١﴾ قَالَ لَا تَثۡرِيبَ عَلَيۡكُمُ
ٱلۡيَوۡمَۖ يَغۡفِرُ ٱللَّهُ لَكُمۡۖ وَهُوَ أَرۡحَمُ ٱلرَّٰحِمِينَ ﴿٩٢﴾
ٱذۡهَبُواْ بِقَمِيصِي هَٰذَا فَأَلۡقُوهُ عَلَىٰ وَجۡهِ أَبِي يَأۡتِ بَصِيرٗا
وَأۡتُونِي بِأَهۡلِكُمۡ أَجۡمَعِينَ ﴿٩٣﴾ وَلَمَّا فَصَلَتِ
ٱلۡعِيرُ قَالَ أَبُوهُمۡ إِنِّي لَأَجِدُ رِيحَ يُوسُفَۖ لَوۡلَآ أَن
تُفَنِّدُونِ ﴿٩٤﴾ قَالُواْ تَٱللَّهِ إِنَّكَ لَفِي ضَلَٰلِكَ ٱلۡقَدِيمِ ﴿٩٥﴾

يوسف

- فَتَحَسَّسُواْ: تعرّفوا
- رَّوۡحِ ٱللَّهِ: فَرَجِه وتنفيسِه
- ٱلضُّرُّ: الهُزالُ من شدَّةِ الجُوعِ
- بِبِضَٰعَةٖ: أثمانٍ
- مُّزۡجَىٰةٖ: رَديئةٍ أو زائفةٍ
- ءَاثَرَكَ: اختارك وفضَّلك
- لَا تَثۡرِيبَ: لا لَوْمَ ولا تأنيبَ
- فَصَلَتِ ٱلۡعِيرُ: فارقتْ عَريشَ مِصر
- تُفَنِّدُونِ: تُسفِّهُونِ
- ضَلَٰلِكَ: ذهابِك عن الصَّواب

مدّ ٦ حركات لزوماً ● مدّ ٢ أو ٤ أو ٦ جوازاً ● إخفاء، ومواقع الغنّة (حركتان) ● تفخيم
مدّ واجب ٤ أو ٥ حركات ● مدّ حركتان ● إدغام، وما لا يُلفظ ● قلقلة

فَلَمَّآ أَن جَآءَ ٱلۡبَشِيرُ أَلۡقَىٰهُ عَلَىٰ وَجۡهِهِۦ فَٱرۡتَدَّ بَصِيرٗاۖ قَالَ
أَلَمۡ أَقُل لَّكُمۡ إِنِّيٓ أَعۡلَمُ مِنَ ٱللَّهِ مَا لَا تَعۡلَمُونَ ﴿٩٦﴾ قَالُواْ
يَٰٓأَبَانَا ٱسۡتَغۡفِرۡ لَنَا ذُنُوبَنَآ إِنَّا كُنَّا خَٰطِـِٔينَ ﴿٩٧﴾ قَالَ سَوۡفَ
أَسۡتَغۡفِرُ لَكُمۡ رَبِّيٓۖ إِنَّهُۥ هُوَ ٱلۡغَفُورُ ٱلرَّحِيمُ ﴿٩٨﴾ فَلَمَّا
دَخَلُواْ عَلَىٰ يُوسُفَ ءَاوَىٰٓ إِلَيۡهِ أَبَوَيۡهِ وَقَالَ ٱدۡخُلُواْ مِصۡرَ
إِن شَآءَ ٱللَّهُ ءَامِنِينَ ﴿٩٩﴾ وَرَفَعَ أَبَوَيۡهِ عَلَى ٱلۡعَرۡشِ وَخَرُّواْ
لَهُۥ سُجَّدٗاۖ وَقَالَ يَٰٓأَبَتِ هَٰذَا تَأۡوِيلُ رُءۡيَٰيَ مِن قَبۡلُ قَدۡ جَعَلَهَا
رَبِّي حَقّٗاۖ وَقَدۡ أَحۡسَنَ بِيٓ إِذۡ أَخۡرَجَنِي مِنَ ٱلسِّجۡنِ وَجَآءَ بِكُم
مِّنَ ٱلۡبَدۡوِ مِنۢ بَعۡدِ أَن نَّزَغَ ٱلشَّيۡطَٰنُ بَيۡنِي وَبَيۡنَ إِخۡوَتِيٓۚ إِنَّ
رَبِّي لَطِيفٞ لِّمَا يَشَآءُۚ إِنَّهُۥ هُوَ ٱلۡعَلِيمُ ٱلۡحَكِيمُ ﴿١٠٠﴾ ۞ رَبِّ
قَدۡ ءَاتَيۡتَنِي مِنَ ٱلۡمُلۡكِ وَعَلَّمۡتَنِي مِن تَأۡوِيلِ ٱلۡأَحَادِيثِۚ فَاطِرَ
ٱلسَّمَٰوَٰتِ وَٱلۡأَرۡضِ أَنتَ وَلِيِّۦ فِي ٱلدُّنۡيَا وَٱلۡأٓخِرَةِۖ تَوَفَّنِي
مُسۡلِمٗا وَأَلۡحِقۡنِي بِٱلصَّٰلِحِينَ ﴿١٠١﴾ ذَٰلِكَ مِنۡ أَنۢبَآءِ ٱلۡغَيۡبِ
نُوحِيهِ إِلَيۡكَۖ وَمَا كُنتَ لَدَيۡهِمۡ إِذۡ أَجۡمَعُوٓاْ أَمۡرَهُمۡ وَهُمۡ يَمۡكُرُونَ
﴿١٠٢﴾ وَمَآ أَكۡثَرُ ٱلنَّاسِ وَلَوۡ حَرَصۡتَ بِمُؤۡمِنِينَ ﴿١٠٣﴾

- ءَاوَىٰٓ إِلَيۡهِ: ضمّ إليه
- ٱلۡبَدۡوِ: البادية
- نَّزَغَ ٱلشَّيۡطَٰنُ: أفسد وحرّش
- فَاطِرَ: مُبدِع
- أَجۡمَعُوٓاْ أَمۡرَهُمۡ: عزموا عليه

نصف الحزب ٢٥

مدّ ٦ حركات لزوماً • مدّ ٢ أو ٤ أو ٦ جوازاً • إخفاء، ومواقع الغُنّة (حركتان) • تفخ
مدّ واجب ٤ أو ٥ حركات • مدّ حركتان • إدغام، وما لا يُلفظ • قلقل

وَمَا تَسْـَٔلُهُمْ عَلَيْهِ مِنْ أَجْرٍ ۚ إِنْ هُوَ إِلَّا ذِكْرٌ لِّلْعَٰلَمِينَ ﴿١٠٤﴾
وَكَأَيِّن مِّنْ ءَايَةٍ فِى ٱلسَّمَٰوَٰتِ وَٱلْأَرْضِ يَمُرُّونَ عَلَيْهَا
وَهُمْ عَنْهَا مُعْرِضُونَ ﴿١٠٥﴾ وَمَا يُؤْمِنُ أَكْثَرُهُم بِٱللَّهِ إِلَّا
وَهُم مُّشْرِكُونَ ﴿١٠٦﴾ أَفَأَمِنُوٓا۟ أَن تَأْتِيَهُمْ غَٰشِيَةٌ مِّنْ عَذَابِ ٱللَّهِ
أَوْ تَأْتِيَهُمُ ٱلسَّاعَةُ بَغْتَةً وَهُمْ لَا يَشْعُرُونَ ﴿١٠٧﴾ قُلْ هَٰذِهِۦ
سَبِيلِىٓ أَدْعُوٓا۟ إِلَى ٱللَّهِ ۚ عَلَىٰ بَصِيرَةٍ أَنَا۠ وَمَنِ ٱتَّبَعَنِى ۖ وَسُبْحَٰنَ
ٱللَّهِ وَمَآ أَنَا۠ مِنَ ٱلْمُشْرِكِينَ ﴿١٠٨﴾ وَمَآ أَرْسَلْنَا مِن قَبْلِكَ
إِلَّا رِجَالًا نُّوحِىٓ إِلَيْهِم مِّنْ أَهْلِ ٱلْقُرَىٰٓ ۗ أَفَلَمْ يَسِيرُوا۟ فِى
ٱلْأَرْضِ فَيَنظُرُوا۟ كَيْفَ كَانَ عَٰقِبَةُ ٱلَّذِينَ مِن قَبْلِهِمْ ۗ
وَلَدَارُ ٱلْءَاخِرَةِ خَيْرٌ لِّلَّذِينَ ٱتَّقَوْا۟ ۗ أَفَلَا تَعْقِلُونَ ﴿١٠٩﴾ حَتَّىٰٓ
إِذَا ٱسْتَيْـَٔسَ ٱلرُّسُلُ وَظَنُّوٓا۟ أَنَّهُمْ قَدْ كُذِبُوا۟ جَآءَهُمْ
نَصْرُنَا فَنُجِّىَ مَن نَّشَآءُ ۖ وَلَا يُرَدُّ بَأْسُنَا عَنِ ٱلْقَوْمِ ٱلْمُجْرِمِينَ
﴿١١٠﴾ لَقَدْ كَانَ فِى قَصَصِهِمْ عِبْرَةٌ لِّأُو۟لِى ٱلْأَلْبَٰبِ ۗ مَا كَانَ
حَدِيثًا يُفْتَرَىٰ وَلَٰكِن تَصْدِيقَ ٱلَّذِى بَيْنَ يَدَيْهِ
وَتَفْصِيلَ كُلِّ شَىْءٍ وَهُدًى وَرَحْمَةً لِّقَوْمٍ يُؤْمِنُونَ ﴿١١١﴾

يوسف

كَأَيِّن: كثيرٌ
غَٰشِيَةٌ: عقوبةٌ تغشاهُمْ وتُجلِّلهم
بَغْتَةً: فجأةً
ٱسْتَيْـَٔسَ: يَئِسَ
بَأْسُنَا: عذابُنا
عِبْرَةٌ: عِظَةٌ
يُفْتَرَىٰ: يُختلَقُ

مدّ ٦ حركات لزوماً ● مدّ ٢ أو ٤ أو ٦ جوازاً ● إخفاء، ومواقع الغُنَّة (حركتان) ● تفخيم
مدّ واجب ٤ أو ٥ حركات ● مدّ حركتان ● إدغام، وما لا يُلفظ ● قلقلة

# سُورَةُ الرَّعۡدِ

ترتيبها ١٣ — آياتها ٤٣

بِسۡمِ ٱللَّهِ ٱلرَّحۡمَٰنِ ٱلرَّحِيمِ

الٓمٓرۚ تِلۡكَ ءَايَٰتُ ٱلۡكِتَٰبِۗ وَٱلَّذِيٓ أُنزِلَ إِلَيۡكَ مِن رَّبِّكَ ٱلۡحَقُّ
وَلَٰكِنَّ أَكۡثَرَ ٱلنَّاسِ لَا يُؤۡمِنُونَ ﴿١﴾ ٱللَّهُ ٱلَّذِي رَفَعَ ٱلسَّمَٰوَٰتِ بِغَيۡرِ
عَمَدٖ تَرَوۡنَهَاۖ ثُمَّ ٱسۡتَوَىٰ عَلَى ٱلۡعَرۡشِۖ وَسَخَّرَ ٱلشَّمۡسَ وَٱلۡقَمَرَۖ كُلّٞ
يَجۡرِي لِأَجَلٖ مُّسَمّٗىۚ يُدَبِّرُ ٱلۡأَمۡرَ يُفَصِّلُ ٱلۡأٓيَٰتِ لَعَلَّكُم بِلِقَآءِ
رَبِّكُمۡ تُوقِنُونَ ﴿٢﴾ وَهُوَ ٱلَّذِي مَدَّ ٱلۡأَرۡضَ وَجَعَلَ فِيهَا رَوَٰسِيَ
وَأَنۡهَٰرٗاۖ وَمِن كُلِّ ٱلثَّمَرَٰتِ جَعَلَ فِيهَا زَوۡجَيۡنِ ٱثۡنَيۡنِۖ يُغۡشِي ٱلَّيۡلَ
ٱلنَّهَارَۚ إِنَّ فِي ذَٰلِكَ لَأٓيَٰتٖ لِّقَوۡمٖ يَتَفَكَّرُونَ ﴿٣﴾ وَفِي ٱلۡأَرۡضِ
قِطَعٞ مُّتَجَٰوِرَٰتٞ وَجَنَّٰتٞ مِّنۡ أَعۡنَٰبٖ وَزَرۡعٞ وَنَخِيلٞ صِنۡوَانٞ
وَغَيۡرُ صِنۡوَانٖ يُسۡقَىٰ بِمَآءٖ وَٰحِدٖ وَنُفَضِّلُ بَعۡضَهَا عَلَىٰ بَعۡضٖ
فِي ٱلۡأُكُلِۚ إِنَّ فِي ذَٰلِكَ لَأٓيَٰتٖ لِّقَوۡمٖ يَعۡقِلُونَ ﴿٤﴾
۞ وَإِن تَعۡجَبۡ فَعَجَبٞ قَوۡلُهُمۡ أَءِذَا كُنَّا تُرَٰبًا أَءِنَّا لَفِي خَلۡقٖ
جَدِيدٍۗ أُوْلَٰٓئِكَ ٱلَّذِينَ كَفَرُواْ بِرَبِّهِمۡۖ وَأُوْلَٰٓئِكَ ٱلۡأَغۡلَٰلُ
فِيٓ أَعۡنَاقِهِمۡۖ وَأُوْلَٰٓئِكَ أَصۡحَٰبُ ٱلنَّارِۖ هُمۡ فِيهَا خَٰلِدُونَ ﴿٥﴾

▪ عَمَدٍ: دعائم وأساطين
▪ رَوَٰسِيَ: جبالاً ثوابت
▪ يُغۡشِي ٱلَّيۡلَ ٱلنَّهَارَ: يجعل الليل لباساً للنهار
▪ صِنۡوَانٞ: نخلات يجمعها أصل واحد
▪ ٱلۡأُكُلِ: الثمر والحب
▪ ٱلۡأَغۡلَٰلُ: الأطواق من الحديد

ثلاثة أرباع الحزب ٢٥

وَيَسْتَعْجِلُونَكَ بِٱلسَّيِّئَةِ قَبْلَ ٱلْحَسَنَةِ وَقَدْ خَلَتْ مِن
قَبْلِهِمُ ٱلْمَثُلَٰتُ ۗ وَإِنَّ رَبَّكَ لَذُو مَغْفِرَةٍ لِّلنَّاسِ عَلَىٰ ظُلْمِهِمْ ۖ
وَإِنَّ رَبَّكَ لَشَدِيدُ ٱلْعِقَابِ ﴿٦﴾ وَيَقُولُ ٱلَّذِينَ كَفَرُوا۟ لَوْلَآ
أُنزِلَ عَلَيْهِ ءَايَةٌ مِّن رَّبِّهِۦٓ ۗ إِنَّمَآ أَنتَ مُنذِرٌ ۖ وَلِكُلِّ قَوْمٍ هَادٍ
﴿٧﴾ ٱللَّهُ يَعْلَمُ مَا تَحْمِلُ كُلُّ أُنثَىٰ وَمَا تَغِيضُ ٱلْأَرْحَامُ
وَمَا تَزْدَادُ ۖ وَكُلُّ شَىْءٍ عِندَهُۥ بِمِقْدَارٍ ﴿٨﴾ عَٰلِمُ ٱلْغَيْبِ
وَٱلشَّهَٰدَةِ ٱلْكَبِيرُ ٱلْمُتَعَالِ ﴿٩﴾ سَوَآءٌ مِّنكُم مَّنْ أَسَرَّ
ٱلْقَوْلَ وَمَن جَهَرَ بِهِۦ وَمَنْ هُوَ مُسْتَخْفٍۭ بِٱلَّيْلِ وَسَارِبٌۢ
بِٱلنَّهَارِ ﴿١٠﴾ لَهُۥ مُعَقِّبَٰتٌ مِّنۢ بَيْنِ يَدَيْهِ وَمِنْ خَلْفِهِۦ يَحْفَظُونَهُۥ
مِنْ أَمْرِ ٱللَّهِ ۗ إِنَّ ٱللَّهَ لَا يُغَيِّرُ مَا بِقَوْمٍ حَتَّىٰ يُغَيِّرُوا۟ مَا بِأَنفُسِهِمْ ۗ
وَإِذَآ أَرَادَ ٱللَّهُ بِقَوْمٍ سُوٓءًا فَلَا مَرَدَّ لَهُۥ ۚ وَمَا لَهُم مِّن دُونِهِۦ مِن
وَالٍ ﴿١١﴾ هُوَ ٱلَّذِى يُرِيكُمُ ٱلْبَرْقَ خَوْفًا وَطَمَعًا
وَيُنشِئُ ٱلسَّحَابَ ٱلثِّقَالَ ﴿١٢﴾ وَيُسَبِّحُ ٱلرَّعْدُ بِحَمْدِهِۦ
وَٱلْمَلَٰٓئِكَةُ مِنْ خِيفَتِهِۦ وَيُرْسِلُ ٱلصَّوَٰعِقَ فَيُصِيبُ بِهَا
مَن يَشَآءُ وَهُمْ يُجَٰدِلُونَ فِى ٱللَّهِ وَهُوَ شَدِيدُ ٱلْمِحَالِ ﴿١٣﴾

الرعد

- ٱلْمَثُلَٰتُ: العُقُوباتُ الفاضحاتُ لأمثالِهم
- مَا تَغِيضُ ٱلْأَرْحَامُ: ماتَنْقُصه . أو تُسْقِطُه
- بِمِقْدَارٍ: بِقَدْرٍ وحَدٍّ لا يتعدّاهُ
- سَارِبٌۢ بِٱلنَّهَارِ: ذَاهِبٌ به في طريقه ظَاهِراً
- مُعَقِّبَٰتٌ: ملائِكَةٌ تَعْتَقِبُ في حِفْظه
- وَالٍ: نَاصِرٍ يلي أمرَهُم
- ٱلثِّقَالَ: المُوقَرَةَ بالماءِ
- ٱلْمِحَالِ: المُكايَدَة . أو القُوّة . أو العقابِ

| | | |
|---|---|---|
| مدّ ٦ حركات لزوماً ● مدّ ٢ أو ٤ أو ٦ جوازاً | إخفاء ، ومواقع الغُنَّة (حركتان) | تفخيم |
| مدّ واجب ٤ أو ٥ حركات ● مدّ حركتان | إدغام ، وما لا يُلفظ | قلقلة |

لَهُۥ دَعْوَةُ ٱلْحَقِّ ۖ وَٱلَّذِينَ يَدْعُونَ مِن دُونِهِۦ لَا يَسْتَجِيبُونَ لَهُم بِشَىْءٍ إِلَّا
كَبَٰسِطِ كَفَّيْهِ إِلَى ٱلْمَآءِ لِيَبْلُغَ فَاهُ وَمَا هُوَ بِبَٰلِغِهِۦ ۚ وَمَا دُعَآءُ ٱلْكَٰفِرِينَ
إِلَّا فِى ضَلَٰلٍ ﴿١٤﴾ وَلِلَّهِ يَسْجُدُ مَن فِى ٱلسَّمَٰوَٰتِ وَٱلْأَرْضِ طَوْعًا
وَكَرْهًا وَظِلَٰلُهُم بِٱلْغُدُوِّ وَٱلْأَصَالِ ۩ ﴿١٥﴾ قُلْ مَن رَّبُّ ٱلسَّمَٰوَٰتِ
وَٱلْأَرْضِ قُلِ ٱللَّهُ ۚ قُلْ أَفَٱتَّخَذْتُم مِّن دُونِهِۦٓ أَوْلِيَآءَ لَا يَمْلِكُونَ لِأَنفُسِهِمْ
نَفْعًا وَلَا ضَرًّا ۚ قُلْ هَلْ يَسْتَوِى ٱلْأَعْمَىٰ وَٱلْبَصِيرُ أَمْ هَلْ تَسْتَوِى
ٱلظُّلُمَٰتُ وَٱلنُّورُ ۗ أَمْ جَعَلُوا۟ لِلَّهِ شُرَكَآءَ خَلَقُوا۟ كَخَلْقِهِۦ فَتَشَٰبَهَ ٱلْخَلْقُ
عَلَيْهِمْ ۚ قُلِ ٱللَّهُ خَٰلِقُ كُلِّ شَىْءٍ وَهُوَ ٱلْوَٰحِدُ ٱلْقَهَّٰرُ ﴿١٦﴾ أَنزَلَ مِنَ
ٱلسَّمَآءِ مَآءً فَسَالَتْ أَوْدِيَةٌۢ بِقَدَرِهَا فَٱحْتَمَلَ ٱلسَّيْلُ زَبَدًا رَّابِيًا ۚ
وَمِمَّا يُوقِدُونَ عَلَيْهِ فِى ٱلنَّارِ ٱبْتِغَآءَ حِلْيَةٍ أَوْ مَتَٰعٍ زَبَدٌ مِّثْلُهُۥ ۚ كَذَٰلِكَ
يَضْرِبُ ٱللَّهُ ٱلْحَقَّ وَٱلْبَٰطِلَ ۚ فَأَمَّا ٱلزَّبَدُ فَيَذْهَبُ جُفَآءً ۖ وَأَمَّا مَا
يَنفَعُ ٱلنَّاسَ فَيَمْكُثُ فِى ٱلْأَرْضِ ۚ كَذَٰلِكَ يَضْرِبُ ٱللَّهُ ٱلْأَمْثَالَ ﴿١٧﴾
لِلَّذِينَ ٱسْتَجَابُوا۟ لِرَبِّهِمُ ٱلْحُسْنَىٰ ۚ وَٱلَّذِينَ لَمْ يَسْتَجِيبُوا۟ لَهُۥ
لَوْ أَنَّ لَهُم مَّا فِى ٱلْأَرْضِ جَمِيعًا وَمِثْلَهُۥ مَعَهُۥ لَٱفْتَدَوْا۟ بِهِۦٓ ۚ
أُو۟لَٰٓئِكَ لَهُمْ سُوٓءُ ٱلْحِسَابِ وَمَأْوَىٰهُمْ جَهَنَّمُ ۖ وَبِئْسَ ٱلْمِهَادُ ﴿١٨﴾

بِٱلْغُدُوِّ وَٱلْأَصَالِ: أوائل النهار وأواخره
سجدة
بِقَدَرِهَا: بمقدارها
زَبَدًا: الرغوة تعلو على وجه الماء
تُقرأ عند الوقف: جُفَآءَا
رَّابِيًا: مُرتفعاً مُنتفخاً على وجه السيل
زَبَدٌ: الخبث الطافي فوق المعادن الذائبة
جُفَآءً: مَرْمِيّاً مطروحاً
ٱلْمِهَادُ: الفراش

مدّ ٦ حركات لزوماً — مدّ ٢ أو ٤ أو ٦ جوازاً — إخفاء، ومواقع الغُنّة (حركتان) — تفخيم
مدّ واجب ٤ أو ٥ حركات — مدّ حركتان — إدغام، وما لا يُلفظ — قلقلة

۞ أَفَمَن يَعْلَمُ أَنَّمَآ أُنزِلَ إِلَيْكَ مِن رَّبِّكَ ٱلْحَقُّ كَمَنْ هُوَ أَعْمَىٰٓ ۚ إِنَّمَا يَتَذَكَّرُ
أُو۟لُوا۟ ٱلْأَلْبَٰبِ ﴿١٩﴾ ٱلَّذِينَ يُوفُونَ بِعَهْدِ ٱللَّهِ وَلَا يَنقُضُونَ ٱلْمِيثَٰقَ
﴿٢٠﴾ وَٱلَّذِينَ يَصِلُونَ مَآ أَمَرَ ٱللَّهُ بِهِۦٓ أَن يُوصَلَ وَيَخْشَوْنَ رَبَّهُمْ
وَيَخَافُونَ سُوٓءَ ٱلْحِسَابِ ﴿٢١﴾ وَٱلَّذِينَ صَبَرُوا۟ ٱبْتِغَآءَ وَجْهِ رَبِّهِمْ
وَأَقَامُوا۟ ٱلصَّلَوٰةَ وَأَنفَقُوا۟ مِمَّا رَزَقْنَٰهُمْ سِرًّا وَعَلَانِيَةً وَيَدْرَءُونَ
بِٱلْحَسَنَةِ ٱلسَّيِّئَةَ أُو۟لَٰٓئِكَ لَهُمْ عُقْبَى ٱلدَّارِ ﴿٢٢﴾ جَنَّٰتُ عَدْنٍ يَدْخُلُونَهَا
وَمَن صَلَحَ مِنْ ءَابَآئِهِمْ وَأَزْوَٰجِهِمْ وَذُرِّيَّٰتِهِمْ ۖ وَٱلْمَلَٰٓئِكَةُ يَدْخُلُونَ
عَلَيْهِم مِّن كُلِّ بَابٍ ﴿٢٣﴾ سَلَٰمٌ عَلَيْكُم بِمَا صَبَرْتُمْ ۚ فَنِعْمَ عُقْبَى ٱلدَّارِ
﴿٢٤﴾ وَٱلَّذِينَ يَنقُضُونَ عَهْدَ ٱللَّهِ مِنۢ بَعْدِ مِيثَٰقِهِۦ وَيَقْطَعُونَ مَآ
أَمَرَ ٱللَّهُ بِهِۦٓ أَن يُوصَلَ وَيُفْسِدُونَ فِى ٱلْأَرْضِ ۙ أُو۟لَٰٓئِكَ لَهُمُ ٱللَّعْنَةُ
وَلَهُمْ سُوٓءُ ٱلدَّارِ ﴿٢٥﴾ ٱللَّهُ يَبْسُطُ ٱلرِّزْقَ لِمَن يَشَآءُ وَيَقْدِرُ ۚ وَفَرِحُوا۟
بِٱلْحَيَوٰةِ ٱلدُّنْيَا وَمَا ٱلْحَيَوٰةُ ٱلدُّنْيَا فِى ٱلْءَاخِرَةِ إِلَّا مَتَٰعٌ ﴿٢٦﴾ وَيَقُولُ
ٱلَّذِينَ كَفَرُوا۟ لَوْلَآ أُنزِلَ عَلَيْهِ ءَايَةٌ مِّن رَّبِّهِۦ ۗ قُلْ إِنَّ ٱللَّهَ يُضِلُّ
مَن يَشَآءُ وَيَهْدِىٓ إِلَيْهِ مَنْ أَنَابَ ﴿٢٧﴾ ٱلَّذِينَ ءَامَنُوا۟ وَتَطْمَئِنُّ
قُلُوبُهُم بِذِكْرِ ٱللَّهِ ۗ أَلَا بِذِكْرِ ٱللَّهِ تَطْمَئِنُّ ٱلْقُلُوبُ ﴿٢٨﴾

الرعد

- يَدْرَءُونَ: يدفعُونَ
- عُقْبَى ٱلدَّارِ: عاقبتُها المحمودةُ، وهي الجنّاتُ
- يَقْدِرُ: يُضَيِّقُه على من يشاءُ
- أَنَابَ: رَجَعَ إليه بقَلْبِهِ

مدّ ٦ حركات لزوماً ● مدّ ٢ أو ٤ أو ٦ جوازاً ● إخفاء، ومواقع الغنّة (حركتان) ● تفخيم
مدّ واجب ٤ أو ٥ حركات ● مدّ حركتان ● إدغام، وما لا يُلفظ ● قلقلة

ٱلَّذِينَ ءَامَنُوا۟ وَعَمِلُوا۟ ٱلصَّٰلِحَٰتِ طُوبَىٰ لَهُمْ وَحُسْنُ
مَـَٔابٍ ﴿٢٩﴾ كَذَٰلِكَ أَرْسَلْنَٰكَ فِىٓ أُمَّةٍ قَدْ خَلَتْ مِن قَبْلِهَآ أُمَمٌ
لِّتَتْلُوَا۟ عَلَيْهِمُ ٱلَّذِىٓ أَوْحَيْنَآ إِلَيْكَ وَهُمْ يَكْفُرُونَ بِٱلرَّحْمَٰنِ ۚ
قُلْ هُوَ رَبِّى لَآ إِلَٰهَ إِلَّا هُوَ عَلَيْهِ تَوَكَّلْتُ وَإِلَيْهِ مَتَابِ ﴿٣٠﴾
وَلَوْ أَنَّ قُرْءَانًا سُيِّرَتْ بِهِ ٱلْجِبَالُ أَوْ قُطِّعَتْ بِهِ ٱلْأَرْضُ أَوْ كُلِّمَ
بِهِ ٱلْمَوْتَىٰ ۗ بَل لِّلَّهِ ٱلْأَمْرُ جَمِيعًا ۗ أَفَلَمْ يَا۟يْـَٔسِ ٱلَّذِينَ ءَامَنُوٓا۟
أَن لَّوْ يَشَآءُ ٱللَّهُ لَهَدَى ٱلنَّاسَ جَمِيعًا ۗ وَلَا يَزَالُ ٱلَّذِينَ كَفَرُوا۟
تُصِيبُهُم بِمَا صَنَعُوا۟ قَارِعَةٌ أَوْ تَحُلُّ قَرِيبًا مِّن دَارِهِمْ حَتَّىٰ يَأْتِىَ
وَعْدُ ٱللَّهِ ۚ إِنَّ ٱللَّهَ لَا يُخْلِفُ ٱلْمِيعَادَ ﴿٣١﴾ وَلَقَدِ ٱسْتُهْزِئَ بِرُسُلٍ
مِّن قَبْلِكَ فَأَمْلَيْتُ لِلَّذِينَ كَفَرُوا۟ ثُمَّ أَخَذْتُهُمْ ۖ فَكَيْفَ كَانَ
عِقَابِ ﴿٣٢﴾ أَفَمَنْ هُوَ قَآئِمٌ عَلَىٰ كُلِّ نَفْسٍۭ بِمَا كَسَبَتْ ۗ وَجَعَلُوا۟
لِلَّهِ شُرَكَآءَ قُلْ سَمُّوهُمْ ۚ أَمْ تُنَبِّـُٔونَهُۥ بِمَا لَا يَعْلَمُ فِى ٱلْأَرْضِ أَم
بِظَٰهِرٍ مِّنَ ٱلْقَوْلِ ۗ بَلْ زُيِّنَ لِلَّذِينَ كَفَرُوا۟ مَكْرُهُمْ وَصُدُّوا۟ عَنِ
ٱلسَّبِيلِ ۗ وَمَن يُضْلِلِ ٱللَّهُ فَمَا لَهُۥ مِنْ هَادٍ ﴿٣٣﴾ لَّهُمْ عَذَابٌ فِى ٱلْحَيَوٰةِ
ٱلدُّنْيَا ۖ وَلَعَذَابُ ٱلْـَٔاخِرَةِ أَشَقُّ ۖ وَمَا لَهُم مِّنَ ٱللَّهِ مِن وَاقٍ ﴿٣٤﴾

- طُوبَىٰ لَهُمْ: عَيْشٌ طَيِّبٌ لهم في الآخرة
- حُسْنُ مَـَٔابٍ: مَرْجِعٍ
- مَتَابِ: تَوْبَتِي ورُجُوعِي
- يَا۟يْـَٔسِ: يَعْلَم
- قَارِعَةٌ: داهِيَةٌ تقرعُهُم بالبلايا
- فَأَمْلَيْتُ: أمْهَلْتُ
- وَاقٍ: حَافِظٍ من عَذَابه

مدّ ٦ حركات لزوماً ● مدّ ٢ أو ٤ أو ٦ جوازاً ● إخفاء ، ومواقع الغُنَّة (حركتان) ● تفخـ
مدّ واجب ٤ أو ٥ حركات ● مدّ حركتان ● إدغام ، وما لا يُلفَظ ● قلقلـ

۞ مَّثَلُ ٱلْجَنَّةِ ٱلَّتِى وُعِدَ ٱلْمُتَّقُونَ ۖ تَجْرِى مِن تَحْتِهَا ٱلْأَنْهَٰرُ ۖ
أُكُلُهَا دَآئِمٌ وَظِلُّهَا ۚ تِلْكَ عُقْبَى ٱلَّذِينَ ٱتَّقَوا۟ ۖ وَّعُقْبَى
ٱلْكَٰفِرِينَ ٱلنَّارُ ﴿٣٥﴾ وَٱلَّذِينَ ءَاتَيْنَٰهُمُ ٱلْكِتَٰبَ يَفْرَحُونَ
بِمَآ أُنزِلَ إِلَيْكَ ۖ وَمِنَ ٱلْأَحْزَابِ مَن يُنكِرُ بَعْضَهُۥ ۚ قُلْ إِنَّمَآ أُمِرْتُ
أَنْ أَعْبُدَ ٱللَّهَ وَلَآ أُشْرِكَ بِهِۦٓ ۚ إِلَيْهِ أَدْعُوا۟ وَإِلَيْهِ مَـَٔابِ ﴿٣٦﴾
وَكَذَٰلِكَ أَنزَلْنَٰهُ حُكْمًا عَرَبِيًّا ۚ وَلَئِنِ ٱتَّبَعْتَ أَهْوَآءَهُم بَعْدَ مَا
جَآءَكَ مِنَ ٱلْعِلْمِ مَا لَكَ مِنَ ٱللَّهِ مِن وَلِىٍّ وَلَا وَاقٍ ﴿٣٧﴾ وَلَقَدْ
أَرْسَلْنَا رُسُلًا مِّن قَبْلِكَ وَجَعَلْنَا لَهُمْ أَزْوَٰجًا وَذُرِّيَّةً ۚ وَمَا كَانَ
لِرَسُولٍ أَن يَأْتِىَ بِـَٔايَةٍ إِلَّا بِإِذْنِ ٱللَّهِ ۗ لِكُلِّ أَجَلٍ كِتَابٌ ﴿٣٨﴾
يَمْحُوا۟ ٱللَّهُ مَا يَشَآءُ وَيُثْبِتُ ۖ وَعِندَهُۥٓ أُمُّ ٱلْكِتَٰبِ ﴿٣٩﴾
وَإِن مَّا نُرِيَنَّكَ بَعْضَ ٱلَّذِى نَعِدُهُمْ أَوْ نَتَوَفَّيَنَّكَ فَإِنَّمَا عَلَيْكَ
ٱلْبَلَٰغُ وَعَلَيْنَا ٱلْحِسَابُ ﴿٤٠﴾ أَوَلَمْ يَرَوْا۟ أَنَّا نَأْتِى ٱلْأَرْضَ نَنقُصُهَا
مِنْ أَطْرَافِهَا ۚ وَٱللَّهُ يَحْكُمُ لَا مُعَقِّبَ لِحُكْمِهِۦ ۚ وَهُوَ سَرِيعُ
ٱلْحِسَابِ ﴿٤١﴾ وَقَدْ مَكَرَ ٱلَّذِينَ مِن قَبْلِهِمْ فَلِلَّهِ ٱلْمَكْرُ جَمِيعًا ۖ
يَعْلَمُ مَا تَكْسِبُ كُلُّ نَفْسٍ ۗ وَسَيَعْلَمُ ٱلْكُفَّٰرُ لِمَنْ عُقْبَى ٱلدَّارِ ﴿٤٢﴾

- أُكُلُهَا: ثَمَرُهَا الذي يُؤْكَل
- مَـَٔابِ: مَرْجِعِي للجزاء
- أُمُّ ٱلْكِتَٰبِ: اللَّوْحُ المحفوظ أو العلمُ الإلٰهِيّ
- لَا مُعَقِّبَ: لا رَادَّ ولا مُبْطِلَ

الرعد

| | | |
|---|---|---|
| مدّ ٦ حركات لزوماً ● مدّ ٢ أو ٤ أو ٦ جوازاً | إخفاء ، ومواقع الغُنَّة (حركتان) | تفخيم |
| مدّ واجب ٤ أو ٥ حركات ● مدّ حركتان | إدغام ، وما لا يُلفظ | قلقلة |

وَيَقُولُ ٱلَّذِينَ كَفَرُوا۟ لَسْتَ مُرْسَلًا ۚ قُلْ كَفَىٰ بِٱللَّهِ
شَهِيدًۢا بَيْنِى وَبَيْنَكُمْ وَمَنْ عِندَهُۥ عِلْمُ ٱلْكِتَٰبِ ﴿٤٣﴾

## سُورَةُ إِبْرَاهِيمَ

ترتيبها ١٤ — آياتها ٥٢

بِسْمِ ٱللَّهِ ٱلرَّحْمَٰنِ ٱلرَّحِيمِ

الٓر ۚ كِتَٰبٌ أَنزَلْنَٰهُ إِلَيْكَ لِتُخْرِجَ ٱلنَّاسَ مِنَ ٱلظُّلُمَٰتِ
إِلَى ٱلنُّورِ بِإِذْنِ رَبِّهِمْ إِلَىٰ صِرَٰطِ ٱلْعَزِيزِ ٱلْحَمِيدِ ﴿١﴾
ٱللَّهِ ٱلَّذِى لَهُۥ مَا فِى ٱلسَّمَٰوَٰتِ وَمَا فِى ٱلْأَرْضِ ۗ وَوَيْلٌ
لِّلْكَٰفِرِينَ مِنْ عَذَابٍ شَدِيدٍ ﴿٢﴾ ٱلَّذِينَ يَسْتَحِبُّونَ
ٱلْحَيَوٰةَ ٱلدُّنْيَا عَلَى ٱلْءَاخِرَةِ وَيَصُدُّونَ عَن سَبِيلِ ٱللَّهِ
وَيَبْغُونَهَا عِوَجًا ۚ أُو۟لَٰٓئِكَ فِى ضَلَٰلٍۭ بَعِيدٍ ﴿٣﴾ وَمَآ أَرْسَلْنَا
مِن رَّسُولٍ إِلَّا بِلِسَانِ قَوْمِهِۦ لِيُبَيِّنَ لَهُمْ ۖ فَيُضِلُّ ٱللَّهُ
مَن يَشَآءُ وَيَهْدِى مَن يَشَآءُ ۚ وَهُوَ ٱلْعَزِيزُ ٱلْحَكِيمُ
﴿٤﴾ وَلَقَدْ أَرْسَلْنَا مُوسَىٰ بِـَٔايَٰتِنَآ أَنْ أَخْرِجْ
قَوْمَكَ مِنَ ٱلظُّلُمَٰتِ إِلَى ٱلنُّورِ وَذَكِّرْهُم بِأَيَّىٰمِ
ٱللَّهِ ۚ إِنَّ فِى ذَٰلِكَ لَءَايَٰتٍ لِّكُلِّ صَبَّارٍ شَكُورٍ ﴿٥﴾

■ بِإِذْنِ رَبِّهِمْ: بتيسيره وتوفيقه
■ ٱلْعَزِيزِ: الغالب . أو الذي لا مِثْلَ له
■ ٱلْحَمِيدِ: المحمودِ المُثْنَى عليه
■ وَيْلٌ: هَلاكٌ . أو حَسْرَةٌ . أو وادٍ في جهنم
■ يَسْتَحِبُّونَ: يَخْتارُونَ وَ يُؤْثِرُونَ
■ يَبْغُونَهَا عِوَجًا: يَطْلُبُونها مُعْوَجَّةً

مدّ ٦ حركات لزوماً — مدّ ٢ أو ٤ أو ٦ جوازاً — إخفاء ، ومواقع الغُنَّة (حركتان) — تفخيم
مدّ واجب ٤ أو ٥ حركات — مدّ حركتان — إدغام ، وما لا يُلفَظ — قلقلة

وَإِذْ قَالَ مُوسَىٰ لِقَوْمِهِ ٱذْكُرُوا۟ نِعْمَةَ ٱللَّهِ عَلَيْكُمْ
إِذْ أَنجَىٰكُم مِّنْ ءَالِ فِرْعَوْنَ يَسُومُونَكُمْ سُوٓءَ ٱلْعَذَابِ
وَيُذَبِّحُونَ أَبْنَآءَكُمْ وَيَسْتَحْيُونَ نِسَآءَكُمْ ۚ وَفِى
ذَٰلِكُم بَلَآءٌ مِّن رَّبِّكُمْ عَظِيمٌ ﴿٦﴾ وَإِذْ تَأَذَّنَ
رَبُّكُمْ لَئِن شَكَرْتُمْ لَأَزِيدَنَّكُمْ ۖ وَلَئِن كَفَرْتُمْ إِنَّ
عَذَابِى لَشَدِيدٌ ﴿٧﴾ وَقَالَ مُوسَىٰٓ إِن تَكْفُرُوٓا۟ أَنتُمْ وَمَن فِى ٱلْأَرْضِ
جَمِيعًا فَإِنَّ ٱللَّهَ لَغَنِىٌّ حَمِيدٌ ﴿٨﴾ أَلَمْ يَأْتِكُمْ نَبَؤُا۟ ٱلَّذِينَ
مِن قَبْلِكُمْ قَوْمِ نُوحٍ وَعَادٍ وَثَمُودَ ۛ وَٱلَّذِينَ مِنۢ
بَعْدِهِمْ ۛ لَا يَعْلَمُهُمْ إِلَّا ٱللَّهُ ۚ جَآءَتْهُمْ رُسُلُهُم بِٱلْبَيِّنَٰتِ
فَرَدُّوٓا۟ أَيْدِيَهُمْ فِىٓ أَفْوَٰهِهِمْ وَقَالُوٓا۟ إِنَّا كَفَرْنَا بِمَآ أُرْسِلْتُم
بِهِۦ وَإِنَّا لَفِى شَكٍّ مِّمَّا تَدْعُونَنَآ إِلَيْهِ مُرِيبٍ ﴿٩﴾ ۞ قَالَتْ
رُسُلُهُمْ أَفِى ٱللَّهِ شَكٌّ فَاطِرِ ٱلسَّمَٰوَٰتِ وَٱلْأَرْضِ ۖ يَدْعُوكُمْ
لِيَغْفِرَ لَكُم مِّن ذُنُوبِكُمْ وَيُؤَخِّرَكُمْ إِلَىٰٓ أَجَلٍ
مُّسَمًّى ۚ قَالُوٓا۟ إِنْ أَنتُمْ إِلَّا بَشَرٌ مِّثْلُنَا تُرِيدُونَ أَن تَصُدُّونَا
عَمَّا كَانَ يَعْبُدُ ءَابَآؤُنَا فَأْتُونَا بِسُلْطَٰنٍ مُّبِينٍ ﴿١٠﴾

يَسُومُونَكُمْ: يُذيقُونكُمْ . أو يُكلِّفونكُمْ
يَسْتَحْيُونَ: يَستبقُونَ للخدمةِ
بَلَآءٌ: ابتلاءٌ بالنِّعم والنِّقم
تَأَذَّنَ رَبُّكُمْ: أعْلَم إعلاماً لاشُبْهةَ فيه
مُرِيبٍ: مُوقع في الرِّيبَةِ والقَلَقِ
فَاطِرِ: مُبْدِع
بِسُلْطَٰنٍ: حُجَّةٍ وبُرْهان

ابراهيم

نصف الحزب ٢٦

تفخيم — قلقلة — إخفاء ، ومواقع الغُنَّة (حركتان) — إدغام ، وما لا يُلفَظ — مدّ ٢ أو ٤ أو ٦ جوازاً — مدّ حركتان — مدّ ٦ حركات لزوماً — مدّ واجب ٤ أو ٥ حركات

قَالَتْ لَهُمْ رُسُلُهُمْ إِن نَّحْنُ إِلَّا بَشَرٌ مِّثْلُكُمْ وَلَٰكِنَّ ٱللَّهَ
يَمُنُّ عَلَىٰ مَن يَشَآءُ مِنْ عِبَادِهِۦ ۖ وَمَا كَانَ لَنَآ أَن نَّأْتِيَكُم
بِسُلْطَٰنٍ إِلَّا بِإِذْنِ ٱللَّهِ ۚ وَعَلَى ٱللَّهِ فَلْيَتَوَكَّلِ ٱلْمُؤْمِنُونَ
﴿١١﴾ وَمَا لَنَآ أَلَّا نَتَوَكَّلَ عَلَى ٱللَّهِ وَقَدْ هَدَىٰنَا سُبُلَنَا ۚ
وَلَنَصْبِرَنَّ عَلَىٰ مَآ ءَاذَيْتُمُونَا ۚ وَعَلَى ٱللَّهِ فَلْيَتَوَكَّلِ ٱلْمُتَوَكِّلُونَ
﴿١٢﴾ وَقَالَ ٱلَّذِينَ كَفَرُوا۟ لِرُسُلِهِمْ لَنُخْرِجَنَّكُم مِّنْ
أَرْضِنَآ أَوْ لَتَعُودُنَّ فِى مِلَّتِنَا ۖ فَأَوْحَىٰٓ إِلَيْهِمْ رَبُّهُمْ لَنُهْلِكَنَّ
ٱلظَّٰلِمِينَ ﴿١٣﴾ وَلَنُسْكِنَنَّكُمُ ٱلْأَرْضَ مِنۢ بَعْدِهِمْ ۚ
ذَٰلِكَ لِمَنْ خَافَ مَقَامِى وَخَافَ وَعِيدِ ﴿١٤﴾ وَٱسْتَفْتَحُوا۟
وَخَابَ كُلُّ جَبَّارٍ عَنِيدٍ ﴿١٥﴾ مِّن وَرَآئِهِۦ جَهَنَّمُ وَيُسْقَىٰ
مِن مَّآءٍ صَدِيدٍ ﴿١٦﴾ يَتَجَرَّعُهُۥ وَلَا يَكَادُ يُسِيغُهُۥ
وَيَأْتِيهِ ٱلْمَوْتُ مِن كُلِّ مَكَانٍ وَمَا هُوَ بِمَيِّتٍ ۖ وَمِن
وَرَآئِهِۦ عَذَابٌ غَلِيظٌ ﴿١٧﴾ مَّثَلُ ٱلَّذِينَ كَفَرُوا۟ بِرَبِّهِمْ ۖ
أَعْمَٰلُهُمْ كَرَمَادٍ ٱشْتَدَّتْ بِهِ ٱلرِّيحُ فِى يَوْمٍ عَاصِفٍ ۖ لَّا يَقْدِرُونَ
مِمَّا كَسَبُوا۟ عَلَىٰ شَىْءٍ ۚ ذَٰلِكَ هُوَ ٱلضَّلَٰلُ ٱلْبَعِيدُ ﴿١٨﴾

- **خَافَ مَقَامِى**: مَوْقِفَهُ بين يَدَيَّ للحسابِ
- **ٱسْتَفْتَحُوا۟**: اسْتَنْصَرُوا الله عَلَى الظالمين
- **خَابَ**: خَسِرَ وَهَلَكَ
- **جَبَّارٍ**: مُتعاظِم مُتكبِّر
- **عَنِيدٍ**: مُعانِد لِلْحَقِّ ، مُجَانِبٌ لَهُ
- **صَدِيدٍ**: مَا يَسِيلُ مِنْ أجْسَادِ أهْلِ النَّارِ
- **يَتَجَرَّعُهُ**: يَتَكَلَّفُ بَلْعَهُ
- **يُسِيغُهُ**: يَبْتَلِعُهُ
- **عَاصِفٍ**: شَدِيدِ هُبُوبِ الرِّيحِ

مدّ ٦ حركات لزوماً ● مدّ ٢ أو ٤ أو ٦ جوازاً ● إخفاء ، ومواقع الغُنّة (حركتان)
مدّ واجب ٤ أو ٥ حركات ● مدّ حركتان ● إدغام ، وما لا يُلفظ

أَلَمْ تَرَ أَنَّ ٱللَّهَ خَلَقَ ٱلسَّمَٰوَٰتِ وَٱلْأَرْضَ بِٱلْحَقِّ ۚ إِن يَشَأْ
يُذْهِبْكُمْ وَيَأْتِ بِخَلْقٍ جَدِيدٍ ﴿١٩﴾ وَمَا ذَٰلِكَ عَلَى ٱللَّهِ بِعَزِيزٍ
﴿٢٠﴾ وَبَرَزُوا۟ لِلَّهِ جَمِيعًا فَقَالَ ٱلضُّعَفَٰٓؤُا۟ لِلَّذِينَ ٱسْتَكْبَرُوٓا۟
إِنَّا كُنَّا لَكُمْ تَبَعًا فَهَلْ أَنتُم مُّغْنُونَ عَنَّا مِنْ عَذَابِ ٱللَّهِ
مِن شَىْءٍ ۚ قَالُوا۟ لَوْ هَدَىٰنَا ٱللَّهُ لَهَدَيْنَٰكُمْ ۖ سَوَآءٌ عَلَيْنَآ
أَجَزِعْنَآ أَمْ صَبَرْنَا مَا لَنَا مِن مَّحِيصٍ ﴿٢١﴾ وَقَالَ ٱلشَّيْطَٰنُ
لَمَّا قُضِىَ ٱلْأَمْرُ إِنَّ ٱللَّهَ وَعَدَكُمْ وَعْدَ ٱلْحَقِّ وَوَعَدتُّكُمْ
فَأَخْلَفْتُكُمْ ۖ وَمَا كَانَ لِىَ عَلَيْكُم مِّن سُلْطَٰنٍ إِلَّآ أَن دَعَوْتُكُمْ
فَٱسْتَجَبْتُمْ لِى ۖ فَلَا تَلُومُونِى وَلُومُوٓا۟ أَنفُسَكُم ۖ مَّآ أَنَا۠
بِمُصْرِخِكُمْ وَمَآ أَنتُم بِمُصْرِخِىَّ ۖ إِنِّى كَفَرْتُ بِمَآ
أَشْرَكْتُمُونِ مِن قَبْلُ ۗ إِنَّ ٱلظَّٰلِمِينَ لَهُمْ عَذَابٌ أَلِيمٌ
﴿٢٢﴾ وَأُدْخِلَ ٱلَّذِينَ ءَامَنُوا۟ وَعَمِلُوا۟ ٱلصَّٰلِحَٰتِ جَنَّٰتٍ
تَجْرِى مِن تَحْتِهَا ٱلْأَنْهَٰرُ خَٰلِدِينَ فِيهَا بِإِذْنِ رَبِّهِمْ ۖ تَحِيَّتُهُمْ
فِيهَا سَلَٰمٌ ﴿٢٣﴾ أَلَمْ تَرَ كَيْفَ ضَرَبَ ٱللَّهُ مَثَلًا كَلِمَةً طَيِّبَةً
كَشَجَرَةٍ طَيِّبَةٍ أَصْلُهَا ثَابِتٌ وَفَرْعُهَا فِى ٱلسَّمَآءِ ﴿٢٤﴾

- بَرَزُوا۟: خرجوا من القبور للحساب
- مَّحِيصٍ: منجىً ومَهْرَب
- سُلْطَٰنٍ: تَسَلُّط. أو حُجَّة
- بِمُصْرِخِكُمْ: بمُغيثكم من العذاب
- بِمُصْرِخِىَّ: بمُغيثيَّ من العذاب

ابراهيم

مدّ ٦ حركات لزوماً ● مدّ ٢ أو ٤ أو ٦ جوازاً ● إخفاء ، ومواقع الغُنَّة (حركتان) ● تفخيم
مدّ واجب ٤ أو ٥ حركات ● مدّ حركتان ● إدغام ، وما لا يُلفَظ ● قلقلة

تُؤْتِىٓ أُكُلَهَا كُلَّ حِينٍۭ بِإِذْنِ رَبِّهَا ۗ وَيَضْرِبُ ٱللَّهُ ٱلْأَمْثَالَ
لِلنَّاسِ لَعَلَّهُمْ يَتَذَكَّرُونَ ﴿٢٥﴾ وَمَثَلُ كَلِمَةٍ خَبِيثَةٍ
كَشَجَرَةٍ خَبِيثَةٍ ٱجْتُثَّتْ مِن فَوْقِ ٱلْأَرْضِ مَا لَهَا مِن قَرَارٍ
﴿٢٦﴾ يُثَبِّتُ ٱللَّهُ ٱلَّذِينَ ءَامَنُوا۟ بِٱلْقَوْلِ ٱلثَّابِتِ فِى ٱلْحَيَوٰةِ
ٱلدُّنْيَا وَفِى ٱلْءَاخِرَةِ ۖ وَيُضِلُّ ٱللَّهُ ٱلظَّٰلِمِينَ ۚ وَيَفْعَلُ
ٱللَّهُ مَا يَشَآءُ ﴿٢٧﴾ ۞ أَلَمْ تَرَ إِلَى ٱلَّذِينَ بَدَّلُوا۟ نِعْمَتَ ٱللَّهِ كُفْرًا
وَأَحَلُّوا۟ قَوْمَهُمْ دَارَ ٱلْبَوَارِ ﴿٢٨﴾ جَهَنَّمَ يَصْلَوْنَهَا ۖ وَبِئْسَ
ٱلْقَرَارُ ﴿٢٩﴾ وَجَعَلُوا۟ لِلَّهِ أَندَادًا لِّيُضِلُّوا۟ عَن سَبِيلِهِۦ ۗ قُلْ
تَمَتَّعُوا۟ فَإِنَّ مَصِيرَكُمْ إِلَى ٱلنَّارِ ﴿٣٠﴾ قُل لِّعِبَادِىَ ٱلَّذِينَ
ءَامَنُوا۟ يُقِيمُوا۟ ٱلصَّلَوٰةَ وَيُنفِقُوا۟ مِمَّا رَزَقْنَٰهُمْ سِرًّا وَعَلَانِيَةً
مِّن قَبْلِ أَن يَأْتِىَ يَوْمٌ لَّا بَيْعٌ فِيهِ وَلَا خِلَٰلٌ ﴿٣١﴾ ٱللَّهُ ٱلَّذِى خَلَقَ
ٱلسَّمَٰوَٰتِ وَٱلْأَرْضَ وَأَنزَلَ مِنَ ٱلسَّمَآءِ مَآءً فَأَخْرَجَ
بِهِۦ مِنَ ٱلثَّمَرَٰتِ رِزْقًا لَّكُمْ ۖ وَسَخَّرَ لَكُمُ ٱلْفُلْكَ لِتَجْرِىَ
فِى ٱلْبَحْرِ بِأَمْرِهِۦ ۖ وَسَخَّرَ لَكُمُ ٱلْأَنْهَٰرَ ﴿٣٢﴾ وَسَخَّرَ لَكُمُ
ٱلشَّمْسَ وَٱلْقَمَرَ دَآئِبَيْنِ ۖ وَسَخَّرَ لَكُمُ ٱلَّيْلَ وَٱلنَّهَارَ ﴿٣٣﴾

- أُكُلَهَا: ثَمرَها الذي يُؤكَل
- ٱجْتُثَّتْ: اقْتُلِعَتْ جُثّتُها من أصْلِهَا
- ثلاثة أرباع الحزب ٢٦
- ٱلْبَوَارِ: الهَلاك
- يَصْلَوْنَهَا: يَدْخُلونَها
- أَندَادًا: أمْثالاً من الأصنامِ يَعْبُدونَها
- لَا خِلَٰلٌ: لا مُخالَّةَ ولا مُوادَّةَ
- دَآئِبَيْنِ: دائِمَيْنِ في سَيْرِهِمَا في الدنيا

مدّ ٦ حركات لزوماً ● مدّ ٢ أو ٤ أو ٦ جوازاً ● مدّ واجب ٤ أو ٥ حركات ● مدّ حركتان ● إخفاء، ومواقع الغُنَّة (حركتان) ● إدغام، وما لا يُلفظ

وَءَاتَىٰكُم مِّن كُلِّ مَا سَأَلْتُمُوهُ ۚ وَإِن تَعُدُّوا۟ نِعْمَتَ ٱللَّهِ
لَا تُحْصُوهَآ ۗ إِنَّ ٱلْإِنسَٰنَ لَظَلُومٌ كَفَّارٌ ﴿٣٤﴾ وَإِذْ
قَالَ إِبْرَٰهِيمُ رَبِّ ٱجْعَلْ هَٰذَا ٱلْبَلَدَ ءَامِنًا وَٱجْنُبْنِى وَبَنِىَّ
أَن نَّعْبُدَ ٱلْأَصْنَامَ ﴿٣٥﴾ رَبِّ إِنَّهُنَّ أَضْلَلْنَ كَثِيرًا مِّنَ ٱلنَّاسِ ۖ
فَمَن تَبِعَنِى فَإِنَّهُۥ مِنِّى ۖ وَمَنْ عَصَانِى فَإِنَّكَ غَفُورٌ رَّحِيمٌ ﴿٣٦﴾
رَّبَّنَآ إِنِّىٓ أَسْكَنتُ مِن ذُرِّيَّتِى بِوَادٍ غَيْرِ ذِى زَرْعٍ عِندَ بَيْتِكَ
ٱلْمُحَرَّمِ رَبَّنَا لِيُقِيمُوا۟ ٱلصَّلَوٰةَ فَٱجْعَلْ أَفْـِٔدَةً مِّنَ ٱلنَّاسِ
تَهْوِىٓ إِلَيْهِمْ وَٱرْزُقْهُم مِّنَ ٱلثَّمَرَٰتِ لَعَلَّهُمْ يَشْكُرُونَ ﴿٣٧﴾
رَبَّنَآ إِنَّكَ تَعْلَمُ مَا نُخْفِى وَمَا نُعْلِنُ ۗ وَمَا يَخْفَىٰ عَلَى ٱللَّهِ مِن شَىْءٍ
فِى ٱلْأَرْضِ وَلَا فِى ٱلسَّمَآءِ ﴿٣٨﴾ ٱلْحَمْدُ لِلَّهِ ٱلَّذِى وَهَبَ لِى
عَلَى ٱلْكِبَرِ إِسْمَٰعِيلَ وَإِسْحَٰقَ ۚ إِنَّ رَبِّى لَسَمِيعُ ٱلدُّعَآءِ ﴿٣٩﴾
رَبِّ ٱجْعَلْنِى مُقِيمَ ٱلصَّلَوٰةِ وَمِن ذُرِّيَّتِى ۚ رَبَّنَا وَتَقَبَّلْ
دُعَآءِ ﴿٤٠﴾ رَبَّنَا ٱغْفِرْ لِى وَلِوَٰلِدَىَّ وَلِلْمُؤْمِنِينَ يَوْمَ يَقُومُ
ٱلْحِسَابُ ﴿٤١﴾ وَلَا تَحْسَبَنَّ ٱللَّهَ غَٰفِلًا عَمَّا يَعْمَلُ
ٱلظَّٰلِمُونَ ۚ إِنَّمَا يُؤَخِّرُهُمْ لِيَوْمٍ تَشْخَصُ فِيهِ ٱلْأَبْصَٰرُ ﴿٤٢﴾

- لَا تُحْصُوهَآ: لا تُطيقُوا عَدَّها لكثرتها
- ٱجْنُبْنِى: أبعِدْني
- تَهْوِىٓ إِلَيْهِمْ: تُسْرِعُ إليهم شَوْقاً وَوِداداً
- تَشْخَصُ: ترتفعُ دُونَ أن تَطْرِفَ

ابراهيم

مدّ ٦ حركات لزوماً | مدّ ٢ أو ٤ أو ٦ جوازاً | إخفاء، ومواقع الغُنَّة (حركتان) | تفخيم
مدّ واجب ٤ أو ٥ حركات | مدّ حركتان | إدغام، وما لا يُلفَظ | قلقلة

مُهْطِعِينَ مُقْنِعِى رُءُوسِهِمْ لَا يَرْتَدُّ إِلَيْهِمْ طَرْفُهُمْ ۖ وَأَفْـِٔدَتُهُمْ
هَوَآءٌ ﴿٤٣﴾ وَأَنذِرِ ٱلنَّاسَ يَوْمَ يَأْتِيهِمُ ٱلْعَذَابُ فَيَقُولُ ٱلَّذِينَ
ظَلَمُوا۟ رَبَّنَآ أَخِّرْنَآ إِلَىٰٓ أَجَلٍ قَرِيبٍ نُّجِبْ دَعْوَتَكَ وَنَتَّبِعِ
ٱلرُّسُلَ ۗ أَوَلَمْ تَكُونُوٓا۟ أَقْسَمْتُم مِّن قَبْلُ مَا لَكُم
مِّن زَوَالٍ ﴿٤٤﴾ وَسَكَنتُمْ فِى مَسَٰكِنِ ٱلَّذِينَ ظَلَمُوٓا۟
أَنفُسَهُمْ وَتَبَيَّنَ لَكُمْ كَيْفَ فَعَلْنَا بِهِمْ وَضَرَبْنَا
لَكُمُ ٱلْأَمْثَالَ ﴿٤٥﴾ وَقَدْ مَكَرُوا۟ مَكْرَهُمْ وَعِندَ ٱللَّهِ
مَكْرُهُمْ وَإِن كَانَ مَكْرُهُمْ لِتَزُولَ مِنْهُ ٱلْجِبَالُ
﴿٤٦﴾ فَلَا تَحْسَبَنَّ ٱللَّهَ مُخْلِفَ وَعْدِهِۦ رُسُلَهُۥٓ ۗ إِنَّ ٱللَّهَ عَزِيزٌ
ذُو ٱنتِقَامٍ ﴿٤٧﴾ يَوْمَ تُبَدَّلُ ٱلْأَرْضُ غَيْرَ ٱلْأَرْضِ وَٱلسَّمَٰوَٰتُ ۖ
وَبَرَزُوا۟ لِلَّهِ ٱلْوَٰحِدِ ٱلْقَهَّارِ ﴿٤٨﴾ وَتَرَى ٱلْمُجْرِمِينَ يَوْمَئِذٍ
مُّقَرَّنِينَ فِى ٱلْأَصْفَادِ ﴿٤٩﴾ سَرَابِيلُهُم مِّن قَطِرَانٍ وَتَغْشَىٰ
وُجُوهَهُمُ ٱلنَّارُ ﴿٥٠﴾ لِيَجْزِىَ ٱللَّهُ كُلَّ نَفْسٍ مَّا كَسَبَتْ ۚ
إِنَّ ٱللَّهَ سَرِيعُ ٱلْحِسَابِ ﴿٥١﴾ هَٰذَا بَلَٰغٌ لِّلنَّاسِ وَلِيُنذَرُوا۟
بِهِۦ وَلِيَعْلَمُوٓا۟ أَنَّمَا هُوَ إِلَٰهٌ وَٰحِدٌ وَلِيَذَّكَّرَ أُو۟لُوا۟ ٱلْأَلْبَٰبِ ﴿٥٢﴾

- مُهْطِعِينَ: مُسْرِعِينَ إلى الداعي بِذِلَّةٍ
- مُقْنِعِى رُءُوسِهِمْ: رَافِعِيهَا مديمِي النظر للأمام
- أَفْـِٔدَتُهُمْ هَوَآءٌ: خَالِيةٌ من الفهم لفرطِ الحيْرة
- بَرَزُوا۟ لِلَّهِ: خرجُوا من القبورِ للحسابِ
- مُّقَرَّنِينَ: مَقْرُوناً بَعْضُهُمْ مع بعض
- ٱلْأَصْفَادِ: القُيُود . أو الأغْلاَل
- سَرَابِيلُهُم: قُمْصَانُهُمْ أو ثيابُهم
- تَغْشَىٰ وُجُوهَهُمُ: تُغَطِّيهَا وَتُجَلِّيهَا

مدّ ٦ حركات لزوماً — مدّ ٢ أو ٤ أو ٦ جوازاً — مدّ واجب ٤ أو ٥ حركات — مدّ حركتان
إخفاء ، ومواقع الغُنَّة (حركتان) — إدغام ، وما لا يُلفَظ

# سُورَةُ الحِجرِ

ترتيبها ١٥ — آياتها ٩٩

بِسۡمِ ٱللَّهِ ٱلرَّحۡمَٰنِ ٱلرَّحِيمِ

الٓرۚ تِلۡكَ ءَايَٰتُ ٱلۡكِتَٰبِ وَقُرۡءَانٖ مُّبِينٖ ﴿١﴾ رُّبَمَا يَوَدُّ
ٱلَّذِينَ كَفَرُواْ لَوۡ كَانُواْ مُسۡلِمِينَ ﴿٢﴾ ذَرۡهُمۡ يَأۡكُلُواْ
وَيَتَمَتَّعُواْ وَيُلۡهِهِمُ ٱلۡأَمَلُۖ فَسَوۡفَ يَعۡلَمُونَ ﴿٣﴾ وَمَآ أَهۡلَكۡنَا
مِن قَرۡيَةٍ إِلَّا وَلَهَا كِتَابٞ مَّعۡلُومٞ ﴿٤﴾ مَّا تَسۡبِقُ مِنۡ أُمَّةٍ
أَجَلَهَا وَمَا يَسۡتَـٔۡخِرُونَ ﴿٥﴾ وَقَالُواْ يَٰٓأَيُّهَا ٱلَّذِي نُزِّلَ عَلَيۡهِ
ٱلذِّكۡرُ إِنَّكَ لَمَجۡنُونٞ ﴿٦﴾ لَّوۡ مَا تَأۡتِينَا بِٱلۡمَلَٰٓئِكَةِ إِن كُنتَ
مِنَ ٱلصَّٰدِقِينَ ﴿٧﴾ مَا نُنَزِّلُ ٱلۡمَلَٰٓئِكَةَ إِلَّا بِٱلۡحَقِّ وَمَا كَانُوٓاْ
إِذٗا مُّنظَرِينَ ﴿٨﴾ إِنَّا نَحۡنُ نَزَّلۡنَا ٱلذِّكۡرَ وَإِنَّا لَهُۥ لَحَٰفِظُونَ ﴿٩﴾
وَلَقَدۡ أَرۡسَلۡنَا مِن قَبۡلِكَ فِي شِيَعِ ٱلۡأَوَّلِينَ ﴿١٠﴾ وَمَا يَأۡتِيهِم مِّن
رَّسُولٍ إِلَّا كَانُواْ بِهِۦ يَسۡتَهۡزِءُونَ ﴿١١﴾ كَذَٰلِكَ نَسۡلُكُهُۥ فِي
قُلُوبِ ٱلۡمُجۡرِمِينَ ﴿١٢﴾ لَا يُؤۡمِنُونَ بِهِۦۖ وَقَدۡ خَلَتۡ سُنَّةُ ٱلۡأَوَّلِينَ
﴿١٣﴾ وَلَوۡ فَتَحۡنَا عَلَيۡهِم بَابٗا مِّنَ ٱلسَّمَآءِ فَظَلُّواْ فِيهِ يَعۡرُجُونَ
﴿١٤﴾ لَقَالُوٓاْ إِنَّمَا سُكِّرَتۡ أَبۡصَٰرُنَا بَلۡ نَحۡنُ قَوۡمٞ مَّسۡحُورُونَ ﴿١٥﴾

الجزء ١٤ — الحزب ٢٧

الحجر

- ذَرۡهُمۡ: دَعۡهُمۡ واتۡرُكۡهُمۡ
- لَهَا كِتَابٌ: أجلٌ مكتوبٌ
- لَوۡمَا: هلّا
- بِٱلۡحَقِّ: بالوَجۡهِ الذي تَقۡتَضِيهِ الحكمةُ
- مُّنظَرِينَ: مُؤَخَّرِينَ في العَذَابِ
- ٱلذِّكۡرَ: القُرآنَ
- شِيَعِ ٱلۡأَوَّلِينَ: فِرَقِهِمۡ
- نَسۡلُكُهُۥ: نُدۡخِلُهُ
- خَلَتۡ: مَضَتۡ
- سُنَّةُ ٱلۡأَوَّلِينَ: عَادَةُ اللهِ فِيهِمۡ
- يَعۡرُجُونَ: يَصۡعَدُونَ
- سُكِّرَتۡ أَبۡصَٰرُنَا: سُدَّتۡ ومُنِعَتۡ من الإبصار
- مَّسۡحُورُونَ: أَصَابَنَا محمدٌ بسِحۡرِهِ

| | | |
|---|---|---|
| مدّ ٦ حركات لزوماً ● مدّ ٢ أو ٤ أو ٦ جوازاً | إخفاء، ومواقع الغُنَّة (حركتان) | تفخيم |
| مدّ واجب ٤ أو ٥ حركات ● مدّ حركتان | إدغام، وما لا يُلفَظ | قلقلة |

وَلَقَدْ جَعَلْنَا فِي ٱلسَّمَآءِ بُرُوجٗا وَزَيَّنَّٰهَا لِلنَّٰظِرِينَ ﴿١٦﴾
وَحَفِظْنَٰهَا مِن كُلِّ شَيْطَٰنٖ رَّجِيمٍ ﴿١٧﴾ إِلَّا مَنِ ٱسْتَرَقَ ٱلسَّمْعَ
فَأَتْبَعَهُۥ شِهَابٞ مُّبِينٞ ﴿١٨﴾ وَٱلْأَرْضَ مَدَدْنَٰهَا وَأَلْقَيْنَا فِيهَا
رَوَٰسِيَ وَأَنۢبَتْنَا فِيهَا مِن كُلِّ شَيْءٖ مَّوْزُونٖ ﴿١٩﴾ وَجَعَلْنَا لَكُمْ فِيهَا
مَعَٰيِشَ وَمَن لَّسْتُمْ لَهُۥ بِرَٰزِقِينَ ﴿٢٠﴾ وَإِن مِّن شَيْءٍ إِلَّا عِندَنَا
خَزَآئِنُهُۥ وَمَا نُنَزِّلُهُۥٓ إِلَّا بِقَدَرٖ مَّعْلُومٖ ﴿٢١﴾ وَأَرْسَلْنَا ٱلرِّيَٰحَ
لَوَٰقِحَ فَأَنزَلْنَا مِنَ ٱلسَّمَآءِ مَآءٗ فَأَسْقَيْنَٰكُمُوهُ وَمَآ أَنتُمْ لَهُۥ
بِخَٰزِنِينَ ﴿٢٢﴾ وَإِنَّا لَنَحْنُ نُحْيِۦ وَنُمِيتُ وَنَحْنُ ٱلْوَٰرِثُونَ ﴿٢٣﴾
وَلَقَدْ عَلِمْنَا ٱلْمُسْتَقْدِمِينَ مِنكُمْ وَلَقَدْ عَلِمْنَا ٱلْمُسْتَـْٔخِرِينَ ﴿٢٤﴾
وَإِنَّ رَبَّكَ هُوَ يَحْشُرُهُمْۚ إِنَّهُۥ حَكِيمٌ عَلِيمٞ ﴿٢٥﴾ وَلَقَدْ خَلَقْنَا ٱلْإِنسَٰنَ
مِن صَلْصَٰلٖ مِّنْ حَمَإٖ مَّسْنُونٖ ﴿٢٦﴾ وَٱلْجَآنَّ خَلَقْنَٰهُ مِن قَبْلُ مِن نَّارِ
ٱلسَّمُومِ ﴿٢٧﴾ وَإِذْ قَالَ رَبُّكَ لِلْمَلَٰٓئِكَةِ إِنِّي خَٰلِقُۢ بَشَرٗا مِّن
صَلْصَٰلٖ مِّنْ حَمَإٖ مَّسْنُونٖ ﴿٢٨﴾ فَإِذَا سَوَّيْتُهُۥ وَنَفَخْتُ فِيهِ مِن
رُّوحِي فَقَعُواْ لَهُۥ سَٰجِدِينَ ﴿٢٩﴾ فَسَجَدَ ٱلْمَلَٰٓئِكَةُ كُلُّهُمْ
أَجْمَعُونَ ﴿٣٠﴾ إِلَّآ إِبْلِيسَ أَبَىٰٓ أَن يَكُونَ مَعَ ٱلسَّٰجِدِينَ ﴿٣١﴾

- بُرُوجًا: مَنَازِلَ لِلْكَوَاكِبِ
- رَّجِيمٍ: مَطْرُودٍ مِنَ الرَّحمة
- شِهَابٌ: شُعْلَةُ نارٍ مُنْقَضَّةٌ من السَّماءِ
- مُّبِينٌ: ظاهرٌ للمبصرين
- مَدَدْنَاهَا: بَسَطْنَاهَا ووَسَّعْنَاهَا
- رَوَاسِيَ: جبالاً ثَوابِتَ
- مَّوْزُونٍ: مُقَدَّرٍ بميزانِ الحِكْمَةِ
- مَعَايِشَ: أرزاقاً يُعَاشُ بها
- لَوَاقِحَ: تَلْقَحُ السَّحابَ والشَّجَرَ
- صَلْصَالٍ: طِينٍ يَابِسٍ كالفَخَّارِ
- حَمَإٍ: طِينٍ أَسْوَدَ مُتَغَيِّرٍ
- مَّسْنُونٍ: مُصَوَّرٍ صُورَةَ إنسانٍ أَجْوَفَ
- السَّمُومِ: الرِّيحِ الحَارَّةِ القاتِلَةِ
- أَبَىٰ: امْتَنَعَ

| | | |
|---|---|---|
| مدّ ٦ حركات لزوماً / مدّ ٢ أو ٤ أو ٦ جوازاً | إخفاء، ومواقع الغُنَّة (حركتان) | تفخ[illegible] |
| مدّ واجب ٤ أو ٥ حركات / مدّ حركتان | إدغام، وما لا يُلفظ | قلق[illegible] |

قَالَ يَٰٓإِبۡلِيسُ مَا لَكَ أَلَّا تَكُونَ مَعَ ٱلسَّٰجِدِينَ ﴿٣٢﴾ قَالَ لَمۡ أَكُن
لِّأَسۡجُدَ لِبَشَرٍ خَلَقۡتَهُۥ مِن صَلۡصَٰلٖ مِّنۡ حَمَإٖ مَّسۡنُونٖ ﴿٣٣﴾ قَالَ
فَٱخۡرُجۡ مِنۡهَا فَإِنَّكَ رَجِيمٞ ﴿٣٤﴾ وَإِنَّ عَلَيۡكَ ٱللَّعۡنَةَ إِلَىٰ يَوۡمِ
ٱلدِّينِ ﴿٣٥﴾ قَالَ رَبِّ فَأَنظِرۡنِيٓ إِلَىٰ يَوۡمِ يُبۡعَثُونَ ﴿٣٦﴾ قَالَ فَإِنَّكَ
مِنَ ٱلۡمُنظَرِينَ ﴿٣٧﴾ إِلَىٰ يَوۡمِ ٱلۡوَقۡتِ ٱلۡمَعۡلُومِ ﴿٣٨﴾ قَالَ رَبِّ بِمَآ
أَغۡوَيۡتَنِي لَأُزَيِّنَنَّ لَهُمۡ فِي ٱلۡأَرۡضِ وَلَأُغۡوِيَنَّهُمۡ أَجۡمَعِينَ ﴿٣٩﴾
إِلَّا عِبَادَكَ مِنۡهُمُ ٱلۡمُخۡلَصِينَ ﴿٤٠﴾ قَالَ هَٰذَا صِرَٰطٌ عَلَيَّ
مُسۡتَقِيمٌ ﴿٤١﴾ إِنَّ عِبَادِي لَيۡسَ لَكَ عَلَيۡهِمۡ سُلۡطَٰنٌ إِلَّا مَنِ
ٱتَّبَعَكَ مِنَ ٱلۡغَاوِينَ ﴿٤٢﴾ وَإِنَّ جَهَنَّمَ لَمَوۡعِدُهُمۡ أَجۡمَعِينَ ﴿٤٣﴾
لَهَا سَبۡعَةُ أَبۡوَٰبٖ لِّكُلِّ بَابٖ مِّنۡهُمۡ جُزۡءٞ مَّقۡسُومٌ ﴿٤٤﴾ إِنَّ
ٱلۡمُتَّقِينَ فِي جَنَّٰتٖ وَعُيُونٍ ﴿٤٥﴾ ٱدۡخُلُوهَا بِسَلَٰمٍ ءَامِنِينَ ﴿٤٦﴾
وَنَزَعۡنَا مَا فِي صُدُورِهِم مِّنۡ غِلٍّ إِخۡوَٰنًا عَلَىٰ سُرُرٖ مُّتَقَٰبِلِينَ
﴿٤٧﴾ لَا يَمَسُّهُمۡ فِيهَا نَصَبٞ وَمَا هُم مِّنۡهَا بِمُخۡرَجِينَ ﴿٤٨﴾
۞ نَبِّئۡ عِبَادِيٓ أَنِّيٓ أَنَا ٱلۡغَفُورُ ٱلرَّحِيمُ ﴿٤٩﴾ وَأَنَّ عَذَابِي
هُوَ ٱلۡعَذَابُ ٱلۡأَلِيمُ ﴿٥٠﴾ وَنَبِّئۡهُمۡ عَن ضَيۡفِ إِبۡرَٰهِيمَ ﴿٥١﴾

رَجِيمٌ: مطرودٌ من الرَّحمة
ٱللَّعۡنَةَ: الإبعادُ على سبيل السُّخط
فَأَنظِرۡنِيٓ: أمهِلْني ولا تُمِتْني
لَأُغۡوِيَنَّهُمۡ: لأحمِلَنَّهُم على الضَّلال
الحجر
ٱلۡمُخۡلَصِينَ: المختارين لِطاعتِك
صِرَٰطٌ عَلَيَّ: حقٌّ عليَّ مُراعاتُه
سُلۡطَٰنٌ: تَسلُّطٌ وقُدرةٌ
جُزۡءٞ مَّقۡسُومٌ: فريقٌ مُعيَّنٌ
غِلٍّ: حِقدٍ وضَغينةٍ
نَصَبٞ: تَعبٌ وعَناءٌ
ربع الحزب ٢٧
ضَيۡفِ إِبۡرَٰهِيمَ: أضيافِه من الملائكة

مدّ ٦ حركات لزوماً ● مدّ ٢ أو ٤ أو ٦ جوازاً ● إخفاء، ومواقع الغُنَّة (حركتان) ● تفخيم
مدّ واجب ٤ أو ٥ حركات ● مدّ حركتان ● إدغام، وما لا يُلفظ ● قلقلة

إِذْ دَخَلُوا۟ عَلَيْهِ فَقَالُوا۟ سَلَـٰمًا قَالَ إِنَّا مِنكُمْ وَجِلُونَ ﴿٥٢﴾ قَالُوا۟
لَا تَوْجَلْ إِنَّا نُبَشِّرُكَ بِغُلَـٰمٍ عَلِيمٍ ﴿٥٣﴾ قَالَ أَبَشَّرْتُمُونِى عَلَىٰٓ أَن
مَّسَّنِىَ ٱلْكِبَرُ فَبِمَ تُبَشِّرُونَ ﴿٥٤﴾ قَالُوا۟ بَشَّرْنَـٰكَ بِٱلْحَقِّ
فَلَا تَكُن مِّنَ ٱلْقَـٰنِطِينَ ﴿٥٥﴾ قَالَ وَمَن يَقْنَطُ مِن رَّحْمَةِ
رَبِّهِۦٓ إِلَّا ٱلضَّآلُّونَ ﴿٥٦﴾ قَالَ فَمَا خَطْبُكُمْ أَيُّهَا ٱلْمُرْسَلُونَ
﴿٥٧﴾ قَالُوٓا۟ إِنَّآ أُرْسِلْنَآ إِلَىٰ قَوْمٍ مُّجْرِمِينَ ﴿٥٨﴾ إِلَّآ ءَالَ لُوطٍ
إِنَّا لَمُنَجُّوهُمْ أَجْمَعِينَ ﴿٥٩﴾ إِلَّا ٱمْرَأَتَهُۥ قَدَّرْنَآ ۙ إِنَّهَا لَمِنَ
ٱلْغَـٰبِرِينَ ﴿٦٠﴾ فَلَمَّا جَآءَ ءَالَ لُوطٍ ٱلْمُرْسَلُونَ ﴿٦١﴾ قَالَ
إِنَّكُمْ قَوْمٌ مُّنكَرُونَ ﴿٦٢﴾ قَالُوا۟ بَلْ جِئْنَـٰكَ بِمَا كَانُوا۟ فِيهِ
يَمْتَرُونَ ﴿٦٣﴾ وَأَتَيْنَـٰكَ بِٱلْحَقِّ وَإِنَّا لَصَـٰدِقُونَ ﴿٦٤﴾ فَأَسْرِ
بِأَهْلِكَ بِقِطْعٍ مِّنَ ٱلَّيْلِ وَٱتَّبِعْ أَدْبَـٰرَهُمْ وَلَا يَلْتَفِتْ مِنكُمْ أَحَدٌ
وَٱمْضُوا۟ حَيْثُ تُؤْمَرُونَ ﴿٦٥﴾ وَقَضَيْنَآ إِلَيْهِ ذَٰلِكَ ٱلْأَمْرَ أَنَّ
دَابِرَ هَـٰٓؤُلَآءِ مَقْطُوعٌ مُّصْبِحِينَ ﴿٦٦﴾ وَجَآءَ أَهْلُ ٱلْمَدِينَةِ
يَسْتَبْشِرُونَ ﴿٦٧﴾ قَالَ إِنَّ هَـٰٓؤُلَآءِ ضَيْفِى فَلَا تَفْضَحُونِ ﴿٦٨﴾ وَٱتَّقُوا۟
ٱللَّهَ وَلَا تُخْزُونِ ﴿٦٩﴾ قَالُوٓا۟ أَوَلَمْ نَنْهَكَ عَنِ ٱلْعَـٰلَمِينَ ﴿٧٠﴾

- وَجِلُونَ: خائفونَ
- ٱلْقَـٰنِطِينَ: الآيِسينَ من الخَيرِ
- فَمَا خَطْبُكُمْ: فَمَا شَأنُكُم الخَطيرُ
- قَدَّرْنَآ: عَلِمْنا أو قَضَيْنا
- ٱلْغَـٰبِرِينَ: البَاقِينَ في العَذَابِ
- يَمْتَرُونَ: يَشُكُّونَ ويكذِّبونَكَ فيه
- بِقِطْعٍ: بطائفةٍ
- قَضَيْنَآ إِلَيْهِ: أَوْحَيْنا إليْهِ
- دَابِرَ هَـٰٓؤُلَآءِ: آخِرَهُمْ
- مُّصْبِحِينَ: داخِلينَ في الصَّباحِ

قَالَ هَٰٓؤُلَآءِ بَنَاتِىٓ إِن كُنتُمْ فَٰعِلِينَ ﴿٧١﴾ لَعَمْرُكَ إِنَّهُمْ لَفِى سَكْرَتِهِمْ
يَعْمَهُونَ ﴿٧٢﴾ فَأَخَذَتْهُمُ ٱلصَّيْحَةُ مُشْرِقِينَ ﴿٧٣﴾ فَجَعَلْنَا عَٰلِيَهَا
سَافِلَهَا وَأَمْطَرْنَا عَلَيْهِمْ حِجَارَةً مِّن سِجِّيلٍ ﴿٧٤﴾ إِنَّ فِى ذَٰلِكَ
لَءَايَٰتٍ لِّلْمُتَوَسِّمِينَ ﴿٧٥﴾ وَإِنَّهَا لَبِسَبِيلٍ مُّقِيمٍ ﴿٧٦﴾ إِنَّ فِى ذَٰلِكَ
لَءَايَةً لِّلْمُؤْمِنِينَ ﴿٧٧﴾ وَإِن كَانَ أَصْحَٰبُ ٱلْأَيْكَةِ لَظَٰلِمِينَ ﴿٧٨﴾
فَٱنتَقَمْنَا مِنْهُمْ وَإِنَّهُمَا لَبِإِمَامٍ مُّبِينٍ ﴿٧٩﴾ وَلَقَدْ كَذَّبَ أَصْحَٰبُ
ٱلْحِجْرِ ٱلْمُرْسَلِينَ ﴿٨٠﴾ وَءَاتَيْنَٰهُمْ ءَايَٰتِنَا فَكَانُوا۟ عَنْهَا مُعْرِضِينَ
﴿٨١﴾ وَكَانُوا۟ يَنْحِتُونَ مِنَ ٱلْجِبَالِ بُيُوتًا ءَامِنِينَ ﴿٨٢﴾ فَأَخَذَتْهُمُ
ٱلصَّيْحَةُ مُصْبِحِينَ ﴿٨٣﴾ فَمَآ أَغْنَىٰ عَنْهُم مَّا كَانُوا۟ يَكْسِبُونَ ﴿٨٤﴾
وَمَا خَلَقْنَا ٱلسَّمَٰوَٰتِ وَٱلْأَرْضَ وَمَا بَيْنَهُمَآ إِلَّا بِٱلْحَقِّ ۗ وَإِنَّ
ٱلسَّاعَةَ لَءَاتِيَةٌ ۖ فَٱصْفَحِ ٱلصَّفْحَ ٱلْجَمِيلَ ﴿٨٥﴾ إِنَّ رَبَّكَ هُوَ
ٱلْخَلَّٰقُ ٱلْعَلِيمُ ﴿٨٦﴾ وَلَقَدْ ءَاتَيْنَٰكَ سَبْعًا مِّنَ ٱلْمَثَانِى وَٱلْقُرْءَانَ
ٱلْعَظِيمَ ﴿٨٧﴾ لَا تَمُدَّنَّ عَيْنَيْكَ إِلَىٰ مَا مَتَّعْنَا بِهِۦٓ أَزْوَٰجًا مِّنْهُمْ
وَلَا تَحْزَنْ عَلَيْهِمْ وَٱخْفِضْ جَنَاحَكَ لِلْمُؤْمِنِينَ ﴿٨٨﴾ وَقُلْ إِنِّىٓ
أَنَا ٱلنَّذِيرُ ٱلْمُبِينُ ﴿٨٩﴾ كَمَآ أَنزَلْنَا عَلَى ٱلْمُقْتَسِمِينَ ﴿٩٠﴾

- لَعَمْرُكَ: قَسَمٌ من الله بحياة محمد ﷺ
- سَكْرَتِهِمْ: غَوَايَتِهِمْ وَضَلالَتِهِمْ
- يَعْمَهُونَ: يَعْمَوْنَ عن الرُّشْد، أو يَتَحَيَّرُونَ
- ٱلصَّيْحَةُ: صوتٌ مُهْلِكٌ من السَّماء
- مُشْرِقِينَ: دَاخِلِينَ في وقت الشُّرُوقِ
- سِجِّيلٍ: طِينٍ مُتَحَجِّرٍ طُبِخ بالنار

**الحجر**

- لِلْمُتَوَسِّمِينَ: للمتفرِّسين المتأمِّلين
- لَبِسَبِيلٍ مُّقِيمٍ: طريقٍ ثابتٍ لم يَنْدَرِسْ
- ٱلْأَيْكَةِ: بُقْعَةٍ كثيفةِ الأشجار
- لَبِإِمَامٍ مُّبِينٍ: طَرِيقٍ وَاضِحٍ
- ٱلْحِجْرِ: دِيَارِ ثَمُودَ
- مُصْبِحِينَ: داخلينَ في الصباح
- سَبْعًا: هي سُورةُ الفاتحة
- ٱلْمَثَانِى: التي تُثَنَّى قراءتُها في الصلاة
- ٱخْفِضْ جَنَاحَكَ: تواضَعْ
- ٱلْمُقْتَسِمِينَ: أَهْلِ الكِتَابِ

| | | |
|---|---|---|
| مدّ ٦ حركات لزوماً ● مدّ ٢ أو ٤ أو ٦ جوازاً | إخفاء، ومواقع الغُنَّة (حركتان) | تفخيم |
| مدّ واجب ٤ أو ٥ حركات ● مدّ حركتان | إدغام، وما لا يُلفظ | قلقلة |

ٱلَّذِينَ جَعَلُواْ ٱلْقُرْءَانَ عِضِينَ ﴿٩١﴾ فَوَرَبِّكَ لَنَسْـَٔلَنَّهُمْ
أَجْمَعِينَ ﴿٩٢﴾ عَمَّا كَانُواْ يَعْمَلُونَ ﴿٩٣﴾ فَٱصْدَعْ بِمَا تُؤْمَرُ وَأَعْرِضْ
عَنِ ٱلْمُشْرِكِينَ ﴿٩٤﴾ إِنَّا كَفَيْنَٰكَ ٱلْمُسْتَهْزِءِينَ ﴿٩٥﴾ ٱلَّذِينَ
يَجْعَلُونَ مَعَ ٱللَّهِ إِلَٰهًا ءَاخَرَ ۚ فَسَوْفَ يَعْلَمُونَ ﴿٩٦﴾ وَلَقَدْ نَعْلَمُ
أَنَّكَ يَضِيقُ صَدْرُكَ بِمَا يَقُولُونَ ﴿٩٧﴾ فَسَبِّحْ بِحَمْدِ رَبِّكَ وَكُن
مِّنَ ٱلسَّٰجِدِينَ ﴿٩٨﴾ وَٱعْبُدْ رَبَّكَ حَتَّىٰ يَأْتِيَكَ ٱلْيَقِينُ ﴿٩٩﴾

## سُورَةُ النَّحْلِ

ترتيبها ١٦ — آياتها ١٢٨

بِسْمِ ٱللَّهِ ٱلرَّحْمَٰنِ ٱلرَّحِيمِ

أَتَىٰٓ أَمْرُ ٱللَّهِ فَلَا تَسْتَعْجِلُوهُ ۚ سُبْحَٰنَهُۥ وَتَعَٰلَىٰ عَمَّا يُشْرِكُونَ
﴿١﴾ يُنَزِّلُ ٱلْمَلَٰٓئِكَةَ بِٱلرُّوحِ مِنْ أَمْرِهِۦ عَلَىٰ مَن يَشَآءُ مِنْ عِبَادِهِۦٓ
أَنْ أَنذِرُوٓاْ أَنَّهُۥ لَآ إِلَٰهَ إِلَّآ أَنَا۠ فَٱتَّقُونِ ﴿٢﴾ خَلَقَ ٱلسَّمَٰوَٰتِ
وَٱلْأَرْضَ بِٱلْحَقِّ ۚ تَعَٰلَىٰ عَمَّا يُشْرِكُونَ ﴿٣﴾ خَلَقَ
ٱلْإِنسَٰنَ مِن نُّطْفَةٍ فَإِذَا هُوَ خَصِيمٌ مُّبِينٌ ﴿٤﴾ وَٱلْأَنْعَٰمَ
خَلَقَهَا ۗ لَكُمْ فِيهَا دِفْءٌ وَمَنَٰفِعُ وَمِنْهَا تَأْكُلُونَ
﴿٥﴾ وَلَكُمْ فِيهَا جَمَالٌ حِينَ تُرِيحُونَ وَحِينَ تَسْرَحُونَ ﴿٦﴾

عِضِينَ: أجزاء؛ منه حقّ ومنه باطلٌ
فَٱصْدَعْ: اجْهَرْ
ٱلْيَقِينُ: المَوْتُ المتيقَّنُ وقوعُه
نصف الحزب ٢٧
تَعَٰلَىٰ: تعاظَمَ بأوصافه الجليلة
بِٱلرُّوحِ: بالوَحْيِ
نُّطْفَةٍ: مَنِيّ
خَصِيمٌ: شَديدُ الخُصومَةِ بالباطِلِ
ٱلْأَنْعَٰمَ: الإبلَ والبقرَ والغنمَ
دِفْءٌ: ما تَتَدفَّؤُون به من البَرْد
تُرِيحُونَ: تَرُدُّونَها بالعَشِيِّ إلى المَراح
تَسْرَحُونَ: تخرِجُونَها بالغَداة إلى المَسْرَح

مدّ ٦ حركات لزوماً — مدّ ٢ أو ٤ أو ٦ جوازاً — إخفاء، ومواقع الغُنَّة (حركتان) — تفخيم
مدّ واجب ٤ أو ٥ حركات — مدّ حركتان — إدغام، وما لا يُلفَظ — قلقلة

وَتَحۡمِلُ أَثۡقَالَكُمۡ إِلَىٰ بَلَدٖ لَّمۡ تَكُونُواْ بَٰلِغِيهِ إِلَّا بِشِقِّ
ٱلۡأَنفُسِۚ إِنَّ رَبَّكُمۡ لَرَءُوفٞ رَّحِيمٞ ﴿٧﴾ وَٱلۡخَيۡلَ وَٱلۡبِغَالَ
وَٱلۡحَمِيرَ لِتَرۡكَبُوهَا وَزِينَةٗۚ وَيَخۡلُقُ مَا لَا تَعۡلَمُونَ ﴿٨﴾
وَعَلَى ٱللَّهِ قَصۡدُ ٱلسَّبِيلِ وَمِنۡهَا جَآئِرٞۚ وَلَوۡ شَآءَ لَهَدَىٰكُمۡ
أَجۡمَعِينَ ﴿٩﴾ هُوَ ٱلَّذِيٓ أَنزَلَ مِنَ ٱلسَّمَآءِ مَآءٗۖ لَّكُم مِّنۡهُ
شَرَابٞ وَمِنۡهُ شَجَرٞ فِيهِ تُسِيمُونَ ﴿١٠﴾ يُنۢبِتُ لَكُم
بِهِ ٱلزَّرۡعَ وَٱلزَّيۡتُونَ وَٱلنَّخِيلَ وَٱلۡأَعۡنَٰبَ وَمِن كُلِّ
ٱلثَّمَرَٰتِۚ إِنَّ فِي ذَٰلِكَ لَأٓيَةٗ لِّقَوۡمٖ يَتَفَكَّرُونَ ﴿١١﴾
وَسَخَّرَ لَكُمُ ٱلَّيۡلَ وَٱلنَّهَارَ وَٱلشَّمۡسَ وَٱلۡقَمَرَۖ وَٱلنُّجُومُ
مُسَخَّرَٰتُۢ بِأَمۡرِهِۦٓۚ إِنَّ فِي ذَٰلِكَ لَأٓيَٰتٖ لِّقَوۡمٖ يَعۡقِلُونَ
﴿١٢﴾ وَمَا ذَرَأَ لَكُمۡ فِي ٱلۡأَرۡضِ مُخۡتَلِفًا أَلۡوَٰنُهُۥٓۚ إِنَّ
فِي ذَٰلِكَ لَأٓيَةٗ لِّقَوۡمٖ يَذَّكَّرُونَ ﴿١٣﴾ وَهُوَ ٱلَّذِي
سَخَّرَ ٱلۡبَحۡرَ لِتَأۡكُلُواْ مِنۡهُ لَحۡمٗا طَرِيّٗا وَتَسۡتَخۡرِجُواْ
مِنۡهُ حِلۡيَةٗ تَلۡبَسُونَهَاۖ وَتَرَى ٱلۡفُلۡكَ مَوَاخِرَ فِيهِ
وَلِتَبۡتَغُواْ مِن فَضۡلِهِۦ وَلَعَلَّكُمۡ تَشۡكُرُونَ ﴿١٤﴾

- أَثۡقَالَكُمۡ: أمتعتكم الثقيلة
- بِشِقِّ ٱلۡأَنفُسِ: بمشقّتها وتعبها
- قَصۡدُ ٱلسَّبِيلِ: بيان الطريق المستقيم
- جَآئِرٞ: مائل عن الاستقامة
- تُسِيمُونَ: ترعون دوابكم
- ذَرَأَ: خلق وأبدع
- مَوَاخِرَ فِيهِ: جواري فيه تشق الماء

تقرأ عند الوقف: مَآءَا

النحل

- تفخيم
- قلقلة
- إخفاء ، ومواقع الغُنَّة (حركتان)
- إدغام ، وما لا يُلفظ
- مدّ ٦ حركات لزوماً
- مدّ ٢ أو ٤ أو ٦ جوازاً
- مدّ واجب ٤ أو ٥ حركات
- مدّ حركتان

وَأَلْقَىٰ فِي ٱلْأَرْضِ رَوَٰسِيَ أَن تَمِيدَ بِكُمْ وَأَنْهَٰرًا وَسُبُلًا
لَّعَلَّكُمْ تَهْتَدُونَ ﴿١٥﴾ وَعَلَٰمَٰتٍ وَبِٱلنَّجْمِ هُمْ يَهْتَدُونَ
﴿١٦﴾ أَفَمَن يَخْلُقُ كَمَن لَّا يَخْلُقُ أَفَلَا تَذَكَّرُونَ ﴿١٧﴾ وَإِن
تَعُدُّوا۟ نِعْمَةَ ٱللَّهِ لَا تُحْصُوهَآ إِنَّ ٱللَّهَ لَغَفُورٌ رَّحِيمٌ ﴿١٨﴾
وَٱللَّهُ يَعْلَمُ مَا تُسِرُّونَ وَمَا تُعْلِنُونَ ﴿١٩﴾ وَٱلَّذِينَ يَدْعُونَ
مِن دُونِ ٱللَّهِ لَا يَخْلُقُونَ شَيْـًٔا وَهُمْ يُخْلَقُونَ ﴿٢٠﴾ أَمْوَٰتٌ غَيْرُ
أَحْيَآءٍ وَمَا يَشْعُرُونَ أَيَّانَ يُبْعَثُونَ ﴿٢١﴾ إِلَٰهُكُمْ إِلَٰهٌ وَٰحِدٌ
فَٱلَّذِينَ لَا يُؤْمِنُونَ بِٱلْءَاخِرَةِ قُلُوبُهُم مُّنكِرَةٌ وَهُم مُّسْتَكْبِرُونَ
﴿٢٢﴾ لَا جَرَمَ أَنَّ ٱللَّهَ يَعْلَمُ مَا يُسِرُّونَ وَمَا يُعْلِنُونَ إِنَّهُۥ
لَا يُحِبُّ ٱلْمُسْتَكْبِرِينَ ﴿٢٣﴾ وَإِذَا قِيلَ لَهُم مَّاذَآ أَنزَلَ رَبُّكُمْ
قَالُوٓا۟ أَسَٰطِيرُ ٱلْأَوَّلِينَ ﴿٢٤﴾ لِيَحْمِلُوٓا۟ أَوْزَارَهُمْ كَامِلَةً
يَوْمَ ٱلْقِيَٰمَةِ وَمِنْ أَوْزَارِ ٱلَّذِينَ يُضِلُّونَهُم بِغَيْرِ عِلْمٍ أَلَا
سَآءَ مَا يَزِرُونَ ﴿٢٥﴾ قَدْ مَكَرَ ٱلَّذِينَ مِن قَبْلِهِمْ
فَأَتَى ٱللَّهُ بُنْيَٰنَهُم مِّنَ ٱلْقَوَاعِدِ فَخَرَّ عَلَيْهِمُ ٱلسَّقْفُ
مِن فَوْقِهِمْ وَأَتَىٰهُمُ ٱلْعَذَابُ مِنْ حَيْثُ لَا يَشْعُرُونَ ﴿٢٦﴾

- رَوَٰسِيَ: جبالاً ثوابتَ
- أَن تَمِيدَ: لِئلاّ تتحرّكَ وتضطرِبَ
- لَا تُحْصُوهَآ: لا تُطيقُوا حَصْرَها
- لَا جَرَمَ: حقّ وثبت. أو لا مَحالَةَ
- أَسَٰطِيرُ ٱلْأَوَّلِينَ: أباطيلُهُم المسطّرةُ في كُتُبِهِمْ
- أَوْزَارَهُمْ: آثامَهُمْ وذُنُوبَهُمْ
- ٱلْقَوَاعِدِ: الدعائم والعُمُدِ

مدّ ٦ حركات لزوماً ● مدّ ٢ أو ٤ أو ٦ جوازاً ● إخفاء، ومواقع الغُنّة (حركتان) ● تفـ
مدّ واجب ٤ أو ٥ حركات ● مدّ حركتان ● إدغام، وما لا يُلفَظ ● قلقـ

ثُمَّ يَوْمَ ٱلْقِيَٰمَةِ يُخْزِيهِمْ وَيَقُولُ أَيْنَ شُرَكَآءِىَ ٱلَّذِينَ
كُنتُمْ تُشَٰٓقُّونَ فِيهِمْ ۚ قَالَ ٱلَّذِينَ أُوتُوا۟ ٱلْعِلْمَ إِنَّ ٱلْخِزْىَ
ٱلْيَوْمَ وَٱلسُّوٓءَ عَلَى ٱلْكَٰفِرِينَ ﴿٢٧﴾ ٱلَّذِينَ تَتَوَفَّىٰهُمُ ٱلْمَلَٰٓئِكَةُ
ظَالِمِىٓ أَنفُسِهِمْ ۖ فَأَلْقَوُا۟ ٱلسَّلَمَ مَا كُنَّا نَعْمَلُ مِن سُوٓءٍۭ ۚ بَلَىٰٓ
إِنَّ ٱللَّهَ عَلِيمٌۢ بِمَا كُنتُمْ تَعْمَلُونَ ﴿٢٨﴾ فَٱدْخُلُوٓا۟ أَبْوَٰبَ جَهَنَّمَ
خَٰلِدِينَ فِيهَا ۖ فَلَبِئْسَ مَثْوَى ٱلْمُتَكَبِّرِينَ ﴿٢٩﴾ ۞ وَقِيلَ
لِلَّذِينَ ٱتَّقَوْا۟ مَاذَآ أَنزَلَ رَبُّكُمْ ۚ قَالُوا۟ خَيْرًا ۗ لِّلَّذِينَ أَحْسَنُوا۟ فِى
هَٰذِهِ ٱلدُّنْيَا حَسَنَةٌ ۚ وَلَدَارُ ٱلْءَاخِرَةِ خَيْرٌ ۚ وَلَنِعْمَ دَارُ ٱلْمُتَّقِينَ
﴿٣٠﴾ جَنَّٰتُ عَدْنٍ يَدْخُلُونَهَا تَجْرِى مِن تَحْتِهَا ٱلْأَنْهَٰرُ ۖ لَهُمْ فِيهَا
مَا يَشَآءُونَ ۚ كَذَٰلِكَ يَجْزِى ٱللَّهُ ٱلْمُتَّقِينَ ﴿٣١﴾ ٱلَّذِينَ تَتَوَفَّىٰهُمُ
ٱلْمَلَٰٓئِكَةُ طَيِّبِينَ ۙ يَقُولُونَ سَلَٰمٌ عَلَيْكُمُ ٱدْخُلُوا۟ ٱلْجَنَّةَ بِمَا
كُنتُمْ تَعْمَلُونَ ﴿٣٢﴾ هَلْ يَنظُرُونَ إِلَّآ أَن تَأْتِيَهُمُ ٱلْمَلَٰٓئِكَةُ
أَوْ يَأْتِىَ أَمْرُ رَبِّكَ ۚ كَذَٰلِكَ فَعَلَ ٱلَّذِينَ مِن قَبْلِهِمْ ۚ وَمَا ظَلَمَهُمُ
ٱللَّهُ وَلَٰكِن كَانُوٓا۟ أَنفُسَهُمْ يَظْلِمُونَ ﴿٣٣﴾ فَأَصَابَهُمْ
سَيِّـَٔاتُ مَا عَمِلُوا۟ وَحَاقَ بِهِم مَّا كَانُوا۟ بِهِۦ يَسْتَهْزِءُونَ ﴿٣٤﴾

- يُخْزِيهِمْ: يُذِلُّهُمْ وَيُهِينُهُمْ
- تُشَٰٓقُّونَ: تُخاصِمُونَ وتُنازِعُونَ
- ٱلْخِزْىَ: الذُّلّ وَالْهَوَان
- ٱلسُّوٓءَ: العَذاب
- فَأَلْقَوُا۟: أظْهَرُوا
- ٱلسَّلَمَ: الاسْتِسْلام والخُضُوع
- ثلاثة أرباع الحزب ٢٧
- مَثْوَى: مَأْوَى ومُقَام
- النحل
- حَاقَ بِهِم: أحاطَ . أو نَزَلَ

| | | |
|---|---|---|
| مدّ ٦ حركات لزوماً ● مدّ ٢ أو ٤ أو ٦ جوازاً | ● إخفاء ، ومواقع الغُنَّة (حركتان) | ● تفخيم |
| مدّ واجب ٤ أو ٥ حركات ● مدّ حركتان | ● إدغام ، وما لا يُلفَظ | ● قلقلة |

وَقَالَ ٱلَّذِينَ أَشۡرَكُواْ لَوۡ شَآءَ ٱللَّهُ مَا عَبَدۡنَا مِن دُونِهِۦ مِن
شَيۡءٖ نَّحۡنُ وَلَآ ءَابَآؤُنَا وَلَا حَرَّمۡنَا مِن دُونِهِۦ مِن شَيۡءٖۚ كَذَٰلِكَ
فَعَلَ ٱلَّذِينَ مِن قَبۡلِهِمۡۚ فَهَلۡ عَلَى ٱلرُّسُلِ إِلَّا ٱلۡبَلَٰغُ ٱلۡمُبِينُ
٣٥ وَلَقَدۡ بَعَثۡنَا فِي كُلِّ أُمَّةٖ رَّسُولًا أَنِ ٱعۡبُدُواْ ٱللَّهَ
وَٱجۡتَنِبُواْ ٱلطَّٰغُوتَۖ فَمِنۡهُم مَّنۡ هَدَى ٱللَّهُ وَمِنۡهُم مَّنۡ
حَقَّتۡ عَلَيۡهِ ٱلضَّلَٰلَةُۚ فَسِيرُواْ فِي ٱلۡأَرۡضِ فَٱنظُرُواْ كَيۡفَ
كَانَ عَٰقِبَةُ ٱلۡمُكَذِّبِينَ ٣٦ إِن تَحۡرِصۡ عَلَىٰ هُدَىٰهُمۡ
فَإِنَّ ٱللَّهَ لَا يَهۡدِي مَن يُضِلُّۖ وَمَا لَهُم مِّن نَّٰصِرِينَ ٣٧
وَأَقۡسَمُواْ بِٱللَّهِ جَهۡدَ أَيۡمَٰنِهِمۡ لَا يَبۡعَثُ ٱللَّهُ مَن يَمُوتُۚ بَلَىٰ
وَعۡدًا عَلَيۡهِ حَقّٗا وَلَٰكِنَّ أَكۡثَرَ ٱلنَّاسِ لَا يَعۡلَمُونَ ٣٨
لِيُبَيِّنَ لَهُمُ ٱلَّذِي يَخۡتَلِفُونَ فِيهِ وَلِيَعۡلَمَ ٱلَّذِينَ كَفَرُوٓاْ أَنَّهُمۡ
كَانُواْ كَٰذِبِينَ ٣٩ إِنَّمَا قَوۡلُنَا لِشَيۡءٍ إِذَآ أَرَدۡنَٰهُ أَن نَّقُولَ
لَهُۥ كُن فَيَكُونُ ٤٠ وَٱلَّذِينَ هَاجَرُواْ فِي ٱللَّهِ مِنۢ بَعۡدِ مَا ظُلِمُواْ
لَنُبَوِّئَنَّهُمۡ فِي ٱلدُّنۡيَا حَسَنَةٗۖ وَلَأَجۡرُ ٱلۡأٓخِرَةِ أَكۡبَرُۚ لَوۡ كَانُواْ
يَعۡلَمُونَ ٤١ ٱلَّذِينَ صَبَرُواْ وَعَلَىٰ رَبِّهِمۡ يَتَوَكَّلُونَ ٤٢

ٱجۡتَنِبُواْ ٱلطَّٰغُوتَ: كلّ معبود .أو مطاع غيره تعالى
جَهۡدَ أَيۡمَٰنِهِمۡ: أغلظها وأوكدها
لَنُبَوِّئَنَّهُمۡ: لَنُنزِلَنَّهُمۡ

مدّ ٦ حركات لزوماً | مدّ ٢ أو ٤ أو ٦ جوازاً | إخفاء ، ومواقع الغُنَّة (حركتان) | تفـ
مدّ واجب ٤ أو ٥ حركات | مدّ حركتان | إدغام ، وما لا يُلفَظ | قلقـ

وَمَآ أَرۡسَلۡنَا مِن قَبۡلِكَ إِلَّا رِجَالٗا نُّوحِيٓ إِلَيۡهِمۡۚ فَسۡـَٔلُوٓاْ أَهۡلَ
ٱلذِّكۡرِ إِن كُنتُمۡ لَا تَعۡلَمُونَ ﴿٤٣﴾ بِٱلۡبَيِّنَٰتِ وَٱلزُّبُرِۗ وَأَنزَلۡنَآ إِلَيۡكَ
ٱلذِّكۡرَ لِتُبَيِّنَ لِلنَّاسِ مَا نُزِّلَ إِلَيۡهِمۡ وَلَعَلَّهُمۡ يَتَفَكَّرُونَ
﴿٤٤﴾ أَفَأَمِنَ ٱلَّذِينَ مَكَرُواْ ٱلسَّيِّـَٔاتِ أَن يَخۡسِفَ ٱللَّهُ بِهِمُ ٱلۡأَرۡضَ
أَوۡ يَأۡتِيَهُمُ ٱلۡعَذَابُ مِنۡ حَيۡثُ لَا يَشۡعُرُونَ ﴿٤٥﴾ أَوۡ يَأۡخُذَهُمۡ
فِي تَقَلُّبِهِمۡ فَمَا هُم بِمُعۡجِزِينَ ﴿٤٦﴾ أَوۡ يَأۡخُذَهُمۡ عَلَىٰ تَخَوُّفٖ فَإِنَّ
رَبَّكُمۡ لَرَءُوفٞ رَّحِيمٌ ﴿٤٧﴾ أَوَلَمۡ يَرَوۡاْ إِلَىٰ مَا خَلَقَ ٱللَّهُ مِن شَيۡءٖ
يَتَفَيَّؤُاْ ظِلَٰلُهُۥ عَنِ ٱلۡيَمِينِ وَٱلشَّمَآئِلِ سُجَّدٗا لِّلَّهِ وَهُمۡ دَٰخِرُونَ
﴿٤٨﴾ وَلِلَّهِ يَسۡجُدُ مَا فِي ٱلسَّمَٰوَٰتِ وَمَا فِي ٱلۡأَرۡضِ مِن دَآبَّةٖ
وَٱلۡمَلَٰٓئِكَةُ وَهُمۡ لَا يَسۡتَكۡبِرُونَ ﴿٤٩﴾ يَخَافُونَ رَبَّهُم مِّن فَوۡقِهِمۡ
وَيَفۡعَلُونَ مَا يُؤۡمَرُونَ۩ ﴿٥٠﴾ ۞ وَقَالَ ٱللَّهُ لَا تَتَّخِذُوٓاْ إِلَٰهَيۡنِ
ٱثۡنَيۡنِۖ إِنَّمَا هُوَ إِلَٰهٞ وَٰحِدٞ فَإِيَّٰيَ فَٱرۡهَبُونِ ﴿٥١﴾ وَلَهُۥ مَا فِي ٱلسَّمَٰوَٰتِ
وَٱلۡأَرۡضِ وَلَهُ ٱلدِّينُ وَاصِبًاۚ أَفَغَيۡرَ ٱللَّهِ تَتَّقُونَ ﴿٥٢﴾ وَمَا بِكُم مِّن
نِّعۡمَةٖ فَمِنَ ٱللَّهِۖ ثُمَّ إِذَا مَسَّكُمُ ٱلضُّرُّ فَإِلَيۡهِ تَجۡـَٔرُونَ ﴿٥٣﴾ ثُمَّ
إِذَا كَشَفَ ٱلضُّرَّ عَنكُمۡ إِذَا فَرِيقٞ مِّنكُم بِرَبِّهِمۡ يُشۡرِكُونَ ﴿٥٤﴾

- ٱلزُّبُرِ: كُتُب الشَّرائع والتكاليف
- يَخۡسِفَ: يُغَيِّب
- تَقَلُّبِهِمۡ: مسايرهم ومتاجرهم
- بِمُعۡجِزِينَ: فائتين الله بالهَرَب
- تَخَوُّفٖ: مَخافَة من العَذاب أو تنقُّص
- يَتَفَيَّؤُاْ ظِلَٰلُهُۥ: تنتقل من جانب إلى آخر
- دَٰخِرُونَ: صاغِرون منقادون
- ٱلدِّينُ: الطَّاعة والانقياد
- وَاصِبًا: دائماً . أو واجباً ثابتاً
- تَجۡـَٔرُونَ: تصيحون بالاستغاثة والتضرُّع

النحل

سجدة — الحزب ٢٨

| | | |
|---|---|---|
| مدّ ٦ حركات لزوماً ● مدّ ٢ أو ٤ أو ٦ جوازاً | ● إخفاء، ومواقع الغُنَّة (حركتان) | ● تفخيم |
| مدّ واجب ٤ أو ٥ حركات ● مدّ حركتان | ● إدغام، وما لا يُلفَظ | ● قلقلة |

لِيَكْفُرُوا۟ بِمَآ ءَاتَيْنَٰهُمْ ۚ فَتَمَتَّعُوا۟ ۖ فَسَوْفَ تَعْلَمُونَ ﴿٥٥﴾ وَيَجْعَلُونَ
لِمَا لَا يَعْلَمُونَ نَصِيبًا مِّمَّا رَزَقْنَٰهُمْ ۗ تَٱللَّهِ لَتُسْـَٔلُنَّ عَمَّا كُنتُمْ
تَفْتَرُونَ ﴿٥٦﴾ وَيَجْعَلُونَ لِلَّهِ ٱلْبَنَٰتِ سُبْحَٰنَهُۥ ۙ وَلَهُم مَّا يَشْتَهُونَ
﴿٥٧﴾ وَإِذَا بُشِّرَ أَحَدُهُم بِٱلْأُنثَىٰ ظَلَّ وَجْهُهُۥ مُسْوَدًّا وَهُوَ كَظِيمٌ
﴿٥٨﴾ يَتَوَٰرَىٰ مِنَ ٱلْقَوْمِ مِن سُوٓءِ مَا بُشِّرَ بِهِۦٓ ۚ أَيُمْسِكُهُۥ عَلَىٰ هُونٍ
أَمْ يَدُسُّهُۥ فِى ٱلتُّرَابِ ۗ أَلَا سَآءَ مَا يَحْكُمُونَ ﴿٥٩﴾ لِلَّذِينَ لَا يُؤْمِنُونَ
بِٱلْـَٔاخِرَةِ مَثَلُ ٱلسَّوْءِ ۖ وَلِلَّهِ ٱلْمَثَلُ ٱلْأَعْلَىٰ ۚ وَهُوَ ٱلْعَزِيزُ ٱلْحَكِيمُ
﴿٦٠﴾ وَلَوْ يُؤَاخِذُ ٱللَّهُ ٱلنَّاسَ بِظُلْمِهِم مَّا تَرَكَ عَلَيْهَا مِن دَآبَّةٍ وَلَٰكِن
يُؤَخِّرُهُمْ إِلَىٰٓ أَجَلٍ مُّسَمًّى ۖ فَإِذَا جَآءَ أَجَلُهُمْ لَا يَسْتَـْٔخِرُونَ
سَاعَةً ۖ وَلَا يَسْتَقْدِمُونَ ﴿٦١﴾ وَيَجْعَلُونَ لِلَّهِ مَا يَكْرَهُونَ
وَتَصِفُ أَلْسِنَتُهُمُ ٱلْكَذِبَ أَنَّ لَهُمُ ٱلْحُسْنَىٰ ۖ لَا جَرَمَ أَنَّ
لَهُمُ ٱلنَّارَ وَأَنَّهُم مُّفْرَطُونَ ﴿٦٢﴾ تَٱللَّهِ لَقَدْ أَرْسَلْنَآ إِلَىٰٓ أُمَمٍ مِّن
قَبْلِكَ فَزَيَّنَ لَهُمُ ٱلشَّيْطَٰنُ أَعْمَٰلَهُمْ فَهُوَ وَلِيُّهُمُ ٱلْيَوْمَ وَلَهُمْ
عَذَابٌ أَلِيمٌ ﴿٦٣﴾ وَمَآ أَنزَلْنَا عَلَيْكَ ٱلْكِتَٰبَ إِلَّا لِتُبَيِّنَ لَهُمُ
ٱلَّذِى ٱخْتَلَفُوا۟ فِيهِ ۙ وَهُدًى وَرَحْمَةً لِّقَوْمٍ يُؤْمِنُونَ ﴿٦٤﴾

- **تَفْتَرُونَ**: تكذبون
- **كَظِيمٌ**: ممتلئ غمّاً وغيظاً
- **يَتَوَٰرَىٰ**: يستخفي
- **هُونٍ**: هوان وذلّ
- **يَدُسُّهُۥ**: يخفيه بالوأد
- **مَثَلُ ٱلسَّوْءِ**: صفته القبيحة
- **لَا جَرَمَ**: حقّ وثبت أو لا محالة
- **مُّفْرَطُونَ**: معجّل بهم إلى النار

وَٱللَّهُ أَنزَلَ مِنَ ٱلسَّمَآءِ مَآءً فَأَحْيَا بِهِ ٱلْأَرْضَ بَعْدَ مَوْتِهَآ ۚ إِنَّ فِى ذَٰلِكَ
لَءَايَةً لِّقَوْمٍ يَسْمَعُونَ ﴿٦٥﴾ وَإِنَّ لَكُمْ فِى ٱلْأَنْعَٰمِ لَعِبْرَةً ۖ نُّسْقِيكُم مِّمَّا
فِى بُطُونِهِۦ مِنۢ بَيْنِ فَرْثٍ وَدَمٍ لَّبَنًا خَالِصًا سَآئِغًا لِّلشَّٰرِبِينَ ﴿٦٦﴾
وَمِن ثَمَرَٰتِ ٱلنَّخِيلِ وَٱلْأَعْنَٰبِ تَتَّخِذُونَ مِنْهُ سَكَرًا وَرِزْقًا
حَسَنًا ۗ إِنَّ فِى ذَٰلِكَ لَءَايَةً لِّقَوْمٍ يَعْقِلُونَ ﴿٦٧﴾ وَأَوْحَىٰ رَبُّكَ إِلَى ٱلنَّحْلِ
أَنِ ٱتَّخِذِى مِنَ ٱلْجِبَالِ بُيُوتًا وَمِنَ ٱلشَّجَرِ وَمِمَّا يَعْرِشُونَ ﴿٦٨﴾ ثُمَّ كُلِى
مِن كُلِّ ٱلثَّمَرَٰتِ فَٱسْلُكِى سُبُلَ رَبِّكِ ذُلُلًا ۚ يَخْرُجُ مِنۢ بُطُونِهَا
شَرَابٌ مُّخْتَلِفٌ أَلْوَٰنُهُۥ فِيهِ شِفَآءٌ لِّلنَّاسِ ۗ إِنَّ فِى ذَٰلِكَ لَءَايَةً لِّقَوْمٍ
يَتَفَكَّرُونَ ﴿٦٩﴾ وَٱللَّهُ خَلَقَكُمْ ثُمَّ يَتَوَفَّىٰكُمْ ۚ وَمِنكُم مَّن يُرَدُّ إِلَىٰٓ أَرْذَلِ
ٱلْعُمُرِ لِكَىْ لَا يَعْلَمَ بَعْدَ عِلْمٍ شَيْـًٔا ۚ إِنَّ ٱللَّهَ عَلِيمٌ قَدِيرٌ ﴿٧٠﴾ وَٱللَّهُ
فَضَّلَ بَعْضَكُمْ عَلَىٰ بَعْضٍ فِى ٱلرِّزْقِ ۚ فَمَا ٱلَّذِينَ فُضِّلُوا۟ بِرَآدِّى
رِزْقِهِمْ عَلَىٰ مَا مَلَكَتْ أَيْمَٰنُهُمْ فَهُمْ فِيهِ سَوَآءٌ ۚ أَفَبِنِعْمَةِ
ٱللَّهِ يَجْحَدُونَ ﴿٧١﴾ وَٱللَّهُ جَعَلَ لَكُم مِّنْ أَنفُسِكُمْ أَزْوَٰجًا
وَجَعَلَ لَكُم مِّنْ أَزْوَٰجِكُم بَنِينَ وَحَفَدَةً وَرَزَقَكُم مِّنَ
ٱلطَّيِّبَٰتِ ۚ أَفَبِٱلْبَٰطِلِ يُؤْمِنُونَ وَبِنِعْمَتِ ٱللَّهِ هُمْ يَكْفُرُونَ ﴿٧٢﴾

لَعِبْرَةً: لَعظةً بليغةً
فَرْثٍ: مَا في الكَرِش من الثُّفل
سَكَرًا: خَمرًا . ثُمّ حُرِّمَتْ بالمدينة
يَعْرِشُونَ: يَبْنُونَ من الخَلايَا
ذُلُلًا: مُذلَّلةً مُسهَّلةً لكِ
أَرْذَلِ ٱلْعُمُرِ: أردئه وأخسّه ، وهو الهَرَم
سَوَآءٌ: شُركَاءُ
حَفَدَةً: أعْوانًا أو أوْلادَ أوْلادٍ

النحل

| | | |
|---|---|---|
| مدّ ٦ حركات لزومًا ● مدّ ٢ أو ٤ أو ٦ جوازًا ● | إخفاء ، ومواقع الغُنَّة (حركتان) ● | تفخيم ● |
| مدّ واجب ٤ أو ٥ حركات ● مدّ حركتان ● | إدغام ، وما لا يُلفَظ ● | قلقلة ● |

وَيَعۡبُدُونَ مِن دُونِ ٱللَّهِ مَا لَا يَمۡلِكُ لَهُمۡ رِزۡقٗا مِّنَ ٱلسَّمَٰوَٰتِ
وَٱلۡأَرۡضِ شَيۡـٔٗا وَلَا يَسۡتَطِيعُونَ ﴿٧٣﴾ فَلَا تَضۡرِبُواْ لِلَّهِ ٱلۡأَمۡثَالَۚ
إِنَّ ٱللَّهَ يَعۡلَمُ وَأَنتُمۡ لَا تَعۡلَمُونَ ﴿٧٤﴾ ۞ ضَرَبَ ٱللَّهُ مَثَلًا عَبۡدٗا
مَّمۡلُوكٗا لَّا يَقۡدِرُ عَلَىٰ شَيۡءٖ وَمَن رَّزَقۡنَٰهُ مِنَّا رِزۡقًا حَسَنٗا
فَهُوَ يُنفِقُ مِنۡهُ سِرّٗا وَجَهۡرًاۖ هَلۡ يَسۡتَوُۥنَۚ ٱلۡحَمۡدُ لِلَّهِۚ
بَلۡ أَكۡثَرُهُمۡ لَا يَعۡلَمُونَ ﴿٧٥﴾ وَضَرَبَ ٱللَّهُ مَثَلٗا رَّجُلَيۡنِ
أَحَدُهُمَآ أَبۡكَمُ لَا يَقۡدِرُ عَلَىٰ شَيۡءٖ وَهُوَ كَلٌّ عَلَىٰ
مَوۡلَىٰهُ أَيۡنَمَا يُوَجِّههُّ لَا يَأۡتِ بِخَيۡرٍ هَلۡ يَسۡتَوِي هُوَ وَمَن
يَأۡمُرُ بِٱلۡعَدۡلِ وَهُوَ عَلَىٰ صِرَٰطٖ مُّسۡتَقِيمٖ ﴿٧٦﴾ وَلِلَّهِ غَيۡبُ
ٱلسَّمَٰوَٰتِ وَٱلۡأَرۡضِۚ وَمَآ أَمۡرُ ٱلسَّاعَةِ إِلَّا كَلَمۡحِ ٱلۡبَصَرِ
أَوۡ هُوَ أَقۡرَبُۚ إِنَّ ٱللَّهَ عَلَىٰ كُلِّ شَيۡءٖ قَدِيرٞ ﴿٧٧﴾ وَٱللَّهُ
أَخۡرَجَكُم مِّنۢ بُطُونِ أُمَّهَٰتِكُمۡ لَا تَعۡلَمُونَ شَيۡـٔٗا وَجَعَلَ
لَكُمُ ٱلسَّمۡعَ وَٱلۡأَبۡصَٰرَ وَٱلۡأَفۡـِٔدَةَ لَعَلَّكُمۡ تَشۡكُرُونَ
﴿٧٨﴾ أَلَمۡ يَرَوۡاْ إِلَى ٱلطَّيۡرِ مُسَخَّرَٰتٖ فِي جَوِّ ٱلسَّمَآءِ
مَا يُمۡسِكُهُنَّ إِلَّا ٱللَّهُۚ إِنَّ فِي ذَٰلِكَ لَأٓيَٰتٖ لِّقَوۡمٖ يُؤۡمِنُونَ ﴿٧٩﴾

ربع الحزب ٢٨

- أَبۡكَمُ: أخرسُ خِلقةً
- كَلٌّ: عِبءٌ وعِيالٌ
- كَلَمۡحِ ٱلۡبَصَرِ: كانطباقِ جَفنِ العَينِ وفتحِه

مدّ ٦ حركات لزوماً — مدّ ٢ أو ٤ أو ٦ جوازاً — إخفاء، ومواقع الغُنَّة (حركتان) — تفخيم
مدّ واجب ٤ أو ٥ حركات — مدّ حركتان — إدغام، وما لا يُلفظ — قلقلة

وَٱللَّهُ جَعَلَ لَكُم مِّنۢ بُيُوتِكُمۡ سَكَنٗا وَجَعَلَ لَكُم مِّن جُلُودِ
ٱلۡأَنۡعَٰمِ بُيُوتٗا تَسۡتَخِفُّونَهَا يَوۡمَ ظَعۡنِكُمۡ وَيَوۡمَ إِقَامَتِكُمۡ
وَمِنۡ أَصۡوَافِهَا وَأَوۡبَارِهَا وَأَشۡعَارِهَآ أَثَٰثٗا وَمَتَٰعًا إِلَىٰ حِينٖ
٨٠ وَٱللَّهُ جَعَلَ لَكُم مِّمَّا خَلَقَ ظِلَٰلٗا وَجَعَلَ لَكُم
مِّنَ ٱلۡجِبَالِ أَكۡنَٰنٗا وَجَعَلَ لَكُمۡ سَرَٰبِيلَ تَقِيكُمُ
ٱلۡحَرَّ وَسَرَٰبِيلَ تَقِيكُم بَأۡسَكُمۡۚ كَذَٰلِكَ يُتِمُّ نِعۡمَتَهُۥ
عَلَيۡكُمۡ لَعَلَّكُمۡ تُسۡلِمُونَ ٨١ فَإِن تَوَلَّوۡاْ فَإِنَّمَا عَلَيۡكَ
ٱلۡبَلَٰغُ ٱلۡمُبِينُ ٨٢ يَعۡرِفُونَ نِعۡمَتَ ٱللَّهِ ثُمَّ يُنكِرُونَهَا
وَأَكۡثَرُهُمُ ٱلۡكَٰفِرُونَ ٨٣ وَيَوۡمَ نَبۡعَثُ مِن كُلِّ أُمَّةٖ
شَهِيدٗا ثُمَّ لَا يُؤۡذَنُ لِلَّذِينَ كَفَرُواْ وَلَا هُمۡ يُسۡتَعۡتَبُونَ
٨٤ وَإِذَا رَءَا ٱلَّذِينَ ظَلَمُواْ ٱلۡعَذَابَ فَلَا يُخَفَّفُ عَنۡهُمۡ وَلَا هُمۡ
يُنظَرُونَ ٨٥ وَإِذَا رَءَا ٱلَّذِينَ أَشۡرَكُواْ شُرَكَآءَهُمۡ
قَالُواْ رَبَّنَا هَٰٓؤُلَآءِ شُرَكَآؤُنَا ٱلَّذِينَ كُنَّا نَدۡعُواْ مِن دُونِكَۖ
فَأَلۡقَوۡاْ إِلَيۡهِمُ ٱلۡقَوۡلَ إِنَّكُمۡ لَكَٰذِبُونَ ٨٦ وَأَلۡقَوۡاْ
إِلَى ٱللَّهِ يَوۡمَئِذٍ ٱلسَّلَمَۖ وَضَلَّ عَنۡهُم مَّا كَانُواْ يَفۡتَرُونَ ٨٧

تَسۡتَخِفُّونَهَا: تجدونها خفيفة الحمل
يَوۡمَ ظَعۡنِكُمۡ: وقت ترحالكم
أَثَٰثٗا: متاعاً لبيوتكم كالفرش
أَكۡنَٰنٗا: مواضع تستكنون فيها
سَرَٰبِيلَ: ما يُلبس من ثياب أو دروع
بَأۡسَكُمۡ: الطعن في حروبكم
يُسۡتَعۡتَبُونَ: يُطلب منهم إرضاء ربهم
يُنظَرُونَ: يُمهلون
ٱلسَّلَمَ: الاستسلام لحكمه تعالى

النحل

مدّ ٦ حركات لزوماً ● مدّ ٢ أو ٤ أو ٦ جوازاً ● إخفاء، ومواقع الغُنّة (حركتان) ● تفخيم
مدّ واجب ٤ أو ٥ حركات ● مدّ حركتان ● إدغام، وما لا يُلفظ ● قلقلة

ٱلَّذِينَ كَفَرُواْ وَصَدُّواْ عَن سَبِيلِ ٱللَّهِ زِدْنَٰهُمْ عَذَابًا فَوْقَ
ٱلْعَذَابِ بِمَا كَانُواْ يُفْسِدُونَ ﴿٨٨﴾ وَيَوْمَ نَبْعَثُ فِى كُلِّ
أُمَّةٍ شَهِيدًا عَلَيْهِم مِّنْ أَنفُسِهِمْ ۖ وَجِئْنَا بِكَ شَهِيدًا عَلَىٰ
هَٰٓؤُلَآءِ ۚ وَنَزَّلْنَا عَلَيْكَ ٱلْكِتَٰبَ تِبْيَٰنًا لِّكُلِّ شَىْءٍ وَهُدًى
وَرَحْمَةً وَبُشْرَىٰ لِلْمُسْلِمِينَ ﴿٨٩﴾ ۞ إِنَّ ٱللَّهَ يَأْمُرُ بِٱلْعَدْلِ
وَٱلْإِحْسَٰنِ وَإِيتَآىِٕ ذِى ٱلْقُرْبَىٰ وَيَنْهَىٰ عَنِ ٱلْفَحْشَآءِ
وَٱلْمُنكَرِ وَٱلْبَغْىِ ۚ يَعِظُكُمْ لَعَلَّكُمْ تَذَكَّرُونَ
﴿٩٠﴾ وَأَوْفُواْ بِعَهْدِ ٱللَّهِ إِذَا عَٰهَدتُّمْ وَلَا تَنقُضُواْ ٱلْأَيْمَٰنَ
بَعْدَ تَوْكِيدِهَا وَقَدْ جَعَلْتُمُ ٱللَّهَ عَلَيْكُمْ كَفِيلًا ۚ إِنَّ
ٱللَّهَ يَعْلَمُ مَا تَفْعَلُونَ ﴿٩١﴾ وَلَا تَكُونُواْ كَٱلَّتِى نَقَضَتْ
غَزْلَهَا مِنۢ بَعْدِ قُوَّةٍ أَنكَٰثًا تَتَّخِذُونَ أَيْمَٰنَكُمْ دَخَلًۢا
بَيْنَكُمْ أَن تَكُونَ أُمَّةٌ هِىَ أَرْبَىٰ مِنْ أُمَّةٍ ۚ إِنَّمَا يَبْلُوكُمُ
ٱللَّهُ بِهِۦ ۚ وَلَيُبَيِّنَنَّ لَكُمْ يَوْمَ ٱلْقِيَٰمَةِ مَا كُنتُمْ فِيهِ تَخْتَلِفُونَ ﴿٩٢﴾
وَلَوْ شَآءَ ٱللَّهُ لَجَعَلَكُمْ أُمَّةً وَٰحِدَةً وَلَٰكِن يُضِلُّ مَن
يَشَآءُ وَيَهْدِى مَن يَشَآءُ ۚ وَلَتُسْـَٔلُنَّ عَمَّا كُنتُمْ تَعْمَلُونَ ﴿٩٣﴾

نصف الحزب ٢٨

- بِٱلْعَدْلِ: بإعطاءِ كلّ ذي حقٍ حقَّهُ
- ٱلْإِحْسَٰنِ: إتْقانِ العمل . أو نَفْعِ الخَلْقِ
- ٱلْفَحْشَآءِ: الذنُوبِ المفرطةِ في القُبح
- ٱلْبَغْىِ: التّطاوُلِ على الناس ظُلْماً
- كَفِيلًا: شاهِداً رَقيباً
- قُوَّةٍ: إبْرام وإحكامٍ
- أَنكَٰثًا: مَحْلُولَ الفَتْلِ
- دَخَلًۢا بَيْنَكُمْ: مَفْسَدَةً وَخِيانَةً وَخَديعةً
- أَرْبَىٰ: أكثرُ وأعزُّ
- يَبْلُوكُمُ: يَخْتَبِرُكُم

مدّ ٦ حركات لزوماً ● مدّ ٢ أو ٤ أو ٦ جوازاً ● إخفاء ، ومواقع الغُنَّة (حركتان) ● تفخيم
مدّ واجب ٤ أو ٥ حركات ● مدّ حركتان ● إدغام ، وما لا يُلفَظ ● قلقلة

وَلَا تَتَّخِذُوٓاْ أَيۡمَٰنَكُمۡ دَخَلَۢا بَيۡنَكُمۡ فَتَزِلَّ قَدَمُۢ بَعۡدَ ثُبُوتِهَا
وَتَذُوقُواْ ٱلسُّوٓءَ بِمَا صَدَدتُّمۡ عَن سَبِيلِ ٱللَّهِۖ وَلَكُمۡ عَذَابٌ
عَظِيمٞ ﴿٩٤﴾ وَلَا تَشۡتَرُواْ بِعَهۡدِ ٱللَّهِ ثَمَنٗا قَلِيلًاۚ إِنَّمَا عِندَ ٱللَّهِ
هُوَ خَيۡرٞ لَّكُمۡ إِن كُنتُمۡ تَعۡلَمُونَ ﴿٩٥﴾ مَا عِندَكُمۡ يَنفَدُۖ
وَمَا عِندَ ٱللَّهِ بَاقٖۗ وَلَنَجۡزِيَنَّ ٱلَّذِينَ صَبَرُوٓاْ أَجۡرَهُم بِأَحۡسَنِ
مَا كَانُواْ يَعۡمَلُونَ ﴿٩٦﴾ مَنۡ عَمِلَ صَٰلِحٗا مِّن ذَكَرٍ
أَوۡ أُنثَىٰ وَهُوَ مُؤۡمِنٞ فَلَنُحۡيِيَنَّهُۥ حَيَوٰةٗ طَيِّبَةٗۖ وَلَنَجۡزِيَنَّهُمۡ
أَجۡرَهُم بِأَحۡسَنِ مَا كَانُواْ يَعۡمَلُونَ ﴿٩٧﴾ فَإِذَا قَرَأۡتَ ٱلۡقُرۡءَانَ
فَٱسۡتَعِذۡ بِٱللَّهِ مِنَ ٱلشَّيۡطَٰنِ ٱلرَّجِيمِ ﴿٩٨﴾ إِنَّهُۥ لَيۡسَ لَهُۥ سُلۡطَٰنٌ
عَلَى ٱلَّذِينَ ءَامَنُواْ وَعَلَىٰ رَبِّهِمۡ يَتَوَكَّلُونَ ﴿٩٩﴾ إِنَّمَا
سُلۡطَٰنُهُۥ عَلَى ٱلَّذِينَ يَتَوَلَّوۡنَهُۥ وَٱلَّذِينَ هُم بِهِۦ مُشۡرِكُونَ
﴿١٠٠﴾ وَإِذَا بَدَّلۡنَآ ءَايَةٗ مَّكَانَ ءَايَةٖ وَٱللَّهُ أَعۡلَمُ
بِمَا يُنَزِّلُ قَالُوٓاْ إِنَّمَآ أَنتَ مُفۡتَرِۭۚ بَلۡ أَكۡثَرُهُمۡ لَا يَعۡلَمُونَ
﴿١٠١﴾ قُلۡ نَزَّلَهُۥ رُوحُ ٱلۡقُدُسِ مِن رَّبِّكَ بِٱلۡحَقِّ لِيُثَبِّتَ
ٱلَّذِينَ ءَامَنُواْ وَهُدٗى وَبُشۡرَىٰ لِلۡمُسۡلِمِينَ ﴿١٠٢﴾

النحل

- يَنفَدُ: يَنقَضِي وَيَفْنَى
- فَٱسۡتَعِذۡ بِٱللَّهِ: فاعْتَصِمْ به
- سُلۡطَٰنٌ: تَسَلُّطٌ وَوِلَايَةٌ
- رُوحُ ٱلۡقُدُسِ: جبريلُ عليه السلامُ

| | | |
|---|---|---|
| مدّ ٦ حركات لزوماً ● مدّ ٢ أو ٤ أو ٦ جوازاً ● | إخفاء ، ومواقع الغُنَّة (حركتان) ● | تفخيم ● |
| مدّ واجب ٤ أو ٥ حركات ● مدّ حركتان ● | إدغام ، وما لا يُلفَظ ● | قلقلة ● |

وَلَقَدْ نَعْلَمُ أَنَّهُمْ يَقُولُونَ إِنَّمَا يُعَلِّمُهُۥ بَشَرٌ ۗ لِّسَانُ
ٱلَّذِى يُلْحِدُونَ إِلَيْهِ أَعْجَمِىٌّ وَهَٰذَا لِسَانٌ عَرَبِىٌّ
مُّبِينٌ ﴿١٠٣﴾ إِنَّ ٱلَّذِينَ لَا يُؤْمِنُونَ بِـَٔايَٰتِ ٱللَّهِ لَا يَهْدِيهِمُ
ٱللَّهُ وَلَهُمْ عَذَابٌ أَلِيمٌ ﴿١٠٤﴾ إِنَّمَا يَفْتَرِى ٱلْكَذِبَ ٱلَّذِينَ
لَا يُؤْمِنُونَ بِـَٔايَٰتِ ٱللَّهِ ۖ وَأُوْلَٰٓئِكَ هُمُ ٱلْكَٰذِبُونَ
﴿١٠٥﴾ مَن كَفَرَ بِٱللَّهِ مِنۢ بَعْدِ إِيمَٰنِهِۦٓ إِلَّا مَنْ أُكْرِهَ
وَقَلْبُهُۥ مُطْمَئِنٌّۢ بِٱلْإِيمَٰنِ وَلَٰكِن مَّن شَرَحَ بِٱلْكُفْرِ صَدْرًا
فَعَلَيْهِمْ غَضَبٌ مِّنَ ٱللَّهِ وَلَهُمْ عَذَابٌ عَظِيمٌ ﴿١٠٦﴾
ذَٰلِكَ بِأَنَّهُمُ ٱسْتَحَبُّوا۟ ٱلْحَيَوٰةَ ٱلدُّنْيَا عَلَى ٱلْءَاخِرَةِ
وَأَنَّ ٱللَّهَ لَا يَهْدِى ٱلْقَوْمَ ٱلْكَٰفِرِينَ ﴿١٠٧﴾ أُوْلَٰٓئِكَ
ٱلَّذِينَ طَبَعَ ٱللَّهُ عَلَىٰ قُلُوبِهِمْ وَسَمْعِهِمْ وَأَبْصَٰرِهِمْ ۖ
وَأُوْلَٰٓئِكَ هُمُ ٱلْغَٰفِلُونَ ﴿١٠٨﴾ لَا جَرَمَ أَنَّهُمْ فِى
ٱلْءَاخِرَةِ هُمُ ٱلْخَٰسِرُونَ ﴿١٠٩﴾ ثُمَّ إِنَّ رَبَّكَ
لِلَّذِينَ هَاجَرُوا۟ مِنۢ بَعْدِ مَا فُتِنُوا۟ ثُمَّ جَٰهَدُوا۟
وَصَبَرُوٓا۟ إِنَّ رَبَّكَ مِنۢ بَعْدِهَا لَغَفُورٌ رَّحِيمٌ ﴿١١٠﴾

- يُلْحِدُونَ إِلَيْهِ: ينسُبُونَ إليه أنه يُعَلِّمُهُ
- ٱسْتَحَبُّوا۟: اختارُوا وآثَرُوا
- لَا جَرَمَ: حَقٌّ وثبتَ أو لا مَحالَةَ
- فُتِنُوا۟: ابتُلُوا وعُذِّبُوا

مدّ ٦ حركات لزوماً — مدّ ٢ أو ٤ أو ٦ جوازاً — إخفاء، ومواقع الغُنَّة (حركتان) — تفخيم
مدّ واجب ٤ أو ٥ حركات — مدّ حركتان — إدغام، وما لا يُلفَظ — قلقلة

۞ يَوۡمَ تَأۡتِي كُلُّ نَفۡسٖ تُجَٰدِلُ عَن نَّفۡسِهَا وَتُوَفَّىٰ كُلُّ
نَفۡسٖ مَّا عَمِلَتۡ وَهُمۡ لَا يُظۡلَمُونَ ١١١ وَضَرَبَ ٱللَّهُ مَثَلٗا
قَرۡيَةٗ كَانَتۡ ءَامِنَةٗ مُّطۡمَئِنَّةٗ يَأۡتِيهَا رِزۡقُهَا رَغَدٗا
مِّن كُلِّ مَكَانٖ فَكَفَرَتۡ بِأَنۡعُمِ ٱللَّهِ فَأَذَٰقَهَا ٱللَّهُ لِبَاسَ
ٱلۡجُوعِ وَٱلۡخَوۡفِ بِمَا كَانُواْ يَصۡنَعُونَ ١١٢ وَلَقَدۡ
جَآءَهُمۡ رَسُولٞ مِّنۡهُمۡ فَكَذَّبُوهُ فَأَخَذَهُمُ ٱلۡعَذَابُ وَهُمۡ
ظَٰلِمُونَ ١١٣ فَكُلُواْ مِمَّا رَزَقَكُمُ ٱللَّهُ حَلَٰلٗا طَيِّبٗا
وَٱشۡكُرُواْ نِعۡمَتَ ٱللَّهِ إِن كُنتُمۡ إِيَّاهُ تَعۡبُدُونَ ١١٤
إِنَّمَا حَرَّمَ عَلَيۡكُمُ ٱلۡمَيۡتَةَ وَٱلدَّمَ وَلَحۡمَ ٱلۡخِنزِيرِ وَمَآ
أُهِلَّ لِغَيۡرِ ٱللَّهِ بِهِۦۖ فَمَنِ ٱضۡطُرَّ غَيۡرَ بَاغٖ وَلَا عَادٖ فَإِنَّ
ٱللَّهَ غَفُورٞ رَّحِيمٞ ١١٥ وَلَا تَقُولُواْ لِمَا تَصِفُ أَلۡسِنَتُكُمُ
ٱلۡكَذِبَ هَٰذَا حَلَٰلٞ وَهَٰذَا حَرَامٞ لِّتَفۡتَرُواْ عَلَى ٱللَّهِ ٱلۡكَذِبَۚ
إِنَّ ٱلَّذِينَ يَفۡتَرُونَ عَلَى ٱللَّهِ ٱلۡكَذِبَ لَا يُفۡلِحُونَ ١١٦ مَتَٰعٞ قَلِيلٞ
وَلَهُمۡ عَذَابٌ أَلِيمٞ ١١٧ وَعَلَى ٱلَّذِينَ هَادُواْ حَرَّمۡنَا مَا قَصَصۡنَا عَلَيۡكَ
مِن قَبۡلُۖ وَمَا ظَلَمۡنَٰهُمۡ وَلَٰكِن كَانُوٓاْ أَنفُسَهُمۡ يَظۡلِمُونَ ١١٨

رَغَدًا: طيّباً واسعاً
أُهِلَّ لِغَيْرِ اللَّهِ بِهِ: ذُكِرَ عِندَ ذَبْحِه غيرُ اسمه تعالى
غَيْرَ بَاغٍ: غيرَ طالِبٍ للمُحَرَّمِ لِلَذَّةٍ أو اسْتِئثارٍ
النحل
وَلَا عَادٍ: ولا مُتَجاوِزٍ ما يَسُدُّ الرَّمَقَ

| | | |
|---|---|---|
| مدّ ٦ حركات لزوماً ● مدّ ٢ أو ٤ أو ٦ جوازاً | ● إخفاء ، ومواقع الغُنَّة (حركتان) | ● تفخيم |
| مدّ واجب ٤ أو ٥ حركات ● مدّ حركتان | ● إدغام ، وما لا يُلفظ | ● قلقلة |

ثُمَّ إِنَّ رَبَّكَ لِلَّذِينَ عَمِلُواْ ٱلسُّوٓءَ بِجَهَٰلَةٖ ثُمَّ تَابُواْ مِنۢ
بَعۡدِ ذَٰلِكَ وَأَصۡلَحُوٓاْ إِنَّ رَبَّكَ مِنۢ بَعۡدِهَا لَغَفُورٞ رَّحِيمٌ ﴿١١٩﴾
إِنَّ إِبۡرَٰهِيمَ كَانَ أُمَّةٗ قَانِتٗا لِّلَّهِ حَنِيفٗا وَلَمۡ يَكُ مِنَ ٱلۡمُشۡرِكِينَ
﴿١٢٠﴾ شَاكِرٗا لِّأَنۡعُمِهِۚ ٱجۡتَبَىٰهُ وَهَدَىٰهُ إِلَىٰ صِرَٰطٖ مُّسۡتَقِيمٖ
﴿١٢١﴾ وَءَاتَيۡنَٰهُ فِي ٱلدُّنۡيَا حَسَنَةٗۖ وَإِنَّهُۥ فِي ٱلۡأٓخِرَةِ لَمِنَ ٱلصَّٰلِحِينَ
﴿١٢٢﴾ ثُمَّ أَوۡحَيۡنَآ إِلَيۡكَ أَنِ ٱتَّبِعۡ مِلَّةَ إِبۡرَٰهِيمَ حَنِيفٗاۖ وَمَا كَانَ
مِنَ ٱلۡمُشۡرِكِينَ ﴿١٢٣﴾ إِنَّمَا جُعِلَ ٱلسَّبۡتُ عَلَى ٱلَّذِينَ
ٱخۡتَلَفُواْ فِيهِۚ وَإِنَّ رَبَّكَ لَيَحۡكُمُ بَيۡنَهُمۡ يَوۡمَ ٱلۡقِيَٰمَةِ فِيمَا
كَانُواْ فِيهِ يَخۡتَلِفُونَ ﴿١٢٤﴾ ٱدۡعُ إِلَىٰ سَبِيلِ رَبِّكَ بِٱلۡحِكۡمَةِ
وَٱلۡمَوۡعِظَةِ ٱلۡحَسَنَةِۖ وَجَٰدِلۡهُم بِٱلَّتِي هِيَ أَحۡسَنُۚ إِنَّ رَبَّكَ
هُوَ أَعۡلَمُ بِمَن ضَلَّ عَن سَبِيلِهِۦۖ وَهُوَ أَعۡلَمُ بِٱلۡمُهۡتَدِينَ ﴿١٢٥﴾
وَإِنۡ عَاقَبۡتُمۡ فَعَاقِبُواْ بِمِثۡلِ مَا عُوقِبۡتُم بِهِۦۖ وَلَئِن صَبَرۡتُمۡ
لَهُوَ خَيۡرٞ لِّلصَّٰبِرِينَ ﴿١٢٦﴾ وَٱصۡبِرۡ وَمَا صَبۡرُكَ إِلَّا بِٱللَّهِۚ
وَلَا تَحۡزَنۡ عَلَيۡهِمۡ وَلَا تَكُ فِي ضَيۡقٖ مِّمَّا يَمۡكُرُونَ
﴿١٢٧﴾ إِنَّ ٱللَّهَ مَعَ ٱلَّذِينَ ٱتَّقَواْ وَّٱلَّذِينَ هُم مُّحۡسِنُونَ ﴿١٢٨﴾

- بِجَهَٰلَةٍ: بتعدّي الطّور وركوب الرأس
- كَانَ أُمَّةً: كاملة واحدة في عصره
- قَانِتًا لِّلَّهِ: مُطيعاً خاضعاً له تعالى
- حَنِيفًا: مائلاً عن الباطل إلى الدّين الحقّ
- ٱجۡتَبَىٰهُ: اصْطَفاهُ واخْتارَه
- مِلَّةَ إِبۡرَٰهِيمَ: شَريعَتَهُ ، وهي التوحيدُ
- جُعِلَ ٱلسَّبۡتُ: فُرِضَ تَعْظِيمُه
- ضَيۡقٍ: ضِيقِ صَدْرٍ وَحَرَجٍ

مدّ ٦ حركات لزوماً • مدّ ٢ أو ٤ أو ٦ جوازاً • إخفاء ، ومواقع الغُنَّة (حركتان) • تفخ
مدّ واجب ٤ أو ٥ حركات • مدّ حركتان • إدغام ، وما لا يُلفَظ • قلقلة

# سُورَةُ الإِسْرَاءِ

ترتيبها ١٧ — آياتها ١١١

بِسْمِ ٱللَّهِ ٱلرَّحْمَٰنِ ٱلرَّحِيمِ

سُبْحَٰنَ ٱلَّذِىٓ أَسْرَىٰ بِعَبْدِهِۦ لَيْلًا مِّنَ ٱلْمَسْجِدِ ٱلْحَرَامِ
إِلَى ٱلْمَسْجِدِ ٱلْأَقْصَا ٱلَّذِى بَٰرَكْنَا حَوْلَهُۥ لِنُرِيَهُۥ مِنْ ءَايَٰتِنَآ ۚ إِنَّهُۥ
هُوَ ٱلسَّمِيعُ ٱلْبَصِيرُ ﴿١﴾ وَءَاتَيْنَا مُوسَى ٱلْكِتَٰبَ وَجَعَلْنَٰهُ
هُدًى لِّبَنِىٓ إِسْرَٰٓءِيلَ أَلَّا تَتَّخِذُوا۟ مِن دُونِى وَكِيلًا ﴿٢﴾
ذُرِّيَّةَ مَنْ حَمَلْنَا مَعَ نُوحٍ ۚ إِنَّهُۥ كَانَ عَبْدًا شَكُورًا ﴿٣﴾
وَقَضَيْنَآ إِلَىٰ بَنِىٓ إِسْرَٰٓءِيلَ فِى ٱلْكِتَٰبِ لَتُفْسِدُنَّ فِى ٱلْأَرْضِ
مَرَّتَيْنِ وَلَتَعْلُنَّ عُلُوًّا كَبِيرًا ﴿٤﴾ فَإِذَا جَآءَ وَعْدُ أُولَىٰهُمَا بَعَثْنَا
عَلَيْكُمْ عِبَادًا لَّنَآ أُو۟لِى بَأْسٍ شَدِيدٍ فَجَاسُوا۟ خِلَٰلَ ٱلدِّيَارِ ۚ
وَكَانَ وَعْدًا مَّفْعُولًا ﴿٥﴾ ثُمَّ رَدَدْنَا لَكُمُ ٱلْكَرَّةَ عَلَيْهِمْ
وَأَمْدَدْنَٰكُم بِأَمْوَٰلٍ وَبَنِينَ وَجَعَلْنَٰكُمْ أَكْثَرَ نَفِيرًا ﴿٦﴾
إِنْ أَحْسَنتُمْ أَحْسَنتُمْ لِأَنفُسِكُمْ ۖ وَإِنْ أَسَأْتُمْ فَلَهَا ۚ فَإِذَا جَآءَ
وَعْدُ ٱلْءَاخِرَةِ لِيَسُۥٓـُٔوا۟ وُجُوهَكُمْ وَلِيَدْخُلُوا۟ ٱلْمَسْجِدَ
كَمَا دَخَلُوهُ أَوَّلَ مَرَّةٍ وَلِيُتَبِّرُوا۟ مَا عَلَوْا۟ تَتْبِيرًا ﴿٧﴾

■ سُبْحَٰنَ ٱلَّذِىٓ: تنزيهاً لله وتعجيباً من قدرته
■ أَسْرَىٰ: سار ليلاً
■ وَكِيلًا: ربّاً مفوّضاً إليه الأمر كلّه
■ وَقَضَيْنَآ إِلَىٰ بَنِىٓ إِسْرَٰٓءِيلَ: أعلمناهم بما سيقع منهم
■ لَتَعْلُنَّ: لتفرطنّ في الظلم والعدوان
■ أُو۟لِى بَأْسٍ: قوّة وبطش في الحروب
■ فَجَاسُوا۟: تردّدوا لطلبكم
■ خِلَٰلَ ٱلدِّيَارِ: وسطها
■ ٱلْكَرَّةَ: الدولة والغلبة
■ نَفِيرًا: عدداً، أو عشيرة
■ لِيَسُۥٓـُٔوا۟ وُجُوهَكُمْ: ليخزنوكم
■ لِيُتَبِّرُوا۟: ليهلكوا ويدمّروا
■ مَا عَلَوْا۟: ما استولوا عليه

الجزء ١٥ — الحزب ٢٩

الإسراء

| | | |
|---|---|---|
| ● مدّ ٦ حركات لزوماً ● مدّ ٢ أو ٤ أو ٦ جوازاً | ● إخفاء، ومواقع الغنّة (حركتان) | ● تفخيم |
| ● مدّ واجب ٤ أو ٥ حركات ● مدّ حركتان | ● إدغام، وما لا يُلفظ | ● قلقلة |

عَسَىٰ رَبُّكُمْ أَن يَرْحَمَكُمْ ۚ وَإِنْ عُدتُّمْ عُدْنَا ۘ وَجَعَلْنَا جَهَنَّمَ لِلْكَٰفِرِينَ
حَصِيرًا ﴿٨﴾ إِنَّ هَٰذَا ٱلْقُرْءَانَ يَهْدِى لِلَّتِى هِىَ أَقْوَمُ وَيُبَشِّرُ
ٱلْمُؤْمِنِينَ ٱلَّذِينَ يَعْمَلُونَ ٱلصَّٰلِحَٰتِ أَنَّ لَهُمْ أَجْرًا كَبِيرًا ﴿٩﴾
وَأَنَّ ٱلَّذِينَ لَا يُؤْمِنُونَ بِٱلْءَاخِرَةِ أَعْتَدْنَا لَهُمْ عَذَابًا أَلِيمًا ﴿١٠﴾
وَيَدْعُ ٱلْإِنسَٰنُ بِٱلشَّرِّ دُعَآءَهُۥ بِٱلْخَيْرِ ۖ وَكَانَ ٱلْإِنسَٰنُ عَجُولًا ﴿١١﴾
وَجَعَلْنَا ٱلَّيْلَ وَٱلنَّهَارَ ءَايَتَيْنِ ۖ فَمَحَوْنَآ ءَايَةَ ٱلَّيْلِ وَجَعَلْنَآ ءَايَةَ
ٱلنَّهَارِ مُبْصِرَةً لِّتَبْتَغُوا۟ فَضْلًا مِّن رَّبِّكُمْ وَلِتَعْلَمُوا۟ عَدَدَ
ٱلسِّنِينَ وَٱلْحِسَابَ ۚ وَكُلَّ شَىْءٍ فَصَّلْنَٰهُ تَفْصِيلًا ﴿١٢﴾ وَكُلَّ
إِنسَٰنٍ أَلْزَمْنَٰهُ طَٰٓئِرَهُۥ فِى عُنُقِهِۦ ۖ وَنُخْرِجُ لَهُۥ يَوْمَ ٱلْقِيَٰمَةِ كِتَٰبًا
يَلْقَىٰهُ مَنشُورًا ﴿١٣﴾ ٱقْرَأْ كِتَٰبَكَ كَفَىٰ بِنَفْسِكَ ٱلْيَوْمَ عَلَيْكَ حَسِيبًا
﴿١٤﴾ مَّنِ ٱهْتَدَىٰ فَإِنَّمَا يَهْتَدِى لِنَفْسِهِۦ ۖ وَمَن ضَلَّ فَإِنَّمَا يَضِلُّ
عَلَيْهَا ۚ وَلَا تَزِرُ وَازِرَةٌ وِزْرَ أُخْرَىٰ ۗ وَمَا كُنَّا مُعَذِّبِينَ حَتَّىٰ نَبْعَثَ
رَسُولًا ﴿١٥﴾ وَإِذَآ أَرَدْنَآ أَن نُّهْلِكَ قَرْيَةً أَمَرْنَا مُتْرَفِيهَا فَفَسَقُوا۟ فِيهَا
فَحَقَّ عَلَيْهَا ٱلْقَوْلُ فَدَمَّرْنَٰهَا تَدْمِيرًا ﴿١٦﴾ وَكَمْ أَهْلَكْنَا مِنَ
ٱلْقُرُونِ مِنۢ بَعْدِ نُوحٍ ۗ وَكَفَىٰ بِرَبِّكَ بِذُنُوبِ عِبَادِهِۦ خَبِيرًۢا بَصِيرًا ﴿١٧﴾

- حَصِيرًا: سجنًا أو مهادًا
- فَمَحَوْنَآ: طمسنا
- مُبْصِرَةً: مضيئة
- أَلْزَمْنَٰهُ طَٰٓئِرَهُۥ: عمله المقدّر عليه
- حَسِيبًا: حاسبًا وعادًّا، أو مُحاسبًا
- لَا تَزِرُ وَازِرَةٌ: لا تحمل نفس آثمة
- مُتْرَفِيهَا: متنعميها وجبّاريها
- فَفَسَقُوا۟: فتمرّدوا وعصوا
- فَدَمَّرْنَٰهَا: استأصلناها ومحونا آثارها
- ٱلْقُرُونِ: الأمم

مَّن كَانَ يُرِيدُ ٱلْعَاجِلَةَ عَجَّلْنَا لَهُۥ فِيهَا مَا نَشَآءُ لِمَن نُّرِيدُ ثُمَّ
جَعَلْنَا لَهُۥ جَهَنَّمَ يَصْلَىٰهَا مَذْمُومًا مَّدْحُورًا ﴿١٨﴾ وَمَنْ أَرَادَ
ٱلْـَٔاخِرَةَ وَسَعَىٰ لَهَا سَعْيَهَا وَهُوَ مُؤْمِنٌ فَأُو۟لَـٰٓئِكَ كَانَ
سَعْيُهُم مَّشْكُورًا ﴿١٩﴾ كُلًّا نُّمِدُّ هَـٰٓؤُلَآءِ وَهَـٰٓؤُلَآءِ مِنْ عَطَآءِ
رَبِّكَ ۚ وَمَا كَانَ عَطَآءُ رَبِّكَ مَحْظُورًا ﴿٢٠﴾ ٱنظُرْ كَيْفَ فَضَّلْنَا
بَعْضَهُمْ عَلَىٰ بَعْضٍ ۚ وَلَلْـَٔاخِرَةُ أَكْبَرُ دَرَجَـٰتٍ وَأَكْبَرُ تَفْضِيلًا
﴿٢١﴾ لَّا تَجْعَلْ مَعَ ٱللَّهِ إِلَـٰهًا ءَاخَرَ فَتَقْعُدَ مَذْمُومًا مَّخْذُولًا ﴿٢٢﴾
۞ وَقَضَىٰ رَبُّكَ أَلَّا تَعْبُدُوٓا۟ إِلَّآ إِيَّاهُ وَبِٱلْوَٰلِدَيْنِ إِحْسَـٰنًا ۚ إِمَّا
يَبْلُغَنَّ عِندَكَ ٱلْكِبَرَ أَحَدُهُمَآ أَوْ كِلَاهُمَا فَلَا تَقُل لَّهُمَآ
أُفٍّ وَلَا تَنْهَرْهُمَا وَقُل لَّهُمَا قَوْلًا كَرِيمًا ﴿٢٣﴾ وَٱخْفِضْ
لَهُمَا جَنَاحَ ٱلذُّلِّ مِنَ ٱلرَّحْمَةِ وَقُل رَّبِّ ٱرْحَمْهُمَا كَمَا رَبَّيَانِى
صَغِيرًا ﴿٢٤﴾ رَّبُّكُمْ أَعْلَمُ بِمَا فِى نُفُوسِكُمْ ۚ إِن تَكُونُوا۟ صَـٰلِحِينَ
فَإِنَّهُۥ كَانَ لِلْأَوَّٰبِينَ غَفُورًا ﴿٢٥﴾ وَءَاتِ ذَا ٱلْقُرْبَىٰ حَقَّهُۥ
وَٱلْمِسْكِينَ وَٱبْنَ ٱلسَّبِيلِ وَلَا تُبَذِّرْ تَبْذِيرًا ﴿٢٦﴾ إِنَّ ٱلْمُبَذِّرِينَ
كَانُوٓا۟ إِخْوَٰنَ ٱلشَّيَـٰطِينِ ۖ وَكَانَ ٱلشَّيْطَـٰنُ لِرَبِّهِۦ كَفُورًا ﴿٢٧﴾

يَصْلَىٰهَا: يدخلها . أو يُقاسي حرّها
مَّدْحُورًا: مطروداً من رحمة الله
كُلًّا نُّمِدُّ: نزيدُ العطاءَ مرّةً بعد أخرى
مَحْظُورًا: ممنوعاً من عبادِه
مَّخْذُولًا: غيرَ منصورٍ ولا مُعانٍ
ربع الحزب ٢٩
الإسراء
قَضَىٰ رَبُّكَ: أمرَ وألزم
أُفٍّ: كلمةُ تضجُّرٍ وكراهيةٍ
لَا تَنْهَرْهُمَا: لا تزجُرْهُما عمّا لا يُعجبكَ
لِلْأَوَّٰبِينَ: التوّابينَ عمّا فرَط منهم

وَإِمَّا تُعۡرِضَنَّ عَنۡهُمُ ٱبۡتِغَآءَ رَحۡمَةٖ مِّن رَّبِّكَ تَرۡجُوهَا فَقُل لَّهُمۡ قَوۡلٗا
مَّيۡسُورٗا ﴿٢٨﴾ وَلَا تَجۡعَلۡ يَدَكَ مَغۡلُولَةً إِلَىٰ عُنُقِكَ وَلَا تَبۡسُطۡهَا
كُلَّ ٱلۡبَسۡطِ فَتَقۡعُدَ مَلُومٗا مَّحۡسُورًا ﴿٢٩﴾ إِنَّ رَبَّكَ يَبۡسُطُ ٱلرِّزۡقَ
لِمَن يَشَآءُ وَيَقۡدِرُۚ إِنَّهُۥ كَانَ بِعِبَادِهِۦ خَبِيرَۢا بَصِيرٗا ﴿٣٠﴾ وَلَا تَقۡتُلُوٓاْ
أَوۡلَٰدَكُمۡ خَشۡيَةَ إِمۡلَٰقٖۖ نَّحۡنُ نَرۡزُقُهُمۡ وَإِيَّاكُمۡۚ إِنَّ قَتۡلَهُمۡ كَانَ
خِطۡـٔٗا كَبِيرٗا ﴿٣١﴾ وَلَا تَقۡرَبُواْ ٱلزِّنَىٰٓۖ إِنَّهُۥ كَانَ فَٰحِشَةٗ وَسَآءَ
سَبِيلٗا ﴿٣٢﴾ وَلَا تَقۡتُلُواْ ٱلنَّفۡسَ ٱلَّتِي حَرَّمَ ٱللَّهُ إِلَّا بِٱلۡحَقِّۗ وَمَن
قُتِلَ مَظۡلُومٗا فَقَدۡ جَعَلۡنَا لِوَلِيِّهِۦ سُلۡطَٰنٗا فَلَا يُسۡرِف فِّي
ٱلۡقَتۡلِۖ إِنَّهُۥ كَانَ مَنصُورٗا ﴿٣٣﴾ وَلَا تَقۡرَبُواْ مَالَ ٱلۡيَتِيمِ إِلَّا بِٱلَّتِي
هِيَ أَحۡسَنُ حَتَّىٰ يَبۡلُغَ أَشُدَّهُۥۚ وَأَوۡفُواْ بِٱلۡعَهۡدِۖ إِنَّ ٱلۡعَهۡدَ كَانَ
مَسۡـُٔولٗا ﴿٣٤﴾ وَأَوۡفُواْ ٱلۡكَيۡلَ إِذَا كِلۡتُمۡ وَزِنُواْ بِٱلۡقِسۡطَاسِ ٱلۡمُسۡتَقِيمِۚ
ذَٰلِكَ خَيۡرٞ وَأَحۡسَنُ تَأۡوِيلٗا ﴿٣٥﴾ وَلَا تَقۡفُ مَا لَيۡسَ لَكَ بِهِۦ عِلۡمٌۚ
إِنَّ ٱلسَّمۡعَ وَٱلۡبَصَرَ وَٱلۡفُؤَادَ كُلُّ أُوْلَٰٓئِكَ كَانَ عَنۡهُ مَسۡـُٔولٗا ﴿٣٦﴾
وَلَا تَمۡشِ فِي ٱلۡأَرۡضِ مَرَحًاۖ إِنَّكَ لَن تَخۡرِقَ ٱلۡأَرۡضَ وَلَن تَبۡلُغَ
ٱلۡجِبَالَ طُولٗا ﴿٣٧﴾ كُلُّ ذَٰلِكَ كَانَ سَيِّئُهُۥ عِندَ رَبِّكَ مَكۡرُوهٗا ﴿٣٨﴾

- مَغۡلُولَةً إِلَىٰ عُنُقِكَ: كنايةً عن الشحّ
- تَبۡسُطۡهَا كُلَّ ٱلۡبَسۡطِ: كنايةً عن التبذير والإسراف
- مَّحۡسُورًا: نادماً مغموماً، أو مُعدماً
- يَقۡدِرُ: يُضيّقه على من يشاء
- خَشۡيَةَ إِمۡلَٰقٖ: خوفَ فقرٍ
- خِطۡـٔٗا: إثماً
- سُلۡطَٰنٗا: تسلُّطاً على القاتلِ بالقصاصِ أو الدِّيَة
- يَبۡلُغَ أَشُدَّهُۥ: قوّتَهُ على حفظِ ماله
- بِٱلۡقِسۡطَاسِ: بالميزانِ
- أَحۡسَنُ تَأۡوِيلٗا: مآلاً وعاقبةً
- لَا تَقۡفُ: لا تتَّبِعۡ
- مَرَحًا: فَرَحاً وبَطَراً واختيالا

مدّ ٦ حركات لزوماً — مدّ ٢ أو ٤ أو ٦ جوازاً — إخفاء، ومواقع الغنّة (حركتان)
مدّ واجب ٤ أو ٥ حركات — مدّ حركتان — إدغام، وما لا يُلفظ

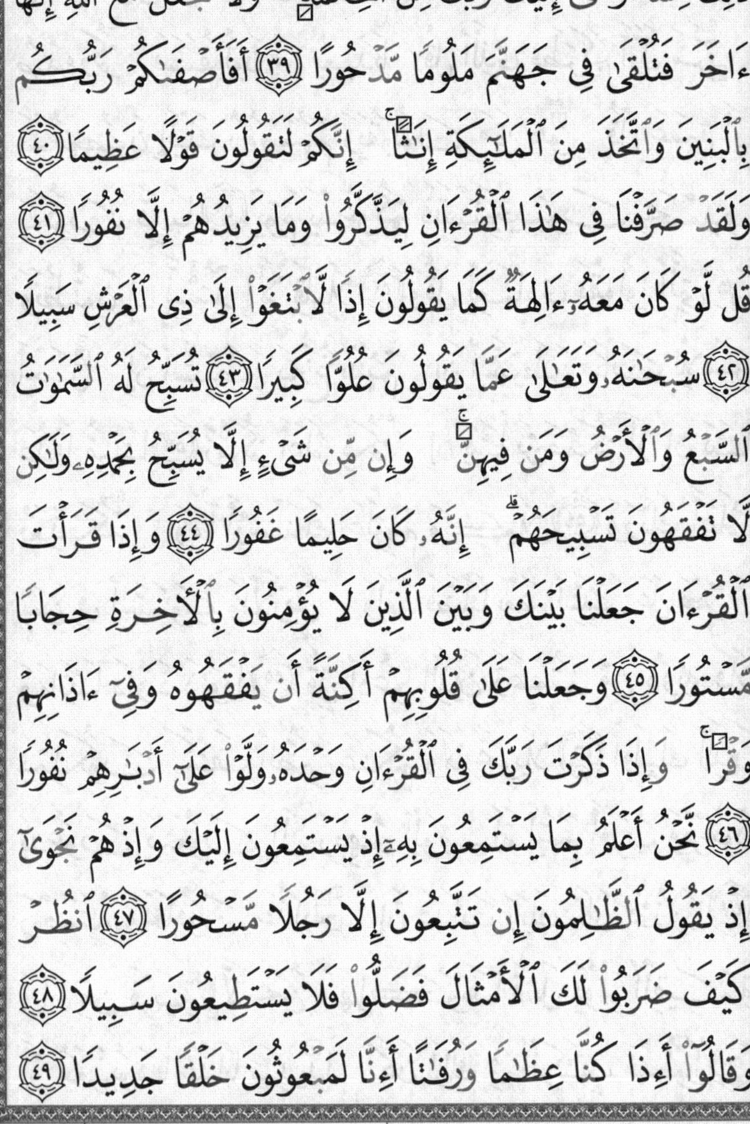

ذَٰلِكَ مِمَّآ أَوْحَىٰٓ إِلَيْكَ رَبُّكَ مِنَ ٱلْحِكْمَةِ ۗ وَلَا تَجْعَلْ مَعَ ٱللَّهِ إِلَٰهًا
ءَاخَرَ فَتُلْقَىٰ فِى جَهَنَّمَ مَلُومًا مَّدْحُورًا ﴿٣٩﴾ أَفَأَصْفَىٰكُمْ رَبُّكُم
بِٱلْبَنِينَ وَٱتَّخَذَ مِنَ ٱلْمَلَٰٓئِكَةِ إِنَٰثًا ۚ إِنَّكُمْ لَتَقُولُونَ قَوْلًا عَظِيمًا ﴿٤٠﴾
وَلَقَدْ صَرَّفْنَا فِى هَٰذَا ٱلْقُرْءَانِ لِيَذَّكَّرُوا۟ وَمَا يَزِيدُهُمْ إِلَّا نُفُورًا ﴿٤١﴾
قُل لَّوْ كَانَ مَعَهُۥٓ ءَالِهَةٌ كَمَا يَقُولُونَ إِذًا لَّٱبْتَغَوْا۟ إِلَىٰ ذِى ٱلْعَرْشِ سَبِيلًا
﴿٤٢﴾ سُبْحَٰنَهُۥ وَتَعَٰلَىٰ عَمَّا يَقُولُونَ عُلُوًّا كَبِيرًا ﴿٤٣﴾ تُسَبِّحُ لَهُ ٱلسَّمَٰوَٰتُ
ٱلسَّبْعُ وَٱلْأَرْضُ وَمَن فِيهِنَّ ۚ وَإِن مِّن شَىْءٍ إِلَّا يُسَبِّحُ بِحَمْدِهِۦ وَلَٰكِن
لَّا تَفْقَهُونَ تَسْبِيحَهُمْ ۗ إِنَّهُۥ كَانَ حَلِيمًا غَفُورًا ﴿٤٤﴾ وَإِذَا قَرَأْتَ
ٱلْقُرْءَانَ جَعَلْنَا بَيْنَكَ وَبَيْنَ ٱلَّذِينَ لَا يُؤْمِنُونَ بِٱلْءَاخِرَةِ حِجَابًا
مَّسْتُورًا ﴿٤٥﴾ وَجَعَلْنَا عَلَىٰ قُلُوبِهِمْ أَكِنَّةً أَن يَفْقَهُوهُ وَفِىٓ ءَاذَانِهِمْ
وَقْرًا ۚ وَإِذَا ذَكَرْتَ رَبَّكَ فِى ٱلْقُرْءَانِ وَحْدَهُۥ وَلَّوْا۟ عَلَىٰٓ أَدْبَٰرِهِمْ نُفُورًا
﴿٤٦﴾ نَّحْنُ أَعْلَمُ بِمَا يَسْتَمِعُونَ بِهِۦٓ إِذْ يَسْتَمِعُونَ إِلَيْكَ وَإِذْ هُمْ نَجْوَىٰٓ
إِذْ يَقُولُ ٱلظَّٰلِمُونَ إِن تَتَّبِعُونَ إِلَّا رَجُلًا مَّسْحُورًا ﴿٤٧﴾ ٱنظُرْ
كَيْفَ ضَرَبُوا۟ لَكَ ٱلْأَمْثَالَ فَضَلُّوا۟ فَلَا يَسْتَطِيعُونَ سَبِيلًا ﴿٤٨﴾
وَقَالُوٓا۟ أَءِذَا كُنَّا عِظَٰمًا وَرُفَٰتًا أَءِنَّا لَمَبْعُوثُونَ خَلْقًا جَدِيدًا ﴿٤٩﴾

الإسراء

- مَّدْحُورًا: مُبْعَداً من رحمة الله
- أَفَأَصْفَىٰكُمْ رَبُّكُم: أفخصّكم ربُّكم
- صَرَّفْنَا: كرّرْنا بأساليبَ مختلفةٍ
- نُفُورًا: تباعُداً عن الحقّ
- لَّٱبْتَغَوْا۟: لطَلَبُوا
- مَّسْتُورًا: ساتراً لك عنهم
- أَكِنَّةً: أغطِيَةً كثيرةً
- وَقْرًا: صَمَماً وثِقلاً عظيماً
- هُمْ نَجْوَىٰٓ: يتناجَوْنَ ويتسارُّونَ فيما بينَهُمْ
- مَّسْحُورًا: مغلوباً على عقله بالسِّحْرِ
- رُفَٰتًا: أجزاءً مُفتّتةً. أو تُراباً

| | | |
|---|---|---|
| مدّ ٦ حركات لزوماً ● مدّ ٢ أو ٤ أو ٦ جوازاً | ● إخفاء ، ومواقع الغُنَّة (حركتان) | ● تفخيم |
| مدّ واجب ٤ أو ٥ حركات ● مدّ حركتان | ● إدغام ، وما لا يُلفَظ | ● قلقلة |

۞ قُلْ كُونُوا۟ حِجَارَةً أَوْ حَدِيدًا ﴿٥٠﴾ أَوْ خَلْقًا مِّمَّا يَكْبُرُ فِى
صُدُورِكُمْ ۚ فَسَيَقُولُونَ مَن يُعِيدُنَا ۖ قُلِ ٱلَّذِى فَطَرَكُمْ أَوَّلَ مَرَّةٍ ۚ
فَسَيُنْغِضُونَ إِلَيْكَ رُءُوسَهُمْ وَيَقُولُونَ مَتَىٰ هُوَ ۖ قُلْ عَسَىٰٓ أَن
يَكُونَ قَرِيبًا ﴿٥١﴾ يَوْمَ يَدْعُوكُمْ فَتَسْتَجِيبُونَ بِحَمْدِهِۦ
وَتَظُنُّونَ إِن لَّبِثْتُمْ إِلَّا قَلِيلًا ﴿٥٢﴾ وَقُل لِّعِبَادِى يَقُولُوا۟ ٱلَّتِى هِىَ
أَحْسَنُ ۚ إِنَّ ٱلشَّيْطَٰنَ يَنزَغُ بَيْنَهُمْ ۚ إِنَّ ٱلشَّيْطَٰنَ كَانَ لِلْإِنسَٰنِ
عَدُوًّا مُّبِينًا ﴿٥٣﴾ رَّبُّكُمْ أَعْلَمُ بِكُمْ ۖ إِن يَشَأْ يَرْحَمْكُمْ أَوْ إِن يَشَأْ
يُعَذِّبْكُمْ ۚ وَمَآ أَرْسَلْنَٰكَ عَلَيْهِمْ وَكِيلًا ﴿٥٤﴾ وَرَبُّكَ أَعْلَمُ
بِمَن فِى ٱلسَّمَٰوَٰتِ وَٱلْأَرْضِ ۗ وَلَقَدْ فَضَّلْنَا بَعْضَ ٱلنَّبِيِّۦنَ عَلَىٰ بَعْضٍ ۖ
وَءَاتَيْنَا دَاوُۥدَ زَبُورًا ﴿٥٥﴾ قُلِ ٱدْعُوا۟ ٱلَّذِينَ زَعَمْتُم مِّن دُونِهِۦ فَلَا
يَمْلِكُونَ كَشْفَ ٱلضُّرِّ عَنكُمْ وَلَا تَحْوِيلًا ﴿٥٦﴾ أُو۟لَٰٓئِكَ ٱلَّذِينَ
يَدْعُونَ يَبْتَغُونَ إِلَىٰ رَبِّهِمُ ٱلْوَسِيلَةَ أَيُّهُمْ أَقْرَبُ وَيَرْجُونَ
رَحْمَتَهُۥ وَيَخَافُونَ عَذَابَهُۥٓ ۚ إِنَّ عَذَابَ رَبِّكَ كَانَ مَحْذُورًا ﴿٥٧﴾
وَإِن مِّن قَرْيَةٍ إِلَّا نَحْنُ مُهْلِكُوهَا قَبْلَ يَوْمِ ٱلْقِيَٰمَةِ
أَوْ مُعَذِّبُوهَا عَذَابًا شَدِيدًا ۚ كَانَ ذَٰلِكَ فِى ٱلْكِتَٰبِ مَسْطُورًا ﴿٥٨﴾

- يَكْبُرُ: يَعظُمُ عن قبولِ الحياةِ
- فَطَرَكُمْ: أبدَعَكُم
- فَسَيُنْغِضُونَ: فَسيُحَرِّكُونَ استهزاءً
- يَنزَغُ بَيْنَهُمْ: يُفسِدُ ويُهيِّجُ الشَّرَّ بينَهُم
- زَبُورًا: كتاباً فيه مواعظُ وبشارةٌ بك
- تَحْوِيلًا: نقلَهُ إلى غيرِكُم
- ٱلْوَسِيلَةَ: القُرْبَةَ بالطاعةِ والعبادةِ

مدّ ٦ حركات لزوماً · مدّ ٢ أو ٤ أو ٦ جوازاً · إخفاء، ومواقع الغُنَّة (حركتان) · تف…
مدّ واجب ٤ أو ٥ حركات · مدّ حركتان · إدغام، وما لا يُلفَظ · قل…

وَمَا مَنَعَنَآ أَن نُّرْسِلَ بِٱلْـَٔايَـٰتِ إِلَّآ أَن كَذَّبَ بِهَا ٱلْأَوَّلُونَ ۚ
وَءَاتَيْنَا ثَمُودَ ٱلنَّاقَةَ مُبْصِرَةً فَظَلَمُوا۟ بِهَا ۚ وَمَا نُرْسِلُ بِٱلْـَٔايَـٰتِ
إِلَّا تَخْوِيفًا ﴿٥٩﴾ وَإِذْ قُلْنَا لَكَ إِنَّ رَبَّكَ أَحَاطَ بِٱلنَّاسِ ۚ وَمَا
جَعَلْنَا ٱلرُّءْيَا ٱلَّتِىٓ أَرَيْنَـٰكَ إِلَّا فِتْنَةً لِّلنَّاسِ وَٱلشَّجَرَةَ ٱلْمَلْعُونَةَ
فِى ٱلْقُرْءَانِ ۚ وَنُخَوِّفُهُمْ فَمَا يَزِيدُهُمْ إِلَّا طُغْيَـٰنًا كَبِيرًا ﴿٦٠﴾
وَإِذْ قُلْنَا لِلْمَلَـٰٓئِكَةِ ٱسْجُدُوا۟ لِـَٔادَمَ فَسَجَدُوٓا۟ إِلَّآ إِبْلِيسَ
قَالَ ءَأَسْجُدُ لِمَنْ خَلَقْتَ طِينًا ﴿٦١﴾ قَالَ أَرَءَيْتَكَ هَـٰذَا ٱلَّذِى
كَرَّمْتَ عَلَىَّ لَئِنْ أَخَّرْتَنِ إِلَىٰ يَوْمِ ٱلْقِيَـٰمَةِ لَأَحْتَنِكَنَّ
ذُرِّيَّتَهُۥٓ إِلَّا قَلِيلًا ﴿٦٢﴾ قَالَ ٱذْهَبْ فَمَن تَبِعَكَ مِنْهُمْ فَإِنَّ
جَهَنَّمَ جَزَآؤُكُمْ جَزَآءً مَّوْفُورًا ﴿٦٣﴾ وَٱسْتَفْزِزْ مَنِ ٱسْتَطَعْتَ
مِنْهُم بِصَوْتِكَ وَأَجْلِبْ عَلَيْهِم بِخَيْلِكَ وَرَجِلِكَ وَشَارِكْهُمْ
فِى ٱلْأَمْوَٰلِ وَٱلْأَوْلَـٰدِ وَعِدْهُمْ ۚ وَمَا يَعِدُهُمُ ٱلشَّيْطَـٰنُ إِلَّا
غُرُورًا ﴿٦٤﴾ إِنَّ عِبَادِى لَيْسَ لَكَ عَلَيْهِمْ سُلْطَـٰنٌ ۚ وَكَفَىٰ
بِرَبِّكَ وَكِيلًا ﴿٦٥﴾ رَّبُّكُمُ ٱلَّذِى يُزْجِى لَكُمُ ٱلْفُلْكَ
فِى ٱلْبَحْرِ لِتَبْتَغُوا۟ مِن فَضْلِهِۦٓ ۚ إِنَّهُۥ كَانَ بِكُمْ رَحِيمًا ﴿٦٦﴾

فَظَلَمُوا۟ بِهَا: فكفروا بها ظالمين
أَحَاطَ بِٱلنَّاسِ: احتوتهم قدرته
ٱلشَّجَرَةَ ٱلْمَلْعُونَةَ: شجرة الزقوم
طُغْيَـٰنًا: تجاوزاً للحدّ في كفرهم
أَرَءَيْتَكَ: أخبرني
لَأَحْتَنِكَنَّ ذُرِّيَّتَهُۥ: لأستأصلنّهم بالإغواء
ٱسْتَفْزِزْ: استخفّ وأزعج
أَجْلِبْ عَلَيْهِم: صِحْ عليهم وسُقْهم
بِخَيْلِكَ وَرَجِلِكَ: بركبان جُندك ومُشاتهم
غُرُورًا: باطلاً وخداعاً
سُلْطَـٰنٌ: تسلّط وقدرة على إغوائهم
يُزْجِى: يُجري ويَسوق برفق

الإسراء

مدّ ٦ حركات لزوماً ● مدّ ٢ أو ٤ أو ٦ جوازاً ● إخفاء، ومواقع الغنّة (حركتان) ● تفخيم
مدّ واجب ٤ أو ٥ حركات ● مدّ حركتان ● إدغام، وما لا يُلفظ ● قلقلة

وَإِذَا مَسَّكُمُ ٱلضُّرُّ فِى ٱلْبَحْرِ ضَلَّ مَن تَدْعُونَ إِلَّآ إِيَّاهُ ۖ فَلَمَّا نَجَّىٰكُمْ
إِلَى ٱلْبَرِّ أَعْرَضْتُمْ ۚ وَكَانَ ٱلْإِنسَٰنُ كَفُورًا ﴿٦٧﴾ أَفَأَمِنتُمْ أَن يَخْسِفَ
بِكُمْ جَانِبَ ٱلْبَرِّ أَوْ يُرْسِلَ عَلَيْكُمْ حَاصِبًا ثُمَّ لَا تَجِدُوا۟ لَكُمْ
وَكِيلًا ﴿٦٨﴾ أَمْ أَمِنتُمْ أَن يُعِيدَكُمْ فِيهِ تَارَةً أُخْرَىٰ فَيُرْسِلَ
عَلَيْكُمْ قَاصِفًا مِّنَ ٱلرِّيحِ فَيُغْرِقَكُم بِمَا كَفَرْتُمْ ثُمَّ لَا تَجِدُوا۟
لَكُمْ عَلَيْنَا بِهِۦ تَبِيعًا ﴿٦٩﴾ ۞ وَلَقَدْ كَرَّمْنَا بَنِىٓ ءَادَمَ وَحَمَلْنَٰهُمْ
فِى ٱلْبَرِّ وَٱلْبَحْرِ وَرَزَقْنَٰهُم مِّنَ ٱلطَّيِّبَٰتِ وَفَضَّلْنَٰهُمْ عَلَىٰ
كَثِيرٍ مِّمَّنْ خَلَقْنَا تَفْضِيلًا ﴿٧٠﴾ يَوْمَ نَدْعُوا۟ كُلَّ أُنَاسٍۭ
بِإِمَٰمِهِمْ ۖ فَمَنْ أُوتِىَ كِتَٰبَهُۥ بِيَمِينِهِۦ فَأُو۟لَٰٓئِكَ يَقْرَءُونَ
كِتَٰبَهُمْ وَلَا يُظْلَمُونَ فَتِيلًا ﴿٧١﴾ وَمَن كَانَ فِى هَٰذِهِۦٓ
أَعْمَىٰ فَهُوَ فِى ٱلْءَاخِرَةِ أَعْمَىٰ وَأَضَلُّ سَبِيلًا ﴿٧٢﴾ وَإِن كَادُوا۟
لَيَفْتِنُونَكَ عَنِ ٱلَّذِىٓ أَوْحَيْنَآ إِلَيْكَ لِتَفْتَرِىَ عَلَيْنَا غَيْرَهُۥ ۖ
وَإِذًا لَّٱتَّخَذُوكَ خَلِيلًا ﴿٧٣﴾ وَلَوْلَآ أَن ثَبَّتْنَٰكَ لَقَدْ كِدتَّ
تَرْكَنُ إِلَيْهِمْ شَيْـًٔا قَلِيلًا ﴿٧٤﴾ إِذًا لَّأَذَقْنَٰكَ ضِعْفَ
ٱلْحَيَوٰةِ وَضِعْفَ ٱلْمَمَاتِ ثُمَّ لَا تَجِدُ لَكَ عَلَيْنَا نَصِيرًا ﴿٧٥﴾

- يَخْسِفَ: يُغَوِّر ويُغيِّب
- حَاصِبًا: ريحاً ترميكم بالحصباء
- قَاصِفًا: مُهلِكاً. أو شديداً
- تَبِيعًا: ناصراً. أو مُطالِباً بالثأر منّا

ثلاثة أرباع الحزب ٢٩

- فَتِيلًا: قدْرَ الخيط في شق النواة
- لَيَفْتِنُونَكَ: لَيَصْرِفونَكَ
- لِتَفْتَرِىَ: لتختلق وتتقوّل
- تَرْكَنُ: تميل
- ضِعْفَ ٱلْحَيَوٰةِ: عذاباً مضاعَفاً فيها

| | |
|---|---|
| مدّ ٦ حركات لزوماً ● مدّ ٢ أو ٤ أو ٦ جوازاً | إخفاء، ومواقع الغُنَّة (حركتان) |
| مدّ واجب ٤ أو ٥ حركات ● مدّ حركتان | إدغام، وما لا يُلفَظ |

وَإِن كَادُوا۟ لَيَسْتَفِزُّونَكَ مِنَ ٱلْأَرْضِ لِيُخْرِجُوكَ مِنْهَا ۖ
وَإِذًا لَّا يَلْبَثُونَ خِلَـٰفَكَ إِلَّا قَلِيلًا ﴿٧٦﴾ سُنَّةَ مَن قَدْ
أَرْسَلْنَا قَبْلَكَ مِن رُّسُلِنَا ۖ وَلَا تَجِدُ لِسُنَّتِنَا تَحْوِيلًا ﴿٧٧﴾ أَقِمِ
ٱلصَّلَوٰةَ لِدُلُوكِ ٱلشَّمْسِ إِلَىٰ غَسَقِ ٱلَّيْلِ وَقُرْءَانَ ٱلْفَجْرِ ۖ إِنَّ
قُرْءَانَ ٱلْفَجْرِ كَانَ مَشْهُودًا ﴿٧٨﴾ وَمِنَ ٱلَّيْلِ فَتَهَجَّدْ بِهِۦ
نَافِلَةً لَّكَ عَسَىٰٓ أَن يَبْعَثَكَ رَبُّكَ مَقَامًا مَّحْمُودًا ﴿٧٩﴾ وَقُل رَّبِّ
أَدْخِلْنِى مُدْخَلَ صِدْقٍ وَأَخْرِجْنِى مُخْرَجَ صِدْقٍ وَٱجْعَل لِّى مِن
لَّدُنكَ سُلْطَـٰنًا نَّصِيرًا ﴿٨٠﴾ وَقُلْ جَآءَ ٱلْحَقُّ وَزَهَقَ ٱلْبَـٰطِلُ ۚ
إِنَّ ٱلْبَـٰطِلَ كَانَ زَهُوقًا ﴿٨١﴾ وَنُنَزِّلُ مِنَ ٱلْقُرْءَانِ مَا هُوَ شِفَآءٌ
وَرَحْمَةٌ لِّلْمُؤْمِنِينَ ۙ وَلَا يَزِيدُ ٱلظَّـٰلِمِينَ إِلَّا خَسَارًا ﴿٨٢﴾ وَإِذَآ
أَنْعَمْنَا عَلَى ٱلْإِنسَـٰنِ أَعْرَضَ وَنَـَٔا بِجَانِبِهِۦ ۖ وَإِذَا مَسَّهُ ٱلشَّرُّ كَانَ يَـُٔوسًا
﴿٨٣﴾ قُلْ كُلٌّ يَعْمَلُ عَلَىٰ شَاكِلَتِهِۦ فَرَبُّكُمْ أَعْلَمُ بِمَنْ هُوَ أَهْدَىٰ
سَبِيلًا ﴿٨٤﴾ وَيَسْـَٔلُونَكَ عَنِ ٱلرُّوحِ ۖ قُلِ ٱلرُّوحُ مِنْ أَمْرِ رَبِّى
وَمَآ أُوتِيتُم مِّنَ ٱلْعِلْمِ إِلَّا قَلِيلًا ﴿٨٥﴾ وَلَئِن شِئْنَا لَنَذْهَبَنَّ
بِٱلَّذِىٓ أَوْحَيْنَآ إِلَيْكَ ثُمَّ لَا تَجِدُ لَكَ بِهِۦ عَلَيْنَا وَكِيلًا ﴿٨٦﴾

- لَيَسْتَفِزُّونَكَ: لَيَستخِفُّونك ويُزْعِجُونك
- تَحْوِيلًا: تغييراً وتبديلاً
- لِدُلُوكِ ٱلشَّمْسِ: بعدَ زوالِها
- غَسَقِ ٱلَّيْلِ: ظُلْمَتِه أو شِدَّتِه
- قُرْءَانَ ٱلْفَجْرِ: صلاةَ الصُّبْح
- فَتَهَجَّدْ بِهِۦ: فَصَلِّ فيه
- نَافِلَةً لَّكَ: فريضةً زائدة خاصةً بك
- مَقَامًا مَّحْمُودًا: مقامَ الشفاعةِ العُظمى
- مُدْخَلَ صِدْقٍ: إدْخالاً مَرضيّاً جيّداً
- زَهَقَ ٱلْبَـٰطِلُ: زالَ واضمحَلّ
- خَسَارًا: هلاكاً بسبب كُفرِهم
- نَـَٔا بِجَانِبِهِۦ: لَوى عِطفَهُ تكبُّراً
- يَـُٔوسًا: شديدَ اليأسِ من رحمتِنا
- شَاكِلَتِهِۦ: مذهَبِه الذي يُشاكِلُ حالَه

الإسراء

إِلَّا رَحۡمَةٗ مِّن رَّبِّكَۚ إِنَّ فَضۡلَهُۥ كَانَ عَلَيۡكَ كَبِيرٗا ﴿٨٧﴾ قُل
لَّئِنِ ٱجۡتَمَعَتِ ٱلۡإِنسُ وَٱلۡجِنُّ عَلَىٰٓ أَن يَأۡتُواْ بِمِثۡلِ هَٰذَا ٱلۡقُرۡءَانِ
لَا يَأۡتُونَ بِمِثۡلِهِۦ وَلَوۡ كَانَ بَعۡضُهُمۡ لِبَعۡضٖ ظَهِيرٗا ﴿٨٨﴾ وَلَقَدۡ
صَرَّفۡنَا لِلنَّاسِ فِي هَٰذَا ٱلۡقُرۡءَانِ مِن كُلِّ مَثَلٖ فَأَبَىٰٓ أَكۡثَرُ ٱلنَّاسِ
إِلَّا كُفُورٗا ﴿٨٩﴾ وَقَالُواْ لَن نُّؤۡمِنَ لَكَ حَتَّىٰ تَفۡجُرَ لَنَا مِنَ
ٱلۡأَرۡضِ يَنۢبُوعًا ﴿٩٠﴾ أَوۡ تَكُونَ لَكَ جَنَّةٞ مِّن نَّخِيلٖ وَعِنَبٖ
فَتُفَجِّرَ ٱلۡأَنۡهَٰرَ خِلَٰلَهَا تَفۡجِيرًا ﴿٩١﴾ أَوۡ تُسۡقِطَ ٱلسَّمَآءَ كَمَا
زَعَمۡتَ عَلَيۡنَا كِسَفًا أَوۡ تَأۡتِيَ بِٱللَّهِ وَٱلۡمَلَٰٓئِكَةِ قَبِيلًا ﴿٩٢﴾
أَوۡ يَكُونَ لَكَ بَيۡتٞ مِّن زُخۡرُفٍ أَوۡ تَرۡقَىٰ فِي ٱلسَّمَآءِ وَلَن نُّؤۡمِنَ
لِرُقِيِّكَ حَتَّىٰ تُنَزِّلَ عَلَيۡنَا كِتَٰبٗا نَّقۡرَؤُهُۥۗ قُلۡ سُبۡحَانَ رَبِّي هَلۡ
كُنتُ إِلَّا بَشَرٗا رَّسُولٗا ﴿٩٣﴾ وَمَا مَنَعَ ٱلنَّاسَ أَن يُؤۡمِنُوٓاْ إِذۡ جَآءَهُمُ
ٱلۡهُدَىٰٓ إِلَّآ أَن قَالُوٓاْ أَبَعَثَ ٱللَّهُ بَشَرٗا رَّسُولٗا ﴿٩٤﴾ قُل لَّوۡ كَانَ
فِي ٱلۡأَرۡضِ مَلَٰٓئِكَةٞ يَمۡشُونَ مُطۡمَئِنِّينَ لَنَزَّلۡنَا عَلَيۡهِم
مِّنَ ٱلسَّمَآءِ مَلَكٗا رَّسُولٗا ﴿٩٥﴾ قُلۡ كَفَىٰ بِٱللَّهِ
شَهِيدَۢا بَيۡنِي وَبَيۡنَكُمۡۚ إِنَّهُۥ كَانَ بِعِبَادِهِۦ خَبِيرَۢا بَصِيرٗا ﴿٩٦﴾

- ظَهِيرًا: مُعيناً
- صَرَّفۡنَا: ردّدنا بأساليبَ مختلفةٍ
- فَأَبَىٰٓ: فلم يرْضَ
- كُفُورًا: جحُوداً للحقّ
- يَنۢبُوعًا: عَيْناً لاينْضُبُ ماؤُها
- كِسَفًا: قطعاً
- قَبِيلًا: مقابَلَةً وعِياناً . أو جماعةً
- زُخۡرُفٍ: ذهَبٍ

مدّ ٦ حركات لزوماً | مدّ ٢ أو ٤ أو ٦ جوازاً | إخفاء ، ومواقع الغُنَّة (حركتان) | تفـ
مدّ واجب ٤ أو ٥ حركات | مدّ حركتان | إدغام ، وما لا يُلفظ | قلق

وَمَن يَهْدِ ٱللَّهُ فَهُوَ ٱلْمُهْتَدِ ۖ وَمَن يُضْلِلْ فَلَن تَجِدَ لَهُمْ أَوْلِيَآءَ
مِن دُونِهِۦ ۖ وَنَحْشُرُهُمْ يَوْمَ ٱلْقِيَٰمَةِ عَلَىٰ وُجُوهِهِمْ عُمْيًا وَبُكْمًا
وَصُمًّا ۖ مَّأْوَىٰهُمْ جَهَنَّمُ ۖ كُلَّمَا خَبَتْ زِدْنَٰهُمْ سَعِيرًا ﴿٩٧﴾
ذَٰلِكَ جَزَآؤُهُم بِأَنَّهُمْ كَفَرُوا۟ بِـَٔايَٰتِنَا وَقَالُوٓا۟ أَءِذَا كُنَّا عِظَٰمًا
وَرُفَٰتًا أَءِنَّا لَمَبْعُوثُونَ خَلْقًا جَدِيدًا ﴿٩٨﴾ ۞ أَوَلَمْ يَرَوْا۟ أَنَّ ٱللَّهَ
ٱلَّذِى خَلَقَ ٱلسَّمَٰوَٰتِ وَٱلْأَرْضَ قَادِرٌ عَلَىٰٓ أَن يَخْلُقَ مِثْلَهُمْ
وَجَعَلَ لَهُمْ أَجَلًا لَّا رَيْبَ فِيهِ فَأَبَى ٱلظَّٰلِمُونَ إِلَّا كُفُورًا ﴿٩٩﴾
قُل لَّوْ أَنتُمْ تَمْلِكُونَ خَزَآئِنَ رَحْمَةِ رَبِّىٓ إِذًا لَّأَمْسَكْتُمْ خَشْيَةَ
ٱلْإِنفَاقِ ۚ وَكَانَ ٱلْإِنسَٰنُ قَتُورًا ﴿١٠٠﴾ وَلَقَدْ ءَاتَيْنَا مُوسَىٰ تِسْعَ
ءَايَٰتٍۭ بَيِّنَٰتٍ ۖ فَسْـَٔلْ بَنِىٓ إِسْرَٰٓءِيلَ إِذْ جَآءَهُمْ فَقَالَ لَهُۥ فِرْعَوْنُ
إِنِّى لَأَظُنُّكَ يَٰمُوسَىٰ مَسْحُورًا ﴿١٠١﴾ قَالَ لَقَدْ عَلِمْتَ مَآ أَنزَلَ
هَٰٓؤُلَآءِ إِلَّا رَبُّ ٱلسَّمَٰوَٰتِ وَٱلْأَرْضِ بَصَآئِرَ وَإِنِّى لَأَظُنُّكَ
يَٰفِرْعَوْنُ مَثْبُورًا ﴿١٠٢﴾ فَأَرَادَ أَن يَسْتَفِزَّهُم مِّنَ ٱلْأَرْضِ
فَأَغْرَقْنَٰهُ وَمَن مَّعَهُۥ جَمِيعًا ﴿١٠٣﴾ وَقُلْنَا مِنۢ بَعْدِهِۦ لِبَنِىٓ إِسْرَٰٓءِيلَ
ٱسْكُنُوا۟ ٱلْأَرْضَ فَإِذَا جَآءَ وَعْدُ ٱلْـَٔاخِرَةِ جِئْنَا بِكُمْ لَفِيفًا ﴿١٠٤﴾

خَبَتْ: سكَنَ لهيبُها
سَعِيرًا: لهباً وتوقُّداً
رُفَٰتًا: أجزاءً مُفتّتةً أو تُراباً
الحزب ٣٠
الإسراء
قَتُورًا: مبالغاً في البُخل
مَسْحُورًا: مَغْلوباً على عَقْلكَ بالسِّحْر
مَثْبُورًا: هالكاً أو مصروفاً عن الخير
يَسْتَفِزَّهُم: يَسْتخِفّهُم ويُزعِجهُم للخروج
لَفِيفًا: جميعاً مختلطين

مدّ ٦ حركات لزوماً — مدّ ٢ أو ٤ أو ٦ جوازاً — مدّ واجب ٤ أو ٥ حركات — مدّ حركتان — إخفاء، ومواقع الغُنَّة (حركتان) — إدغام، وما لا يُلفَظ — تفخيم — قلقلة

وَبِٱلۡحَقِّ أَنزَلۡنَٰهُ وَبِٱلۡحَقِّ نَزَلَۗ وَمَآ أَرۡسَلۡنَٰكَ إِلَّا مُبَشِّرٗا وَنَذِيرٗا ﴿١٠٥﴾
وَقُرۡءَانٗا فَرَقۡنَٰهُ لِتَقۡرَأَهُۥ عَلَى ٱلنَّاسِ عَلَىٰ مُكۡثٖ وَنَزَّلۡنَٰهُ تَنزِيلٗا ﴿١٠٦﴾
قُلۡ ءَامِنُواْ بِهِۦٓ أَوۡ لَا تُؤۡمِنُوٓاْۚ إِنَّ ٱلَّذِينَ أُوتُواْ ٱلۡعِلۡمَ مِن قَبۡلِهِۦٓ إِذَا يُتۡلَىٰ
عَلَيۡهِمۡ يَخِرُّونَ لِلۡأَذۡقَانِ سُجَّدٗا ﴿١٠٧﴾ وَيَقُولُونَ سُبۡحَٰنَ رَبِّنَآ إِن كَانَ
وَعۡدُ رَبِّنَا لَمَفۡعُولٗا ﴿١٠٨﴾ وَيَخِرُّونَ لِلۡأَذۡقَانِ يَبۡكُونَ وَيَزِيدُهُمۡ
خُشُوعٗا۩ ﴿١٠٩﴾ قُلِ ٱدۡعُواْ ٱللَّهَ أَوِ ٱدۡعُواْ ٱلرَّحۡمَٰنَۖ أَيّٗا مَّا تَدۡعُواْ فَلَهُ
ٱلۡأَسۡمَآءُ ٱلۡحُسۡنَىٰۚ وَلَا تَجۡهَرۡ بِصَلَاتِكَ وَلَا تُخَافِتۡ بِهَا وَٱبۡتَغِ
بَيۡنَ ذَٰلِكَ سَبِيلٗا ﴿١١٠﴾ وَقُلِ ٱلۡحَمۡدُ لِلَّهِ ٱلَّذِي لَمۡ يَتَّخِذۡ وَلَدٗا وَلَمۡ يَكُن
لَّهُۥ شَرِيكٞ فِي ٱلۡمُلۡكِ وَلَمۡ يَكُن لَّهُۥ وَلِيّٞ مِّنَ ٱلذُّلِّۖ وَكَبِّرۡهُ تَكۡبِيرَۢا ﴿١١١﴾

## سُورَةُ الكَهۡفِ

ترتيبها ١٨ — آياتها ١١٠

بِسۡمِ ٱللَّهِ ٱلرَّحۡمَٰنِ ٱلرَّحِيمِ

ٱلۡحَمۡدُ لِلَّهِ ٱلَّذِيٓ أَنزَلَ عَلَىٰ عَبۡدِهِ ٱلۡكِتَٰبَ وَلَمۡ يَجۡعَل لَّهُۥ عِوَجَاۜ ﴿١﴾
قَيِّمٗا لِّيُنذِرَ بَأۡسٗا شَدِيدٗا مِّن لَّدُنۡهُ وَيُبَشِّرَ ٱلۡمُؤۡمِنِينَ ٱلَّذِينَ
يَعۡمَلُونَ ٱلصَّٰلِحَٰتِ أَنَّ لَهُمۡ أَجۡرًا حَسَنٗا ﴿٢﴾ مَّٰكِثِينَ
فِيهِ أَبَدٗا ﴿٣﴾ وَيُنذِرَ ٱلَّذِينَ قَالُواْ ٱتَّخَذَ ٱللَّهُ وَلَدٗا ﴿٤﴾

فَرَقۡنَٰهُ: بيّنّاه . أو أحكمناه وفصّلناه
عَلَىٰ مُكۡثٖ: على تُؤَدَةٍ وتأنٍّ
سجدة
لَا تُخَافِتۡ: لا تُسِرَّ
سَكتة لطيفة من غير تنفس
عِوَجَا: اختلالاً . أو اختلافاً
قَيِّمٗا: مستقيماً معتدلاً
بَأۡسٗا: عذاباً

مدّ ٦ حركات لزوماً | مدّ ٢ أو ٤ أو ٦ جوازاً | إخفاء ، ومواقع الغُنّة (حركتان) | تف
مدّ واجب ٤ أو ٥ حركات | مدّ حركتان | إدغام ، وما لا يُلفظ | قلق

مَّا لَهُم بِهِۦ مِنْ عِلْمٍ وَلَا لِءَابَآئِهِمْۚ كَبُرَتْ كَلِمَةً تَخْرُجُ مِنْ
أَفْوَٰهِهِمْۚ إِن يَقُولُونَ إِلَّا كَذِبًا ﴿٥﴾ فَلَعَلَّكَ بَٰخِعٌ نَّفْسَكَ
عَلَىٰٓ ءَاثَٰرِهِمْ إِن لَّمْ يُؤْمِنُوا۟ بِهَٰذَا ٱلْحَدِيثِ أَسَفًا ﴿٦﴾ إِنَّا
جَعَلْنَا مَا عَلَى ٱلْأَرْضِ زِينَةً لَّهَا لِنَبْلُوَهُمْ أَيُّهُمْ أَحْسَنُ عَمَلًا
﴿٧﴾ وَإِنَّا لَجَٰعِلُونَ مَا عَلَيْهَا صَعِيدًا جُرُزًا ﴿٨﴾ أَمْ حَسِبْتَ
أَنَّ أَصْحَٰبَ ٱلْكَهْفِ وَٱلرَّقِيمِ كَانُوا۟ مِنْ ءَايَٰتِنَا عَجَبًا ﴿٩﴾
إِذْ أَوَى ٱلْفِتْيَةُ إِلَى ٱلْكَهْفِ فَقَالُوا۟ رَبَّنَآ ءَاتِنَا مِن لَّدُنكَ رَحْمَةً
وَهَيِّئْ لَنَا مِنْ أَمْرِنَا رَشَدًا ﴿١٠﴾ فَضَرَبْنَا عَلَىٰٓ ءَاذَانِهِمْ فِى
ٱلْكَهْفِ سِنِينَ عَدَدًا ﴿١١﴾ ثُمَّ بَعَثْنَٰهُمْ لِنَعْلَمَ أَىُّ ٱلْحِزْبَيْنِ
أَحْصَىٰ لِمَا لَبِثُوٓا۟ أَمَدًا ﴿١٢﴾ نَّحْنُ نَقُصُّ عَلَيْكَ نَبَأَهُم بِٱلْحَقِّۚ
إِنَّهُمْ فِتْيَةٌ ءَامَنُوا۟ بِرَبِّهِمْ وَزِدْنَٰهُمْ هُدًى ﴿١٣﴾ وَرَبَطْنَا
عَلَىٰ قُلُوبِهِمْ إِذْ قَامُوا۟ فَقَالُوا۟ رَبُّنَا رَبُّ ٱلسَّمَٰوَٰتِ وَٱلْأَرْضِ
لَن نَّدْعُوَا۟ مِن دُونِهِۦٓ إِلَٰهًاۖ لَّقَدْ قُلْنَآ إِذًا شَطَطًا ﴿١٤﴾ هَٰٓؤُلَآءِ
قَوْمُنَا ٱتَّخَذُوا۟ مِن دُونِهِۦٓ ءَالِهَةًۖ لَّوْلَا يَأْتُونَ عَلَيْهِم
بِسُلْطَٰنٍۭ بَيِّنٍۖ فَمَنْ أَظْلَمُ مِمَّنِ ٱفْتَرَىٰ عَلَى ٱللَّهِ كَذِبًا ﴿١٥﴾

- كَبُرَتْ كَلِمَةً: عَظُمَتْ في القُبْح
- بَٰخِعٌ نَّفْسَكَ: قاتِلُها ومُهْلِكُها
- أَسَفًا: غَضَباً وحُزْناً
- لِنَبْلُوَهُمْ: لِنَخْتَبِرَهُمْ
- صَعِيدًا جُرُزًا: تُرَاباً لانباتَ فيه
- ٱلْكَهْفِ: الغارِ المتَّسِعِ في الجَبَلِ
- ٱلرَّقِيمِ: اللوحِ المكتوبِ فيه قصتُهم
- أَوَى ٱلْفِتْيَةُ: التجؤوا
- رَشَدًا: اهتداءً إلى طريقِ الحقِّ
- أَمَدًا: مُدَّةً
- رَبَطْنَا: شَدَدْنَا وقوَّيْنَا
- شَطَطًا: قولاً بَعِيداً عن الحقِّ

الكهف

| | | |
|---|---|---|
| مدّ ٦ حركات لزوماً ● مدّ ٢ أو ٤ أو ٦ جوازاً | ● إخفاء ، ومواقع الغُنَّة (حركتان) | ● تفخيم |
| مدّ واجب ٤ أو ٥ حركات ● مدّ حركتان | ● إدغام ، وما لا يُلفَظ | ● قلقلة |

وَإِذِ ٱعۡتَزَلۡتُمُوهُمۡ وَمَا يَعۡبُدُونَ إِلَّا ٱللَّهَ فَأۡوُۥٓاْ إِلَى ٱلۡكَهۡفِ
يَنشُرۡ لَكُمۡ رَبُّكُم مِّن رَّحۡمَتِهِۦ وَيُهَيِّئۡ لَكُم مِّنۡ أَمۡرِكُم مِّرۡفَقٗا ﴿١٦﴾
۞ وَتَرَى ٱلشَّمۡسَ إِذَا طَلَعَت تَّزَٰوَرُ عَن كَهۡفِهِمۡ ذَاتَ
ٱلۡيَمِينِ وَإِذَا غَرَبَت تَّقۡرِضُهُمۡ ذَاتَ ٱلشِّمَالِ وَهُمۡ فِي فَجۡوَةٖ
مِّنۡهُۚ ذَٰلِكَ مِنۡ ءَايَٰتِ ٱللَّهِۗ مَن يَهۡدِ ٱللَّهُ فَهُوَ ٱلۡمُهۡتَدِۖ وَمَن
يُضۡلِلۡ فَلَن تَجِدَ لَهُۥ وَلِيّٗا مُّرۡشِدٗا ﴿١٧﴾ وَتَحۡسَبُهُمۡ أَيۡقَاظٗا
وَهُمۡ رُقُودٞۚ وَنُقَلِّبُهُمۡ ذَاتَ ٱلۡيَمِينِ وَذَاتَ ٱلشِّمَالِۖ وَكَلۡبُهُم
بَٰسِطٞ ذِرَاعَيۡهِ بِٱلۡوَصِيدِۚ لَوِ ٱطَّلَعۡتَ عَلَيۡهِمۡ لَوَلَّيۡتَ مِنۡهُمۡ
فِرَارٗا وَلَمُلِئۡتَ مِنۡهُمۡ رُعۡبٗا ﴿١٨﴾ وَكَذَٰلِكَ بَعَثۡنَٰهُمۡ
لِيَتَسَآءَلُواْ بَيۡنَهُمۡۚ قَالَ قَآئِلٞ مِّنۡهُمۡ كَمۡ لَبِثۡتُمۡۖ قَالُواْ لَبِثۡنَا
يَوۡمًا أَوۡ بَعۡضَ يَوۡمٖۚ قَالُواْ رَبُّكُمۡ أَعۡلَمُ بِمَا لَبِثۡتُمۡ فَٱبۡعَثُوٓاْ
أَحَدَكُم بِوَرِقِكُمۡ هَٰذِهِۦٓ إِلَى ٱلۡمَدِينَةِ فَلۡيَنظُرۡ أَيُّهَآ أَزۡكَىٰ
طَعَامٗا فَلۡيَأۡتِكُم بِرِزۡقٖ مِّنۡهُ وَلۡيَتَلَطَّفۡ وَلَا يُشۡعِرَنَّ
بِكُمۡ أَحَدًا ﴿١٩﴾ إِنَّهُمۡ إِن يَظۡهَرُواْ عَلَيۡكُمۡ يَرۡجُمُوكُمۡ
أَوۡ يُعِيدُوكُمۡ فِي مِلَّتِهِمۡ وَلَن تُفۡلِحُوٓاْ إِذًا أَبَدٗا ﴿٢٠﴾

- مِّرۡفَقٗا: ما تنتفعون به في عيشكم
- ربع الحزب ٣٠
- تَّزَٰوَرُ: تميلُ وتَعدِلُ
- تَّقۡرِضُهُمۡ: تَعدِلُ عنهم وتبتعدُ
- فَجۡوَةٖ مِّنۡهُ: متَّسَعٍ من الكهفِ
- بِٱلۡوَصِيدِ: فناءِ الكهفِ
- رُعۡبٗا: خوفاً وفزعاً
- بِوَرِقِكُمۡ: بدَراهِمِكُمُ المضروبةِ
- أَزۡكَىٰ طَعَامٗا: أحلُّ . أو أجودُ
- يَظۡهَرُواْ عَلَيۡكُمۡ: يَطَّلِعُوا عليكُمْ

وَكَذَٰلِكَ أَعۡثَرۡنَا عَلَيۡهِمۡ لِيَعۡلَمُوٓاْ أَنَّ وَعۡدَ ٱللَّهِ حَقّٞ وَأَنَّ
ٱلسَّاعَةَ لَا رَيۡبَ فِيهَآ إِذۡ يَتَنَٰزَعُونَ بَيۡنَهُمۡ أَمۡرَهُمۡۖ فَقَالُواْ
ٱبۡنُواْ عَلَيۡهِم بُنۡيَٰنٗاۖ رَّبُّهُمۡ أَعۡلَمُ بِهِمۡۚ قَالَ ٱلَّذِينَ غَلَبُواْ عَلَىٰٓ
أَمۡرِهِمۡ لَنَتَّخِذَنَّ عَلَيۡهِم مَّسۡجِدٗا ﴿٢١﴾ سَيَقُولُونَ ثَلَٰثَةٞ
رَّابِعُهُمۡ كَلۡبُهُمۡ وَيَقُولُونَ خَمۡسَةٞ سَادِسُهُمۡ كَلۡبُهُمۡ رَجۡمَۢا
بِٱلۡغَيۡبِۖ وَيَقُولُونَ سَبۡعَةٞ وَثَامِنُهُمۡ كَلۡبُهُمۡۚ قُل رَّبِّيٓ أَعۡلَمُ
بِعِدَّتِهِم مَّا يَعۡلَمُهُمۡ إِلَّا قَلِيلٞۗ فَلَا تُمَارِ فِيهِمۡ إِلَّا مِرَآءٗ ظَٰهِرٗا
وَلَا تَسۡتَفۡتِ فِيهِم مِّنۡهُمۡ أَحَدٗا ﴿٢٢﴾ وَلَا تَقُولَنَّ لِشَاْيۡءٍ
إِنِّي فَاعِلٞ ذَٰلِكَ غَدًا ﴿٢٣﴾ إِلَّآ أَن يَشَآءَ ٱللَّهُۚ وَٱذۡكُر رَّبَّكَ
إِذَا نَسِيتَ وَقُلۡ عَسَىٰٓ أَن يَهۡدِيَنِ رَبِّي لِأَقۡرَبَ مِنۡ هَٰذَا رَشَدٗا
﴿٢٤﴾ وَلَبِثُواْ فِي كَهۡفِهِمۡ ثَلَٰثَ مِاْئَةٖ سِنِينَ وَٱزۡدَادُواْ تِسۡعٗا
﴿٢٥﴾ قُلِ ٱللَّهُ أَعۡلَمُ بِمَا لَبِثُواْۖ لَهُۥ غَيۡبُ ٱلسَّمَٰوَٰتِ وَٱلۡأَرۡضِۖ
أَبۡصِرۡ بِهِۦ وَأَسۡمِعۡۚ مَا لَهُم مِّن دُونِهِۦ مِن وَلِيّٖ وَلَا يُشۡرِكُ
فِي حُكۡمِهِۦٓ أَحَدٗا ﴿٢٦﴾ وَٱتۡلُ مَآ أُوحِيَ إِلَيۡكَ مِن كِتَابِ
رَبِّكَۖ لَا مُبَدِّلَ لِكَلِمَٰتِهِۦ وَلَن تَجِدَ مِن دُونِهِۦ مُلۡتَحَدٗا ﴿٢٧﴾

- أَعۡثَرۡنَا عَلَيۡهِمۡ: أطلعنا الناس عليهم
- رَجۡمَۢا بِٱلۡغَيۡبِ: ظنًا من غير دليل
- فَلَا تُمَارِ: فلا تجادل
- رَشَدٗا: هداية وإرشاداً للناس
- مُلۡتَحَدٗا: ملجأ تعدل إليه

الكهف

| | | |
|---|---|---|
| مدّ ٦ حركات لزوماً ● مدّ ٢ أو ٤ أو ٦ جوازاً | ● إخفاء ، ومواقع الغُنَّة (حركتان) | ● تفخيم |
| مدّ واجب ٤ أو ٥ حركات ● مدّ حركتان | ● إدغام ، وما لا يُلفظ | ● قلقلة |

وَٱصْبِرْ نَفْسَكَ مَعَ ٱلَّذِينَ يَدْعُونَ رَبَّهُم بِٱلْغَدَوٰةِ وَٱلْعَشِيِّ
يُرِيدُونَ وَجْهَهُۥ ۖ وَلَا تَعْدُ عَيْنَاكَ عَنْهُمْ تُرِيدُ زِينَةَ ٱلْحَيَوٰةِ
ٱلدُّنْيَا ۖ وَلَا تُطِعْ مَنْ أَغْفَلْنَا قَلْبَهُۥ عَن ذِكْرِنَا وَٱتَّبَعَ هَوَىٰهُ وَكَانَ
أَمْرُهُۥ فُرُطًا ﴿٢٨﴾ وَقُلِ ٱلْحَقُّ مِن رَّبِّكُمْ ۖ فَمَن شَآءَ فَلْيُؤْمِن وَمَن
شَآءَ فَلْيَكْفُرْ ۚ إِنَّآ أَعْتَدْنَا لِلظَّٰلِمِينَ نَارًا أَحَاطَ بِهِمْ سُرَادِقُهَا ۚ
وَإِن يَسْتَغِيثُوا۟ يُغَاثُوا۟ بِمَآءٍ كَٱلْمُهْلِ يَشْوِى ٱلْوُجُوهَ ۚ بِئْسَ
ٱلشَّرَابُ وَسَآءَتْ مُرْتَفَقًا ﴿٢٩﴾ إِنَّ ٱلَّذِينَ ءَامَنُوا۟ وَعَمِلُوا۟
ٱلصَّٰلِحَٰتِ إِنَّا لَا نُضِيعُ أَجْرَ مَنْ أَحْسَنَ عَمَلًا ﴿٣٠﴾ أُو۟لَٰٓئِكَ
لَهُمْ جَنَّٰتُ عَدْنٍ تَجْرِى مِن تَحْتِهِمُ ٱلْأَنْهَٰرُ يُحَلَّوْنَ فِيهَا مِنْ أَسَاوِرَ
مِن ذَهَبٍ وَيَلْبَسُونَ ثِيَابًا خُضْرًا مِّن سُندُسٍ وَإِسْتَبْرَقٍ مُّتَّكِـِٔينَ
فِيهَا عَلَى ٱلْأَرَآئِكِ ۚ نِعْمَ ٱلثَّوَابُ وَحَسُنَتْ مُرْتَفَقًا ﴿٣١﴾ ۞ وَٱضْرِبْ
لَهُم مَّثَلًا رَّجُلَيْنِ جَعَلْنَا لِأَحَدِهِمَا جَنَّتَيْنِ مِنْ أَعْنَٰبٍ وَحَفَفْنَٰهُمَا
بِنَخْلٍ وَجَعَلْنَا بَيْنَهُمَا زَرْعًا ﴿٣٢﴾ كِلْتَا ٱلْجَنَّتَيْنِ ءَاتَتْ أُكُلَهَا وَلَمْ
تَظْلِم مِّنْهُ شَيْـًٔا ۚ وَفَجَّرْنَا خِلَٰلَهُمَا نَهَرًا ﴿٣٣﴾ وَكَانَ لَهُۥ ثَمَرٌ فَقَالَ
لِصَٰحِبِهِۦ وَهُوَ يُحَاوِرُهُۥٓ أَنَا۠ أَكْثَرُ مِنكَ مَالًا وَأَعَزُّ نَفَرًا ﴿٣٤﴾

- ٱصْبِرْ نَفْسَكَ: احبِسْهَا وثبِّتْها
- لَا تَعْدُ: لا تصْرِفْ
- مَنْ أَغْفَلْنَا قَلْبَهُ: جَعلْناه غافلاً ناسياً
- فُرُطًا: إسْرافاً أو تضْييعاً
- سُرَادِقُهَا: فُسْطاطُها
- كَٱلْمُهْلِ: كدُرْدِيِّ الزَّيْت
- مُرْتَفَقًا: متّكأً . أو مقرّاً
- سُندُسٍ: رقيق الدِّيباجِ (الحرير)
- إِسْتَبْرَقٍ: غليظ الدِّيبَاج
- ٱلْأَرَآئِكِ: السُّرُر المزيَّنة الفاخِرَة

نصف الحزب ٣٠

- جَنَّتَيْنِ: بُسْتانَيْنِ
- حَفَفْنَٰهُمَا: أحطْناهما
- أُكُلَهَا: ثَمرَها الذي يُؤكَل
- لَمْ تَظْلِم: لم تنْقُصْ
- فَجَّرْنَا خِلَٰلَهُمَا: شَقَقْنا وَسَطَهُمَا
- ثَمَرٌ: أموالٌ كثيرةٌ مُثْمِرَةٌ
- نَفَرًا: أعواناً أو عشيرةً

| مدّ ٦ حركات لزوماً | مدّ ٢ أو ٤ أو ٦ جوازاً | إخفاء ، ومواقع الغُنّة (حركتان) | تفـ |
| --- | --- | --- | --- |
| مدّ واجب ٤ أو ٥ حركات | مدّ حركتان | إدغام ، وما لا يُلفظ | قلقـ |

وَدَخَلَ جَنَّتَهُۥ وَهُوَ ظَالِمٌ لِّنَفۡسِهِۦ قَالَ مَآ أَظُنُّ أَن تَبِيدَ هَٰذِهِۦٓ
أَبَدٗا ﴿٣٥﴾ وَمَآ أَظُنُّ ٱلسَّاعَةَ قَآئِمَةٗ وَلَئِن رُّدِدتُّ إِلَىٰ رَبِّي
لَأَجِدَنَّ خَيۡرٗا مِّنۡهَا مُنقَلَبٗا ﴿٣٦﴾ قَالَ لَهُۥ صَاحِبُهُۥ وَهُوَ يُحَاوِرُهُۥٓ
أَكَفَرۡتَ بِٱلَّذِي خَلَقَكَ مِن تُرَابٖ ثُمَّ مِن نُّطۡفَةٖ ثُمَّ سَوَّىٰكَ رَجُلٗا
﴿٣٧﴾ لَّٰكِنَّا۠ هُوَ ٱللَّهُ رَبِّي وَلَآ أُشۡرِكُ بِرَبِّيٓ أَحَدٗا ﴿٣٨﴾ وَلَوۡلَآ إِذۡ
دَخَلۡتَ جَنَّتَكَ قُلۡتَ مَا شَآءَ ٱللَّهُ لَا قُوَّةَ إِلَّا بِٱللَّهِۚ إِن تَرَنِ أَنَا۠
أَقَلَّ مِنكَ مَالٗا وَوَلَدٗا ﴿٣٩﴾ فَعَسَىٰ رَبِّيٓ أَن يُؤۡتِيَنِ خَيۡرٗا مِّن
جَنَّتِكَ وَيُرۡسِلَ عَلَيۡهَا حُسۡبَانٗا مِّنَ ٱلسَّمَآءِ فَتُصۡبِحَ صَعِيدٗا
زَلَقًا ﴿٤٠﴾ أَوۡ يُصۡبِحَ مَآؤُهَا غَوۡرٗا فَلَن تَسۡتَطِيعَ لَهُۥ طَلَبٗا ﴿٤١﴾
وَأُحِيطَ بِثَمَرِهِۦ فَأَصۡبَحَ يُقَلِّبُ كَفَّيۡهِ عَلَىٰ مَآ أَنفَقَ فِيهَا وَهِيَ خَاوِيَةٌ
عَلَىٰ عُرُوشِهَا وَيَقُولُ يَٰلَيۡتَنِي لَمۡ أُشۡرِكۡ بِرَبِّيٓ أَحَدٗا ﴿٤٢﴾ وَلَمۡ تَكُن لَّهُۥ
فِئَةٞ يَنصُرُونَهُۥ مِن دُونِ ٱللَّهِ وَمَا كَانَ مُنتَصِرًا ﴿٤٣﴾ هُنَالِكَ ٱلۡوَلَٰيَةُ
لِلَّهِ ٱلۡحَقِّۚ هُوَ خَيۡرٞ ثَوَابٗا وَخَيۡرٌ عُقۡبٗا ﴿٤٤﴾ وَٱضۡرِبۡ لَهُم مَّثَلَ ٱلۡحَيَوٰةِ
ٱلدُّنۡيَا كَمَآءٍ أَنزَلۡنَٰهُ مِنَ ٱلسَّمَآءِ فَٱخۡتَلَطَ بِهِۦ نَبَاتُ ٱلۡأَرۡضِ
فَأَصۡبَحَ هَشِيمٗا تَذۡرُوهُ ٱلرِّيَٰحُۗ وَكَانَ ٱللَّهُ عَلَىٰ كُلِّ شَيۡءٖ مُّقۡتَدِرًا ﴿٤٥﴾

تَبِيدَ: تهلكَ وتَفنى
مُنقَلَبٗا: مَرْجِعاً وعاقبةً
لَّٰكِنَّا: لكن أنا
هُوَ ٱللَّهُ رَبِّي: أقولُ: هو اللهُ ربّي
حُسۡبَانٗا: عذاباً كالصواعقِ والآفاتِ
صَعِيدٗا: تراباً أو أرضاً
زَلَقًا: لا نَبَاتَ فيها. أو مُزْلِقَةً
غَوۡرٗا: غائراً ذاهباً في الأرض
أُحِيطَ بِثَمَرِهِۦ: أُهلكَتْ أموالُه
يُقَلِّبُ كَفَّيۡهِ: كنايةٌ عن النّدمِ والتحسُّرِ
خَاوِيَةٌ عَلَىٰ عُرُوشِهَا: ساقطةٌ هي ودَعائمُها
ٱلۡوَلَٰيَةُ لِلَّهِ: النُّصرةُ له تعالى وحدَه
عُقۡبٗا: عاقبةً لأوليائه
هَشِيمٗا: يابساً متفتّتاً
تَذۡرُوهُ ٱلرِّيَٰحُ: تفرِّقُه وتَنسِفُهُ

الكهف

| | | |
|---|---|---|
| مدّ ٦ حركات لزوماً ● مدّ ٢ أو ٤ أو ٦ جوازاً | ● إخفاء ، ومواقع الغُنَّة (حركتان) | ● تفخيم |
| مدّ واجب ٤ أو ٥ حركات ● مدّ حركتان | ● إدغام ، وما لا يُلفَظ | ● قلقلة |

ٱلْمَالُ وَٱلْبَنُونَ زِينَةُ ٱلْحَيَوٰةِ ٱلدُّنْيَا ۖ وَٱلْبَٰقِيَٰتُ ٱلصَّٰلِحَٰتُ
خَيْرٌ عِندَ رَبِّكَ ثَوَابًا وَخَيْرٌ أَمَلًا ﴿٤٦﴾ وَيَوْمَ نُسَيِّرُ ٱلْجِبَالَ وَتَرَى
ٱلْأَرْضَ بَارِزَةً وَحَشَرْنَٰهُمْ فَلَمْ نُغَادِرْ مِنْهُمْ أَحَدًا ﴿٤٧﴾ وَعُرِضُوا۟
عَلَىٰ رَبِّكَ صَفًّا لَّقَدْ جِئْتُمُونَا كَمَا خَلَقْنَٰكُمْ أَوَّلَ مَرَّةٍۭ ۚ بَلْ زَعَمْتُمْ
أَلَّن نَّجْعَلَ لَكُم مَّوْعِدًا ﴿٤٨﴾ وَوُضِعَ ٱلْكِتَٰبُ فَتَرَى ٱلْمُجْرِمِينَ
مُشْفِقِينَ مِمَّا فِيهِ وَيَقُولُونَ يَٰوَيْلَتَنَا مَالِ هَٰذَا ٱلْكِتَٰبِ
لَا يُغَادِرُ صَغِيرَةً وَلَا كَبِيرَةً إِلَّآ أَحْصَىٰهَا ۚ وَوَجَدُوا۟ مَا عَمِلُوا۟
حَاضِرًا ۗ وَلَا يَظْلِمُ رَبُّكَ أَحَدًا ﴿٤٩﴾ وَإِذْ قُلْنَا لِلْمَلَٰٓئِكَةِ ٱسْجُدُوا۟
لِءَادَمَ فَسَجَدُوٓا۟ إِلَّآ إِبْلِيسَ كَانَ مِنَ ٱلْجِنِّ فَفَسَقَ عَنْ أَمْرِ رَبِّهِۦٓ ۗ
أَفَتَتَّخِذُونَهُۥ وَذُرِّيَّتَهُۥٓ أَوْلِيَآءَ مِن دُونِى وَهُمْ لَكُمْ عَدُوٌّۢ ۚ
بِئْسَ لِلظَّٰلِمِينَ بَدَلًا ﴿٥٠﴾ ۞ مَّآ أَشْهَدتُّهُمْ خَلْقَ ٱلسَّمَٰوَٰتِ
وَٱلْأَرْضِ وَلَا خَلْقَ أَنفُسِهِمْ وَمَا كُنتُ مُتَّخِذَ ٱلْمُضِلِّينَ عَضُدًا
﴿٥١﴾ وَيَوْمَ يَقُولُ نَادُوا۟ شُرَكَآءِىَ ٱلَّذِينَ زَعَمْتُمْ فَدَعَوْهُمْ
فَلَمْ يَسْتَجِيبُوا۟ لَهُمْ وَجَعَلْنَا بَيْنَهُم مَّوْبِقًا ﴿٥٢﴾ وَرَءَا ٱلْمُجْرِمُونَ
ٱلنَّارَ فَظَنُّوٓا۟ أَنَّهُم مُّوَاقِعُوهَا وَلَمْ يَجِدُوا۟ عَنْهَا مَصْرِفًا ﴿٥٣﴾

- بَارِزَةً: ظاهرةً لا يسترُها شيءٌ
- مَّوْعِدًا: وقتاً لإنجاز الوعد بالبعث
- مُشْفِقِينَ: خائفين
- يَٰوَيْلَتَنَا: يا هلاكَنا
- لَا يُغَادِرُ: لا يترُكُ
- أَحْصَىٰهَا: عدَّها وضبطَها
- عَضُدًا: أعواناً وأنصاراً
- مَّوْبِقًا: مَهلِكاً يشتركون فيه
- مُّوَاقِعُوهَا: واقعون فيها
- مَصْرِفًا: مكاناً ينصرفون إليه

ثلاثة أرباع الحزب ٣٠

مدّ ٦ حركات لزوماً · مدّ ٢ أو ٤ أو ٦ جوازاً · إخفاء، ومواقع الغُنَّة (حركتان) · تف…
مدّ واجب ٤ أو ٥ حركات · مدّ حركتان · إدغام، وما لا يُلفَظ · قلـ…

وَلَقَدْ صَرَّفْنَا فِي هَٰذَا ٱلْقُرْءَانِ لِلنَّاسِ مِن كُلِّ مَثَلٍ ۚ وَكَانَ
ٱلْإِنسَٰنُ أَكْثَرَ شَيْءٍ جَدَلًا ﴿٥٤﴾ وَمَا مَنَعَ ٱلنَّاسَ أَن يُؤْمِنُوٓا۟
إِذْ جَآءَهُمُ ٱلْهُدَىٰ وَيَسْتَغْفِرُوا۟ رَبَّهُمْ إِلَّآ أَن تَأْتِيَهُمْ سُنَّةُ
ٱلْأَوَّلِينَ أَوْ يَأْتِيَهُمُ ٱلْعَذَابُ قُبُلًا ﴿٥٥﴾ وَمَا نُرْسِلُ ٱلْمُرْسَلِينَ
إِلَّا مُبَشِّرِينَ وَمُنذِرِينَ ۚ وَيُجَٰدِلُ ٱلَّذِينَ كَفَرُوا۟ بِٱلْبَٰطِلِ
لِيُدْحِضُوا۟ بِهِ ٱلْحَقَّ ۖ وَٱتَّخَذُوٓا۟ ءَايَٰتِي وَمَآ أُنذِرُوا۟ هُزُوًا ﴿٥٦﴾ وَمَنْ
أَظْلَمُ مِمَّن ذُكِّرَ بِـَٔايَٰتِ رَبِّهِۦ فَأَعْرَضَ عَنْهَا وَنَسِيَ مَا قَدَّمَتْ يَدَاهُ ۚ
إِنَّا جَعَلْنَا عَلَىٰ قُلُوبِهِمْ أَكِنَّةً أَن يَفْقَهُوهُ وَفِيٓ ءَاذَانِهِمْ وَقْرًا ۖ
وَإِن تَدْعُهُمْ إِلَى ٱلْهُدَىٰ فَلَن يَهْتَدُوٓا۟ إِذًا أَبَدًا ﴿٥٧﴾ وَرَبُّكَ
ٱلْغَفُورُ ذُو ٱلرَّحْمَةِ ۖ لَوْ يُؤَاخِذُهُم بِمَا كَسَبُوا۟ لَعَجَّلَ لَهُمُ
ٱلْعَذَابَ ۚ بَل لَّهُم مَّوْعِدٌ لَّن يَجِدُوا۟ مِن دُونِهِۦ مَوْئِلًا ﴿٥٨﴾
وَتِلْكَ ٱلْقُرَىٰٓ أَهْلَكْنَٰهُمْ لَمَّا ظَلَمُوا۟ وَجَعَلْنَا لِمَهْلِكِهِم
مَّوْعِدًا ﴿٥٩﴾ وَإِذْ قَالَ مُوسَىٰ لِفَتَىٰهُ لَآ أَبْرَحُ حَتَّىٰٓ
أَبْلُغَ مَجْمَعَ ٱلْبَحْرَيْنِ أَوْ أَمْضِيَ حُقُبًا ﴿٦٠﴾ فَلَمَّا بَلَغَا
مَجْمَعَ بَيْنِهِمَا نَسِيَا حُوتَهُمَا فَٱتَّخَذَ سَبِيلَهُۥ فِي ٱلْبَحْرِ سَرَبًا ﴿٦١﴾

- صَرَّفْنَا: كرّرنا بأساليب مختلفة
- قُبُلًا: أنواعاً أو عِياناً
- لِيُدْحِضُوا۟: لِيُبْطِلوا ويُزِيلوا
- هُزُوًا: سُخْرِيَةً
- أَكِنَّةً: أغْطِيَةً كثيرةً
- وَقْرًا: صَمَماً وثِقلاً في السمعِ
- مَوْئِلًا: مَنجىً ومَلْجأً
- لِمَهْلِكِهِم: لِهلاكِهِمْ
- مَجْمَعَ ٱلْبَحْرَيْنِ: مُلتقاهُمَا
- حُقُبًا: زَمَاناً طَويلاً
- سَرَبًا: مَسْلكاً ومنفذاً

الكهف

| | | |
|---|---|---|
| مدّ ٦ حركات لزوماً ● مدّ ٢ أو ٤ أو ٦ جوازاً | ● إخفاء ، ومواقع الغُنَّة (حركتان) | ● تفخيم |
| مدّ واجب ٤ أو ٥ حركات ● مدّ حركتان | ● إدغام ، وما لا يُلفَظ | ● قلقلة |

فَلَمَّا جَاوَزَا قَالَ لِفَتَىٰهُ ءَاتِنَا غَدَآءَنَا لَقَدْ لَقِينَا مِن سَفَرِنَا
هَٰذَا نَصَبًا ﴿٦٢﴾ قَالَ أَرَءَيْتَ إِذْ أَوَيْنَآ إِلَى ٱلصَّخْرَةِ فَإِنِّى نَسِيتُ
ٱلْحُوتَ وَمَآ أَنسَىٰنِيهُ إِلَّا ٱلشَّيْطَٰنُ أَنْ أَذْكُرَهُۥ ۚ وَٱتَّخَذَ سَبِيلَهُۥ
فِى ٱلْبَحْرِ عَجَبًا ﴿٦٣﴾ قَالَ ذَٰلِكَ مَا كُنَّا نَبْغِ ۚ فَٱرْتَدَّا عَلَىٰٓ ءَاثَارِهِمَا
قَصَصًا ﴿٦٤﴾ فَوَجَدَا عَبْدًا مِّنْ عِبَادِنَآ ءَاتَيْنَٰهُ رَحْمَةً مِّنْ
عِندِنَا وَعَلَّمْنَٰهُ مِن لَّدُنَّا عِلْمًا ﴿٦٥﴾ قَالَ لَهُۥ مُوسَىٰ هَلْ أَتَّبِعُكَ
عَلَىٰٓ أَن تُعَلِّمَنِ مِمَّا عُلِّمْتَ رُشْدًا ﴿٦٦﴾ قَالَ إِنَّكَ لَن تَسْتَطِيعَ
مَعِىَ صَبْرًا ﴿٦٧﴾ وَكَيْفَ تَصْبِرُ عَلَىٰ مَا لَمْ تُحِطْ بِهِۦ خُبْرًا ﴿٦٨﴾ قَالَ
سَتَجِدُنِىٓ إِن شَآءَ ٱللَّهُ صَابِرًا وَلَآ أَعْصِى لَكَ أَمْرًا ﴿٦٩﴾ قَالَ
فَإِنِ ٱتَّبَعْتَنِى فَلَا تَسْـَٔلْنِى عَن شَىْءٍ حَتَّىٰٓ أُحْدِثَ لَكَ مِنْهُ ذِكْرًا
﴿٧٠﴾ فَٱنطَلَقَا حَتَّىٰٓ إِذَا رَكِبَا فِى ٱلسَّفِينَةِ خَرَقَهَا ۖ قَالَ أَخَرَقْتَهَا
لِتُغْرِقَ أَهْلَهَا لَقَدْ جِئْتَ شَيْـًٔا إِمْرًا ﴿٧١﴾ قَالَ أَلَمْ أَقُلْ إِنَّكَ
لَن تَسْتَطِيعَ مَعِىَ صَبْرًا ﴿٧٢﴾ قَالَ لَا تُؤَاخِذْنِى بِمَا نَسِيتُ وَلَا
تُرْهِقْنِى مِنْ أَمْرِى عُسْرًا ﴿٧٣﴾ فَٱنطَلَقَا حَتَّىٰٓ إِذَا لَقِيَا غُلَٰمًا فَقَتَلَهُۥ
قَالَ أَقَتَلْتَ نَفْسًا زَكِيَّةًۢ بِغَيْرِ نَفْسٍ لَّقَدْ جِئْتَ شَيْـًٔا نُّكْرًا ﴿٧٤﴾

- نَصَبًا: تعباً وشدةً
- أَرَءَيْتَ: أخبِرْني . أو تنبَّهْ وتذكَّرْ
- أَوَيْنَآ: التجأنا
- عَجَبًا: اتّخاذاً يُتعجّبُ منْهُ
- نَبْغِ: نَطْلُبُه
- فَٱرْتَدَّا: رَجَعَا
- ءَاثَارِهِمَا: طريقهما الذي جاءا فيه
- قَصَصًا: يقصّانه ويتبعانه
- رُشْدًا: صَوَاباً. أو إصابَةَ خيْرٍ
- خُبْرًا: عِلْماً ومعرفَةً
- إِمْرًا: عظيماً مُنْكراً
- لَا تُرْهِقْنِى: لاتغْشني ولا تُحمّلني
- عُسْرًا: صُعُوبةً ومشقّةً
- نُّكْرًا: مُنْكراً فظيعاً

مدّ ٦ حركات لزوماً • مدّ ٢ أو ٤ أو ٦ جوازاً • إخفاء، ومواقع الغُنّة (حركتان) • تفـ
مدّ واجب ٤ أو ٥ حركات • مدّ حركتان • إدغام، وما لا يُلفظ • قلقـ

۞ قَالَ أَلَمۡ أَقُل لَّكَ إِنَّكَ لَن تَسۡتَطِيعَ مَعِيَ صَبۡرٗا ﴿٧٥﴾ قَالَ إِن
سَأَلۡتُكَ عَن شَيۡءِۭ بَعۡدَهَا فَلَا تُصَٰحِبۡنِيۖ قَدۡ بَلَغۡتَ مِن لَّدُنِّي عُذۡرٗا
﴿٧٦﴾ فَٱنطَلَقَا حَتَّىٰٓ إِذَآ أَتَيَآ أَهۡلَ قَرۡيَةٍ ٱسۡتَطۡعَمَآ أَهۡلَهَا فَأَبَوۡاْ
أَن يُضَيِّفُوهُمَا فَوَجَدَا فِيهَا جِدَارٗا يُرِيدُ أَن يَنقَضَّ فَأَقَامَهُۥۖ
قَالَ لَوۡ شِئۡتَ لَتَّخَذۡتَ عَلَيۡهِ أَجۡرٗا ﴿٧٧﴾ قَالَ هَٰذَا فِرَاقُ بَيۡنِي
وَبَيۡنِكَۚ سَأُنَبِّئُكَ بِتَأۡوِيلِ مَا لَمۡ تَسۡتَطِع عَّلَيۡهِ صَبۡرًا ﴿٧٨﴾ أَمَّا
ٱلسَّفِينَةُ فَكَانَتۡ لِمَسَٰكِينَ يَعۡمَلُونَ فِي ٱلۡبَحۡرِ فَأَرَدتُّ أَنۡ أَعِيبَهَا
وَكَانَ وَرَآءَهُم مَّلِكٞ يَأۡخُذُ كُلَّ سَفِينَةٍ غَصۡبٗا ﴿٧٩﴾ وَأَمَّا ٱلۡغُلَٰمُ
فَكَانَ أَبَوَاهُ مُؤۡمِنَيۡنِ فَخَشِينَآ أَن يُرۡهِقَهُمَا طُغۡيَٰنٗا وَكُفۡرٗا
﴿٨٠﴾ فَأَرَدۡنَآ أَن يُبۡدِلَهُمَا رَبُّهُمَا خَيۡرٗا مِّنۡهُ زَكَوٰةٗ وَأَقۡرَبَ رُحۡمٗا
﴿٨١﴾ وَأَمَّا ٱلۡجِدَارُ فَكَانَ لِغُلَٰمَيۡنِ يَتِيمَيۡنِ فِي ٱلۡمَدِينَةِ وَكَانَ
تَحۡتَهُۥ كَنزٞ لَّهُمَا وَكَانَ أَبُوهُمَا صَٰلِحٗا فَأَرَادَ رَبُّكَ أَن يَبۡلُغَآ
أَشُدَّهُمَا وَيَسۡتَخۡرِجَا كَنزَهُمَا رَحۡمَةٗ مِّن رَّبِّكَۚ وَمَا فَعَلۡتُهُۥ
عَنۡ أَمۡرِيۚ ذَٰلِكَ تَأۡوِيلُ مَا لَمۡ تَسۡطِع عَّلَيۡهِ صَبۡرٗا ﴿٨٢﴾ وَيَسۡـَٔلُونَكَ
عَن ذِي ٱلۡقَرۡنَيۡنِۖ قُلۡ سَأَتۡلُواْ عَلَيۡكُم مِّنۡهُ ذِكۡرًا ﴿٨٣﴾

فَأَبَوۡاْ: فامتنعوا
يَنقَضَّ: يَسْقُط
وَرَآءَهُم: أمامهم
غَصۡبٗا: استلاباً بغير حقٍّ
يُرۡهِقَهُمَا: يُكلِّفهُما أو يُغْشِيَهُما
زَكَوٰةٗ: طهارةً من السُّوءِ
رُحۡمٗا: رحمةً وبرّاً بهما
يَبۡلُغَآ أَشُدَّهُمَا: قوّتهُما وكمالَ عقلهما



| | | |
|---|---|---|
| مدّ ٦ حركات لزوماً ● مدّ ٢ أو ٤ أو ٦ جوازاً | إخفاء، ومواقع الغُنّة (حركتان) | تفخيم |
| مدّ واجب ٤ أو ٥ حركات ● مدّ حركتان | إدغام، وما لا يُلفظ | قلقلة |

إِنَّا مَكَّنَّا لَهُۥ فِى ٱلْأَرْضِ وَءَاتَيْنَٰهُ مِن كُلِّ شَىْءٍ سَبَبًا ﴿٨٤﴾ فَأَتْبَعَ سَبَبًا
﴿٨٥﴾ حَتَّىٰٓ إِذَا بَلَغَ مَغْرِبَ ٱلشَّمْسِ وَجَدَهَا تَغْرُبُ فِى عَيْنٍ حَمِئَةٍ
وَوَجَدَ عِندَهَا قَوْمًا ۗ قُلْنَا يَٰذَا ٱلْقَرْنَيْنِ إِمَّآ أَن تُعَذِّبَ وَإِمَّآ أَن تَتَّخِذَ
فِيهِمْ حُسْنًا ﴿٨٦﴾ قَالَ أَمَّا مَن ظَلَمَ فَسَوْفَ نُعَذِّبُهُۥ ثُمَّ يُرَدُّ إِلَىٰ رَبِّهِۦ
فَيُعَذِّبُهُۥ عَذَابًا نُّكْرًا ﴿٨٧﴾ وَأَمَّا مَنْ ءَامَنَ وَعَمِلَ صَٰلِحًا فَلَهُۥ جَزَآءً
ٱلْحُسْنَىٰ ۖ وَسَنَقُولُ لَهُۥ مِنْ أَمْرِنَا يُسْرًا ﴿٨٨﴾ ثُمَّ أَتْبَعَ سَبَبًا ﴿٨٩﴾ حَتَّىٰٓ
إِذَا بَلَغَ مَطْلِعَ ٱلشَّمْسِ وَجَدَهَا تَطْلُعُ عَلَىٰ قَوْمٍ لَّمْ نَجْعَل لَّهُم مِّن
دُونِهَا سِتْرًا ﴿٩٠﴾ كَذَٰلِكَ وَقَدْ أَحَطْنَا بِمَا لَدَيْهِ خُبْرًا ﴿٩١﴾ ثُمَّ أَتْبَعَ
سَبَبًا ﴿٩٢﴾ حَتَّىٰٓ إِذَا بَلَغَ بَيْنَ ٱلسَّدَّيْنِ وَجَدَ مِن دُونِهِمَا قَوْمًا
لَّا يَكَادُونَ يَفْقَهُونَ قَوْلًا ﴿٩٣﴾ قَالُوا۟ يَٰذَا ٱلْقَرْنَيْنِ إِنَّ يَأْجُوجَ وَمَأْجُوجَ
مُفْسِدُونَ فِى ٱلْأَرْضِ فَهَلْ نَجْعَلُ لَكَ خَرْجًا عَلَىٰٓ أَن تَجْعَلَ بَيْنَنَا وَبَيْنَهُمْ
سَدًّا ﴿٩٤﴾ قَالَ مَا مَكَّنِّى فِيهِ رَبِّى خَيْرٌ فَأَعِينُونِى بِقُوَّةٍ أَجْعَلْ بَيْنَكُمْ
وَبَيْنَهُمْ رَدْمًا ﴿٩٥﴾ ءَاتُونِى زُبَرَ ٱلْحَدِيدِ ۖ حَتَّىٰٓ إِذَا سَاوَىٰ بَيْنَ ٱلصَّدَفَيْنِ
قَالَ ٱنفُخُوا۟ ۖ حَتَّىٰٓ إِذَا جَعَلَهُۥ نَارًا قَالَ ءَاتُونِىٓ أُفْرِغْ عَلَيْهِ قِطْرًا
﴿٩٦﴾ فَمَا ٱسْطَٰعُوٓا۟ أَن يَظْهَرُوهُ وَمَا ٱسْتَطَٰعُوا۟ لَهُۥ نَقْبًا ﴿٩٧﴾

- سَبَبًا: عِلماً يُوصِلُه إليه
- فَأَتْبَعَ سَبَبًا: سَلَكَ طريقاً
- تَغْرُبُ فِى عَيْنٍ: بحَسَبِ رأيِ العَيْن
- حَمِئَةٍ: ذات حَمْأَة (الطين الأسود)
- حُسْنًا: هو الدعوةُ إلى الحقّ
- نُّكْرًا: منكراً فظيعاً
- سِتْرًا: ساتراً من اللباس والبناءِ
- خُبْرًا: عِلماً شاملاً
- ٱلسَّدَّيْنِ: جبلين مُنيفَيْنِ
- يَأْجُوجَ وَمَأْجُوجَ: قبيلتان من ذرية يافث بن نوح
- خَرْجًا: جُعْلاً من المالِ
- سَدًّا: حاجزاً فلا يصلونَ إلينا
- رَدْمًا: حاجزاً حصيناً متيناً
- زُبَرَ ٱلْحَدِيدِ: قِطَعَهُ العظيمة
- ٱلصَّدَفَيْنِ: جانبَي الجبلَيْنِ
- قِطْرًا: نُحاساً مُذاباً
- يَظْهَرُوهُ: يَعْلُوا ظَهْرَه
- نَقْبًا: خرقاً وثَقْباً

| | |
|---|---|
| مدّ ٦ حركات لزوماً ● مدّ ٢ أو ٤ أو ٦ جوازاً | إخفاء ، ومواقع الغُنَّة (حركتان) |
| مدّ واجب ٤ أو ٥ حركات ● مدّ حركتان | إدغام ، وما لا يُلفظ |

قَالَ هَٰذَا رَحْمَةٌ مِّن رَّبِّي ۖ فَإِذَا جَآءَ وَعْدُ رَبِّي جَعَلَهُۥ دَكَّآءَ ۖ وَكَانَ وَعْدُ رَبِّي
حَقًّا ﴿٩٨﴾ ۞ وَتَرَكْنَا بَعْضَهُمْ يَوْمَئِذٍ يَمُوجُ فِي بَعْضٍ ۖ وَنُفِخَ فِي الصُّورِ
فَجَمَعْنَٰهُمْ جَمْعًا ﴿٩٩﴾ وَعَرَضْنَا جَهَنَّمَ يَوْمَئِذٍ لِّلْكَٰفِرِينَ عَرْضًا ﴿١٠٠﴾
الَّذِينَ كَانَتْ أَعْيُنُهُمْ فِي غِطَآءٍ عَن ذِكْرِي وَكَانُوا۟ لَا يَسْتَطِيعُونَ
سَمْعًا ﴿١٠١﴾ أَفَحَسِبَ الَّذِينَ كَفَرُوٓا۟ أَن يَتَّخِذُوا۟ عِبَادِي مِن دُونِيٓ
أَوْلِيَآءَ ۚ إِنَّآ أَعْتَدْنَا جَهَنَّمَ لِلْكَٰفِرِينَ نُزُلًا ﴿١٠٢﴾ قُلْ هَلْ نُنَبِّئُكُم بِالْأَخْسَرِينَ
أَعْمَٰلًا ﴿١٠٣﴾ الَّذِينَ ضَلَّ سَعْيُهُمْ فِي الْحَيَوٰةِ الدُّنْيَا وَهُمْ يَحْسَبُونَ أَنَّهُمْ
يُحْسِنُونَ صُنْعًا ﴿١٠٤﴾ أُو۟لَٰٓئِكَ الَّذِينَ كَفَرُوا۟ بِـَٔايَٰتِ رَبِّهِمْ وَلِقَآئِهِۦ
فَحَبِطَتْ أَعْمَٰلُهُمْ فَلَا نُقِيمُ لَهُمْ يَوْمَ الْقِيَٰمَةِ وَزْنًا ﴿١٠٥﴾ ذَٰلِكَ جَزَآؤُهُمْ
جَهَنَّمُ بِمَا كَفَرُوا۟ وَاتَّخَذُوٓا۟ ءَايَٰتِي وَرُسُلِي هُزُوًا ﴿١٠٦﴾ إِنَّ الَّذِينَ ءَامَنُوا۟
وَعَمِلُوا۟ الصَّٰلِحَٰتِ كَانَتْ لَهُمْ جَنَّٰتُ الْفِرْدَوْسِ نُزُلًا ﴿١٠٧﴾ خَٰلِدِينَ
فِيهَا لَا يَبْغُونَ عَنْهَا حِوَلًا ﴿١٠٨﴾ قُل لَّوْ كَانَ الْبَحْرُ مِدَادًا لِّكَلِمَٰتِ رَبِّي
لَنَفِدَ الْبَحْرُ قَبْلَ أَن تَنفَدَ كَلِمَٰتُ رَبِّي وَلَوْ جِئْنَا بِمِثْلِهِۦ مَدَدًا ﴿١٠٩﴾ قُلْ
إِنَّمَآ أَنَا۠ بَشَرٌ مِّثْلُكُمْ يُوحَىٰٓ إِلَيَّ أَنَّمَآ إِلَٰهُكُمْ إِلَٰهٌ وَٰحِدٌ ۖ فَمَن كَانَ يَرْجُوا۟
لِقَآءَ رَبِّهِۦ فَلْيَعْمَلْ عَمَلًا صَٰلِحًا وَلَا يُشْرِكْ بِعِبَادَةِ رَبِّهِۦٓ أَحَدًۢا ﴿١١٠﴾

دَكَّآءَ: أرضاً مُسْتَوِيَةً
يَمُوجُ: يَخْتَلِطُ
غِطَآءٍ: غِشَاءٍ غَلِيظٍ وسِتْرٍ كَثِيفٍ
نُزُلًا: منزلاً أو شيئاً يَتَمَتَّعُونَ به
وَزْنًا: مقداراً واعتباراً
حِوَلًا: تحوُّلاً وانتقالاً
مِدَادًا: هُوَ مَا يُكْتَبُ به
لِّكَلِمَٰتِ رَبِّي: معلوماته وحكمته تعالى
لَنَفِدَ الْبَحْرُ: فَنِيَ وفَرَغَ
مَدَدًا: عَوْناً وزيادةً

الكهف

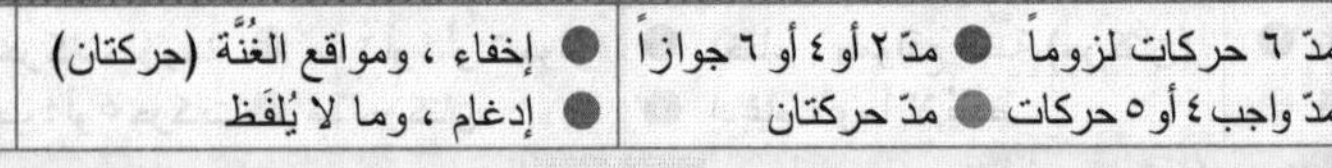
مدّ ٦ حركات لزوماً ● مدّ ٢ أو ٤ أو ٦ جوازاً ● إخفاء ، ومواقع الغُنَّة (حركتان) ● تفخيم
مدّ واجب ٤ أو ٥ حركات ● مدّ حركتان ● إدغام ، وما لا يُلفظ ● قلقلة

ترتيبها ١٩ — سُورَةُ مَرۡيَمَ — آياتها ٩٨

بِسۡمِ ٱللَّهِ ٱلرَّحۡمَٰنِ ٱلرَّحِيمِ

كٓهيعٓصٓ ١ ذِكۡرُ رَحۡمَتِ رَبِّكَ عَبۡدَهُۥ زَكَرِيَّآ ٢
إِذۡ نَادَىٰ رَبَّهُۥ نِدَآءً خَفِيّٗا ٣ قَالَ رَبِّ إِنِّي وَهَنَ ٱلۡعَظۡمُ
مِنِّي وَٱشۡتَعَلَ ٱلرَّأۡسُ شَيۡبٗا وَلَمۡ أَكُنۢ بِدُعَآئِكَ رَبِّ
شَقِيّٗا ٤ وَإِنِّي خِفۡتُ ٱلۡمَوَٰلِيَ مِن وَرَآءِي وَكَانَتِ
ٱمۡرَأَتِي عَاقِرٗا فَهَبۡ لِي مِن لَّدُنكَ وَلِيّٗا ٥ يَرِثُنِي وَيَرِثُ
مِنۡ ءَالِ يَعۡقُوبَۖ وَٱجۡعَلۡهُ رَبِّ رَضِيّٗا ٦ يَٰزَكَرِيَّآ
إِنَّا نُبَشِّرُكَ بِغُلَٰمٍ ٱسۡمُهُۥ يَحۡيَىٰ لَمۡ نَجۡعَل لَّهُۥ مِن قَبۡلُ سَمِيّٗا
٧ قَالَ رَبِّ أَنَّىٰ يَكُونُ لِي غُلَٰمٞ وَكَانَتِ ٱمۡرَأَتِي
عَاقِرٗا وَقَدۡ بَلَغۡتُ مِنَ ٱلۡكِبَرِ عِتِيّٗا ٨ قَالَ كَذَٰلِكَ
قَالَ رَبُّكَ هُوَ عَلَيَّ هَيِّنٞ وَقَدۡ خَلَقۡتُكَ مِن قَبۡلُ وَلَمۡ تَكُ
شَيۡـٔٗا ٩ قَالَ رَبِّ ٱجۡعَل لِّيٓ ءَايَةٗۖ قَالَ ءَايَتُكَ أَلَّا
تُكَلِّمَ ٱلنَّاسَ ثَلَٰثَ لَيَالٖ سَوِيّٗا ١٠ فَخَرَجَ عَلَىٰ قَوۡمِهِۦ
مِنَ ٱلۡمِحۡرَابِ فَأَوۡحَىٰٓ إِلَيۡهِمۡ أَن سَبِّحُواْ بُكۡرَةٗ وَعَشِيّٗا ١١

- نِدَآءً خَفِيّٗا: دُعاءً مستوراً عن الناسِ
- وَهَنَ ٱلۡعَظۡمُ: ضَعُفَ وَرَقَّ
- شَقِيّٗا: خائباً في وقتٍ مَا
- خِفۡتُ ٱلۡمَوَٰلِيَ: أقاربي العَصبَة
- وَلِيّٗا: ابْناً يَلي أمرَك بَعْدي
- رَضِيّٗا: مَرْضِيّاً عِندَكَ
- أَنَّىٰ يَكُونُ: كيف يكُونُ
- عِتِيّٗا: حالةً لا سبيلَ إلى مُداواتِها
- سَوِيّٗا: سليماً لا خَرَسَ بك ولا عِلَّةَ
- بُكۡرَةٗ وَعَشِيّٗا: طَرَفي النهارِ

مدّ ٦ حركات لزوماً — مدّ ٢ أو ٤ أو ٦ جوازاً — إخفاء، ومواقع الغُنَّة (حركتان) — تفـ
مدّ واجب ٤ أو ٥ حركات — مدّ حركتان — إدغام، وما لا يُلفَظ — قلقـ

يَٰيَحْيَىٰ خُذِ ٱلْكِتَٰبَ بِقُوَّةٍ ۖ وَءَاتَيْنَٰهُ ٱلْحُكْمَ صَبِيًّا ﴿١٢﴾
وَحَنَانًا مِّن لَّدُنَّا وَزَكَوٰةً ۖ وَكَانَ تَقِيًّا ﴿١٣﴾ وَبَرًّۢا بِوَٰلِدَيْهِ وَلَمْ
يَكُن جَبَّارًا عَصِيًّا ﴿١٤﴾ وَسَلَٰمٌ عَلَيْهِ يَوْمَ وُلِدَ وَيَوْمَ يَمُوتُ
وَيَوْمَ يُبْعَثُ حَيًّا ﴿١٥﴾ وَٱذْكُرْ فِى ٱلْكِتَٰبِ مَرْيَمَ إِذِ ٱنتَبَذَتْ
مِنْ أَهْلِهَا مَكَانًا شَرْقِيًّا ﴿١٦﴾ فَٱتَّخَذَتْ مِن دُونِهِمْ حِجَابًا
فَأَرْسَلْنَآ إِلَيْهَا رُوحَنَا فَتَمَثَّلَ لَهَا بَشَرًا سَوِيًّا ﴿١٧﴾ قَالَتْ إِنِّىٓ
أَعُوذُ بِٱلرَّحْمَٰنِ مِنكَ إِن كُنتَ تَقِيًّا ﴿١٨﴾ قَالَ إِنَّمَآ أَنَا۠ رَسُولُ
رَبِّكِ لِأَهَبَ لَكِ غُلَٰمًا زَكِيًّا ﴿١٩﴾ قَالَتْ أَنَّىٰ يَكُونُ لِى
غُلَٰمٌ وَلَمْ يَمْسَسْنِى بَشَرٌ وَلَمْ أَكُ بَغِيًّا ﴿٢٠﴾ قَالَ كَذَٰلِكِ
قَالَ رَبُّكِ هُوَ عَلَىَّ هَيِّنٌ ۖ وَلِنَجْعَلَهُۥٓ ءَايَةً لِّلنَّاسِ وَرَحْمَةً
مِّنَّا ۚ وَكَانَ أَمْرًا مَّقْضِيًّا ﴿٢١﴾ ۞ فَحَمَلَتْهُ فَٱنتَبَذَتْ
بِهِۦ مَكَانًا قَصِيًّا ﴿٢٢﴾ فَأَجَآءَهَا ٱلْمَخَاضُ إِلَىٰ جِذْعِ ٱلنَّخْلَةِ
قَالَتْ يَٰلَيْتَنِى مِتُّ قَبْلَ هَٰذَا وَكُنتُ نَسْيًا مَّنسِيًّا ﴿٢٣﴾
فَنَادَىٰهَا مِن تَحْتِهَآ أَلَّا تَحْزَنِى قَدْ جَعَلَ رَبُّكِ تَحْتَكِ سَرِيًّا ﴿٢٤﴾
وَهُزِّىٓ إِلَيْكِ بِجِذْعِ ٱلنَّخْلَةِ تُسَٰقِطْ عَلَيْكِ رُطَبًا جَنِيًّا ﴿٢٥﴾

مريم

نصف الحزب ٣١

- حَنَانًا: رحمةً وعطفاً على الناس
- زَكَوٰةً: بركةً. أو طهارةً من الذنوب
- كَانَ تَقِيًّا: مُجتنباً للمعاصي
- جَبَّارًا عَصِيًّا: متكبّراً مخالفاً لربه
- ٱنتَبَذَتْ: اعتزلتْ وانفردتْ
- حِجَابًا: ستراً
- سَوِيًّا: كاملَ البِنْيةِ
- بَغِيًّا: فاجرةً
- قَصِيًّا: بعيداً وراء الجبلِ
- فَأَجَآءَهَا: فألجأها واضطرّها
- نَسْيًا مَّنسِيًّا: شيئاً حقيراً متروكاً
- سَرِيًّا: جدولاً صغيراً
- جَنِيًّا: صالحاً للاجتناءِ

| | | |
|---|---|---|
| مدّ ٦ حركات لزوماً ● مدّ ٢ أو ٤ أو ٦ جوازاً | ● إخفاء، ومواقع الغنّة (حركتان) | ● تفخيم |
| مدّ واجب ٤ أو ٥ حركات ● مدّ حركتان | ● إدغام، وما لا يُلفظ | ● قلقلة |

فَكُلِي وَٱشْرَبِي وَقَرِّي عَيْنًاۖ فَإِمَّا تَرَيِنَّ مِنَ ٱلْبَشَرِ أَحَدًا فَقُولِيٓ
إِنِّي نَذَرْتُ لِلرَّحْمَٰنِ صَوْمًا فَلَنْ أُكَلِّمَ ٱلْيَوْمَ إِنسِيًّا ﴿٢٦﴾
فَأَتَتْ بِهِۦ قَوْمَهَا تَحْمِلُهُۥۖ قَالُواْ يَٰمَرْيَمُ لَقَدْ جِئْتِ شَيْـًٔا
فَرِيًّا ﴿٢٧﴾ يَٰٓأُخْتَ هَٰرُونَ مَا كَانَ أَبُوكِ ٱمْرَأَ سَوْءٍ وَمَا كَانَتْ
أُمُّكِ بَغِيًّا ﴿٢٨﴾ فَأَشَارَتْ إِلَيْهِۖ قَالُواْ كَيْفَ نُكَلِّمُ مَن كَانَ فِي
ٱلْمَهْدِ صَبِيًّا ﴿٢٩﴾ قَالَ إِنِّي عَبْدُ ٱللَّهِ ءَاتَىٰنِيَ ٱلْكِتَٰبَ وَجَعَلَنِي
نَبِيًّا ﴿٣٠﴾ وَجَعَلَنِي مُبَارَكًا أَيْنَ مَا كُنتُ وَأَوْصَٰنِي بِٱلصَّلَوٰةِ
وَٱلزَّكَوٰةِ مَا دُمْتُ حَيًّا ﴿٣١﴾ وَبَرَّۢا بِوَٰلِدَتِي وَلَمْ يَجْعَلْنِي
جَبَّارًا شَقِيًّا ﴿٣٢﴾ وَٱلسَّلَٰمُ عَلَيَّ يَوْمَ وُلِدتُّ وَيَوْمَ أَمُوتُ
وَيَوْمَ أُبْعَثُ حَيًّا ﴿٣٣﴾ ذَٰلِكَ عِيسَى ٱبْنُ مَرْيَمَۚ قَوْلَ ٱلْحَقِّ
ٱلَّذِي فِيهِ يَمْتَرُونَ ﴿٣٤﴾ مَا كَانَ لِلَّهِ أَن يَتَّخِذَ مِن وَلَدٍۖ سُبْحَٰنَهُۥٓۚ
إِذَا قَضَىٰٓ أَمْرًا فَإِنَّمَا يَقُولُ لَهُۥ كُن فَيَكُونُ ﴿٣٥﴾ وَإِنَّ ٱللَّهَ رَبِّي وَرَبُّكُمْ
فَٱعْبُدُوهُۚ هَٰذَا صِرَٰطٌ مُّسْتَقِيمٌ ﴿٣٦﴾ فَٱخْتَلَفَ ٱلْأَحْزَابُ مِنۢ
بَيْنِهِمْۖ فَوَيْلٌ لِّلَّذِينَ كَفَرُواْ مِن مَّشْهَدِ يَوْمٍ عَظِيمٍ ﴿٣٧﴾ أَسْمِعْ بِهِمْ
وَأَبْصِرْ يَوْمَ يَأْتُونَنَاۖ لَٰكِنِ ٱلظَّٰلِمُونَ ٱلْيَوْمَ فِي ضَلَٰلٍ مُّبِينٍ ﴿٣٨﴾

- قَرِّي عَيْنًا: طيبي نفساً ولا تحزني
- فَرِيًّا: عظيماً منكراً
- ٱلْمَهْدِ: الفراش الذي يُهيَّأ للصبيّ
- بَرًّا: بارّاً
- يَمْتَرُونَ: يشكّون أو يتجادلون بالباطل
- قَضَىٰٓ أَمْرًا: أراده

| | | |
|---|---|---|
| مدّ ٦ حركات لزوماً ● مدّ ٢ أو ٤ أو ٦ جوازاً | إخفاء، ومواقع الغنّة (حركتان) | تفخـ |
| مدّ واجب ٤ أو ٥ حركات ● مدّ حركتان | إدغام، وما لا يُلفظ | قلقـ |

وَأَنذِرْهُمْ يَوْمَ ٱلْحَسْرَةِ إِذْ قُضِىَ ٱلْأَمْرُ وَهُمْ فِى غَفْلَةٍ وَهُمْ لَا يُؤْمِنُونَ
﴿٣٩﴾ إِنَّا نَحْنُ نَرِثُ ٱلْأَرْضَ وَمَنْ عَلَيْهَا وَإِلَيْنَا يُرْجَعُونَ ﴿٤٠﴾ وَٱذْكُرْ
فِى ٱلْكِتَٰبِ إِبْرَٰهِيمَ ۚ إِنَّهُۥ كَانَ صِدِّيقًا نَّبِيًّا ﴿٤١﴾ إِذْ قَالَ لِأَبِيهِ يَٰٓأَبَتِ
لِمَ تَعْبُدُ مَا لَا يَسْمَعُ وَلَا يُبْصِرُ وَلَا يُغْنِى عَنكَ شَيْـًٔا ﴿٤٢﴾ يَٰٓأَبَتِ
إِنِّى قَدْ جَآءَنِى مِنَ ٱلْعِلْمِ مَا لَمْ يَأْتِكَ فَٱتَّبِعْنِىٓ أَهْدِكَ صِرَٰطًا
سَوِيًّا ﴿٤٣﴾ يَٰٓأَبَتِ لَا تَعْبُدِ ٱلشَّيْطَٰنَ ۖ إِنَّ ٱلشَّيْطَٰنَ كَانَ لِلرَّحْمَٰنِ
عَصِيًّا ﴿٤٤﴾ يَٰٓأَبَتِ إِنِّىٓ أَخَافُ أَن يَمَسَّكَ عَذَابٌ مِّنَ ٱلرَّحْمَٰنِ
فَتَكُونَ لِلشَّيْطَٰنِ وَلِيًّا ﴿٤٥﴾ قَالَ أَرَاغِبٌ أَنتَ عَنْ ءَالِهَتِى
يَٰٓإِبْرَٰهِيمُ ۖ لَئِن لَّمْ تَنتَهِ لَأَرْجُمَنَّكَ ۖ وَٱهْجُرْنِى مَلِيًّا ﴿٤٦﴾ قَالَ
سَلَٰمٌ عَلَيْكَ ۖ سَأَسْتَغْفِرُ لَكَ رَبِّىٓ ۖ إِنَّهُۥ كَانَ بِى حَفِيًّا ﴿٤٧﴾
وَأَعْتَزِلُكُمْ وَمَا تَدْعُونَ مِن دُونِ ٱللَّهِ وَأَدْعُوا۟ رَبِّى عَسَىٰٓ
أَلَّآ أَكُونَ بِدُعَآءِ رَبِّى شَقِيًّا ﴿٤٨﴾ فَلَمَّا ٱعْتَزَلَهُمْ وَمَا يَعْبُدُونَ
مِن دُونِ ٱللَّهِ وَهَبْنَا لَهُۥٓ إِسْحَٰقَ وَيَعْقُوبَ ۖ وَكُلًّا جَعَلْنَا نَبِيًّا ﴿٤٩﴾
وَوَهَبْنَا لَهُم مِّن رَّحْمَتِنَا وَجَعَلْنَا لَهُمْ لِسَانَ صِدْقٍ عَلِيًّا ﴿٥٠﴾
وَٱذْكُرْ فِى ٱلْكِتَٰبِ مُوسَىٰٓ ۚ إِنَّهُۥ كَانَ مُخْلَصًا وَكَانَ رَسُولًا نَّبِيًّا ﴿٥١﴾

مريم

- يَوْمَ ٱلْحَسْرَةِ: الندامة الشديدة
- سَوِيًّا: مُستقيماً
- عَصِيًّا: كثيرَ العِصْيان
- وَلِيًّا: قريناً في العَذاب
- ٱهْجُرْنِى مَلِيًّا: فارِقْني دَهْراً طَويلاً
- حَفِيًّا: بَرّاً لطيفاً
- كَانَ مُخْلَصًا: أخلصَه الله واصْطَفاهُ

| | | |
|---|---|---|
| مدّ ٦ حركات لزوماً ● مدّ ٢ أو ٤ أو ٦ جوازاً | إخفاء ، ومواقع الغُنَّة (حركتان) | تفخيم |
| مدّ واجب ٤ أو ٥ حركات ● مدّ حركتان | إدغام ، وما لا يُلفَظ | قلقلة |

وَنَٰدَيۡنَٰهُ مِن جَانِبِ ٱلطُّورِ ٱلۡأَيۡمَنِ وَقَرَّبۡنَٰهُ نَجِيّٗا ﴿٥٢﴾ وَوَهَبۡنَا لَهُۥ مِن
رَّحۡمَتِنَآ أَخَاهُ هَٰرُونَ نَبِيّٗا ﴿٥٣﴾ وَٱذۡكُرۡ فِي ٱلۡكِتَٰبِ إِسۡمَٰعِيلَۚ إِنَّهُۥ كَانَ
صَادِقَ ٱلۡوَعۡدِ وَكَانَ رَسُولٗا نَّبِيّٗا ﴿٥٤﴾ وَكَانَ يَأۡمُرُ أَهۡلَهُۥ بِٱلصَّلَوٰةِ
وَٱلزَّكَوٰةِ وَكَانَ عِندَ رَبِّهِۦ مَرۡضِيّٗا ﴿٥٥﴾ وَٱذۡكُرۡ فِي ٱلۡكِتَٰبِ إِدۡرِيسَۚ
إِنَّهُۥ كَانَ صِدِّيقٗا نَّبِيّٗا ﴿٥٦﴾ وَرَفَعۡنَٰهُ مَكَانًا عَلِيًّا ﴿٥٧﴾ أُوْلَٰٓئِكَ ٱلَّذِينَ
أَنۡعَمَ ٱللَّهُ عَلَيۡهِم مِّنَ ٱلنَّبِيِّـۧنَ مِن ذُرِّيَّةِ ءَادَمَ وَمِمَّنۡ حَمَلۡنَا مَعَ نُوحٖ
وَمِن ذُرِّيَّةِ إِبۡرَٰهِيمَ وَإِسۡرَٰٓءِيلَ وَمِمَّنۡ هَدَيۡنَا وَٱجۡتَبَيۡنَآۚ إِذَا تُتۡلَىٰ عَلَيۡهِمۡ
ءَايَٰتُ ٱلرَّحۡمَٰنِ خَرُّواْۤ سُجَّدٗاۤ وَبُكِيّٗا۩ ﴿٥٨﴾ ۞ فَخَلَفَ مِنۢ بَعۡدِهِمۡ
خَلۡفٌ أَضَاعُواْ ٱلصَّلَوٰةَ وَٱتَّبَعُواْ ٱلشَّهَوَٰتِۖ فَسَوۡفَ يَلۡقَوۡنَ غَيًّا
﴿٥٩﴾ إِلَّا مَن تَابَ وَءَامَنَ وَعَمِلَ صَٰلِحٗا فَأُوْلَٰٓئِكَ يَدۡخُلُونَ ٱلۡجَنَّةَ
وَلَا يُظۡلَمُونَ شَيۡـٔٗا ﴿٦٠﴾ جَنَّٰتِ عَدۡنٍ ٱلَّتِي وَعَدَ ٱلرَّحۡمَٰنُ عِبَادَهُۥ
بِٱلۡغَيۡبِۚ إِنَّهُۥ كَانَ وَعۡدُهُۥ مَأۡتِيّٗا ﴿٦١﴾ لَّا يَسۡمَعُونَ فِيهَا لَغۡوًا إِلَّا سَلَٰمٗاۖ
وَلَهُمۡ رِزۡقُهُمۡ فِيهَا بُكۡرَةٗ وَعَشِيّٗا ﴿٦٢﴾ تِلۡكَ ٱلۡجَنَّةُ ٱلَّتِي نُورِثُ مِنۡ
عِبَادِنَا مَن كَانَ تَقِيّٗا ﴿٦٣﴾ وَمَا نَتَنَزَّلُ إِلَّا بِأَمۡرِ رَبِّكَۖ لَهُۥ مَا بَيۡنَ
أَيۡدِينَا وَمَا خَلۡفَنَا وَمَا بَيۡنَ ذَٰلِكَۚ وَمَا كَانَ رَبُّكَ نَسِيّٗا ﴿٦٤﴾

قَرَّبۡنَٰهُ نَجِيّٗا: مُناجياً لنا
ٱجۡتَبَيۡنَآ: اصطفيْنا واخترْنا للنُّبوَّة
بُكِيّٗا: بَاكِين من خشْيَة الله
سجدة — ثلاثة أرباع الحزب ٣١
خَلۡفٌ: قومُ سُوء
يَلۡقَوۡنَ غَيًّا: جَزاءَ الضَّلال
مَأۡتِيّٗا: آتياً أو مُنجَزاً
لَغۡوًا: قبيحاً أو فضولاً من الكلام

رَّبُّ ٱلسَّمَٰوَٰتِ وَٱلْأَرْضِ وَمَا بَيْنَهُمَا فَٱعْبُدْهُ وَٱصْطَبِرْ لِعِبَٰدَتِهِۦ ۚ
هَلْ تَعْلَمُ لَهُۥ سَمِيًّا ﴿٦٥﴾ وَيَقُولُ ٱلْإِنسَٰنُ أَءِذَا مَا مِتُّ لَسَوْفَ
أُخْرَجُ حَيًّا ﴿٦٦﴾ أَوَلَا يَذْكُرُ ٱلْإِنسَٰنُ أَنَّا خَلَقْنَٰهُ مِن قَبْلُ
وَلَمْ يَكُ شَيْـًٔا ﴿٦٧﴾ فَوَرَبِّكَ لَنَحْشُرَنَّهُمْ وَٱلشَّيَٰطِينَ ثُمَّ
لَنُحْضِرَنَّهُمْ حَوْلَ جَهَنَّمَ جِثِيًّا ﴿٦٨﴾ ثُمَّ لَنَنزِعَنَّ مِن كُلِّ
شِيعَةٍ أَيُّهُمْ أَشَدُّ عَلَى ٱلرَّحْمَٰنِ عِتِيًّا ﴿٦٩﴾ ثُمَّ لَنَحْنُ أَعْلَمُ بِٱلَّذِينَ
هُمْ أَوْلَىٰ بِهَا صِلِيًّا ﴿٧٠﴾ وَإِن مِّنكُمْ إِلَّا وَارِدُهَا ۚ كَانَ عَلَىٰ رَبِّكَ
حَتْمًا مَّقْضِيًّا ﴿٧١﴾ ثُمَّ نُنَجِّى ٱلَّذِينَ ٱتَّقَوا۟ وَّنَذَرُ ٱلظَّٰلِمِينَ
فِيهَا جِثِيًّا ﴿٧٢﴾ وَإِذَا تُتْلَىٰ عَلَيْهِمْ ءَايَٰتُنَا بَيِّنَٰتٍ قَالَ ٱلَّذِينَ كَفَرُوا۟
لِلَّذِينَ ءَامَنُوٓا۟ أَىُّ ٱلْفَرِيقَيْنِ خَيْرٌ مَّقَامًا وَأَحْسَنُ نَدِيًّا ﴿٧٣﴾ وَكَمْ
أَهْلَكْنَا قَبْلَهُم مِّن قَرْنٍ هُمْ أَحْسَنُ أَثَٰثًا وَرِءْيًا ﴿٧٤﴾ قُلْ مَن
كَانَ فِى ٱلضَّلَٰلَةِ فَلْيَمْدُدْ لَهُ ٱلرَّحْمَٰنُ مَدًّا ۚ حَتَّىٰٓ إِذَا رَأَوْا۟ مَا يُوعَدُونَ
إِمَّا ٱلْعَذَابَ وَإِمَّا ٱلسَّاعَةَ فَسَيَعْلَمُونَ مَنْ هُوَ شَرٌّ مَّكَانًا
وَأَضْعَفُ جُندًا ﴿٧٥﴾ وَيَزِيدُ ٱللَّهُ ٱلَّذِينَ ٱهْتَدَوْا۟ هُدًى ۗ
وَٱلْبَٰقِيَٰتُ ٱلصَّٰلِحَٰتُ خَيْرٌ عِندَ رَبِّكَ ثَوَابًا وَخَيْرٌ مَّرَدًّا ﴿٧٦﴾

- جِثِيًّا: بَارِكِين على رُكبِهم لشِدَّةِ الهَوْلِ
- عِتِيًّا: عِصْياناً أو جَرَاءَةً
- صِلِيًّا: دُخُولاً . أو مُقاسَاةً لحرّها
- وَارِدُهَا: بالمرور على الصِّراطِ فوقَها
- نَدِيًّا: مجلساً ومجتمعاً
- قَرْنٍ: أمّة
- أَحْسَنُ أَثَٰثًا: متاعاً وأموالاً
- رِءْيًا: مَنْظَراً وهيئةً
- فَلْيَمْدُدْ لَهُ: يُمْهِلُهُ اسْتِدْرَاجاً
- أَضْعَفُ جُندًا: أعواناً وأنصاراً
- خَيْرٌ مَّرَدًّا: مَرْجعاً وعاقبةً

مريم

| | | |
|---|---|---|
| مدّ ٦ حركات لزوماً ● مدّ ٢ أو ٤ أو ٦ جوازاً | إخفاء ، ومواقع الغُنّة (حركتان) | تفخيم |
| مدّ واجب ٤ أو ٥ حركات ● مدّ حركتان | إدغام ، وما لا يُلفظ | قلقلة |

أَفَرَءَيْتَ ٱلَّذِى كَفَرَ بِـَٔايَـٰتِنَا وَقَالَ لَأُوتَيَنَّ مَالًا وَوَلَدًا
﴿٧٧﴾ أَطَّلَعَ ٱلْغَيْبَ أَمِ ٱتَّخَذَ عِندَ ٱلرَّحْمَـٰنِ عَهْدًا ﴿٧٨﴾ كَلَّا ۚ
سَنَكْتُبُ مَا يَقُولُ وَنَمُدُّ لَهُۥ مِنَ ٱلْعَذَابِ مَدًّا ﴿٧٩﴾ وَنَرِثُهُۥ
مَا يَقُولُ وَيَأْتِينَا فَرْدًا ﴿٨٠﴾ وَٱتَّخَذُوا۟ مِن دُونِ ٱللَّهِ ءَالِهَةً
لِّيَكُونُوا۟ لَهُمْ عِزًّا ﴿٨١﴾ كَلَّا ۚ سَيَكْفُرُونَ بِعِبَادَتِهِمْ وَيَكُونُونَ
عَلَيْهِمْ ضِدًّا ﴿٨٢﴾ أَلَمْ تَرَ أَنَّآ أَرْسَلْنَا ٱلشَّيَـٰطِينَ عَلَى ٱلْكَـٰفِرِينَ
تَؤُزُّهُمْ أَزًّا ﴿٨٣﴾ فَلَا تَعْجَلْ عَلَيْهِمْ ۖ إِنَّمَا نَعُدُّ لَهُمْ عَدًّا ﴿٨٤﴾
يَوْمَ نَحْشُرُ ٱلْمُتَّقِينَ إِلَى ٱلرَّحْمَـٰنِ وَفْدًا ﴿٨٥﴾ وَنَسُوقُ ٱلْمُجْرِمِينَ
إِلَىٰ جَهَنَّمَ وِرْدًا ﴿٨٦﴾ لَّا يَمْلِكُونَ ٱلشَّفَـٰعَةَ إِلَّا مَنِ ٱتَّخَذَ عِندَ
ٱلرَّحْمَـٰنِ عَهْدًا ﴿٨٧﴾ وَقَالُوا۟ ٱتَّخَذَ ٱلرَّحْمَـٰنُ وَلَدًا ﴿٨٨﴾ لَّقَدْ
جِئْتُمْ شَيْـًٔا إِدًّا ﴿٨٩﴾ تَكَادُ ٱلسَّمَـٰوَٰتُ يَتَفَطَّرْنَ مِنْهُ
وَتَنشَقُّ ٱلْأَرْضُ وَتَخِرُّ ٱلْجِبَالُ هَدًّا ﴿٩٠﴾ أَن دَعَوْا۟ لِلرَّحْمَـٰنِ وَلَدًا
﴿٩١﴾ وَمَا يَنۢبَغِى لِلرَّحْمَـٰنِ أَن يَتَّخِذَ وَلَدًا ﴿٩٢﴾ إِن كُلُّ مَن فِى
ٱلسَّمَـٰوَٰتِ وَٱلْأَرْضِ إِلَّآ ءَاتِى ٱلرَّحْمَـٰنِ عَبْدًا ﴿٩٣﴾ لَّقَدْ أَحْصَىٰهُمْ
وَعَدَّهُمْ عَدًّا ﴿٩٤﴾ وَكُلُّهُمْ ءَاتِيهِ يَوْمَ ٱلْقِيَـٰمَةِ فَرْدًا ﴿٩٥﴾

- أَفَرَءَيْتَ: أخبرني
- نَمُدُّ لَهُۥ: نزيدُهُ
- عِزًّا: شفعاءَ وأنصاراً
- ضِدًّا: ذُلاً وهواناً لا عزاً
- تَؤُزُّهُمْ أَزًّا: تُغْرِيهِم بالمعاصي إغراءً
- وَفْدًا: ركباناً . أو وافدين للعطايا
- وِرْدًا: عِطاشاً . أو كالدّواب
- إِدًّا: منكراً فظيعاً
- يَتَفَطَّرْنَ مِنْهُ: يَتشقّقْنَ ويتفتّتْنَ من شناعتِه
- تَخِرُّ ٱلْجِبَالُ هَدًّا: تَسْقُطُ مهدودة عليهم

| | | |
|---|---|---|
| مدّ ٦ حركات لزوماً — مدّ ٢ أو ٤ أو ٦ جوازاً | إخفاء ، ومواقع الغُنَّة (حركتان) | تفخ |
| مدّ واجب ٤ أو ٥ حركات — مدّ حركتان | إدغام ، وما لا يُلفَظ | قلقلة |

إِنَّ ٱلَّذِينَ ءَامَنُوا۟ وَعَمِلُوا۟ ٱلصَّٰلِحَٰتِ سَيَجْعَلُ لَهُمُ
ٱلرَّحْمَٰنُ وُدًّا ﴿٩٦﴾ فَإِنَّمَا يَسَّرْنَٰهُ بِلِسَانِكَ لِتُبَشِّرَ بِهِ
ٱلْمُتَّقِينَ وَتُنذِرَ بِهِۦ قَوْمًا لُّدًّا ﴿٩٧﴾ وَكَمْ أَهْلَكْنَا قَبْلَهُم
مِّن قَرْنٍ هَلْ تُحِسُّ مِنْهُم مِّنْ أَحَدٍ أَوْ تَسْمَعُ لَهُمْ رِكْزًۢا ﴿٩٨﴾

## سُورَةُ طه

ترتيبها ٢٠ — آياتها ١٣٥

بِسْمِ ٱللَّهِ ٱلرَّحْمَٰنِ ٱلرَّحِيمِ

طه ﴿١﴾ مَآ أَنزَلْنَا عَلَيْكَ ٱلْقُرْءَانَ لِتَشْقَىٰٓ ﴿٢﴾ إِلَّا تَذْكِرَةً
لِّمَن يَخْشَىٰ ﴿٣﴾ تَنزِيلًا مِّمَّنْ خَلَقَ ٱلْأَرْضَ وَٱلسَّمَٰوَٰتِ ٱلْعُلَى ﴿٤﴾
ٱلرَّحْمَٰنُ عَلَى ٱلْعَرْشِ ٱسْتَوَىٰ ﴿٥﴾ لَهُۥ مَا فِى ٱلسَّمَٰوَٰتِ وَمَا فِى
ٱلْأَرْضِ وَمَا بَيْنَهُمَا وَمَا تَحْتَ ٱلثَّرَىٰ ﴿٦﴾ وَإِن تَجْهَرْ بِٱلْقَوْلِ
فَإِنَّهُۥ يَعْلَمُ ٱلسِّرَّ وَأَخْفَى ﴿٧﴾ ٱللَّهُ لَآ إِلَٰهَ إِلَّا هُوَ ۖ لَهُ ٱلْأَسْمَآءُ
ٱلْحُسْنَىٰ ﴿٨﴾ وَهَلْ أَتَىٰكَ حَدِيثُ مُوسَىٰٓ ﴿٩﴾ إِذْ رَءَا نَارًا
فَقَالَ لِأَهْلِهِ ٱمْكُثُوٓا۟ إِنِّىٓ ءَانَسْتُ نَارًا لَّعَلِّىٓ ءَاتِيكُم مِّنْهَا بِقَبَسٍ
أَوْ أَجِدُ عَلَى ٱلنَّارِ هُدًى ﴿١٠﴾ فَلَمَّآ أَتَىٰهَا نُودِىَ يَٰمُوسَىٰٓ ﴿١١﴾
إِنِّىٓ أَنَا۠ رَبُّكَ فَٱخْلَعْ نَعْلَيْكَ ۖ إِنَّكَ بِٱلْوَادِ ٱلْمُقَدَّسِ طُوًى ﴿١٢﴾

- وُدًّا: مودّةً ومحبّةً في القلوب
- قَوْمًا لُّدًّا: شديدي الخصومة بالباطل
- قَرْنٍ: أمّة
- تُحِسُّ: تجدُ . أو ترَى . أو تعلم
- رِكْزًا: صوتاً خفياً
- لِتَشْقَىٰٓ: لِتتعَب بالإفراط في المكابدة
- ٱلثَّرَىٰ: التراب النّديّ
- أَخْفَى: حديثَ النّفسِ وخَواطرَها
- ءَانَسْتُ نَارًا: أبصَرْتُها بوضوح
- بِقَبَسٍ: بشُعْلةٍ على رأسِ عودٍ ونحوه
- هُدًى: هادياً يَهْدِيني للطريق
- ٱلْمُقَدَّسِ: المطهّر . أوالمبارَك
- طُوًى: اسمٌ للوادي

الحزب ٣٢

طه ١

وَأَنَا ٱخْتَرْتُكَ فَٱسْتَمِعْ لِمَا يُوحَىٰٓ ﴿١٣﴾ إِنَّنِىٓ أَنَا ٱللَّهُ لَآ إِلَٰهَ إِلَّآ أَنَا۠
فَٱعْبُدْنِى وَأَقِمِ ٱلصَّلَوٰةَ لِذِكْرِىٓ ﴿١٤﴾ إِنَّ ٱلسَّاعَةَ ءَاتِيَةٌ
أَكَادُ أُخْفِيهَا لِتُجْزَىٰ كُلُّ نَفْسٍۭ بِمَا تَسْعَىٰ ﴿١٥﴾ فَلَا يَصُدَّنَّكَ
عَنْهَا مَن لَّا يُؤْمِنُ بِهَا وَٱتَّبَعَ هَوَىٰهُ فَتَرْدَىٰ ﴿١٦﴾ وَمَا تِلْكَ
بِيَمِينِكَ يَٰمُوسَىٰ ﴿١٧﴾ قَالَ هِىَ عَصَاىَ أَتَوَكَّؤُا۟ عَلَيْهَا
وَأَهُشُّ بِهَا عَلَىٰ غَنَمِى وَلِىَ فِيهَا مَـَٔارِبُ أُخْرَىٰ ﴿١٨﴾ قَالَ أَلْقِهَا
يَٰمُوسَىٰ ﴿١٩﴾ فَأَلْقَىٰهَا فَإِذَا هِىَ حَيَّةٌ تَسْعَىٰ ﴿٢٠﴾ قَالَ خُذْهَا
وَلَا تَخَفْ ۖ سَنُعِيدُهَا سِيرَتَهَا ٱلْأُولَىٰ ﴿٢١﴾ وَٱضْمُمْ يَدَكَ
إِلَىٰ جَنَاحِكَ تَخْرُجْ بَيْضَآءَ مِنْ غَيْرِ سُوٓءٍ ءَايَةً أُخْرَىٰ ﴿٢٢﴾ لِنُرِيَكَ
مِنْ ءَايَٰتِنَا ٱلْكُبْرَى ﴿٢٣﴾ ٱذْهَبْ إِلَىٰ فِرْعَوْنَ إِنَّهُۥ طَغَىٰ ﴿٢٤﴾ قَالَ
رَبِّ ٱشْرَحْ لِى صَدْرِى ﴿٢٥﴾ وَيَسِّرْ لِىٓ أَمْرِى ﴿٢٦﴾ وَٱحْلُلْ عُقْدَةً مِّن
لِّسَانِى ﴿٢٧﴾ يَفْقَهُوا۟ قَوْلِى ﴿٢٨﴾ وَٱجْعَل لِّى وَزِيرًا مِّنْ أَهْلِى ﴿٢٩﴾ هَٰرُونَ
أَخِى ﴿٣٠﴾ ٱشْدُدْ بِهِۦٓ أَزْرِى ﴿٣١﴾ وَأَشْرِكْهُ فِىٓ أَمْرِى ﴿٣٢﴾ كَىْ نُسَبِّحَكَ
كَثِيرًا ﴿٣٣﴾ وَنَذْكُرَكَ كَثِيرًا ﴿٣٤﴾ إِنَّكَ كُنتَ بِنَا بَصِيرًا ﴿٣٥﴾ قَالَ قَدْ
أُوتِيتَ سُؤْلَكَ يَٰمُوسَىٰ ﴿٣٦﴾ وَلَقَدْ مَنَنَّا عَلَيْكَ مَرَّةً أُخْرَىٰٓ ﴿٣٧﴾

- أَكَادُ أُخْفِيهَا: أقرُبُ أنْ أسْتُرَهَا مِنْ نَفْسِي
- فَتَرْدَىٰ: فتهلِكَ
- أَتَوَكَّؤُا۟ عَلَيْهَا: أتحامل عليها
- أَهُشُّ بِهَا: أَخْبِطُ بها الشجرَ ليَسْقطَ ورقه
- مَـَٔارِبُ أُخْرَىٰ: حاجاتٌ أُخَر
- سِيرَتَهَا: إلى حالَتها
- إِلَىٰ جَنَاحِكَ: تَحْتَ عَضُدِكَ الأيسر
- سُوٓءٍ: بَرَص
- طَغَىٰ: جاوَزَ الحدَّ في العُتُوِّ والتَّجبُّر
- أَزْرِى: ظَهْري أو قوّتي
- أُوتِيتَ سُؤْلَكَ: مسؤولكَ ومَطْلوبَكَ

| | | |
|---|---|---|
| مدّ ٦ حركات لزوماً ● مدّ ٢ أو ٤ أو ٦ جوازاً | إخفاء ، ومواقع الغُنّة (حركتان) | تفخ[يم] |
| مدّ واجب ٤ أو ٥ حركات ● مدّ حركتان | إدغام ، وما لا يُلفظ | قلقل[ة] |

إِذۡ أَوۡحَيۡنَآ إِلَىٰٓ أُمِّكَ مَا يُوحَىٰٓ ﴿٣٨﴾ أَنِ ٱقۡذِفِيهِ فِي ٱلتَّابُوتِ فَٱقۡذِفِيهِ
فِي ٱلۡيَمِّ فَلۡيُلۡقِهِ ٱلۡيَمُّ بِٱلسَّاحِلِ يَأۡخُذۡهُ عَدُوّٞ لِّي وَعَدُوّٞ لَّهُۥۚ وَأَلۡقَيۡتُ
عَلَيۡكَ مَحَبَّةٗ مِّنِّي وَلِتُصۡنَعَ عَلَىٰ عَيۡنِيٓ ﴿٣٩﴾ إِذۡ تَمۡشِيٓ أُخۡتُكَ
فَتَقُولُ هَلۡ أَدُلُّكُمۡ عَلَىٰ مَن يَكۡفُلُهُۥۖ فَرَجَعۡنَٰكَ إِلَىٰٓ أُمِّكَ كَيۡ تَقَرَّ
عَيۡنُهَا وَلَا تَحۡزَنَۚ وَقَتَلۡتَ نَفۡسٗا فَنَجَّيۡنَٰكَ مِنَ ٱلۡغَمِّ وَفَتَنَّٰكَ فُتُونٗاۚ
فَلَبِثۡتَ سِنِينَ فِيٓ أَهۡلِ مَدۡيَنَ ثُمَّ جِئۡتَ عَلَىٰ قَدَرٖ يَٰمُوسَىٰ ﴿٤٠﴾
وَٱصۡطَنَعۡتُكَ لِنَفۡسِي ﴿٤١﴾ ٱذۡهَبۡ أَنتَ وَأَخُوكَ بِـَٔايَٰتِي وَلَا تَنِيَا
فِي ذِكۡرِي ﴿٤٢﴾ ٱذۡهَبَآ إِلَىٰ فِرۡعَوۡنَ إِنَّهُۥ طَغَىٰ ﴿٤٣﴾ فَقُولَا لَهُۥ قَوۡلٗا لَّيِّنٗا
لَّعَلَّهُۥ يَتَذَكَّرُ أَوۡ يَخۡشَىٰ ﴿٤٤﴾ قَالَا رَبَّنَآ إِنَّنَا نَخَافُ أَن يَفۡرُطَ عَلَيۡنَآ
أَوۡ أَن يَطۡغَىٰ ﴿٤٥﴾ قَالَ لَا تَخَافَآۖ إِنَّنِي مَعَكُمَآ أَسۡمَعُ وَأَرَىٰ
﴿٤٦﴾ فَأۡتِيَاهُ فَقُولَآ إِنَّا رَسُولَا رَبِّكَ فَأَرۡسِلۡ مَعَنَا بَنِيٓ إِسۡرَٰٓءِيلَ
وَلَا تُعَذِّبۡهُمۡۖ قَدۡ جِئۡنَٰكَ بِـَٔايَةٖ مِّن رَّبِّكَۖ وَٱلسَّلَٰمُ عَلَىٰ مَنِ ٱتَّبَعَ
ٱلۡهُدَىٰٓ ﴿٤٧﴾ إِنَّا قَدۡ أُوحِيَ إِلَيۡنَآ أَنَّ ٱلۡعَذَابَ عَلَىٰ مَن كَذَّبَ
وَتَوَلَّىٰ ﴿٤٨﴾ قَالَ فَمَن رَّبُّكُمَا يَٰمُوسَىٰ ﴿٤٩﴾ قَالَ رَبُّنَا ٱلَّذِيٓ أَعۡطَىٰ
كُلَّ شَيۡءٍ خَلۡقَهُۥ ثُمَّ هَدَىٰ ﴿٥٠﴾ قَالَ فَمَا بَالُ ٱلۡقُرُونِ ٱلۡأُولَىٰ ﴿٥١﴾

- ٱقۡذِفِيهِ: ألقيه واطرحيه
- لِتُصۡنَعَ عَلَىٰ عَيۡنِيٓ: لتربى بمراقبتي ورعايتي
- يَكۡفُلُهُۥ: يضمه ويربيه
- فَتَنَّٰكَ: خلصناك من المحن مراراً
- ٱصۡطَنَعۡتُكَ لِنَفۡسِي: اصطفيتك لرسالتي
- لَا تَنِيَا: لا تفترا ولا تقصرا
- يَفۡرُطَ عَلَيۡنَآ: يعجل علينا بالعقوبة
- يَطۡغَىٰ: يزداد طغياناً وعتواً
- خَلۡقَهُۥ: صورته اللائقة بمنفعته
- ٱلۡقُرُونِ: الأمم

طه

| مدّ ٦ حركات لزوماً | مدّ ٢ أو ٤ أو ٦ جوازاً | إخفاء، ومواقع الغنّة (حركتان) | تفخيم |
|---|---|---|---|
| مدّ واجب ٤ أو ٥ حركات | مدّ حركتان | إدغام، وما لا يُلفظ | قلقلة |

قَالَ عِلْمُهَا عِندَ رَبِّي فِي كِتَٰبٍ ۖ لَّا يَضِلُّ رَبِّي وَلَا يَنسَى ﴿٥٢﴾
ٱلَّذِي جَعَلَ لَكُمُ ٱلْأَرْضَ مَهْدًا وَسَلَكَ لَكُمْ فِيهَا سُبُلًا وَأَنزَلَ
مِنَ ٱلسَّمَآءِ مَآءً فَأَخْرَجْنَا بِهِۦٓ أَزْوَٰجًا مِّن نَّبَاتٍ شَتَّىٰ ﴿٥٣﴾ كُلُوا۟
وَٱرْعَوْا۟ أَنْعَٰمَكُمْ ۗ إِنَّ فِي ذَٰلِكَ لَءَايَٰتٍ لِّأُو۟لِي ٱلنُّهَىٰ ﴿٥٤﴾ ۞ مِنْهَا
خَلَقْنَٰكُمْ وَفِيهَا نُعِيدُكُمْ وَمِنْهَا نُخْرِجُكُمْ تَارَةً أُخْرَىٰ ﴿٥٥﴾ وَلَقَدْ
أَرَيْنَٰهُ ءَايَٰتِنَا كُلَّهَا فَكَذَّبَ وَأَبَىٰ ﴿٥٦﴾ قَالَ أَجِئْتَنَا لِتُخْرِجَنَا
مِنْ أَرْضِنَا بِسِحْرِكَ يَٰمُوسَىٰ ﴿٥٧﴾ فَلَنَأْتِيَنَّكَ بِسِحْرٍ مِّثْلِهِۦ
فَٱجْعَلْ بَيْنَنَا وَبَيْنَكَ مَوْعِدًا لَّا نُخْلِفُهُۥ نَحْنُ وَلَآ أَنتَ مَكَانًا
سُوًى ﴿٥٨﴾ قَالَ مَوْعِدُكُمْ يَوْمُ ٱلزِّينَةِ وَأَن يُحْشَرَ ٱلنَّاسُ ضُحًى
﴿٥٩﴾ فَتَوَلَّىٰ فِرْعَوْنُ فَجَمَعَ كَيْدَهُۥ ثُمَّ أَتَىٰ ﴿٦٠﴾ قَالَ لَهُم
مُّوسَىٰ وَيْلَكُمْ لَا تَفْتَرُوا۟ عَلَى ٱللَّهِ كَذِبًا فَيُسْحِتَكُم بِعَذَابٍ ۖ
وَقَدْ خَابَ مَنِ ٱفْتَرَىٰ ﴿٦١﴾ فَتَنَٰزَعُوٓا۟ أَمْرَهُم بَيْنَهُمْ وَأَسَرُّوا۟
ٱلنَّجْوَىٰ ﴿٦٢﴾ قَالُوٓا۟ إِنْ هَٰذَٰنِ لَسَٰحِرَٰنِ يُرِيدَانِ أَن يُخْرِجَاكُم
مِّنْ أَرْضِكُم بِسِحْرِهِمَا وَيَذْهَبَا بِطَرِيقَتِكُمُ ٱلْمُثْلَىٰ ﴿٦٣﴾ فَأَجْمِعُوا۟
كَيْدَكُمْ ثُمَّ ٱئْتُوا۟ صَفًّا ۚ وَقَدْ أَفْلَحَ ٱلْيَوْمَ مَنِ ٱسْتَعْلَىٰ ﴿٦٤﴾

- مَهْدًا: كالفراش الذي يُوطَّأ للصبيّ
- سُبُلًا: طرقاً تسلكونها
- أَزْوَٰجًا: أصنافاً

ربع الحزب ٣٢

- شَتَّىٰ: مختلفة
- لِّأُو۟لِي ٱلنُّهَىٰ: أصحاب العقول
- أَبَىٰ: امتنع عن الإيمان والطاعة
- مَكَانًا سُوًى: وسطاً أو مستوياً
- يَوْمُ ٱلزِّينَةِ: يوم عيدكم
- فَجَمَعَ كَيْدَهُۥ: سحرته الذين يكيد بهم
- فَيُسْحِتَكُم: يستأصلكم و يُبيدكم
- أَسَرُّوا۟ ٱلنَّجْوَىٰ: أخفوا التناجي أشدّ الإخفاء
- فَأَجْمِعُوا۟ كَيْدَكُمْ: فأحكموا سحركم
- أَفْلَحَ: فاز بالمطلوب

| | | |
|---|---|---|
| مدّ ٦ حركات لزوماً | مدّ ٢ أو ٤ أو ٦ جوازاً | إخفاء ، ومواقع الغُنَّة (حركتان) |
| مدّ واجب ٤ أو ٥ حركات | مدّ حركتان | إدغام ، وما لا يُلفظ |

تفخ...
قلقلة

قَالُواْ يَٰمُوسَىٰٓ إِمَّآ أَن تُلۡقِيَ وَإِمَّآ أَن نَّكُونَ أَوَّلَ مَنۡ أَلۡقَىٰ ﴿٦٥﴾ قَالَ
بَلۡ أَلۡقُواْۖ فَإِذَا حِبَالُهُمۡ وَعِصِيُّهُمۡ يُخَيَّلُ إِلَيۡهِ مِن سِحۡرِهِمۡ أَنَّهَا تَسۡعَىٰ
﴿٦٦﴾ فَأَوۡجَسَ فِي نَفۡسِهِۦ خِيفَةٗ مُّوسَىٰ ﴿٦٧﴾ قُلۡنَا لَا تَخَفۡ إِنَّكَ
أَنتَ ٱلۡأَعۡلَىٰ ﴿٦٨﴾ وَأَلۡقِ مَا فِي يَمِينِكَ تَلۡقَفۡ مَا صَنَعُوٓاْۖ إِنَّمَا صَنَعُواْ
كَيۡدُ سَٰحِرٖۖ وَلَا يُفۡلِحُ ٱلسَّاحِرُ حَيۡثُ أَتَىٰ ﴿٦٩﴾ فَأُلۡقِيَ ٱلسَّحَرَةُ سُجَّدٗا
قَالُوٓاْ ءَامَنَّا بِرَبِّ هَٰرُونَ وَمُوسَىٰ ﴿٧٠﴾ قَالَ ءَامَنتُمۡ لَهُۥ قَبۡلَ أَنۡ ءَاذَنَ
لَكُمۡۖ إِنَّهُۥ لَكَبِيرُكُمُ ٱلَّذِي عَلَّمَكُمُ ٱلسِّحۡرَۖ فَلَأُقَطِّعَنَّ أَيۡدِيَكُمۡ
وَأَرۡجُلَكُم مِّنۡ خِلَٰفٖ وَلَأُصَلِّبَنَّكُمۡ فِي جُذُوعِ ٱلنَّخۡلِ وَلَتَعۡلَمُنَّ
أَيُّنَآ أَشَدُّ عَذَابٗا وَأَبۡقَىٰ ﴿٧١﴾ قَالُواْ لَن نُّؤۡثِرَكَ عَلَىٰ مَا جَآءَنَا مِنَ
ٱلۡبَيِّنَٰتِ وَٱلَّذِي فَطَرَنَاۖ فَٱقۡضِ مَآ أَنتَ قَاضٍۖ إِنَّمَا تَقۡضِي هَٰذِهِ
ٱلۡحَيَوٰةَ ٱلدُّنۡيَآ ﴿٧٢﴾ إِنَّآ ءَامَنَّا بِرَبِّنَا لِيَغۡفِرَ لَنَا خَطَٰيَٰنَا وَمَآ أَكۡرَهۡتَنَا
عَلَيۡهِ مِنَ ٱلسِّحۡرِۗ وَٱللَّهُ خَيۡرٞ وَأَبۡقَىٰٓ ﴿٧٣﴾ إِنَّهُۥ مَن يَأۡتِ رَبَّهُۥ مُجۡرِمٗا
فَإِنَّ لَهُۥ جَهَنَّمَ لَا يَمُوتُ فِيهَا وَلَا يَحۡيَىٰ ﴿٧٤﴾ وَمَن يَأۡتِهِۦ مُؤۡمِنٗا قَدۡ
عَمِلَ ٱلصَّٰلِحَٰتِ فَأُوْلَٰٓئِكَ لَهُمُ ٱلدَّرَجَٰتُ ٱلۡعُلَىٰ ﴿٧٥﴾ جَنَّٰتُ عَدۡنٖ
تَجۡرِي مِن تَحۡتِهَا ٱلۡأَنۡهَٰرُ خَٰلِدِينَ فِيهَاۚ وَذَٰلِكَ جَزَآءُ مَن تَزَكَّىٰ ﴿٧٦﴾

■ فَأَوۡجَسَ: أضمرَ . أو وجَدَ
■ تَلۡقَفۡ: تبتلعْ وتلتقمْ
■ فَطَرَنَا: أبدعَنا وأوجدَنا

طه

مدّ ٦ حركات لزوماً ● مدّ ٢ أو ٤ أو ٦ جوازاً ● إخفاء، ومواقع الغُنَّة (حركتان) ● تفخيم
مدّ واجب ٤ أو ٥ حركات ● مدّ حركتان ● إدغام، وما لا يُلفظ ● قلقلة

وَلَقَدۡ أَوۡحَيۡنَآ إِلَىٰ مُوسَىٰٓ أَنۡ أَسۡرِ بِعِبَادِي فَٱضۡرِبۡ لَهُمۡ طَرِيقٗا
فِي ٱلۡبَحۡرِ يَبَسٗا لَّا تَخَٰفُ دَرَكٗا وَلَا تَخۡشَىٰ ﴿٧٧﴾ فَأَتۡبَعَهُمۡ فِرۡعَوۡنُ
بِجُنُودِهِۦ فَغَشِيَهُم مِّنَ ٱلۡيَمِّ مَا غَشِيَهُمۡ ﴿٧٨﴾ وَأَضَلَّ فِرۡعَوۡنُ قَوۡمَهُۥ
وَمَا هَدَىٰ ﴿٧٩﴾ يَٰبَنِيٓ إِسۡرَٰٓءِيلَ قَدۡ أَنجَيۡنَٰكُم مِّنۡ عَدُوِّكُمۡ وَوَٰعَدۡنَٰكُمۡ
جَانِبَ ٱلطُّورِ ٱلۡأَيۡمَنَ وَنَزَّلۡنَا عَلَيۡكُمُ ٱلۡمَنَّ وَٱلسَّلۡوَىٰ ﴿٨٠﴾ كُلُواْ
مِن طَيِّبَٰتِ مَا رَزَقۡنَٰكُمۡ وَلَا تَطۡغَوۡاْ فِيهِ فَيَحِلَّ عَلَيۡكُمۡ غَضَبِيۖ
وَمَن يَحۡلِلۡ عَلَيۡهِ غَضَبِي فَقَدۡ هَوَىٰ ﴿٨١﴾ وَإِنِّي لَغَفَّارٞ لِّمَن تَابَ
وَءَامَنَ وَعَمِلَ صَٰلِحٗا ثُمَّ ٱهۡتَدَىٰ ﴿٨٢﴾ ۞ وَمَآ أَعۡجَلَكَ عَن
قَوۡمِكَ يَٰمُوسَىٰ ﴿٨٣﴾ قَالَ هُمۡ أُوْلَآءِ عَلَىٰٓ أَثَرِي وَعَجِلۡتُ إِلَيۡكَ
رَبِّ لِتَرۡضَىٰ ﴿٨٤﴾ قَالَ فَإِنَّا قَدۡ فَتَنَّا قَوۡمَكَ مِنۢ بَعۡدِكَ وَأَضَلَّهُمُ
ٱلسَّامِرِيُّ ﴿٨٥﴾ فَرَجَعَ مُوسَىٰٓ إِلَىٰ قَوۡمِهِۦ غَضۡبَٰنَ أَسِفٗاۚ قَالَ
يَٰقَوۡمِ أَلَمۡ يَعِدۡكُمۡ رَبُّكُمۡ وَعۡدًا حَسَنًاۚ أَفَطَالَ عَلَيۡكُمُ
ٱلۡعَهۡدُ أَمۡ أَرَدتُّمۡ أَن يَحِلَّ عَلَيۡكُمۡ غَضَبٞ مِّن رَّبِّكُمۡ فَأَخۡلَفۡتُم
مَّوۡعِدِي ﴿٨٦﴾ قَالُواْ مَآ أَخۡلَفۡنَا مَوۡعِدَكَ بِمَلۡكِنَا وَلَٰكِنَّا حُمِّلۡنَآ
أَوۡزَارٗا مِّن زِينَةِ ٱلۡقَوۡمِ فَقَذَفۡنَٰهَا فَكَذَٰلِكَ أَلۡقَى ٱلسَّامِرِيُّ ﴿٨٧﴾

- أَسۡرِ: سِرْ ليلاً
- يَبَسٗا: يابساً ذهب ماؤه
- دَرَكٗا: إدراكاً ولحاقاً
- فَغَشِيَهُم: علاهم وغمرهم
- ٱلۡمَنَّ: مادة صمغية حلوة كالعسل
- ٱلسَّلۡوَىٰ: الطائر المعروف بالسمان
- لَا تَطۡغَوۡاْ: لا تكفروا نعمه

نصف الحزب ٣٢

- فَيَحِلَّ عَلَيۡكُمۡ: يجب عليكم ويلزمكم
- هَوَىٰ: هلك. أو وقع في الهاوية
- مَآ أَعۡجَلَكَ: ما حملك على السبق
- فَتَنَّا قَوۡمَكَ: ابتليناهم. أو أوقعناهم في الفتنة
- أَسِفٗا: حزيناً. أو شديد الغضب
- بِمَلۡكِنَا: بقدرتنا
- أَوۡزَارٗا: أثقالاً، وهي حليّ القبط

مدّ ٦ حركات لزوماً — مدّ ٢ أو ٤ أو ٦ جوازاً — إخفاء، ومواقع الغنّة (حركتان) — تفخيم
مدّ واجب ٤ أو ٥ حركات — مدّ حركتان — إدغام، وما لا يُلفظ — قلقلة

فَأَخْرَجَ لَهُمْ عِجْلًا جَسَدًا لَّهُۥ خُوَارٌ فَقَالُوا۟ هَٰذَآ إِلَٰهُكُمْ
وَإِلَٰهُ مُوسَىٰ فَنَسِىَ ﴿٨٨﴾ أَفَلَا يَرَوْنَ أَلَّا يَرْجِعُ إِلَيْهِمْ قَوْلًا وَلَا
يَمْلِكُ لَهُمْ ضَرًّا وَلَا نَفْعًا ﴿٨٩﴾ وَلَقَدْ قَالَ لَهُمْ هَٰرُونُ مِن قَبْلُ
يَٰقَوْمِ إِنَّمَا فُتِنتُم بِهِۦ ۖ وَإِنَّ رَبَّكُمُ ٱلرَّحْمَٰنُ فَٱتَّبِعُونِى وَأَطِيعُوٓا۟
أَمْرِى ﴿٩٠﴾ قَالُوا۟ لَن نَّبْرَحَ عَلَيْهِ عَٰكِفِينَ حَتَّىٰ يَرْجِعَ إِلَيْنَا مُوسَىٰ
﴿٩١﴾ قَالَ يَٰهَٰرُونُ مَا مَنَعَكَ إِذْ رَأَيْتَهُمْ ضَلُّوٓا۟ ﴿٩٢﴾ أَلَّا تَتَّبِعَنِ ۖ
أَفَعَصَيْتَ أَمْرِى ﴿٩٣﴾ قَالَ يَبْنَؤُمَّ لَا تَأْخُذْ بِلِحْيَتِى وَلَا بِرَأْسِىٓ ۖ
إِنِّى خَشِيتُ أَن تَقُولَ فَرَّقْتَ بَيْنَ بَنِىٓ إِسْرَٰٓءِيلَ وَلَمْ تَرْقُبْ
قَوْلِى ﴿٩٤﴾ قَالَ فَمَا خَطْبُكَ يَٰسَٰمِرِىُّ ﴿٩٥﴾ قَالَ بَصُرْتُ
بِمَا لَمْ يَبْصُرُوا۟ بِهِۦ فَقَبَضْتُ قَبْضَةً مِّنْ أَثَرِ ٱلرَّسُولِ
فَنَبَذْتُهَا وَكَذَٰلِكَ سَوَّلَتْ لِى نَفْسِى ﴿٩٦﴾ قَالَ
فَٱذْهَبْ فَإِنَّ لَكَ فِى ٱلْحَيَوٰةِ أَن تَقُولَ لَا مِسَاسَ ۖ وَإِنَّ لَكَ
مَوْعِدًا لَّن تُخْلَفَهُۥ ۖ وَٱنظُرْ إِلَىٰٓ إِلَٰهِكَ ٱلَّذِى ظَلْتَ عَلَيْهِ
عَاكِفًا ۖ لَّنُحَرِّقَنَّهُۥ ثُمَّ لَنَنسِفَنَّهُۥ فِى ٱلْيَمِّ نَسْفًا ﴿٩٧﴾ إِنَّمَآ
إِلَٰهُكُمُ ٱللَّهُ ٱلَّذِى لَآ إِلَٰهَ إِلَّا هُوَ ۚ وَسِعَ كُلَّ شَىْءٍ عِلْمًا ﴿٩٨﴾

- عِجْلًا جَسَدًا: مُجسَّداً ؛ أي أحمرَ إذْ هو مِن ذهب
- لَّهُۥ خُوَارٌ: صوتٌ كصوتِ البقر
- فَمَا خَطْبُكَ: فما شأنُكَ الخطيرُ
- بَصُرْتُ: علمتُ
- فَنَبَذْتُهَا: ألقيتُها في الحُليّ المُذاب
- سَوَّلَتْ: زيّنتْ وحسّنتْ
- لَا مِسَاسَ: لا تمسَّني ولا أمسُّكَ
- لَنَنسِفَنَّهُۥ: لَنُذرّينّهُ

طه

| | | |
|---|---|---|
| مدّ ٦ حركات لزوماً ● مدّ ٢ أو ٤ أو ٦ جوازاً | ● إخفاء ، ومواقع الغُنَّة (حركتان) | ● تفخيم |
| مدّ واجب ٤ أو ٥ حركات ● مدّ حركتان | ● إدغام ، وما لا يُلفظ | ● قلقلة |

كَذَٰلِكَ نَقُصُّ عَلَيْكَ مِنْ أَنۢبَآءِ مَا قَدْ سَبَقَ ۚ وَقَدْ ءَاتَيْنَٰكَ مِن لَّدُنَّا
ذِكْرًا ﴿٩٩﴾ مَّنْ أَعْرَضَ عَنْهُ فَإِنَّهُۥ يَحْمِلُ يَوْمَ ٱلْقِيَٰمَةِ وِزْرًا
﴿١٠٠﴾ خَٰلِدِينَ فِيهِ ۖ وَسَآءَ لَهُمْ يَوْمَ ٱلْقِيَٰمَةِ حِمْلًا ﴿١٠١﴾ يَوْمَ يُنفَخُ
فِى ٱلصُّورِ ۚ وَنَحْشُرُ ٱلْمُجْرِمِينَ يَوْمَئِذٍ زُرْقًا ﴿١٠٢﴾ يَتَخَٰفَتُونَ
بَيْنَهُمْ إِن لَّبِثْتُمْ إِلَّا عَشْرًا ﴿١٠٣﴾ نَّحْنُ أَعْلَمُ بِمَا يَقُولُونَ إِذْ يَقُولُ
أَمْثَلُهُمْ طَرِيقَةً إِن لَّبِثْتُمْ إِلَّا يَوْمًا ﴿١٠٤﴾ وَيَسْـَٔلُونَكَ عَنِ ٱلْجِبَالِ
فَقُلْ يَنسِفُهَا رَبِّى نَسْفًا ﴿١٠٥﴾ فَيَذَرُهَا قَاعًا صَفْصَفًا ﴿١٠٦﴾
لَّا تَرَىٰ فِيهَا عِوَجًا وَلَآ أَمْتًا ﴿١٠٧﴾ يَوْمَئِذٍ يَتَّبِعُونَ ٱلدَّاعِىَ
لَا عِوَجَ لَهُۥ ۖ وَخَشَعَتِ ٱلْأَصْوَاتُ لِلرَّحْمَٰنِ فَلَا تَسْمَعُ إِلَّا هَمْسًا
﴿١٠٨﴾ يَوْمَئِذٍ لَّا تَنفَعُ ٱلشَّفَٰعَةُ إِلَّا مَنْ أَذِنَ لَهُ ٱلرَّحْمَٰنُ وَرَضِىَ لَهُۥ
قَوْلًا ﴿١٠٩﴾ يَعْلَمُ مَا بَيْنَ أَيْدِيهِمْ وَمَا خَلْفَهُمْ وَلَا يُحِيطُونَ بِهِۦ
عِلْمًا ﴿١١٠﴾ ۞ وَعَنَتِ ٱلْوُجُوهُ لِلْحَىِّ ٱلْقَيُّومِ ۖ وَقَدْ خَابَ مَنْ
حَمَلَ ظُلْمًا ﴿١١١﴾ وَمَن يَعْمَلْ مِنَ ٱلصَّٰلِحَٰتِ وَهُوَ مُؤْمِنٌ فَلَا
يَخَافُ ظُلْمًا وَلَا هَضْمًا ﴿١١٢﴾ وَكَذَٰلِكَ أَنزَلْنَٰهُ قُرْءَانًا عَرَبِيًّا
وَصَرَّفْنَا فِيهِ مِنَ ٱلْوَعِيدِ لَعَلَّهُمْ يَتَّقُونَ أَوْ يُحْدِثُ لَهُمْ ذِكْرًا ﴿١١٣﴾

- وِزْرًا: عقوبةً ثقيلةً على إعْراضِه
- زُرْقًا: زُرْقَ العُيونِ. أو عُمْياً
- يَتَخَٰفَتُونَ: يتسارُّون ويتهامَسُون
- أَمْثَلُهُمْ طَرِيقَةً: أعدَلُهُم وأفضَلُهُم رأياً
- يَنسِفُهَا: يقتلِعُها ويُفرِّقُها بالرِّياحِ
- قَاعًا: أرضاً واسعَةً لاشيءَ فيها
- صَفْصَفًا: مُسْتويةً مَلْساءَ
- عِوَجًا: مكاناً مُنخفِضاً أو انخفاضاً
- أَمْتًا: مكاناً مُرْتفِعاً أو ارْتفاعاً
- لَا عِوَجَ لَهُۥ: لا مَيْلَ لدُعائه بل يَسمعه جميعهم
- هَمْسًا: صَوْتاً خَفيّاً خافتاً

ثلاثة أرباع الحزب ٣٢

- عَنَتِ ٱلْوُجُوهُ: ذَلَّ النّاسُ وخَضَعُوا
- هَضْمًا: نَقصاً مِن ثَوابِه
- صَرَّفْنَا فِيهِ: كرَّرْنَا فيه بأساليبَ شَتَّى

● مدّ ٦ حركات لزوماً ● مدّ ٢ أو ٤ أو ٦ جوازاً ● إخفاء، ومواقع الغُنَّة (حركتان) ● تفخ[يم]
● مدّ واجب ٤ أو ٥ حركات ● مدّ حركتان ● إدغام، وما لا يُلفظ ● قلقـ[ـلة]

فَتَعَٰلَى ٱللَّهُ ٱلۡمَلِكُ ٱلۡحَقُّۗ وَلَا تَعۡجَلۡ بِٱلۡقُرۡءَانِ مِن قَبۡلِ أَن
يُقۡضَىٰٓ إِلَيۡكَ وَحۡيُهُۥۖ وَقُل رَّبِّ زِدۡنِي عِلۡمٗا ﴿١١٤﴾ وَلَقَدۡ عَهِدۡنَآ
إِلَىٰٓ ءَادَمَ مِن قَبۡلُ فَنَسِيَ وَلَمۡ نَجِدۡ لَهُۥ عَزۡمٗا ﴿١١٥﴾ وَإِذۡ قُلۡنَا
لِلۡمَلَٰٓئِكَةِ ٱسۡجُدُواْ لِأٓدَمَ فَسَجَدُوٓاْ إِلَّآ إِبۡلِيسَ أَبَىٰ
﴿١١٦﴾ فَقُلۡنَا يَٰٓـَٔادَمُ إِنَّ هَٰذَا عَدُوّٞ لَّكَ وَلِزَوۡجِكَ فَلَا يُخۡرِجَنَّكُمَا
مِنَ ٱلۡجَنَّةِ فَتَشۡقَىٰٓ ﴿١١٧﴾ إِنَّ لَكَ أَلَّا تَجُوعَ فِيهَا وَلَا تَعۡرَىٰ ﴿١١٨﴾
وَأَنَّكَ لَا تَظۡمَؤُاْ فِيهَا وَلَا تَضۡحَىٰ ﴿١١٩﴾ فَوَسۡوَسَ إِلَيۡهِ
ٱلشَّيۡطَٰنُ قَالَ يَٰٓـَٔادَمُ هَلۡ أَدُلُّكَ عَلَىٰ شَجَرَةِ ٱلۡخُلۡدِ وَمُلۡكٖ
لَّا يَبۡلَىٰ ﴿١٢٠﴾ فَأَكَلَا مِنۡهَا فَبَدَتۡ لَهُمَا سَوۡءَٰتُهُمَا وَطَفِقَا
يَخۡصِفَانِ عَلَيۡهِمَا مِن وَرَقِ ٱلۡجَنَّةِۚ وَعَصَىٰٓ ءَادَمُ رَبَّهُۥ فَغَوَىٰ ﴿١٢١﴾
ثُمَّ ٱجۡتَبَٰهُ رَبُّهُۥ فَتَابَ عَلَيۡهِ وَهَدَىٰ ﴿١٢٢﴾ قَالَ ٱهۡبِطَا مِنۡهَا
جَمِيعَۢاۖ بَعۡضُكُمۡ لِبَعۡضٍ عَدُوّٞۖ فَإِمَّا يَأۡتِيَنَّكُم مِّنِّي هُدٗى
فَمَنِ ٱتَّبَعَ هُدَايَ فَلَا يَضِلُّ وَلَا يَشۡقَىٰ ﴿١٢٣﴾ وَمَنۡ أَعۡرَضَ عَن
ذِكۡرِي فَإِنَّ لَهُۥ مَعِيشَةٗ ضَنكٗا وَنَحۡشُرُهُۥ يَوۡمَ ٱلۡقِيَٰمَةِ
أَعۡمَىٰ ﴿١٢٤﴾ قَالَ رَبِّ لِمَ حَشَرۡتَنِيٓ أَعۡمَىٰ وَقَدۡ كُنتُ بَصِيرٗا ﴿١٢٥﴾

- يُقۡضَىٰٓ: يُفرَغ ويُتَمّ
- أَبَىٰ: امْتَنَعَ من السُّجودِ
- لَا تَعۡرَىٰ: لا يُصيبُكَ عُرْيٌ
- لَا تَضۡحَىٰ: لا تُصيبُكَ شَمْسُ الضُّحى
- لَّا يَبۡلَىٰ: لا يَزُولُ ولا يَفْنى
- سَوۡءَٰتُهُمَا: عَوْرَاتُهُما
- طَفِقَا يَخۡصِفَانِ: أخَذَا يُلْصِقان
- فَغَوَىٰ: فضَلَّ عن مَطْلُوبِه أو عن الأمر
- ٱجۡتَبَٰهُ: اصْطَفَاه
- مَعِيشَةٗ ضَنكٗا: ضَيِّقَةً شَديدَةً (في قَبْرِه)

طه

| | | |
|---|---|---|
| مدّ ٦ حركات لزوماً ● مدّ ٢ أو ٤ أو ٦ جوازاً | ● إخفاء ، ومواقع الغُنَّة (حركتان) | ● تفخيم |
| مدّ واجب ٤ أو ٥ حركات ● مدّ حركتان | ● إدغام ، وما لا يُلفَظ | ● قلقلة |

قَالَ كَذَٰلِكَ أَتَتْكَ ءَايَٰتُنَا فَنَسِيتَهَا ۖ وَكَذَٰلِكَ ٱلْيَوْمَ تُنسَىٰ ﴿١٢٦﴾ وَكَذَٰلِكَ
نَجْزِى مَنْ أَسْرَفَ وَلَمْ يُؤْمِنۢ بِـَٔايَٰتِ رَبِّهِۦ ۚ وَلَعَذَابُ ٱلْـَٔاخِرَةِ أَشَدُّ
وَأَبْقَىٰٓ ﴿١٢٧﴾ أَفَلَمْ يَهْدِ لَهُمْ كَمْ أَهْلَكْنَا قَبْلَهُم مِّنَ ٱلْقُرُونِ يَمْشُونَ
فِى مَسَٰكِنِهِمْ ۗ إِنَّ فِى ذَٰلِكَ لَـَٔايَٰتٍ لِّأُو۟لِى ٱلنُّهَىٰ ﴿١٢٨﴾ وَلَوْلَا كَلِمَةٌ
سَبَقَتْ مِن رَّبِّكَ لَكَانَ لِزَامًا وَأَجَلٌ مُّسَمًّى ﴿١٢٩﴾ فَٱصْبِرْ عَلَىٰ
مَا يَقُولُونَ وَسَبِّحْ بِحَمْدِ رَبِّكَ قَبْلَ طُلُوعِ ٱلشَّمْسِ وَقَبْلَ غُرُوبِهَا ۖ
وَمِنْ ءَانَآئِ ٱلَّيْلِ فَسَبِّحْ وَأَطْرَافَ ٱلنَّهَارِ لَعَلَّكَ تَرْضَىٰ ﴿١٣٠﴾ وَلَا
تَمُدَّنَّ عَيْنَيْكَ إِلَىٰ مَا مَتَّعْنَا بِهِۦٓ أَزْوَٰجًا مِّنْهُمْ زَهْرَةَ ٱلْحَيَوٰةِ ٱلدُّنْيَا
لِنَفْتِنَهُمْ فِيهِ ۚ وَرِزْقُ رَبِّكَ خَيْرٌ وَأَبْقَىٰ ﴿١٣١﴾ وَأْمُرْ أَهْلَكَ بِٱلصَّلَوٰةِ
وَٱصْطَبِرْ عَلَيْهَا ۖ لَا نَسْـَٔلُكَ رِزْقًا ۖ نَّحْنُ نَرْزُقُكَ ۗ وَٱلْعَٰقِبَةُ لِلتَّقْوَىٰ
﴿١٣٢﴾ وَقَالُوا۟ لَوْلَا يَأْتِينَا بِـَٔايَةٍ مِّن رَّبِّهِۦٓ ۚ أَوَلَمْ تَأْتِهِم بَيِّنَةُ مَا فِى
ٱلصُّحُفِ ٱلْأُولَىٰ ﴿١٣٣﴾ وَلَوْ أَنَّآ أَهْلَكْنَٰهُم بِعَذَابٍ مِّن قَبْلِهِۦ
لَقَالُوا۟ رَبَّنَا لَوْلَآ أَرْسَلْتَ إِلَيْنَا رَسُولًا فَنَتَّبِعَ ءَايَٰتِكَ مِن
قَبْلِ أَن نَّذِلَّ وَنَخْزَىٰ ﴿١٣٤﴾ قُلْ كُلٌّ مُّتَرَبِّصٌ فَتَرَبَّصُوا۟ ۖ
فَسَتَعْلَمُونَ مَنْ أَصْحَٰبُ ٱلصِّرَٰطِ ٱلسَّوِىِّ وَمَنِ ٱهْتَدَىٰ ﴿١٣٥﴾

- يَهْدِ لَهُمْ: يُبيِّن الله لهم مآلهم
- لِأُو۟لِى ٱلنُّهَىٰ: لذوي العقول
- لِزَامًا: لازماً
- سَبِّحْ: صَلِّ
- ءَانَآئِ ٱلَّيْلِ: ساعاته
- أَزْوَٰجًا: أصنافاً من الكفار
- زَهْرَةَ ٱلْحَيَوٰةِ: زينتها وبهجتها
- لِنَفْتِنَهُمْ فِيهِ: لنجعله فتنةً لهم
- نَخْزَىٰ: نفتضح
- مُّتَرَبِّصٌ: مُنتظِرٌ مآلَه
- ٱلصِّرَٰطِ ٱلسَّوِىِّ: الطريق المستقيم

مدّ ٦ حركات لزوماً | مدّ ٢ أو ٤ أو ٦ جوازاً | إخفاء ، ومواقع الغُنَّة (حركتان) | تف…
مدّ واجب ٤ أو ٥ حركات | مدّ حركتان | إدغام ، وما لا يُلفظ | قلق…

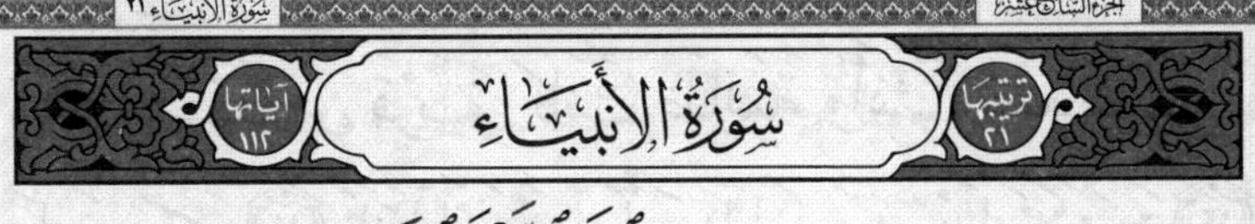


بِسْمِ ٱللَّهِ ٱلرَّحْمَٰنِ ٱلرَّحِيمِ

ٱقْتَرَبَ لِلنَّاسِ حِسَابُهُمْ وَهُمْ فِى غَفْلَةٍ مُّعْرِضُونَ ﴿١﴾
مَا يَأْتِيهِم مِّن ذِكْرٍ مِّن رَّبِّهِم مُّحْدَثٍ إِلَّا ٱسْتَمَعُوهُ وَهُمْ
يَلْعَبُونَ ﴿٢﴾ لَاهِيَةً قُلُوبُهُمْ ۗ وَأَسَرُّوا۟ ٱلنَّجْوَى ٱلَّذِينَ ظَلَمُوا۟
هَلْ هَٰذَآ إِلَّا بَشَرٌ مِّثْلُكُمْ ۖ أَفَتَأْتُونَ ٱلسِّحْرَ وَأَنتُمْ
تُبْصِرُونَ ﴿٣﴾ قَالَ رَبِّى يَعْلَمُ ٱلْقَوْلَ فِى ٱلسَّمَآءِ وَٱلْأَرْضِ ۖ
وَهُوَ ٱلسَّمِيعُ ٱلْعَلِيمُ ﴿٤﴾ بَلْ قَالُوٓا۟ أَضْغَٰثُ أَحْلَٰمٍۭ بَلِ
ٱفْتَرَىٰهُ بَلْ هُوَ شَاعِرٌ فَلْيَأْتِنَا بِـَٔايَةٍ كَمَآ أُرْسِلَ ٱلْأَوَّلُونَ
﴿٥﴾ مَآ ءَامَنَتْ قَبْلَهُم مِّن قَرْيَةٍ أَهْلَكْنَٰهَآ ۖ أَفَهُمْ يُؤْمِنُونَ
﴿٦﴾ وَمَآ أَرْسَلْنَا قَبْلَكَ إِلَّا رِجَالًا نُّوحِىٓ إِلَيْهِمْ ۖ فَسْـَٔلُوٓا۟ أَهْلَ
ٱلذِّكْرِ إِن كُنتُمْ لَا تَعْلَمُونَ ﴿٧﴾ وَمَا جَعَلْنَٰهُمْ جَسَدًا
لَّا يَأْكُلُونَ ٱلطَّعَامَ وَمَا كَانُوا۟ خَٰلِدِينَ ﴿٨﴾ ثُمَّ صَدَقْنَٰهُمُ
ٱلْوَعْدَ فَأَنجَيْنَٰهُمْ وَمَن نَّشَآءُ وَأَهْلَكْنَا ٱلْمُسْرِفِينَ ﴿٩﴾
لَقَدْ أَنزَلْنَآ إِلَيْكُمْ كِتَٰبًا فِيهِ ذِكْرُكُمْ ۖ أَفَلَا تَعْقِلُونَ ﴿١٠﴾

- ٱقْتَرَبَ: قَرُبَ ودَنَا
- أَسَرُّوا۟ ٱلنَّجْوَى: بالغُوا في إخفاء تناجيهم
- أَضْغَٰثُ أَحْلَٰمٍ: تخاليطُ أحلامٍ
- جَسَدًا: أجسادًا
- فِيهِ ذِكْرُكُمْ: شرفُكم وصيتُكم

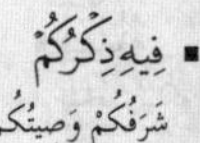


| | | |
|---|---|---|
| تفخيم | إخفاء، ومواقع الغُنَّة (حركتان) | مدّ ٦ حركات لزوماً ● مدّ ٢ أو ٤ أو ٦ جوازاً |
| قلقلة | إدغام، وما لا يُلفَظ | مدّ واجب ٤ أو ٥ حركات ● مدّ حركتان |

وَكَمْ قَصَمْنَا مِن قَرْيَةٍ كَانَتْ ظَالِمَةً وَأَنشَأْنَا بَعْدَهَا قَوْمًا
ءَاخَرِينَ ﴿١١﴾ فَلَمَّآ أَحَسُّوا۟ بَأْسَنَآ إِذَا هُم مِّنْهَا يَرْكُضُونَ ﴿١٢﴾
لَا تَرْكُضُوا۟ وَٱرْجِعُوٓا۟ إِلَىٰ مَآ أُتْرِفْتُمْ فِيهِ وَمَسَٰكِنِكُمْ لَعَلَّكُمْ
تُسْـَٔلُونَ ﴿١٣﴾ قَالُوا۟ يَٰوَيْلَنَآ إِنَّا كُنَّا ظَٰلِمِينَ ﴿١٤﴾ فَمَا زَالَت تِّلْكَ
دَعْوَىٰهُمْ حَتَّىٰ جَعَلْنَٰهُمْ حَصِيدًا خَٰمِدِينَ ﴿١٥﴾ وَمَا خَلَقْنَا
ٱلسَّمَآءَ وَٱلْأَرْضَ وَمَا بَيْنَهُمَا لَٰعِبِينَ ﴿١٦﴾ لَوْ أَرَدْنَآ أَن نَّتَّخِذَ لَهْوًا
لَّٱتَّخَذْنَٰهُ مِن لَّدُنَّآ إِن كُنَّا فَٰعِلِينَ ﴿١٧﴾ بَلْ نَقْذِفُ بِٱلْحَقِّ
عَلَى ٱلْبَٰطِلِ فَيَدْمَغُهُۥ فَإِذَا هُوَ زَاهِقٌ ۚ وَلَكُمُ ٱلْوَيْلُ مِمَّا تَصِفُونَ
﴿١٨﴾ وَلَهُۥ مَن فِى ٱلسَّمَٰوَٰتِ وَٱلْأَرْضِ ۚ وَمَنْ عِندَهُۥ لَا يَسْتَكْبِرُونَ
عَنْ عِبَادَتِهِۦ وَلَا يَسْتَحْسِرُونَ ﴿١٩﴾ يُسَبِّحُونَ ٱلَّيْلَ وَٱلنَّهَارَ
لَا يَفْتُرُونَ ﴿٢٠﴾ أَمِ ٱتَّخَذُوٓا۟ ءَالِهَةً مِّنَ ٱلْأَرْضِ هُمْ يُنشِرُونَ
﴿٢١﴾ لَوْ كَانَ فِيهِمَآ ءَالِهَةٌ إِلَّا ٱللَّهُ لَفَسَدَتَا ۚ فَسُبْحَٰنَ ٱللَّهِ رَبِّ ٱلْعَرْشِ
عَمَّا يَصِفُونَ ﴿٢٢﴾ لَا يُسْـَٔلُ عَمَّا يَفْعَلُ وَهُمْ يُسْـَٔلُونَ ﴿٢٣﴾ أَمِ
ٱتَّخَذُوا۟ مِن دُونِهِۦٓ ءَالِهَةً ۖ قُلْ هَاتُوا۟ بُرْهَٰنَكُمْ ۖ هَٰذَا ذِكْرُ مَن مَّعِىَ
وَذِكْرُ مَن قَبْلِى ۗ بَلْ أَكْثَرُهُمْ لَا يَعْلَمُونَ ٱلْحَقَّ ۖ فَهُم مُّعْرِضُونَ ﴿٢٤﴾

- كَمْ قَصَمْنَا: كثيراً أهلكنا
- بَأْسَنَآ: عذابنا الشديد
- يَرْكُضُونَ: يهربون مسرعين
- مَآ أُتْرِفْتُمْ: نُعِّمتم فيه فبطرتم
- حَصِيدًا: كالنبات المحصود بالمناجل
- خَٰمِدِينَ: كالنار التي سكن لهيبها
- لَهْوًا: ما تَتلهّى به من صاحبة أو ولد
- نَقْذِفُ: نرمي
- فَيَدْمَغُهُۥ: يمحقه ويهلكه
- زَاهِقٌ: ذاهبٌ مضمحلٌ
- ٱلْوَيْلُ: الهلاك أو العذاب أو الخزي
- لَا يَسْتَحْسِرُونَ: لا يكلّون ولا يتعبون
- لَا يَفْتُرُونَ: لا يسكنون عن نشاطهم في العبادة
- يُنشِرُونَ: يُحيون الموتى

وَمَآ أَرۡسَلۡنَا مِن قَبۡلِكَ مِن رَّسُولٍ إِلَّا نُوحِيٓ إِلَيۡهِ أَنَّهُۥ لَآ إِلَٰهَ
إِلَّآ أَنَا۠ فَٱعۡبُدُونِ ﴿٢٥﴾ وَقَالُواْ ٱتَّخَذَ ٱلرَّحۡمَٰنُ وَلَدٗاۗ سُبۡحَٰنَهُۥۚ
بَلۡ عِبَادٞ مُّكۡرَمُونَ ﴿٢٦﴾ لَا يَسۡبِقُونَهُۥ بِٱلۡقَوۡلِ وَهُم
بِأَمۡرِهِۦ يَعۡمَلُونَ ﴿٢٧﴾ يَعۡلَمُ مَا بَيۡنَ أَيۡدِيهِمۡ وَمَا خَلۡفَهُمۡ
وَلَا يَشۡفَعُونَ إِلَّا لِمَنِ ٱرۡتَضَىٰ وَهُم مِّنۡ خَشۡيَتِهِۦ مُشۡفِقُونَ ﴿٢٨﴾
۞ وَمَن يَقُلۡ مِنۡهُمۡ إِنِّيٓ إِلَٰهٞ مِّن دُونِهِۦ فَذَٰلِكَ نَجۡزِيهِ
جَهَنَّمَۚ كَذَٰلِكَ نَجۡزِي ٱلظَّٰلِمِينَ ﴿٢٩﴾ أَوَلَمۡ يَرَ ٱلَّذِينَ كَفَرُوٓاْ
أَنَّ ٱلسَّمَٰوَٰتِ وَٱلۡأَرۡضَ كَانَتَا رَتۡقٗا فَفَتَقۡنَٰهُمَاۖ وَجَعَلۡنَا
مِنَ ٱلۡمَآءِ كُلَّ شَيۡءٍ حَيٍّۚ أَفَلَا يُؤۡمِنُونَ ﴿٣٠﴾ وَجَعَلۡنَا فِي ٱلۡأَرۡضِ
رَوَٰسِيَ أَن تَمِيدَ بِهِمۡ وَجَعَلۡنَا فِيهَا فِجَاجٗا سُبُلٗا لَّعَلَّهُمۡ
يَهۡتَدُونَ ﴿٣١﴾ وَجَعَلۡنَا ٱلسَّمَآءَ سَقۡفٗا مَّحۡفُوظٗاۖ وَهُمۡ عَنۡ
ءَايَٰتِهَا مُعۡرِضُونَ ﴿٣٢﴾ وَهُوَ ٱلَّذِي خَلَقَ ٱلَّيۡلَ وَٱلنَّهَارَ وَٱلشَّمۡسَ
وَٱلۡقَمَرَۖ كُلّٞ فِي فَلَكٖ يَسۡبَحُونَ ﴿٣٣﴾ وَمَا جَعَلۡنَا لِبَشَرٖ مِّن قَبۡلِكَ
ٱلۡخُلۡدَۖ أَفَإِيْن مِّتَّ فَهُمُ ٱلۡخَٰلِدُونَ ﴿٣٤﴾ كُلُّ نَفۡسٖ ذَآئِقَةُ
ٱلۡمَوۡتِۗ وَنَبۡلُوكُم بِٱلشَّرِّ وَٱلۡخَيۡرِ فِتۡنَةٗۖ وَإِلَيۡنَا تُرۡجَعُونَ ﴿٣٥﴾

مُشۡفِقُونَ: خائفون
ربع الحزب ٣٣
رَتۡقٗا: مُلتصقتين بلا فَصْلٍ
فَفَتَقۡنَٰهُمَا: فصلنا بينهما
رَوَٰسِيَ: جبالاً ثوابت
أَن تَمِيدَ: لئلا تضطرب فلا تثبت
الأنبياء
فِجَاجٗا سُبُلٗا: طُرُقاً واسعة
مَّحۡفُوظٗا: مَصُوناً من الوقوع أو التغيّر
يَسۡبَحُونَ: يدورون
نَبۡلُوكُم: نختبركم

| | | |
|---|---|---|
| مدّ ٦ حركات لزوماً ● مدّ ٢ أو ٤ أو ٦ جوازاً | ● إخفاء، ومواقع الغُنَّة (حركتان) | ● تفخيم |
| مدّ واجب ٤ أو ٥ حركات ● مدّ حركتان | ● إدغام، وما لا يُلفظ | ● قلقلة |

وَإِذَا رَءَاكَ ٱلَّذِينَ كَفَرُوٓاْ إِن يَتَّخِذُونَكَ إِلَّا هُزُوًا
أَهَٰذَا ٱلَّذِى يَذْكُرُ ءَالِهَتَكُمْ وَهُم بِذِكْرِ ٱلرَّحْمَٰنِ
هُمْ كَٰفِرُونَ ﴿٣٦﴾ خُلِقَ ٱلْإِنسَٰنُ مِنْ عَجَلٍ سَأُوْرِيكُمْ
ءَايَٰتِى فَلَا تَسْتَعْجِلُونِ ﴿٣٧﴾ وَيَقُولُونَ مَتَىٰ هَٰذَا ٱلْوَعْدُ
إِن كُنتُمْ صَٰدِقِينَ ﴿٣٨﴾ لَوْ يَعْلَمُ ٱلَّذِينَ كَفَرُواْ حِينَ
لَا يَكُفُّونَ عَن وُجُوهِهِمُ ٱلنَّارَ وَلَا عَن ظُهُورِهِمْ وَلَا
هُمْ يُنصَرُونَ ﴿٣٩﴾ بَلْ تَأْتِيهِم بَغْتَةً فَتَبْهَتُهُمْ فَلَا
يَسْتَطِيعُونَ رَدَّهَا وَلَا هُمْ يُنظَرُونَ ﴿٤٠﴾ وَلَقَدِ ٱسْتُهْزِئَ
بِرُسُلٍ مِّن قَبْلِكَ فَحَاقَ بِٱلَّذِينَ سَخِرُواْ مِنْهُم مَّا كَانُواْ بِهِۦ
يَسْتَهْزِءُونَ ﴿٤١﴾ قُلْ مَن يَكْلَؤُكُم بِٱلَّيْلِ وَٱلنَّهَارِ مِنَ
ٱلرَّحْمَٰنِ ۗ بَلْ هُمْ عَن ذِكْرِ رَبِّهِم مُّعْرِضُونَ ﴿٤٢﴾ أَمْ
لَهُمْ ءَالِهَةٌ تَمْنَعُهُم مِّن دُونِنَا ۚ لَا يَسْتَطِيعُونَ نَصْرَ
أَنفُسِهِمْ وَلَا هُم مِّنَّا يُصْحَبُونَ ﴿٤٣﴾ بَلْ مَتَّعْنَا هَٰٓؤُلَآءِ
وَءَابَآءَهُمْ حَتَّىٰ طَالَ عَلَيْهِمُ ٱلْعُمُرُ ۗ أَفَلَا يَرَوْنَ أَنَّا نَأْتِى
ٱلْأَرْضَ نَنقُصُهَا مِنْ أَطْرَافِهَآ ۚ أَفَهُمُ ٱلْغَٰلِبُونَ ﴿٤٤﴾

- لَا يَكُفُّونَ: لا يمنعون ولا يدفعون
- بَغْتَةً: فجأةً
- فَتَبْهَتُهُمْ: تحيّرهم وتدهشهم
- يُنظَرُونَ: يُمهلون للتوبة
- فَحَاقَ: أحاطَ أو نزلَ
- يَكْلَؤُكُم: يحفظكم
- يُصْحَبُونَ: يُجارون ويُمنعون

مدّ ٦ حركات لزوماً — مدّ ٢ أو ٤ أو ٦ جوازاً — مدّ واجب ٤ أو ٥ حركات — مدّ حركتان — إخفاء، ومواقع الغنّة (حركتان) — إدغام، وما لا يُلفظ

قُلْ إِنَّمَآ أُنذِرُكُم بِٱلْوَحْيِ ۚ وَلَا يَسْمَعُ ٱلصُّمُّ ٱلدُّعَآءَ إِذَا
مَا يُنذَرُونَ ﴿٤٥﴾ وَلَئِن مَّسَّتْهُمْ نَفْحَةٌ مِّنْ عَذَابِ رَبِّكَ
لَيَقُولُنَّ يَٰوَيْلَنَآ إِنَّا كُنَّا ظَٰلِمِينَ ﴿٤٦﴾ وَنَضَعُ ٱلْمَوَٰزِينَ
ٱلْقِسْطَ لِيَوْمِ ٱلْقِيَٰمَةِ فَلَا تُظْلَمُ نَفْسٌ شَيْـًٔا ۖ وَإِن كَانَ
مِثْقَالَ حَبَّةٍ مِّنْ خَرْدَلٍ أَتَيْنَا بِهَا ۗ وَكَفَىٰ بِنَا حَٰسِبِينَ
﴿٤٧﴾ وَلَقَدْ ءَاتَيْنَا مُوسَىٰ وَهَٰرُونَ ٱلْفُرْقَانَ وَضِيَآءً وَذِكْرًا
لِّلْمُتَّقِينَ ﴿٤٨﴾ ٱلَّذِينَ يَخْشَوْنَ رَبَّهُم بِٱلْغَيْبِ وَهُم مِّنَ
ٱلسَّاعَةِ مُشْفِقُونَ ﴿٤٩﴾ وَهَٰذَا ذِكْرٌ مُّبَارَكٌ أَنزَلْنَٰهُ ۚ أَفَأَنتُمْ لَهُۥ
مُنكِرُونَ ﴿٥٠﴾ ۞ وَلَقَدْ ءَاتَيْنَآ إِبْرَٰهِيمَ رُشْدَهُۥ مِن قَبْلُ وَكُنَّا
بِهِۦ عَٰلِمِينَ ﴿٥١﴾ إِذْ قَالَ لِأَبِيهِ وَقَوْمِهِۦ مَا هَٰذِهِ ٱلتَّمَاثِيلُ ٱلَّتِىٓ
أَنتُمْ لَهَا عَٰكِفُونَ ﴿٥٢﴾ قَالُوا۟ وَجَدْنَآ ءَابَآءَنَا لَهَا عَٰبِدِينَ ﴿٥٣﴾
قَالَ لَقَدْ كُنتُمْ أَنتُمْ وَءَابَآؤُكُمْ فِى ضَلَٰلٍ مُّبِينٍ ﴿٥٤﴾ قَالُوٓا۟
أَجِئْتَنَا بِٱلْحَقِّ أَمْ أَنتَ مِنَ ٱللَّٰعِبِينَ ﴿٥٥﴾ قَالَ بَل رَّبُّكُمْ رَبُّ ٱلسَّمَٰوَٰتِ
وَٱلْأَرْضِ ٱلَّذِى فَطَرَهُنَّ وَأَنَا۠ عَلَىٰ ذَٰلِكُم مِّنَ ٱلشَّٰهِدِينَ
﴿٥٦﴾ وَتَٱللَّهِ لَأَكِيدَنَّ أَصْنَٰمَكُم بَعْدَ أَن تُوَلُّوا۟ مُدْبِرِينَ ﴿٥٧﴾

نَفْحَةٌ: دُفْعَةٌ يَسِيرَةٌ
ٱلْقِسْطَ: العدلَ. أو ذَوَاتِ العَدْلِ
مِثْقَالَ حَبَّةٍ: وَزْنَ أقلِّ شيء
مُشْفِقُونَ: خَائِفُونَ
ٱلتَّمَاثِيلُ: الأصنامُ المصنُوعةُ بأيْدِيكُمْ
فَطَرَهُنَّ: أبْدَعَهُنَّ

نصف الحزب ٣٣

الأنبياء

مدّ ٦ حركات لزوماً ● مدّ ٢ أو ٤ أو ٦ جوازاً ● إخفاء، ومواقع الغُنَّة (حركتان) ● تفخيم
مدّ واجب ٤ أو ٥ حركات ● مدّ حركتان ● إدغام، وما لا يُلفَظ ● قلقلة

فَجَعَلَهُمْ جُذَٰذًا إِلَّا كَبِيرًا لَّهُمْ لَعَلَّهُمْ إِلَيْهِ يَرْجِعُونَ
٥٨ قَالُوا۟ مَن فَعَلَ هَٰذَا بِـَٔالِهَتِنَآ إِنَّهُۥ لَمِنَ ٱلظَّٰلِمِينَ ٥٩
قَالُوا۟ سَمِعْنَا فَتًى يَذْكُرُهُمْ يُقَالُ لَهُۥٓ إِبْرَٰهِيمُ ٦٠ قَالُوا۟ فَأْتُوا۟ بِهِۦ
عَلَىٰٓ أَعْيُنِ ٱلنَّاسِ لَعَلَّهُمْ يَشْهَدُونَ ٦١ قَالُوٓا۟ ءَأَنتَ فَعَلْتَ
هَٰذَا بِـَٔالِهَتِنَا يَٰٓإِبْرَٰهِيمُ ٦٢ قَالَ بَلْ فَعَلَهُۥ كَبِيرُهُمْ
هَٰذَا فَسْـَٔلُوهُمْ إِن كَانُوا۟ يَنطِقُونَ ٦٣ فَرَجَعُوٓا۟ إِلَىٰٓ
أَنفُسِهِمْ فَقَالُوٓا۟ إِنَّكُمْ أَنتُمُ ٱلظَّٰلِمُونَ ٦٤ ثُمَّ نُكِسُوا۟ عَلَىٰ
رُءُوسِهِمْ لَقَدْ عَلِمْتَ مَا هَٰٓؤُلَآءِ يَنطِقُونَ ٦٥ قَالَ
أَفَتَعْبُدُونَ مِن دُونِ ٱللَّهِ مَا لَا يَنفَعُكُمْ شَيْـًٔا وَلَا
يَضُرُّكُمْ ٦٦ أُفٍّ لَّكُمْ وَلِمَا تَعْبُدُونَ مِن دُونِ ٱللَّهِ ۖ أَفَلَا
تَعْقِلُونَ ٦٧ قَالُوا۟ حَرِّقُوهُ وَٱنصُرُوٓا۟ ءَالِهَتَكُمْ إِن كُنتُمْ
فَٰعِلِينَ ٦٨ قُلْنَا يَٰنَارُ كُونِى بَرْدًا وَسَلَٰمًا عَلَىٰٓ إِبْرَٰهِيمَ ٦٩
وَأَرَادُوا۟ بِهِۦ كَيْدًا فَجَعَلْنَٰهُمُ ٱلْأَخْسَرِينَ ٧٠ وَنَجَّيْنَٰهُ
وَلُوطًا إِلَى ٱلْأَرْضِ ٱلَّتِى بَٰرَكْنَا فِيهَا لِلْعَٰلَمِينَ ٧١ وَوَهَبْنَا
لَهُۥٓ إِسْحَٰقَ وَيَعْقُوبَ نَافِلَةً ۖ وَكُلًّا جَعَلْنَا صَٰلِحِينَ ٧٢

■ جُذَٰذًا: قطعاً وكسراً
■ نُكِسُوا۟: انقلبوا إلى الباطل
■ أُفٍّ: كلمة تضجر وكراهية
■ نَافِلَةً: زيادة عما سأل

مدّ ٦ حركات لزوماً ● مدّ ٢ أو ٤ أو ٦ جوازاً ● إخفاء ، ومواقع الغُنَّة (حركتان) ● تفـ
مدّ واجب ٤ أو ٥ حركات ● مدّ حركتان ● إدغام ، وما لا يُلفَظ ● قلـ

وَجَعَلۡنَٰهُمۡ أَئِمَّةٗ يَهۡدُونَ بِأَمۡرِنَا وَأَوۡحَيۡنَآ إِلَيۡهِمۡ فِعۡلَ
ٱلۡخَيۡرَٰتِ وَإِقَامَ ٱلصَّلَوٰةِ وَإِيتَآءَ ٱلزَّكَوٰةِۖ وَكَانُواْ لَنَا
عَٰبِدِينَ ﴿٧٣﴾ وَلُوطًا ءَاتَيۡنَٰهُ حُكۡمٗا وَعِلۡمٗا وَنَجَّيۡنَٰهُ مِنَ
ٱلۡقَرۡيَةِ ٱلَّتِي كَانَت تَّعۡمَلُ ٱلۡخَبَٰٓئِثَۗ إِنَّهُمۡ كَانُواْ قَوۡمَ سَوۡءٖ
فَٰسِقِينَ ﴿٧٤﴾ وَأَدۡخَلۡنَٰهُ فِي رَحۡمَتِنَآۖ إِنَّهُۥ مِنَ ٱلصَّٰلِحِينَ
﴿٧٥﴾ وَنُوحًا إِذۡ نَادَىٰ مِن قَبۡلُ فَٱسۡتَجَبۡنَا لَهُۥ فَنَجَّيۡنَٰهُ
وَأَهۡلَهُۥ مِنَ ٱلۡكَرۡبِ ٱلۡعَظِيمِ ﴿٧٦﴾ وَنَصَرۡنَٰهُ مِنَ ٱلۡقَوۡمِ
ٱلَّذِينَ كَذَّبُواْ بِـَٔايَٰتِنَآۚ إِنَّهُمۡ كَانُواْ قَوۡمَ سَوۡءٖ فَأَغۡرَقۡنَٰهُمۡ
أَجۡمَعِينَ ﴿٧٧﴾ وَدَاوُۥدَ وَسُلَيۡمَٰنَ إِذۡ يَحۡكُمَانِ فِي ٱلۡحَرۡثِ إِذۡ
نَفَشَتۡ فِيهِ غَنَمُ ٱلۡقَوۡمِ وَكُنَّا لِحُكۡمِهِمۡ شَٰهِدِينَ ﴿٧٨﴾
فَفَهَّمۡنَٰهَا سُلَيۡمَٰنَۚ وَكُلًّا ءَاتَيۡنَا حُكۡمٗا وَعِلۡمٗاۚ وَسَخَّرۡنَا
مَعَ دَاوُۥدَ ٱلۡجِبَالَ يُسَبِّحۡنَ وَٱلطَّيۡرَۚ وَكُنَّا فَٰعِلِينَ ﴿٧٩﴾
وَعَلَّمۡنَٰهُ صَنۡعَةَ لَبُوسٖ لَّكُمۡ لِتُحۡصِنَكُم مِّنۢ بَأۡسِكُمۡۖ
فَهَلۡ أَنتُمۡ شَٰكِرُونَ ﴿٨٠﴾ وَلِسُلَيۡمَٰنَ ٱلرِّيحَ عَاصِفَةٗ تَجۡرِي بِأَمۡرِهِۦٓ
إِلَى ٱلۡأَرۡضِ ٱلَّتِي بَٰرَكۡنَا فِيهَاۚ وَكُنَّا بِكُلِّ شَيۡءٍ عَٰلِمِينَ ﴿٨١﴾

- قَوۡمَ سَوۡءٍ: فَسادٍ وَفِعْلٍ مَكْرُوه
- ٱلۡحَرۡثِ: الزَّرْع
- نَفَشَتۡ فِيهِ: رَعَتْ فيه لَيْلاً بلا رَاعٍ
- صَنۡعَةَ لَبُوسٍ: عَمَلَ الدِّرْعِ
- لِتُحۡصِنَكُم: لِتَحْفَظَكُمْ وَتَقِيكُمْ
- بَأۡسِكُمۡ: حَرْبِ عَدُوِّكُم
- عَاصِفَةً: شَدِيدَةَ الهُبُوبِ

الأنبياء

| | | |
|---|---|---|
| مدّ ٦ حركات لزوماً ● مدّ ٢ أو ٤ أو ٦ جوازاً | ● إخفاء ، ومواقع الغُنَّة (حركتان) | ● تفخيم |
| مدّ واجب ٤ أو ٥ حركات ● مدّ حركتان | ● إدغام ، وما لا يُلفَظ | ● قلقلة |

وَمِنَ ٱلشَّيَٰطِينِ مَن يَغُوصُونَ لَهُۥ وَيَعۡمَلُونَ عَمَلٗا
دُونَ ذَٰلِكَۖ وَكُنَّا لَهُمۡ حَٰفِظِينَ ﴿٨٢﴾ ۞ وَأَيُّوبَ إِذۡ
نَادَىٰ رَبَّهُۥٓ أَنِّي مَسَّنِيَ ٱلضُّرُّ وَأَنتَ أَرۡحَمُ ٱلرَّٰحِمِينَ ﴿٨٣﴾
فَٱسۡتَجَبۡنَا لَهُۥ فَكَشَفۡنَا مَا بِهِۦ مِن ضُرّٖۖ وَءَاتَيۡنَٰهُ أَهۡلَهُۥ
وَمِثۡلَهُم مَّعَهُمۡ رَحۡمَةٗ مِّنۡ عِندِنَا وَذِكۡرَىٰ لِلۡعَٰبِدِينَ ﴿٨٤﴾
وَإِسۡمَٰعِيلَ وَإِدۡرِيسَ وَذَا ٱلۡكِفۡلِۖ كُلّٞ مِّنَ ٱلصَّٰبِرِينَ
﴿٨٥﴾ وَأَدۡخَلۡنَٰهُمۡ فِي رَحۡمَتِنَآۖ إِنَّهُم مِّنَ ٱلصَّٰلِحِينَ
﴿٨٦﴾ وَذَا ٱلنُّونِ إِذ ذَّهَبَ مُغَٰضِبٗا فَظَنَّ أَن لَّن نَّقۡدِرَ عَلَيۡهِ
فَنَادَىٰ فِي ٱلظُّلُمَٰتِ أَن لَّآ إِلَٰهَ إِلَّآ أَنتَ سُبۡحَٰنَكَ إِنِّي
كُنتُ مِنَ ٱلظَّٰلِمِينَ ﴿٨٧﴾ فَٱسۡتَجَبۡنَا لَهُۥ وَنَجَّيۡنَٰهُ
مِنَ ٱلۡغَمِّۚ وَكَذَٰلِكَ نُـۨجِي ٱلۡمُؤۡمِنِينَ ﴿٨٨﴾ وَزَكَرِيَّآ
إِذۡ نَادَىٰ رَبَّهُۥ رَبِّ لَا تَذَرۡنِي فَرۡدٗا وَأَنتَ خَيۡرُ ٱلۡوَٰرِثِينَ
﴿٨٩﴾ فَٱسۡتَجَبۡنَا لَهُۥ وَوَهَبۡنَا لَهُۥ يَحۡيَىٰ وَأَصۡلَحۡنَا
لَهُۥ زَوۡجَهُۥٓۚ إِنَّهُمۡ كَانُواْ يُسَٰرِعُونَ فِي ٱلۡخَيۡرَٰتِ
وَيَدۡعُونَنَا رَغَبٗا وَرَهَبٗاۖ وَكَانُواْ لَنَا خَٰشِعِينَ ﴿٩٠﴾

ثلاثة أرباع الحزب ٣٣

- يَغُوصُونَ لَهُۥ: في البحارِ لاستخراجِ نفائسِها
- ذَا ٱلۡكِفۡلِ: قيل هو إلْيَاس
- ذَا ٱلنُّونِ: يُونُس عليه السّلام
- مُغَٰضِبٗا: غَضْبَانَ عَلَى قَوْمِهِ لِكُفْرِهِمْ
- نَّقۡدِرَ عَلَيۡهِ: نُضَيِّقَ عَلَيْهِ بِحَبْسٍ وَنَحْوِه
- رَغَبٗا وَرَهَبٗا: طَمَعاً وَخَوْفاً
- خَٰشِعِينَ: مُتَذَلِّلِينَ خاضِعِينَ

مدّ ٦ حركات لزوماً • مدّ ٢ أو ٤ أو ٦ جوازاً • إخفاء، ومواقع الغُنَّة (حركتان) • تفـ
مدّ واجب ٤ أو ٥ حركات • مدّ حركتان • إدغام، وما لا يُلفظ • قلقـ

وَٱلَّتِىٓ أَحْصَنَتْ فَرْجَهَا فَنَفَخْنَا فِيهَا مِن رُّوحِنَا
وَجَعَلْنَٰهَا وَٱبْنَهَآ ءَايَةً لِّلْعَٰلَمِينَ ﴿٩١﴾ إِنَّ هَٰذِهِۦٓ
أُمَّتُكُمْ أُمَّةً وَٰحِدَةً وَأَنَا۠ رَبُّكُمْ فَٱعْبُدُونِ ﴿٩٢﴾
وَتَقَطَّعُوٓا۟ أَمْرَهُم بَيْنَهُمْ ۖ كُلٌّ إِلَيْنَا رَٰجِعُونَ ﴿٩٣﴾
فَمَن يَعْمَلْ مِنَ ٱلصَّٰلِحَٰتِ وَهُوَ مُؤْمِنٌ فَلَا كُفْرَانَ
لِسَعْيِهِۦ وَإِنَّا لَهُۥ كَٰتِبُونَ ﴿٩٤﴾ وَحَرَٰمٌ عَلَىٰ قَرْيَةٍ
أَهْلَكْنَٰهَآ أَنَّهُمْ لَا يَرْجِعُونَ ﴿٩٥﴾ حَتَّىٰٓ إِذَا فُتِحَتْ
يَأْجُوجُ وَمَأْجُوجُ وَهُم مِّن كُلِّ حَدَبٍ يَنسِلُونَ ﴿٩٦﴾
وَٱقْتَرَبَ ٱلْوَعْدُ ٱلْحَقُّ فَإِذَا هِىَ شَٰخِصَةٌ أَبْصَٰرُ ٱلَّذِينَ
كَفَرُوا۟ يَٰوَيْلَنَا قَدْ كُنَّا فِى غَفْلَةٍ مِّنْ هَٰذَا بَلْ كُنَّا
ظَٰلِمِينَ ﴿٩٧﴾ إِنَّكُمْ وَمَا تَعْبُدُونَ مِن دُونِ
ٱللَّهِ حَصَبُ جَهَنَّمَ أَنتُمْ لَهَا وَٰرِدُونَ ﴿٩٨﴾ لَوْ كَانَ
هَٰٓؤُلَآءِ ءَالِهَةً مَّا وَرَدُوهَا ۖ وَكُلٌّ فِيهَا خَٰلِدُونَ ﴿٩٩﴾
لَهُمْ فِيهَا زَفِيرٌ وَهُمْ فِيهَا لَا يَسْمَعُونَ ﴿١٠٠﴾ إِنَّ ٱلَّذِينَ
سَبَقَتْ لَهُم مِّنَّا ٱلْحُسْنَىٰٓ أُو۟لَٰٓئِكَ عَنْهَا مُبْعَدُونَ ﴿١٠١﴾

- أَحْصَنَتْ: حفظتْ وصانتْ
- أُمَّتُكُمْ: ملَّتُكُمْ
- تَقَطَّعُوٓا۟ أَمْرَهُم: تفرَّقوا في دينهمْ فِرَقاً
- حَدَبٍ: مُرْتفعٍ مِنَ الأرضِ
- يَنسِلُونَ: يُسْرِعونَ النُّزولَ
- شَٰخِصَةٌ أَبْصَٰرُ: مُرْتفعةٌ لا تكادُ تَطْرِفُ
- حَصَبُ جَهَنَّمَ: وَقُودُها
- زَفِيرٌ: تنفُّسٌ شديدٌ

الأنبياء

مدّ ٦ حركات لزوماً • مدّ ٢ أو ٤ أو ٦ جوازاً • إخفاء، ومواقع الغُنَّة (حركتان) • تفخيم
مدّ واجب ٤ أو ٥ حركات • مدّ حركتان • إدغام، وما لا يُلفظ • قلقلة

لَا يَسۡمَعُونَ حَسِيسَهَاۖ وَهُمۡ فِي مَا ٱشۡتَهَتۡ أَنفُسُهُمۡ
خَٰلِدُونَ ﴿١٠٢﴾ لَا يَحۡزُنُهُمُ ٱلۡفَزَعُ ٱلۡأَكۡبَرُ وَتَتَلَقَّىٰهُمُ
ٱلۡمَلَٰٓئِكَةُ هَٰذَا يَوۡمُكُمُ ٱلَّذِي كُنتُمۡ تُوعَدُونَ
﴿١٠٣﴾ يَوۡمَ نَطۡوِي ٱلسَّمَآءَ كَطَيِّ ٱلسِّجِلِّ لِلۡكُتُبِۚ كَمَا
بَدَأۡنَآ أَوَّلَ خَلۡقٖ نُّعِيدُهُۥۚ وَعۡدًا عَلَيۡنَآۚ إِنَّا كُنَّا فَٰعِلِينَ
﴿١٠٤﴾ وَلَقَدۡ كَتَبۡنَا فِي ٱلزَّبُورِ مِنۢ بَعۡدِ ٱلذِّكۡرِ أَنَّ ٱلۡأَرۡضَ
يَرِثُهَا عِبَادِيَ ٱلصَّٰلِحُونَ ﴿١٠٥﴾ إِنَّ فِي هَٰذَا لَبَلَٰغٗا
لِّقَوۡمٍ عَٰبِدِينَ ﴿١٠٦﴾ وَمَآ أَرۡسَلۡنَٰكَ إِلَّا رَحۡمَةٗ لِّلۡعَٰلَمِينَ
﴿١٠٧﴾ قُلۡ إِنَّمَا يُوحَىٰٓ إِلَيَّ أَنَّمَآ إِلَٰهُكُمۡ إِلَٰهٞ وَٰحِدٞۖ
فَهَلۡ أَنتُم مُّسۡلِمُونَ ﴿١٠٨﴾ فَإِن تَوَلَّوۡاْ فَقُلۡ ءَاذَنتُكُمۡ
عَلَىٰ سَوَآءٖۖ وَإِنۡ أَدۡرِيٓ أَقَرِيبٌ أَم بَعِيدٞ مَّا تُوعَدُونَ ﴿١٠٩﴾
إِنَّهُۥ يَعۡلَمُ ٱلۡجَهۡرَ مِنَ ٱلۡقَوۡلِ وَيَعۡلَمُ مَا تَكۡتُمُونَ
﴿١١٠﴾ وَإِنۡ أَدۡرِي لَعَلَّهُۥ فِتۡنَةٞ لَّكُمۡ وَمَتَٰعٌ إِلَىٰ حِينٖ ﴿١١١﴾ قَٰلَ
رَبِّ ٱحۡكُم بِٱلۡحَقِّۗ وَرَبُّنَا ٱلرَّحۡمَٰنُ ٱلۡمُسۡتَعَانُ عَلَىٰ مَا تَصِفُونَ ﴿١١٢﴾

## سُورَةُ الحَجِّ

ترتيبها ٢٢ — آياتها ٧٨

- حَسِيسَهَا: صَوتَ حَرَكَةِ تَلَهُّبِهَا
- ٱلۡفَزَعُ ٱلۡأَكۡبَرُ: نَفخَةُ البَعْثِ
- ٱلسِّجِلِّ: الصَّحِيفَة
- لِلۡكُتُبِ: على ما يُكتَب فيه
- ٱلزَّبُورِ: الكُتب المُنزَّلَة
- ٱلذِّكۡرِ: اللَّوح المَحفُوظ
- لَبَلَٰغٗا: وُصُولاً إلى البُغيَة
- ءَاذَنتُكُمۡ: أعْلَمْتُكُم ما أُمِرْتُ به
- عَلَىٰ سَوَآءٖ: مُستَوِين في الإعلام به
- فِتۡنَةٞ لَّكُمۡ: امتحانٌ لَكُم

مدّ ٦ حركات لزوماً — مدّ ٢ أو ٤ أو ٦ جوازاً — إخفاء، ومواقع الغنّة (حركتان) — تفـ
مدّ واجب ٤ أو ٥ حركات — مدّ حركتان — إدغام، وما لا يُلفَظ — قلقـ

الحزب ٣٤

بِسْمِ ٱللَّهِ ٱلرَّحْمَٰنِ ٱلرَّحِيمِ

يَٰٓأَيُّهَا ٱلنَّاسُ ٱتَّقُوا۟ رَبَّكُمْ ۚ إِنَّ زَلْزَلَةَ ٱلسَّاعَةِ شَىْءٌ
عَظِيمٌ ﴿١﴾ يَوْمَ تَرَوْنَهَا تَذْهَلُ كُلُّ مُرْضِعَةٍ عَمَّآ
أَرْضَعَتْ وَتَضَعُ كُلُّ ذَاتِ حَمْلٍ حَمْلَهَا وَتَرَى ٱلنَّاسَ
سُكَٰرَىٰ وَمَا هُم بِسُكَٰرَىٰ وَلَٰكِنَّ عَذَابَ ٱللَّهِ شَدِيدٌ
﴿٢﴾ وَمِنَ ٱلنَّاسِ مَن يُجَٰدِلُ فِى ٱللَّهِ بِغَيْرِ عِلْمٍ وَيَتَّبِعُ كُلَّ
شَيْطَٰنٍ مَّرِيدٍ ﴿٣﴾ كُتِبَ عَلَيْهِ أَنَّهُۥ مَن تَوَلَّاهُ فَأَنَّهُۥ يُضِلُّهُۥ
وَيَهْدِيهِ إِلَىٰ عَذَابِ ٱلسَّعِيرِ ﴿٤﴾ يَٰٓأَيُّهَا ٱلنَّاسُ إِن كُنتُمْ فِى
رَيْبٍ مِّنَ ٱلْبَعْثِ فَإِنَّا خَلَقْنَٰكُم مِّن تُرَابٍ ثُمَّ مِن نُّطْفَةٍ ثُمَّ
مِنْ عَلَقَةٍ ثُمَّ مِن مُّضْغَةٍ مُّخَلَّقَةٍ وَغَيْرِ مُخَلَّقَةٍ لِّنُبَيِّنَ لَكُمْ ۚ
وَنُقِرُّ فِى ٱلْأَرْحَامِ مَا نَشَآءُ إِلَىٰٓ أَجَلٍ مُّسَمًّى ثُمَّ نُخْرِجُكُمْ
طِفْلًا ثُمَّ لِتَبْلُغُوٓا۟ أَشُدَّكُمْ ۖ وَمِنكُم مَّن يُتَوَفَّىٰ
وَمِنكُم مَّن يُرَدُّ إِلَىٰٓ أَرْذَلِ ٱلْعُمُرِ لِكَيْلَا يَعْلَمَ مِنۢ
بَعْدِ عِلْمٍ شَيْـًٔا ۚ وَتَرَى ٱلْأَرْضَ هَامِدَةً فَإِذَآ أَنزَلْنَا عَلَيْهَا
ٱلْمَآءَ ٱهْتَزَّتْ وَرَبَتْ وَأَنۢبَتَتْ مِن كُلِّ زَوْجٍۭ بَهِيجٍ ﴿٥﴾

- زَلْزَلَةَ السَّاعَةِ: أهوالَ القيامةِ وشدائدَها
- تَذْهَلُ: تَغفُلُ وتُشغَلُ
- مَرِيدٍ: عاتٍ مُتجرِّدٍ للفسادِ
- نُطْفَةٍ: مَنِيٍّ
- عَلَقَةٍ: قطعةِ دمٍ جامدٍ
- مُضْغَةٍ: قِطعةِ لحمٍ قدْرَ ما يُمضَغُ
- مُخَلَّقَةٍ: مُستبينةِ الخَلْقِ مُصوَّرةٍ
- لِتَبْلُغُوا أَشُدَّكُمْ: كَمالَ قوّتِكُم وعقلِكُم
- أَرْذَلِ الْعُمُرِ: أخسِّهِ؛ أي الخَرَفِ والهَرَمِ
- هَامِدَةً: يابسةً قاحلةً
- رَبَتْ: ازدادَتْ وانتفخَتْ
- زَوْجٍ بَهِيجٍ: صِنفٍ حَسَنٍ نضيرٍ

الحج

| | | |
|---|---|---|
| مدّ ٦ حركات لزوماً ● مدّ ٢ أو ٤ أو ٦ جوازاً | إخفاء ، ومواقع الغُنَّة (حركتان) | تفخيم |
| مدّ واجب ٤ أو ٥ حركات ● مدّ حركتان | إدغام ، وما لا يُلفظ | قلقلة |

ذَٰلِكَ بِأَنَّ ٱللَّهَ هُوَ ٱلۡحَقُّ وَأَنَّهُۥ يُحۡيِ ٱلۡمَوۡتَىٰ وَأَنَّهُۥ عَلَىٰ كُلِّ شَيۡءٖ قَدِيرٞ
﴿٦﴾ وَأَنَّ ٱلسَّاعَةَ ءَاتِيَةٞ لَّا رَيۡبَ فِيهَا وَأَنَّ ٱللَّهَ يَبۡعَثُ مَن فِي
ٱلۡقُبُورِ ﴿٧﴾ وَمِنَ ٱلنَّاسِ مَن يُجَٰدِلُ فِي ٱللَّهِ بِغَيۡرِ عِلۡمٖ وَلَا هُدٗى
وَلَا كِتَٰبٖ مُّنِيرٖ ﴿٨﴾ ثَانِيَ عِطۡفِهِۦ لِيُضِلَّ عَن سَبِيلِ ٱللَّهِۖ لَهُۥ فِي
ٱلدُّنۡيَا خِزۡيٞۖ وَنُذِيقُهُۥ يَوۡمَ ٱلۡقِيَٰمَةِ عَذَابَ ٱلۡحَرِيقِ ﴿٩﴾ ذَٰلِكَ
بِمَا قَدَّمَتۡ يَدَاكَ وَأَنَّ ٱللَّهَ لَيۡسَ بِظَلَّٰمٖ لِّلۡعَبِيدِ ﴿١٠﴾ وَمِنَ ٱلنَّاسِ
مَن يَعۡبُدُ ٱللَّهَ عَلَىٰ حَرۡفٖۖ فَإِنۡ أَصَابَهُۥ خَيۡرٌ ٱطۡمَأَنَّ بِهِۦۖ وَإِنۡ أَصَابَتۡهُ
فِتۡنَةٌ ٱنقَلَبَ عَلَىٰ وَجۡهِهِۦ خَسِرَ ٱلدُّنۡيَا وَٱلۡأٓخِرَةَۚ ذَٰلِكَ هُوَ
ٱلۡخُسۡرَانُ ٱلۡمُبِينُ ﴿١١﴾ يَدۡعُواْ مِن دُونِ ٱللَّهِ مَا لَا يَضُرُّهُۥ
وَمَا لَا يَنفَعُهُۥۚ ذَٰلِكَ هُوَ ٱلضَّلَٰلُ ٱلۡبَعِيدُ ﴿١٢﴾ يَدۡعُواْ لَمَن
ضَرُّهُۥٓ أَقۡرَبُ مِن نَّفۡعِهِۦۚ لَبِئۡسَ ٱلۡمَوۡلَىٰ وَلَبِئۡسَ ٱلۡعَشِيرُ ﴿١٣﴾
إِنَّ ٱللَّهَ يُدۡخِلُ ٱلَّذِينَ ءَامَنُواْ وَعَمِلُواْ ٱلصَّٰلِحَٰتِ جَنَّٰتٖ
تَجۡرِي مِن تَحۡتِهَا ٱلۡأَنۡهَٰرُۚ إِنَّ ٱللَّهَ يَفۡعَلُ مَا يُرِيدُ ﴿١٤﴾ مَن كَانَ
يَظُنُّ أَن لَّن يَنصُرَهُ ٱللَّهُ فِي ٱلدُّنۡيَا وَٱلۡأٓخِرَةِ فَلۡيَمۡدُدۡ بِسَبَبٍ إِلَى
ٱلسَّمَآءِ ثُمَّ لۡيَقۡطَعۡ فَلۡيَنظُرۡ هَلۡ يُذۡهِبَنَّ كَيۡدُهُۥ مَا يَغِيظُ ﴿١٥﴾

- ثَانِيَ عِطۡفِهِ: لاوياً لجانبه تكبّراً وإباءً
- خِزۡيٌ: ذُلٌّ وهوان
- عَلَىٰ حَرۡفٍ: قلقٍ وتزلزُلٍ في الدّين
- ٱلۡمَوۡلَىٰ: النّاصرُ
- ٱلۡعَشِيرُ: الصّاحبُ المعاشرُ
- بِسَبَبٍ: بحبلٍ
- ثُمَّ لۡيَقۡطَعۡ: ثمّ ليختنق به

مدّ ٦ حركات لزوماً • مدّ ٢ أو ٤ أو ٦ جوازاً • إخفاء، ومواقع الغُنّة (حركتان) • تفخيم
مدّ واجب ٤ أو ٥ حركات • مدّ حركتان • إدغام، وما لا يُلفظ • قلقلة

وَكَذَٰلِكَ أَنزَلْنَٰهُ ءَايَٰتٍۭ بَيِّنَٰتٍ وَأَنَّ ٱللَّهَ يَهْدِى مَن يُرِيدُ
﴿١٦﴾ إِنَّ ٱلَّذِينَ ءَامَنُوا۟ وَٱلَّذِينَ هَادُوا۟ وَٱلصَّٰبِـِٔينَ وَٱلنَّصَٰرَىٰ
وَٱلْمَجُوسَ وَٱلَّذِينَ أَشْرَكُوٓا۟ إِنَّ ٱللَّهَ يَفْصِلُ بَيْنَهُمْ
يَوْمَ ٱلْقِيَٰمَةِ ۚ إِنَّ ٱللَّهَ عَلَىٰ كُلِّ شَىْءٍ شَهِيدٌ ﴿١٧﴾ أَلَمْ تَرَ أَنَّ ٱللَّهَ
يَسْجُدُ لَهُۥ مَن فِى ٱلسَّمَٰوَٰتِ وَمَن فِى ٱلْأَرْضِ وَٱلشَّمْسُ وَٱلْقَمَرُ
وَٱلنُّجُومُ وَٱلْجِبَالُ وَٱلشَّجَرُ وَٱلدَّوَآبُّ وَكَثِيرٌ مِّنَ ٱلنَّاسِ ۖ
وَكَثِيرٌ حَقَّ عَلَيْهِ ٱلْعَذَابُ ۗ وَمَن يُهِنِ ٱللَّهُ فَمَا لَهُۥ مِن مُّكْرِمٍ ۚ
إِنَّ ٱللَّهَ يَفْعَلُ مَا يَشَآءُ ۩ ﴿١٨﴾ ۞ هَٰذَانِ خَصْمَانِ ٱخْتَصَمُوا۟
فِى رَبِّهِمْ ۖ فَٱلَّذِينَ كَفَرُوا۟ قُطِّعَتْ لَهُمْ ثِيَابٌ مِّن نَّارٍ يُصَبُّ
مِن فَوْقِ رُءُوسِهِمُ ٱلْحَمِيمُ ﴿١٩﴾ يُصْهَرُ بِهِۦ مَا فِى بُطُونِهِمْ
وَٱلْجُلُودُ ﴿٢٠﴾ وَلَهُم مَّقَٰمِعُ مِنْ حَدِيدٍ ﴿٢١﴾ كُلَّمَآ أَرَادُوٓا۟
أَن يَخْرُجُوا۟ مِنْهَا مِنْ غَمٍّ أُعِيدُوا۟ فِيهَا وَذُوقُوا۟ عَذَابَ ٱلْحَرِيقِ
﴿٢٢﴾ إِنَّ ٱللَّهَ يُدْخِلُ ٱلَّذِينَ ءَامَنُوا۟ وَعَمِلُوا۟ ٱلصَّٰلِحَٰتِ
جَنَّٰتٍ تَجْرِى مِن تَحْتِهَا ٱلْأَنْهَٰرُ يُحَلَّوْنَ فِيهَا مِنْ
أَسَاوِرَ مِن ذَهَبٍ وَلُؤْلُؤًا ۖ وَلِبَاسُهُمْ فِيهَا حَرِيرٌ ﴿٢٣﴾

ٱلصَّٰبِـِٔينَ: عَبَدَةَ الملائكةِ أو الكواكبِ
حَقَّ عَلَيْهِ: ثَبَتَ وَوَجَبَ
ٱلْحَمِيمُ: الماء البالغُ نهايةَ الحَرارةِ
يُصْهَرُ بِهِۦ: يُذابُ به
مَّقَٰمِعُ: مَطارِق، أو سِياط

سجدة — ربع الحزب ٣٤

الحج

مدّ ٦ حركات لزوماً ● مدّ ٢ أو ٤ أو ٦ جوازاً ● إخفاء، ومواقع الغُنَّة (حركتان) ● تفخيم
مدّ واجب ٤ أو ٥ حركات ● مدّ حركتان ● إدغام، وما لا يُلفظ ● قلقلة

وَهُدُوٓاْ إِلَى ٱلطَّيِّبِ مِنَ ٱلۡقَوۡلِ وَهُدُوٓاْ إِلَىٰ صِرَٰطِ ٱلۡحَمِيدِ
﴿٢٤﴾ إِنَّ ٱلَّذِينَ كَفَرُواْ وَيَصُدُّونَ عَن سَبِيلِ ٱللَّهِ وَٱلۡمَسۡجِدِ
ٱلۡحَرَامِ ٱلَّذِي جَعَلۡنَٰهُ لِلنَّاسِ سَوَآءً ٱلۡعَٰكِفُ فِيهِ وَٱلۡبَادِۚ
وَمَن يُرِدۡ فِيهِ بِإِلۡحَادِۭ بِظُلۡمٖ نُّذِقۡهُ مِنۡ عَذَابٍ أَلِيمٖ ﴿٢٥﴾
وَإِذۡ بَوَّأۡنَا لِإِبۡرَٰهِيمَ مَكَانَ ٱلۡبَيۡتِ أَن لَّا تُشۡرِكۡ بِي
شَيۡـٔٗا وَطَهِّرۡ بَيۡتِيَ لِلطَّآئِفِينَ وَٱلۡقَآئِمِينَ وَٱلرُّكَّعِ
ٱلسُّجُودِ ﴿٢٦﴾ وَأَذِّن فِي ٱلنَّاسِ بِٱلۡحَجِّ يَأۡتُوكَ رِجَالٗا وَعَلَىٰ
كُلِّ ضَامِرٖ يَأۡتِينَ مِن كُلِّ فَجٍّ عَمِيقٖ ﴿٢٧﴾ لِّيَشۡهَدُواْ
مَنَٰفِعَ لَهُمۡ وَيَذۡكُرُواْ ٱسۡمَ ٱللَّهِ فِيٓ أَيَّامٖ مَّعۡلُومَٰتٍ
عَلَىٰ مَا رَزَقَهُم مِّنۢ بَهِيمَةِ ٱلۡأَنۡعَٰمِۖ فَكُلُواْ مِنۡهَا وَأَطۡعِمُواْ
ٱلۡبَآئِسَ ٱلۡفَقِيرَ ﴿٢٨﴾ ثُمَّ لۡيَقۡضُواْ تَفَثَهُمۡ وَلۡيُوفُواْ
نُذُورَهُمۡ وَلۡيَطَّوَّفُواْ بِٱلۡبَيۡتِ ٱلۡعَتِيقِ ﴿٢٩﴾ ذَٰلِكَ وَمَن
يُعَظِّمۡ حُرُمَٰتِ ٱللَّهِ فَهُوَ خَيۡرٞ لَّهُۥ عِندَ رَبِّهِۦۗ وَأُحِلَّتۡ
لَكُمُ ٱلۡأَنۡعَٰمُ إِلَّا مَا يُتۡلَىٰ عَلَيۡكُمۡۖ فَٱجۡتَنِبُواْ
ٱلرِّجۡسَ مِنَ ٱلۡأَوۡثَٰنِ وَٱجۡتَنِبُواْ قَوۡلَ ٱلزُّورِ ﴿٣٠﴾

- ٱلۡمَسۡجِدِ ٱلۡحَرَامِ: مكة (الحرم)
- ٱلۡعَٰكِفُ فِيهِ: المُقيمُ فيه
- ٱلۡبَادِ: الطّارئ غيرُ المقيم
- بِإِلۡحَادِۭ: ميل عن الحقّ إلى الباطل
- بَوَّأۡنَا لِإِبۡرَٰهِيمَ: وطّأنا . أو بيّنّا له
- أَذِّن فِي ٱلنَّاسِ: نادِ فيهمْ وأَعْلِمْهُمْ
- رِجَالٗا: مُشاةً
- ضَامِرٖ: بَعيرٍ مهزول من بُعْد الشُّقّة
- فَجٍّ عَمِيقٖ: طريقٍ بعيد
- بَهِيمَةِ ٱلۡأَنۡعَٰمِ: الإبلِ والبقرِ والغنمِ
- ثُمَّ لۡيَقۡضُواْ تَفَثَهُمۡ: يُزيلُوا أدرانَهم وأوساخَهم
- حُرُمَٰتِ ٱللَّهِ: تكاليفَه في الحج وغيره
- ٱلرِّجۡسَ: القَذَر ، وهو الأوثانُ
- قَوۡلَ ٱلزُّورِ: الكذب

مدّ ٦ حركات لزوماً — مدّ ٢ أو ٤ أو ٦ جوازاً — إخفاء ، ومواقع الغُنّة (حركتان) — تفخ[يم]
مدّ واجب ٤ أو ٥ حركات — مدّ حركتان — إدغام ، وما لا يُلفظ — قلق[لة]

حُنَفَاءَ لِلَّهِ غَيْرَ مُشْرِكِينَ بِهِۦ ۚ وَمَن يُشْرِكْ بِٱللَّهِ فَكَأَنَّمَا خَرَّ مِنَ
ٱلسَّمَآءِ فَتَخْطَفُهُ ٱلطَّيْرُ أَوْ تَهْوِى بِهِ ٱلرِّيحُ فِى مَكَانٍ سَحِيقٍ
﴿٣١﴾ ذَٰلِكَ وَمَن يُعَظِّمْ شَعَٰٓئِرَ ٱللَّهِ فَإِنَّهَا مِن تَقْوَى ٱلْقُلُوبِ
﴿٣٢﴾ لَكُمْ فِيهَا مَنَٰفِعُ إِلَىٰٓ أَجَلٍ مُّسَمًّى ثُمَّ مَحِلُّهَآ إِلَى ٱلْبَيْتِ
ٱلْعَتِيقِ ﴿٣٣﴾ وَلِكُلِّ أُمَّةٍ جَعَلْنَا مَنسَكًا لِّيَذْكُرُوا۟ ٱسْمَ
ٱللَّهِ عَلَىٰ مَا رَزَقَهُم مِّنۢ بَهِيمَةِ ٱلْأَنْعَٰمِ ۗ فَإِلَٰهُكُمْ إِلَٰهٌ وَٰحِدٌ
فَلَهُۥٓ أَسْلِمُوا۟ ۗ وَبَشِّرِ ٱلْمُخْبِتِينَ ﴿٣٤﴾ ٱلَّذِينَ إِذَا ذُكِرَ ٱللَّهُ وَجِلَتْ
قُلُوبُهُمْ وَٱلصَّٰبِرِينَ عَلَىٰ مَآ أَصَابَهُمْ وَٱلْمُقِيمِى ٱلصَّلَوٰةِ وَمِمَّا
رَزَقْنَٰهُمْ يُنفِقُونَ ﴿٣٥﴾ وَٱلْبُدْنَ جَعَلْنَٰهَا لَكُم مِّن شَعَٰٓئِرِ
ٱللَّهِ لَكُمْ فِيهَا خَيْرٌ ۖ فَٱذْكُرُوا۟ ٱسْمَ ٱللَّهِ عَلَيْهَا صَوَآفَّ ۖ فَإِذَا وَجَبَتْ
جُنُوبُهَا فَكُلُوا۟ مِنْهَا وَأَطْعِمُوا۟ ٱلْقَانِعَ وَٱلْمُعْتَرَّ ۚ كَذَٰلِكَ سَخَّرْنَٰهَا
لَكُمْ لَعَلَّكُمْ تَشْكُرُونَ ﴿٣٦﴾ لَن يَنَالَ ٱللَّهَ لُحُومُهَا وَلَا دِمَآؤُهَا
وَلَٰكِن يَنَالُهُ ٱلتَّقْوَىٰ مِنكُمْ ۚ كَذَٰلِكَ سَخَّرَهَا لَكُمْ لِتُكَبِّرُوا۟
ٱللَّهَ عَلَىٰ مَا هَدَىٰكُمْ ۗ وَبَشِّرِ ٱلْمُحْسِنِينَ ﴿٣٧﴾ ۞ إِنَّ ٱللَّهَ
يُدَٰفِعُ عَنِ ٱلَّذِينَ ءَامَنُوٓا۟ ۗ إِنَّ ٱللَّهَ لَا يُحِبُّ كُلَّ خَوَّانٍ كَفُورٍ ﴿٣٨﴾

- حُنَفَاءَ لِلَّهِ: مائلين عن الباطل إلى الدين الحق
- تَهْوِى بِهِ ٱلرِّيحُ: تُسقطه وتَقْذفه
- مَكَانٍ سَحِيقٍ: موضع بعيد
- شَعَٰٓئِرَ ٱللَّهِ: البُدْن المهداة للبيت المعظَّم
- مَحِلُّهَآ: وجوبُ نحرها
- إِلَى ٱلْبَيْتِ ٱلْعَتِيقِ: الحَرَم كلّه
- مَنسَكًا: إراقة دماء قُرْبانًا
- بَشِّرِ ٱلْمُخْبِتِينَ: المتواضعين لله تعالى
- وَجِلَتْ: خافَتْ
- ٱلْبُدْنَ: الإبل . أو هي البقرُ
- شَعَٰٓئِرِ ٱللَّهِ: أعلامِ شريعته في الحج
- صَوَآفَّ: قائمات صَفَفْنَ أيديَهُنّ وأرْجُلهُنّ
- وَجَبَتْ جُنُوبُهَا: سَقطتْ على الأرض بعد النحر
- ٱلْقَانِعَ: السّائل
- ٱلْمُعْتَرَّ: الذي يتعرّض لكُم دون سؤال
- خَوَّانٍ: خائنٍ للأمانات

الحج

نصف الحزب ٣٤

| | | |
|---|---|---|
| مدّ ٦ حركات لزوماً ● مدّ ٢ أو ٤ أو ٦ جوازاً | ● إخفاء ، ومواقع الغُنَّة (حركتان) | ● تفخيم |
| مدّ واجب ٤ أو ٥ حركات ● مدّ حركتان | ● إدغام ، وما لا يُلفَظ | ● قلقلة |

أُذِنَ لِلَّذِينَ يُقَـٰتَلُونَ بِأَنَّهُمْ ظُلِمُوا۟ ۚ وَإِنَّ ٱللَّهَ عَلَىٰ نَصْرِهِمْ
لَقَدِيرٌ ﴿٣٩﴾ ٱلَّذِينَ أُخْرِجُوا۟ مِن دِيَـٰرِهِم بِغَيْرِ حَقٍّ إِلَّآ أَن
يَقُولُوا۟ رَبُّنَا ٱللَّهُ ۗ وَلَوْلَا دَفْعُ ٱللَّهِ ٱلنَّاسَ بَعْضَهُم بِبَعْضٍ لَّهُدِّمَتْ
صَوَٰمِعُ وَبِيَعٌ وَصَلَوَٰتٌ وَمَسَـٰجِدُ يُذْكَرُ فِيهَا ٱسْمُ ٱللَّهِ
كَثِيرًا ۗ وَلَيَنصُرَنَّ ٱللَّهُ مَن يَنصُرُهُۥٓ ۗ إِنَّ ٱللَّهَ لَقَوِىٌّ
عَزِيزٌ ﴿٤٠﴾ ٱلَّذِينَ إِن مَّكَّنَّـٰهُمْ فِى ٱلْأَرْضِ أَقَامُوا۟ ٱلصَّلَوٰةَ
وَءَاتَوُا۟ ٱلزَّكَوٰةَ وَأَمَرُوا۟ بِٱلْمَعْرُوفِ وَنَهَوْا۟ عَنِ ٱلْمُنكَرِ ۗ
وَلِلَّهِ عَـٰقِبَةُ ٱلْأُمُورِ ﴿٤١﴾ وَإِن يُكَذِّبُوكَ فَقَدْ كَذَّبَتْ
قَبْلَهُمْ قَوْمُ نُوحٍ وَعَادٌ وَثَمُودُ ﴿٤٢﴾ وَقَوْمُ إِبْرَٰهِيمَ وَقَوْمُ لُوطٍ ﴿٤٣﴾
وَأَصْحَـٰبُ مَدْيَنَ ۖ وَكُذِّبَ مُوسَىٰ فَأَمْلَيْتُ لِلْكَـٰفِرِينَ ثُمَّ
أَخَذْتُهُمْ ۖ فَكَيْفَ كَانَ نَكِيرِ ﴿٤٤﴾ فَكَأَيِّن مِّن قَرْيَةٍ
أَهْلَكْنَـٰهَا وَهِىَ ظَالِمَةٌ فَهِىَ خَاوِيَةٌ عَلَىٰ عُرُوشِهَا
وَبِئْرٍ مُّعَطَّلَةٍ وَقَصْرٍ مَّشِيدٍ ﴿٤٥﴾ أَفَلَمْ يَسِيرُوا۟ فِى ٱلْأَرْضِ
فَتَكُونَ لَهُمْ قُلُوبٌ يَعْقِلُونَ بِهَآ أَوْ ءَاذَانٌ يَسْمَعُونَ بِهَا ۖ فَإِنَّهَا
لَا تَعْمَى ٱلْأَبْصَـٰرُ وَلَـٰكِن تَعْمَى ٱلْقُلُوبُ ٱلَّتِى فِى ٱلصُّدُورِ ﴿٤٦﴾

- صَوَٰمِعُ: مَعابِدُ رُهْبانِ النَّصارَى
- بِيَعٌ: كَنائِسُ النَّصارَى
- صَلَوَٰتٌ: كَنائِسُ اليَهُود
- أَصْحَـٰبُ مَدْيَنَ: قَوْمُ شُعَيْب
- فَأَمْلَيْتُ لِلْكَـٰفِرِينَ: أمْهَلْتُهُمْ وأخَّرتُ عقوبَتَهُمْ
- كَانَ نَكِيرِ: إنْكاري عَلَيْهِمْ بالعقوبات
- فَكَأَيِّن: فكَثيرٌ
- خَاوِيَةٌ عَلَىٰ عُرُوشِهَا: خَرِبَةٌ متهدِّمَةٌ . أو خاليَةٌ من أهلِها
- قَصْرٍ مَّشِيدٍ: مَرْفُوعِ البنيان

مدّ ٦ حركات لزوماً ● مدّ ٢ أو ٤ أو ٦ جوازاً ● إخفاء ، ومواقع الغُنَّة (حركتان) ● تفـ
مدّ واجب ٤ أو ٥ حركات ● مدّ حركتان ● إدغام ، وما لا يُلفَظ ● قلق

وَيَسْتَعْجِلُونَكَ بِٱلْعَذَابِ وَلَن يُخْلِفَ ٱللَّهُ وَعْدَهُۥۚ وَإِنَّ يَوْمًا
عِندَ رَبِّكَ كَأَلْفِ سَنَةٍ مِّمَّا تَعُدُّونَ ﴿٤٧﴾ وَكَأَيِّن مِّن
قَرْيَةٍ أَمْلَيْتُ لَهَا وَهِىَ ظَالِمَةٌ ثُمَّ أَخَذْتُهَا وَإِلَىَّ ٱلْمَصِيرُ
﴿٤٨﴾ قُلْ يَٰٓأَيُّهَا ٱلنَّاسُ إِنَّمَآ أَنَا۠ لَكُمْ نَذِيرٌ مُّبِينٌ ﴿٤٩﴾ فَٱلَّذِينَ
ءَامَنُوا۟ وَعَمِلُوا۟ ٱلصَّٰلِحَٰتِ لَهُم مَّغْفِرَةٌ وَرِزْقٌ كَرِيمٌ ﴿٥٠﴾
وَٱلَّذِينَ سَعَوْا۟ فِىٓ ءَايَٰتِنَا مُعَٰجِزِينَ أُو۟لَٰٓئِكَ أَصْحَٰبُ ٱلْجَحِيمِ
﴿٥١﴾ وَمَآ أَرْسَلْنَا مِن قَبْلِكَ مِن رَّسُولٍ وَلَا نَبِىٍّ إِلَّآ إِذَا تَمَنَّىٰٓ
أَلْقَى ٱلشَّيْطَٰنُ فِىٓ أُمْنِيَّتِهِۦ فَيَنسَخُ ٱللَّهُ مَا يُلْقِى ٱلشَّيْطَٰنُ
ثُمَّ يُحْكِمُ ٱللَّهُ ءَايَٰتِهِۦۗ وَٱللَّهُ عَلِيمٌ حَكِيمٌ ﴿٥٢﴾ لِّيَجْعَلَ
مَا يُلْقِى ٱلشَّيْطَٰنُ فِتْنَةً لِّلَّذِينَ فِى قُلُوبِهِم مَّرَضٌ وَٱلْقَاسِيَةِ
قُلُوبُهُمْۗ وَإِنَّ ٱلظَّٰلِمِينَ لَفِى شِقَاقٍۭ بَعِيدٍ ﴿٥٣﴾ وَلِيَعْلَمَ
ٱلَّذِينَ أُوتُوا۟ ٱلْعِلْمَ أَنَّهُ ٱلْحَقُّ مِن رَّبِّكَ فَيُؤْمِنُوا۟ بِهِۦ
فَتُخْبِتَ لَهُۥ قُلُوبُهُمْۗ وَإِنَّ ٱللَّهَ لَهَادِ ٱلَّذِينَ ءَامَنُوٓا۟ إِلَىٰ صِرَٰطٍ
مُّسْتَقِيمٍ ﴿٥٤﴾ وَلَا يَزَالُ ٱلَّذِينَ كَفَرُوا۟ فِى مِرْيَةٍ مِّنْهُ حَتَّىٰ
تَأْتِيَهُمُ ٱلسَّاعَةُ بَغْتَةً أَوْ يَأْتِيَهُمْ عَذَابُ يَوْمٍ عَقِيمٍ ﴿٥٥﴾

- مُعَٰجِزِينَ: ظانّين أنْ يفرّوا من عذابنا
- تَمَنَّىٰٓ: قرأ الآيات المنزلة عليه
- أَلْقَى ٱلشَّيْطَٰنُ فِىٓ أُمْنِيَّتِهِۦ: ألقى الشُّبَهَ فيما يقرؤه
- فَتُخْبِتَ: تطْمَئِنّ وتَسْكُن
- مِرْيَةٍ: شكّ وقلَق



| | | |
|---|---|---|
| مدّ ٦ حركات لزوماً ● مدّ ٢ أو ٤ أو ٦ جوازاً | ● إخفاء، ومواقع الغُنّة (حركتان) | ● تفخيم |
| مدّ واجب ٤ أو ٥ حركات ● مدّ حركتان | ● إدغام، وما لا يُلفَظ | ● قلقلة |

ٱلْمُلْكُ يَوْمَئِذٍ لِّلَّهِ يَحْكُمُ بَيْنَهُمْ ۚ فَٱلَّذِينَ ءَامَنُوا۟
وَعَمِلُوا۟ ٱلصَّـٰلِحَـٰتِ فِى جَنَّـٰتِ ٱلنَّعِيمِ ﴿٥٦﴾ وَٱلَّذِينَ كَفَرُوا۟
وَكَذَّبُوا۟ بِـَٔايَـٰتِنَا فَأُو۟لَـٰٓئِكَ لَهُمْ عَذَابٌ مُّهِينٌ ﴿٥٧﴾
وَٱلَّذِينَ هَاجَرُوا۟ فِى سَبِيلِ ٱللَّهِ ثُمَّ قُتِلُوٓا۟ أَوْ مَاتُوا۟
لَيَرْزُقَنَّهُمُ ٱللَّهُ رِزْقًا حَسَنًا ۚ وَإِنَّ ٱللَّهَ لَهُوَ خَيْرُ
ٱلرَّٰزِقِينَ ﴿٥٨﴾ لَيُدْخِلَنَّهُم مُّدْخَلًا يَرْضَوْنَهُۥ ۗ وَإِنَّ
ٱللَّهَ لَعَلِيمٌ حَلِيمٌ ﴿٥٩﴾ ۞ ذَٰلِكَ وَمَنْ عَاقَبَ بِمِثْلِ
مَا عُوقِبَ بِهِۦ ثُمَّ بُغِىَ عَلَيْهِ لَيَنصُرَنَّهُ ٱللَّهُ ۗ إِنَّ ٱللَّهَ
لَعَفُوٌّ غَفُورٌ ﴿٦٠﴾ ذَٰلِكَ بِأَنَّ ٱللَّهَ يُولِجُ ٱلَّيْلَ فِى
ٱلنَّهَارِ وَيُولِجُ ٱلنَّهَارَ فِى ٱلَّيْلِ وَأَنَّ ٱللَّهَ سَمِيعٌۢ بَصِيرٌ
﴿٦١﴾ ذَٰلِكَ بِأَنَّ ٱللَّهَ هُوَ ٱلْحَقُّ وَأَنَّ مَا يَدْعُونَ مِن
دُونِهِۦ هُوَ ٱلْبَـٰطِلُ وَأَنَّ ٱللَّهَ هُوَ ٱلْعَلِىُّ ٱلْكَبِيرُ ﴿٦٢﴾
أَلَمْ تَرَ أَنَّ ٱللَّهَ أَنزَلَ مِنَ ٱلسَّمَآءِ مَآءً فَتُصْبِحُ ٱلْأَرْضُ
مُخْضَرَّةً ۗ إِنَّ ٱللَّهَ لَطِيفٌ خَبِيرٌ ﴿٦٣﴾ لَّهُۥ مَا فِى ٱلسَّمَـٰوَٰتِ
وَمَا فِى ٱلْأَرْضِ ۗ وَإِنَّ ٱللَّهَ لَهُوَ ٱلْغَنِىُّ ٱلْحَمِيدُ ﴿٦٤﴾

مُدْخَلًا يَرْضَوْنَهُ: الجنّة . أو درجات رفيعةً فيها

ثلاثة أرباع الحزب ٣٤

ثُمَّ بُغِيَ عَلَيْهِ: ظُلِمَ بمُعاودة العقاب

يُولِجُ: يُدْخِلُ

مدّ ٦ حركات لزوماً ● مدّ ٢ أو ٤ أو ٦ جوازاً ● إخفاء ، ومواقع الغُنّة (حركتان) ● تفـ
مدّ واجب ٤ أو ٥ حركات ● مدّ حركتان ● إدغام ، وما لا يُلفظ ● قلقـ

أَلَمْ تَرَ أَنَّ ٱللَّهَ سَخَّرَ لَكُم مَّا فِي ٱلْأَرْضِ وَٱلْفُلْكَ تَجْرِي فِي ٱلْبَحْرِ
بِأَمْرِهِۦ وَيُمْسِكُ ٱلسَّمَآءَ أَن تَقَعَ عَلَى ٱلْأَرْضِ إِلَّا بِإِذْنِهِۦٓۗ إِنَّ
ٱللَّهَ بِٱلنَّاسِ لَرَءُوفٌ رَّحِيمٌ ﴿٦٥﴾ وَهُوَ ٱلَّذِيٓ أَحْيَاكُمْ
ثُمَّ يُمِيتُكُمْ ثُمَّ يُحْيِيكُمْۗ إِنَّ ٱلْإِنسَٰنَ لَكَفُورٌ ﴿٦٦﴾
لِّكُلِّ أُمَّةٍ جَعَلْنَا مَنسَكًا هُمْ نَاسِكُوهُۖ فَلَا يُنَٰزِعُنَّكَ
فِي ٱلْأَمْرِۚ وَٱدْعُ إِلَىٰ رَبِّكَۖ إِنَّكَ لَعَلَىٰ هُدًى مُّسْتَقِيمٍ ﴿٦٧﴾
وَإِن جَٰدَلُوكَ فَقُلِ ٱللَّهُ أَعْلَمُ بِمَا تَعْمَلُونَ ﴿٦٨﴾ ٱللَّهُ يَحْكُمُ
بَيْنَكُمْ يَوْمَ ٱلْقِيَٰمَةِ فِيمَا كُنتُمْ فِيهِ تَخْتَلِفُونَ ﴿٦٩﴾
أَلَمْ تَعْلَمْ أَنَّ ٱللَّهَ يَعْلَمُ مَا فِي ٱلسَّمَآءِ وَٱلْأَرْضِۗ إِنَّ ذَٰلِكَ
فِي كِتَٰبٍۚ إِنَّ ذَٰلِكَ عَلَى ٱللَّهِ يَسِيرٌ ﴿٧٠﴾ وَيَعْبُدُونَ مِن دُونِ
ٱللَّهِ مَا لَمْ يُنَزِّلْ بِهِۦ سُلْطَٰنًا وَمَا لَيْسَ لَهُم بِهِۦ عِلْمٌۗ وَمَا لِلظَّٰلِمِينَ
مِن نَّصِيرٍ ﴿٧١﴾ وَإِذَا تُتْلَىٰ عَلَيْهِمْ ءَايَٰتُنَا بَيِّنَٰتٍ تَعْرِفُ فِي
وُجُوهِ ٱلَّذِينَ كَفَرُوا۟ ٱلْمُنكَرَۖ يَكَادُونَ يَسْطُونَ
بِٱلَّذِينَ يَتْلُونَ عَلَيْهِمْ ءَايَٰتِنَاۗ قُلْ أَفَأُنَبِّئُكُم بِشَرٍّ مِّن
ذَٰلِكُمُۗ ٱلنَّارُ وَعَدَهَا ٱللَّهُ ٱلَّذِينَ كَفَرُوا۟ۖ وَبِئْسَ ٱلْمَصِيرُ ﴿٧٢﴾

▪ مَنسَكًا: شريعةً خاصّةً
▪ سُلْطَٰنًا: حُجّةً وبُرْهَاناً
▪ يَسْطُونَ: يَثِبُونَ وَيَبْطِشُونَ غَيْظاً

الحج

| | | |
|---|---|---|
| مدّ ٦ حركات لزوماً ● مدّ ٢ أو ٤ أو ٦ جوازاً | ● إخفاء، ومواقع الغُنَّة (حركتان) | ● تفخيم |
| مدّ واجب ٤ أو ٥ حركات ● مدّ حركتان | ● إدغام، وما لا يُلفظ | ● قلقلة |

يَٰٓأَيُّهَا ٱلنَّاسُ ضُرِبَ مَثَلٞ فَٱسۡتَمِعُواْ لَهُۥٓۚ إِنَّ ٱلَّذِينَ
تَدۡعُونَ مِن دُونِ ٱللَّهِ لَن يَخۡلُقُواْ ذُبَابٗا وَلَوِ ٱجۡتَمَعُواْ لَهُۥۖ
وَإِن يَسۡلُبۡهُمُ ٱلذُّبَابُ شَيۡـٔٗا لَّا يَسۡتَنقِذُوهُ مِنۡهُۚ ضَعُفَ
ٱلطَّالِبُ وَٱلۡمَطۡلُوبُ ﴿٧٣﴾ مَا قَدَرُواْ ٱللَّهَ حَقَّ قَدۡرِهِۦٓۚ إِنَّ
ٱللَّهَ لَقَوِيٌّ عَزِيزٌ ﴿٧٤﴾ ٱللَّهُ يَصۡطَفِي مِنَ ٱلۡمَلَٰٓئِكَةِ
رُسُلٗا وَمِنَ ٱلنَّاسِۚ إِنَّ ٱللَّهَ سَمِيعُۢ بَصِيرٞ ﴿٧٥﴾ يَعۡلَمُ
مَا بَيۡنَ أَيۡدِيهِمۡ وَمَا خَلۡفَهُمۡۗ وَإِلَى ٱللَّهِ تُرۡجَعُ ٱلۡأُمُورُ ﴿٧٦﴾
يَٰٓأَيُّهَا ٱلَّذِينَ ءَامَنُواْ ٱرۡكَعُواْ وَٱسۡجُدُواْ وَٱعۡبُدُواْ
رَبَّكُمۡ وَٱفۡعَلُواْ ٱلۡخَيۡرَ لَعَلَّكُمۡ تُفۡلِحُونَ۩ ﴿٧٧﴾
وَجَٰهِدُواْ فِي ٱللَّهِ حَقَّ جِهَادِهِۦۚ هُوَ ٱجۡتَبَىٰكُمۡ وَمَا جَعَلَ
عَلَيۡكُمۡ فِي ٱلدِّينِ مِنۡ حَرَجٖۚ مِّلَّةَ أَبِيكُمۡ إِبۡرَٰهِيمَۚ هُوَ سَمَّىٰكُمُ
ٱلۡمُسۡلِمِينَ مِن قَبۡلُ وَفِي هَٰذَا لِيَكُونَ ٱلرَّسُولُ شَهِيدًا عَلَيۡكُمۡ
وَتَكُونُواْ شُهَدَآءَ عَلَى ٱلنَّاسِۚ فَأَقِيمُواْ ٱلصَّلَوٰةَ وَءَاتُواْ ٱلزَّكَوٰةَ
وَٱعۡتَصِمُواْ بِٱللَّهِ هُوَ مَوۡلَىٰكُمۡۖ فَنِعۡمَ ٱلۡمَوۡلَىٰ وَنِعۡمَ ٱلنَّصِيرُ ﴿٧٨﴾

## سُورَةُ المُؤۡمِنُونَ

ترتيبها ٢٣ — آياتها ١١٨

- مَا قَدَرُواْ ٱللَّهَ: مَا عَظَّمُوهُ
- سجدة
- ٱجۡتَبَىٰكُمۡ: اخْتَارَكُمْ لِدِينِهِ وعبادتِهِ
- حَرَجٖ: ضِيقٍ بتكليفٍ يَشُقُّ

مدّ ٦ حركات لزوماً — مدّ ٢ أو ٤ أو ٦ جوازاً — إخفاء، ومواقع الغُنَّة (حركتان) — تفخـ
مدّ واجب ٤ أو ٥ حركات — مدّ حركتان — إدغام، وما لا يُلفظ — قلقلـ

بِسْمِ ٱللَّهِ ٱلرَّحْمَٰنِ ٱلرَّحِيمِ

قَدْ أَفْلَحَ ٱلْمُؤْمِنُونَ ﴿١﴾ ٱلَّذِينَ هُمْ فِى صَلَاتِهِمْ خَٰشِعُونَ ﴿٢﴾
وَٱلَّذِينَ هُمْ عَنِ ٱللَّغْوِ مُعْرِضُونَ ﴿٣﴾ وَٱلَّذِينَ هُمْ لِلزَّكَوٰةِ
فَٰعِلُونَ ﴿٤﴾ وَٱلَّذِينَ هُمْ لِفُرُوجِهِمْ حَٰفِظُونَ ﴿٥﴾ إِلَّا عَلَىٰٓ
أَزْوَٰجِهِمْ أَوْ مَا مَلَكَتْ أَيْمَٰنُهُمْ فَإِنَّهُمْ غَيْرُ مَلُومِينَ ﴿٦﴾
فَمَنِ ٱبْتَغَىٰ وَرَآءَ ذَٰلِكَ فَأُو۟لَٰٓئِكَ هُمُ ٱلْعَادُونَ ﴿٧﴾ وَٱلَّذِينَ هُمْ
لِأَمَٰنَٰتِهِمْ وَعَهْدِهِمْ رَٰعُونَ ﴿٨﴾ وَٱلَّذِينَ هُمْ عَلَىٰ صَلَوَٰتِهِمْ
يُحَافِظُونَ ﴿٩﴾ أُو۟لَٰٓئِكَ هُمُ ٱلْوَٰرِثُونَ ﴿١٠﴾ ٱلَّذِينَ يَرِثُونَ
ٱلْفِرْدَوْسَ هُمْ فِيهَا خَٰلِدُونَ ﴿١١﴾ وَلَقَدْ خَلَقْنَا ٱلْإِنسَٰنَ مِن
سُلَٰلَةٍ مِّن طِينٍ ﴿١٢﴾ ثُمَّ جَعَلْنَٰهُ نُطْفَةً فِى قَرَارٍ مَّكِينٍ ﴿١٣﴾ ثُمَّ
خَلَقْنَا ٱلنُّطْفَةَ عَلَقَةً فَخَلَقْنَا ٱلْعَلَقَةَ مُضْغَةً فَخَلَقْنَا
ٱلْمُضْغَةَ عِظَٰمًا فَكَسَوْنَا ٱلْعِظَٰمَ لَحْمًا ثُمَّ أَنشَأْنَٰهُ خَلْقًا
ءَاخَرَ ۚ فَتَبَارَكَ ٱللَّهُ أَحْسَنُ ٱلْخَٰلِقِينَ ﴿١٤﴾ ثُمَّ إِنَّكُم بَعْدَ ذَٰلِكَ
لَمَيِّتُونَ ﴿١٥﴾ ثُمَّ إِنَّكُمْ يَوْمَ ٱلْقِيَٰمَةِ تُبْعَثُونَ ﴿١٦﴾ وَلَقَدْ
خَلَقْنَا فَوْقَكُمْ سَبْعَ طَرَآئِقَ وَمَا كُنَّا عَنِ ٱلْخَلْقِ غَٰفِلِينَ ﴿١٧﴾

- أَفْلَحَ ٱلْمُؤْمِنُونَ: فازوا ونجوا
- خَٰشِعُونَ: متذلّلون خائفون
- ٱللَّغْوِ: ما لا يُعتدّ به
- ٱلْعَادُونَ: المعتدون
- ٱلْفِرْدَوْسَ: أعلى الجنان
- سُلَٰلَةٍ: خُلاصة
- قَرَارٍ مَّكِينٍ: مستقرّ متمكّن، وهو الرّحِم
- عَلَقَةً: دماً متجمّداً
- مُضْغَةً: قطعة لحم قدْرَ ما يُمضغ
- فَتَبَارَكَ ٱللَّهُ: تعالى أو تكاثر خيرُه وإحسانُه
- أَحْسَنُ ٱلْخَٰلِقِينَ: أتقنُ الصّانعين، أو المصوّرين
- سَبْعَ طَرَآئِقَ: سبع سموات

المؤمنون

| | | |
|---|---|---|
| مدّ ٦ حركات لزوماً — مدّ ٢ أو ٤ أو ٦ جوازاً | إخفاء، ومواقع الغنّة (حركتان) | تفخيم |
| مدّ واجب ٤ أو ٥ حركات — مدّ حركتان | إدغام، وما لا يُلفظ | قلقلة |

وَأَنزَلۡنَا مِنَ ٱلسَّمَآءِ مَآءَۢ بِقَدَرٖ فَأَسۡكَنَّٰهُ فِي ٱلۡأَرۡضِۖ وَإِنَّا عَلَىٰ ذَهَابِۭ
بِهِۦ لَقَٰدِرُونَ ﴿١٨﴾ فَأَنشَأۡنَا لَكُم بِهِۦ جَنَّٰتٖ مِّن نَّخِيلٖ وَأَعۡنَٰبٖ
لَّكُمۡ فِيهَا فَوَٰكِهُ كَثِيرَةٞ وَمِنۡهَا تَأۡكُلُونَ ﴿١٩﴾ وَشَجَرَةٗ تَخۡرُجُ مِن
طُورِ سَيۡنَآءَ تَنۢبُتُ بِٱلدُّهۡنِ وَصِبۡغٖ لِّلۡأٓكِلِينَ ﴿٢٠﴾ وَإِنَّ لَكُمۡ فِي
ٱلۡأَنۡعَٰمِ لَعِبۡرَةٗۖ نُّسۡقِيكُم مِّمَّا فِي بُطُونِهَا وَلَكُمۡ فِيهَا مَنَٰفِعُ كَثِيرَةٞ
وَمِنۡهَا تَأۡكُلُونَ ﴿٢١﴾ وَعَلَيۡهَا وَعَلَى ٱلۡفُلۡكِ تُحۡمَلُونَ ﴿٢٢﴾ وَلَقَدۡ
أَرۡسَلۡنَا نُوحًا إِلَىٰ قَوۡمِهِۦ فَقَالَ يَٰقَوۡمِ ٱعۡبُدُواْ ٱللَّهَ مَا لَكُم مِّنۡ إِلَٰهٍ
غَيۡرُهُۥٓۚ أَفَلَا تَتَّقُونَ ﴿٢٣﴾ فَقَالَ ٱلۡمَلَؤُاْ ٱلَّذِينَ كَفَرُواْ مِن قَوۡمِهِۦ مَا هَٰذَآ
إِلَّا بَشَرٞ مِّثۡلُكُمۡ يُرِيدُ أَن يَتَفَضَّلَ عَلَيۡكُمۡ وَلَوۡ شَآءَ ٱللَّهُ لَأَنزَلَ
مَلَٰٓئِكَةٗ مَّا سَمِعۡنَا بِهَٰذَا فِيٓ ءَابَآئِنَا ٱلۡأَوَّلِينَ ﴿٢٤﴾ إِنۡ هُوَ إِلَّا
رَجُلُۢ بِهِۦ جِنَّةٞ فَتَرَبَّصُواْ بِهِۦ حَتَّىٰ حِينٖ ﴿٢٥﴾ قَالَ رَبِّ ٱنصُرۡنِي
بِمَا كَذَّبُونِ ﴿٢٦﴾ فَأَوۡحَيۡنَآ إِلَيۡهِ أَنِ ٱصۡنَعِ ٱلۡفُلۡكَ بِأَعۡيُنِنَا
وَوَحۡيِنَا فَإِذَا جَآءَ أَمۡرُنَا وَفَارَ ٱلتَّنُّورُ فَٱسۡلُكۡ فِيهَا مِن
كُلّٖ زَوۡجَيۡنِ ٱثۡنَيۡنِ وَأَهۡلَكَ إِلَّا مَن سَبَقَ عَلَيۡهِ ٱلۡقَوۡلُ
مِنۡهُمۡۖ وَلَا تُخَٰطِبۡنِي فِي ٱلَّذِينَ ظَلَمُوٓاْ إِنَّهُم مُّغۡرَقُونَ ﴿٢٧﴾

- بِقَدَرٍ: بمقدار الحاجة والمصلحة
- شَجَرَةً: هيَ شجرةُ الزيتون
- بِٱلدُّهۡنِ: بالزَّيْت
- صِبۡغٖ لِّلۡأٓكِلِينَ: إدَام لهُم
- ٱلۡأَنۡعَٰمِ: الإبل والبقر والغنم
- لَعِبۡرَةً: لآية وعظة
- يَتَفَضَّلَ عَلَيۡكُمۡ: يترأس ويَشْرُف عليكم
- بِهِۦ جِنَّةٌ: به جُنونٌ
- فَتَرَبَّصُواْ بِهِۦ: انتظروه واصبروا عليه
- بِأَعۡيُنِنَا: برعايتنا وكلاءتنا
- فَارَ ٱلتَّنُّورُ: تنورُ الخبز المعروف
- فَٱسۡلُكۡ: فأدخل

مدّ ٦ حركات لزوماً | مدّ ٢ أو ٤ أو ٦ جوازاً | إخفاء، ومواقع الغُنَّة (حركتان) | تفخـ
مدّ واجب ٤ أو ٥ حركات | مدّ حركتان | إدغام، وما لا يُلفظ | قلقلـ

فَإِذَا ٱسْتَوَيْتَ أَنتَ وَمَن مَّعَكَ عَلَى ٱلْفُلْكِ فَقُلِ ٱلْحَمْدُ لِلَّهِ ٱلَّذِى نَجَّىٰنَا
مِنَ ٱلْقَوْمِ ٱلظَّٰلِمِينَ ﴿٢٨﴾ وَقُل رَّبِّ أَنزِلْنِى مُنزَلًا مُّبَارَكًا وَأَنتَ خَيْرُ
ٱلْمُنزِلِينَ ﴿٢٩﴾ إِنَّ فِى ذَٰلِكَ لَءَايَٰتٍ وَإِن كُنَّا لَمُبْتَلِينَ ﴿٣٠﴾ ثُمَّ أَنشَأْنَا
مِنۢ بَعْدِهِمْ قَرْنًا ءَاخَرِينَ ﴿٣١﴾ فَأَرْسَلْنَا فِيهِمْ رَسُولًا مِّنْهُمْ أَنِ ٱعْبُدُوا۟
ٱللَّهَ مَا لَكُم مِّنْ إِلَٰهٍ غَيْرُهُۥٓ ۖ أَفَلَا تَتَّقُونَ ﴿٣٢﴾ وَقَالَ ٱلْمَلَأُ مِن قَوْمِهِ
ٱلَّذِينَ كَفَرُوا۟ وَكَذَّبُوا۟ بِلِقَآءِ ٱلْءَاخِرَةِ وَأَتْرَفْنَٰهُمْ فِى ٱلْحَيَوٰةِ ٱلدُّنْيَا
مَا هَٰذَآ إِلَّا بَشَرٌ مِّثْلُكُمْ يَأْكُلُ مِمَّا تَأْكُلُونَ مِنْهُ وَيَشْرَبُ مِمَّا
تَشْرَبُونَ ﴿٣٣﴾ وَلَئِنْ أَطَعْتُم بَشَرًا مِّثْلَكُمْ إِنَّكُمْ إِذًا لَّخَٰسِرُونَ
﴿٣٤﴾ أَيَعِدُكُمْ أَنَّكُمْ إِذَا مِتُّمْ وَكُنتُمْ تُرَابًا وَعِظَٰمًا أَنَّكُم مُّخْرَجُونَ ﴿٣٥﴾
۞ هَيْهَاتَ هَيْهَاتَ لِمَا تُوعَدُونَ ﴿٣٦﴾ إِنْ هِىَ إِلَّا حَيَاتُنَا
ٱلدُّنْيَا نَمُوتُ وَنَحْيَا وَمَا نَحْنُ بِمَبْعُوثِينَ ﴿٣٧﴾ إِنْ هُوَ إِلَّا رَجُلٌ
ٱفْتَرَىٰ عَلَى ٱللَّهِ كَذِبًا وَمَا نَحْنُ لَهُۥ بِمُؤْمِنِينَ ﴿٣٨﴾ قَالَ رَبِّ
ٱنصُرْنِى بِمَا كَذَّبُونِ ﴿٣٩﴾ قَالَ عَمَّا قَلِيلٍ لَّيُصْبِحُنَّ نَٰدِمِينَ ﴿٤٠﴾
فَأَخَذَتْهُمُ ٱلصَّيْحَةُ بِٱلْحَقِّ فَجَعَلْنَٰهُمْ غُثَآءً ۚ فَبُعْدًا لِّلْقَوْمِ
ٱلظَّٰلِمِينَ ﴿٤١﴾ ثُمَّ أَنشَأْنَا مِنۢ بَعْدِهِمْ قُرُونًا ءَاخَرِينَ ﴿٤٢﴾

- مُنزَلًا: مكاناً أو إنزالاً
- لَمُبْتَلِينَ: لَمُختبرين عبادنا بهذه الآيات
- قَرْنًا ءَاخَرِينَ: هُمْ عادٌ الأولى
- ٱلْمَلَأُ: وُجوهُ القَوْم وَسادَتُهُمْ
- أَتْرَفْنَٰهُمْ: نعَّمْناهُمْ وَوَسَّعْنا عَلَيْهِمْ
- هَيْهَاتَ: بَعُدَ
- ٱلصَّيْحَةُ: العَذابُ المُصْطَلِمُ
- غُثَآءً: هَالِكِينَ كغُثَاء السَّيْلِ (حَميله)
- فَبُعْدًا: هَلاكًا
- قُرُونًا ءَاخَرِينَ: أُمماً أُخرَى

ربع الحزب ٣٥

المؤمنون

تُقرأ عند الوقف غُثَآءَا

| | | |
|---|---|---|
| مدّ ٦ حركات لزوماً ● مدّ ٢ أو ٤ أو ٦ جوازاً | ● إخفاء ، ومواقع الغُنَّة (حركتان) | ● تفخيم |
| مدّ واجب ٤ أو ٥ حركات ● مدّ حركتان | ● إدغام ، وما لا يُلفَظ | ● قلقلة |

مَا تَسۡبِقُ مِنۡ أُمَّةٍ أَجَلَهَا وَمَا يَسۡتَـٔۡخِرُونَ ﴿٤٣﴾ ثُمَّ أَرۡسَلۡنَا رُسُلَنَا تَتۡرَاۖ
كُلَّ مَا جَآءَ أُمَّةً رَّسُولُهَا كَذَّبُوهُۚ فَأَتۡبَعۡنَا بَعۡضَهُم بَعۡضٗا وَجَعَلۡنَٰهُمۡ
أَحَادِيثَۚ فَبُعۡدٗا لِّقَوۡمٖ لَّا يُؤۡمِنُونَ ﴿٤٤﴾ ثُمَّ أَرۡسَلۡنَا مُوسَىٰ وَأَخَاهُ
هَٰرُونَ بِـَٔايَٰتِنَا وَسُلۡطَٰنٖ مُّبِينٍ ﴿٤٥﴾ إِلَىٰ فِرۡعَوۡنَ وَمَلَإِيْهِۦ
فَٱسۡتَكۡبَرُواْ وَكَانُواْ قَوۡمًا عَالِينَ ﴿٤٦﴾ فَقَالُوٓاْ أَنُؤۡمِنُ لِبَشَرَيۡنِ مِثۡلِنَا
وَقَوۡمُهُمَا لَنَا عَٰبِدُونَ ﴿٤٧﴾ فَكَذَّبُوهُمَا فَكَانُواْ مِنَ ٱلۡمُهۡلَكِينَ
﴿٤٨﴾ وَلَقَدۡ ءَاتَيۡنَا مُوسَى ٱلۡكِتَٰبَ لَعَلَّهُمۡ يَهۡتَدُونَ ﴿٤٩﴾ وَجَعَلۡنَا
ٱبۡنَ مَرۡيَمَ وَأُمَّهُۥٓ ءَايَةٗ وَءَاوَيۡنَٰهُمَآ إِلَىٰ رَبۡوَةٖ ذَاتِ قَرَارٖ وَمَعِينٖ
﴿٥٠﴾ يَٰٓأَيُّهَا ٱلرُّسُلُ كُلُواْ مِنَ ٱلطَّيِّبَٰتِ وَٱعۡمَلُواْ صَٰلِحًاۖ إِنِّي بِمَا
تَعۡمَلُونَ عَلِيمٞ ﴿٥١﴾ وَإِنَّ هَٰذِهِۦٓ أُمَّتُكُمۡ أُمَّةٗ وَٰحِدَةٗ وَأَنَا۠ رَبُّكُمۡ
فَٱتَّقُونِ ﴿٥٢﴾ فَتَقَطَّعُوٓاْ أَمۡرَهُم بَيۡنَهُمۡ زُبُرٗاۖ كُلُّ حِزۡبِۭ بِمَا لَدَيۡهِمۡ
فَرِحُونَ ﴿٥٣﴾ فَذَرۡهُمۡ فِي غَمۡرَتِهِمۡ حَتَّىٰ حِينٍ ﴿٥٤﴾ أَيَحۡسَبُونَ أَنَّمَا
نُمِدُّهُم بِهِۦ مِن مَّالٖ وَبَنِينَ ﴿٥٥﴾ نُسَارِعُ لَهُمۡ فِي ٱلۡخَيۡرَٰتِۚ بَل لَّا يَشۡعُرُونَ
﴿٥٦﴾ إِنَّ ٱلَّذِينَ هُم مِّنۡ خَشۡيَةِ رَبِّهِم مُّشۡفِقُونَ ﴿٥٧﴾ وَٱلَّذِينَ هُم
بِـَٔايَٰتِ رَبِّهِمۡ يُؤۡمِنُونَ ﴿٥٨﴾ وَٱلَّذِينَ هُم بِرَبِّهِمۡ لَا يُشۡرِكُونَ ﴿٥٩﴾

- تَتۡرَا: مُتتابعينَ على فَتَراتٍ
- جَعَلۡنَٰهُمۡ أَحَادِيثَ: مُجرَّدَ أخبارٍ للتَّعجُّبِ والتلهِّي
- سُلۡطَٰنٖ: بُرْهانٍ
- قَوۡمًا عَالِينَ: مُتَكَبِّرِينَ مُتَطاوِلِينَ بالظُّلْمِ
- ءَاوَيۡنَٰهُمَآ: أَوْصَلْنَاهُما
- رَبۡوَةٖ: مَكانٍ مُرْتَفِعٍ
- مَعِينٖ: ماءٍ جارٍ ظاهِرٍ للعُيُونِ
- أُمَّتُكُمۡ: مِلَّتُكُم
- فَتَقَطَّعُوٓاْ أَمۡرَهُم: تفرَّقُوا في أَمْرِ دِينِهِمْ
- زُبُرٗا: قِطَعاً وَفِرَقاً وأحزاباً
- غَمۡرَتِهِمۡ: جَهالَتِهِمْ وَضَلالَتِهِمْ
- أَنَّمَا نُمِدُّهُم بِهِۦ: نَجعَلُهُ مَدَداً لهم
- مُّشۡفِقُونَ: خائِفُونَ حَذِرُونَ

● مدّ ٦ حركات لزوماً ● مدّ ٢ أو ٤ أو ٦ جوازاً ● إخفاء، ومواقع الغُنَّة (حركتان) ● تفـ
● مدّ واجب ٤ أو ٥ حركات ● مدّ حركتان ● إدغام، وما لا يُلفَظ ● قلقـ

وَٱلَّذِينَ يُؤۡتُونَ مَآ ءَاتَواْ وَّقُلُوبُهُمۡ وَجِلَةٌ أَنَّهُمۡ إِلَىٰ رَبِّهِمۡ رَٰجِعُونَ ﴿٦٠﴾
أُوْلَٰٓئِكَ يُسَٰرِعُونَ فِي ٱلۡخَيۡرَٰتِ وَهُمۡ لَهَا سَٰبِقُونَ ﴿٦١﴾ وَلَا نُكَلِّفُ
نَفۡسًا إِلَّا وُسۡعَهَاۖ وَلَدَيۡنَا كِتَٰبٞ يَنطِقُ بِٱلۡحَقِّ وَهُمۡ لَا يُظۡلَمُونَ ﴿٦٢﴾
بَلۡ قُلُوبُهُمۡ فِي غَمۡرَةٖ مِّنۡ هَٰذَا وَلَهُمۡ أَعۡمَٰلٞ مِّن دُونِ ذَٰلِكَ هُمۡ لَهَا
عَٰمِلُونَ ﴿٦٣﴾ حَتَّىٰٓ إِذَآ أَخَذۡنَا مُتۡرَفِيهِم بِٱلۡعَذَابِ إِذَا هُمۡ يَجۡـَٔرُونَ
﴿٦٤﴾ لَا تَجۡـَٔرُواْ ٱلۡيَوۡمَۖ إِنَّكُم مِّنَّا لَا تُنصَرُونَ ﴿٦٥﴾ قَدۡ كَانَتۡ ءَايَٰتِي
تُتۡلَىٰ عَلَيۡكُمۡ فَكُنتُمۡ عَلَىٰٓ أَعۡقَٰبِكُمۡ تَنكِصُونَ ﴿٦٦﴾ مُسۡتَكۡبِرِينَ
بِهِۦ سَٰمِرٗا تَهۡجُرُونَ ﴿٦٧﴾ أَفَلَمۡ يَدَّبَّرُواْ ٱلۡقَوۡلَ أَمۡ جَآءَهُم مَّا لَمۡ يَأۡتِ
ءَابَآءَهُمُ ٱلۡأَوَّلِينَ ﴿٦٨﴾ أَمۡ لَمۡ يَعۡرِفُواْ رَسُولَهُمۡ فَهُمۡ لَهُۥ مُنكِرُونَ
﴿٦٩﴾ أَمۡ يَقُولُونَ بِهِۦ جِنَّةُۢۚ بَلۡ جَآءَهُم بِٱلۡحَقِّ وَأَكۡثَرُهُمۡ لِلۡحَقِّ
كَٰرِهُونَ ﴿٧٠﴾ وَلَوِ ٱتَّبَعَ ٱلۡحَقُّ أَهۡوَآءَهُمۡ لَفَسَدَتِ ٱلسَّمَٰوَٰتُ
وَٱلۡأَرۡضُ وَمَن فِيهِنَّۚ بَلۡ أَتَيۡنَٰهُم بِذِكۡرِهِمۡ فَهُمۡ عَن
ذِكۡرِهِم مُّعۡرِضُونَ ﴿٧١﴾ أَمۡ تَسۡـَٔلُهُمۡ خَرۡجٗا فَخَرَاجُ رَبِّكَ خَيۡرٞۖ
وَهُوَ خَيۡرُ ٱلرَّٰزِقِينَ ﴿٧٢﴾ وَإِنَّكَ لَتَدۡعُوهُمۡ إِلَىٰ صِرَٰطٖ مُّسۡتَقِيمٖ ﴿٧٣﴾
وَإِنَّ ٱلَّذِينَ لَا يُؤۡمِنُونَ بِٱلۡأٓخِرَةِ عَنِ ٱلصِّرَٰطِ لَنَٰكِبُونَ ﴿٧٤﴾

- يُؤۡتُونَ مَآ ءَاتَواْ: يُعطُونَ ما أعطَوْا
- وَجِلَةٌ: خائفةٌ ألاّ تُقبَلَ أعمالُهم
- وُسۡعَهَا: قَدْرَ طاقتِها
- من الأعمال
- غَمۡرَةٖ: جَهالةٍ وغَفلةٍ
- مُتۡرَفِيهِم: مُنَعَّمِيهِمْ
- يَجۡـَٔرُونَ: يَصرُخونَ مُستَغيثينَ بربِّهم
- تَنكِصُونَ: تَرْجِعونَ مُعْرِضين
- مُسۡتَكۡبِرِينَ بِهِۦ: مُستَعظِمين بالبيت المعظَّم
- سَٰمِرٗا: سُمّاراً حولَه بالليل
- تَهۡجُرُونَ: تَهْذُونَ بالطعنِ في الآيات
- بِهِۦ جِنَّةُۢ: بِه جُنونٌ
- خَرۡجٗا: جُعْلاً وأجْراً من المالِ
- لَنَٰكِبُونَ: مُنحَرِفونَ عَنِ الحقِّ زائِغونَ

المؤمنون

| | | |
|---|---|---|
| مدّ ٦ حركات لزوماً ● مدّ ٢ أو ٤ أو ٦ جوازاً | إخفاء ، ومواقع الغُنَّة (حركتان) | تفخيم |
| مدّ واجب ٤ أو ٥ حركات ● مدّ حركتان | إدغام ، وما لا يُلفَظ | قلقلة |

۞ وَلَوْ رَحِمْنَٰهُمْ وَكَشَفْنَا مَا بِهِم مِّن ضُرٍّ لَّلَجُّوا۟ فِى طُغْيَٰنِهِمْ
يَعْمَهُونَ ﴿٧٥﴾ وَلَقَدْ أَخَذْنَٰهُم بِٱلْعَذَابِ فَمَا ٱسْتَكَانُوا۟ لِرَبِّهِمْ
وَمَا يَتَضَرَّعُونَ ﴿٧٦﴾ حَتَّىٰٓ إِذَا فَتَحْنَا عَلَيْهِم بَابًا ذَا عَذَابٍ شَدِيدٍ
إِذَا هُمْ فِيهِ مُبْلِسُونَ ﴿٧٧﴾ وَهُوَ ٱلَّذِىٓ أَنشَأَ لَكُمُ ٱلسَّمْعَ وَٱلْأَبْصَٰرَ
وَٱلْأَفْـِٔدَةَ ۚ قَلِيلًا مَّا تَشْكُرُونَ ﴿٧٨﴾ وَهُوَ ٱلَّذِى ذَرَأَكُمْ فِى ٱلْأَرْضِ
وَإِلَيْهِ تُحْشَرُونَ ﴿٧٩﴾ وَهُوَ ٱلَّذِى يُحْىِۦ وَيُمِيتُ وَلَهُ ٱخْتِلَٰفُ
ٱلَّيْلِ وَٱلنَّهَارِ ۚ أَفَلَا تَعْقِلُونَ ﴿٨٠﴾ بَلْ قَالُوا۟ مِثْلَ مَا قَالَ
ٱلْأَوَّلُونَ ﴿٨١﴾ قَالُوٓا۟ أَءِذَا مِتْنَا وَكُنَّا تُرَابًا وَعِظَٰمًا أَءِنَّا
لَمَبْعُوثُونَ ﴿٨٢﴾ لَقَدْ وُعِدْنَا نَحْنُ وَءَابَآؤُنَا هَٰذَا مِن قَبْلُ إِنْ هَٰذَآ
إِلَّآ أَسَٰطِيرُ ٱلْأَوَّلِينَ ﴿٨٣﴾ قُل لِّمَنِ ٱلْأَرْضُ وَمَن فِيهَآ إِن
كُنتُمْ تَعْلَمُونَ ﴿٨٤﴾ سَيَقُولُونَ لِلَّهِ ۚ قُلْ أَفَلَا تَذَكَّرُونَ
﴿٨٥﴾ قُلْ مَن رَّبُّ ٱلسَّمَٰوَٰتِ ٱلسَّبْعِ وَرَبُّ ٱلْعَرْشِ ٱلْعَظِيمِ
﴿٨٦﴾ سَيَقُولُونَ لِلَّهِ ۚ قُلْ أَفَلَا تَتَّقُونَ ﴿٨٧﴾ قُلْ مَنۢ بِيَدِهِۦ
مَلَكُوتُ كُلِّ شَىْءٍ وَهُوَ يُجِيرُ وَلَا يُجَارُ عَلَيْهِ إِن
كُنتُمْ تَعْلَمُونَ ﴿٨٨﴾ سَيَقُولُونَ لِلَّهِ ۚ قُلْ فَأَنَّىٰ تُسْحَرُونَ ﴿٨٩﴾

نصف الحزب ٣٥

- لَلَجُّوا۟ فِى طُغْيَٰنِهِمْ: لتمادَوا في ضلالهم وكفرهم
- يَعْمَهُونَ: يَعْمَوْنَ عن الرُّشد. أو يتحيّرون
- فَمَا ٱسْتَكَانُوا۟: فما خضعوا وأظهروا المسكنة
- مَا يَتَضَرَّعُونَ: ما يتذلّلون له تعالى بالدُّعاء
- مُبْلِسُونَ: آيسون من كل خير
- ذَرَأَكُمْ: خلقكم وبثّكم بالتناسل
- أَسَٰطِيرُ ٱلْأَوَّلِينَ: أكاذيبهم المسطورة في كتبهم
- مَلَكُوتُ: المُلْكُ الواسع
- يُجِيرُ: يُغيث ويحمي من يشاء
- لَا يُجَارُ عَلَيْهِ: لا يُغاث أحدٌ منه ولا يُمنع
- فَأَنَّىٰ تُسْحَرُونَ: فكيف تُخدعون عن توحيده

مدّ ٦ حركات لزوماً — مدّ ٢ أو ٤ أو ٦ جوازاً — إخفاء، ومواقع الغُنَّة (حركتان) — تفخ...
مدّ واجب ٤ أو ٥ حركات — مدّ حركتان — إدغام، وما لا يُلفظ — قلقـ...

بَلْ أَتَيْنَٰهُم بِٱلْحَقِّ وَإِنَّهُمْ لَكَٰذِبُونَ ﴿٩٠﴾ مَا ٱتَّخَذَ ٱللَّهُ مِن وَلَدٍ
وَمَا كَانَ مَعَهُۥ مِنْ إِلَٰهٍ ۚ إِذًا لَّذَهَبَ كُلُّ إِلَٰهٍۭ بِمَا خَلَقَ وَلَعَلَا
بَعْضُهُمْ عَلَىٰ بَعْضٍ ۚ سُبْحَٰنَ ٱللَّهِ عَمَّا يَصِفُونَ ﴿٩١﴾ عَٰلِمِ
ٱلْغَيْبِ وَٱلشَّهَٰدَةِ فَتَعَٰلَىٰ عَمَّا يُشْرِكُونَ ﴿٩٢﴾ قُل رَّبِّ
إِمَّا تُرِيَنِّى مَا يُوعَدُونَ ﴿٩٣﴾ رَبِّ فَلَا تَجْعَلْنِى فِى ٱلْقَوْمِ
ٱلظَّٰلِمِينَ ﴿٩٤﴾ وَإِنَّا عَلَىٰٓ أَن نُّرِيَكَ مَا نَعِدُهُمْ لَقَٰدِرُونَ ﴿٩٥﴾
ٱدْفَعْ بِٱلَّتِى هِىَ أَحْسَنُ ٱلسَّيِّئَةَ ۚ نَحْنُ أَعْلَمُ بِمَا يَصِفُونَ ﴿٩٦﴾
وَقُل رَّبِّ أَعُوذُ بِكَ مِنْ هَمَزَٰتِ ٱلشَّيَٰطِينِ ﴿٩٧﴾ وَأَعُوذُ بِكَ
رَبِّ أَن يَحْضُرُونِ ﴿٩٨﴾ حَتَّىٰٓ إِذَا جَآءَ أَحَدَهُمُ ٱلْمَوْتُ قَالَ رَبِّ
ٱرْجِعُونِ ﴿٩٩﴾ لَعَلِّىٓ أَعْمَلُ صَٰلِحًا فِيمَا تَرَكْتُ ۚ كَلَّآ ۚ إِنَّهَا كَلِمَةٌ
هُوَ قَآئِلُهَا ۖ وَمِن وَرَآئِهِم بَرْزَخٌ إِلَىٰ يَوْمِ يُبْعَثُونَ ﴿١٠٠﴾ فَإِذَا نُفِخَ
فِى ٱلصُّورِ فَلَآ أَنسَابَ بَيْنَهُمْ يَوْمَئِذٍ وَلَا يَتَسَآءَلُونَ ﴿١٠١﴾
فَمَن ثَقُلَتْ مَوَٰزِينُهُۥ فَأُو۟لَٰٓئِكَ هُمُ ٱلْمُفْلِحُونَ ﴿١٠٢﴾ وَمَنْ
خَفَّتْ مَوَٰزِينُهُۥ فَأُو۟لَٰٓئِكَ ٱلَّذِينَ خَسِرُوٓا۟ أَنفُسَهُمْ فِى جَهَنَّمَ
خَٰلِدُونَ ﴿١٠٣﴾ تَلْفَحُ وُجُوهَهُمُ ٱلنَّارُ وَهُمْ فِيهَا كَٰلِحُونَ ﴿١٠٤﴾

- أَعُوذُ بِكَ: أعتصمُ وأمتنعُ بك
- هَمَزَٰتِ ٱلشَّيَٰطِينِ: نزغاتهم ووساوسهم المغرية
- بَرْزَخٌ: حاجزٌ دونَ الرّجعة
- تَلْفَحُ: تحرق
- كَٰلِحُونَ: مُكَشِّرونَ في عُبوسٍ وتقطيب

المؤمنون

| | | |
|---|---|---|
| مدّ ٦ حركات لزوماً ● مدّ ٢ أو ٤ أو ٦ جوازاً | ● إخفاء ، ومواقع الغُنّة (حركتان) | ● تفخيم |
| مدّ واجب ٤ أو ٥ حركات ● مدّ حركتان | ● إدغام ، وما لا يُلفظ | ● قلقلة |

أَلَمْ تَكُنْ ءَايَٰتِى تُتْلَىٰ عَلَيْكُمْ فَكُنتُم بِهَا تُكَذِّبُونَ ﴿١٠٥﴾ قَالُوا
رَبَّنَا غَلَبَتْ عَلَيْنَا شِقْوَتُنَا وَكُنَّا قَوْمًا ضَآلِّينَ ﴿١٠٦﴾ رَبَّنَآ
أَخْرِجْنَا مِنْهَا فَإِنْ عُدْنَا فَإِنَّا ظَٰلِمُونَ ﴿١٠٧﴾ قَالَ ٱخْسَـُٔوا۟ فِيهَا
وَلَا تُكَلِّمُونِ ﴿١٠٨﴾ إِنَّهُۥ كَانَ فَرِيقٌ مِّنْ عِبَادِى يَقُولُونَ رَبَّنَآ
ءَامَنَّا فَٱغْفِرْ لَنَا وَٱرْحَمْنَا وَأَنتَ خَيْرُ ٱلرَّٰحِمِينَ ﴿١٠٩﴾ فَٱتَّخَذْتُمُوهُمْ
سِخْرِيًّا حَتَّىٰٓ أَنسَوْكُمْ ذِكْرِى وَكُنتُم مِّنْهُمْ تَضْحَكُونَ ﴿١١٠﴾
إِنِّى جَزَيْتُهُمُ ٱلْيَوْمَ بِمَا صَبَرُوٓا۟ أَنَّهُمْ هُمُ ٱلْفَآئِزُونَ ﴿١١١﴾ قَٰلَ
كَمْ لَبِثْتُمْ فِى ٱلْأَرْضِ عَدَدَ سِنِينَ ﴿١١٢﴾ قَالُوا۟ لَبِثْنَا يَوْمًا أَوْ بَعْضَ
يَوْمٍ فَسْـَٔلِ ٱلْعَآدِّينَ ﴿١١٣﴾ قَٰلَ إِن لَّبِثْتُمْ إِلَّا قَلِيلًا ۖ لَّوْ أَنَّكُمْ
كُنتُمْ تَعْلَمُونَ ﴿١١٤﴾ أَفَحَسِبْتُمْ أَنَّمَا خَلَقْنَٰكُمْ عَبَثًا وَأَنَّكُمْ
إِلَيْنَا لَا تُرْجَعُونَ ﴿١١٥﴾ فَتَعَٰلَى ٱللَّهُ ٱلْمَلِكُ ٱلْحَقُّ ۖ لَآ إِلَٰهَ إِلَّا
هُوَ رَبُّ ٱلْعَرْشِ ٱلْكَرِيمِ ﴿١١٦﴾ وَمَن يَدْعُ مَعَ ٱللَّهِ إِلَٰهًا
ءَاخَرَ لَا بُرْهَٰنَ لَهُۥ بِهِۦ فَإِنَّمَا حِسَابُهُۥ عِندَ رَبِّهِۦٓ ۚ إِنَّهُۥ لَا يُفْلِحُ
ٱلْكَٰفِرُونَ ﴿١١٧﴾ وَقُل رَّبِّ ٱغْفِرْ وَٱرْحَمْ وَأَنتَ خَيْرُ ٱلرَّٰحِمِينَ ﴿١١٨﴾

## سُورَةُ النُّورِ

ترتيبها ٢٤ — آياتها ٦٤

- غَلَبَتْ عَلَيْنَا: اسْتَوْلَتْ عَلَيْنَا
- شِقْوَتُنَا: شَقَاوَتُنا أو سُوء عَاقِبَتِنا
- ٱخْسَـُٔوا۟: انْزَجِرُوا وابْعُدُوا
- سِخْرِيًّا: مَهْزُوءاً بِهِمْ
- فَتَعَٰلَى ٱللَّهُ: ارْتَفَعَ وَتَنَزَّهَ عن العَبَثِ

مدّ ٦ حركات لزوماً | مدّ ٢ أو ٤ أو ٦ جوازاً | إخفاء ، ومواقع الغُنَّة (حركتان) | تفـ
مدّ واجب ٤ أو ٥ حركات | مدّ حركتان | إدغام ، وما لا يُلفَظ | قلقـ

ثلاثة أرباع الحزب ٣٥

بِسْمِ ٱللَّهِ ٱلرَّحْمَٰنِ ٱلرَّحِيمِ

سُورَةٌ أَنزَلْنَٰهَا وَفَرَضْنَٰهَا وَأَنزَلْنَا فِيهَآ ءَايَٰتٍۭ بَيِّنَٰتٍ لَّعَلَّكُمْ تَذَكَّرُونَ
﴿١﴾ ٱلزَّانِيَةُ وَٱلزَّانِى فَٱجْلِدُوا۟ كُلَّ وَٰحِدٍ مِّنْهُمَا مِا۟ئَةَ جَلْدَةٍ ۖ وَلَا تَأْخُذْكُم
بِهِمَا رَأْفَةٌ فِى دِينِ ٱللَّهِ إِن كُنتُمْ تُؤْمِنُونَ بِٱللَّهِ وَٱلْيَوْمِ ٱلْـَٔاخِرِ ۖ وَلْيَشْهَدْ
عَذَابَهُمَا طَآئِفَةٌ مِّنَ ٱلْمُؤْمِنِينَ ﴿٢﴾ ٱلزَّانِى لَا يَنكِحُ إِلَّا زَانِيَةً أَوْ
مُشْرِكَةً وَٱلزَّانِيَةُ لَا يَنكِحُهَآ إِلَّا زَانٍ أَوْ مُشْرِكٌ ۚ وَحُرِّمَ ذَٰلِكَ عَلَى
ٱلْمُؤْمِنِينَ ﴿٣﴾ وَٱلَّذِينَ يَرْمُونَ ٱلْمُحْصَنَٰتِ ثُمَّ لَمْ يَأْتُوا۟ بِأَرْبَعَةِ شُهَدَآءَ
فَٱجْلِدُوهُمْ ثَمَٰنِينَ جَلْدَةً وَلَا تَقْبَلُوا۟ لَهُمْ شَهَٰدَةً أَبَدًا ۚ وَأُو۟لَٰٓئِكَ هُمُ
ٱلْفَٰسِقُونَ ﴿٤﴾ إِلَّا ٱلَّذِينَ تَابُوا۟ مِنۢ بَعْدِ ذَٰلِكَ وَأَصْلَحُوا۟ فَإِنَّ ٱللَّهَ غَفُورٌ
رَّحِيمٌ ﴿٥﴾ وَٱلَّذِينَ يَرْمُونَ أَزْوَٰجَهُمْ وَلَمْ يَكُن لَّهُمْ شُهَدَآءُ إِلَّآ أَنفُسُهُمْ
فَشَهَٰدَةُ أَحَدِهِمْ أَرْبَعُ شَهَٰدَٰتٍۭ بِٱللَّهِ ۙ إِنَّهُۥ لَمِنَ ٱلصَّٰدِقِينَ ﴿٦﴾
وَٱلْخَٰمِسَةُ أَنَّ لَعْنَتَ ٱللَّهِ عَلَيْهِ إِن كَانَ مِنَ ٱلْكَٰذِبِينَ ﴿٧﴾ وَيَدْرَؤُا۟
عَنْهَا ٱلْعَذَابَ أَن تَشْهَدَ أَرْبَعَ شَهَٰدَٰتٍۭ بِٱللَّهِ ۙ إِنَّهُۥ لَمِنَ ٱلْكَٰذِبِينَ
﴿٨﴾ وَٱلْخَٰمِسَةَ أَنَّ غَضَبَ ٱللَّهِ عَلَيْهَآ إِن كَانَ مِنَ ٱلصَّٰدِقِينَ ﴿٩﴾
وَلَوْلَا فَضْلُ ٱللَّهِ عَلَيْكُمْ وَرَحْمَتُهُۥ وَأَنَّ ٱللَّهَ تَوَّابٌ حَكِيمٌ ﴿١٠﴾

فَرَضْنَٰهَا: أوجبنا أحكامها
يَرْمُونَ ٱلْمُحْصَنَٰتِ: يقذفون العفيفات بالزنا
وَيَدْرَؤُا۟ عَنْهَا: يدفع عنها

النور

تفخيم ● إخفاء، ومواقع الغنة (حركتان) ● مد ٢ أو ٤ أو ٦ جوازاً ● مد ٦ حركات لزوماً
قلقلة ● إدغام، وما لا يُلفظ ● مد حركتان ● مد واجب ٤ أو ٥ حركات

إِنَّ ٱلَّذِينَ جَآءُو بِٱلْإِفْكِ عُصْبَةٌ مِّنكُمْ لَا تَحْسَبُوهُ شَرًّا لَّكُم بَلْ هُوَ
خَيْرٌ لَّكُمْ لِكُلِّ ٱمْرِئٍ مِّنْهُم مَّا ٱكْتَسَبَ مِنَ ٱلْإِثْمِ وَٱلَّذِى تَوَلَّىٰ
كِبْرَهُۥ مِنْهُمْ لَهُۥ عَذَابٌ عَظِيمٌ ﴿١١﴾ لَّوْلَآ إِذْ سَمِعْتُمُوهُ ظَنَّ ٱلْمُؤْمِنُونَ
وَٱلْمُؤْمِنَٰتُ بِأَنفُسِهِمْ خَيْرًا وَقَالُوا۟ هَٰذَآ إِفْكٌ مُّبِينٌ ﴿١٢﴾ لَّوْلَا
جَآءُو عَلَيْهِ بِأَرْبَعَةِ شُهَدَآءَ فَإِذْ لَمْ يَأْتُوا۟ بِٱلشُّهَدَآءِ فَأُو۟لَٰٓئِكَ
عِندَ ٱللَّهِ هُمُ ٱلْكَٰذِبُونَ ﴿١٣﴾ وَلَوْلَا فَضْلُ ٱللَّهِ عَلَيْكُمْ وَرَحْمَتُهُۥ
فِى ٱلدُّنْيَا وَٱلْءَاخِرَةِ لَمَسَّكُمْ فِى مَآ أَفَضْتُمْ فِيهِ عَذَابٌ عَظِيمٌ ﴿١٤﴾
إِذْ تَلَقَّوْنَهُۥ بِأَلْسِنَتِكُمْ وَتَقُولُونَ بِأَفْوَاهِكُم مَّا لَيْسَ لَكُم بِهِۦ عِلْمٌ
وَتَحْسَبُونَهُۥ هَيِّنًا وَهُوَ عِندَ ٱللَّهِ عَظِيمٌ ﴿١٥﴾ وَلَوْلَآ إِذْ سَمِعْتُمُوهُ
قُلْتُم مَّا يَكُونُ لَنَآ أَن نَّتَكَلَّمَ بِهَٰذَا سُبْحَٰنَكَ هَٰذَا بُهْتَٰنٌ عَظِيمٌ
﴿١٦﴾ يَعِظُكُمُ ٱللَّهُ أَن تَعُودُوا۟ لِمِثْلِهِۦٓ أَبَدًا إِن كُنتُم مُّؤْمِنِينَ ﴿١٧﴾
وَيُبَيِّنُ ٱللَّهُ لَكُمُ ٱلْءَايَٰتِ وَٱللَّهُ عَلِيمٌ حَكِيمٌ ﴿١٨﴾ إِنَّ ٱلَّذِينَ
يُحِبُّونَ أَن تَشِيعَ ٱلْفَٰحِشَةُ فِى ٱلَّذِينَ ءَامَنُوا۟ لَهُمْ عَذَابٌ أَلِيمٌ
فِى ٱلدُّنْيَا وَٱلْءَاخِرَةِ وَٱللَّهُ يَعْلَمُ وَأَنتُمْ لَا تَعْلَمُونَ ﴿١٩﴾ وَلَوْلَا
فَضْلُ ٱللَّهِ عَلَيْكُمْ وَرَحْمَتُهُۥ وَأَنَّ ٱللَّهَ رَءُوفٌ رَّحِيمٌ ﴿٢٠﴾

- بِٱلْإِفْكِ: أقبح الكذب وأفحشه
- عُصْبَةٌ مِّنكُمْ: جماعة منكم
- تَوَلَّىٰ كِبْرَهُۥ: تحمّل مُعظمه
- أَفَضْتُمْ فِيهِ: خُضتم واندفعتم فيه
- هَيِّنًا: سهلاً لا تبعة له
- بُهْتَٰنٌ: كذب يحيّر سامعه لفظاعته

۞ يَٰٓأَيُّهَا ٱلَّذِينَ ءَامَنُواْ لَا تَتَّبِعُواْ خُطُوَٰتِ ٱلشَّيْطَٰنِۚ وَمَن يَتَّبِعْ
خُطُوَٰتِ ٱلشَّيْطَٰنِ فَإِنَّهُۥ يَأْمُرُ بِٱلْفَحْشَآءِ وَٱلْمُنكَرِۚ وَلَوْلَا فَضْلُ
ٱللَّهِ عَلَيْكُمْ وَرَحْمَتُهُۥ مَا زَكَىٰ مِنكُم مِّنْ أَحَدٍ أَبَدًا وَلَٰكِنَّ ٱللَّهَ يُزَكِّى
مَن يَشَآءُۗ وَٱللَّهُ سَمِيعٌ عَلِيمٌ ﴿٢١﴾ وَلَا يَأْتَلِ أُوْلُواْ ٱلْفَضْلِ مِنكُمْ
وَٱلسَّعَةِ أَن يُؤْتُوٓاْ أُوْلِى ٱلْقُرْبَىٰ وَٱلْمَسَٰكِينَ وَٱلْمُهَٰجِرِينَ فِى
سَبِيلِ ٱللَّهِۖ وَلْيَعْفُواْ وَلْيَصْفَحُوٓاْۗ أَلَا تُحِبُّونَ أَن يَغْفِرَ ٱللَّهُ لَكُمْۗ
وَٱللَّهُ غَفُورٌ رَّحِيمٌ ﴿٢٢﴾ إِنَّ ٱلَّذِينَ يَرْمُونَ ٱلْمُحْصَنَٰتِ ٱلْغَٰفِلَٰتِ
ٱلْمُؤْمِنَٰتِ لُعِنُواْ فِى ٱلدُّنْيَا وَٱلْءَاخِرَةِ وَلَهُمْ عَذَابٌ عَظِيمٌ ﴿٢٣﴾
يَوْمَ تَشْهَدُ عَلَيْهِمْ أَلْسِنَتُهُمْ وَأَيْدِيهِمْ وَأَرْجُلُهُم بِمَا كَانُواْ يَعْمَلُونَ
﴿٢٤﴾ يَوْمَئِذٍ يُوَفِّيهِمُ ٱللَّهُ دِينَهُمُ ٱلْحَقَّ وَيَعْلَمُونَ أَنَّ ٱللَّهَ هُوَ ٱلْحَقُّ
ٱلْمُبِينُ ﴿٢٥﴾ ٱلْخَبِيثَٰتُ لِلْخَبِيثِينَ وَٱلْخَبِيثُونَ لِلْخَبِيثَٰتِۖ
وَٱلطَّيِّبَٰتُ لِلطَّيِّبِينَ وَٱلطَّيِّبُونَ لِلطَّيِّبَٰتِۚ أُوْلَٰٓئِكَ مُبَرَّءُونَ
مِمَّا يَقُولُونَۖ لَهُم مَّغْفِرَةٌ وَرِزْقٌ كَرِيمٌ ﴿٢٦﴾ يَٰٓأَيُّهَا ٱلَّذِينَ
ءَامَنُواْ لَا تَدْخُلُواْ بُيُوتًا غَيْرَ بُيُوتِكُمْ حَتَّىٰ تَسْتَأْنِسُواْ
وَتُسَلِّمُواْ عَلَىٰٓ أَهْلِهَاۚ ذَٰلِكُمْ خَيْرٌ لَّكُمْ لَعَلَّكُمْ تَذَكَّرُونَ ﴿٢٧﴾

- خُطُوَٰتِ ٱلشَّيْطَٰنِ: طُرُقَهُ وَآثَارَه
- مَا زَكَىٰ: مَا طَهُرَ من دَنَسِ الذُّنُوبِ
- لَا يَأْتَلِ: لاَ يَحْلِفْ. أوْ لاَ يُقَصِّرْ
- أُوْلُواْ ٱلْفَضْلِ: الزيادة في الدِّينِ
- ٱلسَّعَةِ: الغِنَى
- دِينَهُمُ ٱلْحَقَّ: جَزَاءَهُمُ المقْطُوعَ به لَهُمْ
- تَسْتَأْنِسُواْ: تَسْتَأْذِنُوا

فَإِن لَّمْ تَجِدُوا۟ فِيهَآ أَحَدًا فَلَا تَدْخُلُوهَا حَتَّىٰ يُؤْذَنَ لَكُمْ ۖ وَإِن
قِيلَ لَكُمُ ٱرْجِعُوا۟ فَٱرْجِعُوا۟ ۖ هُوَ أَزْكَىٰ لَكُمْ ۚ وَٱللَّهُ بِمَا تَعْمَلُونَ
عَلِيمٌ ﴿٢٨﴾ لَّيْسَ عَلَيْكُمْ جُنَاحٌ أَن تَدْخُلُوا۟ بُيُوتًا غَيْرَ مَسْكُونَةٍ
فِيهَا مَتَٰعٌ لَّكُمْ ۚ وَٱللَّهُ يَعْلَمُ مَا تُبْدُونَ وَمَا تَكْتُمُونَ ﴿٢٩﴾
قُل لِّلْمُؤْمِنِينَ يَغُضُّوا۟ مِنْ أَبْصَٰرِهِمْ وَيَحْفَظُوا۟ فُرُوجَهُمْ ۚ
ذَٰلِكَ أَزْكَىٰ لَهُمْ ۗ إِنَّ ٱللَّهَ خَبِيرٌۢ بِمَا يَصْنَعُونَ ﴿٣٠﴾ وَقُل لِّلْمُؤْمِنَٰتِ
يَغْضُضْنَ مِنْ أَبْصَٰرِهِنَّ وَيَحْفَظْنَ فُرُوجَهُنَّ وَلَا يُبْدِينَ
زِينَتَهُنَّ إِلَّا مَا ظَهَرَ مِنْهَا ۖ وَلْيَضْرِبْنَ بِخُمُرِهِنَّ عَلَىٰ جُيُوبِهِنَّ ۖ
وَلَا يُبْدِينَ زِينَتَهُنَّ إِلَّا لِبُعُولَتِهِنَّ أَوْ ءَابَآئِهِنَّ أَوْ
ءَابَآءِ بُعُولَتِهِنَّ أَوْ أَبْنَآئِهِنَّ أَوْ أَبْنَآءِ بُعُولَتِهِنَّ
أَوْ إِخْوَٰنِهِنَّ أَوْ بَنِىٓ إِخْوَٰنِهِنَّ أَوْ بَنِىٓ أَخَوَٰتِهِنَّ أَوْ نِسَآئِهِنَّ
أَوْ مَا مَلَكَتْ أَيْمَٰنُهُنَّ أَوِ ٱلتَّٰبِعِينَ غَيْرِ أُو۟لِى ٱلْإِرْبَةِ مِنَ
ٱلرِّجَالِ أَوِ ٱلطِّفْلِ ٱلَّذِينَ لَمْ يَظْهَرُوا۟ عَلَىٰ عَوْرَٰتِ ٱلنِّسَآءِ ۖ
وَلَا يَضْرِبْنَ بِأَرْجُلِهِنَّ لِيُعْلَمَ مَا يُخْفِينَ مِن زِينَتِهِنَّ ۚ وَتُوبُوٓا۟
إِلَى ٱللَّهِ جَمِيعًا أَيُّهَ ٱلْمُؤْمِنُونَ لَعَلَّكُمْ تُفْلِحُونَ ﴿٣١﴾

- أَزْكَىٰ لَكُمْ: أطيبُ وأطهرُ لكم
- جُنَاحٌ: إثم
- مَتَٰعٌ لَّكُمْ: منفعةٌ ومصلحةٌ لكُم
- يَغُضُّوا۟: يَخفِضوا وينقصُوا
- وَلْيَضْرِبْنَ: ولْيُلقِينَ ويُسدِلْنَ
- بِخُمُرِهِنَّ: أغطيةِ رُؤوسِهِنَّ
- عَلَىٰ جُيُوبِهِنَّ: عَلَى مواضعها (صُدورهنَّ وما حَوالَيْها)
- لِبُعُولَتِهِنَّ: لأزواجِهنَّ
- أُو۟لِى ٱلْإِرْبَةِ: أصْحابِ الحَاجةِ إلى النِّساءِ
- لَمْ يَظْهَرُوا۟: لم يطَّلعُوا

| | |
|---|---|
| مدّ ٦ حركات لزوماً ● مدّ ٢ أو ٤ أو ٦ جوازاً | إخفاء ، ومواقع الغُنَّة (حركتان) |
| مدّ واجب ٤ أو ٥ حركات ● مدّ حركتان | إدغام ، وما لا يُلفَظ |

وَأَنكِحُوا۟ ٱلْأَيَـٰمَىٰ مِنكُمْ وَٱلصَّـٰلِحِينَ مِنْ عِبَادِكُمْ وَإِمَآئِكُمْ ۚ إِن
يَكُونُوا۟ فُقَرَآءَ يُغْنِهِمُ ٱللَّهُ مِن فَضْلِهِۦ ۗ وَٱللَّهُ وَٰسِعٌ عَلِيمٌ ﴿٣٢﴾
وَلْيَسْتَعْفِفِ ٱلَّذِينَ لَا يَجِدُونَ نِكَاحًا حَتَّىٰ يُغْنِيَهُمُ ٱللَّهُ مِن فَضْلِهِۦ ۗ
وَٱلَّذِينَ يَبْتَغُونَ ٱلْكِتَـٰبَ مِمَّا مَلَكَتْ أَيْمَـٰنُكُمْ فَكَاتِبُوهُمْ إِنْ
عَلِمْتُمْ فِيهِمْ خَيْرًا ۖ وَءَاتُوهُم مِّن مَّالِ ٱللَّهِ ٱلَّذِىٓ ءَاتَىٰكُمْ ۚ وَلَا
تُكْرِهُوا۟ فَتَيَـٰتِكُمْ عَلَى ٱلْبِغَآءِ إِنْ أَرَدْنَ تَحَصُّنًا لِّتَبْتَغُوا۟ عَرَضَ ٱلْحَيَوٰةِ
ٱلدُّنْيَا ۚ وَمَن يُكْرِههُّنَّ فَإِنَّ ٱللَّهَ مِنۢ بَعْدِ إِكْرَٰهِهِنَّ غَفُورٌ رَّحِيمٌ
﴿٣٣﴾ وَلَقَدْ أَنزَلْنَآ إِلَيْكُمْ ءَايَـٰتٍ مُّبَيِّنَـٰتٍ وَمَثَلًا مِّنَ ٱلَّذِينَ خَلَوْا۟
مِن قَبْلِكُمْ وَمَوْعِظَةً لِّلْمُتَّقِينَ ﴿٣٤﴾ ۞ ٱللَّهُ نُورُ ٱلسَّمَـٰوَٰتِ
وَٱلْأَرْضِ ۚ مَثَلُ نُورِهِۦ كَمِشْكَوٰةٍ فِيهَا مِصْبَاحٌ ۖ ٱلْمِصْبَاحُ فِى زُجَاجَةٍ ۖ
ٱلزُّجَاجَةُ كَأَنَّهَا كَوْكَبٌ دُرِّىٌّ يُوقَدُ مِن شَجَرَةٍ مُّبَـٰرَكَةٍ زَيْتُونَةٍ
لَّا شَرْقِيَّةٍ وَلَا غَرْبِيَّةٍ يَكَادُ زَيْتُهَا يُضِىٓءُ وَلَوْ لَمْ تَمْسَسْهُ نَارٌ ۚ
نُّورٌ عَلَىٰ نُورٍ ۗ يَهْدِى ٱللَّهُ لِنُورِهِۦ مَن يَشَآءُ ۚ وَيَضْرِبُ ٱللَّهُ ٱلْأَمْثَـٰلَ
لِلنَّاسِ ۗ وَٱللَّهُ بِكُلِّ شَىْءٍ عَلِيمٌ ﴿٣٥﴾ فِى بُيُوتٍ أَذِنَ ٱللَّهُ أَن تُرْفَعَ
وَيُذْكَرَ فِيهَا ٱسْمُهُۥ يُسَبِّحُ لَهُۥ فِيهَا بِٱلْغُدُوِّ وَٱلْـَٔاصَالِ ﴿٣٦﴾

- ٱلْأَيَـٰمَىٰ (جمع أَيِّم) مَنْ لَا زَوْجَ لها ومَنْ لَا زَوْجَ لَه
- ٱلْكِتَـٰبَ عقدَ المكاتبةِ بينهم وبين المالكين
- فَتَيَـٰتِكُمْ إماءَكُمْ
- ٱلْبِغَآءِ الزِّنا
- تَحَصُّنًا تعفُّفاً وتَصَوُّناً عنه

ربع الحزب ٣٦

- ٱللَّهُ نُورُ . . . مُنَوِّرُ . أو مُوجِدُ . أو مُدَبِّرُ . . .
- كَمِشْكَوٰةٍ كُوَّةٍ غَيْرِ نافِذَةٍ
- كَوْكَبٌ دُرِّىٌّ مُضِيءٌ مُتَلألِئٌ
- تُرْفَعَ : تُعظَّمَ
- بِٱلْغُدُوِّ وَٱلْـَٔاصَالِ أوائِلِ النَّهارِ وأواخِرِه

النور

| | | |
|---|---|---|
| مدّ ٦ حركات لزوماً ● مدّ ٢ أو ٤ أو ٦ جوازاً | إخفاء ، ومواقع الغنّة (حركتان) | تفخيم |
| مدّ واجب ٤ أو ٥ حركات ● مدّ حركتان | إدغام ، وما لا يُلفَظ | قلقلة |

رِجَالٌ لَّا تُلْهِيهِمْ تِجَٰرَةٌ وَلَا بَيْعٌ عَن ذِكْرِ ٱللَّهِ وَإِقَامِ ٱلصَّلَوٰةِ وَإِيتَآءِ
ٱلزَّكَوٰةِ يَخَافُونَ يَوْمًا تَتَقَلَّبُ فِيهِ ٱلْقُلُوبُ وَٱلْأَبْصَٰرُ ﴿٣٧﴾
لِيَجْزِيَهُمُ ٱللَّهُ أَحْسَنَ مَا عَمِلُوا۟ وَيَزِيدَهُم مِّن فَضْلِهِۦ ۗ وَٱللَّهُ يَرْزُقُ
مَن يَشَآءُ بِغَيْرِ حِسَابٍ ﴿٣٨﴾ وَٱلَّذِينَ كَفَرُوٓا۟ أَعْمَٰلُهُمْ كَسَرَابٍۭ
بِقِيعَةٍ يَحْسَبُهُ ٱلظَّمْـَٔانُ مَآءً حَتَّىٰٓ إِذَا جَآءَهُۥ لَمْ يَجِدْهُ شَيْـًٔا
وَوَجَدَ ٱللَّهَ عِندَهُۥ فَوَفَّىٰهُ حِسَابَهُۥ ۗ وَٱللَّهُ سَرِيعُ ٱلْحِسَابِ ﴿٣٩﴾
أَوْ كَظُلُمَٰتٍ فِى بَحْرٍ لُّجِّىٍّ يَغْشَىٰهُ مَوْجٌ مِّن فَوْقِهِۦ مَوْجٌ مِّن
فَوْقِهِۦ سَحَابٌ ۚ ظُلُمَٰتٌۢ بَعْضُهَا فَوْقَ بَعْضٍ إِذَآ أَخْرَجَ يَدَهُۥ لَمْ
يَكَدْ يَرَىٰهَا ۗ وَمَن لَّمْ يَجْعَلِ ٱللَّهُ لَهُۥ نُورًا فَمَا لَهُۥ مِن نُّورٍ ﴿٤٠﴾ أَلَمْ تَرَ أَنَّ
ٱللَّهَ يُسَبِّحُ لَهُۥ مَن فِى ٱلسَّمَٰوَٰتِ وَٱلْأَرْضِ وَٱلطَّيْرُ صَٰٓفَّٰتٍ ۖ كُلٌّ قَدْ
عَلِمَ صَلَاتَهُۥ وَتَسْبِيحَهُۥ ۗ وَٱللَّهُ عَلِيمٌۢ بِمَا يَفْعَلُونَ ﴿٤١﴾ وَلِلَّهِ مُلْكُ
ٱلسَّمَٰوَٰتِ وَٱلْأَرْضِ ۖ وَإِلَى ٱللَّهِ ٱلْمَصِيرُ ﴿٤٢﴾ أَلَمْ تَرَ أَنَّ ٱللَّهَ يُزْجِى
سَحَابًا ثُمَّ يُؤَلِّفُ بَيْنَهُۥ ثُمَّ يَجْعَلُهُۥ رُكَامًا فَتَرَى ٱلْوَدْقَ يَخْرُجُ مِنْ
خِلَٰلِهِۦ وَيُنَزِّلُ مِنَ ٱلسَّمَآءِ مِن جِبَالٍ فِيهَا مِنۢ بَرَدٍ فَيُصِيبُ بِهِۦ مَن يَشَآءُ
وَيَصْرِفُهُۥ عَن مَّن يَشَآءُ ۖ يَكَادُ سَنَا بَرْقِهِۦ يَذْهَبُ بِٱلْأَبْصَٰرِ ﴿٤٣﴾

- كَسَرَابٍ: كالماء السّارب
- بِقِيعَةٍ: في مُنبسطٍ من الأرض
- بَحْرٍ لُّجِّىٍّ: عميق كثير الماء
- يَغْشَىٰهُ: يعلوه ويُغطّيه
- صَٰٓفَّٰتٍ: باسطات أجنحتهنّ في الهواء
- يُزْجِى سَحَابًا: يسوقه برفق
- رُكَامًا: مُجتمعاً بعضُه فوق بعض
- ٱلْوَدْقَ: المطر
- خِلَٰلِهِۦ: فُتوقه ومَخارجه
- سَنَا بَرْقِهِۦ: ضَوْءُه ولَمَعانه

مدّ ٦ حركات لزوماً • مدّ ٢ أو ٤ أو ٦ جوازاً • إخفاء ، ومواقع الغُنّة (حركتان) • تفـ
مدّ واجب ٤ أو ٥ حركات • مدّ حركتان • إدغام ، وما لا يُلفظ • قلقـ

يُقَلِّبُ ٱللَّهُ ٱلَّيۡلَ وَٱلنَّهَارَۚ إِنَّ فِي ذَٰلِكَ لَعِبۡرَةٗ لِّأُوْلِي ٱلۡأَبۡصَٰرِ ﴿٤٤﴾
وَٱللَّهُ خَلَقَ كُلَّ دَآبَّةٖ مِّن مَّآءٖۖ فَمِنۡهُم مَّن يَمۡشِي عَلَىٰ بَطۡنِهِۦ وَمِنۡهُم مَّن
يَمۡشِي عَلَىٰ رِجۡلَيۡنِ وَمِنۡهُم مَّن يَمۡشِي عَلَىٰٓ أَرۡبَعٖۚ يَخۡلُقُ ٱللَّهُ مَا يَشَآءُۚ
إِنَّ ٱللَّهَ عَلَىٰ كُلِّ شَيۡءٖ قَدِيرٞ ﴿٤٥﴾ لَّقَدۡ أَنزَلۡنَآ ءَايَٰتٖ مُّبَيِّنَٰتٖۚ
وَٱللَّهُ يَهۡدِي مَن يَشَآءُ إِلَىٰ صِرَٰطٖ مُّسۡتَقِيمٖ ﴿٤٦﴾ وَيَقُولُونَ
ءَامَنَّا بِٱللَّهِ وَبِٱلرَّسُولِ وَأَطَعۡنَا ثُمَّ يَتَوَلَّىٰ فَرِيقٞ مِّنۡهُم مِّنۢ بَعۡدِ
ذَٰلِكَۚ وَمَآ أُوْلَٰٓئِكَ بِٱلۡمُؤۡمِنِينَ ﴿٤٧﴾ وَإِذَا دُعُوٓاْ إِلَى ٱللَّهِ وَرَسُولِهِۦ
لِيَحۡكُمَ بَيۡنَهُمۡ إِذَا فَرِيقٞ مِّنۡهُم مُّعۡرِضُونَ ﴿٤٨﴾ وَإِن يَكُن لَّهُمُ ٱلۡحَقُّ
يَأۡتُوٓاْ إِلَيۡهِ مُذۡعِنِينَ ﴿٤٩﴾ أَفِي قُلُوبِهِم مَّرَضٌ أَمِ ٱرۡتَابُوٓاْ أَمۡ يَخَافُونَ
أَن يَحِيفَ ٱللَّهُ عَلَيۡهِمۡ وَرَسُولُهُۥۚ بَلۡ أُوْلَٰٓئِكَ هُمُ ٱلظَّٰلِمُونَ ﴿٥٠﴾
إِنَّمَا كَانَ قَوۡلَ ٱلۡمُؤۡمِنِينَ إِذَا دُعُوٓاْ إِلَى ٱللَّهِ وَرَسُولِهِۦ لِيَحۡكُمَ بَيۡنَهُمۡ
أَن يَقُولُواْ سَمِعۡنَا وَأَطَعۡنَاۚ وَأُوْلَٰٓئِكَ هُمُ ٱلۡمُفۡلِحُونَ ﴿٥١﴾ وَمَن
يُطِعِ ٱللَّهَ وَرَسُولَهُۥ وَيَخۡشَ ٱللَّهَ وَيَتَّقۡهِ فَأُوْلَٰٓئِكَ هُمُ ٱلۡفَآئِزُونَ ﴿٥٢﴾
۞ وَأَقۡسَمُواْ بِٱللَّهِ جَهۡدَ أَيۡمَٰنِهِمۡ لَئِنۡ أَمَرۡتَهُمۡ لَيَخۡرُجُنَّۖ قُل
لَّا تُقۡسِمُواْۖ طَاعَةٞ مَّعۡرُوفَةٌۚ إِنَّ ٱللَّهَ خَبِيرُۢ بِمَا تَعۡمَلُونَ ﴿٥٣﴾

مُذۡعِنِينَ: مُنْقَادِينَ مُطِيعِينَ
يَحِيفَ: يَجُورَ
جَهۡدَ أَيۡمَٰنِهِمۡ: أغْلَظها وأوْكَدها

النور

نصف الحزب ٣٦

قُلْ أَطِيعُوا۟ ٱللَّهَ وَأَطِيعُوا۟ ٱلرَّسُولَ ۖ فَإِن تَوَلَّوْا۟ فَإِنَّمَا عَلَيْهِ مَا حُمِّلَ
وَعَلَيْكُم مَّا حُمِّلْتُمْ ۖ وَإِن تُطِيعُوهُ تَهْتَدُوا۟ ۚ وَمَا عَلَى ٱلرَّسُولِ
إِلَّا ٱلْبَلَٰغُ ٱلْمُبِينُ ﴿٥٤﴾ وَعَدَ ٱللَّهُ ٱلَّذِينَ ءَامَنُوا۟ مِنكُمْ وَعَمِلُوا۟
ٱلصَّٰلِحَٰتِ لَيَسْتَخْلِفَنَّهُمْ فِى ٱلْأَرْضِ كَمَا ٱسْتَخْلَفَ
ٱلَّذِينَ مِن قَبْلِهِمْ وَلَيُمَكِّنَنَّ لَهُمْ دِينَهُمُ ٱلَّذِى ٱرْتَضَىٰ لَهُمْ
وَلَيُبَدِّلَنَّهُم مِّنۢ بَعْدِ خَوْفِهِمْ أَمْنًا ۚ يَعْبُدُونَنِى لَا يُشْرِكُونَ بِى
شَيْـًٔا ۚ وَمَن كَفَرَ بَعْدَ ذَٰلِكَ فَأُو۟لَٰٓئِكَ هُمُ ٱلْفَٰسِقُونَ ﴿٥٥﴾
وَأَقِيمُوا۟ ٱلصَّلَوٰةَ وَءَاتُوا۟ ٱلزَّكَوٰةَ وَأَطِيعُوا۟ ٱلرَّسُولَ لَعَلَّكُمْ
تُرْحَمُونَ ﴿٥٦﴾ لَا تَحْسَبَنَّ ٱلَّذِينَ كَفَرُوا۟ مُعْجِزِينَ فِى ٱلْأَرْضِ ۚ
وَمَأْوَىٰهُمُ ٱلنَّارُ ۖ وَلَبِئْسَ ٱلْمَصِيرُ ﴿٥٧﴾ يَٰٓأَيُّهَا ٱلَّذِينَ ءَامَنُوا۟
لِيَسْتَـْٔذِنكُمُ ٱلَّذِينَ مَلَكَتْ أَيْمَٰنُكُمْ وَٱلَّذِينَ لَمْ يَبْلُغُوا۟ ٱلْحُلُمَ مِنكُمْ
ثَلَٰثَ مَرَّٰتٍ ۚ مِّن قَبْلِ صَلَوٰةِ ٱلْفَجْرِ وَحِينَ تَضَعُونَ ثِيَابَكُم مِّنَ ٱلظَّهِيرَةِ
وَمِنۢ بَعْدِ صَلَوٰةِ ٱلْعِشَآءِ ۚ ثَلَٰثُ عَوْرَٰتٍ لَّكُمْ ۚ لَيْسَ عَلَيْكُمْ
وَلَا عَلَيْهِمْ جُنَاحٌۢ بَعْدَهُنَّ ۚ طَوَّٰفُونَ عَلَيْكُم بَعْضُكُمْ عَلَىٰ
بَعْضٍ ۚ كَذَٰلِكَ يُبَيِّنُ ٱللَّهُ لَكُمُ ٱلْءَايَٰتِ ۗ وَٱللَّهُ عَلِيمٌ حَكِيمٌ ﴿٥٨﴾

- مُعْجِزِينَ: فائتين من عذابنا
- جُنَاحٌ: إثم أو حرج

مدّ ٦ حركات لزوماً | مدّ ٢ أو ٤ أو ٦ جوازاً | إخفاء، ومواقع الغُنّة (حركتان) | تفـ
مدّ واجب ٤ أو ٥ حركات | مدّ حركتان | إدغام، وما لا يُلفَظ | قلقـ

وَإِذَا بَلَغَ ٱلْأَطْفَٰلُ مِنكُمُ ٱلْحُلُمَ فَلْيَسْتَـْٔذِنُوا۟ كَمَا ٱسْتَـْٔذَنَ
ٱلَّذِينَ مِن قَبْلِهِمْ ۚ كَذَٰلِكَ يُبَيِّنُ ٱللَّهُ لَكُمْ ءَايَٰتِهِۦ ۗ وَٱللَّهُ
عَلِيمٌ حَكِيمٌ ﴿٥٩﴾ وَٱلْقَوَٰعِدُ مِنَ ٱلنِّسَآءِ ٱلَّٰتِى لَا يَرْجُونَ
نِكَاحًا فَلَيْسَ عَلَيْهِنَّ جُنَاحٌ أَن يَضَعْنَ ثِيَابَهُنَّ
غَيْرَ مُتَبَرِّجَٰتٍۭ بِزِينَةٍ ۖ وَأَن يَسْتَعْفِفْنَ خَيْرٌ لَّهُنَّ ۗ وَٱللَّهُ
سَمِيعٌ عَلِيمٌ ﴿٦٠﴾ لَّيْسَ عَلَى ٱلْأَعْمَىٰ حَرَجٌ وَلَا عَلَى ٱلْأَعْرَجِ
حَرَجٌ وَلَا عَلَى ٱلْمَرِيضِ حَرَجٌ وَلَا عَلَىٰٓ أَنفُسِكُمْ أَن تَأْكُلُوا۟
مِنۢ بُيُوتِكُمْ أَوْ بُيُوتِ ءَابَآئِكُمْ أَوْ بُيُوتِ أُمَّهَٰتِكُمْ
أَوْ بُيُوتِ إِخْوَٰنِكُمْ أَوْ بُيُوتِ أَخَوَٰتِكُمْ أَوْ بُيُوتِ
أَعْمَٰمِكُمْ أَوْ بُيُوتِ عَمَّٰتِكُمْ أَوْ بُيُوتِ أَخْوَٰلِكُمْ
أَوْ بُيُوتِ خَٰلَٰتِكُمْ أَوْ مَا مَلَكْتُم مَّفَاتِحَهُۥٓ
أَوْ صَدِيقِكُمْ ۚ لَيْسَ عَلَيْكُمْ جُنَاحٌ أَن تَأْكُلُوا۟
جَمِيعًا أَوْ أَشْتَاتًا ۚ فَإِذَا دَخَلْتُم بُيُوتًا فَسَلِّمُوا۟ عَلَىٰٓ أَنفُسِكُمْ
تَحِيَّةً مِّنْ عِندِ ٱللَّهِ مُبَٰرَكَةً طَيِّبَةً ۚ كَذَٰلِكَ
يُبَيِّنُ ٱللَّهُ لَكُمُ ٱلْءَايَٰتِ لَعَلَّكُمْ تَعْقِلُونَ ﴿٦١﴾

- ٱلْقَوَٰعِدُ: النّساء العَجائز
- مُتَبَرِّجَٰتٍۭ بِزِينَةٍ: مُظهرات لها
- مَا مَلَكْتُم مَّفَاتِحَهُۥٓ: مما في تصرُّفكم وكالةً أو حفظاً
- أَشْتَاتًا: مُتفرِّقين

النور

| | | |
|---|---|---|
| مدّ ٦ حركات لزوماً ● مدّ ٢ أو ٤ أو ٦ جوازاً | ● إخفاء ، ومواقع الغُنَّة (حركتان) | ● تفخيم |
| مدّ واجب ٤ أو ٥ حركات ● مدّ حركتان | ● إدغام ، وما لا يُلفَظ | ● قلقلة |

إِنَّمَا ٱلْمُؤْمِنُونَ ٱلَّذِينَ ءَامَنُوا۟ بِٱللَّهِ وَرَسُولِهِۦ وَإِذَا كَانُوا۟ مَعَهُۥ
عَلَىٰٓ أَمْرٍ جَامِعٍ لَّمْ يَذْهَبُوا۟ حَتَّىٰ يَسْتَـْٔذِنُوهُ ۚ إِنَّ ٱلَّذِينَ يَسْتَـْٔذِنُونَكَ
أُو۟لَـٰٓئِكَ ٱلَّذِينَ يُؤْمِنُونَ بِٱللَّهِ وَرَسُولِهِۦ ۚ فَإِذَا ٱسْتَـْٔذَنُوكَ
لِبَعْضِ شَأْنِهِمْ فَأْذَن لِّمَن شِئْتَ مِنْهُمْ وَٱسْتَغْفِرْ لَهُمُ
ٱللَّهَ ۚ إِنَّ ٱللَّهَ غَفُورٌ رَّحِيمٌ ﴿٦٢﴾ لَّا تَجْعَلُوا۟ دُعَآءَ ٱلرَّسُولِ
بَيْنَكُمْ كَدُعَآءِ بَعْضِكُم بَعْضًا ۚ قَدْ يَعْلَمُ ٱللَّهُ ٱلَّذِينَ
يَتَسَلَّلُونَ مِنكُمْ لِوَاذًا ۚ فَلْيَحْذَرِ ٱلَّذِينَ يُخَالِفُونَ عَنْ أَمْرِهِۦٓ
أَن تُصِيبَهُمْ فِتْنَةٌ أَوْ يُصِيبَهُمْ عَذَابٌ أَلِيمٌ ﴿٦٣﴾ أَلَآ إِنَّ لِلَّهِ
مَا فِى ٱلسَّمَـٰوَٰتِ وَٱلْأَرْضِ ۖ قَدْ يَعْلَمُ مَآ أَنتُمْ عَلَيْهِ وَيَوْمَ
يُرْجَعُونَ إِلَيْهِ فَيُنَبِّئُهُم بِمَا عَمِلُوا۟ ۗ وَٱللَّهُ بِكُلِّ شَىْءٍ عَلِيمٌۢ ﴿٦٤﴾

بِسْمِ ٱللَّهِ ٱلرَّحْمَـٰنِ ٱلرَّحِيمِ

تَبَارَكَ ٱلَّذِى نَزَّلَ ٱلْفُرْقَانَ عَلَىٰ عَبْدِهِۦ لِيَكُونَ لِلْعَـٰلَمِينَ نَذِيرًا
﴿١﴾ ٱلَّذِى لَهُۥ مُلْكُ ٱلسَّمَـٰوَٰتِ وَٱلْأَرْضِ وَلَمْ يَتَّخِذْ وَلَدًا وَلَمْ
يَكُن لَّهُۥ شَرِيكٌ فِى ٱلْمُلْكِ وَخَلَقَ كُلَّ شَىْءٍ فَقَدَّرَهُۥ تَقْدِيرًا ﴿٢﴾

- أَمْرٍ جَامِعٍ: أمر مُهِمّ يَجْمَعُهُم له
- دُعَاءَ ٱلرَّسُولِ: نِداءَكم له ﷺ
- يَتَسَلَّلُونَ مِنكُمْ: يَخْرُجُون منكم تدريجاً في خفية
- لِوَاذًا: يستتر بعضُكم ببعض في الخروج
- فِتْنَةٌ: بَلاء ومِحْنَة في الدّنيا
- تَبَارَكَ ٱلَّذِى: تعالى أو تكاثَرَ خَيْرُه وإحْسانُه
- نَزَّلَ ٱلْفُرْقَانَ: القُرْآن
- فَقَدَّرَهُۥ: هَيَّأه لِمَا يصلح له

ثلاثة أرباع الحزب ٣٦

وَٱتَّخَذُواْ مِن دُونِهِۦٓ ءَالِهَةً لَّا يَخۡلُقُونَ شَيۡـًٔا وَهُمۡ يُخۡلَقُونَ
وَلَا يَمۡلِكُونَ لِأَنفُسِهِمۡ ضَرًّا وَلَا نَفۡعًا وَلَا يَمۡلِكُونَ مَوۡتًا
وَلَا حَيَوٰةً وَلَا نُشُورًا ٣ وَقَالَ ٱلَّذِينَ كَفَرُوٓاْ إِنۡ هَٰذَآ إِلَّآ إِفۡكٌ
ٱفۡتَرَىٰهُ وَأَعَانَهُۥ عَلَيۡهِ قَوۡمٌ ءَاخَرُونَۖ فَقَدۡ جَآءُو ظُلۡمًا وَزُورًا
٤ وَقَالُوٓاْ أَسَٰطِيرُ ٱلۡأَوَّلِينَ ٱكۡتَتَبَهَا فَهِيَ تُمۡلَىٰ
عَلَيۡهِ بُكۡرَةً وَأَصِيلًا ٥ قُلۡ أَنزَلَهُ ٱلَّذِي يَعۡلَمُ ٱلسِّرَّ
فِي ٱلسَّمَٰوَٰتِ وَٱلۡأَرۡضِۚ إِنَّهُۥ كَانَ غَفُورًا رَّحِيمًا ٦ وَقَالُواْ
مَالِ هَٰذَا ٱلرَّسُولِ يَأۡكُلُ ٱلطَّعَامَ وَيَمۡشِي فِي ٱلۡأَسۡوَاقِ
لَوۡلَآ أُنزِلَ إِلَيۡهِ مَلَكٌ فَيَكُونَ مَعَهُۥ نَذِيرًا ٧ أَوۡ يُلۡقَىٰٓ
إِلَيۡهِ كَنزٌ أَوۡ تَكُونُ لَهُۥ جَنَّةٌ يَأۡكُلُ مِنۡهَاۚ وَقَالَ
ٱلظَّٰلِمُونَ إِن تَتَّبِعُونَ إِلَّا رَجُلًا مَّسۡحُورًا ٨ ٱنظُرۡ
كَيۡفَ ضَرَبُواْ لَكَ ٱلۡأَمۡثَٰلَ فَضَلُّواْ فَلَا يَسۡتَطِيعُونَ
سَبِيلًا ٩ تَبَارَكَ ٱلَّذِيٓ إِن شَآءَ جَعَلَ لَكَ خَيۡرًا مِّن ذَٰلِكَ
جَنَّٰتٍ تَجۡرِي مِن تَحۡتِهَا ٱلۡأَنۡهَٰرُ وَيَجۡعَل لَّكَ قُصُورَۢا ١٠ بَلۡ
كَذَّبُواْ بِٱلسَّاعَةِۖ وَأَعۡتَدۡنَا لِمَن كَذَّبَ بِٱلسَّاعَةِ سَعِيرًا ١١

- نُشُورًا: إحياء بعد الموت
- إِفۡكٌ: كذب
- أَسَٰطِيرُ ٱلۡأَوَّلِينَ: أكاذيبُهم المسطورةُ في كتبهم
- بُكۡرَةً وَأَصِيلًا: أوّلَ النهار وآخره
- جَنَّةٌ: بستان مُثمِر
- رَجُلًا مَّسۡحُورًا: غلَب السّحرُ على عقلِه

الفرقان

| مدّ ٦ حركات لزوماً ● مدّ ٢ أو ٤ أو ٦ جوازاً ● | إخفاء ، ومواقع الغُنّة (حركتان) ● | تفخيم ● |
| --- | --- | --- |
| مدّ واجب ٤ أو ٥ حركات ● مدّ حركتان ● | إدغام ، وما لا يُلفَظ ● | قلقلة ● |

إِذَا رَأَتْهُم مِّن مَّكَانٍۭ بَعِيدٍ سَمِعُوا۟ لَهَا تَغَيُّظًا وَزَفِيرًا ﴿١٢﴾ وَإِذَآ
أُلْقُوا۟ مِنْهَا مَكَانًا ضَيِّقًا مُّقَرَّنِينَ دَعَوْا۟ هُنَالِكَ ثُبُورًا ﴿١٣﴾
لَّا تَدْعُوا۟ ٱلْيَوْمَ ثُبُورًا وَٰحِدًا وَٱدْعُوا۟ ثُبُورًا كَثِيرًا ﴿١٤﴾ قُلْ
أَذَٰلِكَ خَيْرٌ أَمْ جَنَّةُ ٱلْخُلْدِ ٱلَّتِى وُعِدَ ٱلْمُتَّقُونَ ۚ كَانَتْ
لَهُمْ جَزَآءً وَمَصِيرًا ﴿١٥﴾ لَّهُمْ فِيهَا مَا يَشَآءُونَ خَٰلِدِينَ ۚ
كَانَ عَلَىٰ رَبِّكَ وَعْدًا مَّسْـُٔولًا ﴿١٦﴾ وَيَوْمَ يَحْشُرُهُمْ وَمَا
يَعْبُدُونَ مِن دُونِ ٱللَّهِ فَيَقُولُ ءَأَنتُمْ أَضْلَلْتُمْ عِبَادِى
هَٰٓؤُلَآءِ أَمْ هُمْ ضَلُّوا۟ ٱلسَّبِيلَ ﴿١٧﴾ قَالُوا۟ سُبْحَٰنَكَ مَا كَانَ
يَنۢبَغِى لَنَآ أَن نَّتَّخِذَ مِن دُونِكَ مِنْ أَوْلِيَآءَ وَلَٰكِن مَّتَّعْتَهُمْ
وَءَابَآءَهُمْ حَتَّىٰ نَسُوا۟ ٱلذِّكْرَ وَكَانُوا۟ قَوْمًۢا بُورًا ﴿١٨﴾ فَقَدْ
كَذَّبُوكُم بِمَا تَقُولُونَ فَمَا تَسْتَطِيعُونَ صَرْفًا وَلَا
نَصْرًا ۚ وَمَن يَظْلِم مِّنكُمْ نُذِقْهُ عَذَابًا كَبِيرًا ﴿١٩﴾
وَمَآ أَرْسَلْنَا قَبْلَكَ مِنَ ٱلْمُرْسَلِينَ إِلَّآ إِنَّهُمْ لَيَأْكُلُونَ
ٱلطَّعَامَ وَيَمْشُونَ فِى ٱلْأَسْوَاقِ ۗ وَجَعَلْنَا بَعْضَكُمْ
لِبَعْضٍ فِتْنَةً أَتَصْبِرُونَ ۗ وَكَانَ رَبُّكَ بَصِيرًا ﴿٢٠﴾

- زَفِيرًا: صَوتَ تَنَفُّسٍ شدِيدٍ
- مُقَرَّنِينَ: مُصفَّدِينَ بالأغلالِ
- ثُبُورًا: هَلاكًا
- قَوْمًا بُورًا: هَالِكِين أو فاسِدِينَ
- صَرْفًا: دَفعاً لِلعَذابِ عَنْ أنفُسِكُمْ
- فِتْنَةً: ابْتِلاء ومِحْنَة

مدّ ٦ حركات لزوماً — مدّ ٢ أو ٤ أو ٦ جوازاً — إخفاء، ومواقع الغُنَّة (حركتان) — تف
مدّ واجب ٤ أو ٥ حركات — مدّ حركتان — إدغام، وما لا يُلفَظ — قلق

۞ وَقَالَ ٱلَّذِينَ لَا يَرۡجُونَ لِقَآءَنَا لَوۡلَآ أُنزِلَ عَلَيۡنَا ٱلۡمَلَٰٓئِكَةُ
أَوۡ نَرَىٰ رَبَّنَاۗ لَقَدِ ٱسۡتَكۡبَرُواْ فِيٓ أَنفُسِهِمۡ وَعَتَوۡ عُتُوّٗا كَبِيرٗا
﴿٢١﴾ يَوۡمَ يَرَوۡنَ ٱلۡمَلَٰٓئِكَةَ لَا بُشۡرَىٰ يَوۡمَئِذٖ لِّلۡمُجۡرِمِينَ وَيَقُولُونَ
حِجۡرٗا مَّحۡجُورٗا ﴿٢٢﴾ وَقَدِمۡنَآ إِلَىٰ مَا عَمِلُواْ مِنۡ عَمَلٖ فَجَعَلۡنَٰهُ
هَبَآءٗ مَّنثُورًا ﴿٢٣﴾ أَصۡحَٰبُ ٱلۡجَنَّةِ يَوۡمَئِذٍ خَيۡرٞ مُّسۡتَقَرّٗا
وَأَحۡسَنُ مَقِيلٗا ﴿٢٤﴾ وَيَوۡمَ تَشَقَّقُ ٱلسَّمَآءُ بِٱلۡغَمَٰمِ وَنُزِّلَ ٱلۡمَلَٰٓئِكَةُ
تَنزِيلًا ﴿٢٥﴾ ٱلۡمُلۡكُ يَوۡمَئِذٍ ٱلۡحَقُّ لِلرَّحۡمَٰنِۚ وَكَانَ يَوۡمًا عَلَى
ٱلۡكَٰفِرِينَ عَسِيرٗا ﴿٢٦﴾ وَيَوۡمَ يَعَضُّ ٱلظَّالِمُ عَلَىٰ يَدَيۡهِ يَقُولُ
يَٰلَيۡتَنِي ٱتَّخَذۡتُ مَعَ ٱلرَّسُولِ سَبِيلٗا ﴿٢٧﴾ يَٰوَيۡلَتَىٰ لَيۡتَنِي لَمۡ أَتَّخِذۡ
فُلَانًا خَلِيلٗا ﴿٢٨﴾ لَّقَدۡ أَضَلَّنِي عَنِ ٱلذِّكۡرِ بَعۡدَ إِذۡ جَآءَنِيۗ
وَكَانَ ٱلشَّيۡطَٰنُ لِلۡإِنسَٰنِ خَذُولٗا ﴿٢٩﴾ وَقَالَ ٱلرَّسُولُ
يَٰرَبِّ إِنَّ قَوۡمِي ٱتَّخَذُواْ هَٰذَا ٱلۡقُرۡءَانَ مَهۡجُورٗا ﴿٣٠﴾ وَكَذَٰلِكَ
جَعَلۡنَا لِكُلِّ نَبِيٍّ عَدُوّٗا مِّنَ ٱلۡمُجۡرِمِينَۗ وَكَفَىٰ بِرَبِّكَ هَادِيٗا
وَنَصِيرٗا ﴿٣١﴾ وَقَالَ ٱلَّذِينَ كَفَرُواْ لَوۡلَا نُزِّلَ عَلَيۡهِ ٱلۡقُرۡءَانُ جُمۡلَةٗ
وَٰحِدَةٗۚ كَذَٰلِكَ لِنُثَبِّتَ بِهِۦ فُؤَادَكَۖ وَرَتَّلۡنَٰهُ تَرۡتِيلٗا ﴿٣٢﴾

عَتَوۡ: تجاوزوا الحدّ في الطُّغيان
حِجۡرٗا مَّحۡجُورٗا: حَراماً مُحرّماً عليكم البُشرى
هَبَآءٗ: كالهباء (ما يرى في ضوء الشمس كالغبار)
مَّنثُورًا: مُفرّقاً
أَحۡسَنُ مَقِيلٗا: مكانَ استرواح
بِٱلۡغَمَٰمِ: السّحاب الأبيض الرّقيق
سَبِيلٗا: طريقاً إلى الجنّة
خَذُولٗا: كثيرَ التّرك لمن يُواليه
مَهۡجُورٗا: متروكاً مُهملاً
رَتَّلۡنَٰهُ: فرّقناه آيةً بعد آية

الفرقان

| | | |
|---|---|---|
| مدّ ٦ حركات لزوماً — مدّ ٢ أو ٤ أو ٦ جوازاً | إخفاء، ومواقع الغُنَّة (حركتان) | تفخيم |
| مدّ واجب ٤ أو ٥ حركات — مدّ حركتان | إدغام، وما لا يُلفَظ | قلقلة |

وَلَا يَأْتُونَكَ بِمَثَلٍ إِلَّا جِئْنَٰكَ بِٱلْحَقِّ وَأَحْسَنَ تَفْسِيرًا ﴿٣٣﴾
ٱلَّذِينَ يُحْشَرُونَ عَلَىٰ وُجُوهِهِمْ إِلَىٰ جَهَنَّمَ أُوْلَٰٓئِكَ شَرٌّ
مَّكَانًا وَأَضَلُّ سَبِيلًا ﴿٣٤﴾ وَلَقَدْ ءَاتَيْنَا مُوسَى ٱلْكِتَٰبَ
وَجَعَلْنَا مَعَهُۥٓ أَخَاهُ هَٰرُونَ وَزِيرًا ﴿٣٥﴾ فَقُلْنَا ٱذْهَبَآ إِلَى
ٱلْقَوْمِ ٱلَّذِينَ كَذَّبُوا۟ بِـَٔايَٰتِنَا فَدَمَّرْنَٰهُمْ تَدْمِيرًا ﴿٣٦﴾ وَقَوْمَ
نُوحٍ لَّمَّا كَذَّبُوا۟ ٱلرُّسُلَ أَغْرَقْنَٰهُمْ وَجَعَلْنَٰهُمْ لِلنَّاسِ
ءَايَةً ۖ وَأَعْتَدْنَا لِلظَّٰلِمِينَ عَذَابًا أَلِيمًا ﴿٣٧﴾ وَعَادًا وَثَمُودَا۟
وَأَصْحَٰبَ ٱلرَّسِّ وَقُرُونًۢا بَيْنَ ذَٰلِكَ كَثِيرًا ﴿٣٨﴾ وَكُلًّا ضَرَبْنَا
لَهُ ٱلْأَمْثَٰلَ ۖ وَكُلًّا تَبَّرْنَا تَتْبِيرًا ﴿٣٩﴾ وَلَقَدْ أَتَوْا۟ عَلَى ٱلْقَرْيَةِ
ٱلَّتِىٓ أُمْطِرَتْ مَطَرَ ٱلسَّوْءِ ۚ أَفَلَمْ يَكُونُوا۟ يَرَوْنَهَا ۚ بَلْ
كَانُوا۟ لَا يَرْجُونَ نُشُورًا ﴿٤٠﴾ وَإِذَا رَأَوْكَ إِن يَتَّخِذُونَكَ
إِلَّا هُزُوًا أَهَٰذَا ٱلَّذِى بَعَثَ ٱللَّهُ رَسُولًا ﴿٤١﴾ إِن كَادَ
لَيُضِلُّنَا عَنْ ءَالِهَتِنَا لَوْلَآ أَن صَبَرْنَا عَلَيْهَا ۚ وَسَوْفَ
يَعْلَمُونَ حِينَ يَرَوْنَ ٱلْعَذَابَ مَنْ أَضَلُّ سَبِيلًا ﴿٤٢﴾ أَرَءَيْتَ
مَنِ ٱتَّخَذَ إِلَٰهَهُۥ هَوَىٰهُ أَفَأَنتَ تَكُونُ عَلَيْهِ وَكِيلًا ﴿٤٣﴾

- أَحْسَنَ تَفْسِيرًا: أصدق بياناً وتفصيلاً
- فَدَمَّرْنَٰهُمْ: أهلكناهم
- أَصْحَٰبَ ٱلرَّسِّ: البئر ؛ قتلوا نبيهم فأُهلِكوا
- قُرُونًا: أُمماً
- تَبَّرْنَا: أهلكنا
- لَا يَرْجُونَ نُشُورًا: لا يأملون بعثاً
- أَرَءَيْتَ: أخبرني
- وَكِيلًا: حفيظاً

مدّ ٦ حركات لزوماً — مدّ ٢ أو ٤ أو ٦ جوازاً — إخفاء ، ومواقع الغُنَّة (حركتان)
مدّ واجب ٤ أو ٥ حركات — مدّ حركتان — إدغام ، وما لا يُلفَظ

أَمْ تَحْسَبُ أَنَّ أَكْثَرَهُمْ يَسْمَعُونَ أَوْ يَعْقِلُونَ ۚ إِنْ هُمْ إِلَّا
كَالْأَنْعَـٰمِ ۖ بَلْ هُمْ أَضَلُّ سَبِيلًا ﴿٤٤﴾ أَلَمْ تَرَ إِلَىٰ رَبِّكَ كَيْفَ مَدَّ
ٱلظِّلَّ وَلَوْ شَآءَ لَجَعَلَهُۥ سَاكِنًا ثُمَّ جَعَلْنَا ٱلشَّمْسَ عَلَيْهِ دَلِيلًا
﴿٤٥﴾ ثُمَّ قَبَضْنَـٰهُ إِلَيْنَا قَبْضًا يَسِيرًا ﴿٤٦﴾ وَهُوَ ٱلَّذِى جَعَلَ
لَكُمُ ٱلَّيْلَ لِبَاسًا وَٱلنَّوْمَ سُبَاتًا وَجَعَلَ ٱلنَّهَارَ نُشُورًا ﴿٤٧﴾
وَهُوَ ٱلَّذِىٓ أَرْسَلَ ٱلرِّيَـٰحَ بُشْرًۢا بَيْنَ يَدَىْ رَحْمَتِهِۦ ۚ وَأَنزَلْنَا
مِنَ ٱلسَّمَآءِ مَآءً طَهُورًا ﴿٤٨﴾ لِّنُحْـِۧىَ بِهِۦ بَلْدَةً مَّيْتًا وَنُسْقِيَهُۥ
مِمَّا خَلَقْنَآ أَنْعَـٰمًا وَأَنَاسِىَّ كَثِيرًا ﴿٤٩﴾ وَلَقَدْ صَرَّفْنَـٰهُ بَيْنَهُمْ
لِيَذَّكَّرُوا۟ فَأَبَىٰٓ أَكْثَرُ ٱلنَّاسِ إِلَّا كُفُورًا ﴿٥٠﴾ وَلَوْ شِئْنَا
لَبَعَثْنَا فِى كُلِّ قَرْيَةٍ نَّذِيرًا ﴿٥١﴾ فَلَا تُطِعِ ٱلْكَـٰفِرِينَ
وَجَـٰهِدْهُم بِهِۦ جِهَادًا كَبِيرًا ﴿٥٢﴾ ۞ وَهُوَ ٱلَّذِى مَرَجَ
ٱلْبَحْرَيْنِ هَـٰذَا عَذْبٌ فُرَاتٌ وَهَـٰذَا مِلْحٌ أُجَاجٌ وَجَعَلَ بَيْنَهُمَا بَرْزَخًا
وَحِجْرًا مَّحْجُورًا ﴿٥٣﴾ وَهُوَ ٱلَّذِى خَلَقَ مِنَ ٱلْمَآءِ بَشَرًا فَجَعَلَهُۥ
نَسَبًا وَصِهْرًا ۗ وَكَانَ رَبُّكَ قَدِيرًا ﴿٥٤﴾ وَيَعْبُدُونَ مِن دُونِ ٱللَّهِ
مَا لَا يَنفَعُهُمْ وَلَا يَضُرُّهُمْ ۗ وَكَانَ ٱلْكَافِرُ عَلَىٰ رَبِّهِۦ ظَهِيرًا ﴿٥٥﴾

- مَدَّ الظِّلَّ: بَسَطَهُ بين الفجرِ وطلوعِ الشمس
- اللَّيْلَ لِبَاسًا: ساتراً لكم بظلامِه كاللّباس
- النَّوْمَ سُبَاتًا: راحةً لأبدانكم، وقطعاً لأعمالكم
- النَّهَارَ نُشُورًا: انبعاثاً من النوم للعَمَل
- الرِّيَاحَ بُشْرًا: مبشّرات بالرحمة
- صَرَّفْنَاهُ: أنزلْنا المطرَ على أنحاءٍ مختلفةٍ
- كُفُورًا: جُحُوداً وكفراناً بالنّعْمة
- مَرَجَ الْبَحْرَيْنِ: أرْسَلَهُمَا في مَجَارِيهِمَا
- فُرَاتٌ: شَديدُ العُذوبَةِ

ربع الحزب ٣٧

- أُجَاجٌ: شَدِيدُ المُلُوحَةِ والمَرَارةِ
- بَرْزَخًا: حاجِزاً يَمْنَعُ اختلاطَهُمَا
- حِجْرًا مَحْجُورًا: تنافراً مُفْرطاً بينهما في الصِّفَات
- نَسَبًا: ذُكوراً يُنْسَبُ إليهِم
- صِهْرًا: إناثاً يُصَاهَرُ بهِنّ
- عَلَى رَبِّهِ ظَهِيرًا: مُعِيناً للشّيْطَانِ على رَبِّهِ بالشِّرك

الفرقان

| | | |
|---|---|---|
| مدّ ٦ حركات لزوماً — مدّ ٢ أو ٤ أو ٦ جوازاً | إخفاء، ومواقع الغُنَّة (حركتان) | تفخيم |
| مدّ واجب ٤ أو ٥ حركات — مدّ حركتان | إدغام، وما لا يُلفَظ | قلقلة |

وَمَآ أَرۡسَلۡنَٰكَ إِلَّا مُبَشِّرٗا وَنَذِيرٗا ﴿٥٦﴾ قُلۡ مَآ أَسۡـَٔلُكُمۡ عَلَيۡهِ
مِنۡ أَجۡرٍ إِلَّا مَن شَآءَ أَن يَتَّخِذَ إِلَىٰ رَبِّهِۦ سَبِيلٗا ﴿٥٧﴾ وَتَوَكَّلۡ
عَلَى ٱلۡحَيِّ ٱلَّذِي لَا يَمُوتُ وَسَبِّحۡ بِحَمۡدِهِۦۚ وَكَفَىٰ بِهِۦ بِذُنُوبِ
عِبَادِهِۦ خَبِيرًا ﴿٥٨﴾ ٱلَّذِي خَلَقَ ٱلسَّمَٰوَٰتِ وَٱلۡأَرۡضَ وَمَا بَيۡنَهُمَا
فِي سِتَّةِ أَيَّامٖ ثُمَّ ٱسۡتَوَىٰ عَلَى ٱلۡعَرۡشِۚ ٱلرَّحۡمَٰنُ فَسۡـَٔلۡ بِهِۦ
خَبِيرٗا ﴿٥٩﴾ وَإِذَا قِيلَ لَهُمُ ٱسۡجُدُواْ لِلرَّحۡمَٰنِ قَالُواْ وَمَا ٱلرَّحۡمَٰنُ
أَنَسۡجُدُ لِمَا تَأۡمُرُنَا وَزَادَهُمۡ نُفُورٗا۩ ﴿٦٠﴾ تَبَارَكَ ٱلَّذِي جَعَلَ
فِي ٱلسَّمَآءِ بُرُوجٗا وَجَعَلَ فِيهَا سِرَٰجٗا وَقَمَرٗا مُّنِيرٗا ﴿٦١﴾ وَهُوَ
ٱلَّذِي جَعَلَ ٱلَّيۡلَ وَٱلنَّهَارَ خِلۡفَةٗ لِّمَنۡ أَرَادَ أَن يَذَّكَّرَ أَوۡ أَرَادَ
شُكُورٗا ﴿٦٢﴾ وَعِبَادُ ٱلرَّحۡمَٰنِ ٱلَّذِينَ يَمۡشُونَ عَلَى ٱلۡأَرۡضِ
هَوۡنٗا وَإِذَا خَاطَبَهُمُ ٱلۡجَٰهِلُونَ قَالُواْ سَلَٰمٗا ﴿٦٣﴾ وَٱلَّذِينَ
يَبِيتُونَ لِرَبِّهِمۡ سُجَّدٗا وَقِيَٰمٗا ﴿٦٤﴾ وَٱلَّذِينَ يَقُولُونَ
رَبَّنَا ٱصۡرِفۡ عَنَّا عَذَابَ جَهَنَّمَۖ إِنَّ عَذَابَهَا كَانَ غَرَامًا
﴿٦٥﴾ إِنَّهَا سَآءَتۡ مُسۡتَقَرّٗا وَمُقَامٗا ﴿٦٦﴾ وَٱلَّذِينَ إِذَآ أَنفَقُواْ
لَمۡ يُسۡرِفُواْ وَلَمۡ يَقۡتُرُواْ وَكَانَ بَيۡنَ ذَٰلِكَ قَوَامٗا ﴿٦٧﴾

- سَبِّحۡ: نزّهْهُ تعالى عن النقائص
- بِحَمۡدِهِۦ: مُثْنِياً عليه بأوصاف الكمال
- زَادَهُمۡ نُفُورٗا: تباعُداً عن الإيمان

سجدة

- تَبَارَكَ ٱلَّذِي: تعالى أو تكاثر خيْرُه وإحسانُه
- بُرُوجٗا: منازلَ للكواكبِ السيّارة
- خِلۡفَةٗ: يتعاقبانِ في الضّياء والظُّلمة
- هَوۡنٗا: بسَكينةٍ ووقارٍ وتواضُعٍ
- قَالُواْ سَلَٰمٗا: قولاً سديداً يَسْلَمُون به من الأذى
- كَانَ غَرَامًا: لازماً ممتدّاً ؛ كلزوم الغريم
- لَمۡ يَقۡتُرُواْ: لم يُضيِّقوا تضييقَ الأشحّاء
- قَوَامٗا: عَدْلاً وَسَطاً

| | | |
|---|---|---|
| مدّ ٦ حركات لزوماً — مدّ ٢ أو ٤ أو ٦ جوازاً | إخفاء ، ومواقع الغُنَّة (حركتان) | تفخ[illegible] |
| مدّ واجب ٤ أو ٥ حركات — مدّ حركتان | إدغام ، وما لا يُلفَظ | قلق[illegible] |

وَٱلَّذِينَ لَا يَدۡعُونَ مَعَ ٱللَّهِ إِلَٰهًا ءَاخَرَ وَلَا يَقۡتُلُونَ ٱلنَّفۡسَ
ٱلَّتِي حَرَّمَ ٱللَّهُ إِلَّا بِٱلۡحَقِّ وَلَا يَزۡنُونَۚ وَمَن يَفۡعَلۡ ذَٰلِكَ يَلۡقَ
أَثَامٗا ﴿٦٨﴾ يُضَٰعَفۡ لَهُ ٱلۡعَذَابُ يَوۡمَ ٱلۡقِيَٰمَةِ وَيَخۡلُدۡ فِيهِۦ
مُهَانًا ﴿٦٩﴾ إِلَّا مَن تَابَ وَءَامَنَ وَعَمِلَ عَمَلٗا صَٰلِحٗا
فَأُوْلَٰٓئِكَ يُبَدِّلُ ٱللَّهُ سَيِّـَٔاتِهِمۡ حَسَنَٰتٖۗ وَكَانَ ٱللَّهُ غَفُورٗا
رَّحِيمٗا ﴿٧٠﴾ وَمَن تَابَ وَعَمِلَ صَٰلِحٗا فَإِنَّهُۥ يَتُوبُ إِلَى ٱللَّهِ
مَتَابٗا ﴿٧١﴾ وَٱلَّذِينَ لَا يَشۡهَدُونَ ٱلزُّورَ وَإِذَا مَرُّواْ بِٱللَّغۡوِ
مَرُّواْ كِرَامٗا ﴿٧٢﴾ وَٱلَّذِينَ إِذَا ذُكِّرُواْ بِـَٔايَٰتِ رَبِّهِمۡ
لَمۡ يَخِرُّواْ عَلَيۡهَا صُمّٗا وَعُمۡيَانٗا ﴿٧٣﴾ وَٱلَّذِينَ يَقُولُونَ رَبَّنَا
هَبۡ لَنَا مِنۡ أَزۡوَٰجِنَا وَذُرِّيَّٰتِنَا قُرَّةَ أَعۡيُنٖ وَٱجۡعَلۡنَا
لِلۡمُتَّقِينَ إِمَامًا ﴿٧٤﴾ أُوْلَٰٓئِكَ يُجۡزَوۡنَ ٱلۡغُرۡفَةَ بِمَا
صَبَرُواْ وَيُلَقَّوۡنَ فِيهَا تَحِيَّةٗ وَسَلَٰمًا ﴿٧٥﴾ خَٰلِدِينَ
فِيهَاۚ حَسُنَتۡ مُسۡتَقَرّٗا وَمُقَامٗا ﴿٧٦﴾ قُلۡ مَا يَعۡبَؤُاْ بِكُمۡ رَبِّي
لَوۡلَا دُعَآؤُكُمۡۖ فَقَدۡ كَذَّبۡتُمۡ فَسَوۡفَ يَكُونُ لِزَامَۢا ﴿٧٧﴾

## سُورَةُ الشُّعَرَاءِ

ترتيبها ٢٦ — آياتها ٢٢٧

- يَلۡقَ أَثَامٗا: عقاباً وجزاء
- مَرُّواْ بِٱللَّغۡوِ: ما ينبغي أن يُلغى ويطرح
- مَرُّواْ كِرَامٗا: معرضين عنه
- قُرَّةَ أَعۡيُنٖ: مسرّة وفرحاً
- يُجۡزَوۡنَ ٱلۡغُرۡفَةَ: المنزل الرفيع في الجنّة
- مَا يَعۡبَؤُاْ بِكُمۡ: ما يكترث وما يعتدّ بكم
- دُعَآؤُكُمۡ: عبادتُكم له تعالى
- لِزَامَۢا: مُلازماً لكم

الفرقان

مدّ ٦ حركات لزوماً | مدّ ٢ أو ٤ أو ٦ جوازاً | إخفاء، ومواقع الغنّة (حركتان) | تفخيم
مدّ واجب ٤ أو ٥ حركات | مدّ حركتان | إدغام، وما لا يُلفظ | قلقلة

بِسْمِ ٱللَّهِ ٱلرَّحْمَٰنِ ٱلرَّحِيمِ

طسٓمٓ ﴿١﴾ تِلْكَ ءَايَٰتُ ٱلْكِتَٰبِ ٱلْمُبِينِ ﴿٢﴾ لَعَلَّكَ بَٰخِعٌ نَّفْسَكَ
أَلَّا يَكُونُوا۟ مُؤْمِنِينَ ﴿٣﴾ إِن نَّشَأْ نُنَزِّلْ عَلَيْهِم مِّنَ ٱلسَّمَآءِ ءَايَةً فَظَلَّتْ
أَعْنَٰقُهُمْ لَهَا خَٰضِعِينَ ﴿٤﴾ وَمَا يَأْتِيهِم مِّن ذِكْرٍ مِّنَ ٱلرَّحْمَٰنِ مُحْدَثٍ
إِلَّا كَانُوا۟ عَنْهُ مُعْرِضِينَ ﴿٥﴾ فَقَدْ كَذَّبُوا۟ فَسَيَأْتِيهِمْ أَنۢبَٰٓؤُا۟ مَا كَانُوا۟
بِهِۦ يَسْتَهْزِءُونَ ﴿٦﴾ أَوَلَمْ يَرَوْا۟ إِلَى ٱلْأَرْضِ كَمْ أَنۢبَتْنَا فِيهَا مِن كُلِّ زَوْجٍ
كَرِيمٍ ﴿٧﴾ إِنَّ فِى ذَٰلِكَ لَءَايَةً ۖ وَمَا كَانَ أَكْثَرُهُم مُّؤْمِنِينَ ﴿٨﴾ وَإِنَّ
رَبَّكَ لَهُوَ ٱلْعَزِيزُ ٱلرَّحِيمُ ﴿٩﴾ وَإِذْ نَادَىٰ رَبُّكَ مُوسَىٰٓ أَنِ ٱئْتِ ٱلْقَوْمَ
ٱلظَّٰلِمِينَ ﴿١٠﴾ قَوْمَ فِرْعَوْنَ ۚ أَلَا يَتَّقُونَ ﴿١١﴾ قَالَ رَبِّ إِنِّىٓ أَخَافُ
أَن يُكَذِّبُونِ ﴿١٢﴾ وَيَضِيقُ صَدْرِى وَلَا يَنطَلِقُ لِسَانِى فَأَرْسِلْ
إِلَىٰ هَٰرُونَ ﴿١٣﴾ وَلَهُمْ عَلَىَّ ذَنۢبٌ فَأَخَافُ أَن يَقْتُلُونِ ﴿١٤﴾ قَالَ
كَلَّا ۖ فَٱذْهَبَا بِـَٔايَٰتِنَآ ۖ إِنَّا مَعَكُم مُّسْتَمِعُونَ ﴿١٥﴾ فَأْتِيَا فِرْعَوْنَ
فَقُولَآ إِنَّا رَسُولُ رَبِّ ٱلْعَٰلَمِينَ ﴿١٦﴾ أَنْ أَرْسِلْ مَعَنَا بَنِىٓ إِسْرَٰٓءِيلَ
﴿١٧﴾ قَالَ أَلَمْ نُرَبِّكَ فِينَا وَلِيدًا وَلَبِثْتَ فِينَا مِنْ عُمُرِكَ سِنِينَ ﴿١٨﴾
وَفَعَلْتَ فَعْلَتَكَ ٱلَّتِى فَعَلْتَ وَأَنتَ مِنَ ٱلْكَٰفِرِينَ ﴿١٩﴾

▪ بَٰخِعٌ نَّفْسَكَ: مُهْلِكُهَا حَسْرَةً وحُزْنًا
▪ زَوْجٍ كَرِيمٍ: صِنْفٍ كَثِيرِ النَّفْعِ

● مدّ ٦ حركات لزوماً ● مدّ ٢ أو ٤ أو ٦ جوازاً ● إخفاء، ومواقع الغُنَّة (حركتان) ● تفـ
● مدّ واجب ٤ أو ٥ حركات ● مدّ حركتان ● إدغام، وما لا يُلفَظ ● قلقـ

قَالَ فَعَلْتُهَآ إِذًا وَأَنَا۠ مِنَ ٱلضَّآلِّينَ ﴿٢٠﴾ فَفَرَرْتُ مِنكُمْ لَمَّا خِفْتُكُمْ
فَوَهَبَ لِى رَبِّى حُكْمًا وَجَعَلَنِى مِنَ ٱلْمُرْسَلِينَ ﴿٢١﴾ وَتِلْكَ نِعْمَةٌ تَمُنُّهَا
عَلَىَّ أَنْ عَبَّدتَّ بَنِىٓ إِسْرَٰٓءِيلَ ﴿٢٢﴾ قَالَ فِرْعَوْنُ وَمَا رَبُّ ٱلْعَٰلَمِينَ
﴿٢٣﴾ قَالَ رَبُّ ٱلسَّمَٰوَٰتِ وَٱلْأَرْضِ وَمَا بَيْنَهُمَآ ۖ إِن كُنتُم مُّوقِنِينَ
﴿٢٤﴾ قَالَ لِمَنْ حَوْلَهُۥٓ أَلَا تَسْتَمِعُونَ ﴿٢٥﴾ قَالَ رَبُّكُمْ وَرَبُّ ءَابَآئِكُمُ
ٱلْأَوَّلِينَ ﴿٢٦﴾ قَالَ إِنَّ رَسُولَكُمُ ٱلَّذِىٓ أُرْسِلَ إِلَيْكُمْ لَمَجْنُونٌ ﴿٢٧﴾
قَالَ رَبُّ ٱلْمَشْرِقِ وَٱلْمَغْرِبِ وَمَا بَيْنَهُمَآ ۖ إِن كُنتُمْ تَعْقِلُونَ ﴿٢٨﴾ قَالَ
لَئِنِ ٱتَّخَذْتَ إِلَٰهًا غَيْرِى لَأَجْعَلَنَّكَ مِنَ ٱلْمَسْجُونِينَ ﴿٢٩﴾ قَالَ
أَوَلَوْ جِئْتُكَ بِشَىْءٍ مُّبِينٍ ﴿٣٠﴾ قَالَ فَأْتِ بِهِۦٓ إِن كُنتَ مِنَ
ٱلصَّٰدِقِينَ ﴿٣١﴾ فَأَلْقَىٰ عَصَاهُ فَإِذَا هِىَ ثُعْبَانٌ مُّبِينٌ ﴿٣٢﴾ وَنَزَعَ يَدَهُۥ
فَإِذَا هِىَ بَيْضَآءُ لِلنَّٰظِرِينَ ﴿٣٣﴾ قَالَ لِلْمَلَإِ حَوْلَهُۥٓ إِنَّ هَٰذَا لَسَٰحِرٌ
عَلِيمٌ ﴿٣٤﴾ يُرِيدُ أَن يُخْرِجَكُم مِّنْ أَرْضِكُم بِسِحْرِهِۦ فَمَاذَا
تَأْمُرُونَ ﴿٣٥﴾ قَالُوٓا۟ أَرْجِهْ وَأَخَاهُ وَٱبْعَثْ فِى ٱلْمَدَآئِنِ حَٰشِرِينَ
﴿٣٦﴾ يَأْتُوكَ بِكُلِّ سَحَّارٍ عَلِيمٍ ﴿٣٧﴾ فَجُمِعَ ٱلسَّحَرَةُ
لِمِيقَٰتِ يَوْمٍ مَّعْلُومٍ ﴿٣٨﴾ وَقِيلَ لِلنَّاسِ هَلْ أَنتُم مُّجْتَمِعُونَ ﴿٣٩﴾

- ٱلضَّآلِّينَ: المُخْطِئِينَ لا المُتَعَمِّدِينَ
- عَبَّدتَّ بَنِىٓ إِسْرَٰٓءِيلَ: اتَّخَذْتَهُمْ عَبِيداً لك
- نَزَعَ يَدَهُۥ: أَخْرَجَهَا من جَيْبِهِ
- لِلْمَلَإِ: وُجُوهِ القَوْمِ وسَادَاتِهِمْ
- أَرْجِهْ وَأَخَاهُ: أَخِّرْ أَمْرَهُما ولا تعجلْ بعقوبتهما
- حَٰشِرِينَ: يَجْمَعُونَ السَّحَرَةَ عندك

الشعراء

| | | |
|---|---|---|
| مدّ ٦ حركات لزوماً ● مدّ ٢ أو ٤ أو ٦ جوازاً | إخفاء ، ومواقع الغنَّة (حركتان) | تفخيم |
| مدّ واجب ٤ أو ٥ حركات ● مدّ حركتان | إدغام ، وما لا يُلفَظ | قلقلة |

لَعَلَّنَا نَتَّبِعُ ٱلسَّحَرَةَ إِن كَانُواْ هُمُ ٱلْغَٰلِبِينَ ﴿٤٠﴾ فَلَمَّا جَآءَ ٱلسَّحَرَةُ
قَالُواْ لِفِرْعَوْنَ أَئِنَّ لَنَا لَأَجْرًا إِن كُنَّا نَحْنُ ٱلْغَٰلِبِينَ ﴿٤١﴾ قَالَ نَعَمْ
وَإِنَّكُمْ إِذًا لَّمِنَ ٱلْمُقَرَّبِينَ ﴿٤٢﴾ قَالَ لَهُم مُّوسَىٰٓ أَلْقُواْ مَآ أَنتُم مُّلْقُونَ
﴿٤٣﴾ فَأَلْقَوْاْ حِبَالَهُمْ وَعِصِيَّهُمْ وَقَالُواْ بِعِزَّةِ فِرْعَوْنَ إِنَّا لَنَحْنُ
ٱلْغَٰلِبُونَ ﴿٤٤﴾ فَأَلْقَىٰ مُوسَىٰ عَصَاهُ فَإِذَا هِىَ تَلْقَفُ مَا يَأْفِكُونَ
﴿٤٥﴾ فَأُلْقِىَ ٱلسَّحَرَةُ سَٰجِدِينَ ﴿٤٦﴾ قَالُوٓاْ ءَامَنَّا بِرَبِّ ٱلْعَٰلَمِينَ ﴿٤٧﴾
رَبِّ مُوسَىٰ وَهَٰرُونَ ﴿٤٨﴾ قَالَ ءَامَنتُمْ لَهُۥ قَبْلَ أَنْ ءَاذَنَ لَكُمْ ۖ إِنَّهُۥ
لَكَبِيرُكُمُ ٱلَّذِى عَلَّمَكُمُ ٱلسِّحْرَ فَلَسَوْفَ تَعْلَمُونَ ۚ لَأُقَطِّعَنَّ أَيْدِيَكُمْ
وَأَرْجُلَكُم مِّنْ خِلَٰفٍ وَلَأُصَلِّبَنَّكُمْ أَجْمَعِينَ ﴿٤٩﴾ قَالُواْ لَا ضَيْرَ ۖ إِنَّآ
إِلَىٰ رَبِّنَا مُنقَلِبُونَ ﴿٥٠﴾ إِنَّا نَطْمَعُ أَن يَغْفِرَ لَنَا رَبُّنَا خَطَٰيَٰنَآ أَن كُنَّآ
أَوَّلَ ٱلْمُؤْمِنِينَ ﴿٥١﴾ ۞ وَأَوْحَيْنَآ إِلَىٰ مُوسَىٰٓ أَنْ أَسْرِ بِعِبَادِىٓ إِنَّكُم
مُّتَّبَعُونَ ﴿٥٢﴾ فَأَرْسَلَ فِرْعَوْنُ فِى ٱلْمَدَآئِنِ حَٰشِرِينَ ﴿٥٣﴾ إِنَّ هَٰٓؤُلَآءِ
لَشِرْذِمَةٌ قَلِيلُونَ ﴿٥٤﴾ وَإِنَّهُمْ لَنَا لَغَآئِظُونَ ﴿٥٥﴾ وَإِنَّا لَجَمِيعٌ حَٰذِرُونَ
﴿٥٦﴾ فَأَخْرَجْنَٰهُم مِّن جَنَّٰتٍ وَعُيُونٍ ﴿٥٧﴾ وَكُنُوزٍ وَمَقَامٍ كَرِيمٍ ﴿٥٨﴾
كَذَٰلِكَ وَأَوْرَثْنَٰهَا بَنِىٓ إِسْرَٰٓءِيلَ ﴿٥٩﴾ فَأَتْبَعُوهُم مُّشْرِقِينَ ﴿٦٠﴾

ثلاثة أرباع الحزب ٣٧

- بِعِزَّةِ فِرْعَوْنَ: بقوّته وعظمته
- تَلْقَفُ: تبتلع
- مَا يَأْفِكُونَ: ما يقلبونه عن وجهه بالتمويه
- لَا ضَيْرَ: لا ضَرَرَ علينا
- إِنَّكُم مُّتَّبَعُونَ: يَتْبَعُكُمْ فِرْعَوْنُ وَجُنُودُه
- حَٰشِرِينَ: جامِعِينَ لِلْجَيْش
- لَشِرْذِمَةٌ: طائفة قليلة
- حَٰذِرُونَ: مُحْتَرِزُونَ أو مُتَأهِّبُونَ بالسلاح
- مُّشْرِقِينَ: داخِلِينَ في وَقْتِ الشُّرُوق

| | | |
|---|---|---|
| مدّ ٦ حركات لزوماً | مدّ ٢ أو ٤ أو ٦ جوازاً | إخفاء، ومواقع الغُنّة (حركتان) |
| مدّ واجب ٤ أو ٥ حركات | مدّ حركتان | إدغام، وما لا يُلفظ |

تفخ[illegible] — قلقلة

فَلَمَّا تَرَٰٓءَا ٱلْجَمْعَانِ قَالَ أَصْحَٰبُ مُوسَىٰٓ إِنَّا لَمُدْرَكُونَ ﴿٦١﴾ قَالَ
كَلَّآ ۖ إِنَّ مَعِىَ رَبِّى سَيَهْدِينِ ﴿٦٢﴾ فَأَوْحَيْنَآ إِلَىٰ مُوسَىٰٓ أَنِ ٱضْرِب
بِّعَصَاكَ ٱلْبَحْرَ ۖ فَٱنفَلَقَ فَكَانَ كُلُّ فِرْقٍ كَٱلطَّوْدِ ٱلْعَظِيمِ ﴿٦٣﴾
وَأَزْلَفْنَا ثَمَّ ٱلْءَاخَرِينَ ﴿٦٤﴾ وَأَنجَيْنَا مُوسَىٰ وَمَن مَّعَهُۥٓ أَجْمَعِينَ ﴿٦٥﴾
ثُمَّ أَغْرَقْنَا ٱلْءَاخَرِينَ ﴿٦٦﴾ إِنَّ فِى ذَٰلِكَ لَءَايَةً ۖ وَمَا كَانَ أَكْثَرُهُم
مُّؤْمِنِينَ ﴿٦٧﴾ وَإِنَّ رَبَّكَ لَهُوَ ٱلْعَزِيزُ ٱلرَّحِيمُ ﴿٦٨﴾ وَٱتْلُ عَلَيْهِمْ
نَبَأَ إِبْرَٰهِيمَ ﴿٦٩﴾ إِذْ قَالَ لِأَبِيهِ وَقَوْمِهِۦ مَا تَعْبُدُونَ ﴿٧٠﴾ قَالُوا۟
نَعْبُدُ أَصْنَامًا فَنَظَلُّ لَهَا عَٰكِفِينَ ﴿٧١﴾ قَالَ هَلْ يَسْمَعُونَكُمْ إِذْ
تَدْعُونَ ﴿٧٢﴾ أَوْ يَنفَعُونَكُمْ أَوْ يَضُرُّونَ ﴿٧٣﴾ قَالُوا۟ بَلْ وَجَدْنَآ ءَابَآءَنَا
كَذَٰلِكَ يَفْعَلُونَ ﴿٧٤﴾ قَالَ أَفَرَءَيْتُم مَّا كُنتُمْ تَعْبُدُونَ ﴿٧٥﴾ أَنتُمْ
وَءَابَآؤُكُمُ ٱلْأَقْدَمُونَ ﴿٧٦﴾ فَإِنَّهُمْ عَدُوٌّ لِّىٓ إِلَّا رَبَّ ٱلْعَٰلَمِينَ
﴿٧٧﴾ ٱلَّذِى خَلَقَنِى فَهُوَ يَهْدِينِ ﴿٧٨﴾ وَٱلَّذِى هُوَ يُطْعِمُنِى وَيَسْقِينِ
﴿٧٩﴾ وَإِذَا مَرِضْتُ فَهُوَ يَشْفِينِ ﴿٨٠﴾ وَٱلَّذِى يُمِيتُنِى ثُمَّ
يُحْيِينِ ﴿٨١﴾ وَٱلَّذِىٓ أَطْمَعُ أَن يَغْفِرَ لِى خَطِيٓـَٔتِى يَوْمَ ٱلدِّينِ
﴿٨٢﴾ رَبِّ هَبْ لِى حُكْمًا وَأَلْحِقْنِى بِٱلصَّٰلِحِينَ ﴿٨٣﴾

- تَرَٰٓءَا ٱلْجَمْعَانِ: رأى كلٌّ منهما الآخر
- فَٱنفَلَقَ: انشقّ
- فِرْقٍ: قطعة من الماء
- كَٱلطَّوْدِ: كالجبل
- أَزْلَفْنَا ثَمَّ: قرّبنا هنالك
- أَفَرَءَيْتُم: أتأمّلتم فعلمتم

الشعراء

| | | |
|---|---|---|
| مدّ ٦ حركات لزوماً — مدّ ٢ أو ٤ أو ٦ جوازاً | إخفاء، ومواقع الغُنّة (حركتان) | تفخيم |
| مدّ واجب ٤ أو ٥ حركات — مدّ حركتان | إدغام، وما لا يُلفظ | قلقلة |

وَٱجۡعَل لِّي لِسَانَ صِدۡقٖ فِي ٱلۡأٓخِرِينَ ﴿٨٤﴾ وَٱجۡعَلۡنِي مِن وَرَثَةِ جَنَّةِ
ٱلنَّعِيمِ ﴿٨٥﴾ وَٱغۡفِرۡ لِأَبِيٓ إِنَّهُۥ كَانَ مِنَ ٱلضَّآلِّينَ ﴿٨٦﴾ وَلَا تُخۡزِنِي يَوۡمَ
يُبۡعَثُونَ ﴿٨٧﴾ يَوۡمَ لَا يَنفَعُ مَالٞ وَلَا بَنُونَ ﴿٨٨﴾ إِلَّا مَنۡ أَتَى ٱللَّهَ بِقَلۡبٖ
سَلِيمٖ ﴿٨٩﴾ وَأُزۡلِفَتِ ٱلۡجَنَّةُ لِلۡمُتَّقِينَ ﴿٩٠﴾ وَبُرِّزَتِ ٱلۡجَحِيمُ لِلۡغَاوِينَ
﴿٩١﴾ وَقِيلَ لَهُمۡ أَيۡنَ مَا كُنتُمۡ تَعۡبُدُونَ ﴿٩٢﴾ مِن دُونِ ٱللَّهِ هَلۡ يَنصُرُونَكُمۡ
أَوۡ يَنتَصِرُونَ ﴿٩٣﴾ فَكُبۡكِبُواْ فِيهَا هُمۡ وَٱلۡغَاوُۥنَ ﴿٩٤﴾ وَجُنُودُ إِبۡلِيسَ
أَجۡمَعُونَ ﴿٩٥﴾ قَالُواْ وَهُمۡ فِيهَا يَخۡتَصِمُونَ ﴿٩٦﴾ تَٱللَّهِ إِن كُنَّا لَفِي
ضَلَٰلٖ مُّبِينٍ ﴿٩٧﴾ إِذۡ نُسَوِّيكُم بِرَبِّ ٱلۡعَٰلَمِينَ ﴿٩٨﴾ وَمَآ أَضَلَّنَآ
إِلَّا ٱلۡمُجۡرِمُونَ ﴿٩٩﴾ فَمَا لَنَا مِن شَٰفِعِينَ ﴿١٠٠﴾ وَلَا صَدِيقٍ حَمِيمٖ ﴿١٠١﴾
فَلَوۡ أَنَّ لَنَا كَرَّةٗ فَنَكُونَ مِنَ ٱلۡمُؤۡمِنِينَ ﴿١٠٢﴾ إِنَّ فِي ذَٰلِكَ لَأٓيَةٗۖ وَمَا كَانَ
أَكۡثَرُهُم مُّؤۡمِنِينَ ﴿١٠٣﴾ وَإِنَّ رَبَّكَ لَهُوَ ٱلۡعَزِيزُ ٱلرَّحِيمُ ﴿١٠٤﴾ كَذَّبَتۡ
قَوۡمُ نُوحٍ ٱلۡمُرۡسَلِينَ ﴿١٠٥﴾ إِذۡ قَالَ لَهُمۡ أَخُوهُمۡ نُوحٌ أَلَا تَتَّقُونَ ﴿١٠٦﴾
إِنِّي لَكُمۡ رَسُولٌ أَمِينٞ ﴿١٠٧﴾ فَٱتَّقُواْ ٱللَّهَ وَأَطِيعُونِ ﴿١٠٨﴾ وَمَآ أَسۡـَٔلُكُمۡ
عَلَيۡهِ مِنۡ أَجۡرٍۖ إِنۡ أَجۡرِيَ إِلَّا عَلَىٰ رَبِّ ٱلۡعَٰلَمِينَ ﴿١٠٩﴾ فَٱتَّقُواْ ٱللَّهَ
وَأَطِيعُونِ ﴿١١٠﴾ ۞ قَالُوٓاْ أَنُؤۡمِنُ لَكَ وَٱتَّبَعَكَ ٱلۡأَرۡذَلُونَ ﴿١١١﴾

- لِسَانَ صِدۡقٖ: ثناءً حسناً
- لَا تُخۡزِنِي: لا تفضحني ولا تذلّني
- أُزۡلِفَتِ ٱلۡجَنَّةُ: قُرِّبت وأُدنيت
- بُرِّزَتِ ٱلۡجَحِيمُ: أظهرت
- لِلۡغَاوِينَ: الضّالّين عن طريق الحقّ
- فَكُبۡكِبُواْ: أُلقوا على وجوههم مراراً
- نُسَوِّيكُم بِرَبِّ ٱلۡعَٰلَمِينَ: نجعلكم وإيّاه سواء في العبادة
- حَمِيمٖ: شفيق مُهتمّ بنا
- كَرَّةٗ: رجعة إلى الدّنيا
- ٱتَّبَعَكَ ٱلۡأَرۡذَلُونَ: السّفلة من النّاس

الحزب ٣٨

قَالَ وَمَا عِلۡمِي بِمَا كَانُواْ يَعۡمَلُونَ ١١٢ إِنۡ حِسَابُهُمۡ إِلَّا عَلَىٰ رَبِّيۖ
لَوۡ تَشۡعُرُونَ ١١٣ وَمَآ أَنَا۠ بِطَارِدِ ٱلۡمُؤۡمِنِينَ ١١٤ إِنۡ أَنَا۠ إِلَّا نَذِيرٞ مُّبِينٞ
١١٥ قَالُواْ لَئِن لَّمۡ تَنتَهِ يَٰنُوحُ لَتَكُونَنَّ مِنَ ٱلۡمَرۡجُومِينَ ١١٦ قَالَ
رَبِّ إِنَّ قَوۡمِي كَذَّبُونِ ١١٧ فَٱفۡتَحۡ بَيۡنِي وَبَيۡنَهُمۡ فَتۡحٗا وَنَجِّنِي وَمَن
مَّعِيَ مِنَ ٱلۡمُؤۡمِنِينَ ١١٨ فَأَنجَيۡنَٰهُ وَمَن مَّعَهُۥ فِي ٱلۡفُلۡكِ ٱلۡمَشۡحُونِ
١١٩ ثُمَّ أَغۡرَقۡنَا بَعۡدُ ٱلۡبَاقِينَ ١٢٠ إِنَّ فِي ذَٰلِكَ لَأٓيَةٗۖ وَمَا كَانَ
أَكۡثَرُهُم مُّؤۡمِنِينَ ١٢١ وَإِنَّ رَبَّكَ لَهُوَ ٱلۡعَزِيزُ ٱلرَّحِيمُ ١٢٢ كَذَّبَتۡ
عَادٌ ٱلۡمُرۡسَلِينَ ١٢٣ إِذۡ قَالَ لَهُمۡ أَخُوهُمۡ هُودٌ أَلَا تَتَّقُونَ ١٢٤ إِنِّي لَكُمۡ
رَسُولٌ أَمِينٞ ١٢٥ فَٱتَّقُواْ ٱللَّهَ وَأَطِيعُونِ ١٢٦ وَمَآ أَسۡـَٔلُكُمۡ عَلَيۡهِ
مِنۡ أَجۡرٍۖ إِنۡ أَجۡرِيَ إِلَّا عَلَىٰ رَبِّ ٱلۡعَٰلَمِينَ ١٢٧ أَتَبۡنُونَ بِكُلِّ رِيعٍ
ءَايَةٗ تَعۡبَثُونَ ١٢٨ وَتَتَّخِذُونَ مَصَانِعَ لَعَلَّكُمۡ تَخۡلُدُونَ ١٢٩
وَإِذَا بَطَشۡتُم بَطَشۡتُمۡ جَبَّارِينَ ١٣٠ فَٱتَّقُواْ ٱللَّهَ وَأَطِيعُونِ ١٣١
وَٱتَّقُواْ ٱلَّذِيٓ أَمَدَّكُم بِمَا تَعۡلَمُونَ ١٣٢ أَمَدَّكُم بِأَنۡعَٰمٖ وَبَنِينَ ١٣٣
وَجَنَّٰتٖ وَعُيُونٍ ١٣٤ إِنِّيٓ أَخَافُ عَلَيۡكُمۡ عَذَابَ يَوۡمٍ عَظِيمٖ
١٣٥ قَالُواْ سَوَآءٌ عَلَيۡنَآ أَوَعَظۡتَ أَمۡ لَمۡ تَكُن مِّنَ ٱلۡوَٰعِظِينَ ١٣٦

▪ فَٱفۡتَحۡ: فاحكُمْ
▪ ٱلۡمَشۡحُونِ: المَمْلوءِ
▪ رِيعٍ: طَرِيقٍ . أَوْ مَكانٍ مُرْتَفِعٍ
▪ ءَايَةٗ: بناء شَامِخاً كالعَلَمِ
▪ تَعۡبَثُونَ: ببنائِهَا . أو بِمَنْ يَمُرُّ بِكُمْ
▪ تَتَّخِذُونَ مَصَانِعَ: أَحْوَاضاً لِلْمِياه
▪ أَمَدَّكُم: أَنْعَمَ عَلَيْكُمْ

الشعراء

مدّ ٦ حركات لزوماً ● مدّ ٢ أو ٤ أو ٦ جوازاً ● إخفاء ، ومواقع الغُنَّة (حركتان) ● تفخيم
مدّ واجب ٤ أو ٥ حركات ● مدّ حركتان ● إدغام ، وما لا يُلفَظ ● قلقلة

إِنْ هَٰذَآ إِلَّا خُلُقُ ٱلْأَوَّلِينَ ﴿١٣٧﴾ وَمَا نَحْنُ بِمُعَذَّبِينَ ﴿١٣٨﴾ فَكَذَّبُوهُ
فَأَهْلَكْنَٰهُمْ ۗ إِنَّ فِي ذَٰلِكَ لَءَايَةً ۖ وَمَا كَانَ أَكْثَرُهُم مُّؤْمِنِينَ ﴿١٣٩﴾ وَإِنَّ
رَبَّكَ لَهُوَ ٱلْعَزِيزُ ٱلرَّحِيمُ ﴿١٤٠﴾ كَذَّبَتْ ثَمُودُ ٱلْمُرْسَلِينَ ﴿١٤١﴾ إِذْ قَالَ
لَهُمْ أَخُوهُمْ صَٰلِحٌ أَلَا تَتَّقُونَ ﴿١٤٢﴾ إِنِّي لَكُمْ رَسُولٌ أَمِينٌ ﴿١٤٣﴾
فَٱتَّقُوا۟ ٱللَّهَ وَأَطِيعُونِ ﴿١٤٤﴾ وَمَآ أَسْـَٔلُكُمْ عَلَيْهِ مِنْ أَجْرٍ ۖ إِنْ أَجْرِيَ
إِلَّا عَلَىٰ رَبِّ ٱلْعَٰلَمِينَ ﴿١٤٥﴾ أَتُتْرَكُونَ فِي مَا هَٰهُنَآ ءَامِنِينَ ﴿١٤٦﴾
فِي جَنَّٰتٍ وَعُيُونٍ ﴿١٤٧﴾ وَزُرُوعٍ وَنَخْلٍ طَلْعُهَا هَضِيمٌ ﴿١٤٨﴾
وَتَنْحِتُونَ مِنَ ٱلْجِبَالِ بُيُوتًا فَٰرِهِينَ ﴿١٤٩﴾ فَٱتَّقُوا۟ ٱللَّهَ وَأَطِيعُونِ
﴿١٥٠﴾ وَلَا تُطِيعُوٓا۟ أَمْرَ ٱلْمُسْرِفِينَ ﴿١٥١﴾ ٱلَّذِينَ يُفْسِدُونَ فِي ٱلْأَرْضِ
وَلَا يُصْلِحُونَ ﴿١٥٢﴾ قَالُوٓا۟ إِنَّمَآ أَنتَ مِنَ ٱلْمُسَحَّرِينَ ﴿١٥٣﴾ مَآ أَنتَ
إِلَّا بَشَرٌ مِّثْلُنَا فَأْتِ بِـَٔايَةٍ إِن كُنتَ مِنَ ٱلصَّٰدِقِينَ ﴿١٥٤﴾ قَالَ
هَٰذِهِۦ نَاقَةٌ لَّهَا شِرْبٌ وَلَكُمْ شِرْبُ يَوْمٍ مَّعْلُومٍ ﴿١٥٥﴾ وَلَا تَمَسُّوهَا
بِسُوٓءٍ فَيَأْخُذَكُمْ عَذَابُ يَوْمٍ عَظِيمٍ ﴿١٥٦﴾ فَعَقَرُوهَا فَأَصْبَحُوا۟
نَٰدِمِينَ ﴿١٥٧﴾ فَأَخَذَهُمُ ٱلْعَذَابُ ۗ إِنَّ فِي ذَٰلِكَ لَءَايَةً ۖ وَمَا كَانَ
أَكْثَرُهُم مُّؤْمِنِينَ ﴿١٥٨﴾ وَإِنَّ رَبَّكَ لَهُوَ ٱلْعَزِيزُ ٱلرَّحِيمُ ﴿١٥٩﴾

- **خُلُقُ ٱلْأَوَّلِينَ**: عادتُهم يُلفّقونه ويَدْعون إليه
- **طَلْعُهَا**: ثَمَرُها أوّلَ ما يطلُع
- **هَضِيمٌ**: لطيفٌ أو نضيجٌ أو رُطَبٌ مُذنِّبٌ
- **فَٰرِهِينَ**: حاذِقين
- **ٱلْمُسَحَّرِينَ**: المغلوبة عقولهم بكثرة السِّحر
- **لَّهَا شِرْبٌ**: نصيبٌ مشروب من الماءِ

| | | |
|---|---|---|
| مدّ ٦ حركات لزوماً — مدّ ٢ أو ٤ أو ٦ جوازاً | إخفاء ، ومواقع الغُنّة (حركتان) | تفـ |
| مدّ واجب ٤ أو ٥ حركات — مدّ حركتان | إدغام ، وما لا يُلفَظ | قلقـ |

كَذَّبَتْ قَوْمُ لُوطٍ ٱلْمُرْسَلِينَ ﴿١٦٠﴾ إِذْ قَالَ لَهُمْ أَخُوهُمْ لُوطٌ أَلَا تَتَّقُونَ
﴿١٦١﴾ إِنِّى لَكُمْ رَسُولٌ أَمِينٌ ﴿١٦٢﴾ فَٱتَّقُوا۟ ٱللَّهَ وَأَطِيعُونِ ﴿١٦٣﴾ وَمَآ
أَسْـَٔلُكُمْ عَلَيْهِ مِنْ أَجْرٍ ۖ إِنْ أَجْرِىَ إِلَّا عَلَىٰ رَبِّ ٱلْعَٰلَمِينَ ﴿١٦٤﴾
أَتَأْتُونَ ٱلذُّكْرَانَ مِنَ ٱلْعَٰلَمِينَ ﴿١٦٥﴾ وَتَذَرُونَ مَا خَلَقَ لَكُمْ رَبُّكُم
مِّنْ أَزْوَٰجِكُم ۚ بَلْ أَنتُمْ قَوْمٌ عَادُونَ ﴿١٦٦﴾ قَالُوا۟ لَئِن لَّمْ تَنتَهِ يَٰلُوطُ
لَتَكُونَنَّ مِنَ ٱلْمُخْرَجِينَ ﴿١٦٧﴾ قَالَ إِنِّى لِعَمَلِكُم مِّنَ ٱلْقَالِينَ ﴿١٦٨﴾
رَبِّ نَجِّنِى وَأَهْلِى مِمَّا يَعْمَلُونَ ﴿١٦٩﴾ فَنَجَّيْنَٰهُ وَأَهْلَهُۥٓ أَجْمَعِينَ ﴿١٧٠﴾
إِلَّا عَجُوزًا فِى ٱلْغَٰبِرِينَ ﴿١٧١﴾ ثُمَّ دَمَّرْنَا ٱلْـَٔاخَرِينَ ﴿١٧٢﴾ وَأَمْطَرْنَا عَلَيْهِم
مَّطَرًا ۖ فَسَآءَ مَطَرُ ٱلْمُنذَرِينَ ﴿١٧٣﴾ إِنَّ فِى ذَٰلِكَ لَءَايَةً ۖ وَمَا كَانَ أَكْثَرُهُم
مُّؤْمِنِينَ ﴿١٧٤﴾ وَإِنَّ رَبَّكَ لَهُوَ ٱلْعَزِيزُ ٱلرَّحِيمُ ﴿١٧٥﴾ كَذَّبَ أَصْحَٰبُ
لْـَٔيْكَةِ ٱلْمُرْسَلِينَ ﴿١٧٦﴾ إِذْ قَالَ لَهُمْ شُعَيْبٌ أَلَا تَتَّقُونَ ﴿١٧٧﴾ إِنِّى لَكُمْ
رَسُولٌ أَمِينٌ ﴿١٧٨﴾ فَٱتَّقُوا۟ ٱللَّهَ وَأَطِيعُونِ ﴿١٧٩﴾ وَمَآ أَسْـَٔلُكُمْ عَلَيْهِ
مِنْ أَجْرٍ ۖ إِنْ أَجْرِىَ إِلَّا عَلَىٰ رَبِّ ٱلْعَٰلَمِينَ ﴿١٨٠﴾ ۞ أَوْفُوا۟ ٱلْكَيْلَ وَلَا
تَكُونُوا۟ مِنَ ٱلْمُخْسِرِينَ ﴿١٨١﴾ وَزِنُوا۟ بِٱلْقِسْطَاسِ ٱلْمُسْتَقِيمِ ﴿١٨٢﴾
وَلَا تَبْخَسُوا۟ ٱلنَّاسَ أَشْيَآءَهُمْ وَلَا تَعْثَوْا۟ فِى ٱلْأَرْضِ مُفْسِدِينَ ﴿١٨٣﴾

عَادُونَ: مُتَجَاوِزُونَ الحَدَّ في المَعَاصِي
ٱلْقَالِينَ: المُبْغِضِينَ أشدَّ البُغْضِ
ٱلْغَٰبِرِينَ: البَاقِينَ في العذابِ
دَمَّرْنَا: أَهْلَكْنَا أشدَّ إهلاكٍ
أَصْحَٰبُ لْـَٔيْكَةِ: البُقْعَةِ الملتفَّةِ الأشجارِ
ٱلْمُخْسِرِينَ: النَّاقِصِينَ لِحُقُوقِ النَّاسِ
لَا تَبْخَسُوا: لَا تَنْقُصُوا
لَا تَعْثَوْا: لا تُفْسِدُوا أشَدَّ الإفسادِ

ربع الحزب ٣٨
الشعراء

| | | |
|---|---|---|
| مدّ ٦ حركات لزوماً ● مدّ ٢ أو ٤ أو ٦ جوازاً | ● إخفاء ، ومواقع الغُنَّة (حركتان) | ● تفخيم |
| مدّ واجب ٤ أو ٥ حركات ● مدّ حركتان | ● إدغام ، وما لا يُلفَظ | ● قلقلة |

وَٱتَّقُوا۟ ٱلَّذِى خَلَقَكُمْ وَٱلْجِبِلَّةَ ٱلْأَوَّلِينَ ﴿١٨٤﴾ قَالُوٓا۟ إِنَّمَآ أَنتَ
مِنَ ٱلْمُسَحَّرِينَ ﴿١٨٥﴾ وَمَآ أَنتَ إِلَّا بَشَرٌ مِّثْلُنَا وَإِن نَّظُنُّكَ لَمِنَ
ٱلْكَـٰذِبِينَ ﴿١٨٦﴾ فَأَسْقِطْ عَلَيْنَا كِسَفًا مِّنَ ٱلسَّمَآءِ إِن كُنتَ
مِنَ ٱلصَّـٰدِقِينَ ﴿١٨٧﴾ قَالَ رَبِّىٓ أَعْلَمُ بِمَا تَعْمَلُونَ ﴿١٨٨﴾ فَكَذَّبُوهُ
فَأَخَذَهُمْ عَذَابُ يَوْمِ ٱلظُّلَّةِ ۚ إِنَّهُۥ كَانَ عَذَابَ يَوْمٍ عَظِيمٍ ﴿١٨٩﴾
إِنَّ فِى ذَٰلِكَ لَـَٔايَةً ۖ وَمَا كَانَ أَكْثَرُهُم مُّؤْمِنِينَ ﴿١٩٠﴾ وَإِنَّ رَبَّكَ لَهُوَ
ٱلْعَزِيزُ ٱلرَّحِيمُ ﴿١٩١﴾ وَإِنَّهُۥ لَتَنزِيلُ رَبِّ ٱلْعَـٰلَمِينَ ﴿١٩٢﴾ نَزَلَ بِهِ ٱلرُّوحُ
ٱلْأَمِينُ ﴿١٩٣﴾ عَلَىٰ قَلْبِكَ لِتَكُونَ مِنَ ٱلْمُنذِرِينَ ﴿١٩٤﴾ بِلِسَانٍ عَرَبِىٍّ
مُّبِينٍ ﴿١٩٥﴾ وَإِنَّهُۥ لَفِى زُبُرِ ٱلْأَوَّلِينَ ﴿١٩٦﴾ أَوَلَمْ يَكُن لَّهُمْ ءَايَةً أَن يَعْلَمَهُۥ
عُلَمَـٰٓؤُا۟ بَنِىٓ إِسْرَٰٓءِيلَ ﴿١٩٧﴾ وَلَوْ نَزَّلْنَـٰهُ عَلَىٰ بَعْضِ ٱلْأَعْجَمِينَ ﴿١٩٨﴾
فَقَرَأَهُۥ عَلَيْهِم مَّا كَانُوا۟ بِهِۦ مُؤْمِنِينَ ﴿١٩٩﴾ كَذَٰلِكَ سَلَكْنَـٰهُ
فِى قُلُوبِ ٱلْمُجْرِمِينَ ﴿٢٠٠﴾ لَا يُؤْمِنُونَ بِهِۦ حَتَّىٰ يَرَوُا۟ ٱلْعَذَابَ
ٱلْأَلِيمَ ﴿٢٠١﴾ فَيَأْتِيَهُم بَغْتَةً وَهُمْ لَا يَشْعُرُونَ ﴿٢٠٢﴾ فَيَقُولُوا۟
هَلْ نَحْنُ مُنظَرُونَ ﴿٢٠٣﴾ أَفَبِعَذَابِنَا يَسْتَعْجِلُونَ ﴿٢٠٤﴾ أَفَرَءَيْتَ
إِن مَّتَّعْنَـٰهُمْ سِنِينَ ﴿٢٠٥﴾ ثُمَّ جَآءَهُم مَّا كَانُوا۟ يُوعَدُونَ ﴿٢٠٦﴾

- ٱلْجِبِلَّةَ ٱلْأَوَّلِينَ: الخليقة والأمم الماضين
- كِسَفًا: قطع عذاب
- ٱلظُّلَّةِ: سحابة أظلّتهم ثم أحرقتهم
- زُبُرِ ٱلْأَوَّلِينَ: كتب الرسل السابقين
- بَغْتَةً: فجأة
- مُنظَرُونَ: ممهلون لنؤمن
- أَفَرَءَيْتَ: أخبرني

مدّ ٦ حركات لزوماً — مدّ ٢ أو ٤ أو ٦ جوازاً — مدّ واجب ٤ أو ٥ حركات — مدّ حركتان — إخفاء، ومواقع الغنّة (حركتان) — إدغام، وما لا يُلفظ — تف… — قلق…

مَا أَغْنَىٰ عَنْهُم مَّا كَانُوا۟ يُمَتَّعُونَ ﴿٢٠٧﴾ وَمَآ أَهْلَكْنَا مِن قَرْيَةٍ إِلَّا
لَهَا مُنذِرُونَ ﴿٢٠٨﴾ ذِكْرَىٰ وَمَا كُنَّا ظَـٰلِمِينَ ﴿٢٠٩﴾ وَمَا تَنَزَّلَتْ بِهِ
ٱلشَّيَـٰطِينُ ﴿٢١٠﴾ وَمَا يَنۢبَغِى لَهُمْ وَمَا يَسْتَطِيعُونَ ﴿٢١١﴾ إِنَّهُمْ
عَنِ ٱلسَّمْعِ لَمَعْزُولُونَ ﴿٢١٢﴾ فَلَا تَدْعُ مَعَ ٱللَّهِ إِلَـٰهًا ءَاخَرَ فَتَكُونَ
مِنَ ٱلْمُعَذَّبِينَ ﴿٢١٣﴾ وَأَنذِرْ عَشِيرَتَكَ ٱلْأَقْرَبِينَ ﴿٢١٤﴾ وَٱخْفِضْ
جَنَاحَكَ لِمَنِ ٱتَّبَعَكَ مِنَ ٱلْمُؤْمِنِينَ ﴿٢١٥﴾ فَإِنْ عَصَوْكَ فَقُلْ إِنِّى
بَرِىٓءٌ مِّمَّا تَعْمَلُونَ ﴿٢١٦﴾ وَتَوَكَّلْ عَلَى ٱلْعَزِيزِ ٱلرَّحِيمِ ﴿٢١٧﴾ ٱلَّذِى
يَرَىٰكَ حِينَ تَقُومُ ﴿٢١٨﴾ وَتَقَلُّبَكَ فِى ٱلسَّـٰجِدِينَ ﴿٢١٩﴾ إِنَّهُۥ هُوَ ٱلسَّمِيعُ
ٱلْعَلِيمُ ﴿٢٢٠﴾ هَلْ أُنَبِّئُكُمْ عَلَىٰ مَن تَنَزَّلُ ٱلشَّيَـٰطِينُ ﴿٢٢١﴾ تَنَزَّلُ عَلَىٰ
كُلِّ أَفَّاكٍ أَثِيمٍ ﴿٢٢٢﴾ يُلْقُونَ ٱلسَّمْعَ وَأَكْثَرُهُمْ كَـٰذِبُونَ ﴿٢٢٣﴾
وَٱلشُّعَرَآءُ يَتَّبِعُهُمُ ٱلْغَاوُۥنَ ﴿٢٢٤﴾ أَلَمْ تَرَ أَنَّهُمْ فِى كُلِّ وَادٍ
يَهِيمُونَ ﴿٢٢٥﴾ وَأَنَّهُمْ يَقُولُونَ مَا لَا يَفْعَلُونَ ﴿٢٢٦﴾ إِلَّا ٱلَّذِينَ
ءَامَنُوا۟ وَعَمِلُوا۟ ٱلصَّـٰلِحَـٰتِ وَذَكَرُوا۟ ٱللَّهَ كَثِيرًا وَٱنتَصَرُوا۟ مِنۢ
بَعْدِ مَا ظُلِمُوا۟ ۗ وَسَيَعْلَمُ ٱلَّذِينَ ظَلَمُوٓا۟ أَىَّ مُنقَلَبٍ يَنقَلِبُونَ ﴿٢٢٧﴾

## سُورَةُ النَّمْلِ

ترتيبها ٢٧ — آياتها ٩٣

تَقَلُّبَكَ: تَنَقُّلَكَ
أَفَّاكٍ: كَثِيرِ الْكَذِبِ
يَهِيمُونَ: يَخُوضُونَ وَيَذْهَبُونَ

الشعراء

| | | |
|---|---|---|
| مدّ ٦ حركات لزوماً ● مدّ ٢ أو ٤ أو ٦ جوازاً | ● إخفاء ، ومواقع الغُنَّة (حركتان) | ● تفخيم |
| مدّ واجب ٤ أو ٥ حركات ● مدّ حركتان | ● إدغام ، وما لا يُلفظ | ● قلقلة |

بِسْمِ ٱللَّهِ ٱلرَّحْمَٰنِ ٱلرَّحِيمِ

طسٓ تِلْكَ ءَايَٰتُ ٱلْقُرْءَانِ وَكِتَابٍ مُّبِينٍ ﴿١﴾ هُدًى وَبُشْرَىٰ
لِلْمُؤْمِنِينَ ﴿٢﴾ ٱلَّذِينَ يُقِيمُونَ ٱلصَّلَوٰةَ وَيُؤْتُونَ ٱلزَّكَوٰةَ وَهُم
بِٱلْءَاخِرَةِ هُمْ يُوقِنُونَ ﴿٣﴾ إِنَّ ٱلَّذِينَ لَا يُؤْمِنُونَ بِٱلْءَاخِرَةِ زَيَّنَّا لَهُمْ
أَعْمَٰلَهُمْ فَهُمْ يَعْمَهُونَ ﴿٤﴾ أُوْلَٰٓئِكَ ٱلَّذِينَ لَهُمْ سُوٓءُ ٱلْعَذَابِ
وَهُمْ فِي ٱلْءَاخِرَةِ هُمُ ٱلْأَخْسَرُونَ ﴿٥﴾ وَإِنَّكَ لَتُلَقَّى ٱلْقُرْءَانَ مِن
لَّدُنْ حَكِيمٍ عَلِيمٍ ﴿٦﴾ إِذْ قَالَ مُوسَىٰ لِأَهْلِهِۦٓ إِنِّيٓ ءَانَسْتُ نَارًا سَـَٔاتِيكُم
مِّنْهَا بِخَبَرٍ أَوْ ءَاتِيكُم بِشِهَابٍ قَبَسٍ لَّعَلَّكُمْ تَصْطَلُونَ ﴿٧﴾ فَلَمَّا
جَآءَهَا نُودِيَ أَنۢ بُورِكَ مَن فِي ٱلنَّارِ وَمَنْ حَوْلَهَا وَسُبْحَٰنَ ٱللَّهِ رَبِّ
ٱلْعَٰلَمِينَ ﴿٨﴾ يَٰمُوسَىٰٓ إِنَّهُۥٓ أَنَا ٱللَّهُ ٱلْعَزِيزُ ٱلْحَكِيمُ ﴿٩﴾ وَأَلْقِ عَصَاكَۚ
فَلَمَّا رَءَاهَا تَهْتَزُّ كَأَنَّهَا جَآنٌّ وَلَّىٰ مُدْبِرًا وَلَمْ يُعَقِّبْۚ يَٰمُوسَىٰ لَا تَخَفْ
إِنِّي لَا يَخَافُ لَدَيَّ ٱلْمُرْسَلُونَ ﴿١٠﴾ إِلَّا مَن ظَلَمَ ثُمَّ بَدَّلَ حُسْنًۢا بَعْدَ
سُوٓءٍ فَإِنِّي غَفُورٌ رَّحِيمٌ ﴿١١﴾ وَأَدْخِلْ يَدَكَ فِي جَيْبِكَ تَخْرُجْ بَيْضَآءَ
مِنْ غَيْرِ سُوٓءٍۖ فِي تِسْعِ ءَايَٰتٍ إِلَىٰ فِرْعَوْنَ وَقَوْمِهِۦٓۚ إِنَّهُمْ كَانُواْ قَوْمًا فَٰسِقِينَ
﴿١٢﴾ فَلَمَّا جَآءَتْهُمْ ءَايَٰتُنَا مُبْصِرَةً قَالُواْ هَٰذَا سِحْرٌ مُّبِينٌ ﴿١٣﴾

نصف الحزب ٣٨

- يَعْمَهُونَ: يَعْمَوْنَ عن الرُّشْدِ. أو يَتَحيَّرونَ
- ءَانَسْتُ نَارًا: أَبْصَرْتُها إبْصاراً بيِّناً
- بِشِهَابٍ قَبَسٍ: بشُعْلَةِ نارٍ مقبوسةٍ من أصْلِها
- تَصْطَلُونَ: تَسْتَدْفِئونَ بها من البردِ
- بُورِكَ: طُهِّرَ وزِيدَ خَيْراً
- تَهْتَزُّ: تَتَحرَّكُ بِشِدَّة واضْطِراب
- جَآنٌّ: حَيَّة سريعةُ الحركة
- لَمْ يُعَقِّبْ: لَمْ يلتفتْ ولم يَرْجِعْ على عقِبِهِ
- جَيْبِكَ: فتح الجُبَّة حيثُ يخرُجُ الرأس
- سُوٓءٍ: بَرَص
- مُبْصِرَةً: واضِحَةً بيِّنَةً

مدّ ٦ حركات لزوماً | مدّ ٢ أو ٤ أو ٦ جوازاً | إخفاء، ومواقع الغُنَّة (حركتان) | تفـ
مدّ واجب ٤ أو ٥ حركات | مدّ حركتان | إدغام، وما لا يُلفَظ | قلقـ

وَجَحَدُواْ بِهَا وَٱسۡتَيۡقَنَتۡهَآ أَنفُسُهُمۡ ظُلۡمٗا وَعُلُوّٗاۚ فَٱنظُرۡ كَيۡفَ
كَانَ عَٰقِبَةُ ٱلۡمُفۡسِدِينَ ﴿١٤﴾ وَلَقَدۡ ءَاتَيۡنَا دَاوُۥدَ وَسُلَيۡمَٰنَ عِلۡمٗاۖ
وَقَالَا ٱلۡحَمۡدُ لِلَّهِ ٱلَّذِي فَضَّلَنَا عَلَىٰ كَثِيرٖ مِّنۡ عِبَادِهِ ٱلۡمُؤۡمِنِينَ ﴿١٥﴾
وَوَرِثَ سُلَيۡمَٰنُ دَاوُۥدَۖ وَقَالَ يَٰٓأَيُّهَا ٱلنَّاسُ عُلِّمۡنَا مَنطِقَ ٱلطَّيۡرِ
وَأُوتِينَا مِن كُلِّ شَيۡءٍۖ إِنَّ هَٰذَا لَهُوَ ٱلۡفَضۡلُ ٱلۡمُبِينُ ﴿١٦﴾ وَحُشِرَ
لِسُلَيۡمَٰنَ جُنُودُهُۥ مِنَ ٱلۡجِنِّ وَٱلۡإِنسِ وَٱلطَّيۡرِ فَهُمۡ يُوزَعُونَ ﴿١٧﴾
حَتَّىٰٓ إِذَآ أَتَوۡاْ عَلَىٰ وَادِ ٱلنَّمۡلِ قَالَتۡ نَمۡلَةٞ يَٰٓأَيُّهَا ٱلنَّمۡلُ ٱدۡخُلُواْ
مَسَٰكِنَكُمۡ لَا يَحۡطِمَنَّكُمۡ سُلَيۡمَٰنُ وَجُنُودُهُۥ وَهُمۡ لَا يَشۡعُرُونَ
﴿١٨﴾ فَتَبَسَّمَ ضَاحِكٗا مِّن قَوۡلِهَا وَقَالَ رَبِّ أَوۡزِعۡنِيٓ أَنۡ أَشۡكُرَ
نِعۡمَتَكَ ٱلَّتِيٓ أَنۡعَمۡتَ عَلَيَّ وَعَلَىٰ وَٰلِدَيَّ وَأَنۡ أَعۡمَلَ صَٰلِحٗا
تَرۡضَىٰهُ وَأَدۡخِلۡنِي بِرَحۡمَتِكَ فِي عِبَادِكَ ٱلصَّٰلِحِينَ ﴿١٩﴾
وَتَفَقَّدَ ٱلطَّيۡرَ فَقَالَ مَا لِيَ لَآ أَرَى ٱلۡهُدۡهُدَ أَمۡ كَانَ مِنَ
ٱلۡغَآئِبِينَ ﴿٢٠﴾ لَأُعَذِّبَنَّهُۥ عَذَابٗا شَدِيدًا أَوۡ لَأَاْذۡبَحَنَّهُۥٓ
أَوۡ لَيَأۡتِيَنِّي بِسُلۡطَٰنٖ مُّبِينٖ ﴿٢١﴾ فَمَكَثَ غَيۡرَ بَعِيدٖ فَقَالَ
أَحَطتُ بِمَا لَمۡ تُحِطۡ بِهِۦ وَجِئۡتُكَ مِن سَبَإِۭ بِنَبَإٖ يَقِينٍ ﴿٢٢﴾

عُلُوًّا: اسْتِكْباراً عن الإيمان بها
مَنطِقَ ٱلطَّيۡرِ: فَهْمَ أصواتِه
فَهُمۡ يُوزَعُونَ: يُوقف أوائلُهم لتلحقَهم أواخرُهم
لَا يَحۡطِمَنَّكُمۡ: لا يكْسِرنَّكُمْ ويُهْلِكَنَّكُمْ
أَوۡزِعۡنِيٓ: أَلْهِمْني

النمل

| | | |
|---|---|---|
| مدّ ٦ حركات لزوماً ● مدّ ٢ أو ٤ أو ٦ جوازاً | ● إخفاء ، ومواقع الغُنَّة (حركتان) | ● تفخيم |
| مدّ واجب ٤ أو ٥ حركات ● مدّ حركتان | ● إدغام ، وما لا يُلفَظ | ● قلقلة |

إِنِّي وَجَدتُّ ٱمۡرَأَةٗ تَمۡلِكُهُمۡ وَأُوتِيَتۡ مِن كُلِّ شَيۡءٖ وَلَهَا
عَرۡشٌ عَظِيمٞ ﴿٢٣﴾ وَجَدتُّهَا وَقَوۡمَهَا يَسۡجُدُونَ لِلشَّمۡسِ مِن
دُونِ ٱللَّهِ وَزَيَّنَ لَهُمُ ٱلشَّيۡطَٰنُ أَعۡمَٰلَهُمۡ فَصَدَّهُمۡ عَنِ ٱلسَّبِيلِ
فَهُمۡ لَا يَهۡتَدُونَ ﴿٢٤﴾ أَلَّا يَسۡجُدُواْۤ لِلَّهِ ٱلَّذِي يُخۡرِجُ ٱلۡخَبۡءَ
فِي ٱلسَّمَٰوَٰتِ وَٱلۡأَرۡضِ وَيَعۡلَمُ مَا تُخۡفُونَ وَمَا تُعۡلِنُونَ ﴿٢٥﴾ ٱللَّهُ
لَآ إِلَٰهَ إِلَّا هُوَ رَبُّ ٱلۡعَرۡشِ ٱلۡعَظِيمِ ۩ ﴿٢٦﴾ ۞ قَالَ سَنَنظُرُ
أَصَدَقۡتَ أَمۡ كُنتَ مِنَ ٱلۡكَٰذِبِينَ ﴿٢٧﴾ ٱذۡهَب بِّكِتَٰبِي هَٰذَا
فَأَلۡقِهۡ إِلَيۡهِمۡ ثُمَّ تَوَلَّ عَنۡهُمۡ فَٱنظُرۡ مَاذَا يَرۡجِعُونَ ﴿٢٨﴾ قَالَتۡ يَٰٓأَيُّهَا
ٱلۡمَلَؤُاْ إِنِّيٓ أُلۡقِيَ إِلَيَّ كِتَٰبٞ كَرِيمٌ ﴿٢٩﴾ إِنَّهُۥ مِن سُلَيۡمَٰنَ وَإِنَّهُۥ بِسۡمِ
ٱللَّهِ ٱلرَّحۡمَٰنِ ٱلرَّحِيمِ ﴿٣٠﴾ أَلَّا تَعۡلُواْ عَلَيَّ وَأۡتُونِي مُسۡلِمِينَ ﴿٣١﴾
قَالَتۡ يَٰٓأَيُّهَا ٱلۡمَلَؤُاْ أَفۡتُونِي فِيٓ أَمۡرِي مَا كُنتُ قَاطِعَةً أَمۡرًا حَتَّىٰ
تَشۡهَدُونِ ﴿٣٢﴾ قَالُواْ نَحۡنُ أُوْلُواْ قُوَّةٖ وَأُوْلُواْ بَأۡسٖ شَدِيدٖ وَٱلۡأَمۡرُ إِلَيۡكِ
فَٱنظُرِي مَاذَا تَأۡمُرِينَ ﴿٣٣﴾ قَالَتۡ إِنَّ ٱلۡمُلُوكَ إِذَا دَخَلُواْ قَرۡيَةً
أَفۡسَدُوهَا وَجَعَلُوٓاْ أَعِزَّةَ أَهۡلِهَآ أَذِلَّةٗۚ وَكَذَٰلِكَ يَفۡعَلُونَ ﴿٣٤﴾
وَإِنِّي مُرۡسِلَةٌ إِلَيۡهِم بِهَدِيَّةٖ فَنَاظِرَةُۢ بِمَ يَرۡجِعُ ٱلۡمُرۡسَلُونَ ﴿٣٥﴾

يُخۡرِجُ ٱلۡخَبۡءَ: الشيءَ المَخبوءَ المستورَ

سجدة — ثلاثة أرباع الحزب ٣٨

تَوَلَّ عَنۡهُمۡ: تنحَّ عنهم

أَلَّا تَعۡلُواْ عَلَيَّ: لا تتكبَّروا

مُسۡلِمِينَ: مؤمنينَ أو منقادينَ

تَشۡهَدُونِ: تحضُرُونِ أو تُشيرُوا عليّ

أُوْلُواْ بَأۡسٖ: نجدةٍ وبلاءٍ في الحربِ

مدّ ٦ حركات لزوماً — مدّ ٢ أو ٤ أو ٦ جوازاً — إخفاء، ومواقع الغُنَّة (حركتان) — تفخيم
مدّ واجب ٤ أو ٥ حركات — مدّ حركتان — إدغام، وما لا يُلفظ — قلقلة

فَلَمَّا جَآءَ سُلَيۡمَٰنَ قَالَ أَتُمِدُّونَنِ بِمَالٖ فَمَآ ءَاتَىٰنِۦَ ٱللَّهُ خَيۡرٞ مِّمَّآ
ءَاتَىٰكُم بَلۡ أَنتُم بِهَدِيَّتِكُمۡ تَفۡرَحُونَ ﴿٣٦﴾ ٱرۡجِعۡ إِلَيۡهِمۡ فَلَنَأۡتِيَنَّهُم
بِجُنُودٖ لَّا قِبَلَ لَهُم بِهَا وَلَنُخۡرِجَنَّهُم مِّنۡهَآ أَذِلَّةٗ وَهُمۡ صَٰغِرُونَ ﴿٣٧﴾ قَالَ
يَٰٓأَيُّهَا ٱلۡمَلَؤُاْ أَيُّكُمۡ يَأۡتِينِي بِعَرۡشِهَا قَبۡلَ أَن يَأۡتُونِي مُسۡلِمِينَ ﴿٣٨﴾
قَالَ عِفۡرِيتٞ مِّنَ ٱلۡجِنِّ أَنَا۠ ءَاتِيكَ بِهِۦ قَبۡلَ أَن تَقُومَ مِن مَّقَامِكَۖ وَإِنِّي
عَلَيۡهِ لَقَوِيٌّ أَمِينٞ ﴿٣٩﴾ قَالَ ٱلَّذِي عِندَهُۥ عِلۡمٞ مِّنَ ٱلۡكِتَٰبِ أَنَا۠ ءَاتِيكَ
بِهِۦ قَبۡلَ أَن يَرۡتَدَّ إِلَيۡكَ طَرۡفُكَۚ فَلَمَّا رَءَاهُ مُسۡتَقِرًّا عِندَهُۥ قَالَ هَٰذَا
مِن فَضۡلِ رَبِّي لِيَبۡلُوَنِيٓ ءَأَشۡكُرُ أَمۡ أَكۡفُرُۖ وَمَن شَكَرَ فَإِنَّمَا يَشۡكُرُ
لِنَفۡسِهِۦۖ وَمَن كَفَرَ فَإِنَّ رَبِّي غَنِيّٞ كَرِيمٞ ﴿٤٠﴾ قَالَ نَكِّرُواْ لَهَا عَرۡشَهَا
نَنظُرۡ أَتَهۡتَدِيٓ أَمۡ تَكُونُ مِنَ ٱلَّذِينَ لَا يَهۡتَدُونَ ﴿٤١﴾ فَلَمَّا جَآءَتۡ قِيلَ
أَهَٰكَذَا عَرۡشُكِۖ قَالَتۡ كَأَنَّهُۥ هُوَۚ وَأُوتِينَا ٱلۡعِلۡمَ مِن قَبۡلِهَا وَكُنَّا مُسۡلِمِينَ
﴿٤٢﴾ وَصَدَّهَا مَا كَانَت تَّعۡبُدُ مِن دُونِ ٱللَّهِۖ إِنَّهَا كَانَتۡ مِن قَوۡمٖ كَٰفِرِينَ
﴿٤٣﴾ قِيلَ لَهَا ٱدۡخُلِي ٱلصَّرۡحَۖ فَلَمَّا رَأَتۡهُ حَسِبَتۡهُ لُجَّةٗ وَكَشَفَتۡ عَن
سَاقَيۡهَاۚ قَالَ إِنَّهُۥ صَرۡحٞ مُّمَرَّدٞ مِّن قَوَارِيرَۗ قَالَتۡ رَبِّ إِنِّي
ظَلَمۡتُ نَفۡسِي وَأَسۡلَمۡتُ مَعَ سُلَيۡمَٰنَ لِلَّهِ رَبِّ ٱلۡعَٰلَمِينَ ﴿٤٤﴾

- صَٰغِرُونَ: ذَلِيلُونَ بالأَسْرِ والاستعبادِ
- طَرۡفُكَ: نَظَرُك
- لِيَبۡلُوَنِيٓ: لِيَختبرَني ويَمْتحِنني
- نَكِّرُواْ: غَيِّرُوا
- ٱدۡخُلِي ٱلصَّرۡحَ: القَصْرَ. أو ساحَتَهُ
- حَسِبَتۡهُ لُجَّةٗ: ظَنَّتْهُ ماءً غَزيراً
- صَرۡحٞ مُّمَرَّدٞ: مُمَلَّسٌ مُسَوًّى
- قَوَارِيرَ: زُجاجٍ

النمل

تفخيم ● قلقلة ● إخفاء، ومواقع الغُنَّة (حركتان) ● إدغام، وما لا يُلفظ ● مدّ ٢ أو ٤ أو ٦ جوازاً ● مدّ حركتان ● مدّ ٦ حركات لزوماً ● مدّ واجب ٤ أو ٥ حركات

وَلَقَدْ أَرْسَلْنَآ إِلَىٰ ثَمُودَ أَخَاهُمْ صَٰلِحًا أَنِ ٱعْبُدُوا۟ ٱللَّهَ فَإِذَا
هُمْ فَرِيقَانِ يَخْتَصِمُونَ ﴿٤٥﴾ قَالَ يَٰقَوْمِ لِمَ تَسْتَعْجِلُونَ
بِٱلسَّيِّئَةِ قَبْلَ ٱلْحَسَنَةِ ۖ لَوْلَا تَسْتَغْفِرُونَ ٱللَّهَ لَعَلَّكُمْ
تُرْحَمُونَ ﴿٤٦﴾ قَالُوا۟ ٱطَّيَّرْنَا بِكَ وَبِمَن مَّعَكَ ۚ قَالَ طَٰٓئِرُكُمْ
عِندَ ٱللَّهِ ۖ بَلْ أَنتُمْ قَوْمٌ تُفْتَنُونَ ﴿٤٧﴾ وَكَانَ فِى ٱلْمَدِينَةِ تِسْعَةُ
رَهْطٍ يُفْسِدُونَ فِى ٱلْأَرْضِ وَلَا يُصْلِحُونَ ﴿٤٨﴾ قَالُوا۟
تَقَاسَمُوا۟ بِٱللَّهِ لَنُبَيِّتَنَّهُۥ وَأَهْلَهُۥ ثُمَّ لَنَقُولَنَّ لِوَلِيِّهِۦ مَا شَهِدْنَا
مَهْلِكَ أَهْلِهِۦ وَإِنَّا لَصَٰدِقُونَ ﴿٤٩﴾ وَمَكَرُوا۟ مَكْرًا
وَمَكَرْنَا مَكْرًا وَهُمْ لَا يَشْعُرُونَ ﴿٥٠﴾ فَٱنظُرْ كَيْفَ
كَانَ عَٰقِبَةُ مَكْرِهِمْ أَنَّا دَمَّرْنَٰهُمْ وَقَوْمَهُمْ أَجْمَعِينَ
﴿٥١﴾ فَتِلْكَ بُيُوتُهُمْ خَاوِيَةًۢ بِمَا ظَلَمُوٓا۟ ۗ إِنَّ فِى ذَٰلِكَ
لَءَايَةً لِّقَوْمٍ يَعْلَمُونَ ﴿٥٢﴾ وَأَنجَيْنَا ٱلَّذِينَ ءَامَنُوا۟
وَكَانُوا۟ يَتَّقُونَ ﴿٥٣﴾ وَلُوطًا إِذْ قَالَ لِقَوْمِهِۦٓ
أَتَأْتُونَ ٱلْفَٰحِشَةَ وَأَنتُمْ تُبْصِرُونَ ﴿٥٤﴾ أَئِنَّكُمْ لَتَأْتُونَ
ٱلرِّجَالَ شَهْوَةً مِّن دُونِ ٱلنِّسَآءِ ۚ بَلْ أَنتُمْ قَوْمٌ تَجْهَلُونَ ﴿٥٥﴾

- ٱطَّيَّرْنَا بِكَ: تشاءمنا بك
- طَٰٓئِرُكُمْ: شؤمكم أو عملكم السيء
- تُفْتَنُونَ: يفتنكم الشيطان بوسوسته
- تِسْعَةُ رَهْطٍ: أشخاص من الرؤساء
- تَقَاسَمُوا۟ بِٱللَّهِ: تحالفوا بالله
- لَنُبَيِّتَنَّهُۥ وَأَهْلَهُۥ: لنقتلنهم ليلاً
- مَهْلِكَ أَهْلِهِۦ: هلاكهم
- دَمَّرْنَٰهُمْ: أهلكناهم
- خَاوِيَةً: خالية أو ساقطة متهدمة

فَمَا كَانَ جَوَابَ قَوْمِهِۦٓ إِلَّآ أَن قَالُوٓاْ أَخْرِجُوٓاْ ءَالَ
لُوطٍ مِّن قَرْيَتِكُمْ ۖ إِنَّهُمْ أُنَاسٌ يَتَطَهَّرُونَ ﴿٥٦﴾ فَأَنجَيْنَٰهُ
وَأَهْلَهُۥٓ إِلَّا ٱمْرَأَتَهُۥ قَدَّرْنَٰهَا مِنَ ٱلْغَٰبِرِينَ ﴿٥٧﴾ وَأَمْطَرْنَا
عَلَيْهِم مَّطَرًا ۖ فَسَآءَ مَطَرُ ٱلْمُنذَرِينَ ﴿٥٨﴾ قُلِ ٱلْحَمْدُ لِلَّهِ وَسَلَٰمٌ
عَلَىٰ عِبَادِهِ ٱلَّذِينَ ٱصْطَفَىٰٓ ۗ ءَآللَّهُ خَيْرٌ أَمَّا يُشْرِكُونَ ﴿٥٩﴾
أَمَّنْ خَلَقَ ٱلسَّمَٰوَٰتِ وَٱلْأَرْضَ وَأَنزَلَ لَكُم مِّنَ ٱلسَّمَآءِ
مَآءً فَأَنۢبَتْنَا بِهِۦ حَدَآئِقَ ذَاتَ بَهْجَةٍ مَّا كَانَ لَكُمْ
أَن تُنۢبِتُواْ شَجَرَهَآ ۗ أَءِلَٰهٌ مَّعَ ٱللَّهِ ۚ بَلْ هُمْ قَوْمٌ يَعْدِلُونَ ﴿٦٠﴾
أَمَّن جَعَلَ ٱلْأَرْضَ قَرَارًا وَجَعَلَ خِلَٰلَهَآ أَنْهَٰرًا وَجَعَلَ لَهَا
رَوَٰسِىَ وَجَعَلَ بَيْنَ ٱلْبَحْرَيْنِ حَاجِزًا ۗ أَءِلَٰهٌ مَّعَ ٱللَّهِ ۚ بَلْ
أَكْثَرُهُمْ لَا يَعْلَمُونَ ﴿٦١﴾ أَمَّن يُجِيبُ ٱلْمُضْطَرَّ إِذَا دَعَاهُ
وَيَكْشِفُ ٱلسُّوٓءَ وَيَجْعَلُكُمْ خُلَفَآءَ ٱلْأَرْضِ ۗ أَءِلَٰهٌ
مَّعَ ٱللَّهِ ۚ قَلِيلًا مَّا تَذَكَّرُونَ ﴿٦٢﴾ أَمَّن يَهْدِيكُمْ فِى
ظُلُمَٰتِ ٱلْبَرِّ وَٱلْبَحْرِ وَمَن يُرْسِلُ ٱلرِّيَٰحَ بُشْرًۢا بَيْنَ يَدَىْ
رَحْمَتِهِۦٓ ۗ أَءِلَٰهٌ مَّعَ ٱللَّهِ ۚ تَعَٰلَى ٱللَّهُ عَمَّا يُشْرِكُونَ ﴿٦٣﴾

- يَتَطَهَّرُونَ: يزعمون التنزّه عمّا نفعل
- قَدَّرْنَٰهَا: حكمنا عليها
- مِنَ ٱلْغَٰبِرِينَ: بجعلها من الباقين في العذاب
- حَدَآئِقَ ذَاتَ بَهْجَةٍ: بساتين ذات حُسنٍ ورونق
- قَوْمٌ يَعْدِلُونَ: ينحرفون عن الحقّ في أمورهم
- قَرَارًا: مُستقرًا بالدّحو والتّسوية
- رَوَٰسِىَ: جبالاً ثوابت
- حَاجِزًا: فاصلاً يمنع اختلاطهما

النمل

| | | |
|---|---|---|
| مدّ ٦ حركات لزوماً ● مدّ ٢ أو ٤ أو ٦ جوازاً | ● إخفاء ، ومواقع الغُنّة (حركتان) | ● تفخيم |
| مدّ واجب ٤ أو ٥ حركات ● مدّ حركتان | ● إدغام ، وما لا يُلفظ | ● قلقلة |

أَمَّن يَبْدَؤُاْ ٱلْخَلْقَ ثُمَّ يُعِيدُهُۥ وَمَن يَرْزُقُكُم مِّنَ ٱلسَّمَآءِ وَٱلْأَرْضِ ۗ
أَءِلَٰهٌ مَّعَ ٱللَّهِ ۚ قُلْ هَاتُواْ بُرْهَٰنَكُمْ إِن كُنتُمْ صَٰدِقِينَ ﴿٦٤﴾
قُل لَّا يَعْلَمُ مَن فِى ٱلسَّمَٰوَٰتِ وَٱلْأَرْضِ ٱلْغَيْبَ إِلَّا ٱللَّهُ ۚ وَمَا يَشْعُرُونَ
أَيَّانَ يُبْعَثُونَ ﴿٦٥﴾ بَلِ ٱدَّٰرَكَ عِلْمُهُمْ فِى ٱلْءَاخِرَةِ ۚ بَلْ هُمْ
فِى شَكٍّ مِّنْهَا ۖ بَلْ هُم مِّنْهَا عَمُونَ ﴿٦٦﴾ وَقَالَ ٱلَّذِينَ كَفَرُوٓاْ
أَءِذَا كُنَّا تُرَٰبًا وَءَابَآؤُنَآ أَئِنَّا لَمُخْرَجُونَ ﴿٦٧﴾ لَقَدْ وُعِدْنَا
هَٰذَا نَحْنُ وَءَابَآؤُنَا مِن قَبْلُ إِنْ هَٰذَآ إِلَّآ أَسَٰطِيرُ ٱلْأَوَّلِينَ ﴿٦٨﴾
قُلْ سِيرُواْ فِى ٱلْأَرْضِ فَٱنظُرُواْ كَيْفَ كَانَ عَٰقِبَةُ ٱلْمُجْرِمِينَ
﴿٦٩﴾ وَلَا تَحْزَنْ عَلَيْهِمْ وَلَا تَكُن فِى ضَيْقٍ مِّمَّا يَمْكُرُونَ ﴿٧٠﴾
وَيَقُولُونَ مَتَىٰ هَٰذَا ٱلْوَعْدُ إِن كُنتُمْ صَٰدِقِينَ ﴿٧١﴾ قُلْ عَسَىٰٓ
أَن يَكُونَ رَدِفَ لَكُم بَعْضُ ٱلَّذِى تَسْتَعْجِلُونَ ﴿٧٢﴾ وَإِنَّ رَبَّكَ
لَذُو فَضْلٍ عَلَى ٱلنَّاسِ وَلَٰكِنَّ أَكْثَرَهُمْ لَا يَشْكُرُونَ ﴿٧٣﴾ وَإِنَّ
رَبَّكَ لَيَعْلَمُ مَا تُكِنُّ صُدُورُهُمْ وَمَا يُعْلِنُونَ ﴿٧٤﴾ وَمَا مِنْ غَآئِبَةٍ
فِى ٱلسَّمَآءِ وَٱلْأَرْضِ إِلَّا فِى كِتَٰبٍ مُّبِينٍ ﴿٧٥﴾ إِنَّ هَٰذَا ٱلْقُرْءَانَ
يَقُصُّ عَلَىٰ بَنِىٓ إِسْرَٰٓءِيلَ أَكْثَرَ ٱلَّذِى هُمْ فِيهِ يَخْتَلِفُونَ ﴿٧٦﴾

- ٱدَّٰرَكَ عِلْمُهُمْ: تتابع حتى اضمحلّ وفني
- عَمُونَ: عُميٌ عن دلائلها
- أَسَٰطِيرُ ٱلْأَوَّلِينَ: أكاذيبهم المسطّرة في كتبهم
- ضَيْقٍ: حرج وضيق صدر
- رَدِفَ لَكُم: لحقكم ووصل إليكم
- مَا تُكِنُّ: ما تُخفي وتستر

مدّ ٦ حركات لزوماً | مدّ ٢ أو ٤ أو ٦ جوازاً | إخفاء، ومواقع الغنّة (حركتان) | تفـ
مدّ واجب ٤ أو ٥ حركات | مدّ حركتان | إدغام، وما لا يُلفظ | قلقـ

وَإِنَّهُۥ لَهُدًى وَرَحْمَةٌ لِّلْمُؤْمِنِينَ ﴿٧٧﴾ إِنَّ رَبَّكَ يَقْضِى بَيْنَهُم
بِحُكْمِهِۦ ۚ وَهُوَ ٱلْعَزِيزُ ٱلْعَلِيمُ ﴿٧٨﴾ فَتَوَكَّلْ عَلَى ٱللَّهِ ۖ إِنَّكَ عَلَى
ٱلْحَقِّ ٱلْمُبِينِ ﴿٧٩﴾ إِنَّكَ لَا تُسْمِعُ ٱلْمَوْتَىٰ وَلَا تُسْمِعُ ٱلصُّمَّ ٱلدُّعَآءَ
إِذَا وَلَّوْا۟ مُدْبِرِينَ ﴿٨٠﴾ وَمَآ أَنتَ بِهَٰدِى ٱلْعُمْىِ عَن ضَلَٰلَتِهِمْ ۖ إِن
تُسْمِعُ إِلَّا مَن يُؤْمِنُ بِـَٔايَٰتِنَا فَهُم مُّسْلِمُونَ ﴿٨١﴾ ۞ وَإِذَا
وَقَعَ ٱلْقَوْلُ عَلَيْهِمْ أَخْرَجْنَا لَهُمْ دَآبَّةً مِّنَ ٱلْأَرْضِ تُكَلِّمُهُمْ أَنَّ
ٱلنَّاسَ كَانُوا۟ بِـَٔايَٰتِنَا لَا يُوقِنُونَ ﴿٨٢﴾ وَيَوْمَ نَحْشُرُ مِن كُلِّ أُمَّةٍ
فَوْجًا مِّمَّن يُكَذِّبُ بِـَٔايَٰتِنَا فَهُمْ يُوزَعُونَ ﴿٨٣﴾ حَتَّىٰٓ إِذَا جَآءُو
قَالَ أَكَذَّبْتُم بِـَٔايَٰتِى وَلَمْ تُحِيطُوا۟ بِهَا عِلْمًا أَمَّاذَا كُنتُمْ تَعْمَلُونَ
﴿٨٤﴾ وَوَقَعَ ٱلْقَوْلُ عَلَيْهِم بِمَا ظَلَمُوا۟ فَهُمْ لَا يَنطِقُونَ ﴿٨٥﴾ أَلَمْ
يَرَوْا۟ أَنَّا جَعَلْنَا ٱلَّيْلَ لِيَسْكُنُوا۟ فِيهِ وَٱلنَّهَارَ مُبْصِرًا ۚ إِنَّ فِى
ذَٰلِكَ لَـَٔايَٰتٍ لِّقَوْمٍ يُؤْمِنُونَ ﴿٨٦﴾ وَيَوْمَ يُنفَخُ فِى ٱلصُّورِ فَفَزِعَ
مَن فِى ٱلسَّمَٰوَٰتِ وَمَن فِى ٱلْأَرْضِ إِلَّا مَن شَآءَ ٱللَّهُ ۚ وَكُلٌّ أَتَوْهُ
دَٰخِرِينَ ﴿٨٧﴾ وَتَرَى ٱلْجِبَالَ تَحْسَبُهَا جَامِدَةً وَهِىَ تَمُرُّ مَرَّ ٱلسَّحَابِ ۚ
صُنْعَ ٱللَّهِ ٱلَّذِىٓ أَتْقَنَ كُلَّ شَىْءٍ ۚ إِنَّهُۥ خَبِيرٌۢ بِمَا تَفْعَلُونَ ﴿٨٨﴾

ربع الحزب ٣٩

النمل

- وَقَعَ ٱلْقَوْلُ: دَنَتِ السَّاعَةُ وأهْوَالُها
- فَوْجًا: جَمَاعَةً
- فَهُمْ يُوزَعُونَ: يُوقَفُ أَوَائِلُهُمْ لِتَلْحَقَهُمْ أَوَاخِرُهُم
- فَفَزِعَ: خَافَ خَوْفاً يَسْتَتْبِعُ الموتَ
- دَٰخِرِينَ: صَاغِرِينَ أَذِلَّاءَ

| | | |
|---|---|---|
| مدّ ٦ حركات لزوماً ● مدّ ٢ أو ٤ أو ٦ جوازاً | ● إخفاء ، ومواقع الغُنَّة (حركتان) | ● تفخيم |
| مدّ واجب ٤ أو ٥ حركات ● مدّ حركتان | ● إدغام ، وما لا يُلفَظ | ● قلقلة |

مَن جَآءَ بِٱلۡحَسَنَةِ فَلَهُۥ خَيۡرٞ مِّنۡهَا وَهُم مِّن فَزَعٖ يَوۡمَئِذٍ ءَامِنُونَ ٨٩
وَمَن جَآءَ بِٱلسَّيِّئَةِ فَكُبَّتۡ وُجُوهُهُمۡ فِي ٱلنَّارِ هَلۡ تُجۡزَوۡنَ
إِلَّا مَا كُنتُمۡ تَعۡمَلُونَ ٩٠ إِنَّمَآ أُمِرۡتُ أَنۡ أَعۡبُدَ رَبَّ هَٰذِهِ
ٱلۡبَلۡدَةِ ٱلَّذِي حَرَّمَهَا وَلَهُۥ كُلُّ شَيۡءٖۖ وَأُمِرۡتُ أَنۡ أَكُونَ مِنَ
ٱلۡمُسۡلِمِينَ ٩١ وَأَنۡ أَتۡلُوَاْ ٱلۡقُرۡءَانَۖ فَمَنِ ٱهۡتَدَىٰ فَإِنَّمَا يَهۡتَدِي
لِنَفۡسِهِۦۖ وَمَن ضَلَّ فَقُلۡ إِنَّمَآ أَنَا۠ مِنَ ٱلۡمُنذِرِينَ ٩٢ وَقُلِ ٱلۡحَمۡدُ
لِلَّهِ سَيُرِيكُمۡ ءَايَٰتِهِۦ فَتَعۡرِفُونَهَاۚ وَمَا رَبُّكَ بِغَٰفِلٍ عَمَّا تَعۡمَلُونَ ٩٣

## سُورَةُ القَصَصِ

ترتيبها ٢٨ — آياتها ٨٨

بِسۡمِ ٱللَّهِ ٱلرَّحۡمَٰنِ ٱلرَّحِيمِ

طسٓمٓ ١ تِلۡكَ ءَايَٰتُ ٱلۡكِتَٰبِ ٱلۡمُبِينِ ٢ نَتۡلُواْ عَلَيۡكَ
مِن نَّبَإِ مُوسَىٰ وَفِرۡعَوۡنَ بِٱلۡحَقِّ لِقَوۡمٖ يُؤۡمِنُونَ ٣ إِنَّ
فِرۡعَوۡنَ عَلَا فِي ٱلۡأَرۡضِ وَجَعَلَ أَهۡلَهَا شِيَعٗا يَسۡتَضۡعِفُ
طَآئِفَةٗ مِّنۡهُمۡ يُذَبِّحُ أَبۡنَآءَهُمۡ وَيَسۡتَحۡيِۦ نِسَآءَهُمۡۚ إِنَّهُۥ كَانَ
مِنَ ٱلۡمُفۡسِدِينَ ٤ وَنُرِيدُ أَن نَّمُنَّ عَلَى ٱلَّذِينَ ٱسۡتُضۡعِفُواْ
فِي ٱلۡأَرۡضِ وَنَجۡعَلَهُمۡ أَئِمَّةٗ وَنَجۡعَلَهُمُ ٱلۡوَٰرِثِينَ ٥

- فَكُبَّتْ وُجُوهُهُمْ: أُلقوا منكوسين
- عَلَا فِي الْأَرْضِ: تجبّر وطغى
- شِيَعًا: أصنافاً في الخدمة والتسخير
- يَسْتَحْيِي: يستبقي للخدمة

مدّ ٦ حركات لزوماً | مدّ ٢ أو ٤ أو ٦ جوازاً | إخفاء، ومواقع الغنّة (حركتان)
مدّ واجب ٤ أو ٥ حركات | مدّ حركتان | إدغام، وما لا يُلفظ

وَنُمَكِّنَ لَهُمْ فِي ٱلْأَرْضِ وَنُرِيَ فِرْعَوْنَ وَهَٰمَٰنَ وَجُنُودَهُمَا
مِنْهُم مَّا كَانُوا۟ يَحْذَرُونَ ﴿٦﴾ وَأَوْحَيْنَآ إِلَىٰٓ أُمِّ مُوسَىٰٓ
أَنْ أَرْضِعِيهِ ۖ فَإِذَا خِفْتِ عَلَيْهِ فَأَلْقِيهِ فِي ٱلْيَمِّ وَلَا تَخَافِي
وَلَا تَحْزَنِيٓ ۖ إِنَّا رَآدُّوهُ إِلَيْكِ وَجَاعِلُوهُ مِنَ ٱلْمُرْسَلِينَ ﴿٧﴾
فَٱلْتَقَطَهُۥٓ ءَالُ فِرْعَوْنَ لِيَكُونَ لَهُمْ عَدُوًّا وَحَزَنًا ۗ إِنَّ
فِرْعَوْنَ وَهَٰمَٰنَ وَجُنُودَهُمَا كَانُوا۟ خَٰطِـِٔينَ ﴿٨﴾
وَقَالَتِ ٱمْرَأَتُ فِرْعَوْنَ قُرَّتُ عَيْنٍ لِّي وَلَكَ ۖ لَا تَقْتُلُوهُ عَسَىٰٓ
أَن يَنفَعَنَآ أَوْ نَتَّخِذَهُۥ وَلَدًا وَهُمْ لَا يَشْعُرُونَ ﴿٩﴾ وَأَصْبَحَ
فُؤَادُ أُمِّ مُوسَىٰ فَٰرِغًا ۖ إِن كَادَتْ لَتُبْدِي بِهِۦ لَوْلَآ أَن
رَّبَطْنَا عَلَىٰ قَلْبِهَا لِتَكُونَ مِنَ ٱلْمُؤْمِنِينَ ﴿١٠﴾ وَقَالَتْ
لِأُخْتِهِۦ قُصِّيهِ ۖ فَبَصُرَتْ بِهِۦ عَن جُنُبٍ وَهُمْ لَا يَشْعُرُونَ ﴿١١﴾
۞ وَحَرَّمْنَا عَلَيْهِ ٱلْمَرَاضِعَ مِن قَبْلُ فَقَالَتْ هَلْ أَدُلُّكُمْ
عَلَىٰٓ أَهْلِ بَيْتٍ يَكْفُلُونَهُۥ لَكُمْ وَهُمْ لَهُۥ نَٰصِحُونَ ﴿١٢﴾
فَرَدَدْنَٰهُ إِلَىٰٓ أُمِّهِۦ كَيْ تَقَرَّ عَيْنُهَا وَلَا تَحْزَنَ وَلِتَعْلَمَ
أَنَّ وَعْدَ ٱللَّهِ حَقٌّ وَلَٰكِنَّ أَكْثَرَهُمْ لَا يَعْلَمُونَ ﴿١٣﴾

- يَحْذَرُونَ: يخافون
- كَانُوا۟ خَٰطِـِٔينَ: مُذنبين آثمين
- قُرَّتُ عَيْنٍ: هو مَسرّة وفَرَح
- فَٰرِغًا: خالياً من كلّ ما سِواه
- لَتُبْدِي بِهِۦ: لتُصرّح بأنّه ابنُها
- قُصِّيهِ: اتبعي أثَرَه
- فَبَصُرَتْ بِهِۦ: أبصرَتْه
- عَن جُنُبٍ: مِن مَكانٍ بَعيدٍ

- يَكْفُلُونَهُۥ لَكُمْ: يقومُون بتَربيتِه لأجلكم
- تَقَرَّ عَيْنُهَا: تُسَرّ وتَفرَح

القصص

مدّ ٦ حركات لزوماً — مدّ ٢ أو ٤ أو ٦ جوازاً — إخفاء، ومواقع الغُنّة (حركتان) — تفخيم
مدّ واجب ٤ أو ٥ حركات — مدّ حركتان — إدغام، وما لا يُلفَظ — قلقلة

وَلَمَّا بَلَغَ أَشُدَّهُۥ وَٱسْتَوَىٰٓ ءَاتَيْنَٰهُ حُكْمًا وَعِلْمًا ۚ وَكَذَٰلِكَ نَجْزِى
ٱلْمُحْسِنِينَ ﴿١٤﴾ وَدَخَلَ ٱلْمَدِينَةَ عَلَىٰ حِينِ غَفْلَةٍ مِّنْ أَهْلِهَ
فَوَجَدَ فِيهَا رَجُلَيْنِ يَقْتَتِلَانِ هَٰذَا مِن شِيعَتِهِۦ وَهَٰذَا مِنْ عَدُوِّهِۦ ۖ
فَٱسْتَغَٰثَهُ ٱلَّذِى مِن شِيعَتِهِۦ عَلَى ٱلَّذِى مِنْ عَدُوِّهِۦ فَوَكَزَهُۥ مُوسَىٰ
فَقَضَىٰ عَلَيْهِ ۖ قَالَ هَٰذَا مِنْ عَمَلِ ٱلشَّيْطَٰنِ ۖ إِنَّهُۥ عَدُوٌّ مُّضِلٌّ مُّبِينٌ
﴿١٥﴾ قَالَ رَبِّ إِنِّى ظَلَمْتُ نَفْسِى فَٱغْفِرْ لِى فَغَفَرَ لَهُۥٓ ۚ إِنَّهُۥ هُوَ
ٱلْغَفُورُ ٱلرَّحِيمُ ﴿١٦﴾ قَالَ رَبِّ بِمَآ أَنْعَمْتَ عَلَىَّ فَلَنْ أَكُونَ
ظَهِيرًا لِّلْمُجْرِمِينَ ﴿١٧﴾ فَأَصْبَحَ فِى ٱلْمَدِينَةِ خَآئِفًا يَتَرَقَّبُ فَإِذَا
ٱلَّذِى ٱسْتَنصَرَهُۥ بِٱلْأَمْسِ يَسْتَصْرِخُهُۥ ۚ قَالَ لَهُۥ مُوسَىٰٓ إِنَّكَ لَغَوِىٌّ
مُّبِينٌ ﴿١٨﴾ فَلَمَّآ أَنْ أَرَادَ أَن يَبْطِشَ بِٱلَّذِى هُوَ عَدُوٌّ لَّهُمَا قَالَ
يَٰمُوسَىٰٓ أَتُرِيدُ أَن تَقْتُلَنِى كَمَا قَتَلْتَ نَفْسًۢا بِٱلْأَمْسِ ۖ إِن تُرِيدُ إِلَّآ
أَن تَكُونَ جَبَّارًا فِى ٱلْأَرْضِ وَمَا تُرِيدُ أَن تَكُونَ مِنَ ٱلْمُصْلِحِينَ ﴿١٩﴾
وَجَآءَ رَجُلٌ مِّنْ أَقْصَا ٱلْمَدِينَةِ يَسْعَىٰ قَالَ يَٰمُوسَىٰٓ إِنَّ ٱلْمَلَأَ
يَأْتَمِرُونَ بِكَ لِيَقْتُلُوكَ فَٱخْرُجْ إِنِّى لَكَ مِنَ ٱلنَّٰصِحِينَ ﴿٢٠﴾
فَخَرَجَ مِنْهَا خَآئِفًا يَتَرَقَّبُ ۖ قَالَ رَبِّ نَجِّنِى مِنَ ٱلْقَوْمِ ٱلظَّٰلِمِينَ ﴿٢١﴾

- بَلَغَ أَشُدَّهُۥ: قوّة بدنه ونهاية نموّه
- ٱسْتَوَىٰٓ: اعتدل عقله وكمل
- فَوَكَزَهُۥ مُوسَىٰ: ضربه بيده مجموعة الأصابع
- ظَهِيرًا لِّلْمُجْرِمِينَ: مُعيناً لهم
- يَتَرَقَّبُ: يتوقّع المكروه من فرعون
- يَسْتَصْرِخُهُۥ: يستغيث به
- لَغَوِىٌّ: ضالّ عن الرُّشد.
- يَبْطِشَ: يأخذ بقوّة وعُنف
- يَسْعَىٰ: يُسرع في المشي
- ٱلْمَلَأَ: وُجوه القوم وكبراؤهم
- يَأْتَمِرُونَ بِكَ: يتشاورون في شأنك

مدّ ٦ حركات لزوماً | مدّ ٢ أو ٤ أو ٦ جوازاً | إخفاء، ومواقع الغنّة (حركتان)
مدّ واجب ٤ أو ٥ حركات | مدّ حركتان | إدغام، وما لا يُلفظ

وَلَمَّا تَوَجَّهَ تِلۡقَآءَ مَدۡيَنَ قَالَ عَسَىٰ رَبِّيٓ أَن يَهۡدِيَنِي سَوَآءَ
ٱلسَّبِيلِ ﴿٢٢﴾ وَلَمَّا وَرَدَ مَآءَ مَدۡيَنَ وَجَدَ عَلَيۡهِ أُمَّةٗ مِّنَ
ٱلنَّاسِ يَسۡقُونَ وَوَجَدَ مِن دُونِهِمُ ٱمۡرَأَتَيۡنِ تَذُودَانِۖ
قَالَ مَا خَطۡبُكُمَاۖ قَالَتَا لَا نَسۡقِي حَتَّىٰ يُصۡدِرَ ٱلرِّعَآءُۖ وَأَبُونَا
شَيۡخٞ كَبِيرٞ ﴿٢٣﴾ فَسَقَىٰ لَهُمَا ثُمَّ تَوَلَّىٰٓ إِلَى ٱلظِّلِّ فَقَالَ
رَبِّ إِنِّي لِمَآ أَنزَلۡتَ إِلَيَّ مِنۡ خَيۡرٖ فَقِيرٞ ﴿٢٤﴾ فَجَآءَتۡهُ إِحۡدَىٰهُمَا
تَمۡشِي عَلَى ٱسۡتِحۡيَآءٖ قَالَتۡ إِنَّ أَبِي يَدۡعُوكَ لِيَجۡزِيَكَ
أَجۡرَ مَا سَقَيۡتَ لَنَاۚ فَلَمَّا جَآءَهُۥ وَقَصَّ عَلَيۡهِ ٱلۡقَصَصَ قَالَ
لَا تَخَفۡۖ نَجَوۡتَ مِنَ ٱلۡقَوۡمِ ٱلظَّٰلِمِينَ ﴿٢٥﴾ قَالَتۡ إِحۡدَىٰهُمَا
يَٰٓأَبَتِ ٱسۡتَـٔۡجِرۡهُۖ إِنَّ خَيۡرَ مَنِ ٱسۡتَـٔۡجَرۡتَ ٱلۡقَوِيُّ ٱلۡأَمِينُ
﴿٢٦﴾ قَالَ إِنِّيٓ أُرِيدُ أَنۡ أُنكِحَكَ إِحۡدَى ٱبۡنَتَيَّ هَٰتَيۡنِ عَلَىٰٓ أَن
تَأۡجُرَنِي ثَمَٰنِيَ حِجَجٖۖ فَإِنۡ أَتۡمَمۡتَ عَشۡرٗا فَمِنۡ عِندِكَۖ
وَمَآ أُرِيدُ أَنۡ أَشُقَّ عَلَيۡكَۚ سَتَجِدُنِيٓ إِن شَآءَ ٱللَّهُ مِنَ
ٱلصَّٰلِحِينَ ﴿٢٧﴾ قَالَ ذَٰلِكَ بَيۡنِي وَبَيۡنَكَۖ أَيَّمَا ٱلۡأَجَلَيۡنِ
قَضَيۡتُ فَلَا عُدۡوَٰنَ عَلَيَّۖ وَٱللَّهُ عَلَىٰ مَا نَقُولُ وَكِيلٞ ﴿٢٨﴾

- تِلۡقَآءَ مَدۡيَنَ: جهتها
- أُمَّةً: جماعة كثيرة
- تَذُودَانِ: تمنعان أغنامهما عن الماء
- مَا خَطۡبُكُمَا: ما شأنكما
- يُصۡدِرَ ٱلرِّعَآءُ: يصرف الرعاة مواشيهم عن الماء
- تَأۡجُرَنِي: تكون لي أجيراً في رعي الغنم
- حِجَجٍ: سنين

القصص

| | | |
|---|---|---|
| مدّ ٦ حركات لزوماً ● مدّ ٢ أو ٤ أو ٦ جوازاً ● | إخفاء، ومواقع الغُنَّة (حركتان) ● | تفخيم ● |
| مدّ واجب ٤ أو ٥ حركات ● مدّ حركتان ● | إدغام، وما لا يُلفظ ● | قلقلة ● |

۞ فَلَمَّا قَضَىٰ مُوسَى ٱلۡأَجَلَ وَسَارَ بِأَهۡلِهِۦٓ ءَانَسَ مِن جَانِبِ
ٱلطُّورِ نَارٗاۖ قَالَ لِأَهۡلِهِ ٱمۡكُثُوٓاْ إِنِّيٓ ءَانَسۡتُ نَارٗا لَّعَلِّيٓ ءَاتِيكُم
مِّنۡهَا بِخَبَرٍ أَوۡ جَذۡوَةٖ مِّنَ ٱلنَّارِ لَعَلَّكُمۡ تَصۡطَلُونَ
٢٩ فَلَمَّآ أَتَىٰهَا نُودِيَ مِن شَٰطِيِٕ ٱلۡوَادِ ٱلۡأَيۡمَنِ فِي ٱلۡبُقۡعَةِ
ٱلۡمُبَٰرَكَةِ مِنَ ٱلشَّجَرَةِ أَن يَٰمُوسَىٰٓ إِنِّيٓ أَنَا ٱللَّهُ رَبُّ
ٱلۡعَٰلَمِينَ ٣٠ وَأَنۡ أَلۡقِ عَصَاكَۖ فَلَمَّا رَءَاهَا تَهۡتَزُّ كَأَنَّهَا
جَآنّٞ وَلَّىٰ مُدۡبِرٗا وَلَمۡ يُعَقِّبۡۚ يَٰمُوسَىٰٓ أَقۡبِلۡ وَلَا تَخَفۡۖ إِنَّكَ
مِنَ ٱلۡأٓمِنِينَ ٣١ ٱسۡلُكۡ يَدَكَ فِي جَيۡبِكَ تَخۡرُجۡ بَيۡضَآءَ مِنۡ
غَيۡرِ سُوٓءٖ وَٱضۡمُمۡ إِلَيۡكَ جَنَاحَكَ مِنَ ٱلرَّهۡبِۖ فَذَٰنِكَ
بُرۡهَٰنَانِ مِن رَّبِّكَ إِلَىٰ فِرۡعَوۡنَ وَمَلَإِيْهِۦٓۚ إِنَّهُمۡ كَانُواْ
قَوۡمٗا فَٰسِقِينَ ٣٢ قَالَ رَبِّ إِنِّي قَتَلۡتُ مِنۡهُمۡ نَفۡسٗا فَأَخَافُ
أَن يَقۡتُلُونِ ٣٣ وَأَخِي هَٰرُونُ هُوَ أَفۡصَحُ مِنِّي لِسَانٗا
فَأَرۡسِلۡهُ مَعِيَ رِدۡءٗا يُصَدِّقُنِيٓۖ إِنِّيٓ أَخَافُ أَن يُكَذِّبُونِ ٣٤
قَالَ سَنَشُدُّ عَضُدَكَ بِأَخِيكَ وَنَجۡعَلُ لَكُمَا سُلۡطَٰنٗا فَلَا
يَصِلُونَ إِلَيۡكُمَاۚ بِـَٔايَٰتِنَآ أَنتُمَا وَمَنِ ٱتَّبَعَكُمَا ٱلۡغَٰلِبُونَ ٣٥

ثلاثة أرباع الحزب ٣٩

- ءَانَسَ: أبصرَ بوضوحٍ
- جَذۡوَةٖ مِّنَ ٱلنَّارِ: عُود فيه نارٌ بلا لَهَب
- تَصۡطَلُونَ: تستدفئون بها من البرد
- تَهۡتَزُّ: تتحرّكُ بشدّةٍ واضطراب
- جَآنّٞ: حيّةٌ سريعةُ الحركة
- لَمۡ يُعَقِّبۡ: لم يَرْجِعْ على عقبه ولم يلتفتْ
- جَيۡبِكَ: فتح الجُبّة حيثُ يَخرُج الرأسُ
- سُوٓءٖ: بَرَص
- جَنَاحَكَ: يدَكَ اليُمنى
- ٱلرَّهۡبِ: الرُّعب والفزع
- رِدۡءٗا: عَوْناً
- سَنَشُدُّ عَضُدَكَ: سنُقوّيكَ ونُعينُكَ
- سُلۡطَٰنٗا: تَسلُّطاً عظيماً وغَلَبة

مدّ ٦ حركات لزوماً — مدّ ٢ أو ٤ أو ٦ جوازاً — إخفاء ، ومواقع الغُنّة (حركتان)
مدّ واجب ٤ أو ٥ حركات — مدّ حركتان — إدغام ، وما لا يُلفظ

فَلَمَّا جَاءَهُم مُّوسَىٰ بِـَٔايَٰتِنَا بَيِّنَٰتٍ قَالُوا۟ مَا هَٰذَآ إِلَّا سِحْرٌ
مُّفْتَرًى وَمَا سَمِعْنَا بِهَٰذَا فِىٓ ءَابَآئِنَا ٱلْأَوَّلِينَ ﴿٣٦﴾ وَقَالَ
مُوسَىٰ رَبِّىٓ أَعْلَمُ بِمَن جَآءَ بِٱلْهُدَىٰ مِنْ عِندِهِۦ وَمَن تَكُونُ
لَهُۥ عَٰقِبَةُ ٱلدَّارِ ۖ إِنَّهُۥ لَا يُفْلِحُ ٱلظَّٰلِمُونَ ﴿٣٧﴾ وَقَالَ فِرْعَوْنُ
يَٰٓأَيُّهَا ٱلْمَلَأُ مَا عَلِمْتُ لَكُم مِّنْ إِلَٰهٍ غَيْرِى فَأَوْقِدْ
لِى يَٰهَٰمَٰنُ عَلَى ٱلطِّينِ فَٱجْعَل لِّى صَرْحًا لَّعَلِّىٓ أَطَّلِعُ إِلَىٰٓ
إِلَٰهِ مُوسَىٰ وَإِنِّى لَأَظُنُّهُۥ مِنَ ٱلْكَٰذِبِينَ ﴿٣٨﴾ وَٱسْتَكْبَرَ
هُوَ وَجُنُودُهُۥ فِى ٱلْأَرْضِ بِغَيْرِ ٱلْحَقِّ وَظَنُّوٓا۟ أَنَّهُمْ إِلَيْنَا
لَا يُرْجَعُونَ ﴿٣٩﴾ فَأَخَذْنَٰهُ وَجُنُودَهُۥ فَنَبَذْنَٰهُمْ فِى
ٱلْيَمِّ ۖ فَٱنظُرْ كَيْفَ كَانَ عَٰقِبَةُ ٱلظَّٰلِمِينَ ﴿٤٠﴾
وَجَعَلْنَٰهُمْ أَئِمَّةً يَدْعُونَ إِلَى ٱلنَّارِ ۖ وَيَوْمَ ٱلْقِيَٰمَةِ
لَا يُنصَرُونَ ﴿٤١﴾ وَأَتْبَعْنَٰهُمْ فِى هَٰذِهِ ٱلدُّنْيَا لَعْنَةً ۖ
وَيَوْمَ ٱلْقِيَٰمَةِ هُم مِّنَ ٱلْمَقْبُوحِينَ ﴿٤٢﴾ وَلَقَدْ ءَاتَيْنَا
مُوسَى ٱلْكِتَٰبَ مِنۢ بَعْدِ مَآ أَهْلَكْنَا ٱلْقُرُونَ ٱلْأُولَىٰ
بَصَآئِرَ لِلنَّاسِ وَهُدًى وَرَحْمَةً لَّعَلَّهُمْ يَتَذَكَّرُونَ ﴿٤٣﴾

- صَرْحًا: قصراً. أو بناء عالياً مكشوفاً
- فَنَبَذْنَٰهُمْ: ألقيناهم وأغرقناهم
- لَعْنَةً: طرداً وإبعاداً عن الرحمة
- ٱلْمَقْبُوحِينَ: المبعدين. أو المهلكين
- ٱلْقُرُونَ ٱلْأُولَىٰ: الأمم الماضية

القصص

مدّ ٦ حركات لزوماً ● مدّ ٢ أو ٤ أو ٦ جوازاً ● إخفاء، ومواقع الغُنّة (حركتان) ● تفخيم
مدّ واجب ٤ أو ٥ حركات ● مدّ حركتان ● إدغام، وما لا يُلفظ ● قلقلة

وَمَا كُنتَ بِجَانِبِ ٱلْغَرْبِيِّ إِذْ قَضَيْنَآ إِلَىٰ مُوسَى ٱلْأَمْرَ وَمَا كُنتَ
مِنَ ٱلشَّٰهِدِينَ ﴿٤٤﴾ وَلَٰكِنَّآ أَنشَأْنَا قُرُونًا فَتَطَاوَلَ عَلَيْهِمُ
ٱلْعُمُرُ ۚ وَمَا كُنتَ ثَاوِيًا فِىٓ أَهْلِ مَدْيَنَ تَتْلُوا۟ عَلَيْهِمْ
ءَايَٰتِنَا وَلَٰكِنَّا كُنَّا مُرْسِلِينَ ﴿٤٥﴾ وَمَا كُنتَ بِجَانِبِ
ٱلطُّورِ إِذْ نَادَيْنَا وَلَٰكِن رَّحْمَةً مِّن رَّبِّكَ لِتُنذِرَ قَوْمًا
مَّآ أَتَىٰهُم مِّن نَّذِيرٍ مِّن قَبْلِكَ لَعَلَّهُمْ يَتَذَكَّرُونَ ﴿٤٦﴾
وَلَوْلَآ أَن تُصِيبَهُم مُّصِيبَةٌۢ بِمَا قَدَّمَتْ أَيْدِيهِمْ فَيَقُولُوا۟
رَبَّنَا لَوْلَآ أَرْسَلْتَ إِلَيْنَا رَسُولًا فَنَتَّبِعَ ءَايَٰتِكَ وَنَكُونَ
مِنَ ٱلْمُؤْمِنِينَ ﴿٤٧﴾ فَلَمَّا جَآءَهُمُ ٱلْحَقُّ مِنْ عِندِنَا قَالُوا۟
لَوْلَآ أُوتِىَ مِثْلَ مَآ أُوتِىَ مُوسَىٰٓ ۚ أَوَلَمْ يَكْفُرُوا۟ بِمَآ أُوتِىَ
مُوسَىٰ مِن قَبْلُ ۖ قَالُوا۟ سِحْرَانِ تَظَٰهَرَا وَقَالُوٓا۟ إِنَّا بِكُلٍّ كَٰفِرُونَ
﴿٤٨﴾ قُلْ فَأْتُوا۟ بِكِتَٰبٍ مِّنْ عِندِ ٱللَّهِ هُوَ أَهْدَىٰ مِنْهُمَآ أَتَّبِعْهُ
إِن كُنتُمْ صَٰدِقِينَ ﴿٤٩﴾ فَإِن لَّمْ يَسْتَجِيبُوا۟ لَكَ فَٱعْلَمْ
أَنَّمَا يَتَّبِعُونَ أَهْوَآءَهُمْ ۚ وَمَنْ أَضَلُّ مِمَّنِ ٱتَّبَعَ هَوَىٰهُ بِغَيْرِ
هُدًى مِّنَ ٱللَّهِ ۚ إِنَّ ٱللَّهَ لَا يَهْدِى ٱلْقَوْمَ ٱلظَّٰلِمِينَ ﴿٥٠﴾

- ثَاوِيًا: مُقِيمًا
- سِحْرَانِ تَظَٰهَرَا: تَعَاوَنَا

مدّ ٦ حركات لزوماً • مدّ ٢ أو ٤ أو ٦ جوازاً • إخفاء، ومواقع الغنّة (حركتان) • تف...
مدّ واجب ٤ أو ٥ حركات • مدّ حركتان • إدغام، وما لا يُلفَظ • قلـ...

۞ وَلَقَدْ وَصَّلْنَا لَهُمُ ٱلْقَوْلَ لَعَلَّهُمْ يَتَذَكَّرُونَ ﴿٥١﴾ ٱلَّذِينَ
ءَاتَيْنَٰهُمُ ٱلْكِتَٰبَ مِن قَبْلِهِۦ هُم بِهِۦ يُؤْمِنُونَ ﴿٥٢﴾ وَإِذَا يُتْلَىٰ عَلَيْهِمْ
قَالُوٓا۟ ءَامَنَّا بِهِۦٓ إِنَّهُ ٱلْحَقُّ مِن رَّبِّنَآ إِنَّا كُنَّا مِن قَبْلِهِۦ مُسْلِمِينَ ﴿٥٣﴾
أُو۟لَٰٓئِكَ يُؤْتَوْنَ أَجْرَهُم مَّرَّتَيْنِ بِمَا صَبَرُوا۟ وَيَدْرَءُونَ بِٱلْحَسَنَةِ
ٱلسَّيِّئَةَ وَمِمَّا رَزَقْنَٰهُمْ يُنفِقُونَ ﴿٥٤﴾ وَإِذَا سَمِعُوا۟ ٱللَّغْوَ
أَعْرَضُوا۟ عَنْهُ وَقَالُوا۟ لَنَآ أَعْمَٰلُنَا وَلَكُمْ أَعْمَٰلُكُمْ سَلَٰمٌ عَلَيْكُمْ
لَا نَبْتَغِى ٱلْجَٰهِلِينَ ﴿٥٥﴾ إِنَّكَ لَا تَهْدِى مَنْ أَحْبَبْتَ وَلَٰكِنَّ
ٱللَّهَ يَهْدِى مَن يَشَآءُ ۚ وَهُوَ أَعْلَمُ بِٱلْمُهْتَدِينَ ﴿٥٦﴾ وَقَالُوٓا۟ إِن
نَّتَّبِعِ ٱلْهُدَىٰ مَعَكَ نُتَخَطَّفْ مِنْ أَرْضِنَآ ۚ أَوَلَمْ نُمَكِّن لَّهُمْ
حَرَمًا ءَامِنًا يُجْبَىٰٓ إِلَيْهِ ثَمَرَٰتُ كُلِّ شَىْءٍ رِّزْقًا مِّن لَّدُنَّا وَلَٰكِنَّ
أَكْثَرَهُمْ لَا يَعْلَمُونَ ﴿٥٧﴾ وَكَمْ أَهْلَكْنَا مِن قَرْيَةٍۭ
بَطِرَتْ مَعِيشَتَهَا ۖ فَتِلْكَ مَسَٰكِنُهُمْ لَمْ تُسْكَن مِّنۢ بَعْدِهِمْ
إِلَّا قَلِيلًا ۖ وَكُنَّا نَحْنُ ٱلْوَٰرِثِينَ ﴿٥٨﴾ وَمَا كَانَ رَبُّكَ مُهْلِكَ
ٱلْقُرَىٰ حَتَّىٰ يَبْعَثَ فِىٓ أُمِّهَا رَسُولًا يَتْلُوا۟ عَلَيْهِمْ ءَايَٰتِنَا ۚ وَمَا
كُنَّا مُهْلِكِى ٱلْقُرَىٰٓ إِلَّا وَأَهْلُهَا ظَٰلِمُونَ ﴿٥٩﴾

- وَصَّلْنَا لَهُمُ ٱلْقَوْلَ: أنزلناه متتابعاً متواصلاً
- يَدْرَءُونَ: يدفعون
- سَلَٰمٌ عَلَيْكُمْ: سلمتم منا لا نعارضكم بالشتم
- نُتَخَطَّفْ: نُنتزع بسرعة
- يُجْبَىٰٓ إِلَيْهِ: يُجلب ويُحمل إليه
- بَطِرَتْ مَعِيشَتَهَا: طغت وتمردت في حياتها

| | | |
|---|---|---|
| مدّ ٦ حركات لزوماً ● مدّ ٢ أو ٤ أو ٦ جوازاً | ● إخفاء ، ومواقع الغُنَّة (حركتان) | ● تفخيم |
| مدّ واجب ٤ أو ٥ حركات ● مدّ حركتان | ● إدغام ، وما لا يُلفظ | ● قلقلة |

وَمَآ أُوتِيتُم مِّن شَيْءٍ فَمَتَٰعُ ٱلْحَيَوٰةِ ٱلدُّنْيَا وَزِينَتُهَا ۚ وَمَا عِندَ
ٱللَّهِ خَيْرٌ وَأَبْقَىٰٓ ۚ أَفَلَا تَعْقِلُونَ ﴿٦٠﴾ أَفَمَن وَعَدْنَٰهُ وَعْدًا حَسَنًا
فَهُوَ لَٰقِيهِ كَمَن مَّتَّعْنَٰهُ مَتَٰعَ ٱلْحَيَوٰةِ ٱلدُّنْيَا ثُمَّ هُوَ يَوْمَ ٱلْقِيَٰمَةِ
مِنَ ٱلْمُحْضَرِينَ ﴿٦١﴾ وَيَوْمَ يُنَادِيهِمْ فَيَقُولُ أَيْنَ شُرَكَآءِىَ ٱلَّذِينَ
كُنتُمْ تَزْعُمُونَ ﴿٦٢﴾ قَالَ ٱلَّذِينَ حَقَّ عَلَيْهِمُ ٱلْقَوْلُ رَبَّنَا هَٰٓؤُلَآءِ
ٱلَّذِينَ أَغْوَيْنَآ أَغْوَيْنَٰهُمْ كَمَا غَوَيْنَا ۖ تَبَرَّأْنَآ إِلَيْكَ ۖ مَا كَانُوٓا۟ إِيَّانَا
يَعْبُدُونَ ﴿٦٣﴾ وَقِيلَ ٱدْعُوا۟ شُرَكَآءَكُمْ فَدَعَوْهُمْ فَلَمْ يَسْتَجِيبُوا۟
لَهُمْ وَرَأَوُا۟ ٱلْعَذَابَ ۚ لَوْ أَنَّهُمْ كَانُوا۟ يَهْتَدُونَ ﴿٦٤﴾ وَيَوْمَ يُنَادِيهِمْ
فَيَقُولُ مَاذَآ أَجَبْتُمُ ٱلْمُرْسَلِينَ ﴿٦٥﴾ فَعَمِيَتْ عَلَيْهِمُ ٱلْأَنۢبَآءُ
يَوْمَئِذٍ فَهُمْ لَا يَتَسَآءَلُونَ ﴿٦٦﴾ فَأَمَّا مَن تَابَ وَءَامَنَ وَعَمِلَ
صَٰلِحًا فَعَسَىٰٓ أَن يَكُونَ مِنَ ٱلْمُفْلِحِينَ ﴿٦٧﴾ وَرَبُّكَ
يَخْلُقُ مَا يَشَآءُ وَيَخْتَارُ ۗ مَا كَانَ لَهُمُ ٱلْخِيَرَةُ ۚ سُبْحَٰنَ
ٱللَّهِ وَتَعَٰلَىٰ عَمَّا يُشْرِكُونَ ﴿٦٨﴾ وَرَبُّكَ يَعْلَمُ مَا تُكِنُّ
صُدُورُهُمْ وَمَا يُعْلِنُونَ ﴿٦٩﴾ وَهُوَ ٱللَّهُ لَآ إِلَٰهَ إِلَّا هُوَ ۖ لَهُ
ٱلْحَمْدُ فِى ٱلْأُولَىٰ وَٱلْـَٔاخِرَةِ ۖ وَلَهُ ٱلْحُكْمُ وَإِلَيْهِ تُرْجَعُونَ ﴿٧٠﴾

- مِنَ ٱلْمُحْضَرِينَ: مِمَّنْ نُحْضِرُه للنّارِ
- أَغْوَيْنَآ: أضْلَلْنا
- فَعَمِيَتْ عَلَيْهِمُ: خَفِيَتْ واشْتَبَهَتْ عليهم
- ٱلْخِيَرَةُ: الاخْتِيارُ
- مَا تُكِنُّ: ما تُخْفي وتُضْمِرُ

| | | | |
|---|---|---|---|
| مدّ ٦ حركات لزوماً | مدّ ٢ أو ٤ أو ٦ جوازاً | إخفاء ، ومواقع الغنّة (حركتان) | تفـ |
| مدّ واجب ٤ أو ٥ حركات | مدّ حركتان | إدغام ، وما لا يُلفظ | قلقـ |

قُلْ أَرَءَيْتُمْ إِن جَعَلَ ٱللَّهُ عَلَيْكُمُ ٱلَّيْلَ سَرْمَدًا إِلَىٰ يَوْمِ ٱلْقِيَٰمَةِ
مَنْ إِلَٰهٌ غَيْرُ ٱللَّهِ يَأْتِيكُم بِضِيَآءٍ ۖ أَفَلَا تَسْمَعُونَ ﴿٧١﴾
قُلْ أَرَءَيْتُمْ إِن جَعَلَ ٱللَّهُ عَلَيْكُمُ ٱلنَّهَارَ سَرْمَدًا إِلَىٰ
يَوْمِ ٱلْقِيَٰمَةِ مَنْ إِلَٰهٌ غَيْرُ ٱللَّهِ يَأْتِيكُم بِلَيْلٍ تَسْكُنُونَ
فِيهِ ۖ أَفَلَا تُبْصِرُونَ ﴿٧٢﴾ وَمِن رَّحْمَتِهِۦ جَعَلَ لَكُمُ ٱلَّيْلَ
وَٱلنَّهَارَ لِتَسْكُنُوا۟ فِيهِ وَلِتَبْتَغُوا۟ مِن فَضْلِهِۦ وَلَعَلَّكُمْ تَشْكُرُونَ
﴿٧٣﴾ وَيَوْمَ يُنَادِيهِمْ فَيَقُولُ أَيْنَ شُرَكَآءِىَ ٱلَّذِينَ كُنتُمْ
تَزْعُمُونَ ﴿٧٤﴾ وَنَزَعْنَا مِن كُلِّ أُمَّةٍ شَهِيدًا فَقُلْنَا
هَاتُوا۟ بُرْهَٰنَكُمْ فَعَلِمُوٓا۟ أَنَّ ٱلْحَقَّ لِلَّهِ وَضَلَّ عَنْهُم مَّا كَانُوا۟
يَفْتَرُونَ ﴿٧٥﴾ ۞ إِنَّ قَٰرُونَ كَانَ مِن قَوْمِ مُوسَىٰ فَبَغَىٰ
عَلَيْهِمْ ۖ وَءَاتَيْنَٰهُ مِنَ ٱلْكُنُوزِ مَآ إِنَّ مَفَاتِحَهُۥ لَتَنُوٓأُ بِٱلْعُصْبَةِ
أُو۟لِى ٱلْقُوَّةِ إِذْ قَالَ لَهُۥ قَوْمُهُۥ لَا تَفْرَحْ ۖ إِنَّ ٱللَّهَ لَا يُحِبُّ ٱلْفَرِحِينَ
﴿٧٦﴾ وَٱبْتَغِ فِيمَآ ءَاتَىٰكَ ٱللَّهُ ٱلدَّارَ ٱلْءَاخِرَةَ ۖ وَلَا تَنسَ
نَصِيبَكَ مِنَ ٱلدُّنْيَا ۖ وَأَحْسِن كَمَآ أَحْسَنَ ٱللَّهُ إِلَيْكَ ۖ
وَلَا تَبْغِ ٱلْفَسَادَ فِى ٱلْأَرْضِ ۖ إِنَّ ٱللَّهَ لَا يُحِبُّ ٱلْمُفْسِدِينَ ﴿٧٧﴾

- أَرَءَيْتُمْ: أخبروني
- سَرْمَدًا: دائماً مُطّرداً
- يَفْتَرُونَ: يختلقونه من الباطل
- ربع الحزب ٤٠
- فَبَغَىٰ عَلَيْهِمْ: ظلمهم . أو تكبّر عليهم بغناه
- لَتَنُوٓأُ بِٱلْعُصْبَةِ: لتثقلهم وتميل بهم
- لَا تَفْرَحْ: لا تبْطَر بكثرة المال

القصص

| | | |
|---|---|---|
| مدّ ٦ حركات لزوماً ● مدّ ٢ أو ٤ أو ٦ جوازاً | ● إخفاء ، ومواقع الغُنّة (حركتان) | ● تفخيم |
| مدّ واجب ٤ أو ٥ حركات ● مدّ حركتان | ● إدغام ، وما لا يُلفظ | ● قلقلة |

قَالَ إِنَّمَآ أُوتِيتُهُۥ عَلَىٰ عِلْمٍ عِندِىٓ ۚ أَوَلَمْ يَعْلَمْ أَنَّ ٱللَّهَ قَدْ أَهْلَكَ
مِن قَبْلِهِۦ مِنَ ٱلْقُرُونِ مَنْ هُوَ أَشَدُّ مِنْهُ قُوَّةً وَأَكْثَرُ جَمْعًا ۚ
وَلَا يُسْـَٔلُ عَن ذُنُوبِهِمُ ٱلْمُجْرِمُونَ ﴿٧٨﴾ فَخَرَجَ عَلَىٰ قَوْمِهِۦ
فِى زِينَتِهِۦ ۖ قَالَ ٱلَّذِينَ يُرِيدُونَ ٱلْحَيَوٰةَ ٱلدُّنْيَا يَـٰلَيْتَ لَنَا
مِثْلَ مَآ أُوتِىَ قَـٰرُونُ إِنَّهُۥ لَذُو حَظٍّ عَظِيمٍ ﴿٧٩﴾ وَقَالَ
ٱلَّذِينَ أُوتُوا۟ ٱلْعِلْمَ وَيْلَكُمْ ثَوَابُ ٱللَّهِ خَيْرٌ لِّمَنْ ءَامَنَ
وَعَمِلَ صَـٰلِحًا وَلَا يُلَقَّىٰهَآ إِلَّا ٱلصَّـٰبِرُونَ ﴿٨٠﴾ فَخَسَفْنَا
بِهِۦ وَبِدَارِهِ ٱلْأَرْضَ فَمَا كَانَ لَهُۥ مِن فِئَةٍ يَنصُرُونَهُۥ مِن دُونِ
ٱللَّهِ وَمَا كَانَ مِنَ ٱلْمُنتَصِرِينَ ﴿٨١﴾ وَأَصْبَحَ ٱلَّذِينَ تَمَنَّوْا۟
مَكَانَهُۥ بِٱلْأَمْسِ يَقُولُونَ وَيْكَأَنَّ ٱللَّهَ يَبْسُطُ ٱلرِّزْقَ لِمَن
يَشَآءُ مِنْ عِبَادِهِۦ وَيَقْدِرُ ۖ لَوْلَآ أَن مَّنَّ ٱللَّهُ عَلَيْنَا لَخَسَفَ بِنَا ۖ
وَيْكَأَنَّهُۥ لَا يُفْلِحُ ٱلْكَـٰفِرُونَ ﴿٨٢﴾ تِلْكَ ٱلدَّارُ ٱلْـَٔاخِرَةُ نَجْعَلُهَا
لِلَّذِينَ لَا يُرِيدُونَ عُلُوًّا فِى ٱلْأَرْضِ وَلَا فَسَادًا ۚ وَٱلْعَـٰقِبَةُ لِلْمُتَّقِينَ
﴿٨٣﴾ مَن جَآءَ بِٱلْحَسَنَةِ فَلَهُۥ خَيْرٌ مِّنْهَا ۖ وَمَن جَآءَ بِٱلسَّيِّئَةِ فَلَا
يُجْزَى ٱلَّذِينَ عَمِلُوا۟ ٱلسَّيِّـَٔاتِ إِلَّا مَا كَانُوا۟ يَعْمَلُونَ ﴿٨٤﴾

- ٱلْقُرُونِ: الأُمم
- زِينَتِهِ: مظاهِرِ غِناه وتَرَفِه
- وَيْلَكُمْ: زَجْرٌ عن هَذا التَّمَنِّي
- لَا يُلَقَّىٰهَآ: لا يُوَفَّقُ للعملِ لِلْمَثُوبَة
- وَيْكَأَنَّ ٱللَّهَ: نَعْجَبُ لأَنَّ اللهَ
- يَقْدِرُ: يُضَيِّقُهُ على مَنْ يشاءُ

مدّ ٦ حركات لزوماً ● مدّ ٢ أو ٤ أو ٦ جوازاً ● إخفاء، ومواقع الغُنَّة (حركتان) ● تفخيم
مدّ واجب ٤ أو ٥ حركات ● مدّ حركتان ● إدغام، وما لا يُلفَظ ● قلقلة

إِنَّ ٱلَّذِى فَرَضَ عَلَيْكَ ٱلْقُرْءَانَ لَرَآدُّكَ إِلَىٰ مَعَادٍ ۚ قُل رَّبِّىٓ
أَعْلَمُ مَن جَآءَ بِٱلْهُدَىٰ وَمَنْ هُوَ فِى ضَلَٰلٍ مُّبِينٍ ﴿٨٥﴾ وَمَا كُنتَ
تَرْجُوٓاْ أَن يُلْقَىٰٓ إِلَيْكَ ٱلْكِتَٰبُ إِلَّا رَحْمَةً مِّن رَّبِّكَ ۖ
فَلَا تَكُونَنَّ ظَهِيرًا لِّلْكَٰفِرِينَ ﴿٨٦﴾ وَلَا يَصُدُّنَّكَ عَنْ ءَايَٰتِ
ٱللَّهِ بَعْدَ إِذْ أُنزِلَتْ إِلَيْكَ ۖ وَٱدْعُ إِلَىٰ رَبِّكَ ۖ وَلَا تَكُونَنَّ مِنَ
ٱلْمُشْرِكِينَ ﴿٨٧﴾ وَلَا تَدْعُ مَعَ ٱللَّهِ إِلَٰهًا ءَاخَرَ ۘ لَآ إِلَٰهَ إِلَّا
هُوَ ۚ كُلُّ شَىْءٍ هَالِكٌ إِلَّا وَجْهَهُۥ ۚ لَهُ ٱلْحُكْمُ وَإِلَيْهِ تُرْجَعُونَ ﴿٨٨﴾

## سُورَةُ العَنكَبُوتِ

ترتيبها ٢٩ — آياتها ٦٩

بِسْمِ ٱللَّهِ ٱلرَّحْمَٰنِ ٱلرَّحِيمِ

الٓمٓ ﴿١﴾ أَحَسِبَ ٱلنَّاسُ أَن يُتْرَكُوٓاْ أَن يَقُولُوٓاْ ءَامَنَّا وَهُمْ لَا
يُفْتَنُونَ ﴿٢﴾ وَلَقَدْ فَتَنَّا ٱلَّذِينَ مِن قَبْلِهِمْ ۖ فَلَيَعْلَمَنَّ ٱللَّهُ ٱلَّذِينَ
صَدَقُواْ وَلَيَعْلَمَنَّ ٱلْكَٰذِبِينَ ﴿٣﴾ أَمْ حَسِبَ ٱلَّذِينَ يَعْمَلُونَ
ٱلسَّيِّـَٔاتِ أَن يَسْبِقُونَا ۚ سَآءَ مَا يَحْكُمُونَ ﴿٤﴾ مَن كَانَ يَرْجُواْ
لِقَآءَ ٱللَّهِ فَإِنَّ أَجَلَ ٱللَّهِ لَءَاتٍ ۚ وَهُوَ ٱلسَّمِيعُ ٱلْعَلِيمُ ﴿٥﴾ وَمَن
جَٰهَدَ فَإِنَّمَا يُجَٰهِدُ لِنَفْسِهِۦٓ ۚ إِنَّ ٱللَّهَ لَغَنِىٌّ عَنِ ٱلْعَٰلَمِينَ ﴿٦﴾

- ظَهِيرًا لِّلْكَٰفِرِينَ: مُعيناً لهُمْ
- لَا يُفْتَنُونَ: لا يُمتَحنُونَ بِمَشَاقِّ التّكاليف
- يَسْبِقُونَا: يُعْجِزُونا، أَوْ يَفُوتُونا
- أَجَلَ ٱللَّهِ: الوقتَ المعيّنَ للجزاء

نصف الحزب ٤٠

العنكبوت

| | | |
|---|---|---|
| مدّ ٦ حركات لزوماً ● مدّ ٢ أو ٤ أو ٦ جوازاً | ● إخفاء، ومواقع الغُنَّة (حركتان) | ● تفخيم |
| مدّ واجب ٤ أو ٥ حركات ● مدّ حركتان | ● إدغام، وما لا يُلفَظ | ● قلقلة |

وَٱلَّذِينَ ءَامَنُواْ وَعَمِلُواْ ٱلصَّٰلِحَٰتِ لَنُكَفِّرَنَّ عَنۡهُمۡ سَيِّـَٔاتِهِمۡ
وَلَنَجۡزِيَنَّهُمۡ أَحۡسَنَ ٱلَّذِي كَانُواْ يَعۡمَلُونَ (٧) وَوَصَّيۡنَا ٱلۡإِنسَٰنَ
بِوَٰلِدَيۡهِ حُسۡنٗاۖ وَإِن جَٰهَدَاكَ لِتُشۡرِكَ بِي مَا لَيۡسَ لَكَ بِهِۦ عِلۡمٞ
فَلَا تُطِعۡهُمَآۚ إِلَيَّ مَرۡجِعُكُمۡ فَأُنَبِّئُكُم بِمَا كُنتُمۡ تَعۡمَلُونَ (٨)
وَٱلَّذِينَ ءَامَنُواْ وَعَمِلُواْ ٱلصَّٰلِحَٰتِ لَنُدۡخِلَنَّهُمۡ فِي ٱلصَّٰلِحِينَ
(٩) وَمِنَ ٱلنَّاسِ مَن يَقُولُ ءَامَنَّا بِٱللَّهِ فَإِذَآ أُوذِيَ فِي ٱللَّهِ جَعَلَ
فِتۡنَةَ ٱلنَّاسِ كَعَذَابِ ٱللَّهِۖ وَلَئِن جَآءَ نَصۡرٞ مِّن رَّبِّكَ لَيَقُولُنَّ
إِنَّا كُنَّا مَعَكُمۡۚ أَوَلَيۡسَ ٱللَّهُ بِأَعۡلَمَ بِمَا فِي صُدُورِ ٱلۡعَٰلَمِينَ
(١٠) وَلَيَعۡلَمَنَّ ٱللَّهُ ٱلَّذِينَ ءَامَنُواْ وَلَيَعۡلَمَنَّ ٱلۡمُنَٰفِقِينَ
(١١) وَقَالَ ٱلَّذِينَ كَفَرُواْ لِلَّذِينَ ءَامَنُواْ ٱتَّبِعُواْ سَبِيلَنَا
وَلۡنَحۡمِلۡ خَطَٰيَٰكُمۡ وَمَا هُم بِحَٰمِلِينَ مِنۡ خَطَٰيَٰهُم مِّن
شَيۡءٍۖ إِنَّهُمۡ لَكَٰذِبُونَ (١٢) وَلَيَحۡمِلُنَّ أَثۡقَالَهُمۡ وَأَثۡقَالٗا
مَّعَ أَثۡقَالِهِمۡۖ وَلَيُسۡـَٔلُنَّ يَوۡمَ ٱلۡقِيَٰمَةِ عَمَّا كَانُواْ يَفۡتَرُونَ
(١٣) وَلَقَدۡ أَرۡسَلۡنَا نُوحًا إِلَىٰ قَوۡمِهِۦ فَلَبِثَ فِيهِمۡ أَلۡفَ سَنَةٍ
إِلَّا خَمۡسِينَ عَامٗا فَأَخَذَهُمُ ٱلطُّوفَانُ وَهُمۡ ظَٰلِمُونَ (١٤)

- وَوَصَّيۡنَا ٱلۡإِنسَٰنَ: أمرناه
- حُسۡنٗا: برّاً بهما وعطفاً عليهما
- فِتۡنَةَ ٱلنَّاسِ: أذاهم وعذابهم
- خَطَٰيَٰكُمۡ: أوزاركم
- أَثۡقَالَهُمۡ: خطاياهم الفادحة
- يَفۡتَرُونَ: يختلقون من الأباطيل

- مدّ ٦ حركات لزوماً — مدّ ٢ أو ٤ أو ٦ جوازاً — إخفاء ، ومواقع الغُنّة (حركتان) — تفـ
- مدّ واجب ٤ أو ٥ حركات — مدّ حركتان — إدغام ، وما لا يُلفظ — قلقـ

فَأَنجَيْنَٰهُ وَأَصْحَٰبَ ٱلسَّفِينَةِ وَجَعَلْنَٰهَآ ءَايَةً لِّلْعَٰلَمِينَ
﴿١٥﴾ وَإِبْرَٰهِيمَ إِذْ قَالَ لِقَوْمِهِ ٱعْبُدُوا۟ ٱللَّهَ وَٱتَّقُوهُ ۖ ذَٰلِكُمْ
خَيْرٌ لَّكُمْ إِن كُنتُمْ تَعْلَمُونَ ﴿١٦﴾ إِنَّمَا تَعْبُدُونَ مِن
دُونِ ٱللَّهِ أَوْثَٰنًا وَتَخْلُقُونَ إِفْكًا ۚ إِنَّ ٱلَّذِينَ تَعْبُدُونَ مِن
دُونِ ٱللَّهِ لَا يَمْلِكُونَ لَكُمْ رِزْقًا فَٱبْتَغُوا۟ عِندَ ٱللَّهِ ٱلرِّزْقَ
وَٱعْبُدُوهُ وَٱشْكُرُوا۟ لَهُۥٓ ۖ إِلَيْهِ تُرْجَعُونَ ﴿١٧﴾ وَإِن تُكَذِّبُوا۟
فَقَدْ كَذَّبَ أُمَمٌ مِّن قَبْلِكُمْ ۖ وَمَا عَلَى ٱلرَّسُولِ إِلَّا ٱلْبَلَٰغُ
ٱلْمُبِينُ ﴿١٨﴾ أَوَلَمْ يَرَوْا۟ كَيْفَ يُبْدِئُ ٱللَّهُ ٱلْخَلْقَ ثُمَّ
يُعِيدُهُۥٓ ۚ إِنَّ ذَٰلِكَ عَلَى ٱللَّهِ يَسِيرٌ ﴿١٩﴾ قُلْ سِيرُوا۟ فِى ٱلْأَرْضِ
فَٱنظُرُوا۟ كَيْفَ بَدَأَ ٱلْخَلْقَ ۚ ثُمَّ ٱللَّهُ يُنشِئُ ٱلنَّشْأَةَ ٱلْءَاخِرَةَ ۚ
إِنَّ ٱللَّهَ عَلَىٰ كُلِّ شَىْءٍ قَدِيرٌ ﴿٢٠﴾ يُعَذِّبُ مَن يَشَآءُ وَيَرْحَمُ
مَن يَشَآءُ ۖ وَإِلَيْهِ تُقْلَبُونَ ﴿٢١﴾ وَمَآ أَنتُم بِمُعْجِزِينَ فِى
ٱلْأَرْضِ وَلَا فِى ٱلسَّمَآءِ ۖ وَمَا لَكُم مِّن دُونِ ٱللَّهِ مِن وَلِىٍّ
وَلَا نَصِيرٍ ﴿٢٢﴾ وَٱلَّذِينَ كَفَرُوا۟ بِـَٔايَٰتِ ٱللَّهِ وَلِقَآئِهِۦٓ
أُو۟لَٰٓئِكَ يَئِسُوا۟ مِن رَّحْمَتِى وَأُو۟لَٰٓئِكَ لَهُمْ عَذَابٌ أَلِيمٌ ﴿٢٣﴾

- تَخْلُقُونَ إِفْكًا: تَكْذِبُونَ كَذِباً . أو تَنْحِتُونَها للكذب
- إِلَيْهِ تُقْلَبُونَ: تُرَدُّونَ وَتُرْجَعُونَ
- بِمُعْجِزِينَ: فائتِينَ من عَذابِه بالْهَرَب

العنكبوت

| | | | | |
|---|---|---|---|---|
| مدّ ٦ حركات لزوماً | مدّ ٢ أو ٤ أو ٦ جوازاً | إخفاء ، ومواقع الغُنَّة (حركتان) | تفخيم |
| مدّ واجب ٤ أو ٥ حركات | مدّ حركتان | إدغام ، وما لا يُلفَظ | قلقلة |

فَمَا كَانَ جَوَابَ قَوْمِهِۦٓ إِلَّآ أَن قَالُوا۟ ٱقْتُلُوهُ أَوْ حَرِّقُوهُ
فَأَنجَىٰهُ ٱللَّهُ مِنَ ٱلنَّارِ ۚ إِنَّ فِى ذَٰلِكَ لَءَايَٰتٍ لِّقَوْمٍ يُؤْمِنُونَ
﴿٢٤﴾ وَقَالَ إِنَّمَا ٱتَّخَذْتُم مِّن دُونِ ٱللَّهِ أَوْثَٰنًا مَّوَدَّةَ بَيْنِكُمْ
فِى ٱلْحَيَوٰةِ ٱلدُّنْيَا ۖ ثُمَّ يَوْمَ ٱلْقِيَٰمَةِ يَكْفُرُ بَعْضُكُم
بِبَعْضٍ وَيَلْعَنُ بَعْضُكُم بَعْضًا وَمَأْوَىٰكُمُ ٱلنَّارُ
وَمَا لَكُم مِّن نَّٰصِرِينَ ﴿٢٥﴾ ۞ فَـَٔامَنَ لَهُۥ لُوطٌ ۘ وَقَالَ
إِنِّى مُهَاجِرٌ إِلَىٰ رَبِّىٓ ۖ إِنَّهُۥ هُوَ ٱلْعَزِيزُ ٱلْحَكِيمُ ﴿٢٦﴾ وَوَهَبْنَا
لَهُۥٓ إِسْحَٰقَ وَيَعْقُوبَ وَجَعَلْنَا فِى ذُرِّيَّتِهِ ٱلنُّبُوَّةَ وَٱلْكِتَٰبَ
وَءَاتَيْنَٰهُ أَجْرَهُۥ فِى ٱلدُّنْيَا ۖ وَإِنَّهُۥ فِى ٱلْءَاخِرَةِ لَمِنَ ٱلصَّٰلِحِينَ
﴿٢٧﴾ وَلُوطًا إِذْ قَالَ لِقَوْمِهِۦٓ إِنَّكُمْ لَتَأْتُونَ ٱلْفَٰحِشَةَ
مَا سَبَقَكُم بِهَا مِنْ أَحَدٍ مِّنَ ٱلْعَٰلَمِينَ ﴿٢٨﴾
أَئِنَّكُمْ لَتَأْتُونَ ٱلرِّجَالَ وَتَقْطَعُونَ ٱلسَّبِيلَ وَتَأْتُونَ
فِى نَادِيكُمُ ٱلْمُنكَرَ ۖ فَمَا كَانَ جَوَابَ قَوْمِهِۦٓ إِلَّآ
أَن قَالُوا۟ ٱئْتِنَا بِعَذَابِ ٱللَّهِ إِن كُنتَ مِنَ ٱلصَّٰدِقِينَ
﴿٢٩﴾ قَالَ رَبِّ ٱنصُرْنِى عَلَى ٱلْقَوْمِ ٱلْمُفْسِدِينَ ﴿٣٠﴾

▪ مَّوَدَّةَ بَيْنِكُمْ: سَبَبَ التَّوادِّ والتَّحابِّ بينَكُم
▪ مَأْوَىٰكُمُ ٱلنَّارُ: مَنزِلُكُم جميعاً النارُ
ثلاثة أرباع الحزب ٤٠
▪ نَادِيكُمُ: مَجْلِسِكُمُ الذي تَجْتَمِعُونَ فيه

| | |
|---|---|
| مدّ ٦ حركات لزوماً ● مدّ ٢ أو ٤ أو ٦ جوازاً ● | إخفاء، ومواقع الغُنَّة (حركتان) ● تفـ |
| مدّ واجب ٤ أو ٥ حركات ● مدّ حركتان ● | إدغام، وما لا يُلفَظ ● قلقـ |

وَلَمَّا جَآءَتْ رُسُلُنَآ إِبْرَٰهِيمَ بِٱلْبُشْرَىٰ قَالُوٓا۟ إِنَّا مُهْلِكُوٓا۟
أَهْلِ هَٰذِهِ ٱلْقَرْيَةِ ۖ إِنَّ أَهْلَهَا كَانُوا۟ ظَٰلِمِينَ ﴿٣١﴾
قَالَ إِنَّ فِيهَا لُوطًا ۚ قَالُوا۟ نَحْنُ أَعْلَمُ بِمَن فِيهَا ۖ لَنُنَجِّيَنَّهُۥ
وَأَهْلَهُۥٓ إِلَّا ٱمْرَأَتَهُۥ كَانَتْ مِنَ ٱلْغَٰبِرِينَ ﴿٣٢﴾ وَلَمَّآ
أَن جَآءَتْ رُسُلُنَا لُوطًا سِىٓءَ بِهِمْ وَضَاقَ بِهِمْ ذَرْعًا
وَقَالُوا۟ لَا تَخَفْ وَلَا تَحْزَنْ ۖ إِنَّا مُنَجُّوكَ وَأَهْلَكَ إِلَّا ٱمْرَأَتَكَ
كَانَتْ مِنَ ٱلْغَٰبِرِينَ ﴿٣٣﴾ إِنَّا مُنزِلُونَ عَلَىٰٓ أَهْلِ
هَٰذِهِ ٱلْقَرْيَةِ رِجْزًا مِّنَ ٱلسَّمَآءِ بِمَا كَانُوا۟ يَفْسُقُونَ
﴿٣٤﴾ وَلَقَد تَّرَكْنَا مِنْهَآ ءَايَةًۢ بَيِّنَةً لِّقَوْمٍ يَعْقِلُونَ
﴿٣٥﴾ وَإِلَىٰ مَدْيَنَ أَخَاهُمْ شُعَيْبًا فَقَالَ يَٰقَوْمِ ٱعْبُدُوا۟
ٱللَّهَ وَٱرْجُوا۟ ٱلْيَوْمَ ٱلْءَاخِرَ وَلَا تَعْثَوْا۟ فِى ٱلْأَرْضِ مُفْسِدِينَ
﴿٣٦﴾ فَكَذَّبُوهُ فَأَخَذَتْهُمُ ٱلرَّجْفَةُ فَأَصْبَحُوا۟ فِى
دَارِهِمْ جَٰثِمِينَ ﴿٣٧﴾ وَعَادًا وَثَمُودَا۟ وَقَد تَّبَيَّنَ
لَكُم مِّن مَّسَٰكِنِهِمْ ۖ وَزَيَّنَ لَهُمُ ٱلشَّيْطَٰنُ
أَعْمَٰلَهُمْ فَصَدَّهُمْ عَنِ ٱلسَّبِيلِ وَكَانُوا۟ مُسْتَبْصِرِينَ ﴿٣٨﴾

- ٱلْغَٰبِرِينَ: الباقين في العذاب
- سِىٓءَ بِهِمْ: اعتراه الغمّ بمجيئهم
- ذَرْعًا: طاقة وقوّة
- رِجْزًا: عذابًا
- لَا تَعْثَوْا۟: لا تُفسِدوا أشدّ الإفساد
- فَأَخَذَتْهُمُ ٱلرَّجْفَةُ: الزلزلة الشديدة
- جَٰثِمِينَ: ميّتين قعودًا
- كَانُوا۟ مُسْتَبْصِرِينَ: عقلاء متمكّنين من التدبّر

العنكبوت

| | | |
|---|---|---|
| مدّ ٦ حركات لزوماً ● مدّ ٢ أو ٤ أو ٦ جوازاً | ● إخفاء ، ومواقع الغُنَّة (حركتان) | ● تفخيم |
| مدّ واجب ٤ أو ٥ حركات ● مدّ حركتان | ● إدغام ، وما لا يُلفَظ | ● قلقلة |

وَقَٰرُونَ وَفِرۡعَوۡنَ وَهَٰمَٰنَۖ وَلَقَدۡ جَآءَهُم مُّوسَىٰ
بِٱلۡبَيِّنَٰتِ فَٱسۡتَكۡبَرُواْ فِي ٱلۡأَرۡضِ وَمَا كَانُواْ سَٰبِقِينَ
٣٩ فَكُلًّا أَخَذۡنَا بِذَنۢبِهِۦۖ فَمِنۡهُم مَّنۡ أَرۡسَلۡنَا عَلَيۡهِ حَاصِبٗا
وَمِنۡهُم مَّنۡ أَخَذَتۡهُ ٱلصَّيۡحَةُ وَمِنۡهُم مَّنۡ خَسَفۡنَا بِهِ
ٱلۡأَرۡضَ وَمِنۡهُم مَّنۡ أَغۡرَقۡنَاۚ وَمَا كَانَ ٱللَّهُ لِيَظۡلِمَهُمۡ
وَلَٰكِن كَانُوٓاْ أَنفُسَهُمۡ يَظۡلِمُونَ ٤٠ مَثَلُ ٱلَّذِينَ
ٱتَّخَذُواْ مِن دُونِ ٱللَّهِ أَوۡلِيَآءَ كَمَثَلِ ٱلۡعَنكَبُوتِ
ٱتَّخَذَتۡ بَيۡتٗاۖ وَإِنَّ أَوۡهَنَ ٱلۡبُيُوتِ لَبَيۡتُ ٱلۡعَنكَبُوتِۖ
لَوۡ كَانُواْ يَعۡلَمُونَ ٤١ إِنَّ ٱللَّهَ يَعۡلَمُ مَا يَدۡعُونَ مِن
دُونِهِۦ مِن شَيۡءٖۚ وَهُوَ ٱلۡعَزِيزُ ٱلۡحَكِيمُ ٤٢ وَتِلۡكَ
ٱلۡأَمۡثَٰلُ نَضۡرِبُهَا لِلنَّاسِۖ وَمَا يَعۡقِلُهَآ إِلَّا ٱلۡعَٰلِمُونَ
٤٣ خَلَقَ ٱللَّهُ ٱلسَّمَٰوَٰتِ وَٱلۡأَرۡضَ بِٱلۡحَقِّۚ إِنَّ فِي ذَٰلِكَ
لَأٓيَةٗ لِّلۡمُؤۡمِنِينَ ٤٤ ٱتۡلُ مَآ أُوحِيَ إِلَيۡكَ مِنَ ٱلۡكِتَٰبِ
وَأَقِمِ ٱلصَّلَوٰةَۖ إِنَّ ٱلصَّلَوٰةَ تَنۡهَىٰ عَنِ ٱلۡفَحۡشَآءِ
وَٱلۡمُنكَرِۗ وَلَذِكۡرُ ٱللَّهِ أَكۡبَرُۗ وَٱللَّهُ يَعۡلَمُ مَا تَصۡنَعُونَ ٤٥

- سَٰبِقِينَ: فائتين عذابه تعالى
- حَاصِبٗا: ريحاً ترميهم بالحصباء
- أَخَذَتۡهُ ٱلصَّيۡحَةُ: صوت من السماء مُهلك
- ٱلۡعَنكَبُوتِ: حشرة معروفة

● مدّ ٦ حركات لزوماً ● مدّ ٢ أو ٤ أو ٦ جوازاً ● إخفاء، ومواقع الغُنّة (حركتان) ● تفـ
● مدّ واجب ٤ أو ٥ حركات ● مدّ حركتان ● إدغام، وما لا يُلفظ ● قلقـ

۞ وَلَا تُجَٰدِلُوٓاْ أَهْلَ ٱلْكِتَٰبِ إِلَّا بِٱلَّتِى هِىَ أَحْسَنُ إِلَّا
ٱلَّذِينَ ظَلَمُواْ مِنْهُمْ ۖ وَقُولُوٓاْ ءَامَنَّا بِٱلَّذِىٓ أُنزِلَ إِلَيْنَا وَأُنزِلَ
إِلَيْكُمْ وَإِلَٰهُنَا وَإِلَٰهُكُمْ وَٰحِدٌ وَنَحْنُ لَهُۥ مُسْلِمُونَ ﴿٤٦﴾
وَكَذَٰلِكَ أَنزَلْنَآ إِلَيْكَ ٱلْكِتَٰبَ ۚ فَٱلَّذِينَ ءَاتَيْنَٰهُمُ ٱلْكِتَٰبَ
يُؤْمِنُونَ بِهِۦ ۖ وَمِنْ هَٰٓؤُلَآءِ مَن يُؤْمِنُ بِهِۦ ۚ وَمَا يَجْحَدُ بِـَٔايَٰتِنَآ
إِلَّا ٱلْكَٰفِرُونَ ﴿٤٧﴾ وَمَا كُنتَ تَتْلُواْ مِن قَبْلِهِۦ مِن كِتَٰبٍ
وَلَا تَخُطُّهُۥ بِيَمِينِكَ ۖ إِذًا لَّٱرْتَابَ ٱلْمُبْطِلُونَ ﴿٤٨﴾ بَلْ هُوَ
ءَايَٰتٌۢ بَيِّنَٰتٌ فِى صُدُورِ ٱلَّذِينَ أُوتُواْ ٱلْعِلْمَ ۚ وَمَا يَجْحَدُ
بِـَٔايَٰتِنَآ إِلَّا ٱلظَّٰلِمُونَ ﴿٤٩﴾ وَقَالُواْ لَوْلَآ أُنزِلَ عَلَيْهِ
ءَايَٰتٌ مِّن رَّبِّهِۦ ۖ قُلْ إِنَّمَا ٱلْءَايَٰتُ عِندَ ٱللَّهِ وَإِنَّمَآ أَنَا۠ نَذِيرٌ
مُّبِينٌ ﴿٥٠﴾ أَوَلَمْ يَكْفِهِمْ أَنَّآ أَنزَلْنَا عَلَيْكَ ٱلْكِتَٰبَ
يُتْلَىٰ عَلَيْهِمْ ۚ إِنَّ فِى ذَٰلِكَ لَرَحْمَةً وَذِكْرَىٰ لِقَوْمٍ
يُؤْمِنُونَ ﴿٥١﴾ قُلْ كَفَىٰ بِٱللَّهِ بَيْنِى وَبَيْنَكُمْ شَهِيدًا ۖ
يَعْلَمُ مَا فِى ٱلسَّمَٰوَٰتِ وَٱلْأَرْضِ ۗ وَٱلَّذِينَ ءَامَنُواْ
بِٱلْبَٰطِلِ وَكَفَرُواْ بِٱللَّهِ أُوْلَٰٓئِكَ هُمُ ٱلْخَٰسِرُونَ ﴿٥٢﴾



| | | |
|---|---|---|
| مدّ ٦ حركات لزوماً ● مدّ ٢ أو ٤ أو ٦ جوازاً | إخفاء ، ومواقع الغُنَّة (حركتان) | تفخيم |
| مدّ واجب ٤ أو ٥ حركات ● مدّ حركتان | إدغام ، وما لا يُلفَظ | قلقلة |

وَيَسْتَعْجِلُونَكَ بِالْعَذَابِ ۚ وَلَوْلَا أَجَلٌ مُّسَمًّى لَّجَاءَهُمُ الْعَذَابُ
وَلَيَأْتِيَنَّهُم بَغْتَةً وَهُمْ لَا يَشْعُرُونَ ﴿٥٣﴾ يَسْتَعْجِلُونَكَ بِالْعَذَابِ
وَإِنَّ جَهَنَّمَ لَمُحِيطَةٌ بِالْكَافِرِينَ ﴿٥٤﴾ يَوْمَ يَغْشَاهُمُ الْعَذَابُ
مِن فَوْقِهِمْ وَمِن تَحْتِ أَرْجُلِهِمْ وَيَقُولُ ذُوقُوا مَا كُنتُمْ تَعْمَلُونَ
﴿٥٥﴾ يَا عِبَادِيَ الَّذِينَ آمَنُوا إِنَّ أَرْضِي وَاسِعَةٌ فَإِيَّايَ فَاعْبُدُونِ
﴿٥٦﴾ كُلُّ نَفْسٍ ذَائِقَةُ الْمَوْتِ ۖ ثُمَّ إِلَيْنَا تُرْجَعُونَ ﴿٥٧﴾ وَالَّذِينَ
آمَنُوا وَعَمِلُوا الصَّالِحَاتِ لَنُبَوِّئَنَّهُم مِّنَ الْجَنَّةِ غُرَفًا تَجْرِي
مِن تَحْتِهَا الْأَنْهَارُ خَالِدِينَ فِيهَا ۚ نِعْمَ أَجْرُ الْعَامِلِينَ ﴿٥٨﴾ الَّذِينَ
صَبَرُوا وَعَلَىٰ رَبِّهِمْ يَتَوَكَّلُونَ ﴿٥٩﴾ وَكَأَيِّن مِّن دَابَّةٍ لَّا تَحْمِلُ
رِزْقَهَا اللَّهُ يَرْزُقُهَا وَإِيَّاكُمْ ۚ وَهُوَ السَّمِيعُ الْعَلِيمُ ﴿٦٠﴾ وَلَئِن
سَأَلْتَهُم مَّنْ خَلَقَ السَّمَاوَاتِ وَالْأَرْضَ وَسَخَّرَ الشَّمْسَ وَالْقَمَرَ
لَيَقُولُنَّ اللَّهُ ۖ فَأَنَّىٰ يُؤْفَكُونَ ﴿٦١﴾ اللَّهُ يَبْسُطُ الرِّزْقَ لِمَن يَشَاءُ مِنْ
عِبَادِهِ وَيَقْدِرُ لَهُ ۚ إِنَّ اللَّهَ بِكُلِّ شَيْءٍ عَلِيمٌ ﴿٦٢﴾ وَلَئِن سَأَلْتَهُم
مَّن نَّزَّلَ مِنَ السَّمَاءِ مَاءً فَأَحْيَا بِهِ الْأَرْضَ مِن بَعْدِ مَوْتِهَا
لَيَقُولُنَّ اللَّهُ ۚ قُلِ الْحَمْدُ لِلَّهِ ۚ بَلْ أَكْثَرُهُمْ لَا يَعْقِلُونَ ﴿٦٣﴾

- بَغْتَةً: فَجْأَةً
- يَغْشَاهُمُ الْعَذَابُ: يُجَلِّلُهُمْ ويُحِيطُ بِهِمْ
- لَنُبَوِّئَنَّهُم: لَنُنْزِلَنَّهُمْ
- غُرَفًا: مَنازِلَ رَفِيعَةً
- كَأَيِّن: كَثِيرٌ
- فَأَنَّىٰ يُؤْفَكُونَ: فكَيْفَ يُصْرَفُونَ عن عبادته
- يَقْدِرُ لَهُ: يُضَيِّقُهُ على من يشاء

● مدّ ٦ حركات لزوماً ● مدّ ٢ أو ٤ أو ٦ جوازاً ● إخفاء، ومواقع الغُنَّة (حركتان) ● تفـ
● مدّ واجب ٤ أو ٥ حركات ● مدّ حركتان ● إدغام، وما لا يُلفَظ ● قلقـ

وَمَا هَٰذِهِ ٱلْحَيَوٰةُ ٱلدُّنْيَآ إِلَّا لَهْوٌ وَلَعِبٌ ۚ وَإِنَّ ٱلدَّارَ ٱلْءَاخِرَةَ
لَهِىَ ٱلْحَيَوَانُ ۚ لَوْ كَانُوا۟ يَعْلَمُونَ ﴿٦٤﴾ فَإِذَا رَكِبُوا۟ فِى
ٱلْفُلْكِ دَعَوُا۟ ٱللَّهَ مُخْلِصِينَ لَهُ ٱلدِّينَ فَلَمَّا نَجَّىٰهُمْ إِلَى ٱلْبَرِّ إِذَا
هُمْ يُشْرِكُونَ ﴿٦٥﴾ لِيَكْفُرُوا۟ بِمَآ ءَاتَيْنَٰهُمْ وَلِيَتَمَتَّعُوا۟ ۖ فَسَوْفَ
يَعْلَمُونَ ﴿٦٦﴾ أَوَلَمْ يَرَوْا۟ أَنَّا جَعَلْنَا حَرَمًا ءَامِنًا وَيُتَخَطَّفُ
ٱلنَّاسُ مِنْ حَوْلِهِمْ ۚ أَفَبِٱلْبَٰطِلِ يُؤْمِنُونَ وَبِنِعْمَةِ ٱللَّهِ يَكْفُرُونَ
﴿٦٧﴾ وَمَنْ أَظْلَمُ مِمَّنِ ٱفْتَرَىٰ عَلَى ٱللَّهِ كَذِبًا أَوْ كَذَّبَ بِٱلْحَقِّ
لَمَّا جَآءَهُۥٓ ۚ أَلَيْسَ فِى جَهَنَّمَ مَثْوًى لِّلْكَٰفِرِينَ ﴿٦٨﴾ وَٱلَّذِينَ
جَٰهَدُوا۟ فِينَا لَنَهْدِيَنَّهُمْ سُبُلَنَا ۚ وَإِنَّ ٱللَّهَ لَمَعَ ٱلْمُحْسِنِينَ ﴿٦٩﴾

## سُورَةُ الرُّومِ

ترتيبها ٣٠ — آياتها ٦٠

بِسْمِ ٱللَّهِ ٱلرَّحْمَٰنِ ٱلرَّحِيمِ

الٓمٓ ﴿١﴾ غُلِبَتِ ٱلرُّومُ ﴿٢﴾ فِىٓ أَدْنَى ٱلْأَرْضِ وَهُم مِّنۢ بَعْدِ
غَلَبِهِمْ سَيَغْلِبُونَ ﴿٣﴾ فِى بِضْعِ سِنِينَ ۗ لِلَّهِ ٱلْأَمْرُ
مِن قَبْلُ وَمِنۢ بَعْدُ ۚ وَيَوْمَئِذٍ يَفْرَحُ ٱلْمُؤْمِنُونَ ﴿٤﴾
بِنَصْرِ ٱللَّهِ ۚ يَنصُرُ مَن يَشَآءُ ۖ وَهُوَ ٱلْعَزِيزُ ٱلرَّحِيمُ ﴿٥﴾

- لَهْوٌ وَلَعِبٌ: لذائذ مُتصرِّمة (زائلة)، وعَبَثٌ باطلٌ
- لَهِيَ ٱلْحَيَوَانُ: لَهِيَ الحياةُ الدائمةُ الخالدةُ
- ٱلدِّينَ: الملة أو الطاعة
- يُتَخَطَّفُ ٱلنَّاسُ: يُستلَبون قتلاً وأسراً
- مَثْوًى لِّلْكَٰفِرِينَ: مكانُ إقامةٍ لهُم
- غُلِبَتِ ٱلرُّومُ: قَهَرَتْ فارسُ الرُّومَ
- أَدْنَى ٱلْأَرْضِ: أقربِها إلى فارس
- غَلَبِهِمْ: كونِهم مَغْلوبين

ربع الحزب ٤١



| | | |
|---|---|---|
| مدّ ٦ حركات لزوماً ● مدّ ٢ أو ٤ أو ٦ جوازاً | ● إخفاء ، ومواقع الغُنَّة (حركتان) | ● تفخيم |
| مدّ واجب ٤ أو ٥ حركات ● مدّ حركتان | ● إدغام ، وما لا يُلفَظ | ● قلقلة |

وَعْدَ ٱللَّهِ ۖ لَا يُخْلِفُ ٱللَّهُ وَعْدَهُۥ وَلَٰكِنَّ أَكْثَرَ ٱلنَّاسِ لَا يَعْلَمُونَ
﴿٦﴾ يَعْلَمُونَ ظَٰهِرًا مِّنَ ٱلْحَيَوٰةِ ٱلدُّنْيَا وَهُمْ عَنِ ٱلْءَاخِرَةِ هُمْ غَٰفِلُونَ
﴿٧﴾ أَوَلَمْ يَتَفَكَّرُوا۟ فِىٓ أَنفُسِهِم ۗ مَّا خَلَقَ ٱللَّهُ ٱلسَّمَٰوَٰتِ وَٱلْأَرْضَ
وَمَا بَيْنَهُمَآ إِلَّا بِٱلْحَقِّ وَأَجَلٍ مُّسَمًّى ۗ وَإِنَّ كَثِيرًا مِّنَ ٱلنَّاسِ
بِلِقَآئِ رَبِّهِمْ لَكَٰفِرُونَ ﴿٨﴾ أَوَلَمْ يَسِيرُوا۟ فِى ٱلْأَرْضِ فَيَنظُرُوا۟
كَيْفَ كَانَ عَٰقِبَةُ ٱلَّذِينَ مِن قَبْلِهِمْ ۚ كَانُوٓا۟ أَشَدَّ مِنْهُمْ قُوَّةً
وَأَثَارُوا۟ ٱلْأَرْضَ وَعَمَرُوهَآ أَكْثَرَ مِمَّا عَمَرُوهَا وَجَآءَتْهُمْ
رُسُلُهُم بِٱلْبَيِّنَٰتِ ۖ فَمَا كَانَ ٱللَّهُ لِيَظْلِمَهُمْ وَلَٰكِن كَانُوٓا۟
أَنفُسَهُمْ يَظْلِمُونَ ﴿٩﴾ ثُمَّ كَانَ عَٰقِبَةَ ٱلَّذِينَ أَسَٰٓـُٔوا۟ ٱلسُّوٓأَىٰٓ
أَن كَذَّبُوا۟ بِـَٔايَٰتِ ٱللَّهِ وَكَانُوا۟ بِهَا يَسْتَهْزِءُونَ ﴿١٠﴾ ٱللَّهُ
يَبْدَؤُا۟ ٱلْخَلْقَ ثُمَّ يُعِيدُهُۥ ثُمَّ إِلَيْهِ تُرْجَعُونَ ﴿١١﴾ وَيَوْمَ تَقُومُ
ٱلسَّاعَةُ يُبْلِسُ ٱلْمُجْرِمُونَ ﴿١٢﴾ وَلَمْ يَكُن لَّهُم مِّن شُرَكَآئِهِمْ
شُفَعَٰٓؤُا۟ وَكَانُوا۟ بِشُرَكَآئِهِمْ كَٰفِرِينَ ﴿١٣﴾ وَيَوْمَ
تَقُومُ ٱلسَّاعَةُ يَوْمَئِذٍ يَتَفَرَّقُونَ ﴿١٤﴾ فَأَمَّا ٱلَّذِينَ ءَامَنُوا۟
وَعَمِلُوا۟ ٱلصَّٰلِحَٰتِ فَهُمْ فِى رَوْضَةٍ يُحْبَرُونَ ﴿١٥﴾

- أَثَارُوا۟ ٱلْأَرْضَ: حَرَثُوهَا وَقَلَّبُوهَا للزّراعة
- ٱلسُّوٓأَىٰٓ: العُقوبةُ المتناهية في السُّوءِ
- يُبْلِسُ ٱلْمُجْرِمُونَ: تَنْقَطِعُ حجّتهم . أو يَيْئَسُونَ
- يُحْبَرُونَ: يُسَرُّونَ . أوْ يُكْرَمُونَ

مدّ ٦ حركات لزوماً • مدّ ٢ أو ٤ أو ٦ جوازاً • إخفاء ، ومواقع الغُنّة (حركتان) • تفخ
مدّ واجب ٤ أو ٥ حركات • مدّ حركتان • إدغام ، وما لا يُلفَظ • قلقل

وَأَمَّا ٱلَّذِينَ كَفَرُوا۟ وَكَذَّبُوا۟ بِـَٔايَـٰتِنَا وَلِقَآئِ ٱلْـَٔاخِرَةِ فَأُو۟لَـٰٓئِكَ
فِى ٱلْعَذَابِ مُحْضَرُونَ ﴿١٦﴾ فَسُبْحَـٰنَ ٱللَّهِ حِينَ تُمْسُونَ
وَحِينَ تُصْبِحُونَ ﴿١٧﴾ وَلَهُ ٱلْحَمْدُ فِى ٱلسَّمَـٰوَٰتِ وَٱلْأَرْضِ
وَعَشِيًّا وَحِينَ تُظْهِرُونَ ﴿١٨﴾ يُخْرِجُ ٱلْحَىَّ مِنَ ٱلْمَيِّتِ وَيُخْرِجُ
ٱلْمَيِّتَ مِنَ ٱلْحَىِّ وَيُحْىِ ٱلْأَرْضَ بَعْدَ مَوْتِهَا ۚ وَكَذَٰلِكَ تُخْرَجُونَ
﴿١٩﴾ وَمِنْ ءَايَـٰتِهِۦٓ أَنْ خَلَقَكُم مِّن تُرَابٍ ثُمَّ إِذَآ أَنتُم بَشَرٌ
تَنتَشِرُونَ ﴿٢٠﴾ وَمِنْ ءَايَـٰتِهِۦٓ أَنْ خَلَقَ لَكُم مِّنْ أَنفُسِكُمْ
أَزْوَٰجًا لِّتَسْكُنُوٓا۟ إِلَيْهَا وَجَعَلَ بَيْنَكُم مَّوَدَّةً وَرَحْمَةً ۚ
إِنَّ فِى ذَٰلِكَ لَـَٔايَـٰتٍ لِّقَوْمٍ يَتَفَكَّرُونَ ﴿٢١﴾ وَمِنْ ءَايَـٰتِهِۦ خَلْقُ
ٱلسَّمَـٰوَٰتِ وَٱلْأَرْضِ وَٱخْتِلَـٰفُ أَلْسِنَتِكُمْ وَأَلْوَٰنِكُمْ ۚ إِنَّ
فِى ذَٰلِكَ لَـَٔايَـٰتٍ لِّلْعَـٰلِمِينَ ﴿٢٢﴾ وَمِنْ ءَايَـٰتِهِۦ مَنَامُكُم بِٱلَّيْلِ
وَٱلنَّهَارِ وَٱبْتِغَآؤُكُم مِّن فَضْلِهِۦٓ ۚ إِنَّ فِى ذَٰلِكَ لَـَٔايَـٰتٍ
لِّقَوْمٍ يَسْمَعُونَ ﴿٢٣﴾ وَمِنْ ءَايَـٰتِهِۦ يُرِيكُمُ ٱلْبَرْقَ
خَوْفًا وَطَمَعًا وَيُنَزِّلُ مِنَ ٱلسَّمَآءِ مَآءً فَيُحْىِۦ بِهِ ٱلْأَرْضَ
بَعْدَ مَوْتِهَآ ۚ إِنَّ فِى ذَٰلِكَ لَـَٔايَـٰتٍ لِّقَوْمٍ يَعْقِلُونَ ﴿٢٤﴾

- مُحْضَرُونَ: لا يَغيبون عنه أبداً
- حِينَ تُظْهِرُونَ: تَدْخُلونَ في الظهيرة
- تَنتَشِرُونَ: تتصرَّفونَ في أغراضكم وأسفاركم
- لِّتَسْكُنُوٓا۟ إِلَيْهَا: لِتَميلوا إليها

الروم

| | | |
|---|---|---|
| مدّ ٦ حركات لزوماً ● مدّ ٢ أو ٤ أو ٦ جوازاً | إخفاء، ومواقع الغُنَّة (حركتان) | تفخيم |
| مدّ واجب ٤ أو ٥ حركات ● مدّ حركتان | إدغام، وما لا يُلفظ | قلقلة |

وَمِنْ ءَايَٰتِهِۦٓ أَن تَقُومَ ٱلسَّمَآءُ وَٱلْأَرْضُ بِأَمْرِهِۦ ۚ ثُمَّ إِذَا دَعَاكُمْ
دَعْوَةً مِّنَ ٱلْأَرْضِ إِذَآ أَنتُمْ تَخْرُجُونَ ﴿٢٥﴾ وَلَهُۥ مَن فِى ٱلسَّمَٰوَٰتِ
وَٱلْأَرْضِ ۖ كُلٌّ لَّهُۥ قَٰنِتُونَ ﴿٢٦﴾ وَهُوَ ٱلَّذِى يَبْدَؤُا۟ ٱلْخَلْقَ
ثُمَّ يُعِيدُهُۥ وَهُوَ أَهْوَنُ عَلَيْهِ ۚ وَلَهُ ٱلْمَثَلُ ٱلْأَعْلَىٰ فِى ٱلسَّمَٰوَٰتِ
وَٱلْأَرْضِ ۚ وَهُوَ ٱلْعَزِيزُ ٱلْحَكِيمُ ﴿٢٧﴾ ضَرَبَ لَكُم مَّثَلًا مِّنْ
أَنفُسِكُمْ ۖ هَل لَّكُم مِّن مَّا مَلَكَتْ أَيْمَٰنُكُم مِّن شُرَكَآءَ فِى
مَا رَزَقْنَٰكُمْ فَأَنتُمْ فِيهِ سَوَآءٌ تَخَافُونَهُمْ كَخِيفَتِكُمْ
أَنفُسَكُمْ ۚ كَذَٰلِكَ نُفَصِّلُ ٱلْءَايَٰتِ لِقَوْمٍ يَعْقِلُونَ ﴿٢٨﴾
بَلِ ٱتَّبَعَ ٱلَّذِينَ ظَلَمُوٓا۟ أَهْوَآءَهُم بِغَيْرِ عِلْمٍ ۖ فَمَن يَهْدِى مَنْ
أَضَلَّ ٱللَّهُ ۖ وَمَا لَهُم مِّن نَّٰصِرِينَ ﴿٢٩﴾ فَأَقِمْ وَجْهَكَ لِلدِّينِ
حَنِيفًا ۚ فِطْرَتَ ٱللَّهِ ٱلَّتِى فَطَرَ ٱلنَّاسَ عَلَيْهَا ۚ لَا تَبْدِيلَ لِخَلْقِ
ٱللَّهِ ۚ ذَٰلِكَ ٱلدِّينُ ٱلْقَيِّمُ وَلَٰكِنَّ أَكْثَرَ ٱلنَّاسِ
لَا يَعْلَمُونَ ﴿٣٠﴾ ۞ مُنِيبِينَ إِلَيْهِ وَٱتَّقُوهُ وَأَقِيمُوا۟ ٱلصَّلَوٰةَ
وَلَا تَكُونُوا۟ مِنَ ٱلْمُشْرِكِينَ ﴿٣١﴾ مِنَ ٱلَّذِينَ فَرَّقُوا۟
دِينَهُمْ وَكَانُوا۟ شِيَعًا ۖ كُلُّ حِزْبٍۭ بِمَا لَدَيْهِمْ فَرِحُونَ ﴿٣٢﴾

قَٰنِتُونَ: مُطِيعُونَ مُنْقَادُونَ
ٱلْمَثَلُ ٱلْأَعْلَىٰ: الوصفُ الأعلى في الكمال
لِلدِّينِ: دِينِ التَّوحِيدِ والإسلام
حَنِيفًا: مائلاً عن الباطل إليه
فِطْرَتَ ٱللَّهِ: الزَمُوا دينه المجاوِبَ للعقول
ٱلدِّينُ ٱلْقَيِّمُ: المستقيمُ في العقلِ السليم
مُنِيبِينَ إِلَيْهِ: رَاجِعِينَ إليه بِالتَّوبَة
نصف الحزب ٤١
كَانُوا۟ شِيَعًا: فِرَقًا مختلفةَ الأهواء

وَإِذَا مَسَّ ٱلنَّاسَ ضُرٌّ دَعَوْا۟ رَبَّهُم مُّنِيبِينَ إِلَيْهِ ثُمَّ إِذَآ أَذَاقَهُم
مِّنْهُ رَحْمَةً إِذَا فَرِيقٌ مِّنْهُم بِرَبِّهِمْ يُشْرِكُونَ ﴿٣٣﴾ لِيَكْفُرُوا۟ بِمَآ
ءَاتَيْنَٰهُمْ ۚ فَتَمَتَّعُوا۟ فَسَوْفَ تَعْلَمُونَ ﴿٣٤﴾ أَمْ أَنزَلْنَا عَلَيْهِمْ
سُلْطَٰنًا فَهُوَ يَتَكَلَّمُ بِمَا كَانُوا۟ بِهِۦ يُشْرِكُونَ ﴿٣٥﴾ وَإِذَآ أَذَقْنَا
ٱلنَّاسَ رَحْمَةً فَرِحُوا۟ بِهَا ۖ وَإِن تُصِبْهُمْ سَيِّئَةٌۢ بِمَا قَدَّمَتْ أَيْدِيهِمْ
إِذَا هُمْ يَقْنَطُونَ ﴿٣٦﴾ أَوَلَمْ يَرَوْا۟ أَنَّ ٱللَّهَ يَبْسُطُ ٱلرِّزْقَ لِمَن يَشَآءُ
وَيَقْدِرُ ۚ إِنَّ فِى ذَٰلِكَ لَءَايَٰتٍ لِّقَوْمٍ يُؤْمِنُونَ ﴿٣٧﴾ فَـَٔاتِ ذَا ٱلْقُرْبَىٰ
حَقَّهُۥ وَٱلْمِسْكِينَ وَٱبْنَ ٱلسَّبِيلِ ۚ ذَٰلِكَ خَيْرٌ لِّلَّذِينَ يُرِيدُونَ
وَجْهَ ٱللَّهِ ۖ وَأُو۟لَٰٓئِكَ هُمُ ٱلْمُفْلِحُونَ ﴿٣٨﴾ وَمَآ ءَاتَيْتُم مِّن رِّبًا
لِّيَرْبُوَا۟ فِىٓ أَمْوَٰلِ ٱلنَّاسِ فَلَا يَرْبُوا۟ عِندَ ٱللَّهِ ۖ وَمَآ ءَاتَيْتُم مِّن زَكَوٰةٍ
تُرِيدُونَ وَجْهَ ٱللَّهِ فَأُو۟لَٰٓئِكَ هُمُ ٱلْمُضْعِفُونَ ﴿٣٩﴾ ٱللَّهُ ٱلَّذِى
خَلَقَكُمْ ثُمَّ رَزَقَكُمْ ثُمَّ يُمِيتُكُمْ ثُمَّ يُحْيِيكُمْ ۖ هَلْ مِن
شُرَكَآئِكُم مَّن يَفْعَلُ مِن ذَٰلِكُم مِّن شَىْءٍ ۚ سُبْحَٰنَهُۥ وَتَعَٰلَىٰ
عَمَّا يُشْرِكُونَ ﴿٤٠﴾ ظَهَرَ ٱلْفَسَادُ فِى ٱلْبَرِّ وَٱلْبَحْرِ بِمَا كَسَبَتْ
أَيْدِى ٱلنَّاسِ لِيُذِيقَهُم بَعْضَ ٱلَّذِى عَمِلُوا۟ لَعَلَّهُمْ يَرْجِعُونَ ﴿٤١﴾

- سُلْطَٰنًا: كتاباً. حجة
- فَرِحُوا۟ بِهَا: بطروا وأشروا
- يَقْنَطُونَ: ييأسون من رحمة الله
- يَقْدِرُ: يضيّقه على من يشاء
- رِّبًا: هو الربا المحرّم المعروف
- لِّيَرْبُوَا۟: ليزيد ذلك الربا
- ٱلْمُضْعِفُونَ: ذوو الأضعاف في الحسنات

| | | |
|---|---|---|
| مدّ ٦ حركات لزوماً ● مدّ ٢ أو ٤ أو ٦ جوازاً | إخفاء ، ومواقع الغُنَّة (حركتان) | تفخيم |
| مدّ واجب ٤ أو ٥ حركات ● مدّ حركتان | إدغام ، وما لا يُلفظ | قلقلة |

قُلْ سِيرُوا۟ فِى ٱلْأَرْضِ فَٱنظُرُوا۟ كَيْفَ كَانَ عَٰقِبَةُ ٱلَّذِينَ مِن قَبْلُ ۚ
كَانَ أَكْثَرُهُم مُّشْرِكِينَ ﴿٤٢﴾ فَأَقِمْ وَجْهَكَ لِلدِّينِ ٱلْقَيِّمِ مِن
قَبْلِ أَن يَأْتِىَ يَوْمٌ لَّا مَرَدَّ لَهُۥ مِنَ ٱللَّهِ ۖ يَوْمَئِذٍ يَصَّدَّعُونَ ﴿٤٣﴾ مَن
كَفَرَ فَعَلَيْهِ كُفْرُهُۥ ۖ وَمَنْ عَمِلَ صَٰلِحًا فَلِأَنفُسِهِمْ يَمْهَدُونَ ﴿٤٤﴾
لِيَجْزِىَ ٱلَّذِينَ ءَامَنُوا۟ وَعَمِلُوا۟ ٱلصَّٰلِحَٰتِ مِن فَضْلِهِۦٓ ۚ إِنَّهُۥ لَا يُحِبُّ
ٱلْكَٰفِرِينَ ﴿٤٥﴾ وَمِنْ ءَايَٰتِهِۦٓ أَن يُرْسِلَ ٱلرِّيَاحَ مُبَشِّرَٰتٍ وَلِيُذِيقَكُم
مِّن رَّحْمَتِهِۦ وَلِتَجْرِىَ ٱلْفُلْكُ بِأَمْرِهِۦ وَلِتَبْتَغُوا۟ مِن فَضْلِهِۦ وَلَعَلَّكُمْ
تَشْكُرُونَ ﴿٤٦﴾ وَلَقَدْ أَرْسَلْنَا مِن قَبْلِكَ رُسُلًا إِلَىٰ قَوْمِهِمْ فَجَآءُوهُم
بِٱلْبَيِّنَٰتِ فَٱنتَقَمْنَا مِنَ ٱلَّذِينَ أَجْرَمُوا۟ ۖ وَكَانَ حَقًّا عَلَيْنَا نَصْرُ
ٱلْمُؤْمِنِينَ ﴿٤٧﴾ ٱللَّهُ ٱلَّذِى يُرْسِلُ ٱلرِّيَٰحَ فَتُثِيرُ سَحَابًا فَيَبْسُطُهُۥ
فِى ٱلسَّمَآءِ كَيْفَ يَشَآءُ وَيَجْعَلُهُۥ كِسَفًا فَتَرَى ٱلْوَدْقَ يَخْرُجُ مِنْ
خِلَٰلِهِۦ ۖ فَإِذَآ أَصَابَ بِهِۦ مَن يَشَآءُ مِنْ عِبَادِهِۦٓ إِذَا هُمْ يَسْتَبْشِرُونَ
﴿٤٨﴾ وَإِن كَانُوا۟ مِن قَبْلِ أَن يُنَزَّلَ عَلَيْهِم مِّن قَبْلِهِۦ لَمُبْلِسِينَ
﴿٤٩﴾ فَٱنظُرْ إِلَىٰٓ ءَاثَٰرِ رَحْمَتِ ٱللَّهِ كَيْفَ يُحْىِ ٱلْأَرْضَ بَعْدَ
مَوْتِهَآ ۚ إِنَّ ذَٰلِكَ لَمُحْىِ ٱلْمَوْتَىٰ ۖ وَهُوَ عَلَىٰ كُلِّ شَىْءٍ قَدِيرٌ ﴿٥٠﴾

- لِلدِّينِ ٱلْقَيِّمِ: المُستقيم (دِين الفِطرَة)
- لَّا مَرَدَّ لَهُۥ: لا رَدَّ له
- يَصَّدَّعُونَ: يتفرّقون
- يَمْهَدُونَ: يُوطّئون مواطنَ النّعيم
- فَتُثِيرُ سَحَابًا: تحرّكه وتنشُره
- كِسَفًا: قطعاً
- ٱلْوَدْقَ: المطر
- خِلَٰلِهِۦ: فُرَجِه ووَسَطِه
- لَمُبْلِسِينَ: آيسين

| | | |
|---|---|---|
| مدّ ٦ حركات لزوماً ● مدّ ٢ أو ٤ أو ٦ جوازاً | إخفاء، ومواقع الغُنّة (حركتان) | تفخ |
| مدّ واجب ٤ أو ٥ حركات ● مدّ حركتان | إدغام، وما لا يُلفظ | قلقل |

وَلَئِنْ أَرْسَلْنَا رِيحًا فَرَأَوْهُ مُصْفَرًّا لَّظَلُّوا۟ مِنۢ بَعْدِهِۦ يَكْفُرُونَ
﴿٥١﴾ فَإِنَّكَ لَا تُسْمِعُ ٱلْمَوْتَىٰ وَلَا تُسْمِعُ ٱلصُّمَّ ٱلدُّعَآءَ إِذَا وَلَّوْا۟
مُدْبِرِينَ ﴿٥٢﴾ وَمَآ أَنتَ بِهَٰدِ ٱلْعُمْىِ عَن ضَلَٰلَتِهِمْ ۖ إِن تُسْمِعُ إِلَّا
مَن يُؤْمِنُ بِـَٔايَٰتِنَا فَهُم مُّسْلِمُونَ ﴿٥٣﴾ ۞ ٱللَّهُ ٱلَّذِى خَلَقَكُم
مِّن ضَعْفٍ ثُمَّ جَعَلَ مِنۢ بَعْدِ ضَعْفٍ قُوَّةً ثُمَّ جَعَلَ مِنۢ بَعْدِ
قُوَّةٍ ضَعْفًا وَشَيْبَةً ۚ يَخْلُقُ مَا يَشَآءُ ۖ وَهُوَ ٱلْعَلِيمُ ٱلْقَدِيرُ ﴿٥٤﴾
وَيَوْمَ تَقُومُ ٱلسَّاعَةُ يُقْسِمُ ٱلْمُجْرِمُونَ مَا لَبِثُوا۟ غَيْرَ سَاعَةٍ ۚ
كَذَٰلِكَ كَانُوا۟ يُؤْفَكُونَ ﴿٥٥﴾ وَقَالَ ٱلَّذِينَ أُوتُوا۟ ٱلْعِلْمَ وَٱلْإِيمَٰنَ
لَقَدْ لَبِثْتُمْ فِى كِتَٰبِ ٱللَّهِ إِلَىٰ يَوْمِ ٱلْبَعْثِ ۖ فَهَٰذَا يَوْمُ ٱلْبَعْثِ
وَلَٰكِنَّكُمْ كُنتُمْ لَا تَعْلَمُونَ ﴿٥٦﴾ فَيَوْمَئِذٍ لَّا يَنفَعُ ٱلَّذِينَ
ظَلَمُوا۟ مَعْذِرَتُهُمْ وَلَا هُمْ يُسْتَعْتَبُونَ ﴿٥٧﴾ وَلَقَدْ ضَرَبْنَا
لِلنَّاسِ فِى هَٰذَا ٱلْقُرْءَانِ مِن كُلِّ مَثَلٍ ۚ وَلَئِن جِئْتَهُم بِـَٔايَةٍ
لَّيَقُولَنَّ ٱلَّذِينَ كَفَرُوٓا۟ إِنْ أَنتُمْ إِلَّا مُبْطِلُونَ ﴿٥٨﴾ كَذَٰلِكَ
يَطْبَعُ ٱللَّهُ عَلَىٰ قُلُوبِ ٱلَّذِينَ لَا يَعْلَمُونَ ﴿٥٩﴾ فَٱصْبِرْ إِنَّ
وَعْدَ ٱللَّهِ حَقٌّ ۖ وَلَا يَسْتَخِفَّنَّكَ ٱلَّذِينَ لَا يُوقِنُونَ ﴿٦٠﴾

- فَرَأَوْهُ مُصْفَرًّا: فرأوا النبات مُصْفرًا بعد الخُضْرة
- ثلاثة أرباع الحزب ٤١
- شَيْبَةً: حالَ الشيخوخة والهَرَم
- يُؤْفَكُونَ: يُصْرفون عن الحقّ والصّدق
- يُسْتَعْتَبُونَ: يُطلب منهم إرضاؤه تعالى
- لَا يَسْتَخِفَّنَّكَ: لا يحملنّك على الخفّة والقلق

الروم

| | | |
|---|---|---|
| مدّ ٦ حركات لزوماً ● مدّ ٢ أو ٤ أو ٦ جوازاً | إخفاء، ومواقع الغُنّة (حركتان) | تفخيم |
| مدّ واجب ٤ أو ٥ حركات ● مدّ حركتان | إدغام، وما لا يُلفظ | قلقلة |

# سُورَةُ لُقۡمَان

ترتيبها ٣١ — آياتها ٣٤

بِسۡمِ ٱللَّهِ ٱلرَّحۡمَٰنِ ٱلرَّحِيمِ

الٓمٓ ١ تِلۡكَ ءَايَٰتُ ٱلۡكِتَٰبِ ٱلۡحَكِيمِ ٢ هُدٗى وَرَحۡمَةٗ
لِّلۡمُحۡسِنِينَ ٣ ٱلَّذِينَ يُقِيمُونَ ٱلصَّلَوٰةَ وَيُؤۡتُونَ ٱلزَّكَوٰةَ وَهُم
بِٱلۡأٓخِرَةِ هُمۡ يُوقِنُونَ ٤ أُوْلَٰٓئِكَ عَلَىٰ هُدٗى مِّن رَّبِّهِمۡۖ وَأُوْلَٰٓئِكَ
هُمُ ٱلۡمُفۡلِحُونَ ٥ وَمِنَ ٱلنَّاسِ مَن يَشۡتَرِي لَهۡوَ ٱلۡحَدِيثِ
لِيُضِلَّ عَن سَبِيلِ ٱللَّهِ بِغَيۡرِ عِلۡمٖ وَيَتَّخِذَهَا هُزُوًاۚ أُوْلَٰٓئِكَ لَهُمۡ
عَذَابٞ مُّهِينٞ ٦ وَإِذَا تُتۡلَىٰ عَلَيۡهِ ءَايَٰتُنَا وَلَّىٰ مُسۡتَكۡبِرٗا
كَأَن لَّمۡ يَسۡمَعۡهَا كَأَنَّ فِيٓ أُذُنَيۡهِ وَقۡرٗاۖ فَبَشِّرۡهُ بِعَذَابٍ أَلِيمٍ ٧
إِنَّ ٱلَّذِينَ ءَامَنُواْ وَعَمِلُواْ ٱلصَّٰلِحَٰتِ لَهُمۡ جَنَّٰتُ ٱلنَّعِيمِ ٨
خَٰلِدِينَ فِيهَاۖ وَعۡدَ ٱللَّهِ حَقّٗاۚ وَهُوَ ٱلۡعَزِيزُ ٱلۡحَكِيمُ ٩ خَلَقَ
ٱلسَّمَٰوَٰتِ بِغَيۡرِ عَمَدٖ تَرَوۡنَهَاۖ وَأَلۡقَىٰ فِي ٱلۡأَرۡضِ رَوَٰسِيَ أَن تَمِيدَ
بِكُمۡ وَبَثَّ فِيهَا مِن كُلِّ دَآبَّةٖۚ وَأَنزَلۡنَا مِنَ ٱلسَّمَآءِ مَآءٗ فَأَنۢبَتۡنَا فِيهَا
مِن كُلِّ زَوۡجٖ كَرِيمٍ ١٠ هَٰذَا خَلۡقُ ٱللَّهِ فَأَرُونِي مَاذَا
خَلَقَ ٱلَّذِينَ مِن دُونِهِۦۚ بَلِ ٱلظَّٰلِمُونَ فِي ضَلَٰلٖ مُّبِينٖ ١١

- لَهۡوَ ٱلۡحَدِيثِ: الباطِلَ المُلْهِي عَنِ الخَيْرِ
- هُزُوًا: سُخْرِيَةً
- وَلَّىٰ مُسۡتَكۡبِرٗا: أعْرَضَ متكبِّراً عن تَدَبُّرِهَا
- وَقۡرٗا: صَمَماً مانعاً من السَّماعِ
- بِغَيۡرِ عَمَدٖ: بغيرِ دعائمَ
- رَوَٰسِيَ: جِبالاً ثَوابِتَ
- أَن تَمِيدَ بِكُمۡ: لِئَلاَّ تَضْطَرِبَ بِكُمْ
- بَثَّ فِيهَا: نَشَرَ وفَرَّقَ فيها
- زَوۡجٖ كَرِيمٍ: صِنْفٍ حَسَنٍ كثيرِ المَنْفَعَةِ

مدّ ٦ حركات لزوماً | مدّ ٢ أو ٤ أو ٦ جوازاً | إخفاء، ومواقع الغُنَّة (حركتان) | تفخـ
مدّ واجب ٤ أو ٥ حركات | مدّ حركتان | إدغام، وما لا يُلفَظ | قلقلـ

وَلَقَدْ ءَاتَيْنَا لُقْمَٰنَ ٱلْحِكْمَةَ أَنِ ٱشْكُرْ لِلَّهِ ۚ وَمَن يَشْكُرْ فَإِنَّمَا
يَشْكُرُ لِنَفْسِهِۦ ۖ وَمَن كَفَرَ فَإِنَّ ٱللَّهَ غَنِىٌّ حَمِيدٌ ﴿١٢﴾ وَإِذْ قَالَ
لُقْمَٰنُ لِٱبْنِهِۦ وَهُوَ يَعِظُهُۥ يَٰبُنَىَّ لَا تُشْرِكْ بِٱللَّهِ ۖ إِنَّ ٱلشِّرْكَ
لَظُلْمٌ عَظِيمٌ ﴿١٣﴾ وَوَصَّيْنَا ٱلْإِنسَٰنَ بِوَٰلِدَيْهِ حَمَلَتْهُ أُمُّهُۥ
وَهْنًا عَلَىٰ وَهْنٍ وَفِصَٰلُهُۥ فِى عَامَيْنِ أَنِ ٱشْكُرْ لِى وَلِوَٰلِدَيْكَ
إِلَىَّ ٱلْمَصِيرُ ﴿١٤﴾ وَإِن جَٰهَدَاكَ عَلَىٰٓ أَن تُشْرِكَ بِى مَا لَيْسَ
لَكَ بِهِۦ عِلْمٌ فَلَا تُطِعْهُمَا ۖ وَصَاحِبْهُمَا فِى ٱلدُّنْيَا مَعْرُوفًا ۖ
وَٱتَّبِعْ سَبِيلَ مَنْ أَنَابَ إِلَىَّ ۚ ثُمَّ إِلَىَّ مَرْجِعُكُمْ فَأُنَبِّئُكُم
بِمَا كُنتُمْ تَعْمَلُونَ ﴿١٥﴾ يَٰبُنَىَّ إِنَّهَآ إِن تَكُ مِثْقَالَ حَبَّةٍ مِّنْ
خَرْدَلٍ فَتَكُن فِى صَخْرَةٍ أَوْ فِى ٱلسَّمَٰوَٰتِ أَوْ فِى ٱلْأَرْضِ يَأْتِ
بِهَا ٱللَّهُ ۚ إِنَّ ٱللَّهَ لَطِيفٌ خَبِيرٌ ﴿١٦﴾ يَٰبُنَىَّ أَقِمِ ٱلصَّلَوٰةَ وَأْمُرْ
بِٱلْمَعْرُوفِ وَٱنْهَ عَنِ ٱلْمُنكَرِ وَٱصْبِرْ عَلَىٰ مَآ أَصَابَكَ ۖ إِنَّ ذَٰلِكَ
مِنْ عَزْمِ ٱلْأُمُورِ ﴿١٧﴾ وَلَا تُصَعِّرْ خَدَّكَ لِلنَّاسِ وَلَا تَمْشِ فِى ٱلْأَرْضِ
مَرَحًا ۖ إِنَّ ٱللَّهَ لَا يُحِبُّ كُلَّ مُخْتَالٍ فَخُورٍ ﴿١٨﴾ وَٱقْصِدْ فِى مَشْيِكَ
وَٱغْضُضْ مِن صَوْتِكَ ۚ إِنَّ أَنكَرَ ٱلْأَصْوَٰتِ لَصَوْتُ ٱلْحَمِيرِ ﴿١٩﴾

- وَوَصَّيْنَا ٱلْإِنسَٰنَ: أمرناه
- وَهْنًا: ضعفاً
- فِصَٰلُهُۥ: فطامه
- أَنَابَ إِلَىَّ: رجع إليّ بالطاعة
- مِثْقَالَ حَبَّةٍ: مقدار أصغر شيء
- لَا تُصَعِّرْ خَدَّكَ: لا تُمِلْهُ كبراً وتعاظماً
- مَرَحًا: فرحاً وبطراً وخيلاء
- مُخْتَالٍ فَخُورٍ: متكبر مباهٍ بمناقبه
- ٱقْصِدْ فِى مَشْيِكَ: توسّط واعتدل فيه
- ٱغْضُضْ: اخفض وانقص

لقمان

| مدّ ٦ حركات لزوماً | مدّ ٢ أو ٤ أو ٦ جوازاً | إخفاء ، ومواقع الغُنَّة (حركتان) | تفخيم |
|---|---|---|---|
| مدّ واجب ٤ أو ٥ حركات | مدّ حركتان | إدغام ، وما لا يُلفَظ | قلقلة |

أَلَمْ تَرَوْا۟ أَنَّ ٱللَّهَ سَخَّرَ لَكُم مَّا فِى ٱلسَّمَٰوَٰتِ وَمَا فِى ٱلْأَرْضِ وَأَسْبَغَ
عَلَيْكُمْ نِعَمَهُۥ ظَٰهِرَةً وَبَاطِنَةً ۗ وَمِنَ ٱلنَّاسِ مَن يُجَٰدِلُ فِى ٱللَّهِ
بِغَيْرِ عِلْمٍ وَلَا هُدًى وَلَا كِتَٰبٍ مُّنِيرٍ ﴿٢٠﴾ وَإِذَا قِيلَ لَهُمُ ٱتَّبِعُوا۟
مَآ أَنزَلَ ٱللَّهُ قَالُوا۟ بَلْ نَتَّبِعُ مَا وَجَدْنَا عَلَيْهِ ءَابَآءَنَآ ۚ أَوَلَوْ كَانَ
ٱلشَّيْطَٰنُ يَدْعُوهُمْ إِلَىٰ عَذَابِ ٱلسَّعِيرِ ﴿٢١﴾ ۞ وَمَن يُسْلِمْ
وَجْهَهُۥٓ إِلَى ٱللَّهِ وَهُوَ مُحْسِنٌ فَقَدِ ٱسْتَمْسَكَ بِٱلْعُرْوَةِ ٱلْوُثْقَىٰ ۗ
وَإِلَى ٱللَّهِ عَٰقِبَةُ ٱلْأُمُورِ ﴿٢٢﴾ وَمَن كَفَرَ فَلَا يَحْزُنكَ كُفْرُهُۥٓ ۚ
إِلَيْنَا مَرْجِعُهُمْ فَنُنَبِّئُهُم بِمَا عَمِلُوٓا۟ ۚ إِنَّ ٱللَّهَ عَلِيمٌۢ بِذَاتِ ٱلصُّدُورِ
﴿٢٣﴾ نُمَتِّعُهُمْ قَلِيلًا ثُمَّ نَضْطَرُّهُمْ إِلَىٰ عَذَابٍ غَلِيظٍ ﴿٢٤﴾
وَلَئِن سَأَلْتَهُم مَّنْ خَلَقَ ٱلسَّمَٰوَٰتِ وَٱلْأَرْضَ لَيَقُولُنَّ ٱللَّهُ ۚ قُلِ
ٱلْحَمْدُ لِلَّهِ ۚ بَلْ أَكْثَرُهُمْ لَا يَعْلَمُونَ ﴿٢٥﴾ لِلَّهِ مَا فِى ٱلسَّمَٰوَٰتِ
وَٱلْأَرْضِ ۚ إِنَّ ٱللَّهَ هُوَ ٱلْغَنِىُّ ٱلْحَمِيدُ ﴿٢٦﴾ وَلَوْ أَنَّمَا فِى ٱلْأَرْضِ
مِن شَجَرَةٍ أَقْلَٰمٌ وَٱلْبَحْرُ يَمُدُّهُۥ مِنۢ بَعْدِهِۦ سَبْعَةُ أَبْحُرٍ
مَّا نَفِدَتْ كَلِمَٰتُ ٱللَّهِ ۗ إِنَّ ٱللَّهَ عَزِيزٌ حَكِيمٌ ﴿٢٧﴾ مَّا خَلْقُكُمْ
وَلَا بَعْثُكُمْ إِلَّا كَنَفْسٍ وَٰحِدَةٍ ۗ إِنَّ ٱللَّهَ سَمِيعٌۢ بَصِيرٌ ﴿٢٨﴾

- أَسْبَغَ: أتمّ وأوسع
- الحزب ٤٢
- يُسْلِمْ وَجْهَهُ: يفوّض أمره كلّه
- ٱسْتَمْسَكَ: تمسّك وتعلّق
- بِٱلْعُرْوَةِ ٱلْوُثْقَىٰ: بالعهد الأوثق
- عَذَابٍ غَلِيظٍ: شديد ثقيل
- يَمُدُّهُ: يزيده
- مَّا نَفِدَتْ: ما فرغت وما فنيت
- كَلِمَٰتُ ٱللَّهِ: مقدوراته وعجائبه

| | |
|---|---|
| مدّ ٦ حركات لزوماً ● مدّ ٢ أو ٤ أو ٦ جوازاً | إخفاء ، ومواقع الغنّة (حركتان) |
| مدّ واجب ٤ أو ٥ حركات ● مدّ حركتان | إدغام ، وما لا يُلفظ |

أَلَمْ تَرَ أَنَّ ٱللَّهَ يُولِجُ ٱلَّيْلَ فِى ٱلنَّهَارِ وَيُولِجُ ٱلنَّهَارَ فِى ٱلَّيْلِ
وَسَخَّرَ ٱلشَّمْسَ وَٱلْقَمَرَ كُلٌّ يَجْرِىٓ إِلَىٰٓ أَجَلٍ مُّسَمًّى وَأَنَّ ٱللَّهَ
بِمَا تَعْمَلُونَ خَبِيرٌ ﴿٢٩﴾ ذَٰلِكَ بِأَنَّ ٱللَّهَ هُوَ ٱلْحَقُّ وَأَنَّ مَا يَدْعُونَ
مِن دُونِهِ ٱلْبَٰطِلُ وَأَنَّ ٱللَّهَ هُوَ ٱلْعَلِىُّ ٱلْكَبِيرُ ﴿٣٠﴾ أَلَمْ تَرَ أَنَّ
ٱلْفُلْكَ تَجْرِى فِى ٱلْبَحْرِ بِنِعْمَتِ ٱللَّهِ لِيُرِيَكُم مِّنْ ءَايَٰتِهِۦٓ ۚ إِنَّ
فِى ذَٰلِكَ لَءَايَٰتٍ لِّكُلِّ صَبَّارٍ شَكُورٍ ﴿٣١﴾ وَإِذَا غَشِيَهُم مَّوْجٌ
كَٱلظُّلَلِ دَعَوُا۟ ٱللَّهَ مُخْلِصِينَ لَهُ ٱلدِّينَ فَلَمَّا نَجَّىٰهُمْ إِلَى ٱلْبَرِّ
فَمِنْهُم مُّقْتَصِدٌ ۚ وَمَا يَجْحَدُ بِـَٔايَٰتِنَآ إِلَّا كُلُّ خَتَّارٍ كَفُورٍ
﴿٣٢﴾ يَٰٓأَيُّهَا ٱلنَّاسُ ٱتَّقُوا۟ رَبَّكُمْ وَٱخْشَوْا۟ يَوْمًا لَّا يَجْزِى وَالِدٌ
عَن وَلَدِهِۦ وَلَا مَوْلُودٌ هُوَ جَازٍ عَن وَالِدِهِۦ شَيْـًٔا ۚ إِنَّ وَعْدَ ٱللَّهِ
حَقٌّ ۖ فَلَا تَغُرَّنَّكُمُ ٱلْحَيَوٰةُ ٱلدُّنْيَا وَلَا يَغُرَّنَّكُم بِٱللَّهِ
ٱلْغَرُورُ ﴿٣٣﴾ إِنَّ ٱللَّهَ عِندَهُۥ عِلْمُ ٱلسَّاعَةِ وَيُنَزِّلُ ٱلْغَيْثَ
وَيَعْلَمُ مَا فِى ٱلْأَرْحَامِ ۖ وَمَا تَدْرِى نَفْسٌ مَّاذَا تَكْسِبُ غَدًا ۖ
وَمَا تَدْرِى نَفْسٌۢ بِأَىِّ أَرْضٍ تَمُوتُ ۚ إِنَّ ٱللَّهَ عَلِيمٌ خَبِيرٌۢ ﴿٣٤﴾

## سُورَةُ السَّجْدَة

ترتيبها ٣٢ — آياتها ٣٠

- يُولِجُ: يُدْخِلُ
- غَشِيَهُم مَّوْجٌ: عَلَاهُمْ وَغَطَّاهُمْ
- كَٱلظُّلَلِ: كالسَّحَابِ، أو الجِبَالِ
- فَمِنْهُم مُّقْتَصِدٌ: مُوفٍ بعَهْدِهِ، شاكرٌ لله
- خَتَّارٍ كَفُورٍ: غَدَّارٍ جَحُودٍ
- لَّا يَجْزِى: لا يَقْضِي فيه
- فَلَا تَغُرَّنَّكُمُ: فلا تَخْدَعَنَّكُمْ وتُلْهِيَنَّكُم
- ٱلْغَرُورُ: ما يَخْدَعُ مِن شيْطَانٍ وغَيْرِه

بِسْمِ ٱللَّهِ ٱلرَّحْمَٰنِ ٱلرَّحِيمِ

الٓمٓ ﴿١﴾ تَنزِيلُ ٱلْكِتَٰبِ لَا رَيْبَ فِيهِ مِن رَّبِّ ٱلْعَٰلَمِينَ
﴿٢﴾ أَمْ يَقُولُونَ ٱفْتَرَىٰهُ ۚ بَلْ هُوَ ٱلْحَقُّ مِن رَّبِّكَ لِتُنذِرَ قَوْمًا
مَّآ أَتَىٰهُم مِّن نَّذِيرٍ مِّن قَبْلِكَ لَعَلَّهُمْ يَهْتَدُونَ ﴿٣﴾ ٱللَّهُ
ٱلَّذِى خَلَقَ ٱلسَّمَٰوَٰتِ وَٱلْأَرْضَ وَمَا بَيْنَهُمَا فِى سِتَّةِ أَيَّامٍ
ثُمَّ ٱسْتَوَىٰ عَلَى ٱلْعَرْشِ ۖ مَا لَكُم مِّن دُونِهِۦ مِن وَلِىٍّ وَلَا شَفِيعٍ ۚ أَفَلَا
تَتَذَكَّرُونَ ﴿٤﴾ يُدَبِّرُ ٱلْأَمْرَ مِنَ ٱلسَّمَآءِ إِلَى ٱلْأَرْضِ ثُمَّ يَعْرُجُ
إِلَيْهِ فِى يَوْمٍ كَانَ مِقْدَارُهُۥٓ أَلْفَ سَنَةٍ مِّمَّا تَعُدُّونَ ﴿٥﴾ ذَٰلِكَ
عَٰلِمُ ٱلْغَيْبِ وَٱلشَّهَٰدَةِ ٱلْعَزِيزُ ٱلرَّحِيمُ ﴿٦﴾ ٱلَّذِىٓ أَحْسَنَ
كُلَّ شَىْءٍ خَلَقَهُۥ ۖ وَبَدَأَ خَلْقَ ٱلْإِنسَٰنِ مِن طِينٍ ﴿٧﴾ ثُمَّ جَعَلَ
نَسْلَهُۥ مِن سُلَٰلَةٍ مِّن مَّآءٍ مَّهِينٍ ﴿٨﴾ ثُمَّ سَوَّىٰهُ وَنَفَخَ فِيهِ
مِن رُّوحِهِۦ ۖ وَجَعَلَ لَكُمُ ٱلسَّمْعَ وَٱلْأَبْصَٰرَ وَٱلْأَفْـِٔدَةَ ۚ قَلِيلًا
مَّا تَشْكُرُونَ ﴿٩﴾ وَقَالُوٓا۟ أَءِذَا ضَلَلْنَا فِى ٱلْأَرْضِ أَءِنَّا لَفِى

خَلْقٍ جَدِيدٍۭ ۚ بَلْ هُم بِلِقَآءِ رَبِّهِمْ كَٰفِرُونَ ﴿١٠﴾ ۞ قُلْ يَتَوَفَّىٰكُم
مَّلَكُ ٱلْمَوْتِ ٱلَّذِى وُكِّلَ بِكُمْ ثُمَّ إِلَىٰ رَبِّكُمْ تُرْجَعُونَ ﴿١١﴾

ٱفْتَرَىٰهُ: اختلقه من تلقاء نفسه
يَعْرُجُ إِلَيْهِ: يصعد ويرتفع إليه
أَحْسَنَ كُلَّ شَىْءٍ: أحكمه وأتقنه
سُلَٰلَةٍ: خلاصة
مَّآءٍ مَّهِينٍ: مَنِيّ ضعيف حقير
سَوَّىٰهُ: قوّمه بتصوير أعضائه وتكميلها
ضَلَلْنَا فِى ٱلْأَرْضِ: غبنا فيها وصرنا تراباً

مدّ ٦ حركات لزوماً — مدّ ٢ أو ٤ أو ٦ جوازاً — إخفاء، ومواقع الغُنّة (حركتان) — تف…
مدّ واجب ٤ أو ٥ حركات — مدّ حركتان — إدغام، وما لا يُلفظ — قل…

وَلَوْ تَرَىٰٓ إِذِ ٱلْمُجْرِمُونَ نَاكِسُوا۟ رُءُوسِهِمْ عِندَ رَبِّهِمْ
رَبَّنَآ أَبْصَرْنَا وَسَمِعْنَا فَٱرْجِعْنَا نَعْمَلْ صَٰلِحًا إِنَّا مُوقِنُونَ
﴿١٢﴾ وَلَوْ شِئْنَا لَـَٔاتَيْنَا كُلَّ نَفْسٍ هُدَىٰهَا وَلَٰكِنْ حَقَّ ٱلْقَوْلُ
مِنِّى لَأَمْلَأَنَّ جَهَنَّمَ مِنَ ٱلْجِنَّةِ وَٱلنَّاسِ أَجْمَعِينَ ﴿١٣﴾
فَذُوقُوا۟ بِمَا نَسِيتُمْ لِقَآءَ يَوْمِكُمْ هَٰذَآ إِنَّا نَسِينَٰكُمْ ۖ
وَذُوقُوا۟ عَذَابَ ٱلْخُلْدِ بِمَا كُنتُمْ تَعْمَلُونَ ﴿١٤﴾ إِنَّمَا يُؤْمِنُ
بِـَٔايَٰتِنَا ٱلَّذِينَ إِذَا ذُكِّرُوا۟ بِهَا خَرُّوا۟ سُجَّدًا وَسَبَّحُوا۟ بِحَمْدِ
رَبِّهِمْ وَهُمْ لَا يَسْتَكْبِرُونَ ۩ ﴿١٥﴾ تَتَجَافَىٰ جُنُوبُهُمْ
عَنِ ٱلْمَضَاجِعِ يَدْعُونَ رَبَّهُمْ خَوْفًا وَطَمَعًا وَمِمَّا رَزَقْنَٰهُمْ
يُنفِقُونَ ﴿١٦﴾ فَلَا تَعْلَمُ نَفْسٌ مَّآ أُخْفِىَ لَهُم مِّن قُرَّةِ أَعْيُنٍ جَزَآءًۢ
بِمَا كَانُوا۟ يَعْمَلُونَ ﴿١٧﴾ أَفَمَن كَانَ مُؤْمِنًا كَمَن كَانَ فَاسِقًا ۚ
لَّا يَسْتَوُۥنَ ﴿١٨﴾ أَمَّا ٱلَّذِينَ ءَامَنُوا۟ وَعَمِلُوا۟ ٱلصَّٰلِحَٰتِ فَلَهُمْ
جَنَّٰتُ ٱلْمَأْوَىٰ نُزُلًۢا بِمَا كَانُوا۟ يَعْمَلُونَ ﴿١٩﴾ وَأَمَّا ٱلَّذِينَ فَسَقُوا۟
فَمَأْوَىٰهُمُ ٱلنَّارُ ۖ كُلَّمَآ أَرَادُوٓا۟ أَن يَخْرُجُوا۟ مِنْهَآ أُعِيدُوا۟ فِيهَا وَقِيلَ
لَهُمْ ذُوقُوا۟ عَذَابَ ٱلنَّارِ ٱلَّذِى كُنتُم بِهِۦ تُكَذِّبُونَ ﴿٢٠﴾

- نَاكِسُوا۟ رُءُوسِهِمْ: مُطرِقوها خِزياً وحياءً ونَدماً
- حَقَّ ٱلْقَوْلُ: ثَبت وتحقّق
- ٱلْجِنَّةِ: الجِنّ
- سجدة
- تَتَجَافَىٰ: ترْتفِع وتتنحّى للعبادة
- عَنِ ٱلْمَضَاجِعِ: الفُرُش التي يُضطجَعُ عليها
- مِّن قُرَّةِ أَعْيُنٍ: من مُوجِبات المسرّة والفرح
- نُزُلًۢا: ضِيافةً وعطاءً

| | | |
|---|---|---|
| مدّ ٦ حركات لزوماً ● مدّ ٢ أو ٤ أو ٦ جوازاً | إخفاء ، ومواقع الغُنّة (حركتان) | تفخيم |
| مدّ واجب ٤ أو ٥ حركات ● مدّ حركتان | إدغام ، وما لا يُلفَظ | قلقلة |

وَلَنُذِيقَنَّهُم مِّنَ ٱلْعَذَابِ ٱلْأَدْنَىٰ دُونَ ٱلْعَذَابِ ٱلْأَكْبَرِ
لَعَلَّهُمْ يَرْجِعُونَ ﴿٢١﴾ وَمَنْ أَظْلَمُ مِمَّن ذُكِّرَ بِـَٔايَٰتِ رَبِّهِۦ ثُمَّ
أَعْرَضَ عَنْهَآ ۚ إِنَّا مِنَ ٱلْمُجْرِمِينَ مُنتَقِمُونَ ﴿٢٢﴾ وَلَقَدْ ءَاتَيْنَا
مُوسَى ٱلْكِتَٰبَ فَلَا تَكُن فِى مِرْيَةٍ مِّن لِّقَآئِهِۦ ۖ وَجَعَلْنَٰهُ
هُدًى لِّبَنِىٓ إِسْرَٰٓءِيلَ ﴿٢٣﴾ وَجَعَلْنَا مِنْهُمْ أَئِمَّةً يَهْدُونَ
بِأَمْرِنَا لَمَّا صَبَرُوا۟ ۖ وَكَانُوا۟ بِـَٔايَٰتِنَا يُوقِنُونَ ﴿٢٤﴾ إِنَّ رَبَّكَ
هُوَ يَفْصِلُ بَيْنَهُمْ يَوْمَ ٱلْقِيَٰمَةِ فِيمَا كَانُوا۟ فِيهِ يَخْتَلِفُونَ
﴿٢٥﴾ أَوَلَمْ يَهْدِ لَهُمْ كَمْ أَهْلَكْنَا مِن قَبْلِهِم مِّنَ ٱلْقُرُونِ
يَمْشُونَ فِى مَسَٰكِنِهِمْ ۚ إِنَّ فِى ذَٰلِكَ لَءَايَٰتٍ ۖ أَفَلَا يَسْمَعُونَ
﴿٢٦﴾ أَوَلَمْ يَرَوْا۟ أَنَّا نَسُوقُ ٱلْمَآءَ إِلَى ٱلْأَرْضِ ٱلْجُرُزِ فَنُخْرِجُ
بِهِۦ زَرْعًا تَأْكُلُ مِنْهُ أَنْعَٰمُهُمْ وَأَنفُسُهُمْ ۖ أَفَلَا يُبْصِرُونَ ﴿٢٧﴾
وَيَقُولُونَ مَتَىٰ هَٰذَا ٱلْفَتْحُ إِن كُنتُمْ صَٰدِقِينَ ﴿٢٨﴾
قُلْ يَوْمَ ٱلْفَتْحِ لَا يَنفَعُ ٱلَّذِينَ كَفَرُوٓا۟ إِيمَٰنُهُمْ وَلَا هُمْ يُنظَرُونَ
﴿٢٩﴾ فَأَعْرِضْ عَنْهُمْ وَٱنتَظِرْ إِنَّهُم مُّنتَظِرُونَ ﴿٣٠﴾

## سُورَةُ الأَحْزَابِ

ترتيبها ٣٣ — آياتها ٧٣

- مِرْيَةٍ: شكٍّ
- أَوَلَمْ يَهْدِ لَهُمْ: أَوَ لَمْ يُبَيِّنْ لهمْ مآلَهُمْ
- كَمْ أَهْلَكْنَا: كثرةُ مَنْ أهْلَكْنا
- ٱلْقُرُونِ: الأُمَمِ الخالِيَةِ
- ٱلْأَرْضِ ٱلْجُرُزِ: اليابِسَة الجَرداءِ
- هَٰذَا ٱلْفَتْحُ: النَّصْرُ. أو الفَصْلُ لِلْخُصُومَةِ
- يُنظَرُونَ: يُمْهَلُونَ لِيُؤْمِنُوا

مدّ ٦ حركات لزوماً ● مدّ ٢ أو ٤ أو ٦ جوازاً ● إخفاء، ومواقع الغُنَّة (حركتان)
مدّ واجب ٤ أو ٥ حركات ● مدّ حركتان ● إدغام، وما لا يُلفَظ

بِسْمِ ٱللَّهِ ٱلرَّحْمَٰنِ ٱلرَّحِيمِ

يَٰٓأَيُّهَا ٱلنَّبِىُّ ٱتَّقِ ٱللَّهَ وَلَا تُطِعِ ٱلْكَٰفِرِينَ وَٱلْمُنَٰفِقِينَ ۗ إِنَّ ٱللَّهَ
كَانَ عَلِيمًا حَكِيمًا ﴿١﴾ وَٱتَّبِعْ مَا يُوحَىٰٓ إِلَيْكَ مِن
رَّبِّكَ ۚ إِنَّ ٱللَّهَ كَانَ بِمَا تَعْمَلُونَ خَبِيرًا ﴿٢﴾ وَتَوَكَّلْ عَلَى ٱللَّهِ ۚ
وَكَفَىٰ بِٱللَّهِ وَكِيلًا ﴿٣﴾ مَّا جَعَلَ ٱللَّهُ لِرَجُلٍ مِّن قَلْبَيْنِ فِى
جَوْفِهِۦ ۚ وَمَا جَعَلَ أَزْوَٰجَكُمُ ٱلَّٰٓـِٔى تُظَٰهِرُونَ مِنْهُنَّ أُمَّهَٰتِكُمْ ۚ
وَمَا جَعَلَ أَدْعِيَآءَكُمْ أَبْنَآءَكُمْ ۚ ذَٰلِكُمْ قَوْلُكُم بِأَفْوَٰهِكُمْ ۖ وَٱللَّهُ
يَقُولُ ٱلْحَقَّ وَهُوَ يَهْدِى ٱلسَّبِيلَ ﴿٤﴾ ٱدْعُوهُمْ لِءَابَآئِهِمْ
هُوَ أَقْسَطُ عِندَ ٱللَّهِ ۚ فَإِن لَّمْ تَعْلَمُوٓا۟ ءَابَآءَهُمْ فَإِخْوَٰنُكُمْ
فِى ٱلدِّينِ وَمَوَٰلِيكُمْ ۚ وَلَيْسَ عَلَيْكُمْ جُنَاحٌ فِيمَآ أَخْطَأْتُم
بِهِۦ وَلَٰكِن مَّا تَعَمَّدَتْ قُلُوبُكُمْ ۚ وَكَانَ ٱللَّهُ غَفُورًا رَّحِيمًا ﴿٥﴾
ٱلنَّبِىُّ أَوْلَىٰ بِٱلْمُؤْمِنِينَ مِنْ أَنفُسِهِمْ ۖ وَأَزْوَٰجُهُۥٓ أُمَّهَٰتُهُمْ ۗ
وَأُو۟لُوا۟ ٱلْأَرْحَامِ بَعْضُهُمْ أَوْلَىٰ بِبَعْضٍ فِى كِتَٰبِ ٱللَّهِ
مِنَ ٱلْمُؤْمِنِينَ وَٱلْمُهَٰجِرِينَ إِلَّآ أَن تَفْعَلُوٓا۟ إِلَىٰٓ أَوْلِيَآئِكُم
مَّعْرُوفًا ۚ كَانَ ذَٰلِكَ فِى ٱلْكِتَٰبِ مَسْطُورًا ﴿٦﴾

وَكِيلًا: حافظاً مفوَّضاً إليه كلُّ أمر
تُظَٰهِرُونَ مِنْهُنَّ: تُحرِّمونهنّ كحرمة أمهاتكم
أَدْعِيَآءَكُمْ: من تتبنّونهم من أبناء غيركم
أَقْسَطُ: أعدلُ
مَوَٰلِيكُمْ: أولياؤكم في الدين
أَوْلَىٰ بِٱلْمُؤْمِنِينَ: أرأف بهم، وأنفع لهم
أُو۟لُوا۟ ٱلْأَرْحَامِ: ذوو القرابات

| | | |
|---|---|---|
| مدّ ٦ حركات لزوماً ● مدّ ٢ أو ٤ أو ٦ جوازاً | ● إخفاء، ومواقع الغُنَّة (حركتان) | ● تفخيم |
| مدّ واجب ٤ أو ٥ حركات ● مدّ حركتان | ● إدغام، وما لا يُلفَظ | ● قلقلة |

وَإِذۡ أَخَذۡنَا مِنَ ٱلنَّبِيِّـۧنَ مِيثَٰقَهُمۡ وَمِنكَ وَمِن نُّوحٖ وَإِبۡرَٰهِيمَ
وَمُوسَىٰ وَعِيسَى ٱبۡنِ مَرۡيَمَۖ وَأَخَذۡنَا مِنۡهُم مِّيثَٰقًا غَلِيظٗا ﴿٧﴾
لِّيَسۡـَٔلَ ٱلصَّٰدِقِينَ عَن صِدۡقِهِمۡۚ وَأَعَدَّ لِلۡكَٰفِرِينَ عَذَابًا أَلِيمٗا
﴿٨﴾ يَٰٓأَيُّهَا ٱلَّذِينَ ءَامَنُواْ ٱذۡكُرُواْ نِعۡمَةَ ٱللَّهِ عَلَيۡكُمۡ إِذۡ جَآءَتۡكُمۡ
جُنُودٞ فَأَرۡسَلۡنَا عَلَيۡهِمۡ رِيحٗا وَجُنُودٗا لَّمۡ تَرَوۡهَاۚ وَكَانَ ٱللَّهُ
بِمَا تَعۡمَلُونَ بَصِيرًا ﴿٩﴾ إِذۡ جَآءُوكُم مِّن فَوۡقِكُمۡ وَمِنۡ أَسۡفَلَ
مِنكُمۡ وَإِذۡ زَاغَتِ ٱلۡأَبۡصَٰرُ وَبَلَغَتِ ٱلۡقُلُوبُ ٱلۡحَنَاجِرَ
وَتَظُنُّونَ بِٱللَّهِ ٱلظُّنُونَا۠ ﴿١٠﴾ هُنَالِكَ ٱبۡتُلِيَ ٱلۡمُؤۡمِنُونَ وَزُلۡزِلُواْ
زِلۡزَالٗا شَدِيدٗا ﴿١١﴾ وَإِذۡ يَقُولُ ٱلۡمُنَٰفِقُونَ وَٱلَّذِينَ فِي قُلُوبِهِم
مَّرَضٞ مَّا وَعَدَنَا ٱللَّهُ وَرَسُولُهُۥٓ إِلَّا غُرُورٗا ﴿١٢﴾ وَإِذۡ قَالَت طَّآئِفَةٞ
مِّنۡهُمۡ يَٰٓأَهۡلَ يَثۡرِبَ لَا مُقَامَ لَكُمۡ فَٱرۡجِعُواْۚ وَيَسۡتَـٔۡذِنُ فَرِيقٞ
مِّنۡهُمُ ٱلنَّبِيَّ يَقُولُونَ إِنَّ بُيُوتَنَا عَوۡرَةٞ وَمَا هِيَ بِعَوۡرَةٍۖ إِن يُرِيدُونَ إِلَّا
فِرَارٗا ﴿١٣﴾ وَلَوۡ دُخِلَتۡ عَلَيۡهِم مِّنۡ أَقۡطَارِهَا ثُمَّ سُئِلُواْ ٱلۡفِتۡنَةَ
لَأٓتَوۡهَا وَمَا تَلَبَّثُواْ بِهَآ إِلَّا يَسِيرٗا ﴿١٤﴾ وَلَقَدۡ كَانُواْ عَٰهَدُواْ
ٱللَّهَ مِن قَبۡلُ لَا يُوَلُّونَ ٱلۡأَدۡبَٰرَۚ وَكَانَ عَهۡدُ ٱللَّهِ مَسۡـُٔولٗا ﴿١٥﴾

- مِّيثَٰقًا غَلِيظٗا: عهداً وثيقاً
- زَاغَتِ ٱلۡأَبۡصَٰرُ: مالت عن سَنَنها حيرة ودهشة
- ٱلۡحَنَاجِرَ: نهايات الحلاقيم
- ٱبۡتُلِيَ ٱلۡمُؤۡمِنُونَ: اختُبروا بشدّة الحصار
- زُلۡزِلُواْ: اضطربوا
- غُرُورٗا: باطلاً . أو خداعاً
- يَثۡرِبَ: أرض المدينة
- لَا مُقَامَ لَكُمۡ: لا يُمكن إقامتكم هاهنا
- عَوۡرَةٞ: قاصية يُخشى عليها العدوّ
- فِرَارٗا: هرباً من القتال
- أَقۡطَارِهَا: نواحيها وجوانبها
- ٱلۡفِتۡنَةَ: قتال المسلمين
- مَا تَلَبَّثُواْ بِهَآ: ما أخّروها

مدّ ٦ حركات لزوماً • مدّ ٢ أو ٤ أو ٦ جوازاً • إخفاء ، ومواقع الغُنّة (حركتان) • تفخيم
مدّ واجب ٤ أو ٥ حركات • مدّ حركتان • إدغام ، وما لا يُلفظ • قلقلة

قُل لَّن يَنفَعَكُمُ ٱلْفِرَارُ إِن فَرَرْتُم مِّنَ ٱلْمَوْتِ أَوِ ٱلْقَتْلِ وَإِذًا
لَّا تُمَتَّعُونَ إِلَّا قَلِيلًا ﴿١٦﴾ قُلْ مَن ذَا ٱلَّذِى يَعْصِمُكُم مِّنَ ٱللَّهِ إِنْ
أَرَادَ بِكُمْ سُوٓءًا أَوْ أَرَادَ بِكُمْ رَحْمَةً ۚ وَلَا يَجِدُونَ لَهُم مِّن دُونِ ٱللَّهِ
وَلِيًّا وَلَا نَصِيرًا ﴿١٧﴾ ۞ قَدْ يَعْلَمُ ٱللَّهُ ٱلْمُعَوِّقِينَ مِنكُمْ وَٱلْقَآئِلِينَ
لِإِخْوَٰنِهِمْ هَلُمَّ إِلَيْنَا ۖ وَلَا يَأْتُونَ ٱلْبَأْسَ إِلَّا قَلِيلًا ﴿١٨﴾ أَشِحَّةً
عَلَيْكُمْ ۖ فَإِذَا جَآءَ ٱلْخَوْفُ رَأَيْتَهُمْ يَنظُرُونَ إِلَيْكَ تَدُورُ أَعْيُنُهُمْ
كَٱلَّذِى يُغْشَىٰ عَلَيْهِ مِنَ ٱلْمَوْتِ ۖ فَإِذَا ذَهَبَ ٱلْخَوْفُ سَلَقُوكُم
بِأَلْسِنَةٍ حِدَادٍ أَشِحَّةً عَلَى ٱلْخَيْرِ ۚ أُو۟لَٰٓئِكَ لَمْ يُؤْمِنُوا۟ فَأَحْبَطَ
ٱللَّهُ أَعْمَٰلَهُمْ ۚ وَكَانَ ذَٰلِكَ عَلَى ٱللَّهِ يَسِيرًا ﴿١٩﴾ يَحْسَبُونَ ٱلْأَحْزَابَ
لَمْ يَذْهَبُوا۟ ۖ وَإِن يَأْتِ ٱلْأَحْزَابُ يَوَدُّوا۟ لَوْ أَنَّهُم بَادُونَ
فِى ٱلْأَعْرَابِ يَسْـَٔلُونَ عَنْ أَنۢبَآئِكُمْ ۖ وَلَوْ كَانُوا۟ فِيكُم
مَّا قَٰتَلُوٓا۟ إِلَّا قَلِيلًا ﴿٢٠﴾ لَّقَدْ كَانَ لَكُمْ فِى رَسُولِ ٱللَّهِ أُسْوَةٌ
حَسَنَةٌ لِّمَن كَانَ يَرْجُوا۟ ٱللَّهَ وَٱلْيَوْمَ ٱلْـَٔاخِرَ وَذَكَرَ ٱللَّهَ كَثِيرًا ﴿٢١﴾
وَلَمَّا رَءَا ٱلْمُؤْمِنُونَ ٱلْأَحْزَابَ قَالُوا۟ هَٰذَا مَا وَعَدَنَا ٱللَّهُ وَرَسُولُهُۥ
وَصَدَقَ ٱللَّهُ وَرَسُولُهُۥ ۚ وَمَا زَادَهُمْ إِلَّآ إِيمَٰنًا وَتَسْلِيمًا ﴿٢٢﴾

- يَعْصِمُكُم مِّنَ ٱللَّهِ: يَمْنَعُكُمْ مِن قَدَرِه
- ٱلْمُعَوِّقِينَ مِنكُمْ: المُثبِّطِينَ منكم عن الرسول ﷺ
- هَلُمَّ إِلَيْنَا: أَقْبِلُوا . أو قَرِّبُوا أنفسكم إلينا
- ٱلْبَأْسَ: الحَرْبَ
- أَشِحَّةً عَلَيْكُمْ: بُخلاءَ عَلَيْكُمْ بما يَنْفَعُكُمْ
- يُغْشَىٰ عَلَيْهِ: تُصِيبُهُ الغَشيةُ والسَّكَرَاتُ
- سَلَقُوكُم: آذَوْكُم ورَمَوْكُم
- بِأَلْسِنَةٍ حِدَادٍ: ذَرِبَةٍ قاطِعَةٍ كالحَدِيد
- فَأَحْبَطَ ٱللَّهُ: فأَبْطَلَ اللهُ
- بَادُونَ فِى ٱلْأَعْرَابِ: كانُوا مَعَهُم في البادِيَةِ
- أُسْوَةٌ: قُدْوَة

ثلاثة أرباع الحزب ٤٢

| | | |
|---|---|---|
| مدّ ٦ حركات لزوماً ● مدّ ٢ أو ٤ أو ٦ جوازاً | ● إخفاء ، ومواقع الغُنَّة (حركتان) | ● تفخيم |
| مدّ واجب ٤ أو ٥ حركات ● مدّ حركتان | ● إدغام ، وما لا يُلفَظ | ● قلقلة |

مِّنَ ٱلْمُؤْمِنِينَ رِجَالٌ صَدَقُوا۟ مَا عَٰهَدُوا۟ ٱللَّهَ عَلَيْهِ ۖ فَمِنْهُم مَّن
قَضَىٰ نَحْبَهُۥ وَمِنْهُم مَّن يَنتَظِرُ ۖ وَمَا بَدَّلُوا۟ تَبْدِيلًا ﴿٢٣﴾ لِّيَجْزِىَ
ٱللَّهُ ٱلصَّٰدِقِينَ بِصِدْقِهِمْ وَيُعَذِّبَ ٱلْمُنَٰفِقِينَ إِن شَآءَ
أَوْ يَتُوبَ عَلَيْهِمْ ۚ إِنَّ ٱللَّهَ كَانَ غَفُورًا رَّحِيمًا ﴿٢٤﴾ وَرَدَّ ٱللَّهُ ٱلَّذِينَ
كَفَرُوا۟ بِغَيْظِهِمْ لَمْ يَنَالُوا۟ خَيْرًا ۚ وَكَفَى ٱللَّهُ ٱلْمُؤْمِنِينَ ٱلْقِتَالَ ۚ
وَكَانَ ٱللَّهُ قَوِيًّا عَزِيزًا ﴿٢٥﴾ وَأَنزَلَ ٱلَّذِينَ ظَٰهَرُوهُم مِّنْ
أَهْلِ ٱلْكِتَٰبِ مِن صَيَاصِيهِمْ وَقَذَفَ فِى قُلُوبِهِمُ ٱلرُّعْبَ
فَرِيقًا تَقْتُلُونَ وَتَأْسِرُونَ فَرِيقًا ﴿٢٦﴾ وَأَوْرَثَكُمْ أَرْضَهُمْ
وَدِيَٰرَهُمْ وَأَمْوَٰلَهُمْ وَأَرْضًا لَّمْ تَطَـُٔوهَا ۚ وَكَانَ ٱللَّهُ عَلَىٰ كُلِّ
شَىْءٍ قَدِيرًا ﴿٢٧﴾ يَٰٓأَيُّهَا ٱلنَّبِىُّ قُل لِّأَزْوَٰجِكَ إِن كُنتُنَّ تُرِدْنَ
ٱلْحَيَوٰةَ ٱلدُّنْيَا وَزِينَتَهَا فَتَعَالَيْنَ أُمَتِّعْكُنَّ وَأُسَرِّحْكُنَّ
سَرَاحًا جَمِيلًا ﴿٢٨﴾ وَإِن كُنتُنَّ تُرِدْنَ ٱللَّهَ وَرَسُولَهُۥ وَٱلدَّارَ
ٱلْـَٔاخِرَةَ فَإِنَّ ٱللَّهَ أَعَدَّ لِلْمُحْسِنَٰتِ مِنكُنَّ أَجْرًا عَظِيمًا ﴿٢٩﴾
يَٰنِسَآءَ ٱلنَّبِىِّ مَن يَأْتِ مِنكُنَّ بِفَٰحِشَةٍ مُّبَيِّنَةٍ يُضَٰعَفْ
لَهَا ٱلْعَذَابُ ضِعْفَيْنِ ۚ وَكَانَ ذَٰلِكَ عَلَى ٱللَّهِ يَسِيرًا ﴿٣٠﴾

- قَضَىٰ نَحْبَهُۥ: وفَّى نَذْرَه. أَوْ مَاتَ شَهِيداً
- ظَٰهَرُوهُم: عاوَنُوا الأحزابَ
- صَيَاصِيهِمْ: حُصُونِهِمْ
- ٱلرُّعْبَ: الخَوْفَ الشديدَ
- أُمَتِّعْكُنَّ: أُعْطِكُنَّ مُتْعَةَ الطَّلاقِ
- أُسَرِّحْكُنَّ: أُطَلِّقْكُنَّ
- بِفَٰحِشَةٍ: بِمَعْصِيَةٍ كبيرةٍ

مدّ ٦ حركات لزوماً ● مدّ ٢ أو ٤ أو ٦ جوازاً ● مدّ واجب ٤ أو ٥ حركات ● مدّ حركتان ● إخفاء ، ومواقع الغُنَّة (حركتان) ● إدغام ، وما لا يُلفَظ ● تفـ… ● قلقـ…

۞ وَمَن يَقۡنُتۡ مِنكُنَّ لِلَّهِ وَرَسُولِهِۦ وَتَعۡمَلۡ صَٰلِحٗا نُّؤۡتِهَآ
أَجۡرَهَا مَرَّتَيۡنِ وَأَعۡتَدۡنَا لَهَا رِزۡقٗا كَرِيمٗا ٣١ يَٰنِسَآءَ ٱلنَّبِيِّ
لَسۡتُنَّ كَأَحَدٖ مِّنَ ٱلنِّسَآءِۚ إِنِ ٱتَّقَيۡتُنَّ فَلَا تَخۡضَعۡنَ بِٱلۡقَوۡلِ
فَيَطۡمَعَ ٱلَّذِي فِي قَلۡبِهِۦ مَرَضٞ وَقُلۡنَ قَوۡلٗا مَّعۡرُوفٗا ٣٢ وَقَرۡنَ
فِي بُيُوتِكُنَّ وَلَا تَبَرَّجۡنَ تَبَرُّجَ ٱلۡجَٰهِلِيَّةِ ٱلۡأُولَىٰۖ وَأَقِمۡنَ
ٱلصَّلَوٰةَ وَءَاتِينَ ٱلزَّكَوٰةَ وَأَطِعۡنَ ٱللَّهَ وَرَسُولَهُۥٓۚ إِنَّمَا
يُرِيدُ ٱللَّهُ لِيُذۡهِبَ عَنكُمُ ٱلرِّجۡسَ أَهۡلَ ٱلۡبَيۡتِ وَيُطَهِّرَكُمۡ
تَطۡهِيرٗا ٣٣ وَٱذۡكُرۡنَ مَا يُتۡلَىٰ فِي بُيُوتِكُنَّ مِنۡ
ءَايَٰتِ ٱللَّهِ وَٱلۡحِكۡمَةِۚ إِنَّ ٱللَّهَ كَانَ لَطِيفًا خَبِيرًا ٣٤
إِنَّ ٱلۡمُسۡلِمِينَ وَٱلۡمُسۡلِمَٰتِ وَٱلۡمُؤۡمِنِينَ وَٱلۡمُؤۡمِنَٰتِ
وَٱلۡقَٰنِتِينَ وَٱلۡقَٰنِتَٰتِ وَٱلصَّٰدِقِينَ وَٱلصَّٰدِقَٰتِ وَٱلصَّٰبِرِينَ
وَٱلصَّٰبِرَٰتِ وَٱلۡخَٰشِعِينَ وَٱلۡخَٰشِعَٰتِ وَٱلۡمُتَصَدِّقِينَ
وَٱلۡمُتَصَدِّقَٰتِ وَٱلصَّٰٓئِمِينَ وَٱلصَّٰٓئِمَٰتِ وَٱلۡحَٰفِظِينَ
فُرُوجَهُمۡ وَٱلۡحَٰفِظَٰتِ وَٱلذَّٰكِرِينَ ٱللَّهَ كَثِيرٗا
وَٱلذَّٰكِرَٰتِ أَعَدَّ ٱللَّهُ لَهُم مَّغۡفِرَةٗ وَأَجۡرًا عَظِيمٗا ٣٥

- يَقۡنُتۡ مِنكُنَّ: تُطِعْ وَتَخْضَعْ منكنّ
- فَلَا تَخۡضَعۡنَ بِٱلۡقَوۡلِ: لا تُلِنَّ القَوْلَ وَلاَ تُرَقِّقْنَهُ
- وَقَرۡنَ فِي بُيُوتِكُنَّ: الْزَمْنَ بُيُوتَكُنَّ
- لَا تَبَرَّجۡنَ: لا تُبْدِينَ الزينةَ الواجبَ سترُها
- ٱلرِّجۡسَ: الذَّنْب أو الإثْم
- ٱلۡحِكۡمَةِ: هَدْي النُّبوةِ

| مدّ ٦ حركات لزوماً | مدّ ٢ أو ٤ أو ٦ جوازاً | إخفاء، ومواقع الغُنّة (حركتان) | تفخيم |
| --- | --- | --- | --- |
| مدّ واجب ٤ أو ٥ حركات | مدّ حركتان | إدغام، وما لا يُلفَظ | قلقلة |

وَمَا كَانَ لِمُؤْمِنٍ وَلَا مُؤْمِنَةٍ إِذَا قَضَى ٱللَّهُ وَرَسُولُهُۥٓ أَمْرًا أَن يَكُونَ
لَهُمُ ٱلْخِيَرَةُ مِنْ أَمْرِهِمْ ۗ وَمَن يَعْصِ ٱللَّهَ وَرَسُولَهُۥ فَقَدْ ضَلَّ ضَلَٰلًا
مُّبِينًا ﴿٣٦﴾ وَإِذْ تَقُولُ لِلَّذِىٓ أَنْعَمَ ٱللَّهُ عَلَيْهِ وَأَنْعَمْتَ عَلَيْهِ
أَمْسِكْ عَلَيْكَ زَوْجَكَ وَٱتَّقِ ٱللَّهَ وَتُخْفِى فِى نَفْسِكَ مَا ٱللَّهُ
مُبْدِيهِ وَتَخْشَى ٱلنَّاسَ وَٱللَّهُ أَحَقُّ أَن تَخْشَىٰهُ ۖ فَلَمَّا قَضَىٰ زَيْدٌ
مِّنْهَا وَطَرًا زَوَّجْنَٰكَهَا لِكَىْ لَا يَكُونَ عَلَى ٱلْمُؤْمِنِينَ حَرَجٌ فِىٓ
أَزْوَٰجِ أَدْعِيَآئِهِمْ إِذَا قَضَوْا۟ مِنْهُنَّ وَطَرًا ۚ وَكَانَ أَمْرُ ٱللَّهِ مَفْعُولًا
﴿٣٧﴾ مَّا كَانَ عَلَى ٱلنَّبِىِّ مِنْ حَرَجٍ فِيمَا فَرَضَ ٱللَّهُ لَهُۥ ۖ سُنَّةَ ٱللَّهِ فِى
ٱلَّذِينَ خَلَوْا۟ مِن قَبْلُ ۚ وَكَانَ أَمْرُ ٱللَّهِ قَدَرًا مَّقْدُورًا ﴿٣٨﴾ ٱلَّذِينَ
يُبَلِّغُونَ رِسَٰلَٰتِ ٱللَّهِ وَيَخْشَوْنَهُۥ وَلَا يَخْشَوْنَ أَحَدًا إِلَّا ٱللَّهَ ۗ وَكَفَىٰ
بِٱللَّهِ حَسِيبًا ﴿٣٩﴾ مَّا كَانَ مُحَمَّدٌ أَبَآ أَحَدٍ مِّن رِّجَالِكُمْ وَلَٰكِن
رَّسُولَ ٱللَّهِ وَخَاتَمَ ٱلنَّبِيِّۦنَ ۗ وَكَانَ ٱللَّهُ بِكُلِّ شَىْءٍ عَلِيمًا ﴿٤٠﴾
يَٰٓأَيُّهَا ٱلَّذِينَ ءَامَنُوا۟ ٱذْكُرُوا۟ ٱللَّهَ ذِكْرًا كَثِيرًا ﴿٤١﴾ وَسَبِّحُوهُ بُكْرَةً
وَأَصِيلًا ﴿٤٢﴾ هُوَ ٱلَّذِى يُصَلِّى عَلَيْكُمْ وَمَلَٰٓئِكَتُهُۥ لِيُخْرِجَكُم
مِّنَ ٱلظُّلُمَٰتِ إِلَى ٱلنُّورِ ۚ وَكَانَ بِٱلْمُؤْمِنِينَ رَحِيمًا ﴿٤٣﴾

- ٱلْخِيَرَةُ: الاختيار
- وَطَرًا: حاجتَهُ المهمّة
- حَرَجٌ: ضيقٌ . أو إثم
- أَدْعِيَآئِهِمْ: من تبنّوهم
- خَلَوْا۟ مِن قَبْلُ: مَضَوا من قبلك
- قَدَرًا مَّقْدُورًا: مُراداً أزلاً، أو قضاء مَقْضِياً
- حَسِيبًا: مُحاسباً على الأعمال
- بُكْرَةً وَأَصِيلًا: في طَرَفي النّهار

مدّ ٦ حركات لزوماً ● مدّ ٢ أو ٤ أو ٦ جوازاً ● إخفاء، ومواقع الغُنّة (حركتان) ● تفخ...
مدّ واجب ٤ أو ٥ حركات ● مدّ حركتان ● إدغام، وما لا يُلفَظ ● قلق...

تَحِيَّتُهُمْ يَوْمَ يَلْقَوْنَهُۥ سَلَٰمٌ ۚ وَأَعَدَّ لَهُمْ أَجْرًا كَرِيمًا ﴿٤٤﴾ يَٰٓأَيُّهَا
ٱلنَّبِىُّ إِنَّآ أَرْسَلْنَٰكَ شَٰهِدًا وَمُبَشِّرًا وَنَذِيرًا ﴿٤٥﴾ وَدَاعِيًا
إِلَى ٱللَّهِ بِإِذْنِهِۦ وَسِرَاجًا مُّنِيرًا ﴿٤٦﴾ وَبَشِّرِ ٱلْمُؤْمِنِينَ بِأَنَّ لَهُم
مِّنَ ٱللَّهِ فَضْلًا كَبِيرًا ﴿٤٧﴾ وَلَا تُطِعِ ٱلْكَٰفِرِينَ وَٱلْمُنَٰفِقِينَ
وَدَعْ أَذَىٰهُمْ وَتَوَكَّلْ عَلَى ٱللَّهِ ۚ وَكَفَىٰ بِٱللَّهِ وَكِيلًا ﴿٤٨﴾
يَٰٓأَيُّهَا ٱلَّذِينَ ءَامَنُوٓا۟ إِذَا نَكَحْتُمُ ٱلْمُؤْمِنَٰتِ ثُمَّ طَلَّقْتُمُوهُنَّ
مِن قَبْلِ أَن تَمَسُّوهُنَّ فَمَا لَكُمْ عَلَيْهِنَّ مِنْ عِدَّةٍ تَعْتَدُّونَهَا ۖ
فَمَتِّعُوهُنَّ وَسَرِّحُوهُنَّ سَرَاحًا جَمِيلًا ﴿٤٩﴾ يَٰٓأَيُّهَا ٱلنَّبِىُّ إِنَّآ
أَحْلَلْنَا لَكَ أَزْوَٰجَكَ ٱلَّٰتِىٓ ءَاتَيْتَ أُجُورَهُنَّ وَمَا مَلَكَتْ
يَمِينُكَ مِمَّآ أَفَآءَ ٱللَّهُ عَلَيْكَ وَبَنَاتِ عَمِّكَ وَبَنَاتِ عَمَّٰتِكَ
وَبَنَاتِ خَالِكَ وَبَنَاتِ خَٰلَٰتِكَ ٱلَّٰتِى هَاجَرْنَ مَعَكَ وَٱمْرَأَةً
مُّؤْمِنَةً إِن وَهَبَتْ نَفْسَهَا لِلنَّبِىِّ إِنْ أَرَادَ ٱلنَّبِىُّ أَن يَسْتَنكِحَهَا
خَالِصَةً لَّكَ مِن دُونِ ٱلْمُؤْمِنِينَ ۗ قَدْ عَلِمْنَا مَا فَرَضْنَا
عَلَيْهِمْ فِىٓ أَزْوَٰجِهِمْ وَمَا مَلَكَتْ أَيْمَٰنُهُمْ لِكَيْلَا
يَكُونَ عَلَيْكَ حَرَجٌ ۗ وَكَانَ ٱللَّهُ غَفُورًا رَّحِيمًا ﴿٥٠﴾

■ أُجُورَهُنَّ: مُهُورَهُنَّ
■ أَفَآءَ ٱللَّهُ عَلَيْكَ: رَجَعه إليك مِنَ الغَنِيمَةِ

| | | |
|---|---|---|
| مدّ ٦ حركات لزوماً ● مدّ ٢ أو ٤ أو ٦ جوازاً | ● إخفاء ، ومواقع الغُنَّة (حركتان) | ● تفخيم |
| مدّ واجب ٤ أو ٥ حركات ● مدّ حركتان | ● إدغام ، وما لا يُلفَظ | ● قلقلة |

۞ تُرْجِي مَن تَشَآءُ مِنْهُنَّ وَتُـْٔوِيٓ إِلَيْكَ مَن تَشَآءُ ۖ وَمَنِ ٱبْتَغَيْتَ
مِمَّنْ عَزَلْتَ فَلَا جُنَاحَ عَلَيْكَ ۚ ذَٰلِكَ أَدْنَىٰٓ أَن تَقَرَّ أَعْيُنُهُنَّ
وَلَا يَحْزَنَّ وَيَرْضَيْنَ بِمَآ ءَاتَيْتَهُنَّ كُلُّهُنَّ ۚ وَٱللَّهُ يَعْلَمُ
مَا فِى قُلُوبِكُمْ ۚ وَكَانَ ٱللَّهُ عَلِيمًا حَلِيمًا ﴿٥١﴾ لَّا يَحِلُّ لَكَ
ٱلنِّسَآءُ مِنۢ بَعْدُ وَلَآ أَن تَبَدَّلَ بِهِنَّ مِنْ أَزْوَٰجٍ وَلَوْ أَعْجَبَكَ
حُسْنُهُنَّ إِلَّا مَا مَلَكَتْ يَمِينُكَ ۗ وَكَانَ ٱللَّهُ عَلَىٰ كُلِّ شَىْءٍ رَّقِيبًا
﴿٥٢﴾ يَٰٓأَيُّهَا ٱلَّذِينَ ءَامَنُوا۟ لَا تَدْخُلُوا۟ بُيُوتَ ٱلنَّبِىِّ إِلَّآ أَن
يُؤْذَنَ لَكُمْ إِلَىٰ طَعَامٍ غَيْرَ نَٰظِرِينَ إِنَىٰهُ وَلَٰكِنْ إِذَا دُعِيتُمْ
فَٱدْخُلُوا۟ فَإِذَا طَعِمْتُمْ فَٱنتَشِرُوا۟ وَلَا مُسْتَـْٔنِسِينَ لِحَدِيثٍ ۚ إِنَّ
ذَٰلِكُمْ كَانَ يُؤْذِى ٱلنَّبِىَّ فَيَسْتَحْىِۦ مِنكُمْ ۖ وَٱللَّهُ لَا
يَسْتَحْىِۦ مِنَ ٱلْحَقِّ ۚ وَإِذَا سَأَلْتُمُوهُنَّ مَتَٰعًا فَسْـَٔلُوهُنَّ مِن
وَرَآءِ حِجَابٍ ۚ ذَٰلِكُمْ أَطْهَرُ لِقُلُوبِكُمْ وَقُلُوبِهِنَّ ۚ وَمَا كَانَ
لَكُمْ أَن تُؤْذُوا۟ رَسُولَ ٱللَّهِ وَلَآ أَن تَنكِحُوٓا۟ أَزْوَٰجَهُۥ
مِنۢ بَعْدِهِۦٓ أَبَدًا ۚ إِنَّ ذَٰلِكُمْ كَانَ عِندَ ٱللَّهِ عَظِيمًا ﴿٥٣﴾ إِن
تُبْدُوا۟ شَيْـًٔا أَوْ تُخْفُوهُ فَإِنَّ ٱللَّهَ كَانَ بِكُلِّ شَىْءٍ عَلِيمًا ﴿٥٤﴾

ربع الحزب ٤٣

- تُرْجِي: تؤخر عنك
- وَتُـْٔوِيٓ إِلَيْكَ: تضم إليك
- ٱبْتَغَيْتَ: طلبت
- عَزَلْتَ: اجتنبت
- ذَٰلِكَ أَدْنَىٰٓ: أقرب
- تَقَرَّ أَعْيُنُهُنَّ: يفرحن
- رَّقِيبًا: حفيظاً ومطلعاً
- غَيْرَ نَٰظِرِينَ إِنَىٰهُ: منتظرين نضجه واستواءه
- فَٱنتَشِرُوا۟: فتفرقوا ولا تمكثوا
- مَتَٰعًا: حاجة ينتفع بها

لَّا جُنَاحَ عَلَيْهِنَّ فِىٓ ءَابَآئِهِنَّ وَلَآ أَبْنَآئِهِنَّ وَلَآ إِخْوَٰنِهِنَّ وَلَآ أَبْنَآءِ
إِخْوَٰنِهِنَّ وَلَآ أَبْنَآءِ أَخَوَٰتِهِنَّ وَلَا نِسَآئِهِنَّ وَلَا مَا مَلَكَتْ
أَيْمَٰنُهُنَّ ۗ وَٱتَّقِينَ ٱللَّهَ ۚ إِنَّ ٱللَّهَ كَانَ عَلَىٰ كُلِّ شَىْءٍ شَهِيدًا
﴿٥٥﴾ إِنَّ ٱللَّهَ وَمَلَٰٓئِكَتَهُۥ يُصَلُّونَ عَلَى ٱلنَّبِىِّ ۚ يَٰٓأَيُّهَا ٱلَّذِينَ
ءَامَنُوا۟ صَلُّوا۟ عَلَيْهِ وَسَلِّمُوا۟ تَسْلِيمًا ﴿٥٦﴾ إِنَّ ٱلَّذِينَ يُؤْذُونَ
ٱللَّهَ وَرَسُولَهُۥ لَعَنَهُمُ ٱللَّهُ فِى ٱلدُّنْيَا وَٱلْءَاخِرَةِ وَأَعَدَّ لَهُمْ عَذَابًا
مُّهِينًا ﴿٥٧﴾ وَٱلَّذِينَ يُؤْذُونَ ٱلْمُؤْمِنِينَ وَٱلْمُؤْمِنَٰتِ
بِغَيْرِ مَا ٱكْتَسَبُوا۟ فَقَدِ ٱحْتَمَلُوا۟ بُهْتَٰنًا وَإِثْمًا مُّبِينًا ﴿٥٨﴾
يَٰٓأَيُّهَا ٱلنَّبِىُّ قُل لِّأَزْوَٰجِكَ وَبَنَاتِكَ وَنِسَآءِ ٱلْمُؤْمِنِينَ يُدْنِينَ
عَلَيْهِنَّ مِن جَلَٰبِيبِهِنَّ ۚ ذَٰلِكَ أَدْنَىٰٓ أَن يُعْرَفْنَ فَلَا يُؤْذَيْنَ ۗ وَكَانَ
ٱللَّهُ غَفُورًا رَّحِيمًا ﴿٥٩﴾ ۞ لَّئِن لَّمْ يَنتَهِ ٱلْمُنَٰفِقُونَ وَٱلَّذِينَ
فِى قُلُوبِهِم مَّرَضٌ وَٱلْمُرْجِفُونَ فِى ٱلْمَدِينَةِ لَنُغْرِيَنَّكَ
بِهِمْ ثُمَّ لَا يُجَاوِرُونَكَ فِيهَآ إِلَّا قَلِيلًا ﴿٦٠﴾ مَّلْعُونِينَ ۖ
أَيْنَمَا ثُقِفُوٓا۟ أُخِذُوا۟ وَقُتِّلُوا۟ تَقْتِيلًا ﴿٦١﴾ سُنَّةَ ٱللَّهِ فِى
ٱلَّذِينَ خَلَوْا۟ مِن قَبْلُ ۖ وَلَن تَجِدَ لِسُنَّةِ ٱللَّهِ تَبْدِيلًا ﴿٦٢﴾

- بُهْتَٰنًا: فِعْلاً شنيعاً . أو كذباً فظيعاً
- يُدْنِينَ عَلَيْهِنَّ: يرخين ويُسْدِلْنَ عليهنّ
- جَلَٰبِيبِهِنَّ: ما يستترن به كالمِلاءَة
- ٱلْمُرْجِفُونَ: المُشيعُونَ للأخبارِ الكاذبة
- لَنُغْرِيَنَّكَ بِهِمْ: لَنُسَلِّطَنَّكَ عليهم
- ثُقِفُوٓا۟: وُجِدُوا وأُدْرِكُوا

نصف الحزب ٤٣

| | | |
|---|---|---|
| مدّ ٦ حركات لزوماً ● مدّ ٢ أو ٤ أو ٦ جوازاً | ● إخفاء ، ومواقع الغُنَّة (حركتان) | ● تفخيم |
| مدّ واجب ٤ أو ٥ حركات ● مدّ حركتان | ● إدغام ، وما لا يُلفَظ | ● قلقلة |

يَسْـَٔلُكَ ٱلنَّاسُ عَنِ ٱلسَّاعَةِ ۖ قُلْ إِنَّمَا عِلْمُهَا عِندَ ٱللَّهِ ۚ وَمَا يُدْرِيكَ
لَعَلَّ ٱلسَّاعَةَ تَكُونُ قَرِيبًا ﴿٦٣﴾ إِنَّ ٱللَّهَ لَعَنَ ٱلْكَـٰفِرِينَ وَأَعَدَّ
لَهُمْ سَعِيرًا ﴿٦٤﴾ خَـٰلِدِينَ فِيهَآ أَبَدًا ۖ لَّا يَجِدُونَ وَلِيًّا وَلَا نَصِيرًا
﴿٦٥﴾ يَوْمَ تُقَلَّبُ وُجُوهُهُمْ فِى ٱلنَّارِ يَقُولُونَ يَـٰلَيْتَنَآ أَطَعْنَا ٱللَّهَ
وَأَطَعْنَا ٱلرَّسُولَا۠ ﴿٦٦﴾ وَقَالُوا۟ رَبَّنَآ إِنَّآ أَطَعْنَا سَادَتَنَا وَكُبَرَآءَنَا
فَأَضَلُّونَا ٱلسَّبِيلَا۠ ﴿٦٧﴾ رَبَّنَآ ءَاتِهِمْ ضِعْفَيْنِ مِنَ ٱلْعَذَابِ
وَٱلْعَنْهُمْ لَعْنًا كَبِيرًا ﴿٦٨﴾ يَـٰٓأَيُّهَا ٱلَّذِينَ ءَامَنُوا۟ لَا تَكُونُوا۟ كَٱلَّذِينَ
ءَاذَوْا۟ مُوسَىٰ فَبَرَّأَهُ ٱللَّهُ مِمَّا قَالُوا۟ ۚ وَكَانَ عِندَ ٱللَّهِ وَجِيهًا ﴿٦٩﴾
يَـٰٓأَيُّهَا ٱلَّذِينَ ءَامَنُوا۟ ٱتَّقُوا۟ ٱللَّهَ وَقُولُوا۟ قَوْلًا سَدِيدًا ﴿٧٠﴾ يُصْلِحْ
لَكُمْ أَعْمَـٰلَكُمْ وَيَغْفِرْ لَكُمْ ذُنُوبَكُمْ ۗ وَمَن يُطِعِ ٱللَّهَ وَرَسُولَهُۥ
فَقَدْ فَازَ فَوْزًا عَظِيمًا ﴿٧١﴾ إِنَّا عَرَضْنَا ٱلْأَمَانَةَ عَلَى ٱلسَّمَـٰوَٰتِ
وَٱلْأَرْضِ وَٱلْجِبَالِ فَأَبَيْنَ أَن يَحْمِلْنَهَا وَأَشْفَقْنَ مِنْهَا وَحَمَلَهَا
ٱلْإِنسَـٰنُ ۖ إِنَّهُۥ كَانَ ظَلُومًا جَهُولًا ﴿٧٢﴾ لِّيُعَذِّبَ ٱللَّهُ ٱلْمُنَـٰفِقِينَ
وَٱلْمُنَـٰفِقَـٰتِ وَٱلْمُشْرِكِينَ وَٱلْمُشْرِكَـٰتِ وَيَتُوبَ ٱللَّهُ
عَلَى ٱلْمُؤْمِنِينَ وَٱلْمُؤْمِنَـٰتِ ۗ وَكَانَ ٱللَّهُ غَفُورًا رَّحِيمًا ﴿٧٣﴾

- ضِعْفَيْنِ: مِثْلَيْنِ
- قَوْلًا سَدِيدًا: صَوَاباً أو صِدْقاً
- ٱلْأَمَانَةَ: التكاليفَ من فِعْلٍ وتَرْكٍ
- فَأَبَيْنَ: امْتَنَعْنَ
- أَشْفَقْنَ مِنْهَا: خِفْنَ من الخِيَانَةِ فيهَا

مدّ ٦ حركات لزوماً ● مدّ ٢ أو ٤ أو ٦ جوازاً ● إخفاء، ومواقع الغُنَّة (حركتان)
مدّ واجب ٤ أو ٥ حركات ● مدّ حركتان ● إدغام، وما لا يُلفظ

# سُورَةُ سَبَإٍ

ترتيبها ٣٤ — آياتها ٥٤

بِسْمِ ٱللَّهِ ٱلرَّحْمَٰنِ ٱلرَّحِيمِ

ٱلْحَمْدُ لِلَّهِ ٱلَّذِى لَهُۥ مَا فِى ٱلسَّمَٰوَٰتِ وَمَا فِى ٱلْأَرْضِ وَلَهُ ٱلْحَمْدُ
فِى ٱلْءَاخِرَةِ ۚ وَهُوَ ٱلْحَكِيمُ ٱلْخَبِيرُ ﴿١﴾ يَعْلَمُ مَا يَلِجُ فِى ٱلْأَرْضِ
وَمَا يَخْرُجُ مِنْهَا وَمَا يَنزِلُ مِنَ ٱلسَّمَآءِ وَمَا يَعْرُجُ فِيهَا ۚ وَهُوَ
ٱلرَّحِيمُ ٱلْغَفُورُ ﴿٢﴾ وَقَالَ ٱلَّذِينَ كَفَرُوا۟ لَا تَأْتِينَا ٱلسَّاعَةُ ۖ
قُلْ بَلَىٰ وَرَبِّى لَتَأْتِيَنَّكُمْ عَٰلِمِ ٱلْغَيْبِ ۖ لَا يَعْزُبُ عَنْهُ مِثْقَالُ
ذَرَّةٍ فِى ٱلسَّمَٰوَٰتِ وَلَا فِى ٱلْأَرْضِ وَلَآ أَصْغَرُ مِن ذَٰلِكَ
وَلَآ أَكْبَرُ إِلَّا فِى كِتَٰبٍ مُّبِينٍ ﴿٣﴾ لِّيَجْزِىَ ٱلَّذِينَ
ءَامَنُوا۟ وَعَمِلُوا۟ ٱلصَّٰلِحَٰتِ ۚ أُو۟لَٰٓئِكَ لَهُم مَّغْفِرَةٌ وَرِزْقٌ
كَرِيمٌ ﴿٤﴾ وَٱلَّذِينَ سَعَوْ فِىٓ ءَايَٰتِنَا مُعَٰجِزِينَ أُو۟لَٰٓئِكَ
لَهُمْ عَذَابٌ مِّن رِّجْزٍ أَلِيمٌ ﴿٥﴾ وَيَرَى ٱلَّذِينَ أُوتُوا۟ ٱلْعِلْمَ
ٱلَّذِىٓ أُنزِلَ إِلَيْكَ مِن رَّبِّكَ هُوَ ٱلْحَقَّ وَيَهْدِىٓ إِلَىٰ صِرَٰطِ
ٱلْعَزِيزِ ٱلْحَمِيدِ ﴿٦﴾ وَقَالَ ٱلَّذِينَ كَفَرُوا۟ هَلْ نَدُلُّكُمْ عَلَىٰ رَجُلٍ
يُنَبِّئُكُمْ إِذَا مُزِّقْتُمْ كُلَّ مُمَزَّقٍ إِنَّكُمْ لَفِى خَلْقٍ جَدِيدٍ ﴿٧﴾

مَا يَلِجُ: ما يَدْخُلُ
مَا يَعْرُجُ: ما يَصْعَدُ
لَا يَعْزُبُ عَنْهُ: لا يَغِيبُ ولا يَخْفَى عليه
مِثْقَالُ ذَرَّةٍ: مقدارُ أَصْغَرِ نَمْلَةٍ
مُعَٰجِزِينَ: ظانِّينَ أنَّهم يَفُوتُونَنا
رِّجْزٍ: أَشَدِّ العَذابِ
مُزِّقْتُمْ: قُطِّعْتُمْ وصِرْتُمْ رُفاتاً

| | | |
|---|---|---|
| مدّ ٦ حركات لزوماً ● مدّ ٢ أو ٤ أو ٦ جوازاً | إخفاء ، ومواقع الغُنَّة (حركتان) | تفخيم |
| مدّ واجب ٤ أو ٥ حركات ● مدّ حركتان | إدغام ، وما لا يُلفَظ | قلقلة |

أَفۡتَرَىٰ عَلَى ٱللَّهِ كَذِبًا أَم بِهِۦ جِنَّةُۢ ۗ بَلِ ٱلَّذِينَ لَا يُؤۡمِنُونَ بِٱلۡأٓخِرَةِ
فِي ٱلۡعَذَابِ وَٱلضَّلَٰلِ ٱلۡبَعِيدِ ﴿٨﴾ أَفَلَمۡ يَرَوۡاْ إِلَىٰ مَا بَيۡنَ أَيۡدِيهِمۡ
وَمَا خَلۡفَهُم مِّنَ ٱلسَّمَآءِ وَٱلۡأَرۡضِۚ إِن نَّشَأۡ نَخۡسِفۡ بِهِمُ
ٱلۡأَرۡضَ أَوۡ نُسۡقِطۡ عَلَيۡهِمۡ كِسَفًا مِّنَ ٱلسَّمَآءِۚ إِنَّ فِي ذَٰلِكَ
لَأٓيَةً لِّكُلِّ عَبۡدٍ مُّنِيبٍ ﴿٩﴾ ۞ وَلَقَدۡ ءَاتَيۡنَا دَاوُۥدَ مِنَّا فَضۡلًاۖ
يَٰجِبَالُ أَوِّبِي مَعَهُۥ وَٱلطَّيۡرَۖ وَأَلَنَّا لَهُ ٱلۡحَدِيدَ ﴿١٠﴾ أَنِ ٱعۡمَلۡ
سَٰبِغَٰتٍ وَقَدِّرۡ فِي ٱلسَّرۡدِۖ وَٱعۡمَلُواْ صَٰلِحًاۖ إِنِّي بِمَا تَعۡمَلُونَ
بَصِيرٞ ﴿١١﴾ وَلِسُلَيۡمَٰنَ ٱلرِّيحَ غُدُوُّهَا شَهۡرٞ وَرَوَاحُهَا شَهۡرٞۖ
وَأَسَلۡنَا لَهُۥ عَيۡنَ ٱلۡقِطۡرِۖ وَمِنَ ٱلۡجِنِّ مَن يَعۡمَلُ بَيۡنَ يَدَيۡهِ بِإِذۡنِ
رَبِّهِۦۖ وَمَن يَزِغۡ مِنۡهُمۡ عَنۡ أَمۡرِنَا نُذِقۡهُ مِنۡ عَذَابِ ٱلسَّعِيرِ ﴿١٢﴾
يَعۡمَلُونَ لَهُۥ مَا يَشَآءُ مِن مَّحَٰرِيبَ وَتَمَٰثِيلَ وَجِفَانٖ كَٱلۡجَوَابِ
وَقُدُورٖ رَّاسِيَٰتٍۚ ٱعۡمَلُوٓاْ ءَالَ دَاوُۥدَ شُكۡرٗاۚ وَقَلِيلٞ مِّنۡ عِبَادِيَ
ٱلشَّكُورُ ﴿١٣﴾ فَلَمَّا قَضَيۡنَا عَلَيۡهِ ٱلۡمَوۡتَ مَا دَلَّهُمۡ عَلَىٰ مَوۡتِهِۦٓ
إِلَّا دَآبَّةُ ٱلۡأَرۡضِ تَأۡكُلُ مِنسَأَتَهُۥۖ فَلَمَّا خَرَّ تَبَيَّنَتِ ٱلۡجِنُّ
أَن لَّوۡ كَانُواْ يَعۡلَمُونَ ٱلۡغَيۡبَ مَا لَبِثُواْ فِي ٱلۡعَذَابِ ٱلۡمُهِينِ ﴿١٤﴾

- بِهِۦ جِنَّةٌ: به جُنون
- نَخۡسِفۡ بِهِمُ: نُغيّبْ بِهِم
- كِسَفًا: قِطعاً
- مُّنِيبٍ: راجِع إلى ربِّه مُطيع

ثلاثة أرباع الحزب ٤٣

- أَوِّبِي مَعَهُۥ: رَجِّعي معه التسبيح
- سَٰبِغَٰتٍ: دُروعاً واسعة كاملة
- قَدِّرۡ فِي ٱلسَّرۡدِ: أحْكِم صَنْعتك في نَسج الدروع
- غُدُوُّهَا شَهۡرٞ: جَرْيُها بالغداة مسيرة شهر
- رَوَاحُهَا شَهۡرٞ: جَرْيُها بالعشيّ كذلك
- عَيۡنَ ٱلۡقِطۡرِ: معْدِن النُّحاس الذائب
- يَزِغۡ مِنۡهُمۡ: يَمِل ويَعْدِل منهم عن طاعته
- مَّحَٰرِيبَ: قصوراً أو مساجدَ
- تَمَٰثِيلَ: صُوَر مُجسَّمة
- جِفَانٖ: قِصاع كِبار
- كَٱلۡجَوَابِ: كالحِياض العِظام
- قُدُورٖ رَّاسِيَٰتٍ: ثابتات على المواقِد
- دَآبَّةُ ٱلۡأَرۡضِ: الأرَضة التي تأكل الخشب
- تَأۡكُلُ مِنسَأَتَهُۥ: تأرِض عصاه

| | | |
|---|---|---|
| مدّ ٦ حركات لزوماً ● مدّ ٢ أو ٤ أو ٦ جوازاً ● | إخفاء، ومواقع الغُنّة (حركتان) ● | ● تفخيم |
| مدّ واجب ٤ أو ٥ حركات ● مدّ حركتان ● | إدغام، وما لا يُلفظ ● | ● قلقلة |

لَقَدْ كَانَ لِسَبَإٍ فِى مَسْكَنِهِمْ ءَايَةٌ ۖ جَنَّتَانِ عَن يَمِينٍ وَشِمَالٍ ۖ
كُلُوا۟ مِن رِّزْقِ رَبِّكُمْ وَٱشْكُرُوا۟ لَهُۥ ۚ بَلْدَةٌ طَيِّبَةٌ وَرَبٌّ غَفُورٌ
﴿١٥﴾ فَأَعْرَضُوا۟ فَأَرْسَلْنَا عَلَيْهِمْ سَيْلَ ٱلْعَرِمِ وَبَدَّلْنَٰهُم بِجَنَّتَيْهِمْ
جَنَّتَيْنِ ذَوَاتَىْ أُكُلٍ خَمْطٍ وَأَثْلٍ وَشَىْءٍ مِّن سِدْرٍ قَلِيلٍ
﴿١٦﴾ ذَٰلِكَ جَزَيْنَٰهُم بِمَا كَفَرُوا۟ ۖ وَهَلْ نُجَٰزِىٓ إِلَّا ٱلْكَفُورَ ﴿١٧﴾
وَجَعَلْنَا بَيْنَهُمْ وَبَيْنَ ٱلْقُرَى ٱلَّتِى بَٰرَكْنَا فِيهَا قُرًى ظَٰهِرَةً
وَقَدَّرْنَا فِيهَا ٱلسَّيْرَ ۖ سِيرُوا۟ فِيهَا لَيَالِىَ وَأَيَّامًا ءَامِنِينَ ﴿١٨﴾
فَقَالُوا۟ رَبَّنَا بَٰعِدْ بَيْنَ أَسْفَارِنَا وَظَلَمُوٓا۟ أَنفُسَهُمْ فَجَعَلْنَٰهُمْ
أَحَادِيثَ وَمَزَّقْنَٰهُمْ كُلَّ مُمَزَّقٍ ۚ إِنَّ فِى ذَٰلِكَ لَءَايَٰتٍ لِّكُلِّ صَبَّارٍ
شَكُورٍ ﴿١٩﴾ وَلَقَدْ صَدَّقَ عَلَيْهِمْ إِبْلِيسُ ظَنَّهُۥ فَٱتَّبَعُوهُ إِلَّا
فَرِيقًا مِّنَ ٱلْمُؤْمِنِينَ ﴿٢٠﴾ وَمَا كَانَ لَهُۥ عَلَيْهِم مِّن سُلْطَٰنٍ
إِلَّا لِنَعْلَمَ مَن يُؤْمِنُ بِٱلْءَاخِرَةِ مِمَّنْ هُوَ مِنْهَا فِى شَكٍّ ۗ وَرَبُّكَ
عَلَىٰ كُلِّ شَىْءٍ حَفِيظٌ ﴿٢١﴾ قُلِ ٱدْعُوا۟ ٱلَّذِينَ زَعَمْتُم مِّن دُونِ
ٱللَّهِ ۖ لَا يَمْلِكُونَ مِثْقَالَ ذَرَّةٍ فِى ٱلسَّمَٰوَٰتِ وَلَا فِى
ٱلْأَرْضِ وَمَا لَهُمْ فِيهِمَا مِن شِرْكٍ وَمَا لَهُۥ مِنْهُم مِّن ظَهِيرٍ ﴿٢٢﴾

- لِسَبَإٍ: حيّ بمأرب باليمن
- جَنَّتَانِ: بستانان
- سَيْلَ ٱلْعَرِمِ: سيل المطر الشديد . أو السَّدّ
- أُكُلٍ خَمْطٍ: ثمر حامض أو مُرّ
- أَثْلٍ: ضرب من الطَّرْفاء
- سِدْرٍ: نوع من الشجر لا يُنتفع به
- قَدَّرْنَا فِيهَا ٱلسَّيْرَ: جعلناه على مراحل متقاربة
- فَجَعَلْنَٰهُمْ أَحَادِيثَ: أخباراً يُتلهّى بها، ويُتعجّب منها
- مَزَّقْنَٰهُمْ: فرّقناهم في البلاد
- مِثْقَالَ ذَرَّةٍ: مقدارها من نفع أو ضرّ
- ظَهِيرٍ: مُعين على الخلق والتدبير

مدّ ٦ حركات لزوماً ● مدّ ٢ أو ٤ أو ٦ جوازاً ● إخفاء، ومواقع الغُنّة (حركتان) ● تفخيم
مدّ واجب ٤ أو ٥ حركات ● مدّ حركتان ● إدغام، وما لا يُلفظ ● قلقلة

وَلَا تَنفَعُ ٱلشَّفَٰعَةُ عِندَهُۥٓ إِلَّا لِمَنۡ أَذِنَ لَهُۥۚ حَتَّىٰٓ إِذَا فُزِّعَ عَن
قُلُوبِهِمۡ قَالُواْ مَاذَا قَالَ رَبُّكُمۡۖ قَالُواْ ٱلۡحَقَّۖ وَهُوَ ٱلۡعَلِيُّ ٱلۡكَبِيرُ ﴿٢٣﴾
۞ قُلۡ مَن يَرۡزُقُكُم مِّنَ ٱلسَّمَٰوَٰتِ وَٱلۡأَرۡضِۖ قُلِ ٱللَّهُۖ
وَإِنَّآ أَوۡ إِيَّاكُمۡ لَعَلَىٰ هُدًى أَوۡ فِي ضَلَٰلٖ مُّبِينٖ ﴿٢٤﴾ قُل
لَّا تُسۡـَٔلُونَ عَمَّآ أَجۡرَمۡنَا وَلَا نُسۡـَٔلُ عَمَّا تَعۡمَلُونَ ﴿٢٥﴾ قُلۡ
يَجۡمَعُ بَيۡنَنَا رَبُّنَا ثُمَّ يَفۡتَحُ بَيۡنَنَا بِٱلۡحَقِّ وَهُوَ ٱلۡفَتَّاحُ ٱلۡعَلِيمُ
﴿٢٦﴾ قُلۡ أَرُونِيَ ٱلَّذِينَ أَلۡحَقۡتُم بِهِۦ شُرَكَآءَۖ كَلَّاۚ بَلۡ هُوَ ٱللَّهُ
ٱلۡعَزِيزُ ٱلۡحَكِيمُ ﴿٢٧﴾ وَمَآ أَرۡسَلۡنَٰكَ إِلَّا كَآفَّةٗ لِّلنَّاسِ
بَشِيرٗا وَنَذِيرٗا وَلَٰكِنَّ أَكۡثَرَ ٱلنَّاسِ لَا يَعۡلَمُونَ ﴿٢٨﴾
وَيَقُولُونَ مَتَىٰ هَٰذَا ٱلۡوَعۡدُ إِن كُنتُمۡ صَٰدِقِينَ ﴿٢٩﴾
قُل لَّكُم مِّيعَادُ يَوۡمٖ لَّا تَسۡتَـٔۡخِرُونَ عَنۡهُ سَاعَةٗ وَلَا تَسۡتَقۡدِمُونَ
﴿٣٠﴾ وَقَالَ ٱلَّذِينَ كَفَرُواْ لَن نُّؤۡمِنَ بِهَٰذَا ٱلۡقُرۡءَانِ وَلَا
بِٱلَّذِي بَيۡنَ يَدَيۡهِۗ وَلَوۡ تَرَىٰٓ إِذِ ٱلظَّٰلِمُونَ مَوۡقُوفُونَ عِندَ
رَبِّهِمۡ يَرۡجِعُ بَعۡضُهُمۡ إِلَىٰ بَعۡضٍ ٱلۡقَوۡلَ يَقُولُ ٱلَّذِينَ
ٱسۡتُضۡعِفُواْ لِلَّذِينَ ٱسۡتَكۡبَرُواْ لَوۡلَآ أَنتُمۡ لَكُنَّا مُؤۡمِنِينَ ﴿٣١﴾

- فُزِّعَ عَن قُلُوبِهِمۡ: أُزِيلَ عنها الفزَعُ والخوفُ
- الحزب ٤٤
- أَجۡرَمۡنَا: اكتسبْنا
- يَفۡتَحُ بَيۡنَنَا: يقضي ويحكمُ بيننا
- ٱلۡفَتَّاحُ: القاضي والحاكمُ
- كَآفَّةٗ: عامَّةً
- مَوۡقُوفُونَ: محبُوسُونَ في موقفِ الحسابِ
- يَرۡجِعُ: يَرُدُّ

مدّ ٦ حركات لزوماً | مدّ ٢ أو ٤ أو ٦ جوازاً | إخفاء، ومواقع الغُنَّة (حركتان) | تفخـ
مدّ واجب ٤ أو ٥ حركات | مدّ حركتان | إدغام، وما لا يُلفظ | قلقلـ

قَالَ ٱلَّذِينَ ٱسْتَكْبَرُوا۟ لِلَّذِينَ ٱسْتُضْعِفُوٓا۟ أَنَحْنُ صَدَدْنَٰكُمْ
عَنِ ٱلْهُدَىٰ بَعْدَ إِذْ جَآءَكُم ۖ بَلْ كُنتُم مُّجْرِمِينَ ﴿٣٢﴾ وَقَالَ ٱلَّذِينَ
ٱسْتُضْعِفُوا۟ لِلَّذِينَ ٱسْتَكْبَرُوا۟ بَلْ مَكْرُ ٱلَّيْلِ وَٱلنَّهَارِ إِذْ
تَأْمُرُونَنَآ أَن نَّكْفُرَ بِٱللَّهِ وَنَجْعَلَ لَهُۥٓ أَندَادًا ۚ وَأَسَرُّوا۟ ٱلنَّدَامَةَ
لَمَّا رَأَوُا۟ ٱلْعَذَابَ وَجَعَلْنَا ٱلْأَغْلَٰلَ فِىٓ أَعْنَاقِ ٱلَّذِينَ كَفَرُوا۟ ۚ
هَلْ يُجْزَوْنَ إِلَّا مَا كَانُوا۟ يَعْمَلُونَ ﴿٣٣﴾ وَمَآ أَرْسَلْنَا فِى قَرْيَةٍ
مِّن نَّذِيرٍ إِلَّا قَالَ مُتْرَفُوهَآ إِنَّا بِمَآ أُرْسِلْتُم بِهِۦ كَٰفِرُونَ ﴿٣٤﴾
وَقَالُوا۟ نَحْنُ أَكْثَرُ أَمْوَٰلًا وَأَوْلَٰدًا وَمَا نَحْنُ بِمُعَذَّبِينَ ﴿٣٥﴾
قُلْ إِنَّ رَبِّى يَبْسُطُ ٱلرِّزْقَ لِمَن يَشَآءُ وَيَقْدِرُ وَلَٰكِنَّ أَكْثَرَ ٱلنَّاسِ
لَا يَعْلَمُونَ ﴿٣٦﴾ وَمَآ أَمْوَٰلُكُمْ وَلَآ أَوْلَٰدُكُم بِٱلَّتِى تُقَرِّبُكُمْ عِندَنَا
زُلْفَىٰٓ إِلَّا مَنْ ءَامَنَ وَعَمِلَ صَٰلِحًا فَأُو۟لَٰٓئِكَ لَهُمْ جَزَآءُ ٱلضِّعْفِ
بِمَا عَمِلُوا۟ وَهُمْ فِى ٱلْغُرُفَٰتِ ءَامِنُونَ ﴿٣٧﴾ وَٱلَّذِينَ يَسْعَوْنَ فِىٓ
ءَايَٰتِنَا مُعَٰجِزِينَ أُو۟لَٰٓئِكَ فِى ٱلْعَذَابِ مُحْضَرُونَ ﴿٣٨﴾ قُلْ
إِنَّ رَبِّى يَبْسُطُ ٱلرِّزْقَ لِمَن يَشَآءُ مِنْ عِبَادِهِۦ وَيَقْدِرُ لَهُۥ ۚ وَمَآ
أَنفَقْتُم مِّن شَىْءٍ فَهُوَ يُخْلِفُهُۥ ۖ وَهُوَ خَيْرُ ٱلرَّٰزِقِينَ ﴿٣٩﴾

- مَكْرُ ٱلَّيْلِ: مكرُكم بنا فيه
- أَندَادًا: أمثالاً من الأصنام نعبُدها
- أَسَرُّوا۟ ٱلنَّدَامَةَ: أخفوا الندم أو أظهروه
- ٱلْأَغْلَٰلَ: القيود
- مُتْرَفُوهَآ: متنعِّموها وأكابرُها
- يَقْدِرُ: يضيّقهُ على من يشاء
- زُلْفَىٰٓ: تقريباً
- ٱلْغُرُفَٰتِ: المنازل الرفيعة في الجنة
- مُعَٰجِزِينَ: ظانّين أنهم يفوتوننا
- مُحْضَرُونَ: تُحضِرُهم الزّبانية

| | | |
|---|---|---|
| مدّ ٦ حركات لزوماً ● مدّ ٢ أو ٤ أو ٦ جوازاً | ● إخفاء، ومواقع الغُنَّة (حركتان) | ● تفخيم |
| مدّ واجب ٤ أو ٥ حركات ● مدّ حركتان | ● إدغام، وما لا يُلفَظ | ● قلقلة |

وَيَوْمَ يَحْشُرُهُمْ جَمِيعًا ثُمَّ يَقُولُ لِلْمَلَـٰٓئِكَةِ أَهَـٰٓؤُلَآءِ إِيَّاكُمْ كَانُوا۟
يَعْبُدُونَ ﴿٤٠﴾ قَالُوا۟ سُبْحَـٰنَكَ أَنتَ وَلِيُّنَا مِن دُونِهِمۖ بَلْ كَانُوا۟
يَعْبُدُونَ ٱلْجِنَّۖ أَكْثَرُهُم بِهِم مُّؤْمِنُونَ ﴿٤١﴾ فَٱلْيَوْمَ لَا يَمْلِكُ
بَعْضُكُمْ لِبَعْضٍ نَّفْعًا وَلَا ضَرًّا وَنَقُولُ لِلَّذِينَ ظَلَمُوا۟ ذُوقُوا۟ عَذَابَ
ٱلنَّارِ ٱلَّتِى كُنتُم بِهَا تُكَذِّبُونَ ﴿٤٢﴾ وَإِذَا تُتْلَىٰ عَلَيْهِمْ ءَايَـٰتُنَا بَيِّنَـٰتٍ
قَالُوا۟ مَا هَـٰذَآ إِلَّا رَجُلٌ يُرِيدُ أَن يَصُدَّكُمْ عَمَّا كَانَ يَعْبُدُ ءَابَآؤُكُمْ
وَقَالُوا۟ مَا هَـٰذَآ إِلَّآ إِفْكٌ مُّفْتَرًىۚ وَقَالَ ٱلَّذِينَ كَفَرُوا۟ لِلْحَقِّ لَمَّا
جَآءَهُمْ إِنْ هَـٰذَآ إِلَّا سِحْرٌ مُّبِينٌ ﴿٤٣﴾ وَمَآ ءَاتَيْنَـٰهُم مِّن كُتُبٍ
يَدْرُسُونَهَاۖ وَمَآ أَرْسَلْنَآ إِلَيْهِمْ قَبْلَكَ مِن نَّذِيرٍ ﴿٤٤﴾ وَكَذَّبَ
ٱلَّذِينَ مِن قَبْلِهِمْ وَمَا بَلَغُوا۟ مِعْشَارَ مَآ ءَاتَيْنَـٰهُمْ فَكَذَّبُوا۟ رُسُلِىۖ
فَكَيْفَ كَانَ نَكِيرِ ﴿٤٥﴾ ۞ قُلْ إِنَّمَآ أَعِظُكُم بِوَٰحِدَةٍۖ أَن
تَقُومُوا۟ لِلَّهِ مَثْنَىٰ وَفُرَٰدَىٰ ثُمَّ تَتَفَكَّرُوا۟ۚ مَا بِصَاحِبِكُم
مِّن جِنَّةٍۚ إِنْ هُوَ إِلَّا نَذِيرٌ لَّكُم بَيْنَ يَدَىْ عَذَابٍ شَدِيدٍ ﴿٤٦﴾
قُلْ مَا سَأَلْتُكُم مِّنْ أَجْرٍ فَهُوَ لَكُمْۖ إِنْ أَجْرِىَ إِلَّا عَلَى ٱللَّهِۖ وَهُوَ عَلَىٰ
كُلِّ شَىْءٍ شَهِيدٌ ﴿٤٧﴾ قُلْ إِنَّ رَبِّى يَقْذِفُ بِٱلْحَقِّ عَلَّـٰمُ ٱلْغُيُوبِ ﴿٤٨﴾

- إِفْكٌ: كَذِبٌ
- كَانَ نَكِيرِ: إِنْكَارِي عليهم بالتَّدمير
- جِنَّةٍ: جُنُون
- يَقْذِفُ بِٱلْحَقِّ: يُلْقِي به على الباطِلِ

ربع الحزب ٤٤

مدّ ٦ حركات لزوماً — مدّ ٢ أو ٤ أو ٦ جوازاً — إخفاء، ومواقع الغُنَّة (حركتان) — تفخ…
مدّ واجب ٤ أو ٥ حركات — مدّ حركتان — إدغام، وما لا يُلفظ — قلق…

قُلْ جَآءَ ٱلْحَقُّ وَمَا يُبْدِئُ ٱلْبَٰطِلُ وَمَا يُعِيدُ ﴿٤٩﴾ قُلْ إِن ضَلَلْتُ
فَإِنَّمَآ أَضِلُّ عَلَىٰ نَفْسِى ۖ وَإِنِ ٱهْتَدَيْتُ فَبِمَا يُوحِىٓ إِلَىَّ رَبِّىٓ ۚ إِنَّهُۥ
سَمِيعٌ قَرِيبٌ ﴿٥٠﴾ وَلَوْ تَرَىٰٓ إِذْ فَزِعُوا۟ فَلَا فَوْتَ وَأُخِذُوا۟ مِن
مَّكَانٍ قَرِيبٍ ﴿٥١﴾ وَقَالُوٓا۟ ءَامَنَّا بِهِۦ وَأَنَّىٰ لَهُمُ ٱلتَّنَاوُشُ مِن
مَّكَانٍۭ بَعِيدٍ ﴿٥٢﴾ وَقَدْ كَفَرُوا۟ بِهِۦ مِن قَبْلُ ۖ وَيَقْذِفُونَ
بِٱلْغَيْبِ مِن مَّكَانٍۭ بَعِيدٍ ﴿٥٣﴾ وَحِيلَ بَيْنَهُمْ وَبَيْنَ مَا يَشْتَهُونَ
كَمَا فُعِلَ بِأَشْيَاعِهِم مِّن قَبْلُ ۚ إِنَّهُمْ كَانُوا۟ فِى شَكٍّ مُّرِيبٍۭ ﴿٥٤﴾

## سُورَةُ فَاطِرٍ

ترتيبها ٣٥ — آياتها ٤٥

بِسْمِ ٱللَّهِ ٱلرَّحْمَٰنِ ٱلرَّحِيمِ

ٱلْحَمْدُ لِلَّهِ فَاطِرِ ٱلسَّمَٰوَٰتِ وَٱلْأَرْضِ جَاعِلِ ٱلْمَلَٰٓئِكَةِ رُسُلًا أُو۟لِىٓ
أَجْنِحَةٍ مَّثْنَىٰ وَثُلَٰثَ وَرُبَٰعَ ۚ يَزِيدُ فِى ٱلْخَلْقِ مَا يَشَآءُ ۚ إِنَّ ٱللَّهَ عَلَىٰ كُلِّ
شَىْءٍ قَدِيرٌ ﴿١﴾ مَّا يَفْتَحِ ٱللَّهُ لِلنَّاسِ مِن رَّحْمَةٍ فَلَا مُمْسِكَ لَهَا ۖ
وَمَا يُمْسِكْ فَلَا مُرْسِلَ لَهُۥ مِنۢ بَعْدِهِۦ ۚ وَهُوَ ٱلْعَزِيزُ ٱلْحَكِيمُ ﴿٢﴾ يَٰٓأَيُّهَا
ٱلنَّاسُ ٱذْكُرُوا۟ نِعْمَتَ ٱللَّهِ عَلَيْكُمْ ۚ هَلْ مِنْ خَٰلِقٍ غَيْرُ ٱللَّهِ يَرْزُقُكُم
مِّنَ ٱلسَّمَآءِ وَٱلْأَرْضِ ۚ لَآ إِلَٰهَ إِلَّا هُوَ ۖ فَأَنَّىٰ تُؤْفَكُونَ ﴿٣﴾

فَزِعُوا: خافوا عند البعث
فَلَا فَوْتَ: فلا مَهْرَب من العذاب
ٱلتَّنَاوُشُ: تناوُل الإيمان والتَّوْبة
يَقْذِفُونَ بِٱلْغَيْبِ: يَرْجُمون بالظنون
بِأَشْيَاعِهِم: بأمثالِهِم من الكفار
مُّرِيبٍۭ: مُوقِع في الرِّيبَة والقَلَق
فَاطِرِ: مُبْدِع
مَّا يَفْتَحِ ٱللَّهُ: ما يُرْسِلِ الله
فَأَنَّىٰ تُؤْفَكُونَ: فكيف تُصْرَفُونَ عن تَوحِيده

| | | |
|---|---|---|
| مدّ ٦ حركات لزوماً ● مدّ ٢ أو ٤ أو ٦ جوازاً | إخفاء ، ومواقع الغُنَّة (حركتان) | تفخيم |
| مدّ واجب ٤ أو ٥ حركات ● مدّ حركتان | إدغام ، وما لا يُلفَظ | قلقلة |

وَإِن يُكَذِّبُوكَ فَقَدْ كُذِّبَتْ رُسُلٌ مِّن قَبْلِكَ ۚ وَإِلَى ٱللَّهِ تُرْجَعُ ٱلْأُمُورُ
﴿٤﴾ يَٰٓأَيُّهَا ٱلنَّاسُ إِنَّ وَعْدَ ٱللَّهِ حَقٌّ ۖ فَلَا تَغُرَّنَّكُمُ ٱلْحَيَوٰةُ ٱلدُّنْيَا ۖ
وَلَا يَغُرَّنَّكُم بِٱللَّهِ ٱلْغَرُورُ ﴿٥﴾ إِنَّ ٱلشَّيْطَٰنَ لَكُمْ عَدُوٌّ فَٱتَّخِذُوهُ
عَدُوًّا ۚ إِنَّمَا يَدْعُوا۟ حِزْبَهُۥ لِيَكُونُوا۟ مِنْ أَصْحَٰبِ ٱلسَّعِيرِ ﴿٦﴾ ٱلَّذِينَ
كَفَرُوا۟ لَهُمْ عَذَابٌ شَدِيدٌ ۖ وَٱلَّذِينَ ءَامَنُوا۟ وَعَمِلُوا۟ ٱلصَّٰلِحَٰتِ لَهُم
مَّغْفِرَةٌ وَأَجْرٌ كَبِيرٌ ﴿٧﴾ أَفَمَن زُيِّنَ لَهُۥ سُوٓءُ عَمَلِهِۦ فَرَءَاهُ حَسَنًا ۖ
فَإِنَّ ٱللَّهَ يُضِلُّ مَن يَشَآءُ وَيَهْدِى مَن يَشَآءُ ۖ فَلَا تَذْهَبْ نَفْسُكَ
عَلَيْهِمْ حَسَرَٰتٍ ۚ إِنَّ ٱللَّهَ عَلِيمٌۢ بِمَا يَصْنَعُونَ ﴿٨﴾ وَٱللَّهُ ٱلَّذِىٓ أَرْسَلَ
ٱلرِّيَٰحَ فَتُثِيرُ سَحَابًا فَسُقْنَٰهُ إِلَىٰ بَلَدٍ مَّيِّتٍ فَأَحْيَيْنَا بِهِ ٱلْأَرْضَ بَعْدَ
مَوْتِهَا ۚ كَذَٰلِكَ ٱلنُّشُورُ ﴿٩﴾ مَن كَانَ يُرِيدُ ٱلْعِزَّةَ فَلِلَّهِ ٱلْعِزَّةُ جَمِيعًا ۚ
إِلَيْهِ يَصْعَدُ ٱلْكَلِمُ ٱلطَّيِّبُ وَٱلْعَمَلُ ٱلصَّٰلِحُ يَرْفَعُهُۥ ۚ وَٱلَّذِينَ
يَمْكُرُونَ ٱلسَّيِّـَٔاتِ لَهُمْ عَذَابٌ شَدِيدٌ ۖ وَمَكْرُ أُو۟لَٰٓئِكَ هُوَ يَبُورُ
﴿١٠﴾ وَٱللَّهُ خَلَقَكُم مِّن تُرَابٍ ثُمَّ مِن نُّطْفَةٍ ثُمَّ جَعَلَكُمْ أَزْوَٰجًا ۚ
وَمَا تَحْمِلُ مِنْ أُنثَىٰ وَلَا تَضَعُ إِلَّا بِعِلْمِهِۦ ۚ وَمَا يُعَمَّرُ مِن مُّعَمَّرٍ
وَلَا يُنقَصُ مِنْ عُمُرِهِۦٓ إِلَّا فِى كِتَٰبٍ ۚ إِنَّ ذَٰلِكَ عَلَى ٱللَّهِ يَسِيرٌ ﴿١١﴾

- فَلَا تَغُرَّنَّكُمُ: فلا تخدعنّكم
- ٱلْغَرُورُ: ما يخدعُ من شيطانٍ وغيرِه
- فَلَا تَذْهَبْ نَفْسُكَ: فلا تَهلِك نفسُك
- حَسَرَٰتٍ: نداماتٍ شديدةً
- فَتُثِيرُ سَحَابًا: تحرّكُه وتهيّجُه
- ٱلنُّشُورُ: بعثُ الموتى من القبورِ
- ٱلْعِزَّةَ: الشرَف والمنَعة
- يَبُورُ: يَفسُدُ ويَبطُلُ
- مُّعَمَّرٍ: طويلِ العُمُرِ

| | | |
|---|---|---|
| مدّ ٦ حركات لزوماً ● مدّ ٢ أو ٤ أو ٦ جوازاً | إخفاء ، ومواقع الغُنَّة (حركتان) | تفخ… |
| مدّ واجب ٤ أو ٥ حركات ● مدّ حركتان | إدغام ، وما لا يُلفظ | قلقلة |

وَمَا يَسْتَوِى ٱلْبَحْرَانِ هَٰذَا عَذْبٌ فُرَاتٌ سَآئِغٌ شَرَابُهُۥ وَهَٰذَا
مِلْحٌ أُجَاجٌ ۖ وَمِن كُلٍّ تَأْكُلُونَ لَحْمًا طَرِيًّا وَتَسْتَخْرِجُونَ
حِلْيَةً تَلْبَسُونَهَا ۖ وَتَرَى ٱلْفُلْكَ فِيهِ مَوَاخِرَ لِتَبْتَغُوا۟ مِن فَضْلِهِۦ
وَلَعَلَّكُمْ تَشْكُرُونَ ﴿١٢﴾ يُولِجُ ٱلَّيْلَ فِى ٱلنَّهَارِ وَيُولِجُ
ٱلنَّهَارَ فِى ٱلَّيْلِ وَسَخَّرَ ٱلشَّمْسَ وَٱلْقَمَرَ كُلٌّ يَجْرِى
لِأَجَلٍ مُّسَمًّى ۚ ذَٰلِكُمُ ٱللَّهُ رَبُّكُمْ لَهُ ٱلْمُلْكُ ۚ وَٱلَّذِينَ
تَدْعُونَ مِن دُونِهِۦ مَا يَمْلِكُونَ مِن قِطْمِيرٍ ﴿١٣﴾ إِن
تَدْعُوهُمْ لَا يَسْمَعُوا۟ دُعَآءَكُمْ وَلَوْ سَمِعُوا۟ مَا ٱسْتَجَابُوا۟ لَكُمْ ۖ
وَيَوْمَ ٱلْقِيَٰمَةِ يَكْفُرُونَ بِشِرْكِكُمْ ۚ وَلَا يُنَبِّئُكَ مِثْلُ خَبِيرٍ ﴿١٤﴾
۞ يَٰٓأَيُّهَا ٱلنَّاسُ أَنتُمُ ٱلْفُقَرَآءُ إِلَى ٱللَّهِ ۖ وَٱللَّهُ هُوَ ٱلْغَنِىُّ
ٱلْحَمِيدُ ﴿١٥﴾ إِن يَشَأْ يُذْهِبْكُمْ وَيَأْتِ بِخَلْقٍ جَدِيدٍ ﴿١٦﴾
وَمَا ذَٰلِكَ عَلَى ٱللَّهِ بِعَزِيزٍ ﴿١٧﴾ وَلَا تَزِرُ وَازِرَةٌ وِزْرَ أُخْرَىٰ ۚ وَإِن
تَدْعُ مُثْقَلَةٌ إِلَىٰ حِمْلِهَا لَا يُحْمَلْ مِنْهُ شَىْءٌ وَلَوْ كَانَ ذَا قُرْبَىٰٓ ۗ
إِنَّمَا تُنذِرُ ٱلَّذِينَ يَخْشَوْنَ رَبَّهُم بِٱلْغَيْبِ وَأَقَامُوا۟ ٱلصَّلَوٰةَ ۚ
وَمَن تَزَكَّىٰ فَإِنَّمَا يَتَزَكَّىٰ لِنَفْسِهِۦ ۚ وَإِلَى ٱللَّهِ ٱلْمَصِيرُ ﴿١٨﴾

- فُرَاتٌ: شَدِيدُ العُذُوبَة
- سَآئِغٌ شَرَابُهُ: سَهْلٌ انْحِدَارُه
- أُجَاجٌ: شَدِيدُ المُلُوحَةِ والمَرَارَةِ
- مَوَاخِرَ: جَوَارِي بِرِيحٍ واحِدَةٍ
- يُولِجُ: يُدْخِلُ
- قِطْمِيرٍ: هو القِشْرَةُ الرَّقِيقَةُ عَلَى النَّوَاةِ

نصف الحزب ٤٤

- وَلَا تَزِرُ وَازِرَةٌ: لا تَحْمِلُ نَفْسٌ آثِمَةٌ
- مُثْقَلَةٌ: نفسٌ أثقَلَتها الذُّنُوبُ
- حِمْلِهَا: ذُنُوبِهَا الَّتِي أَثْقَلَتْهَا
- تَزَكَّىٰ: تَطَهَّرَ مِنَ الكُفْرِ والمَعَاصِي

| | | |
|---|---|---|
| مدّ ٦ حركات لزوماً ● مدّ ٢ أو ٤ أو ٦ جوازاً | ● إخفاء ، ومواقع الغُنَّة (حركتان) | ● تفخيم |
| مدّ واجب ٤ أو ٥ حركات ● مدّ حركتان | ● إدغام ، وما لا يُلفَظ | ● قلقلة |

وَمَا يَسْتَوِي ٱلْأَعْمَىٰ وَٱلْبَصِيرُ ﴿١٩﴾ وَلَا ٱلظُّلُمَٰتُ وَلَا ٱلنُّورُ
﴿٢٠﴾ وَلَا ٱلظِّلُّ وَلَا ٱلْحَرُورُ ﴿٢١﴾ وَمَا يَسْتَوِي ٱلْأَحْيَآءُ وَلَا ٱلْأَمْوَٰتُۚ
إِنَّ ٱللَّهَ يُسْمِعُ مَن يَشَآءُۖ وَمَآ أَنتَ بِمُسْمِعٍ مَّن فِي ٱلْقُبُورِ ﴿٢٢﴾ إِنْ
أَنتَ إِلَّا نَذِيرٌ ﴿٢٣﴾ إِنَّآ أَرْسَلْنَٰكَ بِٱلْحَقِّ بَشِيرًا وَنَذِيرًاۚ وَإِن مِّنْ
أُمَّةٍ إِلَّا خَلَا فِيهَا نَذِيرٌ ﴿٢٤﴾ وَإِن يُكَذِّبُوكَ فَقَدْ كَذَّبَ ٱلَّذِينَ
مِن قَبْلِهِمْ جَآءَتْهُمْ رُسُلُهُم بِٱلْبَيِّنَٰتِ وَبِٱلزُّبُرِ وَبِٱلْكِتَٰبِ
ٱلْمُنِيرِ ﴿٢٥﴾ ثُمَّ أَخَذْتُ ٱلَّذِينَ كَفَرُوا۟ۖ فَكَيْفَ كَانَ نَكِيرِ ﴿٢٦﴾
أَلَمْ تَرَ أَنَّ ٱللَّهَ أَنزَلَ مِنَ ٱلسَّمَآءِ مَآءً فَأَخْرَجْنَا بِهِۦ ثَمَرَٰتٍ مُّخْتَلِفًا
أَلْوَٰنُهَاۚ وَمِنَ ٱلْجِبَالِ جُدَدٌۢ بِيضٌ وَحُمْرٌ مُّخْتَلِفٌ أَلْوَٰنُهَا
وَغَرَابِيبُ سُودٌ ﴿٢٧﴾ وَمِنَ ٱلنَّاسِ وَٱلدَّوَآبِّ وَٱلْأَنْعَٰمِ
مُخْتَلِفٌ أَلْوَٰنُهُۥ كَذَٰلِكَۗ إِنَّمَا يَخْشَى ٱللَّهَ مِنْ عِبَادِهِ ٱلْعُلَمَٰٓؤُا۟ۗ
إِنَّ ٱللَّهَ عَزِيزٌ غَفُورٌ ﴿٢٨﴾ إِنَّ ٱلَّذِينَ يَتْلُونَ كِتَٰبَ ٱللَّهِ
وَأَقَامُوا۟ ٱلصَّلَوٰةَ وَأَنفَقُوا۟ مِمَّا رَزَقْنَٰهُمْ سِرًّا وَعَلَانِيَةً
يَرْجُونَ تِجَٰرَةً لَّن تَبُورَ ﴿٢٩﴾ لِيُوَفِّيَهُمْ أُجُورَهُمْ
وَيَزِيدَهُم مِّن فَضْلِهِۦٓۚ إِنَّهُۥ غَفُورٌ شَكُورٌ ﴿٣٠﴾

- ٱلْحَرُورُ: شِدَّةُ الحرِّ أو السَّمُومُ
- بِٱلزُّبُرِ: بِالْكُتُبِ المنزَّلَة
- كَانَ نَكِيرِ: إنْكَارِي عَلَيْهِمْ بالتَّدْمير
- جُدَدٌ: طَرَائِقُ مُخْتَلِفَة الألْوانِ
- غَرَابِيبُ: مُتَنَاهِيةٌ في السَّوَادِ كَالأغْرِبَة
- لَّن تَبُورَ: لَنْ تَكْسُدَ وَتَفْسُدَ

| | |
|---|---|
| مدّ ٦ حركات لزوماً — مدّ ٢ أو ٤ أو ٦ جوازاً | إخفاء ، ومواقع الغُنَّة (حركتان) — تفخ |
| مدّ واجب ٤ أو ٥ حركات — مدّ حركتان | إدغام ، وما لا يُلفَظ — قلقلة |

وَٱلَّذِيٓ أَوۡحَيۡنَآ إِلَيۡكَ مِنَ ٱلۡكِتَٰبِ هُوَ ٱلۡحَقُّ مُصَدِّقٗا لِّمَا بَيۡنَ
يَدَيۡهِۗ إِنَّ ٱللَّهَ بِعِبَادِهِۦ لَخَبِيرُۢ بَصِيرٞ ﴿٣١﴾ ثُمَّ أَوۡرَثۡنَا ٱلۡكِتَٰبَ
ٱلَّذِينَ ٱصۡطَفَيۡنَا مِنۡ عِبَادِنَاۖ فَمِنۡهُمۡ ظَالِمٞ لِّنَفۡسِهِۦ وَمِنۡهُم
مُّقۡتَصِدٞ وَمِنۡهُمۡ سَابِقُۢ بِٱلۡخَيۡرَٰتِ بِإِذۡنِ ٱللَّهِۚ ذَٰلِكَ هُوَ
ٱلۡفَضۡلُ ٱلۡكَبِيرُ ﴿٣٢﴾ جَنَّٰتُ عَدۡنٖ يَدۡخُلُونَهَا يُحَلَّوۡنَ
فِيهَا مِنۡ أَسَاوِرَ مِن ذَهَبٖ وَلُؤۡلُؤٗاۖ وَلِبَاسُهُمۡ فِيهَا حَرِيرٞ ﴿٣٣﴾
وَقَالُواْ ٱلۡحَمۡدُ لِلَّهِ ٱلَّذِيٓ أَذۡهَبَ عَنَّا ٱلۡحَزَنَۖ إِنَّ رَبَّنَا لَغَفُورٞ
شَكُورٌ ﴿٣٤﴾ ٱلَّذِيٓ أَحَلَّنَا دَارَ ٱلۡمُقَامَةِ مِن فَضۡلِهِۦ لَا يَمَسُّنَا
فِيهَا نَصَبٞ وَلَا يَمَسُّنَا فِيهَا لُغُوبٞ ﴿٣٥﴾ وَٱلَّذِينَ كَفَرُواْ لَهُمۡ
نَارُ جَهَنَّمَ لَا يُقۡضَىٰ عَلَيۡهِمۡ فَيَمُوتُواْ وَلَا يُخَفَّفُ عَنۡهُم مِّنۡ
عَذَابِهَاۚ كَذَٰلِكَ نَجۡزِي كُلَّ كَفُورٖ ﴿٣٦﴾ وَهُمۡ يَصۡطَرِخُونَ
فِيهَا رَبَّنَآ أَخۡرِجۡنَا نَعۡمَلۡ صَٰلِحًا غَيۡرَ ٱلَّذِي كُنَّا نَعۡمَلُۚ
أَوَلَمۡ نُعَمِّرۡكُم مَّا يَتَذَكَّرُ فِيهِ مَن تَذَكَّرَ وَجَآءَكُمُ ٱلنَّذِيرُۖ
فَذُوقُواْ فَمَا لِلظَّٰلِمِينَ مِن نَّصِيرٍ ﴿٣٧﴾ إِنَّ ٱللَّهَ عَٰلِمُ
غَيۡبِ ٱلسَّمَٰوَٰتِ وَٱلۡأَرۡضِۚ إِنَّهُۥ عَلِيمُۢ بِذَاتِ ٱلصُّدُورِ ﴿٣٨﴾

مِنۡهُم مُّقۡتَصِدٞ: مُعْتَدِلٌ في أَمْرِ الدِّينِ
ٱلۡحَزَنَ: كلُّ ما يُحْزِنُ ويَغُمُّ
دَارَ ٱلۡمُقَامَةِ: دارَ الإقامَةِ، وهِيَ الجنَّةُ
نَصَبٞ: تَعَبٌ ومَشَقَّةٌ
لُغُوبٞ: إعْيَاءٌ مِنَ التَّعَبِ
يَصۡطَرِخُونَ: يَسْتَغِيثُونَ ويَصِيحُونَ بِشِدَّةٍ

| | | |
|---|---|---|
| مدّ ٦ حركات لزوماً ● مدّ ٢ أو ٤ أو ٦ جوازاً | ● إخفاء، ومواقع الغُنَّة (حركتان) | ● تفخيم |
| مدّ واجب ٤ أو ٥ حركات ● مدّ حركتان | ● إدغام، وما لا يُلفَظ | ● قلقلة |

هُوَ ٱلَّذِى جَعَلَكُمْ خَلَٰٓئِفَ فِى ٱلْأَرْضِ ۚ فَمَن كَفَرَ فَعَلَيْهِ كُفْرُهُۥ ۖ وَلَا
يَزِيدُ ٱلْكَٰفِرِينَ كُفْرُهُمْ عِندَ رَبِّهِمْ إِلَّا مَقْتًا ۖ وَلَا يَزِيدُ ٱلْكَٰفِرِينَ
كُفْرُهُمْ إِلَّا خَسَارًا ﴿٣٩﴾ قُلْ أَرَءَيْتُمْ شُرَكَآءَكُمُ ٱلَّذِينَ تَدْعُونَ مِن
دُونِ ٱللَّهِ أَرُونِى مَاذَا خَلَقُوا۟ مِنَ ٱلْأَرْضِ أَمْ لَهُمْ شِرْكٌ فِى ٱلسَّمَٰوَٰتِ
أَمْ ءَاتَيْنَٰهُمْ كِتَٰبًا فَهُمْ عَلَىٰ بَيِّنَتٍ مِّنْهُ ۚ بَلْ إِن يَعِدُ ٱلظَّٰلِمُونَ
بَعْضُهُم بَعْضًا إِلَّا غُرُورًا ﴿٤٠﴾ ۞ إِنَّ ٱللَّهَ يُمْسِكُ ٱلسَّمَٰوَٰتِ
وَٱلْأَرْضَ أَن تَزُولَا ۚ وَلَئِن زَالَتَآ إِنْ أَمْسَكَهُمَا مِنْ أَحَدٍ مِّنۢ بَعْدِهِۦٓ ۚ
إِنَّهُۥ كَانَ حَلِيمًا غَفُورًا ﴿٤١﴾ وَأَقْسَمُوا۟ بِٱللَّهِ جَهْدَ أَيْمَٰنِهِمْ لَئِن
جَآءَهُمْ نَذِيرٌ لَّيَكُونُنَّ أَهْدَىٰ مِنْ إِحْدَى ٱلْأُمَمِ ۖ فَلَمَّا جَآءَهُمْ نَذِيرٌ
مَّا زَادَهُمْ إِلَّا نُفُورًا ﴿٤٢﴾ ٱسْتِكْبَارًا فِى ٱلْأَرْضِ وَمَكْرَ ٱلسَّيِّئِ ۚ
وَلَا يَحِيقُ ٱلْمَكْرُ ٱلسَّيِّئُ إِلَّا بِأَهْلِهِۦ ۚ فَهَلْ يَنظُرُونَ إِلَّا سُنَّتَ
ٱلْأَوَّلِينَ ۚ فَلَن تَجِدَ لِسُنَّتِ ٱللَّهِ تَبْدِيلًا ۖ وَلَن تَجِدَ لِسُنَّتِ ٱللَّهِ تَحْوِيلًا
﴿٤٣﴾ أَوَلَمْ يَسِيرُوا۟ فِى ٱلْأَرْضِ فَيَنظُرُوا۟ كَيْفَ كَانَ عَٰقِبَةُ ٱلَّذِينَ مِن
قَبْلِهِمْ وَكَانُوٓا۟ أَشَدَّ مِنْهُمْ قُوَّةً ۚ وَمَا كَانَ ٱللَّهُ لِيُعْجِزَهُۥ مِن شَىْءٍ
فِى ٱلسَّمَٰوَٰتِ وَلَا فِى ٱلْأَرْضِ ۚ إِنَّهُۥ كَانَ عَلِيمًا قَدِيرًا ﴿٤٤﴾

- خَلَٰٓئِفَ: مُسْتَخْلَفِين
- مَقْتًا: أَشَدَّ البُغْضِ والغَضَبِ والاحتقارِ
- خَسَارًا: هَلاكاً وخُسْرَاناً
- أَرَءَيْتُمْ: أَخْبِرُوني
- لَهُمْ شِرْكٌ: شِرْكَةٌ مَعَ اللهِ

ثلاثة أرباع الحزب ٤٤

- غُرُورًا: بَاطِلاً أو خِدَاعاً
- جَهْدَ أَيْمَٰنِهِمْ: أَغْلَظَهَا وأَوْكَدَهَا
- نُفُورًا: تَبَاعُداً عَنِ الْحَقِّ
- لَا يَحِيقُ: لا يُحِيطُ أو لا يَنْزِلُ
- يَنظُرُونَ: يَنْتَظِرُونَ

مدّ ٦ حركات لزوماً | مدّ ٢ أو ٤ أو ٦ جوازاً | إخفاء، ومواقع الغُنَّة (حركتان)
مدّ واجب ٤ أو ٥ حركات | مدّ حركتان | إدغام، وما لا يُلفظ

وَلَوْ يُؤَاخِذُ ٱللَّهُ ٱلنَّاسَ بِمَا كَسَبُوا۟ مَا تَرَكَ عَلَىٰ
ظَهْرِهَا مِن دَآبَّةٍ وَلَٰكِن يُؤَخِّرُهُمْ إِلَىٰٓ أَجَلٍ مُّسَمًّى ۖ
فَإِذَا جَآءَ أَجَلُهُمْ فَإِنَّ ٱللَّهَ كَانَ بِعِبَادِهِۦ بَصِيرًۢا ﴿٤٥﴾

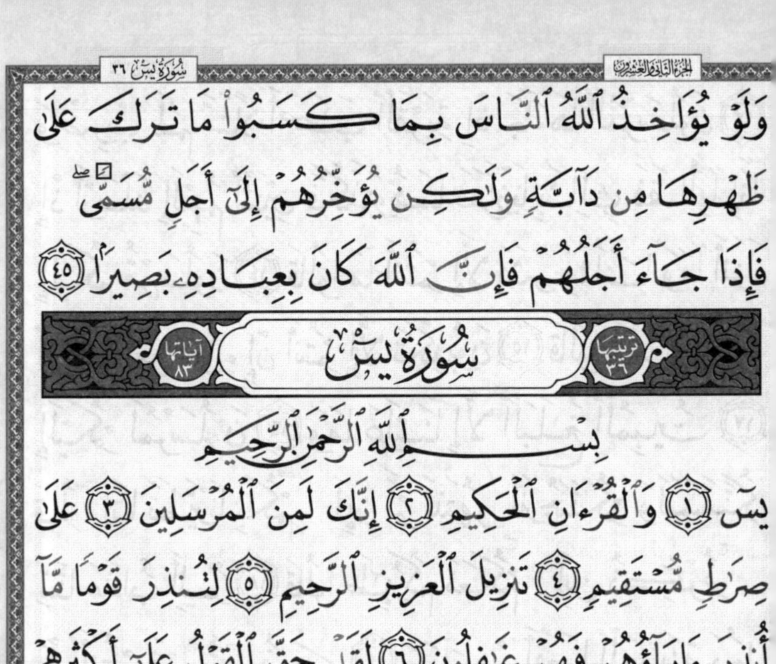

## سُورَةُ يسٓ

ترتيبها ٣٦ — آياتها ٨٣

بِسْمِ ٱللَّهِ ٱلرَّحْمَٰنِ ٱلرَّحِيمِ

يسٓ ﴿١﴾ وَٱلْقُرْءَانِ ٱلْحَكِيمِ ﴿٢﴾ إِنَّكَ لَمِنَ ٱلْمُرْسَلِينَ ﴿٣﴾ عَلَىٰ
صِرَٰطٍ مُّسْتَقِيمٍ ﴿٤﴾ تَنزِيلَ ٱلْعَزِيزِ ٱلرَّحِيمِ ﴿٥﴾ لِتُنذِرَ قَوْمًا مَّآ
أُنذِرَ ءَابَآؤُهُمْ فَهُمْ غَٰفِلُونَ ﴿٦﴾ لَقَدْ حَقَّ ٱلْقَوْلُ عَلَىٰٓ أَكْثَرِهِمْ
فَهُمْ لَا يُؤْمِنُونَ ﴿٧﴾ إِنَّا جَعَلْنَا فِىٓ أَعْنَٰقِهِمْ أَغْلَٰلًا فَهِىَ إِلَى
ٱلْأَذْقَانِ فَهُم مُّقْمَحُونَ ﴿٨﴾ وَجَعَلْنَا مِنۢ بَيْنِ أَيْدِيهِمْ سَدًّا
وَمِنْ خَلْفِهِمْ سَدًّا فَأَغْشَيْنَٰهُمْ فَهُمْ لَا يُبْصِرُونَ ﴿٩﴾ وَسَوَآءٌ
عَلَيْهِمْ ءَأَنذَرْتَهُمْ أَمْ لَمْ تُنذِرْهُمْ لَا يُؤْمِنُونَ ﴿١٠﴾ إِنَّمَا تُنذِرُ
مَنِ ٱتَّبَعَ ٱلذِّكْرَ وَخَشِىَ ٱلرَّحْمَٰنَ بِٱلْغَيْبِ ۖ فَبَشِّرْهُ بِمَغْفِرَةٍ
وَأَجْرٍ كَرِيمٍ ﴿١١﴾ إِنَّا نَحْنُ نُحْىِ ٱلْمَوْتَىٰ وَنَكْتُبُ
مَا قَدَّمُوا۟ وَءَاثَٰرَهُمْ ۚ وَكُلَّ شَىْءٍ أَحْصَيْنَٰهُ فِىٓ إِمَامٍ مُّبِينٍ ﴿١٢﴾

- حَقَّ ٱلْقَوْلُ: ثَبَتَ ووجَبَ
- أَغْلَٰلًا: قُيوداً عَظِيمَةً
- مُّقْمَحُونَ: رَافِعُو الرُّؤُوسِ غَاضُّو الأَبْصَارِ
- سَدًّا: حَاجِزاً وَمَانِعاً
- فَأَغْشَيْنَٰهُمْ: فَأَلْبَسْنَا أَبْصَارَهُمْ غِشَاوَةً
- ءَاثَٰرَهُمْ: ما سَنُّوهُ مِنْ حَسَنٍ أَوْ سَيِّئٍ
- أَحْصَيْنَٰهُ: أَثْبَتْنَاهُ وَحَفِظْنَاهُ
- إِمَامٍ مُّبِينٍ: أصلٍ عظيمٍ (اللَّوْحِ المحفوظِ)

| | | |
|---|---|---|
| مدّ ٦ حركات لزوماً ● مدّ ٢ أو ٤ أو ٦ جوازاً | ● إخفاء، ومواقع الغُنَّة (حركتان) | ● تفخيم |
| مدّ واجب ٤ أو ٥ حركات ● مدّ حركتان | ● إدغام، وما لا يُلفَظ | ● قلقلة |

وَٱضْرِبْ لَهُم مَّثَلًا أَصْحَٰبَ ٱلْقَرْيَةِ إِذْ جَآءَهَا ٱلْمُرْسَلُونَ ﴿١٣﴾
إِذْ أَرْسَلْنَآ إِلَيْهِمُ ٱثْنَيْنِ فَكَذَّبُوهُمَا فَعَزَّزْنَا بِثَالِثٍ فَقَالُوٓا۟ إِنَّآ
إِلَيْكُم مُّرْسَلُونَ ﴿١٤﴾ قَالُوا۟ مَآ أَنتُمْ إِلَّا بَشَرٌ مِّثْلُنَا وَمَآ أَنزَلَ
ٱلرَّحْمَٰنُ مِن شَىْءٍ إِنْ أَنتُمْ إِلَّا تَكْذِبُونَ ﴿١٥﴾ قَالُوا۟ رَبُّنَا يَعْلَمُ إِنَّآ
إِلَيْكُمْ لَمُرْسَلُونَ ﴿١٦﴾ وَمَا عَلَيْنَآ إِلَّا ٱلْبَلَٰغُ ٱلْمُبِينُ ﴿١٧﴾
قَالُوٓا۟ إِنَّا تَطَيَّرْنَا بِكُمْ ۖ لَئِن لَّمْ تَنتَهُوا۟ لَنَرْجُمَنَّكُمْ وَلَيَمَسَّنَّكُم
مِّنَّا عَذَابٌ أَلِيمٌ ﴿١٨﴾ قَالُوا۟ طَٰٓئِرُكُم مَّعَكُمْ ۚ أَئِن ذُكِّرْتُم ۚ
بَلْ أَنتُمْ قَوْمٌ مُّسْرِفُونَ ﴿١٩﴾ وَجَآءَ مِنْ أَقْصَا ٱلْمَدِينَةِ رَجُلٌ
يَسْعَىٰ قَالَ يَٰقَوْمِ ٱتَّبِعُوا۟ ٱلْمُرْسَلِينَ ﴿٢٠﴾ ٱتَّبِعُوا۟ مَن
لَّا يَسْـَٔلُكُمْ أَجْرًا وَهُم مُّهْتَدُونَ ﴿٢١﴾ وَمَا لِىَ لَآ أَعْبُدُ ٱلَّذِى
فَطَرَنِى وَإِلَيْهِ تُرْجَعُونَ ﴿٢٢﴾ ءَأَتَّخِذُ مِن دُونِهِۦٓ ءَالِهَةً إِن
يُرِدْنِ ٱلرَّحْمَٰنُ بِضُرٍّ لَّا تُغْنِ عَنِّى شَفَٰعَتُهُمْ شَيْـًٔا وَلَا
يُنقِذُونِ ﴿٢٣﴾ إِنِّىٓ إِذًا لَّفِى ضَلَٰلٍ مُّبِينٍ ﴿٢٤﴾ إِنِّىٓ ءَامَنتُ
بِرَبِّكُمْ فَٱسْمَعُونِ ﴿٢٥﴾ قِيلَ ٱدْخُلِ ٱلْجَنَّةَ ۖ قَالَ يَٰلَيْتَ قَوْمِى
يَعْلَمُونَ ﴿٢٦﴾ بِمَا غَفَرَ لِى رَبِّى وَجَعَلَنِى مِنَ ٱلْمُكْرَمِينَ ﴿٢٧﴾

▪ فَعَزَّزْنَا بِثَالِثٍ: قَوَّيْنَاهُمَا وَشَدَدْنَاهُمَا بِهِ
▪ تَطَيَّرْنَا بِكُمْ: تَشَاءَمْنَا بِكُم
▪ طَٰٓئِرُكُم مَّعَكُمْ: شُؤمُكُمْ مُصَاحِبٌ لَكُمْ
▪ يَسْعَىٰ: يُسْرِعُ فِي مَشْيِهِ
▪ فَطَرَنِى: أَبْدَعَنِي
▪ لَّا تُغْنِ عَنِّى: لا تَدْفَعُ عَنِّي

مدّ ٦ حركات لزوماً ● مدّ ٢ أو ٤ أو ٦ جوازاً ● إخفاء، ومواقع الغُنَّة (حركتان) ● تفـ
مدّ واجب ٤ أو ٥ حركات ● مدّ حركتان ● إدغام، وما لا يُلفَظ ● قلقـ

وَمَآ أَنزَلْنَا عَلَىٰ قَوْمِهِۦ مِنۢ بَعْدِهِۦ مِن جُندٍ مِّنَ ٱلسَّمَآءِ وَمَا
كُنَّا مُنزِلِينَ ﴿٢٨﴾ إِن كَانَتْ إِلَّا صَيْحَةً وَٰحِدَةً فَإِذَا هُمْ خَٰمِدُونَ
﴿٢٩﴾ يَٰحَسْرَةً عَلَى ٱلْعِبَادِ ۚ مَا يَأْتِيهِم مِّن رَّسُولٍ إِلَّا كَانُوا۟ بِهِۦ
يَسْتَهْزِءُونَ ﴿٣٠﴾ أَلَمْ يَرَوْا۟ كَمْ أَهْلَكْنَا قَبْلَهُم مِّنَ ٱلْقُرُونِ
أَنَّهُمْ إِلَيْهِمْ لَا يَرْجِعُونَ ﴿٣١﴾ وَإِن كُلٌّ لَّمَّا جَمِيعٌ لَّدَيْنَا مُحْضَرُونَ
﴿٣٢﴾ وَءَايَةٌ لَّهُمُ ٱلْأَرْضُ ٱلْمَيْتَةُ أَحْيَيْنَٰهَا وَأَخْرَجْنَا مِنْهَا حَبًّا
فَمِنْهُ يَأْكُلُونَ ﴿٣٣﴾ وَجَعَلْنَا فِيهَا جَنَّٰتٍ مِّن نَّخِيلٍ
وَأَعْنَٰبٍ وَفَجَّرْنَا فِيهَا مِنَ ٱلْعُيُونِ ﴿٣٤﴾ لِيَأْكُلُوا۟ مِن ثَمَرِهِۦ
وَمَا عَمِلَتْهُ أَيْدِيهِمْ ۖ أَفَلَا يَشْكُرُونَ ﴿٣٥﴾ سُبْحَٰنَ ٱلَّذِى
خَلَقَ ٱلْأَزْوَٰجَ كُلَّهَا مِمَّا تُنۢبِتُ ٱلْأَرْضُ وَمِنْ أَنفُسِهِمْ
وَمِمَّا لَا يَعْلَمُونَ ﴿٣٦﴾ وَءَايَةٌ لَّهُمُ ٱلَّيْلُ نَسْلَخُ مِنْهُ ٱلنَّهَارَ
فَإِذَا هُم مُّظْلِمُونَ ﴿٣٧﴾ وَٱلشَّمْسُ تَجْرِى لِمُسْتَقَرٍّ لَّهَا ۚ
ذَٰلِكَ تَقْدِيرُ ٱلْعَزِيزِ ٱلْعَلِيمِ ﴿٣٨﴾ وَٱلْقَمَرَ قَدَّرْنَٰهُ مَنَازِلَ حَتَّىٰ
عَادَ كَٱلْعُرْجُونِ ٱلْقَدِيمِ ﴿٣٩﴾ لَا ٱلشَّمْسُ يَنۢبَغِى لَهَآ أَن تُدْرِكَ
ٱلْقَمَرَ وَلَا ٱلَّيْلُ سَابِقُ ٱلنَّهَارِ ۚ وَكُلٌّ فِى فَلَكٍ يَسْبَحُونَ ﴿٤٠﴾

- صَيْحَةً وَٰحِدَةً: صَوْتاً مُهْلِكاً من السَّماءِ
- خَٰمِدُونَ: مَيِّتُونَ كما تَخْمُدُ النارُ
- يَٰحَسْرَةً: يا وَيْلاً أو يا تَنَدُّماً
- كَمْ أَهْلَكْنَا: كثيراً أَهْلَكْنَا
- ٱلْقُرُونِ: الأُمَم
- مُحْضَرُونَ: نُحْضِرُهُمْ للحِسابِ والجزاءِ
- فَجَّرْنَا فِيهَا: شَقَقْنا في الأرضِ
- خَلَقَ ٱلْأَزْوَٰجَ: الأصْنافَ والأنْواعَ
- نَسْلَخُ: نَنْزِعُ
- كَٱلْعُرْجُونِ ٱلْقَدِيمِ: كَعُودِ عِذْقِ النَّخْلَةِ العَتِيقِ
- يَسْبَحُونَ: يَسِيرُونَ

| | | |
|---|---|---|
| مدّ ٦ حركات لزوماً ● مدّ ٢ أو ٤ أو ٦ جوازاً | ● إخفاء ، ومواقع الغُنَّة (حركتان) | ● تفخيم |
| مدّ واجب ٤ أو ٥ حركات ● مدّ حركتان | ● إدغام ، وما لا يُلفظ | ● قلقلة |

وَءَايَةٌ لَّهُمْ أَنَّا حَمَلْنَا ذُرِّيَّتَهُمْ فِى ٱلْفُلْكِ ٱلْمَشْحُونِ ﴿٤١﴾ وَخَلَقْنَا
لَهُم مِّن مِّثْلِهِۦ مَا يَرْكَبُونَ ﴿٤٢﴾ وَإِن نَّشَأْ نُغْرِقْهُمْ فَلَا صَرِيخَ لَهُمْ
وَلَا هُمْ يُنقَذُونَ ﴿٤٣﴾ إِلَّا رَحْمَةً مِّنَّا وَمَتَٰعًا إِلَىٰ حِينٍ ﴿٤٤﴾ وَإِذَا
قِيلَ لَهُمُ ٱتَّقُوا۟ مَا بَيْنَ أَيْدِيكُمْ وَمَا خَلْفَكُمْ لَعَلَّكُمْ تُرْحَمُونَ ﴿٤٥﴾
وَمَا تَأْتِيهِم مِّنْ ءَايَةٍ مِّنْ ءَايَٰتِ رَبِّهِمْ إِلَّا كَانُوا۟ عَنْهَا مُعْرِضِينَ
﴿٤٦﴾ وَإِذَا قِيلَ لَهُمْ أَنفِقُوا۟ مِمَّا رَزَقَكُمُ ٱللَّهُ قَالَ ٱلَّذِينَ كَفَرُوا۟
لِلَّذِينَ ءَامَنُوٓا۟ أَنُطْعِمُ مَن لَّوْ يَشَآءُ ٱللَّهُ أَطْعَمَهُۥٓ إِنْ أَنتُمْ إِلَّا فِى
ضَلَٰلٍ مُّبِينٍ ﴿٤٧﴾ وَيَقُولُونَ مَتَىٰ هَٰذَا ٱلْوَعْدُ إِن كُنتُمْ صَٰدِقِينَ
﴿٤٨﴾ مَا يَنظُرُونَ إِلَّا صَيْحَةً وَٰحِدَةً تَأْخُذُهُمْ وَهُمْ يَخِصِّمُونَ
﴿٤٩﴾ فَلَا يَسْتَطِيعُونَ تَوْصِيَةً وَلَآ إِلَىٰٓ أَهْلِهِمْ يَرْجِعُونَ ﴿٥٠﴾
وَنُفِخَ فِى ٱلصُّورِ فَإِذَا هُم مِّنَ ٱلْأَجْدَاثِ إِلَىٰ رَبِّهِمْ يَنسِلُونَ
﴿٥١﴾ قَالُوا۟ يَٰوَيْلَنَا مَنۢ بَعَثَنَا مِن مَّرْقَدِنَا ۜ ۗ هَٰذَا مَا وَعَدَ ٱلرَّحْمَٰنُ
وَصَدَقَ ٱلْمُرْسَلُونَ ﴿٥٢﴾ إِن كَانَتْ إِلَّا صَيْحَةً
وَٰحِدَةً فَإِذَا هُمْ جَمِيعٌ لَّدَيْنَا مُحْضَرُونَ ﴿٥٣﴾ فَٱلْيَوْمَ لَا تُظْلَمُ
نَفْسٌ شَيْـًٔا وَلَا تُجْزَوْنَ إِلَّا مَا كُنتُمْ تَعْمَلُونَ ﴿٥٤﴾

ٱلْمَشْحُونِ: المَمْلُوءِ
فَلَا صَرِيخَ لَهُمْ: فَلَا مُغِيثَ لَهُمْ من الغَرَقِ
يَخِصِّمُونَ: يَخْتَصِمُونَ غَافِلِينَ
ٱلْأَجْدَاثِ: القُبُورِ
يَنسِلُونَ: يُسْرِعُونَ فِي الخُرُوجِ
مُحْضَرُونَ: نُحْضِرُهُمْ لِلْحِسَابِ والجَزَاءِ

سَكْتَة لَطِيفَة عَلَى الأَلِف

مدّ ٦ حركات لزوماً · مدّ ٢ أو ٤ أو ٦ جوازاً · إخفاء، ومواقع الغُنَّة (حركتان) · تفـ
مدّ واجب ٤ أو ٥ حركات · مدّ حركتان · إدغام، وما لا يُلفظ · قلقـ

إِنَّ أَصْحَٰبَ ٱلْجَنَّةِ ٱلْيَوْمَ فِى شُغُلٍ فَٰكِهُونَ ﴿٥٥﴾ هُمْ وَأَزْوَٰجُهُمْ
فِى ظِلَٰلٍ عَلَى ٱلْأَرَآئِكِ مُتَّكِـُٔونَ ﴿٥٦﴾ لَهُمْ فِيهَا فَٰكِهَةٌ وَلَهُم
مَّا يَدَّعُونَ ﴿٥٧﴾ سَلَٰمٌ قَوْلًا مِّن رَّبٍّ رَّحِيمٍ ﴿٥٨﴾ وَٱمْتَٰزُوا۟ ٱلْيَوْمَ
أَيُّهَا ٱلْمُجْرِمُونَ ﴿٥٩﴾ ۞ أَلَمْ أَعْهَدْ إِلَيْكُمْ يَٰبَنِىٓ ءَادَمَ أَن لَّا
تَعْبُدُوا۟ ٱلشَّيْطَٰنَ ۖ إِنَّهُۥ لَكُمْ عَدُوٌّ مُّبِينٌ ﴿٦٠﴾ وَأَنِ ٱعْبُدُونِى ۚ
هَٰذَا صِرَٰطٌ مُّسْتَقِيمٌ ﴿٦١﴾ وَلَقَدْ أَضَلَّ مِنكُمْ جِبِلًّا كَثِيرًا ۖ
أَفَلَمْ تَكُونُوا۟ تَعْقِلُونَ ﴿٦٢﴾ هَٰذِهِۦ جَهَنَّمُ ٱلَّتِى كُنتُمْ تُوعَدُونَ
﴿٦٣﴾ ٱصْلَوْهَا ٱلْيَوْمَ بِمَا كُنتُمْ تَكْفُرُونَ ﴿٦٤﴾ ٱلْيَوْمَ نَخْتِمُ
عَلَىٰٓ أَفْوَٰهِهِمْ وَتُكَلِّمُنَآ أَيْدِيهِمْ وَتَشْهَدُ أَرْجُلُهُم بِمَا كَانُوا۟
يَكْسِبُونَ ﴿٦٥﴾ وَلَوْ نَشَآءُ لَطَمَسْنَا عَلَىٰٓ أَعْيُنِهِمْ فَٱسْتَبَقُوا۟
ٱلصِّرَٰطَ فَأَنَّىٰ يُبْصِرُونَ ﴿٦٦﴾ وَلَوْ نَشَآءُ لَمَسَخْنَٰهُمْ
عَلَىٰ مَكَانَتِهِمْ فَمَا ٱسْتَطَٰعُوا۟ مُضِيًّا وَلَا يَرْجِعُونَ
﴿٦٧﴾ وَمَن نُّعَمِّرْهُ نُنَكِّسْهُ فِى ٱلْخَلْقِ ۖ أَفَلَا يَعْقِلُونَ ﴿٦٨﴾
وَمَا عَلَّمْنَٰهُ ٱلشِّعْرَ وَمَا يَنۢبَغِى لَهُۥٓ ۚ إِنْ هُوَ إِلَّا ذِكْرٌ وَقُرْءَانٌ مُّبِينٌ
﴿٦٩﴾ لِّيُنذِرَ مَن كَانَ حَيًّا وَيَحِقَّ ٱلْقَوْلُ عَلَى ٱلْكَٰفِرِينَ ﴿٧٠﴾

- شُغُلٍ: نَعِيمٍ يُلْهِيهِمْ عمّا سِواهُ
- فَٰكِهُونَ: مُتلذِّذون . أو فَرِحُونَ
- ٱلْأَرَآئِكِ: السُّرُرِ المُزيَّنَةِ الفاخِرةِ
- مَّا يَدَّعُونَ: ما يطلُبُونَه . أو يتمنَّونَهُ
- ٱمْتَٰزُوا۟: تميَّزُوا وانفرِدُوا عنِ المؤمِنينَ
- أَعْهَدْ إِلَيْكُمْ: أُوصِكم. أوْ أُكلِّفْكُمْ
- جِبِلًّا: خَلْقًا
- ٱصْلَوْهَا: ادْخُلوهَا . أو قاسُوا حَرَّهَا
- فَٱسْتَبَقُوا۟ ٱلصِّرَٰطَ: ابْتَدَرُوهُ
- عَلَىٰ مَكَانَتِهِمْ: في أَمْكِنَتِهِمْ
- نُّعَمِّرْهُ: نُطِلْ عُمُرَه
- نُنَكِّسْهُ فِى ٱلْخَلْقِ: نَرُدَّهُ إلى أرْذَلِ العُمُرِ

ربع الحزب ٤٥

أَوَلَمْ يَرَوْا۟ أَنَّا خَلَقْنَا لَهُم مِّمَّا عَمِلَتْ أَيْدِينَآ أَنْعَٰمًا فَهُمْ لَهَا
مَٰلِكُونَ ﴿٧١﴾ وَذَلَّلْنَٰهَا لَهُمْ فَمِنْهَا رَكُوبُهُمْ وَمِنْهَا يَأْكُلُونَ ﴿٧٢﴾
وَلَهُمْ فِيهَا مَنَٰفِعُ وَمَشَارِبُ ۖ أَفَلَا يَشْكُرُونَ ﴿٧٣﴾ وَٱتَّخَذُوا۟
مِن دُونِ ٱللَّهِ ءَالِهَةً لَّعَلَّهُمْ يُنصَرُونَ ﴿٧٤﴾ لَا يَسْتَطِيعُونَ
نَصْرَهُمْ وَهُمْ لَهُمْ جُندٌ مُّحْضَرُونَ ﴿٧٥﴾ فَلَا يَحْزُنكَ قَوْلُهُمْ ۘ
إِنَّا نَعْلَمُ مَا يُسِرُّونَ وَمَا يُعْلِنُونَ ﴿٧٦﴾ أَوَلَمْ يَرَ ٱلْإِنسَٰنُ أَنَّا
خَلَقْنَٰهُ مِن نُّطْفَةٍ فَإِذَا هُوَ خَصِيمٌ مُّبِينٌ ﴿٧٧﴾ وَضَرَبَ لَنَا
مَثَلًا وَنَسِىَ خَلْقَهُۥ ۖ قَالَ مَن يُحْىِ ٱلْعِظَٰمَ وَهِىَ رَمِيمٌ ﴿٧٨﴾
قُلْ يُحْيِيهَا ٱلَّذِىٓ أَنشَأَهَآ أَوَّلَ مَرَّةٍ ۖ وَهُوَ بِكُلِّ خَلْقٍ عَلِيمٌ
﴿٧٩﴾ ٱلَّذِى جَعَلَ لَكُم مِّنَ ٱلشَّجَرِ ٱلْأَخْضَرِ نَارًا فَإِذَآ أَنتُم
مِّنْهُ تُوقِدُونَ ﴿٨٠﴾ أَوَلَيْسَ ٱلَّذِى خَلَقَ ٱلسَّمَٰوَٰتِ وَٱلْأَرْضَ
بِقَٰدِرٍ عَلَىٰٓ أَن يَخْلُقَ مِثْلَهُم ۚ بَلَىٰ وَهُوَ ٱلْخَلَّٰقُ ٱلْعَلِيمُ ﴿٨١﴾
إِنَّمَآ أَمْرُهُۥٓ إِذَآ أَرَادَ شَيْـًٔا أَن يَقُولَ لَهُۥ كُن فَيَكُونُ ﴿٨٢﴾
فَسُبْحَٰنَ ٱلَّذِى بِيَدِهِۦ مَلَكُوتُ كُلِّ شَىْءٍ وَإِلَيْهِ تُرْجَعُونَ ﴿٨٣﴾

## سُورَةُ الصَّافَّاتِ

ترتيبها ٣٧ — آياتها ١٨٢

- ذَلَّلْنَٰهَا: صيّرناها سهلة منقادة
- جُندٌ: أعوانٌ وشيعةٌ
- مُّحْضَرُونَ: نُحضِرُهُم معهم في النار
- هُوَ خَصِيمٌ: مُبالغٌ في الخصومة بالباطل
- هِىَ رَمِيمٌ: باليةٌ أشدّ البِلى
- مَلَكُوتُ: هو المُلكُ التامّ

مدّ ٦ حركات لزوماً ● مدّ ٢ أو ٤ أو ٦ جوازاً ● إخفاء، ومواقع الغُنّة (حركتان) ● تفخ[يم]
مدّ واجب ٤ أو ٥ حركات ● مدّ حركتان ● إدغام، وما لا يُلفظ ● قلقل[ة]

بِسۡمِ ٱللَّهِ ٱلرَّحۡمَٰنِ ٱلرَّحِيمِ

وَٱلصَّٰٓفَّٰتِ صَفّٗا ﴿١﴾ فَٱلزَّٰجِرَٰتِ زَجۡرٗا ﴿٢﴾ فَٱلتَّٰلِيَٰتِ ذِكۡرًا ﴿٣﴾
إِنَّ إِلَٰهَكُمۡ لَوَٰحِدٞ ﴿٤﴾ رَّبُّ ٱلسَّمَٰوَٰتِ وَٱلۡأَرۡضِ وَمَا بَيۡنَهُمَا وَرَبُّ
ٱلۡمَشَٰرِقِ ﴿٥﴾ إِنَّا زَيَّنَّا ٱلسَّمَآءَ ٱلدُّنۡيَا بِزِينَةٍ ٱلۡكَوَاكِبِ ﴿٦﴾ وَحِفۡظٗا
مِّن كُلِّ شَيۡطَٰنٖ مَّارِدٖ ﴿٧﴾ لَّا يَسَّمَّعُونَ إِلَى ٱلۡمَلَإِ ٱلۡأَعۡلَىٰ وَيُقۡذَفُونَ
مِن كُلِّ جَانِبٖ ﴿٨﴾ دُحُورٗاۖ وَلَهُمۡ عَذَابٞ وَاصِبٌ ﴿٩﴾ إِلَّا مَنۡ خَطِفَ
ٱلۡخَطۡفَةَ فَأَتۡبَعَهُۥ شِهَابٞ ثَاقِبٞ ﴿١٠﴾ فَٱسۡتَفۡتِهِمۡ أَهُمۡ أَشَدُّ خَلۡقًا
أَم مَّنۡ خَلَقۡنَآۚ إِنَّا خَلَقۡنَٰهُم مِّن طِينٖ لَّازِبِۭ ﴿١١﴾ بَلۡ عَجِبۡتَ
وَيَسۡخَرُونَ ﴿١٢﴾ وَإِذَا ذُكِّرُواْ لَا يَذۡكُرُونَ ﴿١٣﴾ وَإِذَا رَأَوۡاْ ءَايَةٗ يَسۡتَسۡخِرُونَ
﴿١٤﴾ وَقَالُوٓاْ إِنۡ هَٰذَآ إِلَّا سِحۡرٞ مُّبِينٌ ﴿١٥﴾ أَءِذَا مِتۡنَا وَكُنَّا تُرَابٗا وَعِظَٰمًا
أَءِنَّا لَمَبۡعُوثُونَ ﴿١٦﴾ أَوَءَابَآؤُنَا ٱلۡأَوَّلُونَ ﴿١٧﴾ قُلۡ نَعَمۡ وَأَنتُمۡ دَٰخِرُونَ
﴿١٨﴾ فَإِنَّمَا هِيَ زَجۡرَةٞ وَٰحِدَةٞ فَإِذَا هُمۡ يَنظُرُونَ ﴿١٩﴾ وَقَالُواْ يَٰوَيۡلَنَا هَٰذَا
يَوۡمُ ٱلدِّينِ ﴿٢٠﴾ هَٰذَا يَوۡمُ ٱلۡفَصۡلِ ٱلَّذِي كُنتُم بِهِۦ تُكَذِّبُونَ ﴿٢١﴾
۞ ٱحۡشُرُواْ ٱلَّذِينَ ظَلَمُواْ وَأَزۡوَٰجَهُمۡ وَمَا كَانُواْ يَعۡبُدُونَ ﴿٢٢﴾ مِن دُونِ
ٱللَّهِ فَٱهۡدُوهُمۡ إِلَىٰ صِرَٰطِ ٱلۡجَحِيمِ ﴿٢٣﴾ وَقِفُوهُمۡۖ إِنَّهُم مَّسۡـُٔولُونَ ﴿٢٤﴾

- ٱلصَّٰٓفَّٰتِ: الجماعات تَصُفُّ أنفسَها للعبادة
- فَٱلزَّٰجِرَٰتِ: عن ارتكاب المعاصي
- فَٱلتَّٰلِيَٰتِ ذِكۡرًا: آيات الله وكُتُبُهُ المنزَّلة
- شَيۡطَٰنٖ مَّارِدٖ: مَرِيد خارج عن الطاعة
- يُقۡذَفُونَ: يُرجَمون
- دُحُورٗا: إبْعاداً وطَرْداً
- عَذَابٞ وَاصِبٌ: دائم
- خَطِفَ ٱلۡخَطۡفَةَ: اختلسها بسُرْعَةٍ في غَفْلَةٍ
- شِهَابٞ: ما يُرى كالكوكب مُنْقَضّاً من السَّماء
- ثَاقِبٞ: مُضيءٌ. أومُحْرِق
- لَّازِبِۭ: مُلْتَزِق بَعْضُهُ بِبَعْض
- يَسۡخَرُونَ: يهزؤُون بتعجُّبِكَ
- يَسۡتَسۡخِرُونَ: يُبالغُون في سُخْرِيَتِهِمْ
- دَٰخِرُونَ: صاغِرُونَ أذِلاَّءُ
- زَجۡرَةٞ وَٰحِدَةٞ: صَيْحَة واحدة «نَفْخَةُ البَعْث»
- يَوۡمُ ٱلدِّينِ: يَوْمُ الجَزَاءِ

نصف الحزب ٤٥

- أَزۡوَٰجَهُمۡ: أشباهَهُمْ أو قُرَناءَهُمْ
- قِفُوهُمۡ: احْبِسُوهُمْ في مَوْقِفِ الحساب

| | | |
|---|---|---|
| مدّ ٦ حركات لزوماً ● مدّ ٢ أو ٤ أو ٦ جوازاً | ● إخفاء ، ومواقع الغُنَّة (حركتان) | ● تفخيم |
| مدّ واجب ٤ أو ٥ حركات ● مدّ حركتان | ● إدغام ، وما لا يُلفظ | ● قلقلة |

مَا لَكُمْ لَا تَنَاصَرُونَ ﴿٢٥﴾ بَلْ هُمُ ٱلْيَوْمَ مُسْتَسْلِمُونَ ﴿٢٦﴾ وَأَقْبَلَ بَعْضُهُمْ
عَلَىٰ بَعْضٍ يَتَسَآءَلُونَ ﴿٢٧﴾ قَالُوٓا۟ إِنَّكُمْ كُنتُمْ تَأْتُونَنَا عَنِ ٱلْيَمِينِ ﴿٢٨﴾
قَالُوا۟ بَل لَّمْ تَكُونُوا۟ مُؤْمِنِينَ ﴿٢٩﴾ وَمَا كَانَ لَنَا عَلَيْكُم مِّن سُلْطَٰنٍۭ ۖ
بَلْ كُنتُمْ قَوْمًا طَٰغِينَ ﴿٣٠﴾ فَحَقَّ عَلَيْنَا قَوْلُ رَبِّنَآ ۖ إِنَّا لَذَآئِقُونَ ﴿٣١﴾
فَأَغْوَيْنَٰكُمْ إِنَّا كُنَّا غَٰوِينَ ﴿٣٢﴾ فَإِنَّهُمْ يَوْمَئِذٍ فِى ٱلْعَذَابِ مُشْتَرِكُونَ
﴿٣٣﴾ إِنَّا كَذَٰلِكَ نَفْعَلُ بِٱلْمُجْرِمِينَ ﴿٣٤﴾ إِنَّهُمْ كَانُوٓا۟ إِذَا قِيلَ لَهُمْ
لَآ إِلَٰهَ إِلَّا ٱللَّهُ يَسْتَكْبِرُونَ ﴿٣٥﴾ وَيَقُولُونَ أَئِنَّا لَتَارِكُوٓا۟ ءَالِهَتِنَا
لِشَاعِرٍ مَّجْنُونٍۭ ﴿٣٦﴾ بَلْ جَآءَ بِٱلْحَقِّ وَصَدَّقَ ٱلْمُرْسَلِينَ ﴿٣٧﴾ إِنَّكُمْ
لَذَآئِقُوا۟ ٱلْعَذَابِ ٱلْأَلِيمِ ﴿٣٨﴾ وَمَا تُجْزَوْنَ إِلَّا مَا كُنتُمْ تَعْمَلُونَ
﴿٣٩﴾ إِلَّا عِبَادَ ٱللَّهِ ٱلْمُخْلَصِينَ ﴿٤٠﴾ أُو۟لَٰٓئِكَ لَهُمْ رِزْقٌ مَّعْلُومٌ ﴿٤١﴾
فَوَٰكِهُ ۖ وَهُم مُّكْرَمُونَ ﴿٤٢﴾ فِى جَنَّٰتِ ٱلنَّعِيمِ ﴿٤٣﴾ عَلَىٰ سُرُرٍ مُّتَقَٰبِلِينَ
﴿٤٤﴾ يُطَافُ عَلَيْهِم بِكَأْسٍ مِّن مَّعِينٍۭ ﴿٤٥﴾ بَيْضَآءَ لَذَّةٍ لِّلشَّٰرِبِينَ
﴿٤٦﴾ لَا فِيهَا غَوْلٌ وَلَا هُمْ عَنْهَا يُنزَفُونَ ﴿٤٧﴾ وَعِندَهُمْ قَٰصِرَٰتُ
ٱلطَّرْفِ عِينٌ ﴿٤٨﴾ كَأَنَّهُنَّ بَيْضٌ مَّكْنُونٌ ﴿٤٩﴾ فَأَقْبَلَ بَعْضُهُمْ عَلَىٰ
بَعْضٍ يَتَسَآءَلُونَ ﴿٥٠﴾ قَالَ قَآئِلٌ مِّنْهُمْ إِنِّى كَانَ لِى قَرِينٌ ﴿٥١﴾

- عَنِ ٱلْيَمِينِ: مِنْ جهة الخيْر
- طَٰغِينَ: مُصِرِّينَ على الطُّغْيانِ
- فَأَغْوَيْنَٰكُمْ: فدَعَوْناكُمْ إلى الغَيِّ
- ٱلْمُخْلَصِينَ: المصْطَفَيْنَ الأخيار
- بِكَأْسٍ: بخَمْرٍ. أو بِقَدَحٍ فيه خَمْرٌ
- مِّن مَّعِينٍ: مِنْ شَرابٍ نابعٍ من العيُونِ
- غَوْلٌ: ضَرَرٌ ما
- يُنزَفُونَ: يَسْكَرُونَ فتذهَبُ عُقُولُهُمْ
- قَٰصِرَٰتُ ٱلطَّرْفِ: لا ينْظُرْنَ لغير أزْواجهِنَّ
- عِينٌ: نُجْلُ العُيُونِ حِسَانُها
- بَيْضٌ مَّكْنُونٌ: مَصُون مَسْتُورٌ

مدّ ٦ حركات لزوماً — مدّ ٢ أو ٤ أو ٦ جوازاً — إخفاء، ومواقع الغُنَّة (حركتان) — تفخ...
مدّ واجب ٤ أو ٥ حركات — مدّ حركتان — إدغام، وما لا يُلفظ — قلقل...

يَقُولُ أَءِنَّكَ لَمِنَ ٱلْمُصَدِّقِينَ ﴿٥٢﴾ أَءِذَا مِتْنَا وَكُنَّا تُرَابًا وَعِظَٰمًا أَءِنَّا
لَمَدِينُونَ ﴿٥٣﴾ قَالَ هَلْ أَنتُم مُّطَّلِعُونَ ﴿٥٤﴾ فَٱطَّلَعَ فَرَءَاهُ فِى سَوَآءِ
ٱلْجَحِيمِ ﴿٥٥﴾ قَالَ تَٱللَّهِ إِن كِدتَّ لَتُرْدِينِ ﴿٥٦﴾ وَلَوْلَا نِعْمَةُ رَبِّى
لَكُنتُ مِنَ ٱلْمُحْضَرِينَ ﴿٥٧﴾ أَفَمَا نَحْنُ بِمَيِّتِينَ ﴿٥٨﴾ إِلَّا مَوْتَتَنَا
ٱلْأُولَىٰ وَمَا نَحْنُ بِمُعَذَّبِينَ ﴿٥٩﴾ إِنَّ هَٰذَا لَهُوَ ٱلْفَوْزُ ٱلْعَظِيمُ ﴿٦٠﴾
لِمِثْلِ هَٰذَا فَلْيَعْمَلِ ٱلْعَٰمِلُونَ ﴿٦١﴾ أَذَٰلِكَ خَيْرٌ نُّزُلًا أَمْ شَجَرَةُ
ٱلزَّقُّومِ ﴿٦٢﴾ إِنَّا جَعَلْنَٰهَا فِتْنَةً لِّلظَّٰلِمِينَ ﴿٦٣﴾ إِنَّهَا شَجَرَةٌ
تَخْرُجُ فِىٓ أَصْلِ ٱلْجَحِيمِ ﴿٦٤﴾ طَلْعُهَا كَأَنَّهُۥ رُءُوسُ ٱلشَّيَٰطِينِ
﴿٦٥﴾ فَإِنَّهُمْ لَءَاكِلُونَ مِنْهَا فَمَالِـُٔونَ مِنْهَا ٱلْبُطُونَ ﴿٦٦﴾ ثُمَّ إِنَّ لَهُمْ
عَلَيْهَا لَشَوْبًا مِّنْ حَمِيمٍ ﴿٦٧﴾ ثُمَّ إِنَّ مَرْجِعَهُمْ لَإِلَى ٱلْجَحِيمِ ﴿٦٨﴾
إِنَّهُمْ أَلْفَوْا۟ ءَابَآءَهُمْ ضَآلِّينَ ﴿٦٩﴾ فَهُمْ عَلَىٰٓ ءَاثَٰرِهِمْ يُهْرَعُونَ ﴿٧٠﴾
وَلَقَدْ ضَلَّ قَبْلَهُمْ أَكْثَرُ ٱلْأَوَّلِينَ ﴿٧١﴾ وَلَقَدْ أَرْسَلْنَا فِيهِم
مُّنذِرِينَ ﴿٧٢﴾ فَٱنظُرْ كَيْفَ كَانَ عَٰقِبَةُ ٱلْمُنذَرِينَ ﴿٧٣﴾
إِلَّا عِبَادَ ٱللَّهِ ٱلْمُخْلَصِينَ ﴿٧٤﴾ وَلَقَدْ نَادَىٰنَا نُوحٌ فَلَنِعْمَ
ٱلْمُجِيبُونَ ﴿٧٥﴾ وَنَجَّيْنَٰهُ وَأَهْلَهُۥ مِنَ ٱلْكَرْبِ ٱلْعَظِيمِ ﴿٧٦﴾

- لَمَدِينُونَ: لَمَجْزِيُّونَ وَمُحَاسَبُون
- سَوَآءِ ٱلْجَحِيمِ: وَسَطِهَا
- لَتُرْدِينِ: لَتُهْلِكُني
- ٱلْمُحْضَرِينَ: لِلْعَذَابِ مِثْلَك
- خَيْرٌ نُّزُلًا: مَنْزِلاً، أو ضِيَافَةً وَتَكْرِمَةً
- فِتْنَةً لِّلظَّٰلِمِينَ: مِحْنَةً وَعَذَاباً لَهُمْ
- طَلْعُهَا: ثَمَرُهَا الخارجُ مِنها
- لَشَوْبًا: خَلْطاً ومِزَاجاً
- مِّنْ حَمِيمٍ: مَاءٍ بالغٍ غايةَ الحرارة
- يُهْرَعُونَ: يُزْعَجُونَ على الإسراع على آثارهم

مدّ ٦ حركات لزوماً ● مدّ ٢ أو ٤ أو ٦ جوازاً ● إخفاء، ومواقع الغُنَّة (حركتان) ● تفخيم
مدّ واجب ٤ أو ٥ حركات ● مدّ حركتان ● إدغام، وما لا يُلفظ ● قلقلة

وَجَعَلْنَا ذُرِّيَّتَهُۥ هُمُ ٱلْبَاقِينَ ﴿٧٧﴾ وَتَرَكْنَا عَلَيْهِ فِى ٱلْءَاخِرِينَ ﴿٧٨﴾ سَلَٰمٌ
عَلَىٰ نُوحٍ فِى ٱلْعَٰلَمِينَ ﴿٧٩﴾ إِنَّا كَذَٰلِكَ نَجْزِى ٱلْمُحْسِنِينَ ﴿٨٠﴾ إِنَّهُۥ مِنْ
عِبَادِنَا ٱلْمُؤْمِنِينَ ﴿٨١﴾ ثُمَّ أَغْرَقْنَا ٱلْءَاخَرِينَ ﴿٨٢﴾ ۞ وَإِنَّ مِن
شِيعَتِهِۦ لَإِبْرَٰهِيمَ ﴿٨٣﴾ إِذْ جَآءَ رَبَّهُۥ بِقَلْبٍ سَلِيمٍ ﴿٨٤﴾ إِذْ قَالَ
لِأَبِيهِ وَقَوْمِهِۦ مَاذَا تَعْبُدُونَ ﴿٨٥﴾ أَئِفْكًا ءَالِهَةً دُونَ ٱللَّهِ تُرِيدُونَ
﴿٨٦﴾ فَمَا ظَنُّكُم بِرَبِّ ٱلْعَٰلَمِينَ ﴿٨٧﴾ فَنَظَرَ نَظْرَةً فِى ٱلنُّجُومِ ﴿٨٨﴾
فَقَالَ إِنِّى سَقِيمٌ ﴿٨٩﴾ فَتَوَلَّوْا۟ عَنْهُ مُدْبِرِينَ ﴿٩٠﴾ فَرَاغَ إِلَىٰٓ ءَالِهَتِهِمْ
فَقَالَ أَلَا تَأْكُلُونَ ﴿٩١﴾ مَا لَكُمْ لَا تَنطِقُونَ ﴿٩٢﴾ فَرَاغَ عَلَيْهِمْ ضَرْبًۢا
بِٱلْيَمِينِ ﴿٩٣﴾ فَأَقْبَلُوٓا۟ إِلَيْهِ يَزِفُّونَ ﴿٩٤﴾ قَالَ أَتَعْبُدُونَ مَا تَنْحِتُونَ
﴿٩٥﴾ وَٱللَّهُ خَلَقَكُمْ وَمَا تَعْمَلُونَ ﴿٩٦﴾ قَالُوا۟ ٱبْنُوا۟ لَهُۥ بُنْيَٰنًا فَأَلْقُوهُ
فِى ٱلْجَحِيمِ ﴿٩٧﴾ فَأَرَادُوا۟ بِهِۦ كَيْدًا فَجَعَلْنَٰهُمُ ٱلْأَسْفَلِينَ ﴿٩٨﴾
وَقَالَ إِنِّى ذَاهِبٌ إِلَىٰ رَبِّى سَيَهْدِينِ ﴿٩٩﴾ رَبِّ هَبْ لِى مِنَ ٱلصَّٰلِحِينَ
﴿١٠٠﴾ فَبَشَّرْنَٰهُ بِغُلَٰمٍ حَلِيمٍ ﴿١٠١﴾ فَلَمَّا بَلَغَ مَعَهُ ٱلسَّعْىَ قَالَ
يَٰبُنَىَّ إِنِّىٓ أَرَىٰ فِى ٱلْمَنَامِ أَنِّىٓ أَذْبَحُكَ فَٱنظُرْ مَاذَا تَرَىٰ ۚ قَالَ
يَٰٓأَبَتِ ٱفْعَلْ مَا تُؤْمَرُ ۖ سَتَجِدُنِىٓ إِن شَآءَ ٱللَّهُ مِنَ ٱلصَّٰبِرِينَ ﴿١٠٢﴾

ثلاثة أرباع الحزب ٤٥

- **شِيعَتِهِۦ** أتباعه في أصل الدين
- **أَئِفْكًا** كذباً
- **فَنَظَرَ** تأمّل تأمّل الكاملين
- **إِنِّى سَقِيمٌ** يريد أنه سقيم القلب لكفرهم
- **فَرَاغَ إِلَىٰٓ ءَالِهَتِهِمْ** مال إليها خفية ليحطّمها
- **ضَرْبًۢا بِٱلْيَمِينِ** بالقوّة
- **يَزِفُّونَ** يُسرعون
- **بَلَغَ مَعَهُ ٱلسَّعْىَ** درجة العمل معه

| | | |
|---|---|---|
| مدّ ٦ حركات لزوماً | مدّ ٢ أو ٤ أو ٦ جوازاً | إخفاء ، ومواقع الغنّة (حركتان) |
| مدّ واجب ٤ أو ٥ حركات | مدّ حركتان | إدغام ، وما لا يُلفظ |

فَلَمَّآ أَسۡلَمَا وَتَلَّهُۥ لِلۡجَبِينِ ﴿١٠٣﴾ وَنَٰدَيۡنَٰهُ أَن يَٰٓإِبۡرَٰهِيمُ ﴿١٠٤﴾ قَدۡ
صَدَّقۡتَ ٱلرُّءۡيَآۚ إِنَّا كَذَٰلِكَ نَجۡزِي ٱلۡمُحۡسِنِينَ ﴿١٠٥﴾ إِنَّ هَٰذَا لَهُوَ
ٱلۡبَلَٰٓؤُاْ ٱلۡمُبِينُ ﴿١٠٦﴾ وَفَدَيۡنَٰهُ بِذِبۡحٍ عَظِيمٖ ﴿١٠٧﴾ وَتَرَكۡنَا عَلَيۡهِ فِي
ٱلۡأٓخِرِينَ ﴿١٠٨﴾ سَلَٰمٌ عَلَىٰٓ إِبۡرَٰهِيمَ ﴿١٠٩﴾ كَذَٰلِكَ نَجۡزِي ٱلۡمُحۡسِنِينَ
﴿١١٠﴾ إِنَّهُۥ مِنۡ عِبَادِنَا ٱلۡمُؤۡمِنِينَ ﴿١١١﴾ وَبَشَّرۡنَٰهُ بِإِسۡحَٰقَ نَبِيّٗا مِّنَ
ٱلصَّٰلِحِينَ ﴿١١٢﴾ وَبَٰرَكۡنَا عَلَيۡهِ وَعَلَىٰٓ إِسۡحَٰقَۚ وَمِن ذُرِّيَّتِهِمَا
مُحۡسِنٞ وَظَالِمٞ لِّنَفۡسِهِۦ مُبِينٞ ﴿١١٣﴾ وَلَقَدۡ مَنَنَّا عَلَىٰ مُوسَىٰ
وَهَٰرُونَ ﴿١١٤﴾ وَنَجَّيۡنَٰهُمَا وَقَوۡمَهُمَا مِنَ ٱلۡكَرۡبِ ٱلۡعَظِيمِ
﴿١١٥﴾ وَنَصَرۡنَٰهُمۡ فَكَانُواْ هُمُ ٱلۡغَٰلِبِينَ ﴿١١٦﴾ وَءَاتَيۡنَٰهُمَا ٱلۡكِتَٰبَ
ٱلۡمُسۡتَبِينَ ﴿١١٧﴾ وَهَدَيۡنَٰهُمَا ٱلصِّرَٰطَ ٱلۡمُسۡتَقِيمَ ﴿١١٨﴾ وَتَرَكۡنَا
عَلَيۡهِمَا فِي ٱلۡأٓخِرِينَ ﴿١١٩﴾ سَلَٰمٌ عَلَىٰ مُوسَىٰ وَهَٰرُونَ
﴿١٢٠﴾ إِنَّا كَذَٰلِكَ نَجۡزِي ٱلۡمُحۡسِنِينَ ﴿١٢١﴾ إِنَّهُمَا مِنۡ
عِبَادِنَا ٱلۡمُؤۡمِنِينَ ﴿١٢٢﴾ وَإِنَّ إِلۡيَاسَ لَمِنَ ٱلۡمُرۡسَلِينَ ﴿١٢٣﴾
إِذۡ قَالَ لِقَوۡمِهِۦٓ أَلَا تَتَّقُونَ ﴿١٢٤﴾ أَتَدۡعُونَ بَعۡلٗا وَتَذَرُونَ أَحۡسَنَ
ٱلۡخَٰلِقِينَ ﴿١٢٥﴾ ٱللَّهَ رَبَّكُمۡ وَرَبَّ ءَابَآئِكُمُ ٱلۡأَوَّلِينَ ﴿١٢٦﴾

الصافات

- أَسۡلَمَا: اسْتَسْلَمَا لأَمْرِه تعالى
- تَلَّهُۥ لِلۡجَبِينِ: صَرَعَهُ عَلَى شِقِّهِ
- ٱلۡبَلَٰٓؤُاْ ٱلۡمُبِينُ: الاخْتِبَارُ البَيِّنُ . أو المحنةُ البَيِّنَةُ
- بِذِبۡحٍ: بِكَبْشٍ يُذْبَح
- أَتَدۡعُونَ بَعۡلٗا: أَتَعْبُدُونَ هذا الصنم

مدّ ٦ حركات لزوماً — مدّ ٢ أو ٤ أو ٦ جوازاً — إخفاء ، ومواقع الغُنَّة (حركتان) — تفخيم
مدّ واجب ٤ أو ٥ حركات — مدّ حركتان — إدغام ، وما لا يُلفَظ — قلقلة

فَكَذَّبُوهُ فَإِنَّهُمْ لَمُحْضَرُونَ ﴿١٢٧﴾ إِلَّا عِبَادَ ٱللَّهِ ٱلْمُخْلَصِينَ ﴿١٢٨﴾
وَتَرَكْنَا عَلَيْهِ فِى ٱلْءَاخِرِينَ ﴿١٢٩﴾ سَلَٰمٌ عَلَىٰٓ إِلْ يَاسِينَ ﴿١٣٠﴾ إِنَّا كَذَٰلِكَ
نَجْزِى ٱلْمُحْسِنِينَ ﴿١٣١﴾ إِنَّهُۥ مِنْ عِبَادِنَا ٱلْمُؤْمِنِينَ ﴿١٣٢﴾ وَإِنَّ لُوطًا
لَّمِنَ ٱلْمُرْسَلِينَ ﴿١٣٣﴾ إِذْ نَجَّيْنَٰهُ وَأَهْلَهُۥٓ أَجْمَعِينَ ﴿١٣٤﴾ إِلَّا عَجُوزًا
فِى ٱلْغَٰبِرِينَ ﴿١٣٥﴾ ثُمَّ دَمَّرْنَا ٱلْءَاخَرِينَ ﴿١٣٦﴾ وَإِنَّكُمْ لَتَمُرُّونَ عَلَيْهِم
مُّصْبِحِينَ ﴿١٣٧﴾ وَبِٱلَّيْلِ ۗ أَفَلَا تَعْقِلُونَ ﴿١٣٨﴾ وَإِنَّ يُونُسَ لَمِنَ
ٱلْمُرْسَلِينَ ﴿١٣٩﴾ إِذْ أَبَقَ إِلَى ٱلْفُلْكِ ٱلْمَشْحُونِ ﴿١٤٠﴾ فَسَاهَمَ فَكَانَ
مِنَ ٱلْمُدْحَضِينَ ﴿١٤١﴾ فَٱلْتَقَمَهُ ٱلْحُوتُ وَهُوَ مُلِيمٌ ﴿١٤٢﴾ فَلَوْلَآ أَنَّهُۥ
كَانَ مِنَ ٱلْمُسَبِّحِينَ ﴿١٤٣﴾ لَلَبِثَ فِى بَطْنِهِۦٓ إِلَىٰ يَوْمِ يُبْعَثُونَ ﴿١٤٤﴾
۞ فَنَبَذْنَٰهُ بِٱلْعَرَآءِ وَهُوَ سَقِيمٌ ﴿١٤٥﴾ وَأَنۢبَتْنَا عَلَيْهِ شَجَرَةً
مِّن يَقْطِينٍ ﴿١٤٦﴾ وَأَرْسَلْنَٰهُ إِلَىٰ مِا۟ئَةِ أَلْفٍ أَوْ يَزِيدُونَ ﴿١٤٧﴾
فَـَٔامَنُوا۟ فَمَتَّعْنَٰهُمْ إِلَىٰ حِينٍ ﴿١٤٨﴾ فَٱسْتَفْتِهِمْ أَلِرَبِّكَ ٱلْبَنَاتُ
وَلَهُمُ ٱلْبَنُونَ ﴿١٤٩﴾ أَمْ خَلَقْنَا ٱلْمَلَٰٓئِكَةَ إِنَٰثًا وَهُمْ
شَٰهِدُونَ ﴿١٥٠﴾ أَلَآ إِنَّهُم مِّنْ إِفْكِهِمْ لَيَقُولُونَ ﴿١٥١﴾ وَلَدَ
ٱللَّهُ وَإِنَّهُمْ لَكَٰذِبُونَ ﴿١٥٢﴾ أَصْطَفَى ٱلْبَنَاتِ عَلَى ٱلْبَنِينَ ﴿١٥٣﴾

- لَمُحْضَرُونَ: تُحضِرهم الزبانيةُ للعذاب
- إِلْ يَاسِينَ: إلياس أو إلياس وأتباعه
- ٱلْغَٰبِرِينَ: الباقين في العذاب
- دَمَّرْنَا ٱلْءَاخَرِينَ: أهلكناهم
- مُّصْبِحِينَ: داخلين في الصباح
- أَبَقَ: هرب
- ٱلْمَشْحُونِ: المملوء
- فَسَاهَمَ: فقارع من في الفلك
- ٱلْمُدْحَضِينَ: المغلوبين بالقرعة
- فَٱلْتَقَمَهُ ٱلْحُوتُ: ابتلعه
- هُوَ مُلِيمٌ: آتٍ بما يُلام عليه

الحزب ٤٦

- فَنَبَذْنَٰهُ بِٱلْعَرَآءِ: طرحناه بالأرض الفضاء
- يَقْطِينٍ: قيل: هو القرع المعروف
- إِفْكِهِمْ: كذبهم
- أَصْطَفَى: أختار

| | |
|---|---|
| مدّ ٦ حركات لزوماً ● مدّ ٢ أو ٤ أو ٦ جوازاً | إخفاء ، ومواقع الغُنَّة (حركتان) |
| مدّ واجب ٤ أو ٥ حركات ● مدّ حركتان | إدغام ، وما لا يُلفظ |

مَا لَكُمْ كَيْفَ تَحْكُمُونَ ﴿١٥٤﴾ أَفَلَا تَذَكَّرُونَ ﴿١٥٥﴾ أَمْ لَكُمْ سُلْطَٰنٌ مُّبِينٌ
﴿١٥٦﴾ فَأْتُوا۟ بِكِتَٰبِكُمْ إِن كُنتُمْ صَٰدِقِينَ ﴿١٥٧﴾ وَجَعَلُوا۟ بَيْنَهُۥ وَبَيْنَ ٱلْجِنَّةِ
نَسَبًا ۚ وَلَقَدْ عَلِمَتِ ٱلْجِنَّةُ إِنَّهُمْ لَمُحْضَرُونَ ﴿١٥٨﴾ سُبْحَٰنَ ٱللَّهِ عَمَّا
يَصِفُونَ ﴿١٥٩﴾ إِلَّا عِبَادَ ٱللَّهِ ٱلْمُخْلَصِينَ ﴿١٦٠﴾ فَإِنَّكُمْ وَمَا تَعْبُدُونَ ﴿١٦١﴾
مَآ أَنتُمْ عَلَيْهِ بِفَٰتِنِينَ ﴿١٦٢﴾ إِلَّا مَنْ هُوَ صَالِ ٱلْجَحِيمِ ﴿١٦٣﴾ وَمَا مِنَّآ إِلَّا
لَهُۥ مَقَامٌ مَّعْلُومٌ ﴿١٦٤﴾ وَإِنَّا لَنَحْنُ ٱلصَّآفُّونَ ﴿١٦٥﴾ وَإِنَّا لَنَحْنُ ٱلْمُسَبِّحُونَ
﴿١٦٦﴾ وَإِن كَانُوا۟ لَيَقُولُونَ ﴿١٦٧﴾ لَوْ أَنَّ عِندَنَا ذِكْرًا مِّنَ ٱلْأَوَّلِينَ ﴿١٦٨﴾ لَكُنَّا
عِبَادَ ٱللَّهِ ٱلْمُخْلَصِينَ ﴿١٦٩﴾ فَكَفَرُوا۟ بِهِۦ ۖ فَسَوْفَ يَعْلَمُونَ ﴿١٧٠﴾ وَلَقَدْ
سَبَقَتْ كَلِمَتُنَا لِعِبَادِنَا ٱلْمُرْسَلِينَ ﴿١٧١﴾ إِنَّهُمْ لَهُمُ ٱلْمَنصُورُونَ ﴿١٧٢﴾ وَإِنَّ
جُندَنَا لَهُمُ ٱلْغَٰلِبُونَ ﴿١٧٣﴾ فَتَوَلَّ عَنْهُمْ حَتَّىٰ حِينٍ ﴿١٧٤﴾ وَأَبْصِرْهُمْ فَسَوْفَ
يُبْصِرُونَ ﴿١٧٥﴾ أَفَبِعَذَابِنَا يَسْتَعْجِلُونَ ﴿١٧٦﴾ فَإِذَا نَزَلَ بِسَاحَتِهِمْ فَسَآءَ
صَبَاحُ ٱلْمُنذَرِينَ ﴿١٧٧﴾ وَتَوَلَّ عَنْهُمْ حَتَّىٰ حِينٍ ﴿١٧٨﴾ وَأَبْصِرْ فَسَوْفَ
يُبْصِرُونَ ﴿١٧٩﴾ سُبْحَٰنَ رَبِّكَ رَبِّ ٱلْعِزَّةِ عَمَّا يَصِفُونَ ﴿١٨٠﴾
وَسَلَٰمٌ عَلَى ٱلْمُرْسَلِينَ ﴿١٨١﴾ وَٱلْحَمْدُ لِلَّهِ رَبِّ ٱلْعَٰلَمِينَ ﴿١٨٢﴾

## سُورَةُ صٓ

ترتيبها ٣٨ — آياتها ٨٨

- سُلْطَٰنٌ: حُجَّةٌ وَبُرْهَان
- ٱلْجِنَّةِ: الملائكةِ أو الشياطين
- إِنَّهُمْ لَمُحْضَرُونَ: إنَّ الكفَّارَ لَمُحْضَرُونَ للنَّارِ
- بِفَٰتِنِينَ: بِمُضِلِّينَ أحداً
- صَالِ ٱلْجَحِيمِ: داخِلُها
- ٱلصَّآفُّونَ: أَنْفُسَنا في مَقامِ العِبادةِ
- ٱلْمُسَبِّحُونَ: المُنَزِّهُونَ اللهَ تعالى عن السُّوءِ
- بِسَاحَتِهِمْ: بِفِنائِهِمْ والمُرادُ: بِهِمْ
- رَبِّ ٱلْعِزَّةِ: الغَلَبَةِ والقُدْرَةِ

الصافات

| | | |
|---|---|---|
| مدّ ٦ حركات لزوماً ● مدّ ٢ أو ٤ أو ٦ جوازاً | ● إخفاء، ومواقع الغُنّة (حركتان) | ● تفخيم |
| مدّ واجب ٤ أو ٥ حركات ● مدّ حركتان | ● إدغام، وما لا يُلفظ | ● قلقلة |

بِسْمِ ٱللَّهِ ٱلرَّحْمَٰنِ ٱلرَّحِيمِ

صٓ ۚ وَٱلْقُرْءَانِ ذِى ٱلذِّكْرِ ﴿١﴾ بَلِ ٱلَّذِينَ كَفَرُوا۟ فِى عِزَّةٍ وَشِقَاقٍ ﴿٢﴾
كَمْ أَهْلَكْنَا مِن قَبْلِهِم مِّن قَرْنٍ فَنَادَوا۟ وَّلَاتَ حِينَ مَنَاصٍ ﴿٣﴾ وَعَجِبُوٓا۟
أَن جَآءَهُم مُّنذِرٌ مِّنْهُمْ ۖ وَقَالَ ٱلْكَٰفِرُونَ هَٰذَا سَٰحِرٌ كَذَّابٌ ﴿٤﴾
أَجَعَلَ ٱلْءَالِهَةَ إِلَٰهًا وَٰحِدًا ۖ إِنَّ هَٰذَا لَشَىْءٌ عُجَابٌ ﴿٥﴾ وَٱنطَلَقَ ٱلْمَلَأُ
مِنْهُمْ أَنِ ٱمْشُوا۟ وَٱصْبِرُوا۟ عَلَىٰٓ ءَالِهَتِكُمْ ۖ إِنَّ هَٰذَا لَشَىْءٌ يُرَادُ ﴿٦﴾
مَا سَمِعْنَا بِهَٰذَا فِى ٱلْمِلَّةِ ٱلْءَاخِرَةِ إِنْ هَٰذَآ إِلَّا ٱخْتِلَٰقٌ ﴿٧﴾ أَءُنزِلَ
عَلَيْهِ ٱلذِّكْرُ مِنۢ بَيْنِنَا ۚ بَلْ هُمْ فِى شَكٍّ مِّن ذِكْرِى ۖ بَل لَّمَّا يَذُوقُوا۟ عَذَابِ
﴿٨﴾ أَمْ عِندَهُمْ خَزَآئِنُ رَحْمَةِ رَبِّكَ ٱلْعَزِيزِ ٱلْوَهَّابِ ﴿٩﴾ أَمْ لَهُم
مُّلْكُ ٱلسَّمَٰوَٰتِ وَٱلْأَرْضِ وَمَا بَيْنَهُمَا ۖ فَلْيَرْتَقُوا۟ فِى ٱلْأَسْبَٰبِ ﴿١٠﴾
جُندٌ مَّا هُنَالِكَ مَهْزُومٌ مِّنَ ٱلْأَحْزَابِ ﴿١١﴾ كَذَّبَتْ قَبْلَهُمْ قَوْمُ
نُوحٍ وَعَادٌ وَفِرْعَوْنُ ذُو ٱلْأَوْتَادِ ﴿١٢﴾ وَثَمُودُ وَقَوْمُ لُوطٍ وَأَصْحَٰبُ
لْـَٔيْكَةِ ۚ أُو۟لَٰٓئِكَ ٱلْأَحْزَابُ ﴿١٣﴾ إِن كُلٌّ إِلَّا كَذَّبَ ٱلرُّسُلَ
فَحَقَّ عِقَابِ ﴿١٤﴾ وَمَا يَنظُرُ هَٰٓؤُلَآءِ إِلَّا صَيْحَةً وَٰحِدَةً مَّا لَهَا
مِن فَوَاقٍ ﴿١٥﴾ وَقَالُوا۟ رَبَّنَا عَجِّل لَّنَا قِطَّنَا قَبْلَ يَوْمِ ٱلْحِسَابِ ﴿١٦﴾

- عِزَّةٍ: تكبُّرٍ عن الحقّ
- شِقَاقٍ: مُخالفةٍ لله ولرسوله
- كَمْ أَهْلَكْنَا: كثيراً أهلكنا
- قَرْنٍ: أمّةٍ
- لَاتَ حِينَ مَنَاصٍ: ليس الوقتُ وقتَ فرارٍ
- عُجَابٌ: بليغٌ في العَجَبِ
- ٱلْمَلَأُ مِنْهُمْ: الوُجوهُ من قُرَيْشٍ
- ٱمْشُوا۟: سيرُوا على طريقتِكُمْ
- ٱخْتِلَٰقٌ: كَذِبٌ وافتراءٌ منه
- ٱلْأَسْبَٰبِ: المَعارجِ إلى السَّماءِ
- جُندٌ: مُجْتَمَعٌ حقيرٌ
- ذُو ٱلْأَوْتَادِ: الجُنودِ أو المباني القويّتَيْنِ
- أَصْحَٰبُ لْـَٔيْكَةِ: البُقْعَةِ الكثيفةِ الأشجارِ
- مَا يَنظُرُ: ما يَنْتَظِرُ
- صَيْحَةً وَٰحِدَةً: نفخةَ البَعْثِ
- فَوَاقٍ: توقُّفٍ قَدْرَ ما بين الحلبتَيْنِ
- قِطَّنَا: نصيبَنا من العذابِ

| | |
|---|---|
| مدّ ٦ حركات لزوماً | مدّ ٢ أو ٤ أو ٦ جوازاً |
| مدّ واجب ٤ أو ٥ حركات | مدّ حركتان |
| إخفاء، ومواقع الغُنّة (حركتان) | |
| إدغام، وما لا يُلفظ | |
| تفخـ | قلقـ |

ٱصْبِرْ عَلَىٰ مَا يَقُولُونَ وَٱذْكُرْ عَبْدَنَا دَاوُۥدَ ذَا ٱلْأَيْدِ ۖ إِنَّهُۥٓ أَوَّابٌ ﴿١٧﴾
إِنَّا سَخَّرْنَا ٱلْجِبَالَ مَعَهُۥ يُسَبِّحْنَ بِٱلْعَشِىِّ وَٱلْإِشْرَاقِ ﴿١٨﴾ وَٱلطَّيْرَ
مَحْشُورَةً ۖ كُلٌّ لَّهُۥٓ أَوَّابٌ ﴿١٩﴾ وَشَدَدْنَا مُلْكَهُۥ وَءَاتَيْنَٰهُ ٱلْحِكْمَةَ
وَفَصْلَ ٱلْخِطَابِ ﴿٢٠﴾ ۞ وَهَلْ أَتَىٰكَ نَبَؤُا۟ ٱلْخَصْمِ إِذْ تَسَوَّرُوا۟
ٱلْمِحْرَابَ ﴿٢١﴾ إِذْ دَخَلُوا۟ عَلَىٰ دَاوُۥدَ فَفَزِعَ مِنْهُمْ ۖ قَالُوا۟ لَا تَخَفْ ۖ
خَصْمَانِ بَغَىٰ بَعْضُنَا عَلَىٰ بَعْضٍ فَٱحْكُم بَيْنَنَا بِٱلْحَقِّ وَلَا تُشْطِطْ
وَٱهْدِنَآ إِلَىٰ سَوَآءِ ٱلصِّرَٰطِ ﴿٢٢﴾ إِنَّ هَٰذَآ أَخِى لَهُۥ تِسْعٌ وَتِسْعُونَ نَعْجَةً
وَلِىَ نَعْجَةٌ وَٰحِدَةٌ فَقَالَ أَكْفِلْنِيهَا وَعَزَّنِى فِى ٱلْخِطَابِ ﴿٢٣﴾ قَالَ
لَقَدْ ظَلَمَكَ بِسُؤَالِ نَعْجَتِكَ إِلَىٰ نِعَاجِهِۦ ۖ وَإِنَّ كَثِيرًا مِّنَ ٱلْخُلَطَآءِ لَيَبْغِى
بَعْضُهُمْ عَلَىٰ بَعْضٍ إِلَّا ٱلَّذِينَ ءَامَنُوا۟ وَعَمِلُوا۟ ٱلصَّٰلِحَٰتِ وَقَلِيلٌ
مَّا هُمْ ۗ وَظَنَّ دَاوُۥدُ أَنَّمَا فَتَنَّٰهُ فَٱسْتَغْفَرَ رَبَّهُۥ وَخَرَّ رَاكِعًا وَأَنَابَ ۩
﴿٢٤﴾ فَغَفَرْنَا لَهُۥ ذَٰلِكَ ۖ وَإِنَّ لَهُۥ عِندَنَا لَزُلْفَىٰ وَحُسْنَ مَـَٔابٍ
﴿٢٥﴾ يَٰدَاوُۥدُ إِنَّا جَعَلْنَٰكَ خَلِيفَةً فِى ٱلْأَرْضِ فَٱحْكُم بَيْنَ ٱلنَّاسِ
بِٱلْحَقِّ وَلَا تَتَّبِعِ ٱلْهَوَىٰ فَيُضِلَّكَ عَن سَبِيلِ ٱللَّهِ ۚ إِنَّ ٱلَّذِينَ يَضِلُّونَ
عَن سَبِيلِ ٱللَّهِ لَهُمْ عَذَابٌ شَدِيدٌۢ بِمَا نَسُوا۟ يَوْمَ ٱلْحِسَابِ ﴿٢٦﴾

ذَا ٱلْأَيْدِ: القوّة في الدّين
إِنَّهُۥٓ أَوَّابٌ: رجّاع إلى الله تعالى
بِٱلْعَشِىِّ وَٱلْإِشْرَاقِ: آخر النّهار ووقت الشّروق
ربع الحزب ٤٦
شَدَدْنَا مُلْكَهُۥ: قوّيناه بأسباب القوّة
ٱلْحِكْمَةَ: النّبوّة
فَصْلَ ٱلْخِطَابِ: ما به الفصل بين الحقّ والباطل
تَسَوَّرُوا۟ ٱلْمِحْرَابَ: علوا سوره ونزلوا إليه
بَغَىٰ بَعْضُنَا: تعدّى وظلم
لَا تُشْطِطْ: لا تجُر في حكمك
سَوَآءِ ٱلصِّرَٰطِ: وسط الطريق المستقيم
أَكْفِلْنِيهَا: انزل لي عنها
عَزَّنِى: غلبني وقهرني
ٱلْخُلَطَآءِ: الشّركاء
فَتَنَّٰهُ: ابتليناه وامتحنّاه
سجدة
رَاكِعًا: ساجداً لله
أَنَابَ: رجع إلى الله بالتّوبة
لَزُلْفَىٰ: لقربة ومكانة
حُسْنَ مَـَٔابٍ: حسن مرجع في الآخرة

ص

وَمَا خَلَقۡنَا ٱلسَّمَآءَ وَٱلۡأَرۡضَ وَمَا بَيۡنَهُمَا بَٰطِلٗاۚ ذَٰلِكَ ظَنُّ ٱلَّذِينَ كَفَرُواْۚ
فَوَيۡلٞ لِّلَّذِينَ كَفَرُواْ مِنَ ٱلنَّارِ ٢٧ أَمۡ نَجۡعَلُ ٱلَّذِينَ ءَامَنُواْ وَعَمِلُواْ
ٱلصَّٰلِحَٰتِ كَٱلۡمُفۡسِدِينَ فِي ٱلۡأَرۡضِ أَمۡ نَجۡعَلُ ٱلۡمُتَّقِينَ كَٱلۡفُجَّارِ
٢٨ كِتَٰبٌ أَنزَلۡنَٰهُ إِلَيۡكَ مُبَٰرَكٞ لِّيَدَّبَّرُوٓاْ ءَايَٰتِهِۦ وَلِيَتَذَكَّرَ أُوْلُواْ
ٱلۡأَلۡبَٰبِ ٢٩ وَوَهَبۡنَا لِدَاوُۥدَ سُلَيۡمَٰنَۚ نِعۡمَ ٱلۡعَبۡدُ إِنَّهُۥٓ أَوَّابٌ
٣٠ إِذۡ عُرِضَ عَلَيۡهِ بِٱلۡعَشِيِّ ٱلصَّٰفِنَٰتُ ٱلۡجِيَادُ ٣١ فَقَالَ إِنِّيٓ
أَحۡبَبۡتُ حُبَّ ٱلۡخَيۡرِ عَن ذِكۡرِ رَبِّي حَتَّىٰ تَوَارَتۡ بِٱلۡحِجَابِ ٣٢
رُدُّوهَا عَلَيَّۖ فَطَفِقَ مَسۡحَۢا بِٱلسُّوقِ وَٱلۡأَعۡنَاقِ ٣٣ وَلَقَدۡ فَتَنَّا
سُلَيۡمَٰنَ وَأَلۡقَيۡنَا عَلَىٰ كُرۡسِيِّهِۦ جَسَدٗا ثُمَّ أَنَابَ ٣٤ قَالَ رَبِّ ٱغۡفِرۡ
لِي وَهَبۡ لِي مُلۡكٗا لَّا يَنۢبَغِي لِأَحَدٖ مِّنۢ بَعۡدِيٓۖ إِنَّكَ أَنتَ ٱلۡوَهَّابُ ٣٥
فَسَخَّرۡنَا لَهُ ٱلرِّيحَ تَجۡرِي بِأَمۡرِهِۦ رُخَآءً حَيۡثُ أَصَابَ ٣٦ وَٱلشَّيَٰطِينَ
كُلَّ بَنَّآءٖ وَغَوَّاصٖ ٣٧ وَءَاخَرِينَ مُقَرَّنِينَ فِي ٱلۡأَصۡفَادِ ٣٨ هَٰذَا
عَطَآؤُنَا فَٱمۡنُنۡ أَوۡ أَمۡسِكۡ بِغَيۡرِ حِسَابٖ ٣٩ وَإِنَّ لَهُۥ عِندَنَا لَزُلۡفَىٰ وَحُسۡنَ
مَـَٔابٖ ٤٠ وَٱذۡكُرۡ عَبۡدَنَآ أَيُّوبَ إِذۡ نَادَىٰ رَبَّهُۥٓ أَنِّي مَسَّنِيَ ٱلشَّيۡطَٰنُ
بِنُصۡبٖ وَعَذَابٍ ٤١ ٱرۡكُضۡ بِرِجۡلِكَۖ هَٰذَا مُغۡتَسَلُۢ بَارِدٞ وَشَرَابٞ ٤٢

- فَوَيۡلٌ: هلاك
- أَوَّابٌ: كثير الرُّجوعِ إليه تعالى
- ٱلصَّٰفِنَٰتُ: الخيول الواقفة على ثلاث وطرف حافر الرابعة
- ٱلۡجِيَادُ: السِّراع والسوابقُ في العَدْوِ
- أَحۡبَبۡتُ: آثرْتُ
- حُبَّ ٱلۡخَيۡرِ: حُبَّ الخَيْل
- عَن ذِكۡرِ رَبِّي: لأجله تعالى تقويةً لدينه
- تَوَارَتۡ بِٱلۡحِجَابِ: غابَتْ عن البَصَر
- فَطَفِقَ: فشَرَعَ وجَعَلَ
- بِٱلسُّوقِ: بسيقانها
- فَتَنَّا سُلَيۡمَٰنَ: ابْتَلَيْناهُ وامتَحنّاهُ
- جَسَدٗا: شِقَّ إنسان وُلِدَ لهُ
- أَنَابَ: رَجَعَ إلى الله تعالى
- رُخَآءً حَيۡثُ أَصَابَ: لَيِّنَةً أو مُنقادةً حَيْثُ أراد
- غَوَّاصٖ: في البَحْرِ لاستخراج نفائسه
- ٱلۡأَصۡفَادِ: القُيودِ أو الأغلال
- بِنُصۡبٖ وَعَذَابٍ: بتَعَب وضُرّ
- ٱرۡكُضۡ بِرِجۡلِكَ: اضْرِبْ بها الأرضَ
- هَٰذَا مُغۡتَسَلُۢ: ماءٌ تغتَسِلُ به، فيه شِفاؤُك

| | | |
|---|---|---|
| مدّ ٦ حركات لزوماً — مدّ ٢ أو ٤ أو ٦ جوازاً | إخفاء، ومواقع الغُنّة (حركتان) | تفخ |
| مدّ واجب ٤ أو ٥ حركات — مدّ حركتان | إدغام، وما لا يُلفظ | قلق |

وَوَهَبْنَا لَهُۥٓ أَهْلَهُۥ وَمِثْلَهُم مَّعَهُمْ رَحْمَةً مِّنَّا وَذِكْرَىٰ لِأُو۟لِى ٱلْأَلْبَٰبِ
﴿٤٣﴾ وَخُذْ بِيَدِكَ ضِغْثًا فَٱضْرِب بِّهِۦ وَلَا تَحْنَثْ ۗ إِنَّا وَجَدْنَٰهُ صَابِرًا ۚ
نِّعْمَ ٱلْعَبْدُ ۖ إِنَّهُۥٓ أَوَّابٌ ﴿٤٤﴾ وَٱذْكُرْ عِبَٰدَنَآ إِبْرَٰهِيمَ وَإِسْحَٰقَ وَيَعْقُوبَ
أُو۟لِى ٱلْأَيْدِى وَٱلْأَبْصَٰرِ ﴿٤٥﴾ إِنَّآ أَخْلَصْنَٰهُم بِخَالِصَةٍ ذِكْرَى
ٱلدَّارِ ﴿٤٦﴾ وَإِنَّهُمْ عِندَنَا لَمِنَ ٱلْمُصْطَفَيْنَ ٱلْأَخْيَارِ ﴿٤٧﴾ وَٱذْكُرْ
إِسْمَٰعِيلَ وَٱلْيَسَعَ وَذَا ٱلْكِفْلِ ۖ وَكُلٌّ مِّنَ ٱلْأَخْيَارِ ﴿٤٨﴾ هَٰذَا ذِكْرٌ ۚ
وَإِنَّ لِلْمُتَّقِينَ لَحُسْنَ مَـَٔابٍ ﴿٤٩﴾ جَنَّٰتِ عَدْنٍ مُّفَتَّحَةً لَّهُمُ ٱلْأَبْوَٰبُ
﴿٥٠﴾ مُتَّكِـِٔينَ فِيهَا يَدْعُونَ فِيهَا بِفَٰكِهَةٍ كَثِيرَةٍ وَشَرَابٍ ﴿٥١﴾
۞ وَعِندَهُمْ قَٰصِرَٰتُ ٱلطَّرْفِ أَتْرَابٌ ﴿٥٢﴾ هَٰذَا مَا تُوعَدُونَ لِيَوْمِ
ٱلْحِسَابِ ﴿٥٣﴾ إِنَّ هَٰذَا لَرِزْقُنَا مَا لَهُۥ مِن نَّفَادٍ ﴿٥٤﴾ هَٰذَا ۚ وَإِنَّ
لِلطَّٰغِينَ لَشَرَّ مَـَٔابٍ ﴿٥٥﴾ جَهَنَّمَ يَصْلَوْنَهَا فَبِئْسَ ٱلْمِهَادُ ﴿٥٦﴾ هَٰذَا
فَلْيَذُوقُوهُ حَمِيمٌ وَغَسَّاقٌ ﴿٥٧﴾ وَءَاخَرُ مِن شَكْلِهِۦٓ أَزْوَٰجٌ ﴿٥٨﴾
هَٰذَا فَوْجٌ مُّقْتَحِمٌ مَّعَكُمْ ۖ لَا مَرْحَبًۢا بِهِمْ ۚ إِنَّهُمْ صَالُوا۟ ٱلنَّارِ ﴿٥٩﴾
قَالُوا۟ بَلْ أَنتُمْ لَا مَرْحَبًۢا بِكُمْ ۖ أَنتُمْ قَدَّمْتُمُوهُ لَنَا ۖ فَبِئْسَ ٱلْقَرَارُ ﴿٦٠﴾
قَالُوا۟ رَبَّنَا مَن قَدَّمَ لَنَا هَٰذَا فَزِدْهُ عَذَابًا ضِعْفًا فِى ٱلنَّارِ ﴿٦١﴾

- ضِغْثًا: قبضة من قضبان
- أُولِي الأيدي: أصحاب القوة في الدين
- أخلصناهم بخالصة: خصصناهم بخصلة لا شوب فيها
- قاصرات الطرف: لا ينظرن لغير أزواجهن
- أتراب: مستويات في الشباب والحسن
- نفاد: انقطاع وفناء

ص

نصف الحزب ٤٦

- يصلونها: يدخلونها أو يقاسون حرها
- المهاد: الفراش؛ أي المستقر
- حميم: ماء بالغ نهاية الحرارة
- غساق: صديد يسيل من أجسامهم
- أزواج: أصناف
- هذا فوج: جمع كثيف
- مقتحم معكم: داخل معكم النار قهراً
- لا مرحبا بهم: لا رحبت بهم النار ولا اتسعت
- صالوا النار: داخلوها أو مقاسو حرها

| | | |
|---|---|---|
| مدّ ٦ حركات لزوماً ● مدّ ٢ أو ٤ أو ٦ جوازاً | ● إخفاء، ومواقع الغنّة (حركتان) | ● تفخيم |
| مدّ واجب ٤ أو ٥ حركات ● مدّ حركتان | ● إدغام، وما لا يُلفظ | ● قلقلة |

وَقَالُوا۟ مَا لَنَا لَا نَرَىٰ رِجَالًا كُنَّا نَعُدُّهُم مِّنَ ٱلْأَشْرَارِ ﴿٦٢﴾ أَتَّخَذْنَـٰهُمْ
سِخْرِيًّا أَمْ زَاغَتْ عَنْهُمُ ٱلْأَبْصَـٰرُ ﴿٦٣﴾ إِنَّ ذَٰلِكَ لَحَقٌّ تَخَاصُمُ أَهْلِ
ٱلنَّارِ ﴿٦٤﴾ قُلْ إِنَّمَآ أَنَا۠ مُنذِرٌ ۖ وَمَا مِنْ إِلَـٰهٍ إِلَّا ٱللَّهُ ٱلْوَٰحِدُ ٱلْقَهَّارُ ﴿٦٥﴾
رَبُّ ٱلسَّمَـٰوَٰتِ وَٱلْأَرْضِ وَمَا بَيْنَهُمَا ٱلْعَزِيزُ ٱلْغَفَّـٰرُ ﴿٦٦﴾ قُلْ هُوَ نَبَؤٌا۟
عَظِيمٌ ﴿٦٧﴾ أَنتُمْ عَنْهُ مُعْرِضُونَ ﴿٦٨﴾ مَا كَانَ لِىَ مِنْ عِلْمٍۭ بِٱلْمَلَإِ ٱلْأَعْلَىٰٓ
إِذْ يَخْتَصِمُونَ ﴿٦٩﴾ إِن يُوحَىٰٓ إِلَىَّ إِلَّآ أَنَّمَآ أَنَا۠ نَذِيرٌ مُّبِينٌ ﴿٧٠﴾ إِذْ قَالَ رَبُّكَ
لِلْمَلَـٰٓئِكَةِ إِنِّى خَـٰلِقٌۢ بَشَرًا مِّن طِينٍ ﴿٧١﴾ فَإِذَا سَوَّيْتُهُۥ وَنَفَخْتُ فِيهِ
مِن رُّوحِى فَقَعُوا۟ لَهُۥ سَـٰجِدِينَ ﴿٧٢﴾ فَسَجَدَ ٱلْمَلَـٰٓئِكَةُ كُلُّهُمْ
أَجْمَعُونَ ﴿٧٣﴾ إِلَّآ إِبْلِيسَ ٱسْتَكْبَرَ وَكَانَ مِنَ ٱلْكَـٰفِرِينَ ﴿٧٤﴾ قَالَ
يَـٰٓإِبْلِيسُ مَا مَنَعَكَ أَن تَسْجُدَ لِمَا خَلَقْتُ بِيَدَىَّ ۖ أَسْتَكْبَرْتَ أَمْ كُنتَ
مِنَ ٱلْعَالِينَ ﴿٧٥﴾ قَالَ أَنَا۠ خَيْرٌ مِّنْهُ ۖ خَلَقْتَنِى مِن نَّارٍ وَخَلَقْتَهُۥ مِن طِينٍ
﴿٧٦﴾ قَالَ فَٱخْرُجْ مِنْهَا فَإِنَّكَ رَجِيمٌ ﴿٧٧﴾ وَإِنَّ عَلَيْكَ لَعْنَتِىٓ إِلَىٰ يَوْمِ
ٱلدِّينِ ﴿٧٨﴾ قَالَ رَبِّ فَأَنظِرْنِىٓ إِلَىٰ يَوْمِ يُبْعَثُونَ ﴿٧٩﴾ قَالَ فَإِنَّكَ مِنَ
ٱلْمُنظَرِينَ ﴿٨٠﴾ إِلَىٰ يَوْمِ ٱلْوَقْتِ ٱلْمَعْلُومِ ﴿٨١﴾ قَالَ فَبِعِزَّتِكَ
لَأُغْوِيَنَّهُمْ أَجْمَعِينَ ﴿٨٢﴾ إِلَّا عِبَادَكَ مِنْهُمُ ٱلْمُخْلَصِينَ ﴿٨٣﴾

- سِخْرِيًّا: مَهْزُوءاً بِهِمْ
- زَاغَتْ عَنْهُمْ: مَالَتْ عنهم
- ٱلْعَالِينَ: المستحقّين للعُلُوّ والرِّفْعَةِ
- رَجِيمٌ: طَرِيدٌ
- فَأَنظِرْنِىٓ: أَمْهِلْنِي
- فَبِعِزَّتِكَ: فَبِسُلْطَانِكَ وَقَهْرِكَ
- لَأُغْوِيَنَّهُمْ: لَأُضِلَّنَّهُمْ

● مدّ ٦ حركات لزوماً ● مدّ ٢ أو ٤ أو ٦ جوازاً ● إخفاء ، ومواقع الغُنَّة (حركتان) ● تف...
● مدّ واجب ٤ أو ٥ حركات ● مدّ حركتان ● إدغام ، وما لا يُلفَظ ● قلق...

قَالَ فَالْحَقُّ وَالْحَقَّ أَقُولُ ﴿٨٤﴾ لَأَمْلَأَنَّ جَهَنَّمَ مِنكَ وَمِمَّن تَبِعَكَ
مِنْهُمْ أَجْمَعِينَ ﴿٨٥﴾ قُلْ مَا أَسْأَلُكُمْ عَلَيْهِ مِنْ أَجْرٍ وَمَا أَنَا مِنَ الْمُتَكَلِّفِينَ
﴿٨٦﴾ إِنْ هُوَ إِلَّا ذِكْرٌ لِّلْعَالَمِينَ ﴿٨٧﴾ وَلَتَعْلَمُنَّ نَبَأَهُ بَعْدَ حِينٍ ﴿٨٨﴾

## سُورَةُ الزُّمَرِ

ترتيبها ٣٩ — آياتها ٧٥

بِسْمِ اللَّهِ الرَّحْمَٰنِ الرَّحِيمِ

تَنزِيلُ الْكِتَابِ مِنَ اللَّهِ الْعَزِيزِ الْحَكِيمِ ﴿١﴾ إِنَّا أَنزَلْنَا إِلَيْكَ
الْكِتَابَ بِالْحَقِّ فَاعْبُدِ اللَّهَ مُخْلِصًا لَّهُ الدِّينَ ﴿٢﴾ أَلَا
لِلَّهِ الدِّينُ الْخَالِصُ ۚ وَالَّذِينَ اتَّخَذُوا مِن دُونِهِ أَوْلِيَاءَ
مَا نَعْبُدُهُمْ إِلَّا لِيُقَرِّبُونَا إِلَى اللَّهِ زُلْفَىٰ إِنَّ اللَّهَ يَحْكُمُ بَيْنَهُمْ
فِي مَا هُمْ فِيهِ يَخْتَلِفُونَ ۗ إِنَّ اللَّهَ لَا يَهْدِي مَنْ هُوَ كَاذِبٌ
كَفَّارٌ ﴿٣﴾ لَّوْ أَرَادَ اللَّهُ أَن يَتَّخِذَ وَلَدًا لَّاصْطَفَىٰ مِمَّا
يَخْلُقُ مَا يَشَاءُ ۚ سُبْحَانَهُ ۖ هُوَ اللَّهُ الْوَاحِدُ الْقَهَّارُ ﴿٤﴾
خَلَقَ السَّمَاوَاتِ وَالْأَرْضَ بِالْحَقِّ ۖ يُكَوِّرُ اللَّيْلَ عَلَى النَّهَارِ
وَيُكَوِّرُ النَّهَارَ عَلَى اللَّيْلِ ۖ وَسَخَّرَ الشَّمْسَ وَالْقَمَرَ ۖ
كُلٌّ يَجْرِي لِأَجَلٍ مُّسَمًّى ۗ أَلَا هُوَ الْعَزِيزُ الْغَفَّارُ ﴿٥﴾

الزمر

- الْمُتَكَلِّفِينَ: الْمُتَصَنِّعِينَ الْمُتَقَوِّلِينَ عَلَى اللهِ
- مُخْلِصًا لَّهُ الدِّينَ: مُمَحِّضًا لَهُ الْعِبَادَةَ
- زُلْفَىٰ: تَقْرِيبًا
- سُبْحَانَهُ: تَنْزِيهًا لَهُ عَنِ اتِّخَاذِ الْوَلَدِ
- يُكَوِّرُ اللَّيْلَ عَلَى النَّهَارِ: يَلُفُّهُ عَلَى النَّهَارِ فَتَظْهَرُ الظُّلْمَةُ

مدّ ٦ حركات لزوماً — مدّ ٢ أو ٤ أو ٦ جوازاً — إخفاء، ومواقع الغُنَّة (حركتان) — تفخيم
مدّ واجب ٤ أو ٥ حركات — مدّ حركتان — إدغام، وما لا يُلفَظ — قلقلة

خَلَقَكُم مِّن نَّفۡسٖ وَٰحِدَةٖ ثُمَّ جَعَلَ مِنۡهَا زَوۡجَهَا وَأَنزَلَ لَكُم
مِّنَ ٱلۡأَنۡعَٰمِ ثَمَٰنِيَةَ أَزۡوَٰجٖۚ يَخۡلُقُكُمۡ فِي بُطُونِ أُمَّهَٰتِكُمۡ
خَلۡقٗا مِّنۢ بَعۡدِ خَلۡقٖ فِي ظُلُمَٰتٖ ثَلَٰثٖۚ ذَٰلِكُمُ ٱللَّهُ رَبُّكُمۡ لَهُ
ٱلۡمُلۡكُۖ لَآ إِلَٰهَ إِلَّا هُوَۖ فَأَنَّىٰ تُصۡرَفُونَ ٦ إِن تَكۡفُرُواْ فَإِنَّ
ٱللَّهَ غَنِيٌّ عَنكُمۡۖ وَلَا يَرۡضَىٰ لِعِبَادِهِ ٱلۡكُفۡرَۖ وَإِن تَشۡكُرُواْ يَرۡضَهُ
لَكُمۡۗ وَلَا تَزِرُ وَازِرَةٞ وِزۡرَ أُخۡرَىٰۗ ثُمَّ إِلَىٰ رَبِّكُم مَّرۡجِعُكُمۡ
فَيُنَبِّئُكُم بِمَا كُنتُمۡ تَعۡمَلُونَۚ إِنَّهُۥ عَلِيمُۢ بِذَاتِ ٱلصُّدُورِ ٧
۞ وَإِذَا مَسَّ ٱلۡإِنسَٰنَ ضُرّٞ دَعَا رَبَّهُۥ مُنِيبًا إِلَيۡهِ ثُمَّ إِذَا خَوَّلَهُۥ
نِعۡمَةٗ مِّنۡهُ نَسِيَ مَا كَانَ يَدۡعُوٓاْ إِلَيۡهِ مِن قَبۡلُ وَجَعَلَ لِلَّهِ أَندَادٗا
لِّيُضِلَّ عَن سَبِيلِهِۦۚ قُلۡ تَمَتَّعۡ بِكُفۡرِكَ قَلِيلًاۖ إِنَّكَ مِنۡ أَصۡحَٰبِ
ٱلنَّارِ ٨ أَمَّنۡ هُوَ قَٰنِتٌ ءَانَآءَ ٱلَّيۡلِ سَاجِدٗا وَقَآئِمٗا يَحۡذَرُ
ٱلۡأٓخِرَةَ وَيَرۡجُواْ رَحۡمَةَ رَبِّهِۦۗ قُلۡ هَلۡ يَسۡتَوِي ٱلَّذِينَ يَعۡلَمُونَ وَٱلَّذِينَ
لَا يَعۡلَمُونَۗ إِنَّمَا يَتَذَكَّرُ أُوْلُواْ ٱلۡأَلۡبَٰبِ ٩ قُلۡ يَٰعِبَادِ ٱلَّذِينَ
ءَامَنُواْ ٱتَّقُواْ رَبَّكُمۡۚ لِلَّذِينَ أَحۡسَنُواْ فِي هَٰذِهِ ٱلدُّنۡيَا حَسَنَةٞۗ
وَأَرۡضُ ٱللَّهِ وَٰسِعَةٌۗ إِنَّمَا يُوَفَّى ٱلصَّٰبِرُونَ أَجۡرَهُم بِغَيۡرِ حِسَابٖ ١٠

- أَنزَلَ لَكُم: أنشأ وأحدث لأجلكم
- ٱلۡأَنۡعَٰمِ: الإبل والبقر والضأن والمعز
- ظُلُمَٰتٖ ثَلَٰثٖ: ظلمة البطن والرحم والمشيمة
- فَأَنَّىٰ تُصۡرَفُونَ: فكيف يُعدل بكم عن عبادته
- لَا تَزِرُ وَازِرَةٞ: لا تحمل نفس آثمة

ثلاثة أرباع الحزب ٤٦

- مُنِيبًا إِلَيۡهِ: راجعاً إليه، مستغيثاً به
- خَوَّلَهُۥ نِعۡمَةٗ: أعطاه نعمة عظيمة
- أَندَادٗا: أمثالاً يعبدها من دونه تعالى
- هُوَ قَٰنِتٌ: مطيع خاضع
- ءَانَآءَ ٱلَّيۡلِ: ساعاته

مدّ ٦ حركات لزوماً — مدّ ٢ أو ٤ أو ٦ جوازاً — مدّ واجب ٤ أو ٥ حركات — مدّ حركتان — إخفاء، ومواقع الغُنّة (حركتان) — إدغام، وما لا يُلفظ — تف… — قلق…

قُلْ إِنِّىٓ أُمِرْتُ أَنْ أَعْبُدَ ٱللَّهَ مُخْلِصًا لَّهُ ٱلدِّينَ ﴿١١﴾ وَأُمِرْتُ لِأَنْ أَكُونَ
أَوَّلَ ٱلْمُسْلِمِينَ ﴿١٢﴾ قُلْ إِنِّىٓ أَخَافُ إِنْ عَصَيْتُ رَبِّى عَذَابَ يَوْمٍ عَظِيمٍ
﴿١٣﴾ قُلِ ٱللَّهَ أَعْبُدُ مُخْلِصًا لَّهُۥ دِينِى ﴿١٤﴾ فَٱعْبُدُوا۟ مَا شِئْتُم مِّن دُونِهِۦ ۗ
قُلْ إِنَّ ٱلْخَٰسِرِينَ ٱلَّذِينَ خَسِرُوٓا۟ أَنفُسَهُمْ وَأَهْلِيهِمْ يَوْمَ ٱلْقِيَٰمَةِ ۗ أَلَا
ذَٰلِكَ هُوَ ٱلْخُسْرَانُ ٱلْمُبِينُ ﴿١٥﴾ لَهُم مِّن فَوْقِهِمْ ظُلَلٌ مِّنَ ٱلنَّارِ
وَمِن تَحْتِهِمْ ظُلَلٌ ۚ ذَٰلِكَ يُخَوِّفُ ٱللَّهُ بِهِۦ عِبَادَهُۥ ۚ يَٰعِبَادِ فَٱتَّقُونِ ﴿١٦﴾
وَٱلَّذِينَ ٱجْتَنَبُوا۟ ٱلطَّٰغُوتَ أَن يَعْبُدُوهَا وَأَنَابُوٓا۟ إِلَى ٱللَّهِ لَهُمُ ٱلْبُشْرَىٰ ۚ
فَبَشِّرْ عِبَادِ ﴿١٧﴾ ٱلَّذِينَ يَسْتَمِعُونَ ٱلْقَوْلَ فَيَتَّبِعُونَ أَحْسَنَهُۥٓ ۚ
أُو۟لَٰٓئِكَ ٱلَّذِينَ هَدَىٰهُمُ ٱللَّهُ ۖ وَأُو۟لَٰٓئِكَ هُمْ أُو۟لُوا۟ ٱلْأَلْبَٰبِ ﴿١٨﴾
أَفَمَنْ حَقَّ عَلَيْهِ كَلِمَةُ ٱلْعَذَابِ أَفَأَنتَ تُنقِذُ مَن فِى ٱلنَّارِ ﴿١٩﴾
لَٰكِنِ ٱلَّذِينَ ٱتَّقَوْا۟ رَبَّهُمْ لَهُمْ غُرَفٌ مِّن فَوْقِهَا غُرَفٌ مَّبْنِيَّةٌ تَجْرِى
مِن تَحْتِهَا ٱلْأَنْهَٰرُ ۖ وَعْدَ ٱللَّهِ ۖ لَا يُخْلِفُ ٱللَّهُ ٱلْمِيعَادَ ﴿٢٠﴾ أَلَمْ تَرَ
أَنَّ ٱللَّهَ أَنزَلَ مِنَ ٱلسَّمَآءِ مَآءً فَسَلَكَهُۥ يَنَٰبِيعَ فِى ٱلْأَرْضِ ثُمَّ
يُخْرِجُ بِهِۦ زَرْعًا مُّخْتَلِفًا أَلْوَٰنُهُۥ ثُمَّ يَهِيجُ فَتَرَىٰهُ مُصْفَرًّا ثُمَّ
يَجْعَلُهُۥ حُطَٰمًا ۚ إِنَّ فِى ذَٰلِكَ لَذِكْرَىٰ لِأُو۟لِى ٱلْأَلْبَٰبِ ﴿٢١﴾



- ظُلَلٌ مِّنَ ٱلنَّارِ: أطباق منها، كثيرة متراكمة
- ٱجْتَنَبُوا۟ ٱلطَّٰغُوتَ: الأوثان والمعبودات الباطلة
- أَنَابُوٓا۟ إِلَى ٱللَّهِ: رجعوا إلى عبادته وحده
- حَقَّ عَلَيْهِ: وجب وثبت عليه
- لَهُمْ غُرَفٌ: منازل رفيعة في الجنة
- فَسَلَكَهُۥ يَنَٰبِيعَ: أدخله في عيون ومجار
- يَهِيجُ: يمضي إلى أقصى غايته
- يَجْعَلُهُۥ حُطَٰمًا: يصيّره فتاتاً متكسّراً

| | | |
|---|---|---|
| مدّ ٦ حركات لزوماً — مدّ ٢ أو ٤ أو ٦ جوازاً | إخفاء، ومواقع الغنّة (حركتان) | تفخيم |
| مدّ واجب ٤ أو ٥ حركات — مدّ حركتان | إدغام، وما لا يُلفظ | قلقلة |

أَفَمَن شَرَحَ ٱللَّهُ صَدْرَهُۥ لِلْإِسْلَٰمِ فَهُوَ عَلَىٰ نُورٍ مِّن رَّبِّهِۦۚ فَوَيْلٌ
لِّلْقَٰسِيَةِ قُلُوبُهُم مِّن ذِكْرِ ٱللَّهِۚ أُو۟لَٰٓئِكَ فِى ضَلَٰلٍ مُّبِينٍ ﴿٢٢﴾
ٱللَّهُ نَزَّلَ أَحْسَنَ ٱلْحَدِيثِ كِتَٰبًا مُّتَشَٰبِهًا مَّثَانِىَ تَقْشَعِرُّ مِنْهُ
جُلُودُ ٱلَّذِينَ يَخْشَوْنَ رَبَّهُمْ ثُمَّ تَلِينُ جُلُودُهُمْ وَقُلُوبُهُمْ
إِلَىٰ ذِكْرِ ٱللَّهِۚ ذَٰلِكَ هُدَى ٱللَّهِ يَهْدِى بِهِۦ مَن يَشَآءُۚ وَمَن
يُضْلِلِ ٱللَّهُ فَمَا لَهُۥ مِنْ هَادٍ ﴿٢٣﴾ أَفَمَن يَتَّقِى بِوَجْهِهِۦ سُوٓءَ
ٱلْعَذَابِ يَوْمَ ٱلْقِيَٰمَةِۚ وَقِيلَ لِلظَّٰلِمِينَ ذُوقُوا۟ مَا كُنتُمْ تَكْسِبُونَ
﴿٢٤﴾ كَذَّبَ ٱلَّذِينَ مِن قَبْلِهِمْ فَأَتَىٰهُمُ ٱلْعَذَابُ مِنْ حَيْثُ
لَا يَشْعُرُونَ ﴿٢٥﴾ فَأَذَاقَهُمُ ٱللَّهُ ٱلْخِزْىَ فِى ٱلْحَيَوٰةِ ٱلدُّنْيَاۖ وَلَعَذَابُ
ٱلْءَاخِرَةِ أَكْبَرُۚ لَوْ كَانُوا۟ يَعْلَمُونَ ﴿٢٦﴾ وَلَقَدْ ضَرَبْنَا لِلنَّاسِ فِى
هَٰذَا ٱلْقُرْءَانِ مِن كُلِّ مَثَلٍ لَّعَلَّهُمْ يَتَذَكَّرُونَ ﴿٢٧﴾ قُرْءَانًا عَرَبِيًّا
غَيْرَ ذِى عِوَجٍ لَّعَلَّهُمْ يَتَّقُونَ ﴿٢٨﴾ ضَرَبَ ٱللَّهُ مَثَلًا رَّجُلًا فِيهِ
شُرَكَآءُ مُتَشَٰكِسُونَ وَرَجُلًا سَلَمًا لِّرَجُلٍ هَلْ يَسْتَوِيَانِ مَثَلًاۚ
ٱلْحَمْدُ لِلَّهِۚ بَلْ أَكْثَرُهُمْ لَا يَعْلَمُونَ ﴿٢٩﴾ إِنَّكَ مَيِّتٌ وَإِنَّهُم مَّيِّتُونَ
﴿٣٠﴾ ثُمَّ إِنَّكُمْ يَوْمَ ٱلْقِيَٰمَةِ عِندَ رَبِّكُمْ تَخْتَصِمُونَ ﴿٣١﴾

- فَوَيْلٌ: هَلَاكٌ
- كِتَٰبًا مُّتَشَٰبِهًا: في إعجازه وهدايته وخصائصه
- مَّثَانِىَ: مُكَرَّراً فيه الأحكامُ والمواعظ وغيرهُما
- تَقْشَعِرُّ مِنْهُ: تَضْطَرِبُ وتَرْتَعِدُ من هَيْبَتِهِ
- ٱلْخِزْىَ: الذُّل والهوانَ
- عِوَجٍ: اختلافٍ واختلالٍ واضْطِرابٍ
- مُتَشَٰكِسُونَ: مُتَنازِعُونَ شَرِسُو الطِّبَاعِ
- سَلَمًا لِّرَجُلٍ: خَالِصاً لَهُ من الشَّرِكَةِ

مدّ ٦ حركات لزوماً • مدّ ٢ أو ٤ أو ٦ جوازاً • إخفاء ، ومواقع الغُنّة (حركتان) • تفخ
مدّ واجب ٤ أو ٥ حركات • مدّ حركتان • إدغام ، وما لا يُلفظ • قلقل

۞ فَمَنْ أَظْلَمُ مِمَّن كَذَبَ عَلَى ٱللَّهِ وَكَذَّبَ بِٱلصِّدْقِ
إِذْ جَآءَهُۥٓ ۚ أَلَيْسَ فِى جَهَنَّمَ مَثْوًى لِّلْكَٰفِرِينَ ﴿٣٢﴾ وَٱلَّذِى
جَآءَ بِٱلصِّدْقِ وَصَدَّقَ بِهِۦٓ ۙ أُو۟لَٰٓئِكَ هُمُ ٱلْمُتَّقُونَ ﴿٣٣﴾
لَهُم مَّا يَشَآءُونَ عِندَ رَبِّهِمْ ۚ ذَٰلِكَ جَزَآءُ ٱلْمُحْسِنِينَ ﴿٣٤﴾
لِيُكَفِّرَ ٱللَّهُ عَنْهُمْ أَسْوَأَ ٱلَّذِى عَمِلُوا۟ وَيَجْزِيَهُمْ أَجْرَهُم
بِأَحْسَنِ ٱلَّذِى كَانُوا۟ يَعْمَلُونَ ﴿٣٥﴾ أَلَيْسَ ٱللَّهُ بِكَافٍ
عَبْدَهُۥ ۖ وَيُخَوِّفُونَكَ بِٱلَّذِينَ مِن دُونِهِۦ ۚ وَمَن يُضْلِلِ
ٱللَّهُ فَمَا لَهُۥ مِنْ هَادٍ ﴿٣٦﴾ وَمَن يَهْدِ ٱللَّهُ فَمَا لَهُۥ مِن مُّضِلٍّ ۗ
أَلَيْسَ ٱللَّهُ بِعَزِيزٍ ذِى ٱنتِقَامٍ ﴿٣٧﴾ وَلَئِن سَأَلْتَهُم مَّنْ خَلَقَ
ٱلسَّمَٰوَٰتِ وَٱلْأَرْضَ لَيَقُولُنَّ ٱللَّهُ ۚ قُلْ أَفَرَءَيْتُم مَّا تَدْعُونَ
مِن دُونِ ٱللَّهِ إِنْ أَرَادَنِىَ ٱللَّهُ بِضُرٍّ هَلْ هُنَّ كَٰشِفَٰتُ ضُرِّهِۦٓ
أَوْ أَرَادَنِى بِرَحْمَةٍ هَلْ هُنَّ مُمْسِكَٰتُ رَحْمَتِهِۦ ۚ قُلْ حَسْبِىَ
ٱللَّهُ ۖ عَلَيْهِ يَتَوَكَّلُ ٱلْمُتَوَكِّلُونَ ﴿٣٨﴾ قُلْ يَٰقَوْمِ ٱعْمَلُوا۟
عَلَىٰ مَكَانَتِكُمْ إِنِّى عَٰمِلٌ ۖ فَسَوْفَ تَعْلَمُونَ ﴿٣٩﴾
مَن يَأْتِيهِ عَذَابٌ يُخْزِيهِ وَيَحِلُّ عَلَيْهِ عَذَابٌ مُّقِيمٌ ﴿٤٠﴾

■ مَثْوًى لِّلْكَٰفِرِينَ: مأوى ومقام لهم
■ أَفَرَءَيْتُم: أخبروني
■ حَسْبِىَ ٱللَّهُ: كافيّ في جميع أموري
■ مَكَانَتِكُمْ: حالتكم المتمكّنين فيها
■ يُخْزِيهِ: يُذلُّه ويهينه
■ يَحِلُّ عَلَيْهِ: يجبُ عليه

إِنَّآ أَنزَلۡنَا عَلَيۡكَ ٱلۡكِتَٰبَ لِلنَّاسِ بِٱلۡحَقِّۖ فَمَنِ ٱهۡتَدَىٰ
فَلِنَفۡسِهِۦۖ وَمَن ضَلَّ فَإِنَّمَا يَضِلُّ عَلَيۡهَاۖ وَمَآ أَنتَ عَلَيۡهِم
بِوَكِيلٍ ﴿٤١﴾ ٱللَّهُ يَتَوَفَّى ٱلۡأَنفُسَ حِينَ مَوۡتِهَا وَٱلَّتِي
لَمۡ تَمُتۡ فِي مَنَامِهَاۖ فَيُمۡسِكُ ٱلَّتِي قَضَىٰ عَلَيۡهَا ٱلۡمَوۡتَ
وَيُرۡسِلُ ٱلۡأُخۡرَىٰٓ إِلَىٰٓ أَجَلٖ مُّسَمًّىۚ إِنَّ فِي ذَٰلِكَ لَأٓيَٰتٖ
لِّقَوۡمٖ يَتَفَكَّرُونَ ﴿٤٢﴾ أَمِ ٱتَّخَذُواْ مِن دُونِ ٱللَّهِ شُفَعَآءَۚ
قُلۡ أَوَلَوۡ كَانُواْ لَا يَمۡلِكُونَ شَيۡـٔٗا وَلَا يَعۡقِلُونَ ﴿٤٣﴾
قُل لِّلَّهِ ٱلشَّفَٰعَةُ جَمِيعٗاۖ لَّهُۥ مُلۡكُ ٱلسَّمَٰوَٰتِ وَٱلۡأَرۡضِۖ ثُمَّ
إِلَيۡهِ تُرۡجَعُونَ ﴿٤٤﴾ وَإِذَا ذُكِرَ ٱللَّهُ وَحۡدَهُ ٱشۡمَأَزَّتۡ
قُلُوبُ ٱلَّذِينَ لَا يُؤۡمِنُونَ بِٱلۡأٓخِرَةِۖ وَإِذَا ذُكِرَ ٱلَّذِينَ مِن
دُونِهِۦٓ إِذَا هُمۡ يَسۡتَبۡشِرُونَ ﴿٤٥﴾ قُلِ ٱللَّهُمَّ فَاطِرَ ٱلسَّمَٰوَٰتِ
وَٱلۡأَرۡضِ عَٰلِمَ ٱلۡغَيۡبِ وَٱلشَّهَٰدَةِ أَنتَ تَحۡكُمُ بَيۡنَ عِبَادِكَ
فِي مَا كَانُواْ فِيهِ يَخۡتَلِفُونَ ﴿٤٦﴾ وَلَوۡ أَنَّ لِلَّذِينَ ظَلَمُواْ
مَا فِي ٱلۡأَرۡضِ جَمِيعٗا وَمِثۡلَهُۥ مَعَهُۥ لَٱفۡتَدَوۡاْ بِهِۦ مِن سُوٓءِ ٱلۡعَذَابِ
يَوۡمَ ٱلۡقِيَٰمَةِۚ وَبَدَا لَهُم مِّنَ ٱللَّهِ مَا لَمۡ يَكُونُواْ يَحۡتَسِبُونَ ﴿٤٧﴾

- ٱشۡمَأَزَّتۡ: نَفَرَتْ وانْقَبَضَتْ عن التوحيد
- فَاطِرَ: مُبْدِعَ
- يَحۡتَسِبُونَ: يَظُنُّونَ

مدّ ٦ حركات لزوماً ● مدّ ٢ أو ٤ أو ٦ جوازاً ● مدّ واجب ٤ أو ٥ حركات ● مدّ حركتان ● إخفاء ، ومواقع الغُنَّة (حركتان) ● إدغام ، وما لا يُلفَظ ● تفخ... ● قلقل...

وَبَدَا لَهُمْ سَيِّـَٔاتُ مَا كَسَبُوا۟ وَحَاقَ بِهِم مَّا كَانُوا۟ بِهِۦ
يَسْتَهْزِءُونَ ﴿٤٨﴾ فَإِذَا مَسَّ ٱلْإِنسَٰنَ ضُرٌّ دَعَانَا ثُمَّ إِذَا خَوَّلْنَٰهُ
نِعْمَةً مِّنَّا قَالَ إِنَّمَآ أُوتِيتُهُۥ عَلَىٰ عِلْمٍۭ ۚ بَلْ هِىَ فِتْنَةٌ وَلَٰكِنَّ
أَكْثَرَهُمْ لَا يَعْلَمُونَ ﴿٤٩﴾ قَدْ قَالَهَا ٱلَّذِينَ مِن قَبْلِهِمْ فَمَآ أَغْنَىٰ
عَنْهُم مَّا كَانُوا۟ يَكْسِبُونَ ﴿٥٠﴾ فَأَصَابَهُمْ سَيِّـَٔاتُ مَا كَسَبُوا۟ ۚ
وَٱلَّذِينَ ظَلَمُوا۟ مِنْ هَٰٓؤُلَآءِ سَيُصِيبُهُمْ سَيِّـَٔاتُ مَا كَسَبُوا۟
وَمَا هُم بِمُعْجِزِينَ ﴿٥١﴾ أَوَلَمْ يَعْلَمُوٓا۟ أَنَّ ٱللَّهَ يَبْسُطُ ٱلرِّزْقَ
لِمَن يَشَآءُ وَيَقْدِرُ ۚ إِنَّ فِى ذَٰلِكَ لَءَايَٰتٍ لِّقَوْمٍ يُؤْمِنُونَ ﴿٥٢﴾
۞ قُلْ يَٰعِبَادِىَ ٱلَّذِينَ أَسْرَفُوا۟ عَلَىٰٓ أَنفُسِهِمْ لَا تَقْنَطُوا۟ مِن
رَّحْمَةِ ٱللَّهِ ۚ إِنَّ ٱللَّهَ يَغْفِرُ ٱلذُّنُوبَ جَمِيعًا ۚ إِنَّهُۥ هُوَ ٱلْغَفُورُ ٱلرَّحِيمُ
﴿٥٣﴾ وَأَنِيبُوٓا۟ إِلَىٰ رَبِّكُمْ وَأَسْلِمُوا۟ لَهُۥ مِن قَبْلِ أَن يَأْتِيَكُمُ
ٱلْعَذَابُ ثُمَّ لَا تُنصَرُونَ ﴿٥٤﴾ وَٱتَّبِعُوٓا۟ أَحْسَنَ مَآ أُنزِلَ
إِلَيْكُم مِّن رَّبِّكُم مِّن قَبْلِ أَن يَأْتِيَكُمُ ٱلْعَذَابُ
بَغْتَةً وَأَنتُمْ لَا تَشْعُرُونَ ﴿٥٥﴾ أَن تَقُولَ نَفْسٌ يَٰحَسْرَتَىٰ
عَلَىٰ مَا فَرَّطتُ فِى جَنۢبِ ٱللَّهِ وَإِن كُنتُ لَمِنَ ٱلسَّٰخِرِينَ ﴿٥٦﴾

- حَاقَ بِهِم: نزل . أو أحاط بهم
- خَوَّلْنَٰهُ نِعْمَةً: أعطيناه نعمةً عظيمةً
- هِىَ فِتْنَةٌ: النِّعْمَة امتحان وابتلاء
- بِمُعْجِزِينَ: فائتين من العذاب
- يَقْدِرُ: يُضيِّقهُ على من يشاء
- أَسْرَفُوا۟: تجاوزوا الحدّ في المعاصي
- لَا تَقْنَطُوا۟: لا تيأسوا
- أَنِيبُوٓا۟ إِلَىٰ رَبِّكُمْ: ارجعوا إليه بالتوبة
- أَسْلِمُوا۟ لَهُۥ: أخلصوا له عبادتكم
- بَغْتَةً: فجأة
- يَٰحَسْرَتَىٰ: يا ندامتي
- فَرَّطتُ: قصّرتُ
- فِى جَنۢبِ ٱللَّهِ: في طاعته وحقّه تعالى
- ٱلسَّٰخِرِينَ: المستهزئين بدينه وأهله وكتابه

الزمر

ربع الحزب ٤٧

أَوْ تَقُولَ لَوْ أَنَّ ٱللَّهَ هَدَىٰنِى لَكُنتُ مِنَ ٱلْمُتَّقِينَ ﴿٥٧﴾
أَوْ تَقُولَ حِينَ تَرَى ٱلْعَذَابَ لَوْ أَنَّ لِى كَرَّةً فَأَكُونَ
مِنَ ٱلْمُحْسِنِينَ ﴿٥٨﴾ بَلَىٰ قَدْ جَآءَتْكَ ءَايَـٰتِى فَكَذَّبْتَ بِهَا
وَٱسْتَكْبَرْتَ وَكُنتَ مِنَ ٱلْكَـٰفِرِينَ ﴿٥٩﴾ وَيَوْمَ ٱلْقِيَـٰمَةِ
تَرَى ٱلَّذِينَ كَذَبُوا۟ عَلَى ٱللَّهِ وُجُوهُهُم مُّسْوَدَّةٌ ۚ أَلَيْسَ فِى
جَهَنَّمَ مَثْوًى لِّلْمُتَكَبِّرِينَ ﴿٦٠﴾ وَيُنَجِّى ٱللَّهُ ٱلَّذِينَ ٱتَّقَوْا۟
بِمَفَازَتِهِمْ لَا يَمَسُّهُمُ ٱلسُّوٓءُ وَلَا هُمْ يَحْزَنُونَ ﴿٦١﴾ ٱللَّهُ
خَـٰلِقُ كُلِّ شَىْءٍ ۖ وَهُوَ عَلَىٰ كُلِّ شَىْءٍ وَكِيلٌ ﴿٦٢﴾ لَّهُۥ مَقَالِيدُ
ٱلسَّمَـٰوَٰتِ وَٱلْأَرْضِ ۗ وَٱلَّذِينَ كَفَرُوا۟ بِـَٔايَـٰتِ ٱللَّهِ أُو۟لَـٰٓئِكَ
هُمُ ٱلْخَـٰسِرُونَ ﴿٦٣﴾ قُلْ أَفَغَيْرَ ٱللَّهِ تَأْمُرُوٓنِّىٓ أَعْبُدُ أَيُّهَا
ٱلْجَـٰهِلُونَ ﴿٦٤﴾ وَلَقَدْ أُوحِىَ إِلَيْكَ وَإِلَى ٱلَّذِينَ مِن قَبْلِكَ لَئِنْ
أَشْرَكْتَ لَيَحْبَطَنَّ عَمَلُكَ وَلَتَكُونَنَّ مِنَ ٱلْخَـٰسِرِينَ ﴿٦٥﴾ بَلِ ٱللَّهَ
فَٱعْبُدْ وَكُن مِّنَ ٱلشَّـٰكِرِينَ ﴿٦٦﴾ وَمَا قَدَرُوا۟ ٱللَّهَ حَقَّ قَدْرِهِۦ
وَٱلْأَرْضُ جَمِيعًا قَبْضَتُهُۥ يَوْمَ ٱلْقِيَـٰمَةِ وَٱلسَّمَـٰوَٰتُ
مَطْوِيَّـٰتٌۢ بِيَمِينِهِۦ ۚ سُبْحَـٰنَهُۥ وَتَعَـٰلَىٰ عَمَّا يُشْرِكُونَ ﴿٦٧﴾

- كَرَّةً: رَجْعَةً إلى الدنيا
- مَثْوًى لِّلْمُتَكَبِّرِينَ: مأوى ومُقامٌ لهم
- بِمَفَازَتِهِمْ: بفوزهم وظفرهم بالبُغْيَة
- لَّهُۥ مَقَالِيدُ: مفاتيح خزائن
- لَيَحْبَطَنَّ عَمَلُكَ: ليَبْطُلَنَّ عملك
- مَا قَدَرُوا۟ ٱللَّهَ: ما عرفوه . أو ما عظّموه
- قَبْضَتُهُۥ: ملكه
- مَطْوِيَّـٰتٌۢ: مجموعات كالسِّجِلّ المطويّ

مدّ ٦ حركات لزوماً ● مدّ ٢ أو ٤ أو ٦ جوازاً ● إخفاء ، ومواقع الغُنَّة (حركتان) ● تفخ
مدّ واجب ٤ أو ٥ حركات ● مدّ حركتان ● إدغام ، وما لا يُلفَظ ● قلقلة

وَنُفِخَ فِى ٱلصُّورِ فَصَعِقَ مَن فِى ٱلسَّمَٰوَٰتِ وَمَن فِى ٱلْأَرْضِ
إِلَّا مَن شَآءَ ٱللَّهُ ۖ ثُمَّ نُفِخَ فِيهِ أُخْرَىٰ فَإِذَا هُمْ قِيَامٌ يَنظُرُونَ
﴿٦٨﴾ وَأَشْرَقَتِ ٱلْأَرْضُ بِنُورِ رَبِّهَا وَوُضِعَ ٱلْكِتَٰبُ وَجِا۟ىٓءَ
بِٱلنَّبِيِّۦنَ وَٱلشُّهَدَآءِ وَقُضِىَ بَيْنَهُم بِٱلْحَقِّ وَهُمْ لَا يُظْلَمُونَ
﴿٦٩﴾ وَوُفِّيَتْ كُلُّ نَفْسٍ مَّا عَمِلَتْ وَهُوَ أَعْلَمُ بِمَا يَفْعَلُونَ ﴿٧٠﴾
وَسِيقَ ٱلَّذِينَ كَفَرُوٓا۟ إِلَىٰ جَهَنَّمَ زُمَرًا ۖ حَتَّىٰٓ إِذَا جَآءُوهَا
فُتِحَتْ أَبْوَٰبُهَا وَقَالَ لَهُمْ خَزَنَتُهَآ أَلَمْ يَأْتِكُمْ رُسُلٌ مِّنكُمْ
يَتْلُونَ عَلَيْكُمْ ءَايَٰتِ رَبِّكُمْ وَيُنذِرُونَكُمْ لِقَآءَ يَوْمِكُمْ
هَٰذَا ۚ قَالُوا۟ بَلَىٰ وَلَٰكِنْ حَقَّتْ كَلِمَةُ ٱلْعَذَابِ عَلَى ٱلْكَٰفِرِينَ
﴿٧١﴾ قِيلَ ٱدْخُلُوٓا۟ أَبْوَٰبَ جَهَنَّمَ خَٰلِدِينَ فِيهَا ۖ فَبِئْسَ مَثْوَى
ٱلْمُتَكَبِّرِينَ ﴿٧٢﴾ وَسِيقَ ٱلَّذِينَ ٱتَّقَوْا۟ رَبَّهُمْ إِلَى
ٱلْجَنَّةِ زُمَرًا ۖ حَتَّىٰٓ إِذَا جَآءُوهَا وَفُتِحَتْ أَبْوَٰبُهَا وَقَالَ لَهُمْ
خَزَنَتُهَا سَلَٰمٌ عَلَيْكُمْ طِبْتُمْ فَٱدْخُلُوهَا خَٰلِدِينَ ﴿٧٣﴾
وَقَالُوا۟ ٱلْحَمْدُ لِلَّهِ ٱلَّذِى صَدَقَنَا وَعْدَهُۥ وَأَوْرَثَنَا ٱلْأَرْضَ
نَتَبَوَّأُ مِنَ ٱلْجَنَّةِ حَيْثُ نَشَآءُ ۖ فَنِعْمَ أَجْرُ ٱلْعَٰمِلِينَ ﴿٧٤﴾

الزمر

- ٱلصُّورِ: القرن
- فَصَعِقَ: مات
- وُضِعَ ٱلْكِتَٰبُ: أُعطيت صحف الأعمال لأربابها
- زُمَرًا: جماعات متفرّقة
- حَقَّتْ: وجبت
- نَتَبَوَّأُ: ننزل

| | | |
|---|---|---|
| مدّ ٦ حركات لزوماً ● مدّ ٢ أو ٤ أو ٦ جوازاً | إخفاء ، ومواقع الغُنَّة (حركتان) | تفخيم |
| مدّ واجب ٤ أو ٥ حركات ● مدّ حركتان | إدغام ، وما لا يُلفظ | قلقلة |

وَتَرَى ٱلْمَلَٰٓئِكَةَ حَآفِّينَ مِنْ حَوْلِ ٱلْعَرْشِ يُسَبِّحُونَ بِحَمْدِ
رَبِّهِمْ ۖ وَقُضِىَ بَيْنَهُم بِٱلْحَقِّ وَقِيلَ ٱلْحَمْدُ لِلَّهِ رَبِّ ٱلْعَٰلَمِينَ ﴿٧٥﴾

## سُورَةُ غَافِر

ترتيبها ٤٠ — آياتها ٨٥

بِسْمِ ٱللَّهِ ٱلرَّحْمَٰنِ ٱلرَّحِيمِ

حمٓ ﴿١﴾ تَنزِيلُ ٱلْكِتَٰبِ مِنَ ٱللَّهِ ٱلْعَزِيزِ ٱلْعَلِيمِ ﴿٢﴾ غَافِرِ
ٱلذَّنۢبِ وَقَابِلِ ٱلتَّوْبِ شَدِيدِ ٱلْعِقَابِ ذِى ٱلطَّوْلِ ۖ لَآ إِلَٰهَ إِلَّا هُوَ ۖ
إِلَيْهِ ٱلْمَصِيرُ ﴿٣﴾ مَا يُجَٰدِلُ فِىٓ ءَايَٰتِ ٱللَّهِ إِلَّا ٱلَّذِينَ كَفَرُوا۟
فَلَا يَغْرُرْكَ تَقَلُّبُهُمْ فِى ٱلْبِلَٰدِ ﴿٤﴾ كَذَّبَتْ قَبْلَهُمْ قَوْمُ
نُوحٍ وَٱلْأَحْزَابُ مِنۢ بَعْدِهِمْ ۖ وَهَمَّتْ كُلُّ أُمَّةٍۭ بِرَسُولِهِمْ
لِيَأْخُذُوهُ ۖ وَجَٰدَلُوا۟ بِٱلْبَٰطِلِ لِيُدْحِضُوا۟ بِهِ ٱلْحَقَّ فَأَخَذْتُهُمْ ۖ
فَكَيْفَ كَانَ عِقَابِ ﴿٥﴾ وَكَذَٰلِكَ حَقَّتْ كَلِمَتُ رَبِّكَ عَلَى
ٱلَّذِينَ كَفَرُوٓا۟ أَنَّهُمْ أَصْحَٰبُ ٱلنَّارِ ﴿٦﴾ ٱلَّذِينَ يَحْمِلُونَ ٱلْعَرْشَ
وَمَنْ حَوْلَهُۥ يُسَبِّحُونَ بِحَمْدِ رَبِّهِمْ وَيُؤْمِنُونَ بِهِۦ وَيَسْتَغْفِرُونَ
لِلَّذِينَ ءَامَنُوا۟ رَبَّنَا وَسِعْتَ كُلَّ شَىْءٍ رَّحْمَةً وَعِلْمًا
فَٱغْفِرْ لِلَّذِينَ تَابُوا۟ وَٱتَّبَعُوا۟ سَبِيلَكَ وَقِهِمْ عَذَابَ ٱلْجَحِيمِ ﴿٧﴾

حَآفِّينَ: مُحْدِقِينَ مُحِيطِينَ
غَافِرِ ٱلذَّنۢبِ: سَاتِره
قَابِلِ ٱلتَّوْبِ: التَّوْبَة من الذَّنْب
ذِى ٱلطَّوْلِ: الغِنَى . أو الإنْعَام
فَلَا يَغْرُرْكَ: فَلَا يَخْدَعْكَ
تَقَلُّبُهُمْ: تَنَقُّلُهُم سالمين غانمين
لِيُدْحِضُوا۟: لِيُبْطِلُوا ويُزِيلوا
حَقَّتْ: وَجَبَتْ
قِهِمْ عَذَابَ ٱلْجَحِيمِ: احْفَظْهُمْ منه

نصف الحزب ٤٧

● مدّ ٦ حركات لزوماً ● مدّ ٢ أو ٤ أو ٦ جوازاً ● إخفاء ، ومواقع الغُنَّة (حركتان) ● تفخ
● مدّ واجب ٤ أو ٥ حركات ● مدّ حركتان ● إدغام ، وما لا يُلفظ ● قلقلة

رَبَّنَا وَأَدۡخِلۡهُمۡ جَنَّٰتِ عَدۡنٍ ٱلَّتِي وَعَدتَّهُمۡ وَمَن صَلَحَ
مِنۡ ءَابَآئِهِمۡ وَأَزۡوَٰجِهِمۡ وَذُرِّيَّٰتِهِمۡۚ إِنَّكَ أَنتَ ٱلۡعَزِيزُ
ٱلۡحَكِيمُ ٨ وَقِهِمُ ٱلسَّيِّـَٔاتِۚ وَمَن تَقِ ٱلسَّيِّـَٔاتِ
يَوۡمَئِذٖ فَقَدۡ رَحِمۡتَهُۥۚ وَذَٰلِكَ هُوَ ٱلۡفَوۡزُ ٱلۡعَظِيمُ ٩ إِنَّ
ٱلَّذِينَ كَفَرُواْ يُنَادَوۡنَ لَمَقۡتُ ٱللَّهِ أَكۡبَرُ مِن مَّقۡتِكُمۡ
أَنفُسَكُمۡ إِذۡ تُدۡعَوۡنَ إِلَى ٱلۡإِيمَٰنِ فَتَكۡفُرُونَ ١٠
قَالُواْ رَبَّنَآ أَمَتَّنَا ٱثۡنَتَيۡنِ وَأَحۡيَيۡتَنَا ٱثۡنَتَيۡنِ فَٱعۡتَرَفۡنَا بِذُنُوبِنَا
فَهَلۡ إِلَىٰ خُرُوجٖ مِّن سَبِيلٖ ١١ ذَٰلِكُم بِأَنَّهُۥٓ إِذَا دُعِيَ
ٱللَّهُ وَحۡدَهُۥ كَفَرۡتُمۡۖ وَإِن يُشۡرَكۡ بِهِۦ تُؤۡمِنُواْۚ فَٱلۡحُكۡمُ لِلَّهِ
ٱلۡعَلِيِّ ٱلۡكَبِيرِ ١٢ هُوَ ٱلَّذِي يُرِيكُمۡ ءَايَٰتِهِۦ وَيُنَزِّلُ
لَكُم مِّنَ ٱلسَّمَآءِ رِزۡقٗاۚ وَمَا يَتَذَكَّرُ إِلَّا مَن يُنِيبُ ١٣
فَٱدۡعُواْ ٱللَّهَ مُخۡلِصِينَ لَهُ ٱلدِّينَ وَلَوۡ كَرِهَ ٱلۡكَٰفِرُونَ ١٤
رَفِيعُ ٱلدَّرَجَٰتِ ذُو ٱلۡعَرۡشِ يُلۡقِي ٱلرُّوحَ مِنۡ أَمۡرِهِۦ عَلَىٰ مَن
يَشَآءُ مِنۡ عِبَادِهِۦ لِيُنذِرَ يَوۡمَ ٱلتَّلَاقِ ١٥ يَوۡمَ هُم بَٰرِزُونَۖ لَا يَخۡفَىٰ
عَلَى ٱللَّهِ مِنۡهُمۡ شَيۡءٞۚ لِّمَنِ ٱلۡمُلۡكُ ٱلۡيَوۡمَۖ لِلَّهِ ٱلۡوَٰحِدِ ٱلۡقَهَّارِ ١٦

غافر

- لَمَقۡتُ ٱللَّهِ: غَضَبُهُ الشَّدِيدُ
- يُنِيبُ: يَتُوبُ من الشِّركِ
- يُلۡقِي ٱلرُّوحَ: يُنزِلُ الوَحْيَ
- يَوۡمَ ٱلتَّلَاقِ: يَوْمَ القِيامَةِ
- بَٰرِزُونَ: ظَاهِرُونَ . أو خَارِجُونَ من القُبُورِ

| | | |
|---|---|---|
| مدّ ٦ حركات لزوماً ● مدّ ٢ أو ٤ أو ٦ جوازاً ● | إخفاء ، ومواقع الغُنَّة (حركتان) ● | تفخيم ● |
| مدّ واجب ٤ أو ٥ حركات ● مدّ حركتان ● | إدغام ، وما لا يُلفَظ ● | قلقلة ● |

ٱلْيَوْمَ تُجْزَىٰ كُلُّ نَفْسٍۭ بِمَا كَسَبَتْ ۚ لَا ظُلْمَ ٱلْيَوْمَ ۚ إِنَّ
ٱللَّهَ سَرِيعُ ٱلْحِسَابِ ﴿١٧﴾ وَأَنذِرْهُمْ يَوْمَ ٱلْـَٔازِفَةِ إِذِ ٱلْقُلُوبُ
لَدَى ٱلْحَنَاجِرِ كَـٰظِمِينَ ۚ مَا لِلظَّـٰلِمِينَ مِنْ حَمِيمٍ وَلَا شَفِيعٍ
يُطَاعُ ﴿١٨﴾ يَعْلَمُ خَآئِنَةَ ٱلْأَعْيُنِ وَمَا تُخْفِى ٱلصُّدُورُ ﴿١٩﴾
وَٱللَّهُ يَقْضِى بِٱلْحَقِّ ۖ وَٱلَّذِينَ يَدْعُونَ مِن دُونِهِۦ لَا يَقْضُونَ
بِشَىْءٍ ۗ إِنَّ ٱللَّهَ هُوَ ٱلسَّمِيعُ ٱلْبَصِيرُ ﴿٢٠﴾ ۞ أَوَلَمْ يَسِيرُوا۟ فِى
ٱلْأَرْضِ فَيَنظُرُوا۟ كَيْفَ كَانَ عَـٰقِبَةُ ٱلَّذِينَ كَانُوا۟ مِن قَبْلِهِمْ ۚ
كَانُوا۟ هُمْ أَشَدَّ مِنْهُمْ قُوَّةً وَءَاثَارًا فِى ٱلْأَرْضِ فَأَخَذَهُمُ ٱللَّهُ
بِذُنُوبِهِمْ وَمَا كَانَ لَهُم مِّنَ ٱللَّهِ مِن وَاقٍ ﴿٢١﴾ ذَٰلِكَ بِأَنَّهُمْ
كَانَت تَّأْتِيهِمْ رُسُلُهُم بِٱلْبَيِّنَـٰتِ فَكَفَرُوا۟ فَأَخَذَهُمُ ٱللَّهُ ۚ إِنَّهُۥ
قَوِىٌّ شَدِيدُ ٱلْعِقَابِ ﴿٢٢﴾ وَلَقَدْ أَرْسَلْنَا مُوسَىٰ بِـَٔايَـٰتِنَا
وَسُلْطَـٰنٍ مُّبِينٍ ﴿٢٣﴾ إِلَىٰ فِرْعَوْنَ وَهَـٰمَـٰنَ وَقَـٰرُونَ
فَقَالُوا۟ سَـٰحِرٌ كَذَّابٌ ﴿٢٤﴾ فَلَمَّا جَآءَهُم بِٱلْحَقِّ مِنْ
عِندِنَا قَالُوا۟ ٱقْتُلُوٓا۟ أَبْنَآءَ ٱلَّذِينَ ءَامَنُوا۟ مَعَهُۥ وَٱسْتَحْيُوا۟
نِسَآءَهُمْ ۚ وَمَا كَيْدُ ٱلْكَـٰفِرِينَ إِلَّا فِى ضَلَـٰلٍ ﴿٢٥﴾

- يَوْمَ ٱلْـَٔازِفَةِ: يَوْمَ القيامَةِ
- ٱلْحَنَاجِرِ: التَّراقِي والحَلاقيم
- كَـٰظِمِينَ: ممسكةً على الغمِّ والكَرْبِ
- حَمِيمٍ: قريب مُشْفِق
- خَآئِنَةَ ٱلْأَعْيُنِ: النَّظْرَةَ الخائنةَ منها
- وَاقٍ: دافعٍ عنهم العذاب
- ٱسْتَحْيُوا۟ نِسَآءَهُمْ: استَبْقُوهُنَّ للخِدْمَةِ
- ضَلَـٰلٍ: ضَياعٍ وبُطلانٍ

ثلاثة أرباع الحزب ٤٧

مدّ ٦ حركات لزوماً — مدّ ٢ أو ٤ أو ٦ جوازاً — مدّ واجب ٤ أو ٥ حركات — مدّ حركتان — إخفاء، ومواقع الغُنَّة (حركتان) — إدغام، وما لا يُلفظ — تفخـ — قلقـ

وَقَالَ فِرْعَوْنُ ذَرُونِىٓ أَقْتُلْ مُوسَىٰ وَلْيَدْعُ رَبَّهُۥٓ ۖ إِنِّىٓ أَخَافُ
أَن يُبَدِّلَ دِينَكُمْ أَوْ أَن يُظْهِرَ فِى ٱلْأَرْضِ ٱلْفَسَادَ ﴿٢٦﴾
وَقَالَ مُوسَىٰٓ إِنِّى عُذْتُ بِرَبِّى وَرَبِّكُم مِّن كُلِّ مُتَكَبِّرٍ
لَّا يُؤْمِنُ بِيَوْمِ ٱلْحِسَابِ ﴿٢٧﴾ وَقَالَ رَجُلٌ مُّؤْمِنٌ مِّنْ ءَالِ
فِرْعَوْنَ يَكْتُمُ إِيمَٰنَهُۥٓ أَتَقْتُلُونَ رَجُلًا أَن يَقُولَ رَبِّىَ
ٱللَّهُ وَقَدْ جَآءَكُم بِٱلْبَيِّنَٰتِ مِن رَّبِّكُمْ ۖ وَإِن يَكُ كَٰذِبًا
فَعَلَيْهِ كَذِبُهُۥ ۖ وَإِن يَكُ صَادِقًا يُصِبْكُم بَعْضُ ٱلَّذِى
يَعِدُكُمْ ۖ إِنَّ ٱللَّهَ لَا يَهْدِى مَنْ هُوَ مُسْرِفٌ كَذَّابٌ ﴿٢٨﴾ يَٰقَوْمِ
لَكُمُ ٱلْمُلْكُ ٱلْيَوْمَ ظَٰهِرِينَ فِى ٱلْأَرْضِ فَمَن يَنصُرُنَا مِنۢ
بَأْسِ ٱللَّهِ إِن جَآءَنَا ۚ قَالَ فِرْعَوْنُ مَآ أُرِيكُمْ إِلَّا مَآ أَرَىٰ وَمَآ
أَهْدِيكُمْ إِلَّا سَبِيلَ ٱلرَّشَادِ ﴿٢٩﴾ وَقَالَ ٱلَّذِىٓ ءَامَنَ يَٰقَوْمِ إِنِّىٓ
أَخَافُ عَلَيْكُم مِّثْلَ يَوْمِ ٱلْأَحْزَابِ ﴿٣٠﴾ مِثْلَ دَأْبِ قَوْمِ نُوحٍ
وَعَادٍ وَثَمُودَ وَٱلَّذِينَ مِنۢ بَعْدِهِمْ ۚ وَمَا ٱللَّهُ يُرِيدُ ظُلْمًا لِّلْعِبَادِ ﴿٣١﴾
وَيَٰقَوْمِ إِنِّىٓ أَخَافُ عَلَيْكُمْ يَوْمَ ٱلتَّنَادِ ﴿٣٢﴾ يَوْمَ تُوَلُّونَ مُدْبِرِينَ
مَا لَكُم مِّنَ ٱللَّهِ مِنْ عَاصِمٍ ۗ وَمَن يُضْلِلِ ٱللَّهُ فَمَا لَهُۥ مِنْ هَادٍ ﴿٣٣﴾

غافر
- عُذْتُ بِرَبِّى: اعْتَصَمْتُ بِهِ تعالى
- ظَٰهِرِينَ: غَالِبِينَ عَالِينَ
- بَأْسِ ٱللَّهِ: عَذَابِهِ
- مَآ أُرِيكُمْ: مَا أُشِيرُ عَلَيْكُمْ
- دَأْبِ قَوْمِ نُوحٍ: عَادَتِهِمْ
- يَوْمَ ٱلتَّنَادِ: يَوْمَ الْقِيَامَةِ
- عَاصِمٍ: مَانِعٍ ودافعٍ

| | | |
|---|---|---|
| مدّ ٦ حركات لزوماً ● مدّ ٢ أو ٤ أو ٦ جوازاً ● | إخفاء ، ومواقع الغُنَّة (حركتان) ● | تفخيم ● |
| مدّ واجب ٤ أو ٥ حركات ● مدّ حركتان ● | إدغام ، وما لا يُلفَظ ● | قلقلة ● |

وَلَقَدْ جَآءَكُمْ يُوسُفُ مِن قَبْلُ بِٱلْبَيِّنَٰتِ فَمَا زِلْتُمْ فِى شَكٍّ
مِّمَّا جَآءَكُم بِهِۦ ۖ حَتَّىٰٓ إِذَا هَلَكَ قُلْتُمْ لَن يَبْعَثَ ٱللَّهُ
مِنۢ بَعْدِهِۦ رَسُولًا ۚ كَذَٰلِكَ يُضِلُّ ٱللَّهُ مَنْ هُوَ مُسْرِفٌ
مُّرْتَابٌ ﴿٣٤﴾ ٱلَّذِينَ يُجَٰدِلُونَ فِىٓ ءَايَٰتِ ٱللَّهِ بِغَيْرِ سُلْطَٰنٍ
أَتَىٰهُمْ ۖ كَبُرَ مَقْتًا عِندَ ٱللَّهِ وَعِندَ ٱلَّذِينَ ءَامَنُوا۟ ۚ كَذَٰلِكَ
يَطْبَعُ ٱللَّهُ عَلَىٰ كُلِّ قَلْبِ مُتَكَبِّرٍ جَبَّارٍ ﴿٣٥﴾ وَقَالَ فِرْعَوْنُ
يَٰهَٰمَٰنُ ٱبْنِ لِى صَرْحًا لَّعَلِّىٓ أَبْلُغُ ٱلْأَسْبَٰبَ ﴿٣٦﴾ أَسْبَٰبَ
ٱلسَّمَٰوَٰتِ فَأَطَّلِعَ إِلَىٰٓ إِلَٰهِ مُوسَىٰ وَإِنِّى لَأَظُنُّهُۥ كَٰذِبًا ۚ
وَكَذَٰلِكَ زُيِّنَ لِفِرْعَوْنَ سُوٓءُ عَمَلِهِۦ وَصُدَّ عَنِ ٱلسَّبِيلِ ۚ
وَمَا كَيْدُ فِرْعَوْنَ إِلَّا فِى تَبَابٍ ﴿٣٧﴾ وَقَالَ ٱلَّذِىٓ
ءَامَنَ يَٰقَوْمِ ٱتَّبِعُونِ أَهْدِكُمْ سَبِيلَ ٱلرَّشَادِ ﴿٣٨﴾
يَٰقَوْمِ إِنَّمَا هَٰذِهِ ٱلْحَيَوٰةُ ٱلدُّنْيَا مَتَٰعٌ وَإِنَّ ٱلْءَاخِرَةَ هِىَ
دَارُ ٱلْقَرَارِ ﴿٣٩﴾ مَنْ عَمِلَ سَيِّئَةً فَلَا يُجْزَىٰٓ إِلَّا مِثْلَهَا ۖ
وَمَنْ عَمِلَ صَٰلِحًا مِّن ذَكَرٍ أَوْ أُنثَىٰ وَهُوَ مُؤْمِنٌ
فَأُو۟لَٰٓئِكَ يَدْخُلُونَ ٱلْجَنَّةَ يُرْزَقُونَ فِيهَا بِغَيْرِ حِسَابٍ ﴿٤٠﴾

- مُّرْتَابٌ: شاكٌّ في دينِه
- بِغَيْرِ سُلْطَٰنٍ: بغَيْر بُرْهَان
- كَبُرَ مَقْتًا: عَظُم جدالهم بُغضاً
- صَرْحًا: قَصْراً . أو بناءً عالياً ظاهراً
- تَبَابٍ: خُسْرَان وَهَلَاك

۞ وَيَٰقَوۡمِ مَا لِيٓ أَدۡعُوكُمۡ إِلَى ٱلنَّجَوٰةِ وَتَدۡعُونَنِيٓ إِلَى
ٱلنَّارِ ﴿٤١﴾ تَدۡعُونَنِي لِأَكۡفُرَ بِٱللَّهِ وَأُشۡرِكَ بِهِۦ مَا لَيۡسَ
لِي بِهِۦ عِلۡمٞ وَأَنَا۠ أَدۡعُوكُمۡ إِلَى ٱلۡعَزِيزِ ٱلۡغَفَّٰرِ ﴿٤٢﴾ لَا جَرَمَ
أَنَّمَا تَدۡعُونَنِيٓ إِلَيۡهِ لَيۡسَ لَهُۥ دَعۡوَةٞ فِي ٱلدُّنۡيَا وَلَا فِي ٱلۡأٓخِرَةِ
وَأَنَّ مَرَدَّنَآ إِلَى ٱللَّهِ وَأَنَّ ٱلۡمُسۡرِفِينَ هُمۡ أَصۡحَٰبُ ٱلنَّارِ
﴿٤٣﴾ فَسَتَذۡكُرُونَ مَآ أَقُولُ لَكُمۡۚ وَأُفَوِّضُ أَمۡرِيٓ إِلَى
ٱللَّهِۚ إِنَّ ٱللَّهَ بَصِيرُۢ بِٱلۡعِبَادِ ﴿٤٤﴾ فَوَقَىٰهُ ٱللَّهُ سَيِّـَٔاتِ
مَا مَكَرُواْۖ وَحَاقَ بِـَٔالِ فِرۡعَوۡنَ سُوٓءُ ٱلۡعَذَابِ ﴿٤٥﴾ ٱلنَّارُ
يُعۡرَضُونَ عَلَيۡهَا غُدُوّٗا وَعَشِيّٗاۖ وَيَوۡمَ تَقُومُ ٱلسَّاعَةُ أَدۡخِلُوٓاْ
ءَالَ فِرۡعَوۡنَ أَشَدَّ ٱلۡعَذَابِ ﴿٤٦﴾ وَإِذۡ يَتَحَآجُّونَ فِي
ٱلنَّارِ فَيَقُولُ ٱلضُّعَفَٰٓؤُاْ لِلَّذِينَ ٱسۡتَكۡبَرُوٓاْ إِنَّا كُنَّا
لَكُمۡ تَبَعٗا فَهَلۡ أَنتُم مُّغۡنُونَ عَنَّا نَصِيبٗا مِّنَ ٱلنَّارِ
﴿٤٧﴾ قَالَ ٱلَّذِينَ ٱسۡتَكۡبَرُوٓاْ إِنَّا كُلّٞ فِيهَآ إِنَّ ٱللَّهَ
قَدۡ حَكَمَ بَيۡنَ ٱلۡعِبَادِ ﴿٤٨﴾ وَقَالَ ٱلَّذِينَ فِي ٱلنَّارِ لِخَزَنَةِ
جَهَنَّمَ ٱدۡعُواْ رَبَّكُمۡ يُخَفِّفۡ عَنَّا يَوۡمٗا مِّنَ ٱلۡعَذَابِ ﴿٤٩﴾

غافر
- لَا جَرَمَ: حقّ وثبت أو لا محالة
- لَيۡسَ لَهُۥ دَعۡوَةٞ: مُستجابةٌ أو استجابةُ دعوة
- مَرَدَّنَآ إِلَى ٱللَّهِ: رجوعَنا إليه تعالى
- حَاقَ: أحاط أو نزل
- غُدُوّٗا وَعَشِيّٗا: صباحاً ومساءً أو دائماً
- مُّغۡنُونَ عَنَّا: دافعون أو حاملون عنّا

| | | |
|---|---|---|
| تفخيم | إخفاء، ومواقع الغُنَّة (حركتان) | مدّ ٦ حركات لزوماً · مدّ ٢ أو ٤ أو ٦ جوازاً |
| قلقلة | إدغام، وما لا يُلفَظ | مدّ واجب ٤ أو ٥ حركات · مدّ حركتان |

قَالُوٓاْ أَوَلَمۡ تَكُ تَأۡتِيكُمۡ رُسُلُكُم بِٱلۡبَيِّنَٰتِۖ قَالُواْ
بَلَىٰۚ قَالُواْ فَٱدۡعُواْۗ وَمَا دُعَٰٓؤُاْ ٱلۡكَٰفِرِينَ إِلَّا فِي ضَلَٰلٍ
﴿٥٠﴾ إِنَّا لَنَنصُرُ رُسُلَنَا وَٱلَّذِينَ ءَامَنُواْ فِي ٱلۡحَيَوٰةِ ٱلدُّنۡيَا
وَيَوۡمَ يَقُومُ ٱلۡأَشۡهَٰدُ ﴿٥١﴾ يَوۡمَ لَا يَنفَعُ ٱلظَّٰلِمِينَ مَعۡذِرَتُهُمۡۖ
وَلَهُمُ ٱللَّعۡنَةُ وَلَهُمۡ سُوٓءُ ٱلدَّارِ ﴿٥٢﴾ وَلَقَدۡ ءَاتَيۡنَا مُوسَى
ٱلۡهُدَىٰ وَأَوۡرَثۡنَا بَنِيٓ إِسۡرَٰٓءِيلَ ٱلۡكِتَٰبَ ﴿٥٣﴾ هُدٗى
وَذِكۡرَىٰ لِأُوْلِي ٱلۡأَلۡبَٰبِ ﴿٥٤﴾ فَٱصۡبِرۡ إِنَّ وَعۡدَ ٱللَّهِ
حَقّٞ وَٱسۡتَغۡفِرۡ لِذَنۢبِكَ وَسَبِّحۡ بِحَمۡدِ رَبِّكَ بِٱلۡعَشِيِّ
وَٱلۡإِبۡكَٰرِ ﴿٥٥﴾ إِنَّ ٱلَّذِينَ يُجَٰدِلُونَ فِيٓ ءَايَٰتِ
ٱللَّهِ بِغَيۡرِ سُلۡطَٰنٍ أَتَىٰهُمۡ إِن فِي صُدُورِهِمۡ إِلَّا كِبۡرٞ
مَّا هُم بِبَٰلِغِيهِۚ فَٱسۡتَعِذۡ بِٱللَّهِۖ إِنَّهُۥ هُوَ ٱلسَّمِيعُ
ٱلۡبَصِيرُ ﴿٥٦﴾ لَخَلۡقُ ٱلسَّمَٰوَٰتِ وَٱلۡأَرۡضِ أَكۡبَرُ مِنۡ
خَلۡقِ ٱلنَّاسِ وَلَٰكِنَّ أَكۡثَرَ ٱلنَّاسِ لَا يَعۡلَمُونَ ﴿٥٧﴾
وَمَا يَسۡتَوِي ٱلۡأَعۡمَىٰ وَٱلۡبَصِيرُ وَٱلَّذِينَ ءَامَنُواْ وَعَمِلُواْ
ٱلصَّٰلِحَٰتِ وَلَا ٱلۡمُسِيٓءُۚ قَلِيلٗا مَّا تَتَذَكَّرُونَ ﴿٥٨﴾

▪ يَقُومُ ٱلۡأَشۡهَٰدُ: المَلائكةُ والرُّسُلُ والمُؤمِنُونَ
▪ مَعۡذِرَتُهُمۡ: عُذْرُهُمْ . أو اعتذارُهم
▪ بِٱلۡعَشِيِّ وَٱلۡإِبۡكَٰرِ: طرفَي النَّهارِ . أو دائماً
▪ سُلۡطَٰنٍ: حُجَّةٍ وبُرْهَان

إِنَّ ٱلسَّاعَةَ لَآتِيَةٌ لَّا رَيْبَ فِيهَا وَلَٰكِنَّ أَكْثَرَ ٱلنَّاسِ
لَا يُؤْمِنُونَ ﴿٥٩﴾ وَقَالَ رَبُّكُمُ ٱدْعُونِيٓ أَسْتَجِبْ لَكُمْ ۚ
إِنَّ ٱلَّذِينَ يَسْتَكْبِرُونَ عَنْ عِبَادَتِى سَيَدْخُلُونَ جَهَنَّمَ
دَاخِرِينَ ﴿٦٠﴾ ٱللَّهُ ٱلَّذِى جَعَلَ لَكُمُ ٱلَّيْلَ لِتَسْكُنُوا۟
فِيهِ وَٱلنَّهَارَ مُبْصِرًا ۚ إِنَّ ٱللَّهَ لَذُو فَضْلٍ عَلَى ٱلنَّاسِ
وَلَٰكِنَّ أَكْثَرَ ٱلنَّاسِ لَا يَشْكُرُونَ ﴿٦١﴾ ذَٰلِكُمُ
ٱللَّهُ رَبُّكُمْ خَٰلِقُ كُلِّ شَىْءٍ ۘ لَّآ إِلَٰهَ إِلَّا هُوَ ۖ فَأَنَّىٰ تُؤْفَكُونَ
﴿٦٢﴾ كَذَٰلِكَ يُؤْفَكُ ٱلَّذِينَ كَانُوا۟ بِـَٔايَٰتِ ٱللَّهِ يَجْحَدُونَ
﴿٦٣﴾ ٱللَّهُ ٱلَّذِى جَعَلَ لَكُمُ ٱلْأَرْضَ قَرَارًا وَٱلسَّمَآءَ
بِنَآءً وَصَوَّرَكُمْ فَأَحْسَنَ صُوَرَكُمْ وَرَزَقَكُم مِّنَ
ٱلطَّيِّبَٰتِ ۚ ذَٰلِكُمُ ٱللَّهُ رَبُّكُمْ ۖ فَتَبَارَكَ ٱللَّهُ رَبُّ
ٱلْعَٰلَمِينَ ﴿٦٤﴾ هُوَ ٱلْحَىُّ لَآ إِلَٰهَ إِلَّا هُوَ فَٱدْعُوهُ
مُخْلِصِينَ لَهُ ٱلدِّينَ ۗ ٱلْحَمْدُ لِلَّهِ رَبِّ ٱلْعَٰلَمِينَ ﴿٦٥﴾ ۞ قُلْ
إِنِّى نُهِيتُ أَنْ أَعْبُدَ ٱلَّذِينَ تَدْعُونَ مِن دُونِ ٱللَّهِ لَمَّا جَآءَنِىَ
ٱلْبَيِّنَٰتُ مِن رَّبِّى وَأُمِرْتُ أَنْ أُسْلِمَ لِرَبِّ ٱلْعَٰلَمِينَ ﴿٦٦﴾

غافر

- دَاخِرِينَ: صَاغِرِينَ أَذِلَّاءَ
- فَأَنَّىٰ تُؤْفَكُونَ: فَكَيْفَ تُصْرَفُونَ عن عبادته
- يُؤْفَكُ: يُصْرَفُ عَن الحَقِّ
- فَتَبَارَكَ ٱللَّهُ: تَعالى . أو كَثُرَ خَيْرُه وإحْسانُه
- أُسْلِمَ: أَنْقَادَ وأُخْلِص

| | | |
|---|---|---|
| مدّ ٦ حركات لزوماً ● مدّ ٢ أو ٤ أو ٦ جوازاً | إخفاء ، ومواقع الغُنَّة (حركتان) ● | تفخيم ● |
| مدّ واجب ٤ أو ٥ حركات ● مدّ حركتان | إدغام ، وما لا يُلفَظ ● | قلقلة ● |

هُوَ ٱلَّذِى خَلَقَكُم مِّن تُرَابٍ ثُمَّ مِن نُّطْفَةٍ ثُمَّ مِنْ عَلَقَةٍ ثُمَّ
يُخْرِجُكُمْ طِفْلًا ثُمَّ لِتَبْلُغُوٓا۟ أَشُدَّكُمْ ثُمَّ لِتَكُونُوا۟
شُيُوخًا ۚ وَمِنكُم مَّن يُتَوَفَّىٰ مِن قَبْلُ ۖ وَلِتَبْلُغُوٓا۟ أَجَلًا مُّسَمًّى
وَلَعَلَّكُمْ تَعْقِلُونَ ﴿٦٧﴾ هُوَ ٱلَّذِى يُحْىِۦ وَيُمِيتُ ۖ فَإِذَا
قَضَىٰٓ أَمْرًا فَإِنَّمَا يَقُولُ لَهُۥ كُن فَيَكُونُ ﴿٦٨﴾ أَلَمْ تَرَ إِلَى ٱلَّذِينَ
يُجَٰدِلُونَ فِىٓ ءَايَٰتِ ٱللَّهِ أَنَّىٰ يُصْرَفُونَ ﴿٦٩﴾ ٱلَّذِينَ كَذَّبُوا۟
بِٱلْكِتَٰبِ وَبِمَآ أَرْسَلْنَا بِهِۦ رُسُلَنَا ۖ فَسَوْفَ يَعْلَمُونَ
﴿٧٠﴾ إِذِ ٱلْأَغْلَٰلُ فِىٓ أَعْنَٰقِهِمْ وَٱلسَّلَٰسِلُ يُسْحَبُونَ ﴿٧١﴾
فِى ٱلْحَمِيمِ ثُمَّ فِى ٱلنَّارِ يُسْجَرُونَ ﴿٧٢﴾ ثُمَّ قِيلَ لَهُمْ أَيْنَ
مَا كُنتُمْ تُشْرِكُونَ ﴿٧٣﴾ مِن دُونِ ٱللَّهِ ۖ قَالُوا۟ ضَلُّوا۟ عَنَّا بَل لَّمْ
نَكُن نَّدْعُوا۟ مِن قَبْلُ شَيْـًٔا ۚ كَذَٰلِكَ يُضِلُّ ٱللَّهُ ٱلْكَٰفِرِينَ ﴿٧٤﴾
ذَٰلِكُم بِمَا كُنتُمْ تَفْرَحُونَ فِى ٱلْأَرْضِ بِغَيْرِ ٱلْحَقِّ وَبِمَا كُنتُمْ
تَمْرَحُونَ ﴿٧٥﴾ ٱدْخُلُوٓا۟ أَبْوَٰبَ جَهَنَّمَ خَٰلِدِينَ فِيهَا ۖ فَبِئْسَ
مَثْوَى ٱلْمُتَكَبِّرِينَ ﴿٧٦﴾ فَٱصْبِرْ إِنَّ وَعْدَ ٱللَّهِ حَقٌّ ۚ فَإِمَّا
نُرِيَنَّكَ بَعْضَ ٱلَّذِى نَعِدُهُمْ أَوْ نَتَوَفَّيَنَّكَ فَإِلَيْنَا يُرْجَعُونَ ﴿٧٧﴾

- **لِتَبْلُغُوٓا۟ أَشُدَّكُمْ**: كَمَالَ عَقْلِكُمْ وقُوَّتِكُمْ
- **قَضَىٰٓ أَمْرًا**: أَرَادَهُ
- **أَنَّىٰ يُصْرَفُونَ**: كَيْفَ يُعْدَلُ بهم عن الْحَقِّ
- **ٱلْأَغْلَٰلُ**: القُيُودُ
- **ٱلْحَمِيمِ**: الماء البالغ نِهَايَةَ الْحَرَارَةِ
- **يُسْجَرُونَ**: يُحْرَقُونَ ظاهراً وباطناً
- **تَفْرَحُونَ**: تبطَرُونَ وتأْشَرُونَ
- **تَمْرَحُونَ**: تَتَوَسَّعُونَ في الفرحِ والبَطَرِ
- **مَثْوَى ٱلْمُتَكَبِّرِينَ**: مَأْوَاهُمْ ومُقَامُهُمْ

مدّ ٦ حركات لزوماً · مدّ ٢ أو ٤ أو ٦ جوازاً · إخفاء، ومواقع الغُنَّة (حركتان)
مدّ واجب ٤ أو ٥ حركات · مدّ حركتان · إدغام، وما لا يُلفَظ

وَلَقَدْ أَرْسَلْنَا رُسُلًا مِّن قَبْلِكَ مِنْهُم مَّن قَصَصْنَا عَلَيْكَ
وَمِنْهُم مَّن لَّمْ نَقْصُصْ عَلَيْكَ ۗ وَمَا كَانَ لِرَسُولٍ أَن يَأْتِيَ
بِـَٔايَةٍ إِلَّا بِإِذْنِ ٱللَّهِ ۚ فَإِذَا جَآءَ أَمْرُ ٱللَّهِ قُضِىَ بِٱلْحَقِّ وَخَسِرَ
هُنَالِكَ ٱلْمُبْطِلُونَ ﴿٧٨﴾ ٱللَّهُ ٱلَّذِى جَعَلَ لَكُمُ ٱلْأَنْعَٰمَ
لِتَرْكَبُوا۟ مِنْهَا وَمِنْهَا تَأْكُلُونَ ﴿٧٩﴾ وَلَكُمْ فِيهَا
مَنَٰفِعُ وَلِتَبْلُغُوا۟ عَلَيْهَا حَاجَةً فِى صُدُورِكُمْ وَعَلَيْهَا وَعَلَى
ٱلْفُلْكِ تُحْمَلُونَ ﴿٨٠﴾ وَيُرِيكُمْ ءَايَٰتِهِۦ فَأَىَّ ءَايَٰتِ
ٱللَّهِ تُنكِرُونَ ﴿٨١﴾ أَفَلَمْ يَسِيرُوا۟ فِى ٱلْأَرْضِ فَيَنظُرُوا۟ كَيْفَ
كَانَ عَٰقِبَةُ ٱلَّذِينَ مِن قَبْلِهِمْ ۚ كَانُوٓا۟ أَكْثَرَ مِنْهُمْ وَأَشَدَّ
قُوَّةً وَءَاثَارًا فِى ٱلْأَرْضِ فَمَآ أَغْنَىٰ عَنْهُم مَّا كَانُوا۟ يَكْسِبُونَ
﴿٨٢﴾ فَلَمَّا جَآءَتْهُمْ رُسُلُهُم بِٱلْبَيِّنَٰتِ فَرِحُوا۟ بِمَا عِندَهُم
مِّنَ ٱلْعِلْمِ وَحَاقَ بِهِم مَّا كَانُوا۟ بِهِۦ يَسْتَهْزِءُونَ ﴿٨٣﴾ فَلَمَّا
رَأَوْا۟ بَأْسَنَا قَالُوٓا۟ ءَامَنَّا بِٱللَّهِ وَحْدَهُۥ وَكَفَرْنَا بِمَا كُنَّا بِهِۦ
مُشْرِكِينَ ﴿٨٤﴾ فَلَمْ يَكُ يَنفَعُهُمْ إِيمَٰنُهُمْ لَمَّا رَأَوْا۟ بَأْسَنَا ۖ سُنَّتَ
ٱللَّهِ ٱلَّتِى قَدْ خَلَتْ فِى عِبَادِهِۦ ۖ وَخَسِرَ هُنَالِكَ ٱلْكَٰفِرُونَ ﴿٨٥﴾

غافر

- حَاجَةً فِى صُدُورِكُمْ: أمراً ذا بالٍ تهتمّون به
- فَمَآ أَغْنَىٰ عَنْهُم: فما دفع عنهم
- حَاقَ بِهِم: أحاط . أو نزل بهم
- رَأَوْا۟ بَأْسَنَا: شدّة عذابنا
- خَلَتْ: مضت

| | | |
|---|---|---|
| مدّ ٦ حركات لزوماً ● مدّ ٢ أو ٤ أو ٦ جوازاً | إخفاء ، ومواقع الغُنّة (حركتان) | تفخيم |
| مدّ واجب ٤ أو ٥ حركات ● مدّ حركتان | إدغام ، وما لا يُلفظ | قلقلة |

# سُورَةُ فُصِّلَتۡ

ترتيبها ٤١ — آياتها ٥٤

بِسۡمِ ٱللَّهِ ٱلرَّحۡمَٰنِ ٱلرَّحِيمِ

حمٓ ﴿١﴾ تَنزِيلٞ مِّنَ ٱلرَّحۡمَٰنِ ٱلرَّحِيمِ ﴿٢﴾ كِتَٰبٞ فُصِّلَتۡ
ءَايَٰتُهُۥ قُرۡءَانًا عَرَبِيّٗا لِّقَوۡمٖ يَعۡلَمُونَ ﴿٣﴾ بَشِيرٗا وَنَذِيرٗا فَأَعۡرَضَ
أَكۡثَرُهُمۡ فَهُمۡ لَا يَسۡمَعُونَ ﴿٤﴾ وَقَالُواْ قُلُوبُنَا فِيٓ أَكِنَّةٖ
مِّمَّا تَدۡعُونَآ إِلَيۡهِ وَفِيٓ ءَاذَانِنَا وَقۡرٞ وَمِنۢ بَيۡنِنَا وَبَيۡنِكَ حِجَابٞ
فَٱعۡمَلۡ إِنَّنَا عَٰمِلُونَ ﴿٥﴾ قُلۡ إِنَّمَآ أَنَا۠ بَشَرٞ مِّثۡلُكُمۡ يُوحَىٰٓ إِلَيَّ
أَنَّمَآ إِلَٰهُكُمۡ إِلَٰهٞ وَٰحِدٞ فَٱسۡتَقِيمُوٓاْ إِلَيۡهِ وَٱسۡتَغۡفِرُوهُۗ وَوَيۡلٞ
لِّلۡمُشۡرِكِينَ ﴿٦﴾ ٱلَّذِينَ لَا يُؤۡتُونَ ٱلزَّكَوٰةَ وَهُم بِٱلۡأٓخِرَةِ
هُمۡ كَٰفِرُونَ ﴿٧﴾ إِنَّ ٱلَّذِينَ ءَامَنُواْ وَعَمِلُواْ ٱلصَّٰلِحَٰتِ لَهُمۡ
أَجۡرٌ غَيۡرُ مَمۡنُونٖ ﴿٨﴾ ۞ قُلۡ أَئِنَّكُمۡ لَتَكۡفُرُونَ بِٱلَّذِي خَلَقَ
ٱلۡأَرۡضَ فِي يَوۡمَيۡنِ وَتَجۡعَلُونَ لَهُۥٓ أَندَادٗاۚ ذَٰلِكَ رَبُّ ٱلۡعَٰلَمِينَ ﴿٩﴾
وَجَعَلَ فِيهَا رَوَٰسِيَ مِن فَوۡقِهَا وَبَٰرَكَ فِيهَا وَقَدَّرَ فِيهَآ أَقۡوَٰتَهَا فِيٓ
أَرۡبَعَةِ أَيَّامٖ سَوَآءٗ لِّلسَّآئِلِينَ ﴿١٠﴾ ثُمَّ ٱسۡتَوَىٰٓ إِلَى ٱلسَّمَآءِ وَهِيَ دُخَانٞ
فَقَالَ لَهَا وَلِلۡأَرۡضِ ٱئۡتِيَا طَوۡعًا أَوۡ كَرۡهٗا قَالَتَآ أَتَيۡنَا طَآئِعِينَ ﴿١١﴾

- فُصِّلَتۡ ءَايَٰتُهُۥ: مُيِّزَتْ ونُوِّعَتْ
- أَكِنَّةٖ: أغْطِيَة خِلْقِيَّة
- وَقۡرٞ: صَممٌ وثِقَلٌ
- حِجَابٞ: سِتْرٌ وحاجزٌ في الدِّينِ
- وَيۡلٞ: هَلاكٌ وحَسْرَةٌ
- غَيۡرُ مَمۡنُونٖ: غيرُ مَقْطوعٍ عنهُم
- أَندَادٗا: أمْثالاً من الأصْنامِ تَعْبُدونَها
- رَوَٰسِيَ: جِبالاً ثَوابِتَ
- بَٰرَكَ فِيهَا: كَثَّرَ خَيْرَهَا ومَنافِعَها
- أَقۡوَٰتَهَا: أرْزاقَ أهْلِهَا
- سَوَآءٗ: تامّاتٍ
- ٱسۡتَوَىٰٓ: عَمَدَ وقَصَدَ
- وَهِيَ دُخَانٞ: كالدُّخانِ

نصف الحزب ٤٨

مدّ ٦ حركات لزوماً — مدّ ٢ أو ٤ أو ٦ جوازاً — مدّ واجب ٤ أو ٥ حركات — مدّ حركتان — إخفاء، ومواقع الغُنَّة (حركتان) — إدغام، وما لا يُلفَظ — تفخ... — قلقـ...

فَقَضَىٰهُنَّ سَبْعَ سَمَٰوَاتٍ فِى يَوْمَيْنِ وَأَوْحَىٰ فِى كُلِّ سَمَآءٍ أَمْرَهَا ۚ
وَزَيَّنَّا ٱلسَّمَآءَ ٱلدُّنْيَا بِمَصَٰبِيحَ وَحِفْظًا ۚ ذَٰلِكَ تَقْدِيرُ ٱلْعَزِيزِ
ٱلْعَلِيمِ ﴿١٢﴾ فَإِنْ أَعْرَضُوا۟ فَقُلْ أَنذَرْتُكُمْ صَٰعِقَةً مِّثْلَ صَٰعِقَةِ
عَادٍ وَثَمُودَ ﴿١٣﴾ إِذْ جَآءَتْهُمُ ٱلرُّسُلُ مِنۢ بَيْنِ أَيْدِيهِمْ وَمِنْ
خَلْفِهِمْ أَلَّا تَعْبُدُوٓا۟ إِلَّا ٱللَّهَ ۖ قَالُوا۟ لَوْ شَآءَ رَبُّنَا لَأَنزَلَ مَلَٰٓئِكَةً
فَإِنَّا بِمَآ أُرْسِلْتُم بِهِۦ كَٰفِرُونَ ﴿١٤﴾ فَأَمَّا عَادٌ فَٱسْتَكْبَرُوا۟ فِى
ٱلْأَرْضِ بِغَيْرِ ٱلْحَقِّ وَقَالُوا۟ مَنْ أَشَدُّ مِنَّا قُوَّةً ۖ أَوَلَمْ يَرَوْا۟ أَنَّ ٱللَّهَ
ٱلَّذِى خَلَقَهُمْ هُوَ أَشَدُّ مِنْهُمْ قُوَّةً ۖ وَكَانُوا۟ بِـَٔايَٰتِنَا يَجْحَدُونَ
﴿١٥﴾ فَأَرْسَلْنَا عَلَيْهِمْ رِيحًا صَرْصَرًا فِىٓ أَيَّامٍ نَّحِسَاتٍ لِّنُذِيقَهُمْ
عَذَابَ ٱلْخِزْىِ فِى ٱلْحَيَوٰةِ ٱلدُّنْيَا ۖ وَلَعَذَابُ ٱلْءَاخِرَةِ أَخْزَىٰ ۖ وَهُمْ
لَا يُنصَرُونَ ﴿١٦﴾ وَأَمَّا ثَمُودُ فَهَدَيْنَٰهُمْ فَٱسْتَحَبُّوا۟ ٱلْعَمَىٰ عَلَى
ٱلْهُدَىٰ فَأَخَذَتْهُمْ صَٰعِقَةُ ٱلْعَذَابِ ٱلْهُونِ بِمَا كَانُوا۟ يَكْسِبُونَ
﴿١٧﴾ وَنَجَّيْنَا ٱلَّذِينَ ءَامَنُوا۟ وَكَانُوا۟ يَتَّقُونَ ﴿١٨﴾ وَيَوْمَ يُحْشَرُ
أَعْدَآءُ ٱللَّهِ إِلَى ٱلنَّارِ فَهُمْ يُوزَعُونَ ﴿١٩﴾ حَتَّىٰٓ إِذَا مَا جَآءُوهَا شَهِدَ
عَلَيْهِمْ سَمْعُهُمْ وَأَبْصَٰرُهُمْ وَجُلُودُهُم بِمَا كَانُوا۟ يَعْمَلُونَ ﴿٢٠﴾

- فَقَضَىٰهُنَّ: أحكم خلقهنّ
- أَوْحَىٰ: كوّن أو دبّر
- أَنذَرْتُكُمْ صَٰعِقَةً: عذاباً مهلكاً
- رِيحًا صَرْصَرًا: شديدة البرد أو الصوت
- أَيَّامٍ نَّحِسَاتٍ: مشؤومات
- أَخْزَىٰ: أشدّ إذلالاً
- ٱلْعَذَابِ ٱلْهُونِ: المهين
- فَهُمْ يُوزَعُونَ: يُحبَس سوابقهم ليلحقهم تواليهم

فصلت

| | | |
|---|---|---|
| مدّ ٦ حركات لزوماً ● مدّ ٢ أو ٤ أو ٦ جوازاً | ● إخفاء، ومواقع الغُنّة (حركتان) | ● تفخيم |
| مدّ واجب ٤ أو ٥ حركات ● مدّ حركتان | ● إدغام، وما لا يُلفَظ | ● قلقلة |

وَقَالُواْ لِجُلُودِهِمْ لِمَ شَهِدتُّمْ عَلَيْنَا ۖ قَالُوٓاْ أَنطَقَنَا ٱللَّهُ ٱلَّذِىٓ
أَنطَقَ كُلَّ شَىْءٍ وَهُوَ خَلَقَكُمْ أَوَّلَ مَرَّةٍ وَإِلَيْهِ تُرْجَعُونَ ﴿٢١﴾
وَمَا كُنتُمْ تَسْتَتِرُونَ أَن يَشْهَدَ عَلَيْكُمْ سَمْعُكُمْ وَلَآ أَبْصَٰرُكُمْ
وَلَا جُلُودُكُمْ وَلَٰكِن ظَنَنتُمْ أَنَّ ٱللَّهَ لَا يَعْلَمُ كَثِيرًا مِّمَّا تَعْمَلُونَ
﴿٢٢﴾ وَذَٰلِكُمْ ظَنُّكُمُ ٱلَّذِى ظَنَنتُم بِرَبِّكُمْ أَرْدَىٰكُمْ فَأَصْبَحْتُم
مِّنَ ٱلْخَٰسِرِينَ ﴿٢٣﴾ فَإِن يَصْبِرُواْ فَٱلنَّارُ مَثْوًى لَّهُمْ ۖ وَإِن
يَسْتَعْتِبُواْ فَمَا هُم مِّنَ ٱلْمُعْتَبِينَ ﴿٢٤﴾ ۞ وَقَيَّضْنَا لَهُمْ
قُرَنَآءَ فَزَيَّنُواْ لَهُم مَّا بَيْنَ أَيْدِيهِمْ وَمَا خَلْفَهُمْ وَحَقَّ عَلَيْهِمُ
ٱلْقَوْلُ فِىٓ أُمَمٍ قَدْ خَلَتْ مِن قَبْلِهِم مِّنَ ٱلْجِنِّ وَٱلْإِنسِ ۖ إِنَّهُمْ
كَانُواْ خَٰسِرِينَ ﴿٢٥﴾ وَقَالَ ٱلَّذِينَ كَفَرُواْ لَا تَسْمَعُواْ لِهَٰذَا ٱلْقُرْءَانِ
وَٱلْغَوْاْ فِيهِ لَعَلَّكُمْ تَغْلِبُونَ ﴿٢٦﴾ فَلَنُذِيقَنَّ ٱلَّذِينَ كَفَرُواْ عَذَابًا
شَدِيدًا وَلَنَجْزِيَنَّهُمْ أَسْوَأَ ٱلَّذِى كَانُواْ يَعْمَلُونَ ﴿٢٧﴾ ذَٰلِكَ جَزَآءُ
أَعْدَآءِ ٱللَّهِ ٱلنَّارُ ۖ لَهُمْ فِيهَا دَارُ ٱلْخُلْدِ ۖ جَزَآءًۢ بِمَا كَانُواْ بِـَٔايَٰتِنَا يَجْحَدُونَ
﴿٢٨﴾ وَقَالَ ٱلَّذِينَ كَفَرُواْ رَبَّنَآ أَرِنَا ٱلَّذَيْنِ أَضَلَّانَا مِنَ ٱلْجِنِّ
وَٱلْإِنسِ نَجْعَلْهُمَا تَحْتَ أَقْدَامِنَا لِيَكُونَا مِنَ ٱلْأَسْفَلِينَ ﴿٢٩﴾

- تَسْتَتِرُونَ: تستخفون
- ظَنَنتُم: اعتقدتم
- أَرْدَىٰكُمْ: أهلككم
- مَثْوًى لَّهُمْ: مأوى ومقام لهم
- يَسْتَعْتِبُواْ: يطلبوا إرضاء ربهم
- ٱلْمُعْتَبِينَ: المجابين إلى ما طلبوا

ثلاثة أرباع الحزب ٤٨

- قَيَّضْنَا لَهُمْ: هيأنا وسببنا لهم
- حَقَّ عَلَيْهِمُ: وجب وثبت عليهم
- ٱلْغَوْاْ فِيهِ: ائتوا باللغو عند قراءته

إِنَّ ٱلَّذِينَ قَالُوا۟ رَبُّنَا ٱللَّهُ ثُمَّ ٱسْتَقَٰمُوا۟ تَتَنَزَّلُ عَلَيْهِمُ
ٱلْمَلَٰٓئِكَةُ أَلَّا تَخَافُوا۟ وَلَا تَحْزَنُوا۟ وَأَبْشِرُوا۟ بِٱلْجَنَّةِ
ٱلَّتِى كُنتُمْ تُوعَدُونَ ﴿٣٠﴾ نَحْنُ أَوْلِيَآؤُكُمْ فِى ٱلْحَيَوٰةِ
ٱلدُّنْيَا وَفِى ٱلْءَاخِرَةِ ۖ وَلَكُمْ فِيهَا مَا تَشْتَهِىٓ أَنفُسُكُمْ
وَلَكُمْ فِيهَا مَا تَدَّعُونَ ﴿٣١﴾ نُزُلًا مِّنْ غَفُورٍ رَّحِيمٍ ﴿٣٢﴾
وَمَنْ أَحْسَنُ قَوْلًا مِّمَّن دَعَآ إِلَى ٱللَّهِ وَعَمِلَ صَٰلِحًا وَقَالَ
إِنَّنِى مِنَ ٱلْمُسْلِمِينَ ﴿٣٣﴾ وَلَا تَسْتَوِى ٱلْحَسَنَةُ وَلَا ٱلسَّيِّئَةُ ۚ
ٱدْفَعْ بِٱلَّتِى هِىَ أَحْسَنُ فَإِذَا ٱلَّذِى بَيْنَكَ وَبَيْنَهُۥ عَدَٰوَةٌ كَأَنَّهُۥ
وَلِىٌّ حَمِيمٌ ﴿٣٤﴾ وَمَا يُلَقَّىٰهَآ إِلَّا ٱلَّذِينَ صَبَرُوا۟ وَمَا يُلَقَّىٰهَآ
إِلَّا ذُو حَظٍّ عَظِيمٍ ﴿٣٥﴾ وَإِمَّا يَنزَغَنَّكَ مِنَ ٱلشَّيْطَٰنِ نَزْغٌ
فَٱسْتَعِذْ بِٱللَّهِ ۖ إِنَّهُۥ هُوَ ٱلسَّمِيعُ ٱلْعَلِيمُ ﴿٣٦﴾ وَمِنْ ءَايَٰتِهِ
ٱلَّيْلُ وَٱلنَّهَارُ وَٱلشَّمْسُ وَٱلْقَمَرُ ۚ لَا تَسْجُدُوا۟ لِلشَّمْسِ
وَلَا لِلْقَمَرِ وَٱسْجُدُوا۟ لِلَّهِ ٱلَّذِى خَلَقَهُنَّ إِن كُنتُمْ
إِيَّاهُ تَعْبُدُونَ ﴿٣٧﴾ فَإِنِ ٱسْتَكْبَرُوا۟ فَٱلَّذِينَ عِندَ
رَبِّكَ يُسَبِّحُونَ لَهُۥ بِٱلَّيْلِ وَٱلنَّهَارِ وَهُمْ لَا يَسْـَٔمُونَ ۩ ﴿٣٨﴾



- مَا تَدَّعُونَ: مَا تَطْلُبُونَ . أَوْ تَتَمَنَّوْنَ
- نُزُلًا: مَنْزِلاً . أو رِزْقاً وَضِيَافَةً
- وَلِىٌّ حَمِيمٌ: صَدِيقٌ قَرِيبٌ يَهْتَمُّ لأمرِكَ
- مَا يُلَقَّىٰهَآ: مَا يُؤْتَى هَذِهِ الخَصْلَةَ الشريفَةَ
- يَنزَغَنَّكَ: يُصِيبَنَّكَ . أو يَصْرِفَنَّكَ
- نَزْغٌ: وَسْوَسَةٌ . أو صارفٌ
- لَا يَسْـَٔمُونَ: لَا يَمَلُّونَ التَّسْبِيحَ

سجدة

| | | |
|---|---|---|
| مدّ ٦ حركات لزوماً ● مدّ ٢ أو ٤ أو ٦ جوازاً | إخفاء ، ومواقع الغُنَّة (حركتان) | تفخيم |
| مدّ واجب ٤ أو ٥ حركات ● مدّ حركتان | إدغام ، وما لا يُلفَظ | قلقلة |

وَمِنْ ءَايَٰتِهِۦٓ أَنَّكَ تَرَى ٱلْأَرْضَ خَٰشِعَةً فَإِذَآ أَنزَلْنَا عَلَيْهَا ٱلْمَآءَ
ٱهْتَزَّتْ وَرَبَتْ ۚ إِنَّ ٱلَّذِىٓ أَحْيَاهَا لَمُحْىِ ٱلْمَوْتَىٰٓ ۚ إِنَّهُۥ عَلَىٰ كُلِّ شَىْءٍ
قَدِيرٌ ﴿٣٩﴾ إِنَّ ٱلَّذِينَ يُلْحِدُونَ فِىٓ ءَايَٰتِنَا لَا يَخْفَوْنَ عَلَيْنَآ ۗ أَفَمَن
يُلْقَىٰ فِى ٱلنَّارِ خَيْرٌ أَم مَّن يَأْتِىٓ ءَامِنًا يَوْمَ ٱلْقِيَٰمَةِ ۚ ٱعْمَلُوا۟ مَا شِئْتُمْ ۖ
إِنَّهُۥ بِمَا تَعْمَلُونَ بَصِيرٌ ﴿٤٠﴾ إِنَّ ٱلَّذِينَ كَفَرُوا۟ بِٱلذِّكْرِ لَمَّا جَآءَهُمْ ۖ
وَإِنَّهُۥ لَكِتَٰبٌ عَزِيزٌ ﴿٤١﴾ لَّا يَأْتِيهِ ٱلْبَٰطِلُ مِنۢ بَيْنِ يَدَيْهِ وَلَا مِنْ
خَلْفِهِۦ ۖ تَنزِيلٌ مِّنْ حَكِيمٍ حَمِيدٍ ﴿٤٢﴾ مَّا يُقَالُ لَكَ إِلَّا مَا قَدْ قِيلَ
لِلرُّسُلِ مِن قَبْلِكَ ۚ إِنَّ رَبَّكَ لَذُو مَغْفِرَةٍ وَذُو عِقَابٍ أَلِيمٍ ﴿٤٣﴾
وَلَوْ جَعَلْنَٰهُ قُرْءَانًا أَعْجَمِيًّا لَّقَالُوا۟ لَوْلَا فُصِّلَتْ ءَايَٰتُهُۥٓ ۖ ءَا۬عْجَمِىٌّ
وَعَرَبِىٌّ ۗ قُلْ هُوَ لِلَّذِينَ ءَامَنُوا۟ هُدًى وَشِفَآءٌ ۖ وَٱلَّذِينَ
لَا يُؤْمِنُونَ فِىٓ ءَاذَانِهِمْ وَقْرٌ وَهُوَ عَلَيْهِمْ عَمًى ۚ أُو۟لَٰٓئِكَ
يُنَادَوْنَ مِن مَّكَانٍۭ بَعِيدٍ ﴿٤٤﴾ وَلَقَدْ ءَاتَيْنَا مُوسَى ٱلْكِتَٰبَ
فَٱخْتُلِفَ فِيهِ ۗ وَلَوْلَا كَلِمَةٌ سَبَقَتْ مِن رَّبِّكَ لَقُضِىَ
بَيْنَهُمْ ۚ وَإِنَّهُمْ لَفِى شَكٍّ مِّنْهُ مُرِيبٍ ﴿٤٥﴾ مَّنْ عَمِلَ صَٰلِحًا
فَلِنَفْسِهِۦ ۖ وَمَنْ أَسَآءَ فَعَلَيْهَا ۗ وَمَا رَبُّكَ بِظَلَّٰمٍ لِّلْعَبِيدِ ﴿٤٦﴾

- خَٰشِعَةً: يابسة مُتطامنة
- ٱهْتَزَّتْ: تحرّكت بالنبات
- رَبَتْ: انتفخت وعلت
- يُلْحِدُونَ: يميلون عن الحقّ والاستقامة
- أَعْجَمِيًّا: بلغة العجم
- فِىٓ ءَاذَانِهِمْ وَقْرٌ: صَمَمٌ مانعٌ من سماعه
- هُوَ عَلَيْهِمْ عَمًى: ظُلْمَةٌ وشُبْهَةٌ
- مُرِيبٍ: مُوقعٍ في الرِّيبة والقلق

علامة الهمزة المسهلة

مدّ ٦ حركات لزوماً ● مدّ ٢ أو ٤ أو ٦ جوازاً ● إخفاء، ومواقع الغُنّة (حركتان) ●
مدّ واجب ٤ أو ٥ حركات ● مدّ حركتان ● إدغام، وما لا يُلفظ ●

الجزء ٢٥ الحزب ٤٩

۞ إِلَيْهِ يُرَدُّ عِلْمُ ٱلسَّاعَةِ ۚ وَمَا تَخْرُجُ مِن ثَمَرَٰتٍ مِّنْ أَكْمَامِهَا
وَمَا تَحْمِلُ مِنْ أُنثَىٰ وَلَا تَضَعُ إِلَّا بِعِلْمِهِۦ ۚ وَيَوْمَ يُنَادِيهِمْ أَيْنَ
شُرَكَآءِى قَالُوٓا۟ ءَاذَنَّٰكَ مَا مِنَّا مِن شَهِيدٍ ﴿٤٧﴾ وَضَلَّ
عَنْهُم مَّا كَانُوا۟ يَدْعُونَ مِن قَبْلُ ۖ وَظَنُّوا۟ مَا لَهُم مِّن مَّحِيصٍ ﴿٤٨﴾
لَّا يَسْـَٔمُ ٱلْإِنسَٰنُ مِن دُعَآءِ ٱلْخَيْرِ وَإِن مَّسَّهُ ٱلشَّرُّ فَيَـُٔوسٌ
قَنُوطٌ ﴿٤٩﴾ وَلَئِنْ أَذَقْنَٰهُ رَحْمَةً مِّنَّا مِنۢ بَعْدِ ضَرَّآءَ مَسَّتْهُ
لَيَقُولَنَّ هَٰذَا لِى وَمَآ أَظُنُّ ٱلسَّاعَةَ قَآئِمَةً وَلَئِن رُّجِعْتُ إِلَىٰ
رَبِّىٓ إِنَّ لِى عِندَهُۥ لَلْحُسْنَىٰ ۚ فَلَنُنَبِّئَنَّ ٱلَّذِينَ كَفَرُوا۟ بِمَا عَمِلُوا۟
وَلَنُذِيقَنَّهُم مِّنْ عَذَابٍ غَلِيظٍ ﴿٥٠﴾ وَإِذَآ أَنْعَمْنَا عَلَى ٱلْإِنسَٰنِ
أَعْرَضَ وَنَـَٔا بِجَانِبِهِۦ وَإِذَا مَسَّهُ ٱلشَّرُّ فَذُو دُعَآءٍ عَرِيضٍ
﴿٥١﴾ قُلْ أَرَءَيْتُمْ إِن كَانَ مِنْ عِندِ ٱللَّهِ ثُمَّ كَفَرْتُم
بِهِۦ مَنْ أَضَلُّ مِمَّنْ هُوَ فِى شِقَاقٍۭ بَعِيدٍ ﴿٥٢﴾ سَنُرِيهِمْ
ءَايَٰتِنَا فِى ٱلْءَافَاقِ وَفِىٓ أَنفُسِهِمْ حَتَّىٰ يَتَبَيَّنَ لَهُمْ أَنَّهُ ٱلْحَقُّ ۗ
أَوَلَمْ يَكْفِ بِرَبِّكَ أَنَّهُۥ عَلَىٰ كُلِّ شَىْءٍ شَهِيدٌ ﴿٥٣﴾ أَلَآ إِنَّهُمْ
فِى مِرْيَةٍ مِّن لِّقَآءِ رَبِّهِمْ ۗ أَلَآ إِنَّهُۥ بِكُلِّ شَىْءٍ مُّحِيطٌۢ ﴿٥٤﴾

فصلت

- أَكْمَامِهَا: أوعيتها
- ءَاذَنَّٰكَ: أخبرناك
- مَّحِيصٍ: مهرب ومفر
- لَّا يَسْـَٔمُ ٱلْإِنسَٰنُ: لا يملّ ولا يفتر
- فَيَـُٔوسٌ: كثير اليأس
- غَلِيظٍ: شديد
- نَـَٔا بِجَانِبِهِۦ: تباعد عن الشكر بكليّته
- عَرِيضٍ: كثير مستمر
- أَرَءَيْتُمْ: أخبروني
- ٱلْءَافَاقِ: أقطار السموات والأرض
- مِرْيَةٍ: شك عظيم

مدّ ٦ حركات لزوماً — مدّ ٢ أو ٤ أو ٦ جوازاً — إخفاء، ومواقع الغنّة (حركتان) — تفخيم
مدّ واجب ٤ أو ٥ حركات — مدّ حركتان — إدغام، وما لا يُلفظ — قلقلة

# سُورَةُ الشُّورَىٰ

ترتيبها ٤٢ — آياتها ٥٣

بِسْمِ ٱللَّهِ ٱلرَّحْمَٰنِ ٱلرَّحِيمِ

حمٓ ﴿١﴾ عٓسٓقٓ ﴿٢﴾ كَذَٰلِكَ يُوحِىٓ إِلَيْكَ وَإِلَى ٱلَّذِينَ مِن قَبْلِكَ
ٱللَّهُ ٱلْعَزِيزُ ٱلْحَكِيمُ ﴿٣﴾ لَهُۥ مَا فِى ٱلسَّمَٰوَٰتِ وَمَا فِى ٱلْأَرْضِ ۖ وَهُوَ
ٱلْعَلِىُّ ٱلْعَظِيمُ ﴿٤﴾ تَكَادُ ٱلسَّمَٰوَٰتُ يَتَفَطَّرْنَ مِن فَوْقِهِنَّ ۚ
وَٱلْمَلَٰٓئِكَةُ يُسَبِّحُونَ بِحَمْدِ رَبِّهِمْ وَيَسْتَغْفِرُونَ لِمَن فِى
ٱلْأَرْضِ ۗ أَلَآ إِنَّ ٱللَّهَ هُوَ ٱلْغَفُورُ ٱلرَّحِيمُ ﴿٥﴾ وَٱلَّذِينَ ٱتَّخَذُوا۟
مِن دُونِهِۦٓ أَوْلِيَآءَ ٱللَّهُ حَفِيظٌ عَلَيْهِمْ وَمَآ أَنتَ عَلَيْهِم بِوَكِيلٍ
﴿٦﴾ وَكَذَٰلِكَ أَوْحَيْنَآ إِلَيْكَ قُرْءَانًا عَرَبِيًّا لِّتُنذِرَ أُمَّ ٱلْقُرَىٰ وَمَنْ
حَوْلَهَا وَتُنذِرَ يَوْمَ ٱلْجَمْعِ لَا رَيْبَ فِيهِ ۚ فَرِيقٌ فِى ٱلْجَنَّةِ وَفَرِيقٌ فِى
ٱلسَّعِيرِ ﴿٧﴾ وَلَوْ شَآءَ ٱللَّهُ لَجَعَلَهُمْ أُمَّةً وَٰحِدَةً وَلَٰكِن يُدْخِلُ
مَن يَشَآءُ فِى رَحْمَتِهِۦ ۚ وَٱلظَّٰلِمُونَ مَا لَهُم مِّن وَلِىٍّ وَلَا نَصِيرٍ ﴿٨﴾
أَمِ ٱتَّخَذُوا۟ مِن دُونِهِۦٓ أَوْلِيَآءَ ۖ فَٱللَّهُ هُوَ ٱلْوَلِىُّ وَهُوَ يُحْىِ ٱلْمَوْتَىٰ وَهُوَ
عَلَىٰ كُلِّ شَىْءٍ قَدِيرٌ ﴿٩﴾ وَمَا ٱخْتَلَفْتُمْ فِيهِ مِن شَىْءٍ فَحُكْمُهُۥٓ
إِلَى ٱللَّهِ ۚ ذَٰلِكُمُ ٱللَّهُ رَبِّى عَلَيْهِ تَوَكَّلْتُ وَإِلَيْهِ أُنِيبُ ﴿١٠﴾

- يَتَفَطَّرْنَ: يتشقَّقنَ من عظمتهِ تعالى
- أَوْلِيَآءَ: معبودات يزْعُمُونَ نُصْرَتَها لَهُم
- ٱللَّهُ حَفِيظٌ عَلَيْهِمْ: رَقيبٌ على أعمالِهم ومُجازيهم
- بِوَكِيلٍ: بمَوْكولٍ إليْكَ أمْرُهم
- أُمَّ ٱلْقُرَىٰ: مَكّةَ ؛ أي أهلَها
- يَوْمَ ٱلْجَمْعِ: يَوْمَ القِيامَةِ
- إِلَيْهِ أُنِيبُ: إليه أرْجِعُ في كلِّ الأمُورِ

فَاطِرُ ٱلسَّمَٰوَٰتِ وَٱلْأَرْضِ ۚ جَعَلَ لَكُم مِّنْ أَنفُسِكُمْ أَزْوَٰجًا
وَمِنَ ٱلْأَنْعَٰمِ أَزْوَٰجًا ۖ يَذْرَؤُكُمْ فِيهِ ۚ لَيْسَ كَمِثْلِهِۦ شَىْءٌ ۖ
وَهُوَ ٱلسَّمِيعُ ٱلْبَصِيرُ ﴿١١﴾ لَهُۥ مَقَالِيدُ ٱلسَّمَٰوَٰتِ وَٱلْأَرْضِ ۖ
يَبْسُطُ ٱلرِّزْقَ لِمَن يَشَآءُ وَيَقْدِرُ ۚ إِنَّهُۥ بِكُلِّ شَىْءٍ عَلِيمٌ ﴿١٢﴾
۞ شَرَعَ لَكُم مِّنَ ٱلدِّينِ مَا وَصَّىٰ بِهِۦ نُوحًا وَٱلَّذِىٓ أَوْحَيْنَآ
إِلَيْكَ وَمَا وَصَّيْنَا بِهِۦٓ إِبْرَٰهِيمَ وَمُوسَىٰ وَعِيسَىٰٓ ۖ أَنْ أَقِيمُوا۟ ٱلدِّينَ
وَلَا تَتَفَرَّقُوا۟ فِيهِ ۚ كَبُرَ عَلَى ٱلْمُشْرِكِينَ مَا تَدْعُوهُمْ إِلَيْهِ ۚ ٱللَّهُ
يَجْتَبِىٓ إِلَيْهِ مَن يَشَآءُ وَيَهْدِىٓ إِلَيْهِ مَن يُنِيبُ ﴿١٣﴾ وَمَا
تَفَرَّقُوٓا۟ إِلَّا مِنۢ بَعْدِ مَا جَآءَهُمُ ٱلْعِلْمُ بَغْيًۢا بَيْنَهُمْ ۚ وَلَوْلَا كَلِمَةٌ
سَبَقَتْ مِن رَّبِّكَ إِلَىٰٓ أَجَلٍ مُّسَمًّى لَّقُضِىَ بَيْنَهُمْ ۚ وَإِنَّ ٱلَّذِينَ
أُورِثُوا۟ ٱلْكِتَٰبَ مِنۢ بَعْدِهِمْ لَفِى شَكٍّ مِّنْهُ مُرِيبٍ ﴿١٤﴾
فَلِذَٰلِكَ فَٱدْعُ ۖ وَٱسْتَقِمْ كَمَآ أُمِرْتَ ۖ وَلَا تَتَّبِعْ أَهْوَآءَهُمْ ۖ
وَقُلْ ءَامَنتُ بِمَآ أَنزَلَ ٱللَّهُ مِن كِتَٰبٍ ۖ وَأُمِرْتُ لِأَعْدِلَ
بَيْنَكُمُ ۖ ٱللَّهُ رَبُّنَا وَرَبُّكُمْ ۖ لَنَآ أَعْمَٰلُنَا وَلَكُمْ أَعْمَٰلُكُمْ ۖ
لَا حُجَّةَ بَيْنَنَا وَبَيْنَكُمُ ۖ ٱللَّهُ يَجْمَعُ بَيْنَنَا ۖ وَإِلَيْهِ ٱلْمَصِيرُ ﴿١٥﴾

فَاطِرُ: مبْدِع..
يَذْرَؤُكُمْ فِيهِ: يُكثِّرُكُمْ به بالتوالد
لَهُۥ مَقَالِيدُ: مفاتيحُ خزائن..
يَقْدِرُ: يُضيِّقُهُ على من يشاء

الشورى — ربع الحزب ٤٩

شَرَعَ لَكُم: بيَّنَ وسَنَّ لكم
أَقِيمُوا۟ ٱلدِّينَ: دينَ التوحيد ؛ وهو دينُ الإسلام
كَبُرَ: عَظُمَ وَشَقَّ
يَجْتَبِىٓ إِلَيْهِ: يَصْطفي لدينه
يُنِيبُ: يَرْجِعُ ويُقبِلُ عليه
بَغْيًۢا بَيْنَهُمْ: عَداوَةً أو طلباً للدنيا
مُرِيبٍ: مُوقِعٍ في الرِّيبة والقلق
ٱسْتَقِمْ: الزَمِ المنهجَ المستقيمَ
لَا حُجَّةَ: لا مُحاجَّةَ

وَٱلَّذِينَ يُحَآجُّونَ فِى ٱللَّهِ مِنۢ بَعْدِ مَا ٱسْتُجِيبَ لَهُۥ حُجَّتُهُمْ
دَاحِضَةٌ عِندَ رَبِّهِمْ وَعَلَيْهِمْ غَضَبٌ وَلَهُمْ عَذَابٌ شَدِيدٌ
﴿١٦﴾ ٱللَّهُ ٱلَّذِىٓ أَنزَلَ ٱلْكِتَٰبَ بِٱلْحَقِّ وَٱلْمِيزَانَ ۗ وَمَا يُدْرِيكَ
لَعَلَّ ٱلسَّاعَةَ قَرِيبٌ ﴿١٧﴾ يَسْتَعْجِلُ بِهَا ٱلَّذِينَ لَا يُؤْمِنُونَ
بِهَا ۖ وَٱلَّذِينَ ءَامَنُوا۟ مُشْفِقُونَ مِنْهَا وَيَعْلَمُونَ أَنَّهَا ٱلْحَقُّ ۗ
أَلَآ إِنَّ ٱلَّذِينَ يُمَارُونَ فِى ٱلسَّاعَةِ لَفِى ضَلَٰلٍۭ بَعِيدٍ ﴿١٨﴾
ٱللَّهُ لَطِيفٌۢ بِعِبَادِهِۦ يَرْزُقُ مَن يَشَآءُ ۖ وَهُوَ ٱلْقَوِىُّ ٱلْعَزِيزُ
﴿١٩﴾ مَن كَانَ يُرِيدُ حَرْثَ ٱلْءَاخِرَةِ نَزِدْ لَهُۥ فِى حَرْثِهِۦ ۖ وَمَن
كَانَ يُرِيدُ حَرْثَ ٱلدُّنْيَا نُؤْتِهِۦ مِنْهَا وَمَا لَهُۥ فِى ٱلْءَاخِرَةِ مِن
نَّصِيبٍ ﴿٢٠﴾ أَمْ لَهُمْ شُرَكَٰٓؤُا۟ شَرَعُوا۟ لَهُم مِّنَ ٱلدِّينِ
مَا لَمْ يَأْذَنۢ بِهِ ٱللَّهُ ۚ وَلَوْلَا كَلِمَةُ ٱلْفَصْلِ لَقُضِىَ بَيْنَهُمْ ۗ
وَإِنَّ ٱلظَّٰلِمِينَ لَهُمْ عَذَابٌ أَلِيمٌ ﴿٢١﴾ تَرَى ٱلظَّٰلِمِينَ
مُشْفِقِينَ مِمَّا كَسَبُوا۟ وَهُوَ وَاقِعٌۢ بِهِمْ ۗ وَٱلَّذِينَ
ءَامَنُوا۟ وَعَمِلُوا۟ ٱلصَّٰلِحَٰتِ فِى رَوْضَاتِ ٱلْجَنَّاتِ ۖ
لَهُم مَّا يَشَآءُونَ عِندَ رَبِّهِمْ ۚ ذَٰلِكَ هُوَ ٱلْفَضْلُ ٱلْكَبِيرُ ﴿٢٢﴾

- حُجَّتُهُمْ دَاحِضَةٌ: بَاطِلَةٌ زَائِلَةٌ
- ٱلْمِيزَانَ: العَدْلَ والتَّسْوِيَة
- مُشْفِقُونَ مِنْهَا: خائِفُون مِنْهَا مع اعتنائهم بها
- يُمَارُونَ فِى ٱلسَّاعَةِ: يُجادِلُونَ فِيهَا
- لَطِيفٌ بِعِبَادِهِ: بَارٌّ رَفِيقٌ بهم
- حَرْثَ ٱلْءَاخِرَةِ: ثَوَابَهَا
- رَوْضَاتِ ٱلْجَنَّاتِ: محاسنها ومَلاذُّها

مدّ ٦ حركات لزوماً ● مدّ ٢ أو ٤ أو ٦ جوازاً ● مدّ واجب ٤ أو ٥ حركات ● مدّ حركتان
إخفاء، ومواقع الغُنَّة (حركتان) ● إدغام، وما لا يُلفَظ ● تفـ… ● قلـ…

ذَٰلِكَ ٱلَّذِى يُبَشِّرُ ٱللَّهُ عِبَادَهُ ٱلَّذِينَ ءَامَنُوا۟ وَعَمِلُوا۟ ٱلصَّٰلِحَٰتِ ۗ قُل لَّآ
أَسْـَٔلُكُمْ عَلَيْهِ أَجْرًا إِلَّا ٱلْمَوَدَّةَ فِى ٱلْقُرْبَىٰ ۗ وَمَن يَقْتَرِفْ حَسَنَةً نَّزِدْ
لَهُۥ فِيهَا حُسْنًا ۚ إِنَّ ٱللَّهَ غَفُورٌ شَكُورٌ ﴿٢٣﴾ أَمْ يَقُولُونَ ٱفْتَرَىٰ عَلَى ٱللَّهِ
كَذِبًا ۖ فَإِن يَشَإِ ٱللَّهُ يَخْتِمْ عَلَىٰ قَلْبِكَ ۗ وَيَمْحُ ٱللَّهُ ٱلْبَٰطِلَ وَيُحِقُّ ٱلْحَقَّ
بِكَلِمَٰتِهِۦٓ ۚ إِنَّهُۥ عَلِيمٌۢ بِذَاتِ ٱلصُّدُورِ ﴿٢٤﴾ وَهُوَ ٱلَّذِى يَقْبَلُ ٱلتَّوْبَةَ
عَنْ عِبَادِهِۦ وَيَعْفُوا۟ عَنِ ٱلسَّيِّـَٔاتِ وَيَعْلَمُ مَا تَفْعَلُونَ ﴿٢٥﴾
وَيَسْتَجِيبُ ٱلَّذِينَ ءَامَنُوا۟ وَعَمِلُوا۟ ٱلصَّٰلِحَٰتِ وَيَزِيدُهُم مِّن فَضْلِهِۦ ۚ
وَٱلْكَٰفِرُونَ لَهُمْ عَذَابٌ شَدِيدٌ ﴿٢٦﴾ ۞ وَلَوْ بَسَطَ ٱللَّهُ ٱلرِّزْقَ
لِعِبَادِهِۦ لَبَغَوْا۟ فِى ٱلْأَرْضِ وَلَٰكِن يُنَزِّلُ بِقَدَرٍ مَّا يَشَآءُ ۚ إِنَّهُۥ بِعِبَادِهِۦ
خَبِيرٌۢ بَصِيرٌ ﴿٢٧﴾ وَهُوَ ٱلَّذِى يُنَزِّلُ ٱلْغَيْثَ مِنۢ بَعْدِ مَا قَنَطُوا۟
وَيَنشُرُ رَحْمَتَهُۥ ۚ وَهُوَ ٱلْوَلِىُّ ٱلْحَمِيدُ ﴿٢٨﴾ وَمِنْ ءَايَٰتِهِۦ خَلْقُ
ٱلسَّمَٰوَٰتِ وَٱلْأَرْضِ وَمَا بَثَّ فِيهِمَا مِن دَآبَّةٍ ۚ وَهُوَ عَلَىٰ جَمْعِهِمْ
إِذَا يَشَآءُ قَدِيرٌ ﴿٢٩﴾ وَمَآ أَصَٰبَكُم مِّن مُّصِيبَةٍ فَبِمَا
كَسَبَتْ أَيْدِيكُمْ وَيَعْفُوا۟ عَن كَثِيرٍ ﴿٣٠﴾ وَمَآ أَنتُم بِمُعْجِزِينَ
فِى ٱلْأَرْضِ ۖ وَمَا لَكُم مِّن دُونِ ٱللَّهِ مِن وَلِىٍّ وَلَا نَصِيرٍ ﴿٣١﴾

يَقْتَرِفْ: يَكْتَسِبْ

لَبَغَوْا۟: لَطَغَوْا وَتَجَبَّرُوا. أو لتظالموا

بِقَدَرٍ: بتقديرٍ مُحْكَم

قَنَطُوا۟: يَئِسُوا من نُزُولِهِ

بَثَّ: فَرَّقَ وَنَشَرَ

بِمُعْجِزِينَ: بِفَائِتِينَ من العذاب

الشورى

مدّ ٦ حركات لزوماً — مدّ ٢ أو ٤ أو ٦ جوازاً — إخفاء، ومواقع الغُنَّة (حركتان) — تفخيم
مدّ واجب ٤ أو ٥ حركات — مدّ حركتان — إدغام، وما لا يُلفظ — قلقلة

وَمِنْ ءَايَٰتِهِ ٱلْجَوَارِ فِى ٱلْبَحْرِ كَٱلْأَعْلَٰمِ ﴿٣٢﴾ إِن يَشَأْ يُسْكِنِ ٱلرِّيحَ
فَيَظْلَلْنَ رَوَاكِدَ عَلَىٰ ظَهْرِهِۦٓ ۚ إِنَّ فِى ذَٰلِكَ لَءَايَٰتٍ لِّكُلِّ صَبَّارٍ شَكُورٍ
﴿٣٣﴾ أَوْ يُوبِقْهُنَّ بِمَا كَسَبُوا۟ وَيَعْفُ عَن كَثِيرٍ ﴿٣٤﴾ وَيَعْلَمَ ٱلَّذِينَ
يُجَٰدِلُونَ فِىٓ ءَايَٰتِنَا مَا لَهُم مِّن مَّحِيصٍ ﴿٣٥﴾ فَمَآ أُوتِيتُم مِّن شَىْءٍ فَمَتَٰعُ
ٱلْحَيَوٰةِ ٱلدُّنْيَا ۖ وَمَا عِندَ ٱللَّهِ خَيْرٌ وَأَبْقَىٰ لِلَّذِينَ ءَامَنُوا۟ وَعَلَىٰ رَبِّهِمْ
يَتَوَكَّلُونَ ﴿٣٦﴾ وَٱلَّذِينَ يَجْتَنِبُونَ كَبَٰٓئِرَ ٱلْإِثْمِ وَٱلْفَوَٰحِشَ وَإِذَا مَا
غَضِبُوا۟ هُمْ يَغْفِرُونَ ﴿٣٧﴾ وَٱلَّذِينَ ٱسْتَجَابُوا۟ لِرَبِّهِمْ وَأَقَامُوا۟ ٱلصَّلَوٰةَ
وَأَمْرُهُمْ شُورَىٰ بَيْنَهُمْ وَمِمَّا رَزَقْنَٰهُمْ يُنفِقُونَ ﴿٣٨﴾ وَٱلَّذِينَ إِذَآ أَصَابَهُمُ
ٱلْبَغْىُ هُمْ يَنتَصِرُونَ ﴿٣٩﴾ وَجَزَٰٓؤُا۟ سَيِّئَةٍ سَيِّئَةٌ مِّثْلُهَا ۖ فَمَنْ عَفَا
وَأَصْلَحَ فَأَجْرُهُۥ عَلَى ٱللَّهِ ۚ إِنَّهُۥ لَا يُحِبُّ ٱلظَّٰلِمِينَ ﴿٤٠﴾ وَلَمَنِ ٱنتَصَرَ
بَعْدَ ظُلْمِهِۦ فَأُو۟لَٰٓئِكَ مَا عَلَيْهِم مِّن سَبِيلٍ ﴿٤١﴾ إِنَّمَا ٱلسَّبِيلُ عَلَى ٱلَّذِينَ
يَظْلِمُونَ ٱلنَّاسَ وَيَبْغُونَ فِى ٱلْأَرْضِ بِغَيْرِ ٱلْحَقِّ ۚ أُو۟لَٰٓئِكَ لَهُمْ
عَذَابٌ أَلِيمٌ ﴿٤٢﴾ وَلَمَن صَبَرَ وَغَفَرَ إِنَّ ذَٰلِكَ لَمِنْ عَزْمِ ٱلْأُمُورِ
﴿٤٣﴾ وَمَن يُضْلِلِ ٱللَّهُ فَمَا لَهُۥ مِن وَلِىٍّ مِّنۢ بَعْدِهِۦ ۗ وَتَرَى ٱلظَّٰلِمِينَ
لَمَّا رَأَوُا۟ ٱلْعَذَابَ يَقُولُونَ هَلْ إِلَىٰ مَرَدٍّ مِّن سَبِيلٍ ﴿٤٤﴾

- ٱلْجَوَارِ: السُّفُنُ الجَارِيَةُ
- كَٱلْأَعْلَٰمِ: كالجِبالِ أو القُصُور
- فَيَظْلَلْنَ رَوَاكِدَ: ثَوابِتَ
- يُوبِقْهُنَّ: يُهلِكْهُنَّ بالرِّيحِ العَاصِفَةِ
- مَّحِيصٍ: مَهْرَبٍ مِنَ العَذَابِ
- ٱلْفَوَٰحِشَ: مَا عَظُمَ قُبْحُه مِنَ الذُّنُوبِ
- أَمْرُهُمْ شُورَىٰ: يَتَشَاوَرُونَ فِيهِ
- أَصَابَهُمُ ٱلْبَغْىُ: نَالَهُمُ الظُّلْمُ
- يَنتَصِرُونَ: يَنْتَقِمُونَ
- يَبْغُونَ: يُفْسِدُونَ

| | | |
|---|---|---|
| مدّ ٦ حركات لزوماً ● مدّ ٢ أو ٤ أو ٦ جوازاً | إخفاء ، ومواقع الغُنَّة (حركتان) | تفخـ |
| مدّ واجب ٤ أو ٥ حركات ● مدّ حركتان | إدغام ، وما لا يُلفَظ | قلقلـ |

وَتَرَىٰهُمْ يُعْرَضُونَ عَلَيْهَا خَٰشِعِينَ مِنَ ٱلذُّلِّ يَنظُرُونَ
مِن طَرْفٍ خَفِيٍّ ۗ وَقَالَ ٱلَّذِينَ ءَامَنُوٓا۟ إِنَّ ٱلْخَٰسِرِينَ ٱلَّذِينَ
خَسِرُوٓا۟ أَنفُسَهُمْ وَأَهْلِيهِمْ يَوْمَ ٱلْقِيَٰمَةِ ۗ أَلَآ إِنَّ ٱلظَّٰلِمِينَ
فِى عَذَابٍ مُّقِيمٍ ﴿٤٥﴾ وَمَا كَانَ لَهُم مِّنْ أَوْلِيَآءَ يَنصُرُونَهُم
مِّن دُونِ ٱللَّهِ ۗ وَمَن يُضْلِلِ ٱللَّهُ فَمَا لَهُۥ مِن سَبِيلٍ ﴿٤٦﴾ ٱسْتَجِيبُوا۟
لِرَبِّكُم مِّن قَبْلِ أَن يَأْتِىَ يَوْمٌ لَّا مَرَدَّ لَهُۥ مِنَ ٱللَّهِ ۚ مَا لَكُم
مِّن مَّلْجَإٍ يَوْمَئِذٍ وَمَا لَكُم مِّن نَّكِيرٍ ﴿٤٧﴾ فَإِنْ أَعْرَضُوا۟
فَمَآ أَرْسَلْنَٰكَ عَلَيْهِمْ حَفِيظًا ۖ إِنْ عَلَيْكَ إِلَّا ٱلْبَلَٰغُ ۗ وَإِنَّآ إِذَآ
أَذَقْنَا ٱلْإِنسَٰنَ مِنَّا رَحْمَةً فَرِحَ بِهَا ۖ وَإِن تُصِبْهُمْ سَيِّئَةٌۢ
بِمَا قَدَّمَتْ أَيْدِيهِمْ فَإِنَّ ٱلْإِنسَٰنَ كَفُورٌ ﴿٤٨﴾ لِّلَّهِ مُلْكُ
ٱلسَّمَٰوَٰتِ وَٱلْأَرْضِ ۚ يَخْلُقُ مَا يَشَآءُ ۚ يَهَبُ لِمَن يَشَآءُ إِنَٰثًا
وَيَهَبُ لِمَن يَشَآءُ ٱلذُّكُورَ ﴿٤٩﴾ أَوْ يُزَوِّجُهُمْ ذُكْرَانًا وَإِنَٰثًا ۖ
وَيَجْعَلُ مَن يَشَآءُ عَقِيمًا ۚ إِنَّهُۥ عَلِيمٌ قَدِيرٌ ﴿٥٠﴾ ۞ وَمَا كَانَ
لِبَشَرٍ أَن يُكَلِّمَهُ ٱللَّهُ إِلَّا وَحْيًا أَوْ مِن وَرَآئِ حِجَابٍ أَوْ يُرْسِلَ
رَسُولًا فَيُوحِىَ بِإِذْنِهِۦ مَا يَشَآءُ ۚ إِنَّهُۥ عَلِىٌّ حَكِيمٌ ﴿٥١﴾

الشورى

ثلاثة أرباع الحزب ٤٩

- خَٰشِعِينَ: خاضعين متضائلين
- مِن طَرْفٍ خَفِيٍّ: بتحريك ضعيف لأجفانهم
- نَّكِيرٍ: إنكار ينجيكم
- فَرِحَ بِهَا: بطر لأجلها

| | | |
|---|---|---|
| مدّ ٦ حركات لزوماً ● مدّ ٢ أو ٤ أو ٦ جوازاً | إخفاء، ومواقع الغُنَّة (حركتان) ● | تفخيم ● |
| مدّ واجب ٤ أو ٥ حركات ● مدّ حركتان | إدغام، وما لا يُلفَظ ● | قلقلة ● |

وَكَذَٰلِكَ أَوۡحَيۡنَآ إِلَيۡكَ رُوحٗا مِّنۡ أَمۡرِنَاۚ مَا كُنتَ تَدۡرِي مَا ٱلۡكِتَٰبُ

وَلَا ٱلۡإِيمَٰنُ وَلَٰكِن جَعَلۡنَٰهُ نُورٗا نَّهۡدِي بِهِۦ مَن نَّشَآءُ مِنۡ عِبَادِنَاۚ

وَإِنَّكَ لَتَهۡدِيٓ إِلَىٰ صِرَٰطٖ مُّسۡتَقِيمٖ ﴿٥٢﴾ صِرَٰطِ ٱللَّهِ ٱلَّذِي لَهُۥ

مَا فِي ٱلسَّمَٰوَٰتِ وَمَا فِي ٱلۡأَرۡضِۗ أَلَآ إِلَى ٱللَّهِ تَصِيرُ ٱلۡأُمُورُ ﴿٥٣﴾

## سُورَةُ الزُّخْرُفِ

ترتيبها ٤٣ — آياتها ٨٩

بِسۡمِ ٱللَّهِ ٱلرَّحۡمَٰنِ ٱلرَّحِيمِ

حمٓ ﴿١﴾ وَٱلۡكِتَٰبِ ٱلۡمُبِينِ ﴿٢﴾ إِنَّا جَعَلۡنَٰهُ قُرۡءَٰنًا عَرَبِيّٗا

لَّعَلَّكُمۡ تَعۡقِلُونَ ﴿٣﴾ وَإِنَّهُۥ فِيٓ أُمِّ ٱلۡكِتَٰبِ لَدَيۡنَا

لَعَلِيٌّ حَكِيمٌ ﴿٤﴾ أَفَنَضۡرِبُ عَنكُمُ ٱلذِّكۡرَ صَفۡحًا

أَن كُنتُمۡ قَوۡمٗا مُّسۡرِفِينَ ﴿٥﴾ وَكَمۡ أَرۡسَلۡنَا مِن نَّبِيّٖ فِي

ٱلۡأَوَّلِينَ ﴿٦﴾ وَمَا يَأۡتِيهِم مِّن نَّبِيٍّ إِلَّا كَانُواْ بِهِۦ يَسۡتَهۡزِءُونَ

﴿٧﴾ فَأَهۡلَكۡنَآ أَشَدَّ مِنۡهُم بَطۡشٗا وَمَضَىٰ مَثَلُ ٱلۡأَوَّلِينَ

﴿٨﴾ وَلَئِن سَأَلۡتَهُم مَّنۡ خَلَقَ ٱلسَّمَٰوَٰتِ وَٱلۡأَرۡضَ لَيَقُولُنَّ

خَلَقَهُنَّ ٱلۡعَزِيزُ ٱلۡعَلِيمُ ﴿٩﴾ ٱلَّذِي جَعَلَ لَكُمُ ٱلۡأَرۡضَ

مَهۡدٗا وَجَعَلَ لَكُمۡ فِيهَا سُبُلٗا لَّعَلَّكُمۡ تَهۡتَدُونَ ﴿١٠﴾

- رُوحًا: قرآنًا . أو رحمةً
- ٱلۡإِيمَٰنُ: الشرائعُ التي لا تُعلَمُ إلا بالوحي
- أُمِّ ٱلۡكِتَٰبِ: اللوح المحفوظ أو العِلمِ الأزليّ
- أَفَنَضۡرِبُ عَنكُمُ: أَنُزيل ونُنحّي عنكم
- ٱلذِّكۡرَ: القرآن أو الوحيَ
- صَفۡحًا: إعراضاً عنكم
- كَمۡ أَرۡسَلۡنَا: كثيراً أرسلنا
- ٱلۡأَوَّلِينَ: الأُمم السابقة
- مَثَلُ ٱلۡأَوَّلِينَ: قِصّتُهُمُ العَجيبةُ
- مَهۡدٗا: فِراشاً للاستقرارِ عليها
- سُبُلٗا: طُرقاً تَسلُكونَها

مدّ ٦ حركات لزوماً | مدّ ٢ أو ٤ أو ٦ جوازاً | إخفاء ، ومواقع الغُنَّة (حركتان) | تف
مدّ واجب ٤ أو ٥ حركات | مدّ حركتان | إدغام ، وما لا يُلفظ | قل

وَٱلَّذِي نَزَّلَ مِنَ ٱلسَّمَآءِ مَآءَۢ بِقَدَرٖ فَأَنشَرۡنَا بِهِۦ بَلۡدَةٗ مَّيۡتٗاۚ
كَذَٰلِكَ تُخۡرَجُونَ ١١ وَٱلَّذِي خَلَقَ ٱلۡأَزۡوَٰجَ كُلَّهَا وَجَعَلَ
لَكُم مِّنَ ٱلۡفُلۡكِ وَٱلۡأَنۡعَٰمِ مَا تَرۡكَبُونَ ١٢ لِتَسۡتَوُۥاْ عَلَىٰ ظُهُورِهِۦ
ثُمَّ تَذۡكُرُواْ نِعۡمَةَ رَبِّكُمۡ إِذَا ٱسۡتَوَيۡتُمۡ عَلَيۡهِ وَتَقُولُواْ سُبۡحَٰنَ
ٱلَّذِي سَخَّرَ لَنَا هَٰذَا وَمَا كُنَّا لَهُۥ مُقۡرِنِينَ ١٣ وَإِنَّآ إِلَىٰ رَبِّنَا
لَمُنقَلِبُونَ ١٤ وَجَعَلُواْ لَهُۥ مِنۡ عِبَادِهِۦ جُزۡءًاۚ إِنَّ ٱلۡإِنسَٰنَ
لَكَفُورٞ مُّبِينٌ ١٥ أَمِ ٱتَّخَذَ مِمَّا يَخۡلُقُ بَنَاتٖ وَأَصۡفَىٰكُم
بِٱلۡبَنِينَ ١٦ وَإِذَا بُشِّرَ أَحَدُهُم بِمَا ضَرَبَ لِلرَّحۡمَٰنِ مَثَلٗا
ظَلَّ وَجۡهُهُۥ مُسۡوَدّٗا وَهُوَ كَظِيمٌ ١٧ أَوَمَن يُنَشَّؤُاْ فِي
ٱلۡحِلۡيَةِ وَهُوَ فِي ٱلۡخِصَامِ غَيۡرُ مُبِينٖ ١٨ وَجَعَلُواْ ٱلۡمَلَٰٓئِكَةَ
ٱلَّذِينَ هُمۡ عِبَٰدُ ٱلرَّحۡمَٰنِ إِنَٰثًاۚ أَشَهِدُواْ خَلۡقَهُمۡۚ سَتُكۡتَبُ
شَهَٰدَتُهُمۡ وَيُسۡـَٔلُونَ ١٩ وَقَالُواْ لَوۡ شَآءَ ٱلرَّحۡمَٰنُ مَا عَبَدۡنَٰهُمۗ
مَّا لَهُم بِذَٰلِكَ مِنۡ عِلۡمٍۖ إِنۡ هُمۡ إِلَّا يَخۡرُصُونَ ٢٠ أَمۡ ءَاتَيۡنَٰهُمۡ
كِتَٰبٗا مِّن قَبۡلِهِۦ فَهُم بِهِۦ مُسۡتَمۡسِكُونَ ٢١ بَلۡ قَالُوٓاْ
إِنَّا وَجَدۡنَآ ءَابَآءَنَا عَلَىٰٓ أُمَّةٖ وَإِنَّا عَلَىٰٓ ءَاثَٰرِهِم مُّهۡتَدُونَ ٢٢

- مَآءَۢ بِقَدَرٍ: بتقدير مُحكم
- فَأَنشَرۡنَا بِهِۦ: فأحيينا به
- خَلَقَ ٱلۡأَزۡوَٰجَ: أوجد أصناف المخلوقات وأنواعها



- لِتَسۡتَوُۥاْ: تستقرّوا
- مُقۡرِنِينَ: مُطيقين ضابطين
- أَصۡفَىٰكُم بِٱلۡبَنِينَ: أخلصكم وخصّكم بهم
- كَظِيمٌ: مملوءٌ غيظًا وغمًّا
- يُنَشَّؤُاْ فِي ٱلۡحِلۡيَةِ: يُربّى في الزينة والنعمة
- ٱلۡخِصَامِ: المخاصمة والجدال
- يَخۡرُصُونَ: يكذبون
- أُمَّةٖ: مِلّة ودِين

| | | |
|---|---|---|
| مدّ ٦ حركات لزوماً ● مدّ ٢ أو ٤ أو ٦ جوازاً ● | إخفاء، ومواقع الغُنّة (حركتان) ● | تفخيم ● |
| مدّ واجب ٤ أو ٥ حركات ● مدّ حركتان ● | إدغام، وما لا يُلفظ ● | قلقلة ● |

وَكَذَٰلِكَ مَآ أَرۡسَلۡنَا مِن قَبۡلِكَ فِي قَرۡيَةٖ مِّن نَّذِيرٍ إِلَّا قَالَ مُتۡرَفُوهَآ
إِنَّا وَجَدۡنَآ ءَابَآءَنَا عَلَىٰٓ أُمَّةٖ وَإِنَّا عَلَىٰٓ ءَاثَٰرِهِم مُّقۡتَدُونَ ﴿٢٣﴾
۞ قَٰلَ أَوَلَوۡ جِئۡتُكُم بِأَهۡدَىٰ مِمَّا وَجَدتُّمۡ عَلَيۡهِ ءَابَآءَكُمۡۖ قَالُوٓاْ
إِنَّا بِمَآ أُرۡسِلۡتُم بِهِۦ كَٰفِرُونَ ﴿٢٤﴾ فَٱنتَقَمۡنَا مِنۡهُمۡۖ فَٱنظُرۡ كَيۡفَ
كَانَ عَٰقِبَةُ ٱلۡمُكَذِّبِينَ ﴿٢٥﴾ وَإِذۡ قَالَ إِبۡرَٰهِيمُ لِأَبِيهِ وَقَوۡمِهِۦٓ
إِنَّنِي بَرَآءٞ مِّمَّا تَعۡبُدُونَ ﴿٢٦﴾ إِلَّا ٱلَّذِي فَطَرَنِي فَإِنَّهُۥ سَيَهۡدِينِ
﴿٢٧﴾ وَجَعَلَهَا كَلِمَةَۢ بَاقِيَةٗ فِي عَقِبِهِۦ لَعَلَّهُمۡ يَرۡجِعُونَ ﴿٢٨﴾ بَلۡ
مَتَّعۡتُ هَٰٓؤُلَآءِ وَءَابَآءَهُمۡ حَتَّىٰ جَآءَهُمُ ٱلۡحَقُّ وَرَسُولٞ مُّبِينٞ ﴿٢٩﴾
وَلَمَّا جَآءَهُمُ ٱلۡحَقُّ قَالُواْ هَٰذَا سِحۡرٞ وَإِنَّا بِهِۦ كَٰفِرُونَ ﴿٣٠﴾ وَقَالُواْ
لَوۡلَا نُزِّلَ هَٰذَا ٱلۡقُرۡءَانُ عَلَىٰ رَجُلٖ مِّنَ ٱلۡقَرۡيَتَيۡنِ عَظِيمٍ ﴿٣١﴾ أَهُمۡ
يَقۡسِمُونَ رَحۡمَتَ رَبِّكَۚ نَحۡنُ قَسَمۡنَا بَيۡنَهُم مَّعِيشَتَهُمۡ فِي ٱلۡحَيَوٰةِ
ٱلدُّنۡيَاۚ وَرَفَعۡنَا بَعۡضَهُمۡ فَوۡقَ بَعۡضٖ دَرَجَٰتٖ لِّيَتَّخِذَ بَعۡضُهُم
بَعۡضٗا سُخۡرِيّٗاۗ وَرَحۡمَتُ رَبِّكَ خَيۡرٞ مِّمَّا يَجۡمَعُونَ ﴿٣٢﴾ وَلَوۡلَآ
أَن يَكُونَ ٱلنَّاسُ أُمَّةٗ وَٰحِدَةٗ لَّجَعَلۡنَا لِمَن يَكۡفُرُ بِٱلرَّحۡمَٰنِ
لِبُيُوتِهِمۡ سُقُفٗا مِّن فِضَّةٖ وَمَعَارِجَ عَلَيۡهَا يَظۡهَرُونَ ﴿٣٣﴾

- قَالَ مُتۡرَفُوهَآ: مُتَنَعِّمُوهَا المُنْغَمِسُونَ في شهواتِهِم
- الحزب ٥٠
- إِنَّنِي بَرَآءٞ: بَرِيءٌ
- فَطَرَنِي: أَبْدَعَنِي
- عَقِبِهِۦ: ذُرِّيَّتِهِ
- ٱلۡقَرۡيَتَيۡنِ: مكة والطائف
- سُخۡرِيّٗا: مُسَخَّراً في العَمَلِ، مُسْتَخْدَماً فيه
- مَعَارِجَ: مَصَاعِدَ وَدَرَجَات
- يَظۡهَرُونَ: يَصْعَدُونَ وَيَرْتَقُونَ

مدّ ٦ حركات لزوماً — مدّ ٢ أو ٤ أو ٦ جوازاً — إخفاء، ومواقع الغُنَّة (حركتان)
مدّ واجب ٤ أو ٥ حركات — مدّ حركتان — إدغام، وما لا يُلفَظ

وَلِبُيُوتِهِمْ أَبْوَٰبًا وَسُرُرًا عَلَيْهَا يَتَّكِـُٔونَ ﴿٣٤﴾ وَزُخْرُفًا ۚ وَإِن
كُلُّ ذَٰلِكَ لَمَّا مَتَٰعُ ٱلْحَيَوٰةِ ٱلدُّنْيَا ۚ وَٱلْـَٔاخِرَةُ عِندَ رَبِّكَ
لِلْمُتَّقِينَ ﴿٣٥﴾ وَمَن يَعْشُ عَن ذِكْرِ ٱلرَّحْمَٰنِ نُقَيِّضْ لَهُۥ شَيْطَٰنًا
فَهُوَ لَهُۥ قَرِينٌ ﴿٣٦﴾ وَإِنَّهُمْ لَيَصُدُّونَهُمْ عَنِ ٱلسَّبِيلِ وَيَحْسَبُونَ
أَنَّهُم مُّهْتَدُونَ ﴿٣٧﴾ حَتَّىٰٓ إِذَا جَآءَنَا قَالَ يَٰلَيْتَ بَيْنِى وَبَيْنَكَ
بُعْدَ ٱلْمَشْرِقَيْنِ فَبِئْسَ ٱلْقَرِينُ ﴿٣٨﴾ وَلَن يَنفَعَكُمُ ٱلْيَوْمَ
إِذ ظَّلَمْتُمْ أَنَّكُمْ فِى ٱلْعَذَابِ مُشْتَرِكُونَ ﴿٣٩﴾ أَفَأَنتَ تُسْمِعُ
ٱلصُّمَّ أَوْ تَهْدِى ٱلْعُمْىَ وَمَن كَانَ فِى ضَلَٰلٍ مُّبِينٍ ﴿٤٠﴾
فَإِمَّا نَذْهَبَنَّ بِكَ فَإِنَّا مِنْهُم مُّنتَقِمُونَ ﴿٤١﴾ أَوْ نُرِيَنَّكَ ٱلَّذِى
وَعَدْنَٰهُمْ فَإِنَّا عَلَيْهِم مُّقْتَدِرُونَ ﴿٤٢﴾ فَٱسْتَمْسِكْ بِٱلَّذِىٓ أُوحِىَ
إِلَيْكَ ۖ إِنَّكَ عَلَىٰ صِرَٰطٍ مُّسْتَقِيمٍ ﴿٤٣﴾ وَإِنَّهُۥ لَذِكْرٌ لَّكَ وَلِقَوْمِكَ ۖ
وَسَوْفَ تُسْـَٔلُونَ ﴿٤٤﴾ وَسْـَٔلْ مَنْ أَرْسَلْنَا مِن قَبْلِكَ مِن رُّسُلِنَآ
أَجَعَلْنَا مِن دُونِ ٱلرَّحْمَٰنِ ءَالِهَةً يُعْبَدُونَ ﴿٤٥﴾ وَلَقَدْ أَرْسَلْنَا
مُوسَىٰ بِـَٔايَٰتِنَآ إِلَىٰ فِرْعَوْنَ وَمَلَإِي۟هِۦ فَقَالَ إِنِّى رَسُولُ
رَبِّ ٱلْعَٰلَمِينَ ﴿٤٦﴾ فَلَمَّا جَآءَهُم بِـَٔايَٰتِنَآ إِذَا هُم مِّنْهَا يَضْحَكُونَ ﴿٤٧﴾

زُخْرُفًا: ذَهبًا أو زينةً
مَن يَعْشُ: مَنْ يَتَعامَ ويُعْرِض
نُقَيِّضْ لَهُۥ: نُسَبِّبْ أَوْ نُتِحْ لَهُ
لَهُۥ قَرِينٌ: مُصاحِبٌ لَهُ لا يُفارِقُهُ
إِنَّهُۥ لَذِكْرٌ: لَشَرَفٌ عَظِيمٌ



مدّ ٦ حركات لزوماً ● مدّ ٢ أو ٤ أو ٦ جوازاً ● إخفاء، ومواقع الغُنَّة (حركتان) ● تفخيم
مدّ واجب ٤ أو ٥ حركات ● مدّ حركتان ● إدغام، وما لا يُلفَظ ● قلقلة

وَمَا نُرِيهِم مِّنْ ءَايَةٍ إِلَّا هِىَ أَكْبَرُ مِنْ أُخْتِهَا ۖ وَأَخَذْنَٰهُم
بِٱلْعَذَابِ لَعَلَّهُمْ يَرْجِعُونَ ﴿٤٨﴾ وَقَالُوا۟ يَٰٓأَيُّهَ ٱلسَّاحِرُ ٱدْعُ لَنَا
رَبَّكَ بِمَا عَهِدَ عِندَكَ إِنَّنَا لَمُهْتَدُونَ ﴿٤٩﴾ فَلَمَّا كَشَفْنَا عَنْهُمُ
ٱلْعَذَابَ إِذَا هُمْ يَنكُثُونَ ﴿٥٠﴾ وَنَادَىٰ فِرْعَوْنُ فِى قَوْمِهِۦ
قَالَ يَٰقَوْمِ أَلَيْسَ لِى مُلْكُ مِصْرَ وَهَٰذِهِ ٱلْأَنْهَٰرُ تَجْرِى مِن
تَحْتِىٓ ۖ أَفَلَا تُبْصِرُونَ ﴿٥١﴾ أَمْ أَنَا۠ خَيْرٌ مِّنْ هَٰذَا ٱلَّذِى هُوَ مَهِينٌ
وَلَا يَكَادُ يُبِينُ ﴿٥٢﴾ فَلَوْلَآ أُلْقِىَ عَلَيْهِ أَسْوِرَةٌ مِّن ذَهَبٍ أَوْ جَآءَ
مَعَهُ ٱلْمَلَٰٓئِكَةُ مُقْتَرِنِينَ ﴿٥٣﴾ فَٱسْتَخَفَّ قَوْمَهُۥ
فَأَطَاعُوهُ ۚ إِنَّهُمْ كَانُوا۟ قَوْمًا فَٰسِقِينَ ﴿٥٤﴾ فَلَمَّآ ءَاسَفُونَا
ٱنتَقَمْنَا مِنْهُمْ فَأَغْرَقْنَٰهُمْ أَجْمَعِينَ ﴿٥٥﴾ فَجَعَلْنَٰهُمْ
سَلَفًا وَمَثَلًا لِّلْـَٔاخِرِينَ ﴿٥٦﴾ ۞ وَلَمَّا ضُرِبَ ٱبْنُ مَرْيَمَ
مَثَلًا إِذَا قَوْمُكَ مِنْهُ يَصِدُّونَ ﴿٥٧﴾ وَقَالُوٓا۟ ءَأَٰلِهَتُنَا
خَيْرٌ أَمْ هُوَ ۚ مَا ضَرَبُوهُ لَكَ إِلَّا جَدَلًۢا ۚ بَلْ هُمْ قَوْمٌ خَصِمُونَ ﴿٥٨﴾
إِنْ هُوَ إِلَّا عَبْدٌ أَنْعَمْنَا عَلَيْهِ وَجَعَلْنَٰهُ مَثَلًا لِّبَنِىٓ إِسْرَٰٓءِيلَ
﴿٥٩﴾ وَلَوْ نَشَآءُ لَجَعَلْنَا مِنكُم مَّلَٰٓئِكَةً فِى ٱلْأَرْضِ يَخْلُفُونَ ﴿٦٠﴾

- يَنكُثُونَ: يَنقُضُونَ عَهْدَهُمْ
- هُوَ مَهِينٌ: ضَعِيفٌ حَقِيرٌ
- يُبِينُ: يُفْصِحُ بِكَلَامِهِ
- مُقْتَرِنِينَ: مَقْرُونِينَ بِهِ يُصَدِّقُونَهُ
- فَٱسْتَخَفَّ قَوْمَهُۥ: وَجَدَهُمْ ضَعِيفِي العُقُولِ
- ءَاسَفُونَا: أَغْضَبُونَا أَشَدَّ الغَضَبِ
- سَلَفًا: قُدْوَةً لِلْكُفَّارِ فِي العِقَابِ
- مَثَلًا لِّلْـَٔاخِرِينَ: عِبْرَةً وَعِظَةً لَهُمْ

ربع الحزب ٥٠

- يَصِدُّونَ: يَضِجُّونَ فَرَحاً وَضَحِكاً
- قَوْمٌ خَصِمُونَ: شِدَادُ الخُصُومَةِ بِالبَاطِلِ
- مَثَلًا: آيَةً وَعِبْرَةً كَالمَثَلِ
- لَجَعَلْنَا مِنكُم: بَدَلَكُمْ . أَوْ لَوَلَّدْنَا مِنكُمْ

وَإِنَّهُۥ لَعِلْمٌ لِّلسَّاعَةِ فَلَا تَمْتَرُنَّ بِهَا وَٱتَّبِعُونِ ۚ هَٰذَا صِرَٰطٌ
مُّسْتَقِيمٌ ﴿٦١﴾ وَلَا يَصُدَّنَّكُمُ ٱلشَّيْطَٰنُ ۖ إِنَّهُۥ لَكُمْ عَدُوٌّ مُّبِينٌ
﴿٦٢﴾ وَلَمَّا جَآءَ عِيسَىٰ بِٱلْبَيِّنَٰتِ قَالَ قَدْ جِئْتُكُم بِٱلْحِكْمَةِ
وَلِأُبَيِّنَ لَكُم بَعْضَ ٱلَّذِى تَخْتَلِفُونَ فِيهِ ۖ فَٱتَّقُوا۟ ٱللَّهَ وَأَطِيعُونِ
﴿٦٣﴾ إِنَّ ٱللَّهَ هُوَ رَبِّى وَرَبُّكُمْ فَٱعْبُدُوهُ ۚ هَٰذَا صِرَٰطٌ مُّسْتَقِيمٌ
﴿٦٤﴾ فَٱخْتَلَفَ ٱلْأَحْزَابُ مِنۢ بَيْنِهِمْ ۖ فَوَيْلٌ لِّلَّذِينَ ظَلَمُوا۟
مِنْ عَذَابِ يَوْمٍ أَلِيمٍ ﴿٦٥﴾ هَلْ يَنظُرُونَ إِلَّا ٱلسَّاعَةَ أَن
تَأْتِيَهُم بَغْتَةً وَهُمْ لَا يَشْعُرُونَ ﴿٦٦﴾ ٱلْأَخِلَّآءُ يَوْمَئِذٍۭ
بَعْضُهُمْ لِبَعْضٍ عَدُوٌّ إِلَّا ٱلْمُتَّقِينَ ﴿٦٧﴾ يَٰعِبَادِ لَا خَوْفٌ
عَلَيْكُمُ ٱلْيَوْمَ وَلَآ أَنتُمْ تَحْزَنُونَ ﴿٦٨﴾ ٱلَّذِينَ ءَامَنُوا۟ بِـَٔايَٰتِنَا
وَكَانُوا۟ مُسْلِمِينَ ﴿٦٩﴾ ٱدْخُلُوا۟ ٱلْجَنَّةَ أَنتُمْ وَأَزْوَٰجُكُمْ
تُحْبَرُونَ ﴿٧٠﴾ يُطَافُ عَلَيْهِم بِصِحَافٍ مِّن ذَهَبٍ وَأَكْوَابٍ ۖ
وَفِيهَا مَا تَشْتَهِيهِ ٱلْأَنفُسُ وَتَلَذُّ ٱلْأَعْيُنُ ۖ وَأَنتُمْ فِيهَا
خَٰلِدُونَ ﴿٧١﴾ وَتِلْكَ ٱلْجَنَّةُ ٱلَّتِىٓ أُورِثْتُمُوهَا بِمَا كُنتُمْ
تَعْمَلُونَ ﴿٧٢﴾ لَكُمْ فِيهَا فَٰكِهَةٌ كَثِيرَةٌ مِّنْهَا تَأْكُلُونَ ﴿٧٣﴾

- لَعِلْمٌ لِّلسَّاعَةِ: يُعْلَم قُرْبُهَا بنزوله
- فَلَا تَمْتَرُنَّ بِهَا: فلا تشكُّنَّ في قيامها
- فَوَيْلٌ: هلاك . أو حسْرة
- بَغْتَةً: فجأة
- ٱلْأَخِلَّآءُ: الأحبّاء
- تُحْبَرُونَ: تُسَرُّونَ سُرُوراً ظاهراً
- أَكْوَابٍ: أقداحٍ لا عُرى لها

الزخرف

| | | |
|---|---|---|
| مدّ ٦ حركات لزوماً ● مدّ ٢ أو ٤ أو ٦ جوازاً | ● إخفاء ، ومواقع الغنّة (حركتان) | ● تفخيم |
| مدّ واجب ٤ أو ٥ حركات ● مدّ حركتان | ● إدغام ، وما لا يُلفظ | ● قلقلة |

إِنَّ ٱلْمُجْرِمِينَ فِى عَذَابِ جَهَنَّمَ خَٰلِدُونَ ﴿٧٤﴾ لَا يُفَتَّرُ عَنْهُمْ وَهُمْ
فِيهِ مُبْلِسُونَ ﴿٧٥﴾ وَمَا ظَلَمْنَٰهُمْ وَلَٰكِن كَانُوا۟ هُمُ ٱلظَّٰلِمِينَ ﴿٧٦﴾
وَنَادَوْا۟ يَٰمَٰلِكُ لِيَقْضِ عَلَيْنَا رَبُّكَ ۖ قَالَ إِنَّكُم مَّٰكِثُونَ ﴿٧٧﴾ لَقَدْ
جِئْنَٰكُم بِٱلْحَقِّ وَلَٰكِنَّ أَكْثَرَكُمْ لِلْحَقِّ كَٰرِهُونَ ﴿٧٨﴾ أَمْ أَبْرَمُوٓا۟ أَمْرًا
فَإِنَّا مُبْرِمُونَ ﴿٧٩﴾ أَمْ يَحْسَبُونَ أَنَّا لَا نَسْمَعُ سِرَّهُمْ وَنَجْوَىٰهُم ۚ بَلَىٰ
وَرُسُلُنَا لَدَيْهِمْ يَكْتُبُونَ ﴿٨٠﴾ قُلْ إِن كَانَ لِلرَّحْمَٰنِ وَلَدٌ فَأَنَا۠ أَوَّلُ
ٱلْعَٰبِدِينَ ﴿٨١﴾ سُبْحَٰنَ رَبِّ ٱلسَّمَٰوَٰتِ وَٱلْأَرْضِ رَبِّ ٱلْعَرْشِ
عَمَّا يَصِفُونَ ﴿٨٢﴾ فَذَرْهُمْ يَخُوضُوا۟ وَيَلْعَبُوا۟ حَتَّىٰ يُلَٰقُوا۟ يَوْمَهُمُ
ٱلَّذِى يُوعَدُونَ ﴿٨٣﴾ وَهُوَ ٱلَّذِى فِى ٱلسَّمَآءِ إِلَٰهٌ وَفِى ٱلْأَرْضِ
إِلَٰهٌ ۚ وَهُوَ ٱلْحَكِيمُ ٱلْعَلِيمُ ﴿٨٤﴾ وَتَبَارَكَ ٱلَّذِى لَهُۥ مُلْكُ ٱلسَّمَٰوَٰتِ
وَٱلْأَرْضِ وَمَا بَيْنَهُمَا وَعِندَهُۥ عِلْمُ ٱلسَّاعَةِ وَإِلَيْهِ تُرْجَعُونَ
﴿٨٥﴾ وَلَا يَمْلِكُ ٱلَّذِينَ يَدْعُونَ مِن دُونِهِ ٱلشَّفَٰعَةَ إِلَّا مَن
شَهِدَ بِٱلْحَقِّ وَهُمْ يَعْلَمُونَ ﴿٨٦﴾ وَلَئِن سَأَلْتَهُم مَّنْ خَلَقَهُمْ
لَيَقُولُنَّ ٱللَّهُ ۖ فَأَنَّىٰ يُؤْفَكُونَ ﴿٨٧﴾ وَقِيلِهِۦ يَٰرَبِّ إِنَّ هَٰٓؤُلَآءِ قَوْمٌ
لَّا يُؤْمِنُونَ ﴿٨٨﴾ فَٱصْفَحْ عَنْهُمْ وَقُلْ سَلَٰمٌ ۚ فَسَوْفَ يَعْلَمُونَ ﴿٨٩﴾

- لَا يُفَتَّرُ عَنْهُمْ: لا يُخفَّفُ عنهم
- مُبْلِسُونَ: حَزينونَ من شدَّةِ اليأسِ
- لِيَقْضِ عَلَيْنَا: ليُمِتْنا
- أَبْرَمُوٓا۟ أَمْرًا: أحكموا كيداً
- نَجْوَىٰهُم: تناجيهِمْ فيما بينهم
- يَخُوضُوا۟: يدخلوا مَدَاخِلَ الباطل
- تَبَارَكَ ٱلَّذِى: تعالى أوْ تكاثرَ خيرُه وإحسانُهُ
- فَأَنَّىٰ يُؤْفَكُونَ: فكيفَ يُصْرَفُونَ عن عِبادَتِهِ تعالى
- وَقِيلِهِۦ: وقولِ الرَّسُولِ ﷺ
- فَٱصْفَحْ عَنْهُمْ: فأعْرِضْ عنهم
- سَلَٰمٌ: مُتارَكَةٌ وتباعُدٌ عن الجِدالِ

# سُورَةُ الدُّخَانِ

ترتيبها ٤٤ — آياتها ٥٩

بِسۡمِ ٱللَّهِ ٱلرَّحۡمَٰنِ ٱلرَّحِيمِ

حمٓ ﴿١﴾ وَٱلۡكِتَٰبِ ٱلۡمُبِينِ ﴿٢﴾ إِنَّآ أَنزَلۡنَٰهُ فِي لَيۡلَةٖ
مُّبَٰرَكَةٍۚ إِنَّا كُنَّا مُنذِرِينَ ﴿٣﴾ فِيهَا يُفۡرَقُ كُلُّ أَمۡرٍ حَكِيمٍ ﴿٤﴾
أَمۡرٗا مِّنۡ عِندِنَآۚ إِنَّا كُنَّا مُرۡسِلِينَ ﴿٥﴾ رَحۡمَةٗ مِّن رَّبِّكَۚ إِنَّهُۥ هُوَ
ٱلسَّمِيعُ ٱلۡعَلِيمُ ﴿٦﴾ رَبِّ ٱلسَّمَٰوَٰتِ وَٱلۡأَرۡضِ وَمَا بَيۡنَهُمَآۖ
إِن كُنتُم مُّوقِنِينَ ﴿٧﴾ لَآ إِلَٰهَ إِلَّا هُوَ يُحۡيِۦ وَيُمِيتُۖ رَبُّكُمۡ
وَرَبُّ ءَابَآئِكُمُ ٱلۡأَوَّلِينَ ﴿٨﴾ بَلۡ هُمۡ فِي شَكّٖ يَلۡعَبُونَ
﴿٩﴾ فَٱرۡتَقِبۡ يَوۡمَ تَأۡتِي ٱلسَّمَآءُ بِدُخَانٖ مُّبِينٖ ﴿١٠﴾ يَغۡشَى
ٱلنَّاسَۖ هَٰذَا عَذَابٌ أَلِيمٞ ﴿١١﴾ رَّبَّنَا ٱكۡشِفۡ عَنَّا ٱلۡعَذَابَ
إِنَّا مُؤۡمِنُونَ ﴿١٢﴾ أَنَّىٰ لَهُمُ ٱلذِّكۡرَىٰ وَقَدۡ جَآءَهُمۡ رَسُولٞ مُّبِينٞ ﴿١٣﴾
ثُمَّ تَوَلَّوۡاْ عَنۡهُ وَقَالُواْ مُعَلَّمٞ مَّجۡنُونٌ ﴿١٤﴾ إِنَّا كَاشِفُواْ ٱلۡعَذَابِ قَلِيلًاۚ
إِنَّكُمۡ عَآئِدُونَ ﴿١٥﴾ يَوۡمَ نَبۡطِشُ ٱلۡبَطۡشَةَ ٱلۡكُبۡرَىٰٓ إِنَّا مُنتَقِمُونَ ﴿١٦﴾
۞ وَلَقَدۡ فَتَنَّا قَبۡلَهُمۡ قَوۡمَ فِرۡعَوۡنَ وَجَآءَهُمۡ رَسُولٞ
كَرِيمٌ ﴿١٧﴾ أَنۡ أَدُّوٓاْ إِلَيَّ عِبَادَ ٱللَّهِۖ إِنِّي لَكُمۡ رَسُولٌ أَمِينٞ ﴿١٨﴾

نصف الحزب ٥٠

- لَيۡلَةٖ مُّبَٰرَكَةٍ: ليلة القدر
- فِيهَا يُفۡرَقُ: يبيّن ويُفصّل
- فَٱرۡتَقِبۡ: انتظرْ لهؤلاء الشاكّين
- بِدُخَانٖ: جدْب ومجاعة
- يَغۡشَى ٱلنَّاسَ: يشملُهم ويُحيط بهم
- أَنَّىٰ لَهُمُ ٱلذِّكۡرَىٰ: كيف يتذكّرون ويتّعظون
- مُعَلَّمٞ: يُعلّمه بشرٌ
- نَبۡطِشُ: نأخُذ بشدّة وعُنف
- فَتَنَّا: ابتلينا وامتحنّا
- أَدُّوٓاْ إِلَيَّ: سلّموا إليّ

الدخان

| | | |
|---|---|---|
| مدّ ٦ حركات لزوماً | مدّ ٢ أو ٤ أو ٦ جوازاً | إخفاء، ومواقع الغُنّة (حركتان) — تفخيم |
| مدّ واجب ٤ أو ٥ حركات | مدّ حركتان | إدغام، وما لا يُلفظ — قلقلة |

وَأَن لَّا تَعْلُوا۟ عَلَى ٱللَّهِ ۖ إِنِّىٓ ءَاتِيكُم بِسُلْطَٰنٍ مُّبِينٍ ﴿١٩﴾ وَإِنِّى عُذْتُ
بِرَبِّى وَرَبِّكُمْ أَن تَرْجُمُونِ ﴿٢٠﴾ وَإِن لَّمْ تُؤْمِنُوا۟ لِى فَٱعْتَزِلُونِ ﴿٢١﴾ فَدَعَا
رَبَّهُۥٓ أَنَّ هَٰٓؤُلَآءِ قَوْمٌ مُّجْرِمُونَ ﴿٢٢﴾ فَأَسْرِ بِعِبَادِى لَيْلًا إِنَّكُم
مُّتَّبَعُونَ ﴿٢٣﴾ وَٱتْرُكِ ٱلْبَحْرَ رَهْوًا ۖ إِنَّهُمْ جُندٌ مُّغْرَقُونَ ﴿٢٤﴾ كَمْ
تَرَكُوا۟ مِن جَنَّٰتٍ وَعُيُونٍ ﴿٢٥﴾ وَزُرُوعٍ وَمَقَامٍ كَرِيمٍ ﴿٢٦﴾ وَنَعْمَةٍ
كَانُوا۟ فِيهَا فَٰكِهِينَ ﴿٢٧﴾ كَذَٰلِكَ ۖ وَأَوْرَثْنَٰهَا قَوْمًا ءَاخَرِينَ ﴿٢٨﴾
فَمَا بَكَتْ عَلَيْهِمُ ٱلسَّمَآءُ وَٱلْأَرْضُ وَمَا كَانُوا۟ مُنظَرِينَ ﴿٢٩﴾ وَلَقَدْ
نَجَّيْنَا بَنِىٓ إِسْرَٰٓءِيلَ مِنَ ٱلْعَذَابِ ٱلْمُهِينِ ﴿٣٠﴾ مِن فِرْعَوْنَ ۚ إِنَّهُۥ
كَانَ عَالِيًا مِّنَ ٱلْمُسْرِفِينَ ﴿٣١﴾ وَلَقَدِ ٱخْتَرْنَٰهُمْ عَلَىٰ عِلْمٍ عَلَى
ٱلْعَٰلَمِينَ ﴿٣٢﴾ وَءَاتَيْنَٰهُم مِّنَ ٱلْءَايَٰتِ مَا فِيهِ بَلَٰٓؤٌا۟ مُّبِينٌ
﴿٣٣﴾ إِنَّ هَٰٓؤُلَآءِ لَيَقُولُونَ ﴿٣٤﴾ إِنْ هِىَ إِلَّا مَوْتَتُنَا ٱلْأُولَىٰ وَمَا
نَحْنُ بِمُنشَرِينَ ﴿٣٥﴾ فَأْتُوا۟ بِـَٔابَآئِنَآ إِن كُنتُمْ صَٰدِقِينَ ﴿٣٦﴾ أَهُمْ
خَيْرٌ أَمْ قَوْمُ تُبَّعٍ وَٱلَّذِينَ مِن قَبْلِهِمْ ۚ أَهْلَكْنَٰهُمْ ۖ إِنَّهُمْ كَانُوا۟ مُجْرِمِينَ
﴿٣٧﴾ وَمَا خَلَقْنَا ٱلسَّمَٰوَٰتِ وَٱلْأَرْضَ وَمَا بَيْنَهُمَا لَٰعِبِينَ ﴿٣٨﴾
مَا خَلَقْنَٰهُمَآ إِلَّا بِٱلْحَقِّ وَلَٰكِنَّ أَكْثَرَهُمْ لَا يَعْلَمُونَ ﴿٣٩﴾

- لَا تَعْلُوا: لا تتكبّروا أو لا تفترُوا
- بِسُلْطَٰنٍ: حُجّة وبرهان
- إِنِّى عُذْتُ بِرَبِّى: استجرْتُ به
- تَرْجُمُونِ: تُؤذُوني . أو تقتُلوني
- فَأَسْرِ: سِرْ لَيْلاً
- إِنَّكُم مُّتَّبَعُونَ: يَتْبَعُكُم فرْعَوْنُ وجُنودُهُ
- رَهْوًا: ساكناً . أو مُنفرجاً مفتوحاً
- جُندٌ: جَماعَة
- نَعْمَةٍ: نَضارَة عيش ولذاذته
- فَٰكِهِينَ: ناعِمينَ
- مُنظَرِينَ: مُمْهَلينَ إلى يوم القيامة
- كَانَ عَالِيًا: مُتكبّراً جبّاراً
- بَلَٰٓؤٌا۟: اختبار
- بِمُنشَرِينَ: بِمَبْعُوثينَ بعد مَوْتَتِنا
- قَوْمُ تُبَّعٍ: الحِمْيَرِيّ مَلِك اليَمَن

مدّ ٦ حركات لزوماً ● مدّ ٢ أو ٤ أو ٦ جوازاً ● إخفاء ، ومواقع الغُنّة (حركتان) ● تفخ...
مدّ واجب ٤ أو ٥ حركات ● مدّ حركتان ● إدغام ، وما لا يُلفظ ● قلقلة

إِنَّ يَوْمَ ٱلْفَصْلِ مِيقَـٰتُهُمْ أَجْمَعِينَ ﴿٤٠﴾ يَوْمَ لَا يُغْنِى مَوْلًى
عَن مَّوْلًى شَيْـًٔا وَلَا هُمْ يُنصَرُونَ ﴿٤١﴾ إِلَّا مَن رَّحِمَ ٱللَّهُ ۚ
إِنَّهُۥ هُوَ ٱلْعَزِيزُ ٱلرَّحِيمُ ﴿٤٢﴾ إِنَّ شَجَرَتَ ٱلزَّقُّومِ ﴿٤٣﴾
طَعَامُ ٱلْأَثِيمِ ﴿٤٤﴾ كَٱلْمُهْلِ يَغْلِى فِى ٱلْبُطُونِ ﴿٤٥﴾ كَغَلْىِ
ٱلْحَمِيمِ ﴿٤٦﴾ خُذُوهُ فَٱعْتِلُوهُ إِلَىٰ سَوَآءِ ٱلْجَحِيمِ ﴿٤٧﴾ ثُمَّ
صُبُّوا۟ فَوْقَ رَأْسِهِۦ مِنْ عَذَابِ ٱلْحَمِيمِ ﴿٤٨﴾ ذُقْ إِنَّكَ
أَنتَ ٱلْعَزِيزُ ٱلْكَرِيمُ ﴿٤٩﴾ إِنَّ هَـٰذَا مَا كُنتُم بِهِۦ تَمْتَرُونَ
﴿٥٠﴾ إِنَّ ٱلْمُتَّقِينَ فِى مَقَامٍ أَمِينٍ ﴿٥١﴾ فِى جَنَّـٰتٍ وَعُيُونٍ
﴿٥٢﴾ يَلْبَسُونَ مِن سُندُسٍ وَإِسْتَبْرَقٍ مُّتَقَـٰبِلِينَ ﴿٥٣﴾
كَذَٰلِكَ وَزَوَّجْنَـٰهُم بِحُورٍ عِينٍ ﴿٥٤﴾ يَدْعُونَ فِيهَا بِكُلِّ
فَـٰكِهَةٍ ءَامِنِينَ ﴿٥٥﴾ لَا يَذُوقُونَ فِيهَا ٱلْمَوْتَ
إِلَّا ٱلْمَوْتَةَ ٱلْأُولَىٰ ۖ وَوَقَىٰهُمْ عَذَابَ ٱلْجَحِيمِ ﴿٥٦﴾ فَضْلًا
مِّن رَّبِّكَ ۚ ذَٰلِكَ هُوَ ٱلْفَوْزُ ٱلْعَظِيمُ ﴿٥٧﴾ فَإِنَّمَا يَسَّرْنَـٰهُ بِلِسَانِكَ
لَعَلَّهُمْ يَتَذَكَّرُونَ ﴿٥٨﴾ فَٱرْتَقِبْ إِنَّهُم مُّرْتَقِبُونَ ﴿٥٩﴾

## سُورَةُ الجَاثِيَةِ

ترتيبها ٤٥ | آياتها ٣٧

- يَوْمَ ٱلْفَصْلِ: يَوْمَ القِيامَةِ
- لَا يُغْنِى مَوْلًى: لا يَدْفَعُ قَرِيبٌ أوْ صَدِيقٌ
- كَٱلْمُهْلِ: دُرْدِيّ الزَّيْتِ أي عَكَرِهِ أو المعدِنِ المذابِ
- ٱلْحَمِيمِ: الماءِ البالغِ غايَةَ الحَرارَةِ
- فَٱعْتِلُوهُ: جُرُّوهُ بِعُنْفٍ وقَهْرٍ
- سَوَآءِ ٱلْجَحِيمِ: وَسَطِ النّارِ
- بِهِۦ تَمْتَرُونَ: فيه تُجادِلُونَ وتُمارُونَ
- سُندُسٍ: رَقِيقِ الدِّيباجِ
- إِسْتَبْرَقٍ: غَلِيظِهِ
- بِحُورٍ: نِساءٍ بِيضٍ
- عِينٍ: واسِعاتِ الأَعْيُنِ حِسانِها
- يَدْعُونَ فِيهَا: يَطْلُبُونَ فيها
- فَٱرْتَقِبْ: فَانْتَظِرْ ما يَحِلُّ بِهِمْ

الدخان

بِسْمِ ٱللَّهِ ٱلرَّحْمَٰنِ ٱلرَّحِيمِ

حمٓ ﴿١﴾ تَنزِيلُ ٱلْكِتَٰبِ مِنَ ٱللَّهِ ٱلْعَزِيزِ ٱلْحَكِيمِ ﴿٢﴾ إِنَّ فِى ٱلسَّمَٰوَٰتِ
وَٱلْأَرْضِ لَءَايَٰتٍ لِّلْمُؤْمِنِينَ ﴿٣﴾ وَفِى خَلْقِكُمْ وَمَا يَبُثُّ مِن دَآبَّةٍ ءَايَٰتٌ
لِّقَوْمٍ يُوقِنُونَ ﴿٤﴾ وَٱخْتِلَٰفِ ٱلَّيْلِ وَٱلنَّهَارِ وَمَآ أَنزَلَ ٱللَّهُ مِنَ ٱلسَّمَآءِ
مِن رِّزْقٍ فَأَحْيَا بِهِ ٱلْأَرْضَ بَعْدَ مَوْتِهَا وَتَصْرِيفِ ٱلرِّيَٰحِ ءَايَٰتٌ لِّقَوْمٍ
يَعْقِلُونَ ﴿٥﴾ تِلْكَ ءَايَٰتُ ٱللَّهِ نَتْلُوهَا عَلَيْكَ بِٱلْحَقِّ ۖ فَبِأَىِّ حَدِيثٍۭ بَعْدَ
ٱللَّهِ وَءَايَٰتِهِۦ يُؤْمِنُونَ ﴿٦﴾ وَيْلٌ لِّكُلِّ أَفَّاكٍ أَثِيمٍ ﴿٧﴾ يَسْمَعُ ءَايَٰتِ
ٱللَّهِ تُتْلَىٰ عَلَيْهِ ثُمَّ يُصِرُّ مُسْتَكْبِرًا كَأَن لَّمْ يَسْمَعْهَا ۖ فَبَشِّرْهُ بِعَذَابٍ أَلِيمٍ
﴿٨﴾ وَإِذَا عَلِمَ مِنْ ءَايَٰتِنَا شَيْـًٔا ٱتَّخَذَهَا هُزُوًا ۚ أُو۟لَٰٓئِكَ لَهُمْ عَذَابٌ
مُّهِينٌ ﴿٩﴾ مِّن وَرَآئِهِمْ جَهَنَّمُ ۖ وَلَا يُغْنِى عَنْهُم مَّا كَسَبُوا۟ شَيْـًٔا
وَلَا مَا ٱتَّخَذُوا۟ مِن دُونِ ٱللَّهِ أَوْلِيَآءَ ۖ وَلَهُمْ عَذَابٌ عَظِيمٌ ﴿١٠﴾ هَٰذَا
هُدًى ۖ وَٱلَّذِينَ كَفَرُوا۟ بِـَٔايَٰتِ رَبِّهِمْ لَهُمْ عَذَابٌ مِّن رِّجْزٍ أَلِيمٌ ﴿١١﴾

۞ ٱللَّهُ ٱلَّذِى سَخَّرَ لَكُمُ ٱلْبَحْرَ لِتَجْرِىَ ٱلْفُلْكُ فِيهِ بِأَمْرِهِۦ وَلِتَبْتَغُوا۟ مِن
فَضْلِهِۦ وَلَعَلَّكُمْ تَشْكُرُونَ ﴿١٢﴾ وَسَخَّرَ لَكُم مَّا فِى ٱلسَّمَٰوَٰتِ وَمَا فِى
ٱلْأَرْضِ جَمِيعًا مِّنْهُ ۚ إِنَّ فِى ذَٰلِكَ لَءَايَٰتٍ لِّقَوْمٍ يَتَفَكَّرُونَ ﴿١٣﴾

▪ يَبُثُّ: يَنْشُرُ وَيُفَرِّقُ
▪ تَصْرِيفِ ٱلرِّيَٰحِ: تَقْلِيبِهَا في مَهَابِّهَا وأحوالها
▪ وَيْلٌ: هَلَاكٌ
▪ أَفَّاكٍ أَثِيمٍ: كَذَّابٍ كَثِيرِ الإِثْمِ
▪ ٱتَّخَذَهَا هُزُوًا: سُخْرِيَةً
▪ لَا يُغْنِى عَنْهُمْ: لا يَدْفَعُ عنهم
▪ رِّجْزٍ: أَشَدِّ العَذَابِ

| | | |
|---|---|---|
| ● مدّ ٦ حركات لزوماً ● مدّ ٢ أو ٤ أو ٦ جوازاً | ● إخفاء ، ومواقع الغُنَّة (حركتان) | ● تفخ |
| ● مدّ واجب ٤ أو ٥ حركات ● مدّ حركتان | ● إدغام ، وما لا يُلفَظ | ● قلقل |

قُل لِّلَّذِينَ ءَامَنُوا۟ يَغْفِرُوا۟ لِلَّذِينَ لَا يَرْجُونَ أَيَّامَ ٱللَّهِ لِيَجْزِىَ
قَوْمًۢا بِمَا كَانُوا۟ يَكْسِبُونَ ﴿١٤﴾ مَنْ عَمِلَ صَٰلِحًا فَلِنَفْسِهِۦ ۖ
وَمَنْ أَسَآءَ فَعَلَيْهَا ۖ ثُمَّ إِلَىٰ رَبِّكُمْ تُرْجَعُونَ ﴿١٥﴾ وَلَقَدْ ءَاتَيْنَا
بَنِىٓ إِسْرَٰٓءِيلَ ٱلْكِتَٰبَ وَٱلْحُكْمَ وَٱلنُّبُوَّةَ وَرَزَقْنَٰهُم مِّنَ ٱلطَّيِّبَٰتِ
وَفَضَّلْنَٰهُمْ عَلَى ٱلْعَٰلَمِينَ ﴿١٦﴾ وَءَاتَيْنَٰهُم بَيِّنَٰتٍ مِّنَ ٱلْأَمْرِ ۖ
فَمَا ٱخْتَلَفُوٓا۟ إِلَّا مِنۢ بَعْدِ مَا جَآءَهُمُ ٱلْعِلْمُ بَغْيًۢا بَيْنَهُمْ ۚ إِنَّ
رَبَّكَ يَقْضِى بَيْنَهُمْ يَوْمَ ٱلْقِيَٰمَةِ فِيمَا كَانُوا۟ فِيهِ يَخْتَلِفُونَ
﴿١٧﴾ ثُمَّ جَعَلْنَٰكَ عَلَىٰ شَرِيعَةٍ مِّنَ ٱلْأَمْرِ فَٱتَّبِعْهَا وَلَا تَتَّبِعْ
أَهْوَآءَ ٱلَّذِينَ لَا يَعْلَمُونَ ﴿١٨﴾ إِنَّهُمْ لَن يُغْنُوا۟ عَنكَ مِنَ ٱللَّهِ
شَيْـًٔا ۚ وَإِنَّ ٱلظَّٰلِمِينَ بَعْضُهُمْ أَوْلِيَآءُ بَعْضٍ ۖ وَٱللَّهُ وَلِىُّ ٱلْمُتَّقِينَ
﴿١٩﴾ هَٰذَا بَصَٰٓئِرُ لِلنَّاسِ وَهُدًى وَرَحْمَةٌ لِّقَوْمٍ يُوقِنُونَ
﴿٢٠﴾ أَمْ حَسِبَ ٱلَّذِينَ ٱجْتَرَحُوا۟ ٱلسَّيِّـَٔاتِ أَن نَّجْعَلَهُمْ كَٱلَّذِينَ
ءَامَنُوا۟ وَعَمِلُوا۟ ٱلصَّٰلِحَٰتِ سَوَآءً مَّحْيَاهُمْ وَمَمَاتُهُمْ ۚ سَآءَ
مَا يَحْكُمُونَ ﴿٢١﴾ وَخَلَقَ ٱللَّهُ ٱلسَّمَٰوَٰتِ وَٱلْأَرْضَ بِٱلْحَقِّ
وَلِتُجْزَىٰ كُلُّ نَفْسٍۭ بِمَا كَسَبَتْ وَهُمْ لَا يُظْلَمُونَ ﴿٢٢﴾

الجاثية

■ بَغْيًۢا بَيْنَهُمْ: حسدًا وعداوة بينهم
■ شَرِيعَةٍ مِّنَ ٱلْأَمْرِ: طريقة ومنهاج من الدين
■ لَن يُغْنُوا۟ عَنكَ: لن يدفعوا عنك
■ ٱجْتَرَحُوا۟ ٱلسَّيِّـَٔاتِ: اكتسبوها

مدّ ٦ حركات لزومًا | مدّ ٢ أو ٤ أو ٦ جوازًا | إخفاء، ومواقع الغُنَّة (حركتان) | تفخيم
مدّ واجب ٤ أو ٥ حركات | مدّ حركتان | إدغام، وما لا يُلفظ | قلقلة

أَفَرَءَيْتَ مَنِ ٱتَّخَذَ إِلَٰهَهُۥ هَوَىٰهُ وَأَضَلَّهُ ٱللَّهُ عَلَىٰ عِلْمٍ وَخَتَمَ عَلَىٰ سَمْعِهِۦ
وَقَلْبِهِۦ وَجَعَلَ عَلَىٰ بَصَرِهِۦ غِشَٰوَةً فَمَن يَهْدِيهِ مِنۢ بَعْدِ ٱللَّهِ ۚ أَفَلَا
تَذَكَّرُونَ ﴿٢٣﴾ وَقَالُوا۟ مَا هِىَ إِلَّا حَيَاتُنَا ٱلدُّنْيَا نَمُوتُ وَنَحْيَا وَمَا يُهْلِكُنَآ
إِلَّا ٱلدَّهْرُ ۚ وَمَا لَهُم بِذَٰلِكَ مِنْ عِلْمٍ ۖ إِنْ هُمْ إِلَّا يَظُنُّونَ ﴿٢٤﴾ وَإِذَا تُتْلَىٰ
عَلَيْهِمْ ءَايَٰتُنَا بَيِّنَٰتٍ مَّا كَانَ حُجَّتَهُمْ إِلَّآ أَن قَالُوا۟ ٱئْتُوا۟ بِـَٔابَآئِنَآ إِن
كُنتُمْ صَٰدِقِينَ ﴿٢٥﴾ قُلِ ٱللَّهُ يُحْيِيكُمْ ثُمَّ يُمِيتُكُمْ ثُمَّ يَجْمَعُكُمْ إِلَىٰ يَوْمِ
ٱلْقِيَٰمَةِ لَا رَيْبَ فِيهِ وَلَٰكِنَّ أَكْثَرَ ٱلنَّاسِ لَا يَعْلَمُونَ ﴿٢٦﴾ وَلِلَّهِ مُلْكُ
ٱلسَّمَٰوَٰتِ وَٱلْأَرْضِ ۚ وَيَوْمَ تَقُومُ ٱلسَّاعَةُ يَوْمَئِذٍ يَخْسَرُ ٱلْمُبْطِلُونَ
﴿٢٧﴾ وَتَرَىٰ كُلَّ أُمَّةٍ جَاثِيَةً ۚ كُلُّ أُمَّةٍ تُدْعَىٰٓ إِلَىٰ كِتَٰبِهَا ٱلْيَوْمَ تُجْزَوْنَ مَا كُنتُمْ
تَعْمَلُونَ ﴿٢٨﴾ هَٰذَا كِتَٰبُنَا يَنطِقُ عَلَيْكُم بِٱلْحَقِّ ۚ إِنَّا كُنَّا نَسْتَنسِخُ
مَا كُنتُمْ تَعْمَلُونَ ﴿٢٩﴾ فَأَمَّا ٱلَّذِينَ ءَامَنُوا۟ وَعَمِلُوا۟ ٱلصَّٰلِحَٰتِ
فَيُدْخِلُهُمْ رَبُّهُمْ فِى رَحْمَتِهِۦ ۚ ذَٰلِكَ هُوَ ٱلْفَوْزُ ٱلْمُبِينُ ﴿٣٠﴾ وَأَمَّا
ٱلَّذِينَ كَفَرُوٓا۟ أَفَلَمْ تَكُنْ ءَايَٰتِى تُتْلَىٰ عَلَيْكُمْ فَٱسْتَكْبَرْتُمْ وَكُنتُمْ قَوْمًا
مُّجْرِمِينَ ﴿٣١﴾ وَإِذَا قِيلَ إِنَّ وَعْدَ ٱللَّهِ حَقٌّ وَٱلسَّاعَةُ لَا رَيْبَ فِيهَا قُلْتُم
مَّا نَدْرِى مَا ٱلسَّاعَةُ إِن نَّظُنُّ إِلَّا ظَنًّا وَمَا نَحْنُ بِمُسْتَيْقِنِينَ ﴿٣٢﴾

- أَفَرَءَيْتَ: أَخْبِرْنِي
- غِشَٰوَةً: غِطَاء
- جَاثِيَةً: بَارِكَةً عَلَى الرُّكَبِ لِشِدَّةِ الهَوْلِ
- نَسْتَنسِخُ: نَأْمُرُ بِنَسْخِ

وَبَدَا لَهُمْ سَيِّـَٔاتُ مَا عَمِلُوا۟ وَحَاقَ بِهِم مَّا كَانُوا۟ بِهِۦ يَسْتَهْزِءُونَ ﴿٣٣﴾
وَقِيلَ ٱلْيَوْمَ نَنسَىٰكُمْ كَمَا نَسِيتُمْ لِقَآءَ يَوْمِكُمْ هَـٰذَا وَمَأْوَىٰكُمُ ٱلنَّارُ وَمَا
لَكُم مِّن نَّـٰصِرِينَ ﴿٣٤﴾ ذَٰلِكُم بِأَنَّكُمُ ٱتَّخَذْتُمْ ءَايَـٰتِ ٱللَّهِ هُزُوًا وَغَرَّتْكُمُ
ٱلْحَيَوٰةُ ٱلدُّنْيَا ۚ فَٱلْيَوْمَ لَا يُخْرَجُونَ مِنْهَا وَلَا هُمْ يُسْتَعْتَبُونَ ﴿٣٥﴾
فَلِلَّهِ ٱلْحَمْدُ رَبِّ ٱلسَّمَـٰوَٰتِ وَرَبِّ ٱلْأَرْضِ رَبِّ ٱلْعَـٰلَمِينَ ﴿٣٦﴾ وَلَهُ
ٱلْكِبْرِيَآءُ فِى ٱلسَّمَـٰوَٰتِ وَٱلْأَرْضِ ۖ وَهُوَ ٱلْعَزِيزُ ٱلْحَكِيمُ ﴿٣٧﴾

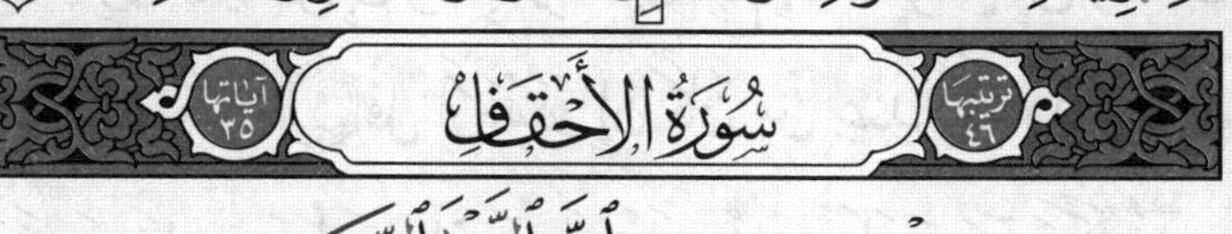


بِسْمِ ٱللَّهِ ٱلرَّحْمَـٰنِ ٱلرَّحِيمِ

حمٓ ﴿١﴾ تَنزِيلُ ٱلْكِتَـٰبِ مِنَ ٱللَّهِ ٱلْعَزِيزِ ٱلْحَكِيمِ ﴿٢﴾ مَا خَلَقْنَا
ٱلسَّمَـٰوَٰتِ وَٱلْأَرْضَ وَمَا بَيْنَهُمَآ إِلَّا بِٱلْحَقِّ وَأَجَلٍ مُّسَمًّى ۚ وَٱلَّذِينَ
كَفَرُوا۟ عَمَّآ أُنذِرُوا۟ مُعْرِضُونَ ﴿٣﴾ قُلْ أَرَءَيْتُم مَّا تَدْعُونَ مِن
دُونِ ٱللَّهِ أَرُونِى مَاذَا خَلَقُوا۟ مِنَ ٱلْأَرْضِ أَمْ لَهُمْ شِرْكٌ فِى ٱلسَّمَـٰوَٰتِ ۖ
ٱئْتُونِى بِكِتَـٰبٍ مِّن قَبْلِ هَـٰذَآ أَوْ أَثَـٰرَةٍ مِّنْ عِلْمٍ إِن كُنتُمْ
صَـٰدِقِينَ ﴿٤﴾ وَمَنْ أَضَلُّ مِمَّن يَدْعُوا۟ مِن دُونِ ٱللَّهِ مَن
لَّا يَسْتَجِيبُ لَهُۥٓ إِلَىٰ يَوْمِ ٱلْقِيَـٰمَةِ وَهُمْ عَن دُعَآئِهِمْ غَـٰفِلُونَ ﴿٥﴾

حَاقَ بِهِم: نَزَلَ . أوْ أحَاطَ بِهِمْ
نَنسَىٰكُمْ: نَترُكُكُمْ فِي العَذَابِ
مَأْوَىٰكُمُ ٱلنَّارُ: مَنزِلُكُمْ وَمَقَرُّكُمُ النَّارُ
غَرَّتْكُمُ: خَدَعَتْكُمْ
يُسْتَعْتَبُونَ: يُطْلَبُ مِنهُمْ إرْضَاءُ رَبِّهِمْ
لَهُ ٱلْكِبْرِيَآءُ: العَظَمَةُ وَالمُلْكُ
أَرَءَيْتُم: أخْبِرُونِي
شِرْكٌ: شَرِكَةٌ
أَثَـٰرَةٍ: بَقِيَّةٍ

الأحقاف

الجزء ٢٦ الحزب ٥١

مدّ ٦ حركات لزوماً | مدّ ٢ أو ٤ أو ٦ جوازاً | إخفاء ، ومواقع الغُنَّة (حركتان) | تفخيم
مدّ واجب ٤ أو ٥ حركات | مدّ حركتان | إدغام ، وما لا يُلفظ | قلقلة

وَإِذَا حُشِرَ ٱلنَّاسُ كَانُواْ لَهُمْ أَعْدَآءً وَكَانُواْ بِعِبَادَتِهِمْ كَٰفِرِينَ ﴿٦﴾ وَإِذَا
تُتْلَىٰ عَلَيْهِمْ ءَايَٰتُنَا بَيِّنَٰتٍ قَالَ ٱلَّذِينَ كَفَرُواْ لِلْحَقِّ لَمَّا جَآءَهُمْ هَٰذَا
سِحْرٌ مُّبِينٌ ﴿٧﴾ أَمْ يَقُولُونَ ٱفْتَرَىٰهُ ۖ قُلْ إِنِ ٱفْتَرَيْتُهُۥ فَلَا تَمْلِكُونَ
لِي مِنَ ٱللَّهِ شَيْـًٔا ۖ هُوَ أَعْلَمُ بِمَا تُفِيضُونَ فِيهِ ۖ كَفَىٰ بِهِۦ شَهِيدًۢا بَيْنِي
وَبَيْنَكُمْ ۖ وَهُوَ ٱلْغَفُورُ ٱلرَّحِيمُ ﴿٨﴾ قُلْ مَا كُنتُ بِدْعًا مِّنَ ٱلرُّسُلِ
وَمَآ أَدْرِي مَا يُفْعَلُ بِي وَلَا بِكُمْ ۖ إِنْ أَتَّبِعُ إِلَّا مَا يُوحَىٰٓ إِلَيَّ وَمَآ أَنَا۠
إِلَّا نَذِيرٌ مُّبِينٌ ﴿٩﴾ قُلْ أَرَءَيْتُمْ إِن كَانَ مِنْ عِندِ ٱللَّهِ وَكَفَرْتُم بِهِۦ
وَشَهِدَ شَاهِدٌ مِّنۢ بَنِيٓ إِسْرَٰٓءِيلَ عَلَىٰ مِثْلِهِۦ فَـَٔامَنَ وَٱسْتَكْبَرْتُمْ ۖ
إِنَّ ٱللَّهَ لَا يَهْدِي ٱلْقَوْمَ ٱلظَّٰلِمِينَ ﴿١٠﴾ وَقَالَ ٱلَّذِينَ كَفَرُواْ
لِلَّذِينَ ءَامَنُواْ لَوْ كَانَ خَيْرًا مَّا سَبَقُونَآ إِلَيْهِ ۚ وَإِذْ لَمْ يَهْتَدُواْ بِهِۦ
فَسَيَقُولُونَ هَٰذَآ إِفْكٌ قَدِيمٌ ﴿١١﴾ وَمِن قَبْلِهِۦ كِتَٰبُ مُوسَىٰٓ
إِمَامًا وَرَحْمَةً ۚ وَهَٰذَا كِتَٰبٌ مُّصَدِّقٌ لِّسَانًا عَرَبِيًّا لِّيُنذِرَ
ٱلَّذِينَ ظَلَمُواْ وَبُشْرَىٰ لِلْمُحْسِنِينَ ﴿١٢﴾ إِنَّ ٱلَّذِينَ قَالُواْ رَبُّنَا
ٱللَّهُ ثُمَّ ٱسْتَقَٰمُواْ فَلَا خَوْفٌ عَلَيْهِمْ وَلَا هُمْ يَحْزَنُونَ ﴿١٣﴾
أُوْلَٰٓئِكَ أَصْحَٰبُ ٱلْجَنَّةِ خَٰلِدِينَ فِيهَا جَزَآءًۢ بِمَا كَانُواْ يَعْمَلُونَ ﴿١٤﴾

- تُفِيضُونَ فِيهِ: تندفعون فيه طعناً وتكذيباً
- بِدْعًا: بديعاً لم يسبق لي مثيل
- إِفْكٌ قَدِيمٌ: كذب متقادم

وَوَصَّيْنَا ٱلْإِنسَٰنَ بِوَٰلِدَيْهِ إِحْسَٰنًا ۖ حَمَلَتْهُ أُمُّهُۥ كُرْهًا وَوَضَعَتْهُ
كُرْهًا ۖ وَحَمْلُهُۥ وَفِصَٰلُهُۥ ثَلَٰثُونَ شَهْرًا ۚ حَتَّىٰٓ إِذَا بَلَغَ أَشُدَّهُۥ وَبَلَغَ
أَرْبَعِينَ سَنَةً قَالَ رَبِّ أَوْزِعْنِىٓ أَنْ أَشْكُرَ نِعْمَتَكَ ٱلَّتِىٓ أَنْعَمْتَ
عَلَىَّ وَعَلَىٰ وَٰلِدَىَّ وَأَنْ أَعْمَلَ صَٰلِحًا تَرْضَىٰهُ وَأَصْلِحْ لِى فِى
ذُرِّيَّتِىٓ ۖ إِنِّى تُبْتُ إِلَيْكَ وَإِنِّى مِنَ ٱلْمُسْلِمِينَ ﴿١٥﴾ أُو۟لَٰٓئِكَ ٱلَّذِينَ
نَتَقَبَّلُ عَنْهُمْ أَحْسَنَ مَا عَمِلُوا۟ وَنَتَجَاوَزُ عَن سَيِّـَٔاتِهِمْ فِىٓ أَصْحَٰبِ
ٱلْجَنَّةِ ۖ وَعْدَ ٱلصِّدْقِ ٱلَّذِى كَانُوا۟ يُوعَدُونَ ﴿١٦﴾ وَٱلَّذِى قَالَ
لِوَٰلِدَيْهِ أُفٍّ لَّكُمَآ أَتَعِدَانِنِىٓ أَنْ أُخْرَجَ وَقَدْ خَلَتِ ٱلْقُرُونُ مِن
قَبْلِى وَهُمَا يَسْتَغِيثَانِ ٱللَّهَ وَيْلَكَ ءَامِنْ إِنَّ وَعْدَ ٱللَّهِ حَقٌّ فَيَقُولُ
مَا هَٰذَآ إِلَّآ أَسَٰطِيرُ ٱلْأَوَّلِينَ ﴿١٧﴾ أُو۟لَٰٓئِكَ ٱلَّذِينَ حَقَّ عَلَيْهِمُ
ٱلْقَوْلُ فِىٓ أُمَمٍ قَدْ خَلَتْ مِن قَبْلِهِم مِّنَ ٱلْجِنِّ وَٱلْإِنسِ ۖ إِنَّهُمْ كَانُوا۟
خَٰسِرِينَ ﴿١٨﴾ وَلِكُلٍّ دَرَجَٰتٌ مِّمَّا عَمِلُوا۟ ۖ وَلِيُوَفِّيَهُمْ أَعْمَٰلَهُمْ وَهُمْ
لَا يُظْلَمُونَ ﴿١٩﴾ وَيَوْمَ يُعْرَضُ ٱلَّذِينَ كَفَرُوا۟ عَلَى ٱلنَّارِ أَذْهَبْتُمْ طَيِّبَٰتِكُمْ
فِى حَيَاتِكُمُ ٱلدُّنْيَا وَٱسْتَمْتَعْتُم بِهَا فَٱلْيَوْمَ تُجْزَوْنَ عَذَابَ ٱلْهُونِ
بِمَا كُنتُمْ تَسْتَكْبِرُونَ فِى ٱلْأَرْضِ بِغَيْرِ ٱلْحَقِّ وَبِمَا كُنتُمْ تَفْسُقُونَ ﴿٢٠﴾

الأحقاف

- وَصَّيْنَا ٱلْإِنسَٰنَ: أمرْناه
- كُرْهًا: على مشقةٍ
- فِصَٰلُهُۥ: فطامُهُ
- بَلَغَ أَشُدَّهُۥ: كمالَ قوّتِه وعقلِه
- أَوْزِعْنِىٓ: ألهِمْني ووفّقني
- أُفٍّ لَّكُمَا: كلمة تضجُّرٍ وكراهيةٍ
- أُخْرَجَ: أُبعث من القبر بعد الموتِ
- خَلَتِ ٱلْقُرُونُ: مضتِ الأممُ
- وَيْلَكَ: هلكتَ والمرادُ حثُّهُ على الإيمان
- ءَامِنْ: آمِنْ بالله والبعثِ
- أَسَٰطِيرُ ٱلْأَوَّلِينَ: أباطيلُهُمُ المسطَّرةُ في كُتبِهِم
- حَقَّ عَلَيْهِمُ ٱلْقَوْلُ: ثبتَ ووجبَ
- خَلَتْ: مضتْ
- عَذَابَ ٱلْهُونِ: الهَوانِ والذُّلّ

| | | |
|---|---|---|
| مدّ ٦ حركات لزوماً ● مدّ ٢ أو ٤ أو ٦ جوازاً | إخفاء، ومواقع الغُنَّة (حركتان) | تفخيم |
| مدّ واجب ٤ أو ٥ حركات ● مدّ حركتان | إدغام، وما لا يُلفظ | قلقلة |

ربع الحزب ٥١

۞ وَٱذۡكُرۡ أَخَا عَادٍ إِذۡ أَنذَرَ قَوۡمَهُۥ بِٱلۡأَحۡقَافِ وَقَدۡ خَلَتِ ٱلنُّذُرُ
مِنۢ بَيۡنِ يَدَيۡهِ وَمِنۡ خَلۡفِهِۦٓ أَلَّا تَعۡبُدُوٓاْ إِلَّا ٱللَّهَ إِنِّيٓ أَخَافُ عَلَيۡكُمۡ
عَذَابَ يَوۡمٍ عَظِيمٖ ﴿٢١﴾ قَالُوٓاْ أَجِئۡتَنَا لِتَأۡفِكَنَا عَنۡ ءَالِهَتِنَا فَأۡتِنَا
بِمَا تَعِدُنَآ إِن كُنتَ مِنَ ٱلصَّٰدِقِينَ ﴿٢٢﴾ قَالَ إِنَّمَا ٱلۡعِلۡمُ عِندَ ٱللَّهِ
وَأُبَلِّغُكُم مَّآ أُرۡسِلۡتُ بِهِۦ وَلَٰكِنِّيٓ أَرَىٰكُمۡ قَوۡمٗا تَجۡهَلُونَ ﴿٢٣﴾
فَلَمَّا رَأَوۡهُ عَارِضٗا مُّسۡتَقۡبِلَ أَوۡدِيَتِهِمۡ قَالُواْ هَٰذَا عَارِضٞ مُّمۡطِرُنَاۚ
بَلۡ هُوَ مَا ٱسۡتَعۡجَلۡتُم بِهِۦۖ رِيحٞ فِيهَا عَذَابٌ أَلِيمٞ ﴿٢٤﴾ تُدَمِّرُ كُلَّ
شَيۡءِۭ بِأَمۡرِ رَبِّهَا فَأَصۡبَحُواْ لَا يُرَىٰٓ إِلَّا مَسَٰكِنُهُمۡۚ كَذَٰلِكَ نَجۡزِي
ٱلۡقَوۡمَ ٱلۡمُجۡرِمِينَ ﴿٢٥﴾ وَلَقَدۡ مَكَّنَّٰهُمۡ فِيمَآ إِن مَّكَّنَّٰكُمۡ فِيهِ
وَجَعَلۡنَا لَهُمۡ سَمۡعٗا وَأَبۡصَٰرٗا وَأَفۡـِٔدَةٗ فَمَآ أَغۡنَىٰ عَنۡهُمۡ سَمۡعُهُمۡ
وَلَآ أَبۡصَٰرُهُمۡ وَلَآ أَفۡـِٔدَتُهُم مِّن شَيۡءٍ إِذۡ كَانُواْ يَجۡحَدُونَ
بِـَٔايَٰتِ ٱللَّهِ وَحَاقَ بِهِم مَّا كَانُواْ بِهِۦ يَسۡتَهۡزِءُونَ ﴿٢٦﴾ وَلَقَدۡ
أَهۡلَكۡنَا مَا حَوۡلَكُم مِّنَ ٱلۡقُرَىٰ وَصَرَّفۡنَا ٱلۡأٓيَٰتِ لَعَلَّهُمۡ يَرۡجِعُونَ
﴿٢٧﴾ فَلَوۡلَا نَصَرَهُمُ ٱلَّذِينَ ٱتَّخَذُواْ مِن دُونِ ٱللَّهِ قُرۡبَانًا ءَالِهَةَۢۖ
بَلۡ ضَلُّواْ عَنۡهُمۡۚ وَذَٰلِكَ إِفۡكُهُمۡ وَمَا كَانُواْ يَفۡتَرُونَ ﴿٢٨﴾

- بِٱلۡأَحۡقَافِ: وَادٍ بين عُمان و مَهْرة
- لِتَأۡفِكَنَا: لتصرفنا
- عَارِضٗا: سَحاباً يَعْرِض في الأُفُق
- تُدَمِّرُ: تُهلك
- مَكَّنَّٰهُمۡ: أقدرْناهُم
- فِيمَآ إِن مَّكَّنَّٰكُمۡ فِيهِ: في الّذي ما مكّنّاكُمْ فيه
- فَمَآ أَغۡنَىٰ عَنۡهُمۡ: فما دفَعَ عنهم
- حَاقَ بِهِم: أحاطَ أو نَزَلَ بهم
- صَرَّفۡنَا ٱلۡأٓيَٰتِ: كرّرْناها بأساليبَ مُختلفة
- قُرۡبَانًا: مُتقرَّباً بهم إلى الله
- إِفۡكُهُمۡ: كَذِبُهُم
- يَفۡتَرُونَ: يَخْتلقُون

مدّ ٦ حركات لزوماً — مدّ ٢ أو ٤ أو ٦ جوازاً — إخفاء ، ومواقع الغُنَّة (حركتان) — تفخ[يم]
مدّ واجب ٤ أو ٥ حركات — مدّ حركتان — إدغام ، وما لا يُلفظ — قلقلة

وَإِذْ صَرَفْنَآ إِلَيْكَ نَفَرًا مِّنَ ٱلْجِنِّ يَسْتَمِعُونَ ٱلْقُرْءَانَ فَلَمَّا
حَضَرُوهُ قَالُوٓا۟ أَنصِتُوا۟ ۖ فَلَمَّا قُضِىَ وَلَّوْا۟ إِلَىٰ قَوْمِهِم مُّنذِرِينَ
﴿٢٩﴾ قَالُوا۟ يَٰقَوْمَنَآ إِنَّا سَمِعْنَا كِتَٰبًا أُنزِلَ مِنۢ بَعْدِ مُوسَىٰ
مُصَدِّقًا لِّمَا بَيْنَ يَدَيْهِ يَهْدِىٓ إِلَى ٱلْحَقِّ وَإِلَىٰ طَرِيقٍ مُّسْتَقِيمٍ
﴿٣٠﴾ يَٰقَوْمَنَآ أَجِيبُوا۟ دَاعِىَ ٱللَّهِ وَءَامِنُوا۟ بِهِۦ يَغْفِرْ لَكُم مِّن
ذُنُوبِكُمْ وَيُجِرْكُم مِّنْ عَذَابٍ أَلِيمٍ ﴿٣١﴾ وَمَن لَّا يُجِبْ دَاعِىَ ٱللَّهِ
فَلَيْسَ بِمُعْجِزٍ فِى ٱلْأَرْضِ وَلَيْسَ لَهُۥ مِن دُونِهِۦٓ أَوْلِيَآءُ ۚ أُو۟لَٰٓئِكَ
فِى ضَلَٰلٍ مُّبِينٍ ﴿٣٢﴾ أَوَلَمْ يَرَوْا۟ أَنَّ ٱللَّهَ ٱلَّذِى خَلَقَ ٱلسَّمَٰوَٰتِ
وَٱلْأَرْضَ وَلَمْ يَعْىَ بِخَلْقِهِنَّ بِقَٰدِرٍ عَلَىٰٓ أَن يُحْـِۧىَ ٱلْمَوْتَىٰ ۚ بَلَىٰٓ
إِنَّهُۥ عَلَىٰ كُلِّ شَىْءٍ قَدِيرٌ ﴿٣٣﴾ وَيَوْمَ يُعْرَضُ ٱلَّذِينَ كَفَرُوا۟ عَلَى ٱلنَّارِ
أَلَيْسَ هَٰذَا بِٱلْحَقِّ ۖ قَالُوا۟ بَلَىٰ وَرَبِّنَا ۚ قَالَ فَذُوقُوا۟ ٱلْعَذَابَ بِمَا
كُنتُمْ تَكْفُرُونَ ﴿٣٤﴾ فَٱصْبِرْ كَمَا صَبَرَ أُو۟لُوا۟ ٱلْعَزْمِ مِنَ ٱلرُّسُلِ
وَلَا تَسْتَعْجِل لَّهُمْ ۚ كَأَنَّهُمْ يَوْمَ يَرَوْنَ مَا يُوعَدُونَ لَمْ يَلْبَثُوٓا۟ إِلَّا
سَاعَةً مِّن نَّهَارٍۭ ۚ بَلَٰغٌ ۚ فَهَلْ يُهْلَكُ إِلَّا ٱلْقَوْمُ ٱلْفَٰسِقُونَ ﴿٣٥﴾

## سُورَةُ مُحَمَّدٍ

ترتيبها ٤٧ — آياتها ٣٨

- صَرَفْنَآ إِلَيْكَ: أَمَلْنَا وَوَجَّهْنَا نحوك
- أَنصِتُوا۟: أَصْغُوا
- قُضِىَ: فُرِغَ مِنْ قِرَاءَةِ القُرْآنِ
- فَلَيْسَ بِمُعْجِزٍ: لله بالهَرَبِ
- لَمْ يَعْىَ: لَمْ يَتْعَبْ
- أُو۟لُوا۟ ٱلْعَزْمِ: ذَوُو الجِدِّ وَالثَّبَاتِ والصَّبْرِ
- بَلَٰغٌ: هَذَا تبليغٌ من رَسُولِنَا

الأحقاف

| | | |
|---|---|---|
| مدّ ٦ حركات لزوماً ● مدّ ٢ أو ٤ أو ٦ جوازاً | إخفاء، ومواقع الغُنَّة (حركتان) | تفخيم |
| مدّ واجب ٤ أو ٥ حركات ● مدّ حركتان | إدغام، وما لا يُلفظ | قلقلة |

بِسْمِ ٱللَّهِ ٱلرَّحْمَٰنِ ٱلرَّحِيمِ

ٱلَّذِينَ كَفَرُوا۟ وَصَدُّوا۟ عَن سَبِيلِ ٱللَّهِ أَضَلَّ أَعْمَٰلَهُمْ ﴿١﴾ وَٱلَّذِينَ
ءَامَنُوا۟ وَعَمِلُوا۟ ٱلصَّٰلِحَٰتِ وَءَامَنُوا۟ بِمَا نُزِّلَ عَلَىٰ مُحَمَّدٍ وَهُوَ ٱلْحَقُّ مِن
رَّبِّهِمْ كَفَّرَ عَنْهُمْ سَيِّـَٔاتِهِمْ وَأَصْلَحَ بَالَهُمْ ﴿٢﴾ ذَٰلِكَ بِأَنَّ ٱلَّذِينَ كَفَرُوا۟
ٱتَّبَعُوا۟ ٱلْبَٰطِلَ وَأَنَّ ٱلَّذِينَ ءَامَنُوا۟ ٱتَّبَعُوا۟ ٱلْحَقَّ مِن رَّبِّهِمْ ۚ كَذَٰلِكَ يَضْرِبُ
ٱللَّهُ لِلنَّاسِ أَمْثَٰلَهُمْ ﴿٣﴾ فَإِذَا لَقِيتُمُ ٱلَّذِينَ كَفَرُوا۟ فَضَرْبَ ٱلرِّقَابِ حَتَّىٰٓ
إِذَآ أَثْخَنتُمُوهُمْ فَشُدُّوا۟ ٱلْوَثَاقَ فَإِمَّا مَنًّۢا بَعْدُ وَإِمَّا فِدَآءً حَتَّىٰ تَضَعَ ٱلْحَرْبُ
أَوْزَارَهَا ۚ ذَٰلِكَ وَلَوْ يَشَآءُ ٱللَّهُ لَٱنتَصَرَ مِنْهُمْ وَلَٰكِن لِّيَبْلُوَا۟ بَعْضَكُم
بِبَعْضٍ ۗ وَٱلَّذِينَ قُتِلُوا۟ فِى سَبِيلِ ٱللَّهِ فَلَن يُضِلَّ أَعْمَٰلَهُمْ ﴿٤﴾ سَيَهْدِيهِمْ
وَيُصْلِحُ بَالَهُمْ ﴿٥﴾ وَيُدْخِلُهُمُ ٱلْجَنَّةَ عَرَّفَهَا لَهُمْ ﴿٦﴾ يَٰٓأَيُّهَا ٱلَّذِينَ
ءَامَنُوٓا۟ إِن تَنصُرُوا۟ ٱللَّهَ يَنصُرْكُمْ وَيُثَبِّتْ أَقْدَامَكُمْ ﴿٧﴾ وَٱلَّذِينَ كَفَرُوا۟
فَتَعْسًا لَّهُمْ وَأَضَلَّ أَعْمَٰلَهُمْ ﴿٨﴾ ذَٰلِكَ بِأَنَّهُمْ كَرِهُوا۟ مَآ أَنزَلَ ٱللَّهُ
فَأَحْبَطَ أَعْمَٰلَهُمْ ﴿٩﴾ ۞ أَفَلَمْ يَسِيرُوا۟ فِى ٱلْأَرْضِ فَيَنظُرُوا۟ كَيْفَ
كَانَ عَٰقِبَةُ ٱلَّذِينَ مِن قَبْلِهِمْ ۖ دَمَّرَ ٱللَّهُ عَلَيْهِمْ ۖ وَلِلْكَٰفِرِينَ أَمْثَٰلُهَا ﴿١٠﴾
ذَٰلِكَ بِأَنَّ ٱللَّهَ مَوْلَى ٱلَّذِينَ ءَامَنُوا۟ وَأَنَّ ٱلْكَٰفِرِينَ لَا مَوْلَىٰ لَهُمْ ﴿١١﴾

- أَضَلَّ أَعْمَٰلَهُمْ: أحبطها وأبطلها
- كَفَّرَ عَنْهُمْ: أزال ومحا عنهم
- أَصْلَحَ بَالَهُمْ: حالهم وشأنهم
- أَثْخَنتُمُوهُمْ: أوسعتموهم قتلاً وجراحاً
- فَشُدُّوا۟ ٱلْوَثَاقَ: فأحكموا قيد الأسارى منهم
- مَنًّۢا: بإطلاق الأسرى
- تَضَعَ ٱلْحَرْبُ أَوْزَارَهَا: تنقضي الحرب
- لِّيَبْلُوَا۟: ليختبر
- فَتَعْسًا لَّهُمْ: فهلاكاً أو عثاراً لهم
- فَأَحْبَطَ أَعْمَٰلَهُمْ: فأبطلها
- دَمَّرَ ٱللَّهُ عَلَيْهِمْ: أطبق الهلاك عليهم
- مَوْلَى: ناصر

نصف الحزب ٥١

مدّ ٦ حركات لزوماً ● مدّ ٢ أو ٤ أو ٦ جوازاً ● إخفاء، ومواقع الغُنّة (حركتان) ● تفخ
مدّ واجب ٤ أو ٥ حركات ● مدّ حركتان ● إدغام، وما لا يُلفظ ● قلقلة

إِنَّ ٱللَّهَ يُدۡخِلُ ٱلَّذِينَ ءَامَنُواْ وَعَمِلُواْ ٱلصَّٰلِحَٰتِ جَنَّٰتٖ تَجۡرِي مِن
تَحۡتِهَا ٱلۡأَنۡهَٰرُۖ وَٱلَّذِينَ كَفَرُواْ يَتَمَتَّعُونَ وَيَأۡكُلُونَ كَمَا تَأۡكُلُ ٱلۡأَنۡعَٰمُ
وَٱلنَّارُ مَثۡوٗى لَّهُمۡ ﴿١٢﴾ وَكَأَيِّن مِّن قَرۡيَةٍ هِيَ أَشَدُّ قُوَّةٗ مِّن قَرۡيَتِكَ
ٱلَّتِيٓ أَخۡرَجَتۡكَ أَهۡلَكۡنَٰهُمۡ فَلَا نَاصِرَ لَهُمۡ ﴿١٣﴾ أَفَمَن كَانَ عَلَىٰ بَيِّنَةٖ
مِّن رَّبِّهِۦ كَمَن زُيِّنَ لَهُۥ سُوٓءُ عَمَلِهِۦ وَٱتَّبَعُوٓاْ أَهۡوَآءَهُم ﴿١٤﴾ مَّثَلُ ٱلۡجَنَّةِ
ٱلَّتِي وُعِدَ ٱلۡمُتَّقُونَۖ فِيهَآ أَنۡهَٰرٞ مِّن مَّآءٍ غَيۡرِ ءَاسِنٖ وَأَنۡهَٰرٞ مِّن لَّبَنٖ لَّمۡ
يَتَغَيَّرۡ طَعۡمُهُۥ وَأَنۡهَٰرٞ مِّنۡ خَمۡرٖ لَّذَّةٖ لِّلشَّٰرِبِينَ وَأَنۡهَٰرٞ مِّنۡ عَسَلٖ مُّصَفّٗىۖ
وَلَهُمۡ فِيهَا مِن كُلِّ ٱلثَّمَرَٰتِ وَمَغۡفِرَةٞ مِّن رَّبِّهِمۡۖ كَمَنۡ هُوَ خَٰلِدٞ فِي ٱلنَّارِ
وَسُقُواْ مَآءً حَمِيمٗا فَقَطَّعَ أَمۡعَآءَهُمۡ ﴿١٥﴾ وَمِنۡهُم مَّن يَسۡتَمِعُ إِلَيۡكَ
حَتَّىٰٓ إِذَا خَرَجُواْ مِنۡ عِندِكَ قَالُواْ لِلَّذِينَ أُوتُواْ ٱلۡعِلۡمَ مَاذَا قَالَ ءَانِفًاۚ
أُوْلَٰٓئِكَ ٱلَّذِينَ طَبَعَ ٱللَّهُ عَلَىٰ قُلُوبِهِمۡ وَٱتَّبَعُوٓاْ أَهۡوَآءَهُمۡ ﴿١٦﴾ وَٱلَّذِينَ
ٱهۡتَدَوۡاْ زَادَهُمۡ هُدٗى وَءَاتَىٰهُمۡ تَقۡوَىٰهُمۡ ﴿١٧﴾ فَهَلۡ يَنظُرُونَ إِلَّا
ٱلسَّاعَةَ أَن تَأۡتِيَهُم بَغۡتَةٗۖ فَقَدۡ جَآءَ أَشۡرَاطُهَاۚ فَأَنَّىٰ لَهُمۡ إِذَا جَآءَتۡهُمۡ
ذِكۡرَىٰهُمۡ ﴿١٨﴾ فَٱعۡلَمۡ أَنَّهُۥ لَآ إِلَٰهَ إِلَّا ٱللَّهُ وَٱسۡتَغۡفِرۡ لِذَنۢبِكَ
وَلِلۡمُؤۡمِنِينَ وَٱلۡمُؤۡمِنَٰتِۗ وَٱللَّهُ يَعۡلَمُ مُتَقَلَّبَكُمۡ وَمَثۡوَىٰكُمۡ ﴿١٩﴾

مَثۡوٗى لَّهُمۡ: مُقامٌ ومأوًى لهم
كَأَيِّن: كثير
غَيۡرِ ءَاسِنٖ: غير متغيّر ولا مُنتِن
عَسَلٖ مُّصَفّٗى: مُنقّى من الشوائب
مَآءً حَمِيمٗا: بالغًا الغاية في الحرارة
قَالَ ءَانِفًا: مُبتدئًا أو قُبيلَ الآن
جَآءَ أَشۡرَاطُهَا: علاماتُها وأماراتُها
فَأَنَّىٰ لَهُمۡ: فكيف لهم التذكّر
مُتَقَلَّبَكُمۡ: تصرّفكم حيث تتحرّكون
مَثۡوَىٰكُمۡ: مُقامكم حيث تستقرّون

محمد

مدّ ٦ حركات لزوماً ● مدّ ٢ أو ٤ أو ٦ جوازاً ● إخفاء، ومواقع الغنّة (حركتان) ● تفخيم
مدّ واجب ٤ أو ٥ حركات ● مدّ حركتان ● إدغام، وما لا يُلفظ ● قلقلة

وَيَقُولُ ٱلَّذِينَ ءَامَنُواْ لَوۡلَا نُزِّلَتۡ سُورَةٞۖ فَإِذَآ أُنزِلَتۡ سُورَةٞ
مُّحۡكَمَةٞ وَذُكِرَ فِيهَا ٱلۡقِتَالُ رَأَيۡتَ ٱلَّذِينَ فِي قُلُوبِهِم مَّرَضٞ
يَنظُرُونَ إِلَيۡكَ نَظَرَ ٱلۡمَغۡشِيِّ عَلَيۡهِ مِنَ ٱلۡمَوۡتِۖ فَأَوۡلَىٰ لَهُمۡ
﴿٢٠﴾ طَاعَةٞ وَقَوۡلٞ مَّعۡرُوفٞۚ فَإِذَا عَزَمَ ٱلۡأَمۡرُ فَلَوۡ صَدَقُواْ ٱللَّهَ
لَكَانَ خَيۡرٗا لَّهُمۡ ﴿٢١﴾ فَهَلۡ عَسَيۡتُمۡ إِن تَوَلَّيۡتُمۡ أَن تُفۡسِدُواْ
فِي ٱلۡأَرۡضِ وَتُقَطِّعُوٓاْ أَرۡحَامَكُمۡ ﴿٢٢﴾ أُوْلَٰٓئِكَ ٱلَّذِينَ لَعَنَهُمُ ٱللَّهُ
فَأَصَمَّهُمۡ وَأَعۡمَىٰٓ أَبۡصَٰرَهُمۡ ﴿٢٣﴾ أَفَلَا يَتَدَبَّرُونَ ٱلۡقُرۡءَانَ
أَمۡ عَلَىٰ قُلُوبٍ أَقۡفَالُهَآ ﴿٢٤﴾ إِنَّ ٱلَّذِينَ ٱرۡتَدُّواْ عَلَىٰٓ أَدۡبَٰرِهِم
مِّنۢ بَعۡدِ مَا تَبَيَّنَ لَهُمُ ٱلۡهُدَى ٱلشَّيۡطَٰنُ سَوَّلَ لَهُمۡ وَأَمۡلَىٰ
لَهُمۡ ﴿٢٥﴾ ذَٰلِكَ بِأَنَّهُمۡ قَالُواْ لِلَّذِينَ كَرِهُواْ مَا نَزَّلَ
ٱللَّهُ سَنُطِيعُكُمۡ فِي بَعۡضِ ٱلۡأَمۡرِۖ وَٱللَّهُ يَعۡلَمُ إِسۡرَارَهُمۡ
﴿٢٦﴾ فَكَيۡفَ إِذَا تَوَفَّتۡهُمُ ٱلۡمَلَٰٓئِكَةُ يَضۡرِبُونَ وُجُوهَهُمۡ
وَأَدۡبَٰرَهُمۡ ﴿٢٧﴾ ذَٰلِكَ بِأَنَّهُمُ ٱتَّبَعُواْ مَآ أَسۡخَطَ ٱللَّهَ
وَكَرِهُواْ رِضۡوَٰنَهُۥ فَأَحۡبَطَ أَعۡمَٰلَهُمۡ ﴿٢٨﴾ أَمۡ حَسِبَ
ٱلَّذِينَ فِي قُلُوبِهِم مَّرَضٌ أَن لَّن يُخۡرِجَ ٱللَّهُ أَضۡغَٰنَهُمۡ ﴿٢٩﴾

- ٱلۡمَغۡشِيِّ عَلَيۡهِ: من أصابته الغَشْيَةُ والسَّكْرَةُ
- فَأَوۡلَىٰ لَهُمۡ: قاربَهُم ما يُهلكُهُم
- طَاعَةٞ: خيرٌ لهم
- عَزَمَ ٱلۡأَمۡرُ: جدَّ وحزب
- فَهَلۡ عَسَيۡتُمۡ: فهل يُتوقَّع منكم
- تَوَلَّيۡتُمۡ: كُنتُمْ وُلاةَ أمْرِ الأُمَّة
- أَقۡفَالُهَآ: مَغَالِيقُهَا
- سَوَّلَ لَهُمۡ: زَيَّنَ وَسَهَّلَ لَهُمْ
- أَمۡلَىٰ لَهُمۡ: مَدَّ لَهُمْ في الأَمَاني
- يَعۡلَمُ إِسۡرَارَهُمۡ: إِخفاءَهُمْ كُلَّ قَبيح
- أَضۡغَٰنَهُمۡ: أحْقادَهُمُ الشَّديدَةَ

مدّ ٦ حركات لزوماً | مدّ ٢ أو ٤ أو ٦ جوازاً | إخفاء، ومواقع الغُنَّة (حركتان) | تفخ…
مدّ واجب ٤ أو ٥ حركات | مدّ حركتان | إدغام، وما لا يُلفظ | قلقلة

وَلَوْ نَشَآءُ لَأَرَيْنَٰكَهُمْ فَلَعَرَفْتَهُم بِسِيمَٰهُمْ ۚ وَلَتَعْرِفَنَّهُمْ فِى
لَحْنِ ٱلْقَوْلِ ۚ وَٱللَّهُ يَعْلَمُ أَعْمَٰلَكُمْ ﴿٣٠﴾ وَلَنَبْلُوَنَّكُمْ حَتَّىٰ نَعْلَمَ
ٱلْمُجَٰهِدِينَ مِنكُمْ وَٱلصَّٰبِرِينَ وَنَبْلُوَا۟ أَخْبَارَكُمْ ﴿٣١﴾ إِنَّ ٱلَّذِينَ
كَفَرُوا۟ وَصَدُّوا۟ عَن سَبِيلِ ٱللَّهِ وَشَآقُّوا۟ ٱلرَّسُولَ مِنۢ بَعْدِ مَا تَبَيَّنَ
لَهُمُ ٱلْهُدَىٰ لَن يَضُرُّوا۟ ٱللَّهَ شَيْـًٔا وَسَيُحْبِطُ أَعْمَٰلَهُمْ ﴿٣٢﴾
۞ يَٰٓأَيُّهَا ٱلَّذِينَ ءَامَنُوٓا۟ أَطِيعُوا۟ ٱللَّهَ وَأَطِيعُوا۟ ٱلرَّسُولَ وَلَا تُبْطِلُوٓا۟
أَعْمَٰلَكُمْ ﴿٣٣﴾ إِنَّ ٱلَّذِينَ كَفَرُوا۟ وَصَدُّوا۟ عَن سَبِيلِ ٱللَّهِ ثُمَّ مَاتُوا۟
وَهُمْ كُفَّارٌ فَلَن يَغْفِرَ ٱللَّهُ لَهُمْ ﴿٣٤﴾ فَلَا تَهِنُوا۟ وَتَدْعُوٓا۟ إِلَى ٱلسَّلْمِ
وَأَنتُمُ ٱلْأَعْلَوْنَ وَٱللَّهُ مَعَكُمْ وَلَن يَتِرَكُمْ أَعْمَٰلَكُمْ ﴿٣٥﴾ إِنَّمَا
ٱلْحَيَوٰةُ ٱلدُّنْيَا لَعِبٌ وَلَهْوٌ ۚ وَإِن تُؤْمِنُوا۟ وَتَتَّقُوا۟ يُؤْتِكُمْ أُجُورَكُمْ
وَلَا يَسْـَٔلْكُمْ أَمْوَٰلَكُمْ ﴿٣٦﴾ إِن يَسْـَٔلْكُمُوهَا فَيُحْفِكُمْ
تَبْخَلُوا۟ وَيُخْرِجْ أَضْغَٰنَكُمْ ﴿٣٧﴾ هَٰٓأَنتُمْ هَٰٓؤُلَآءِ تُدْعَوْنَ
لِتُنفِقُوا۟ فِى سَبِيلِ ٱللَّهِ فَمِنكُم مَّن يَبْخَلُ ۖ وَمَن يَبْخَلْ
فَإِنَّمَا يَبْخَلُ عَن نَّفْسِهِۦ ۚ وَٱللَّهُ ٱلْغَنِىُّ وَأَنتُمُ ٱلْفُقَرَآءُ ۚ وَإِن
تَتَوَلَّوْا۟ يَسْتَبْدِلْ قَوْمًا غَيْرَكُمْ ثُمَّ لَا يَكُونُوٓا۟ أَمْثَٰلَكُم ﴿٣٨﴾

- بِسِيمَٰهُمْ: بعلاماتٍ نَسِمُهُمْ بها
- لَحْنِ ٱلْقَوْلِ: أُسْلُوبِ كلامِهِم الْمُلْتوي
- لَنَبْلُوَنَّكُمْ: لَنَخْتَبِرَنَّكُمْ بالتَّكاليفِ الشَّاقةِ
- نَبْلُوَا۟ أَخْبَارَكُمْ: نُظْهِرَها ونَكْشِفَها

ثلاثة أرباع الحزب ٥١

محمد

- فَلَا تَهِنُوا۟: فلا تَضْعُفُوا
- ٱلسَّلْمِ: الصُّلح والمُوادَعَة
- يَتِرَكُمْ أَعْمَٰلَكُمْ: يَنْقُصَكُمْ أُجورَها
- فَيُحْفِكُمْ: يُجْهِدْكُم بطلَبِ كلِّ المال
- أَضْغَٰنَكُمْ: أحقادَكُم الشَّديدةَ على الإسلام

| | | |
|---|---|---|
| مدّ ٦ حركات لزوماً · مدّ ٢ أو ٤ أو ٦ جوازاً | إخفاء، ومواقع الغُنَّة (حركتان) | تفخيم |
| مدّ واجب ٤ أو ٥ حركات · مدّ حركتان | إدغام، وما لا يُلفَظ | قلقلة |

# سُورَةُ الفَتْحِ

ترتيبها ٤٨ | آياتها ٢٩

بِسْمِ ٱللَّهِ ٱلرَّحْمَٰنِ ٱلرَّحِيمِ

إِنَّا فَتَحْنَا لَكَ فَتْحًا مُّبِينًا ﴿١﴾ لِّيَغْفِرَ لَكَ ٱللَّهُ مَا تَقَدَّمَ مِن ذَنۢبِكَ
وَمَا تَأَخَّرَ وَيُتِمَّ نِعْمَتَهُۥ عَلَيْكَ وَيَهْدِيَكَ صِرَٰطًا مُّسْتَقِيمًا ﴿٢﴾
وَيَنصُرَكَ ٱللَّهُ نَصْرًا عَزِيزًا ﴿٣﴾ هُوَ ٱلَّذِىٓ أَنزَلَ ٱلسَّكِينَةَ فِى قُلُوبِ
ٱلْمُؤْمِنِينَ لِيَزْدَادُوٓاْ إِيمَٰنًا مَّعَ إِيمَٰنِهِمْ ۗ وَلِلَّهِ جُنُودُ ٱلسَّمَٰوَٰتِ
وَٱلْأَرْضِ ۚ وَكَانَ ٱللَّهُ عَلِيمًا حَكِيمًا ﴿٤﴾ لِّيُدْخِلَ ٱلْمُؤْمِنِينَ وَٱلْمُؤْمِنَٰتِ
جَنَّٰتٍ تَجْرِى مِن تَحْتِهَا ٱلْأَنْهَٰرُ خَٰلِدِينَ فِيهَا وَيُكَفِّرَ عَنْهُمْ
سَيِّـَٔاتِهِمْ ۚ وَكَانَ ذَٰلِكَ عِندَ ٱللَّهِ فَوْزًا عَظِيمًا ﴿٥﴾ وَيُعَذِّبَ
ٱلْمُنَٰفِقِينَ وَٱلْمُنَٰفِقَٰتِ وَٱلْمُشْرِكِينَ وَٱلْمُشْرِكَٰتِ ٱلظَّآنِّينَ
بِٱللَّهِ ظَنَّ ٱلسَّوْءِ ۚ عَلَيْهِمْ دَآئِرَةُ ٱلسَّوْءِ ۖ وَغَضِبَ ٱللَّهُ عَلَيْهِمْ
وَلَعَنَهُمْ وَأَعَدَّ لَهُمْ جَهَنَّمَ ۖ وَسَآءَتْ مَصِيرًا ﴿٦﴾ وَلِلَّهِ جُنُودُ
ٱلسَّمَٰوَٰتِ وَٱلْأَرْضِ ۚ وَكَانَ ٱللَّهُ عَزِيزًا حَكِيمًا ﴿٧﴾ إِنَّآ أَرْسَلْنَٰكَ
شَٰهِدًا وَمُبَشِّرًا وَنَذِيرًا ﴿٨﴾ لِّتُؤْمِنُواْ بِٱللَّهِ وَرَسُولِهِۦ
وَتُعَزِّرُوهُ وَتُوَقِّرُوهُ وَتُسَبِّحُوهُ بُكْرَةً وَأَصِيلًا ﴿٩﴾

- فَتْحًا مُّبِينًا: هو صُلح الحُدَيْبِيَة
- ٱلسَّكِينَةَ: الطُّمَانِينَة والثَّبات
- ظَنَّ ٱلسَّوْءِ: ظَنَّ الأَمْرِ الفَاسِدِ المَذْمُوم
- عَلَيْهِمْ دَآئِرَةُ ٱلسَّوْءِ: دُعاءٌ عَلَيْهِمْ بِوُقوعِه
- تُعَزِّرُوهُ: تَنْصُرُوه تعالى
- تُوَقِّرُوهُ: تُعَظِّمُوهُ تعالى
- بُكْرَةً وَأَصِيلًا: غُدْوَةً وعَشِيّاً أو جميعَ النهارِ

| | | |
|---|---|---|
| مدّ ٦ حركات لزوماً ● مدّ ٢ أو ٤ أو ٦ جوازاً | إخفاء، ومواقع الغُنَّة (حركتان) | تفخ[يم] |
| مدّ واجب ٤ أو ٥ حركات ● مدّ حركتان | إدغام، وما لا يُلفَظ | قلقل[ة] |

إِنَّ ٱلَّذِينَ يُبَايِعُونَكَ إِنَّمَا يُبَايِعُونَ ٱللَّهَ يَدُ ٱللَّهِ فَوْقَ أَيْدِيهِمْ ۚ
فَمَن نَّكَثَ فَإِنَّمَا يَنكُثُ عَلَىٰ نَفْسِهِۦ ۖ وَمَنْ أَوْفَىٰ بِمَا عَـٰهَدَ عَلَيْهُ
ٱللَّهَ فَسَيُؤْتِيهِ أَجْرًا عَظِيمًا ﴿١٠﴾ سَيَقُولُ لَكَ ٱلْمُخَلَّفُونَ
مِنَ ٱلْأَعْرَابِ شَغَلَتْنَآ أَمْوَٰلُنَا وَأَهْلُونَا فَٱسْتَغْفِرْ لَنَا ۚ يَقُولُونَ
بِأَلْسِنَتِهِم مَّا لَيْسَ فِى قُلُوبِهِمْ ۚ قُلْ فَمَن يَمْلِكُ لَكُم مِّنَ ٱللَّهِ
شَيْـًٔا إِنْ أَرَادَ بِكُمْ ضَرًّا أَوْ أَرَادَ بِكُمْ نَفْعًۢا ۚ بَلْ كَانَ ٱللَّهُ بِمَا تَعْمَلُونَ
خَبِيرًۢا ﴿١١﴾ بَلْ ظَنَنتُمْ أَن لَّن يَنقَلِبَ ٱلرَّسُولُ وَٱلْمُؤْمِنُونَ إِلَىٰٓ
أَهْلِيهِمْ أَبَدًا وَزُيِّنَ ذَٰلِكَ فِى قُلُوبِكُمْ وَظَنَنتُمْ ظَنَّ ٱلسَّوْءِ
وَكُنتُمْ قَوْمًۢا بُورًا ﴿١٢﴾ وَمَن لَّمْ يُؤْمِنۢ بِٱللَّهِ وَرَسُولِهِۦ فَإِنَّآ
أَعْتَدْنَا لِلْكَـٰفِرِينَ سَعِيرًا ﴿١٣﴾ وَلِلَّهِ مُلْكُ ٱلسَّمَـٰوَٰتِ وَٱلْأَرْضِ ۚ
يَغْفِرُ لِمَن يَشَآءُ وَيُعَذِّبُ مَن يَشَآءُ ۚ وَكَانَ ٱللَّهُ غَفُورًا
رَّحِيمًا ﴿١٤﴾ سَيَقُولُ ٱلْمُخَلَّفُونَ إِذَا ٱنطَلَقْتُمْ إِلَىٰ
مَغَانِمَ لِتَأْخُذُوهَا ذَرُونَا نَتَّبِعْكُمْ ۖ يُرِيدُونَ أَن يُبَدِّلُوا۟
كَلَـٰمَ ٱللَّهِ ۚ قُل لَّن تَتَّبِعُونَا كَذَٰلِكُمْ قَالَ ٱللَّهُ مِن قَبْلُ ۖ
فَسَيَقُولُونَ بَلْ تَحْسُدُونَنَا ۚ بَلْ كَانُوا۟ لَا يَفْقَهُونَ إِلَّا قَلِيلًا ﴿١٥﴾

الفتح

- نَكَثَ: نَقَضَ البَيْعَةَ والعَهْدَ
- ٱلْمُخَلَّفُونَ: عن صحبتك في عُمْرتك
- لَّن يَنقَلِبَ: لَنْ يَعُودَ إِلَى المَدِينَةِ
- قَوْمًۢا بُورًا: هَالِكِينَ
- ذَرُونَا: اتْرُكُونَا

مدّ ٦ حركات لزوماً ● مدّ ٢ أو ٤ أو ٦ جوازاً ● مدّ واجب ٤ أو ٥ حركات ● مدّ حركتان ● إخفاء، ومواقع الغُنَّة (حركتان) ● إدغام، وما لا يُلفظ ● تفخيم ● قلقلة

قُل لِّلْمُخَلَّفِينَ مِنَ ٱلْأَعْرَابِ سَتُدْعَوْنَ إِلَىٰ قَوْمٍ أُو۟لِى بَأْسٍ شَدِيدٍ
تُقَـٰتِلُونَهُمْ أَوْ يُسْلِمُونَ ۖ فَإِن تُطِيعُوا۟ يُؤْتِكُمُ ٱللَّهُ أَجْرًا حَسَنًا ۖ
وَإِن تَتَوَلَّوْا۟ كَمَا تَوَلَّيْتُم مِّن قَبْلُ يُعَذِّبْكُمْ عَذَابًا أَلِيمًا ﴿١٦﴾ لَّيْسَ
عَلَى ٱلْأَعْمَىٰ حَرَجٌ وَلَا عَلَى ٱلْأَعْرَجِ حَرَجٌ وَلَا عَلَى ٱلْمَرِيضِ حَرَجٌ ۗ
وَمَن يُطِعِ ٱللَّهَ وَرَسُولَهُۥ يُدْخِلْهُ جَنَّـٰتٍ تَجْرِى مِن تَحْتِهَا ٱلْأَنْهَـٰرُ ۖ
وَمَن يَتَوَلَّ يُعَذِّبْهُ عَذَابًا أَلِيمًا ﴿١٧﴾ ۞ لَّقَدْ رَضِىَ ٱللَّهُ عَنِ
ٱلْمُؤْمِنِينَ إِذْ يُبَايِعُونَكَ تَحْتَ ٱلشَّجَرَةِ فَعَلِمَ مَا فِى قُلُوبِهِمْ
فَأَنزَلَ ٱلسَّكِينَةَ عَلَيْهِمْ وَأَثَـٰبَهُمْ فَتْحًا قَرِيبًا ﴿١٨﴾ وَمَغَانِمَ
كَثِيرَةً يَأْخُذُونَهَا ۗ وَكَانَ ٱللَّهُ عَزِيزًا حَكِيمًا ﴿١٩﴾ وَعَدَكُمُ ٱللَّهُ
مَغَانِمَ كَثِيرَةً تَأْخُذُونَهَا فَعَجَّلَ لَكُمْ هَـٰذِهِۦ وَكَفَّ أَيْدِىَ
ٱلنَّاسِ عَنكُمْ وَلِتَكُونَ ءَايَةً لِّلْمُؤْمِنِينَ وَيَهْدِيَكُمْ صِرَٰطًا
مُّسْتَقِيمًا ﴿٢٠﴾ وَأُخْرَىٰ لَمْ تَقْدِرُوا۟ عَلَيْهَا قَدْ أَحَاطَ ٱللَّهُ بِهَا ۚ
وَكَانَ ٱللَّهُ عَلَىٰ كُلِّ شَىْءٍ قَدِيرًا ﴿٢١﴾ وَلَوْ قَـٰتَلَكُمُ ٱلَّذِينَ كَفَرُوا۟
لَوَلَّوُا۟ ٱلْأَدْبَـٰرَ ثُمَّ لَا يَجِدُونَ وَلِيًّا وَلَا نَصِيرًا ﴿٢٢﴾ سُنَّةَ
ٱللَّهِ ٱلَّتِى قَدْ خَلَتْ مِن قَبْلُ ۖ وَلَن تَجِدَ لِسُنَّةِ ٱللَّهِ تَبْدِيلًا ﴿٢٣﴾

▪ أُو۟لِى بَأْسٍ: شِدَّةٍ فِي الْحَرْبِ
▪ حَرَجٌ: إِثْمٌ
▪ أَحَاطَ ٱللَّهُ بِهَا: أَعَدَّهَا أو حَفِظَهَا لَكُمْ

الحزب ٥٢

مدّ ٦ حركات لزوماً — مدّ ٢ أو ٤ أو ٦ جوازاً — مدّ واجب ٤ أو ٥ حركات — مدّ حركتان — إخفاء، ومواقع الغُنّة (حركتان) — إدغام، وما لا يُلفَظ

وَهُوَ ٱلَّذِى كَفَّ أَيْدِيَهُمْ عَنكُمْ وَأَيْدِيَكُمْ عَنْهُم بِبَطْنِ مَكَّةَ مِنۢ
بَعْدِ أَنْ أَظْفَرَكُمْ عَلَيْهِمْ ۚ وَكَانَ ٱللَّهُ بِمَا تَعْمَلُونَ بَصِيرًا ﴿٢٤﴾ هُمُ
ٱلَّذِينَ كَفَرُوا۟ وَصَدُّوكُمْ عَنِ ٱلْمَسْجِدِ ٱلْحَرَامِ وَٱلْهَدْىَ
مَعْكُوفًا أَن يَبْلُغَ مَحِلَّهُۥ ۚ وَلَوْلَا رِجَالٌ مُّؤْمِنُونَ وَنِسَآءٌ مُّؤْمِنَٰتٌ
لَّمْ تَعْلَمُوهُمْ أَن تَطَـُٔوهُمْ فَتُصِيبَكُم مِّنْهُم مَّعَرَّةٌۢ بِغَيْرِ عِلْمٍ ۖ
لِّيُدْخِلَ ٱللَّهُ فِى رَحْمَتِهِۦ مَن يَشَآءُ ۚ لَوْ تَزَيَّلُوا۟ لَعَذَّبْنَا ٱلَّذِينَ
كَفَرُوا۟ مِنْهُمْ عَذَابًا أَلِيمًا ﴿٢٥﴾ إِذْ جَعَلَ ٱلَّذِينَ كَفَرُوا۟
فِى قُلُوبِهِمُ ٱلْحَمِيَّةَ حَمِيَّةَ ٱلْجَٰهِلِيَّةِ فَأَنزَلَ ٱللَّهُ سَكِينَتَهُۥ
عَلَىٰ رَسُولِهِۦ وَعَلَى ٱلْمُؤْمِنِينَ وَأَلْزَمَهُمْ كَلِمَةَ ٱلتَّقْوَىٰ
وَكَانُوٓا۟ أَحَقَّ بِهَا وَأَهْلَهَا ۚ وَكَانَ ٱللَّهُ بِكُلِّ شَىْءٍ عَلِيمًا ﴿٢٦﴾
لَّقَدْ صَدَقَ ٱللَّهُ رَسُولَهُ ٱلرُّءْيَا بِٱلْحَقِّ ۖ لَتَدْخُلُنَّ ٱلْمَسْجِدَ
ٱلْحَرَامَ إِن شَآءَ ٱللَّهُ ءَامِنِينَ مُحَلِّقِينَ رُءُوسَكُمْ وَمُقَصِّرِينَ
لَا تَخَافُونَ ۖ فَعَلِمَ مَا لَمْ تَعْلَمُوا۟ فَجَعَلَ مِن دُونِ ذَٰلِكَ
فَتْحًا قَرِيبًا ﴿٢٧﴾ هُوَ ٱلَّذِىٓ أَرْسَلَ رَسُولَهُۥ بِٱلْهُدَىٰ وَدِينِ
ٱلْحَقِّ لِيُظْهِرَهُۥ عَلَى ٱلدِّينِ كُلِّهِۦ ۚ وَكَفَىٰ بِٱللَّهِ شَهِيدًا ﴿٢٨﴾

- بِبَطْنِ مَكَّةَ: بالحُدَيْبِيَةِ
- أَظْفَرَكُمْ عَلَيْهِمْ: أَظْهَرَكُمْ عَلَيْهِمْ وأَعلاكُمْ
- ٱلْهَدْىَ: البُدْنَ (الأنعام) التي ساقها الرسول ﷺ
- مَعْكُوفًا: مَحْبُوساً
- مَحِلَّهُۥ: مكانه الذي يَجِبُ فيه نَحرُهُ
- تَطَـُٔوهُمْ: تُهْلِكُوهُمْ
- مَّعَرَّةٌ: مَضَرَّةٌ أَوْ سُبَّةٌ
- تَزَيَّلُوا۟: تَمَيَّزُوا عَنِ الكُفَّارِ
- ٱلْحَمِيَّةَ: الأَنَفَةَ والتَّكَبُّرَ

الفتح

| | | |
|---|---|---|
| مدّ ٦ حركات لزوماً ● مدّ ٢ أو ٤ أو ٦ جوازاً | ● إخفاء، ومواقع الغُنَّة (حركتان) | ● تفخيم |
| مدّ واجب ٤ أو ٥ حركات ● مدّ حركتان | ● إدغام، وما لا يُلفَظ | ● قلقلة |

مُّحَمَّدٌ رَّسُولُ ٱللَّهِ ۚ وَٱلَّذِينَ مَعَهُۥٓ أَشِدَّآءُ عَلَى ٱلْكُفَّارِ رُحَمَآءُ بَيْنَهُمْ ۖ
تَرَىٰهُمْ رُكَّعًا سُجَّدًا يَبْتَغُونَ فَضْلًا مِّنَ ٱللَّهِ وَرِضْوَٰنًا ۖ سِيمَاهُمْ
فِى وُجُوهِهِم مِّنْ أَثَرِ ٱلسُّجُودِ ۚ ذَٰلِكَ مَثَلُهُمْ فِى ٱلتَّوْرَىٰةِ ۚ وَمَثَلُهُمْ
فِى ٱلْإِنجِيلِ كَزَرْعٍ أَخْرَجَ شَطْـَٔهُۥ فَـَٔازَرَهُۥ فَٱسْتَغْلَظَ فَٱسْتَوَىٰ
عَلَىٰ سُوقِهِۦ يُعْجِبُ ٱلزُّرَّاعَ لِيَغِيظَ بِهِمُ ٱلْكُفَّارَ ۗ وَعَدَ ٱللَّهُ ٱلَّذِينَ
ءَامَنُوا۟ وَعَمِلُوا۟ ٱلصَّٰلِحَٰتِ مِنْهُم مَّغْفِرَةً وَأَجْرًا عَظِيمًۢا ﴿٢٩﴾

## سُورَةُ الحُجُرَاتِ

ترتيبها ٤٩ — آياتها ١٨

بِسْمِ ٱللَّهِ ٱلرَّحْمَٰنِ ٱلرَّحِيمِ

يَٰٓأَيُّهَا ٱلَّذِينَ ءَامَنُوا۟ لَا تُقَدِّمُوا۟ بَيْنَ يَدَىِ ٱللَّهِ وَرَسُولِهِۦ ۖ وَٱتَّقُوا۟ ٱللَّهَ ۚ
إِنَّ ٱللَّهَ سَمِيعٌ عَلِيمٌ ﴿١﴾ يَٰٓأَيُّهَا ٱلَّذِينَ ءَامَنُوا۟ لَا تَرْفَعُوٓا۟ أَصْوَٰتَكُمْ
فَوْقَ صَوْتِ ٱلنَّبِىِّ وَلَا تَجْهَرُوا۟ لَهُۥ بِٱلْقَوْلِ كَجَهْرِ بَعْضِكُمْ
لِبَعْضٍ أَن تَحْبَطَ أَعْمَٰلُكُمْ وَأَنتُمْ لَا تَشْعُرُونَ ﴿٢﴾ إِنَّ ٱلَّذِينَ
يَغُضُّونَ أَصْوَٰتَهُمْ عِندَ رَسُولِ ٱللَّهِ أُو۟لَٰٓئِكَ ٱلَّذِينَ ٱمْتَحَنَ ٱللَّهُ
قُلُوبَهُمْ لِلتَّقْوَىٰ ۚ لَهُم مَّغْفِرَةٌ وَأَجْرٌ عَظِيمٌ ﴿٣﴾ إِنَّ ٱلَّذِينَ
يُنَادُونَكَ مِن وَرَآءِ ٱلْحُجُرَٰتِ أَكْثَرُهُمْ لَا يَعْقِلُونَ ﴿٤﴾

- سِيمَاهُمْ: عَلَامَتُهُمْ
- مَثَلُهُمْ: صِفَتُهُمْ
- أَخْرَجَ شَطْـَٔهُۥ: فِرَاخَهُ الْمُتَفَرِّعَةَ مِنْهُ
- فَـَٔازَرَهُۥ: قَوَّاهُ
- فَٱسْتَغْلَظَ: صَارَ غَلِيظاً
- فَٱسْتَوَىٰ عَلَىٰ سُوقِهِۦ: قَامَ عَلَى قُضْبَانِهِ
- لَا تُقَدِّمُوا۟: أَمراً مِنَ الأُمُورِ
- تَحْبَطَ أَعْمَٰلُكُمْ: تَبْطُلَ أَعْمَالُكُمْ
- يَغُضُّونَ أَصْوَٰتَهُمْ: يَخْفِضُونَهَا وَيُخَافِتُونَ بِهَا
- ٱمْتَحَنَ ٱللَّهُ قُلُوبَهُمْ: أَخْلَصَهَا

ربع الحزب ٥٢

- مدّ ٦ حركات لزوماً
- مدّ واجب ٤ أو ٥ حركات
- مدّ ٢ أو ٤ أو ٦ جوازاً
- مدّ حركتان
- إخفاء، ومواقع الغُنَّة (حركتان)
- إدغام، وما لا يُلفَظ
- تف...
- قلق...

وَلَوْ أَنَّهُمْ صَبَرُوا۟ حَتَّىٰ تَخْرُجَ إِلَيْهِمْ لَكَانَ خَيْرًا لَّهُمْ ۚ وَٱللَّهُ غَفُورٌ

رَّحِيمٌ ﴿٥﴾ يَـٰٓأَيُّهَا ٱلَّذِينَ ءَامَنُوٓا۟ إِن جَآءَكُمْ فَاسِقٌۢ بِنَبَإٍ فَتَبَيَّنُوٓا۟

أَن تُصِيبُوا۟ قَوْمًۢا بِجَهَـٰلَةٍ فَتُصْبِحُوا۟ عَلَىٰ مَا فَعَلْتُمْ نَـٰدِمِينَ ﴿٦﴾

وَٱعْلَمُوٓا۟ أَنَّ فِيكُمْ رَسُولَ ٱللَّهِ ۚ لَوْ يُطِيعُكُمْ فِى كَثِيرٍ مِّنَ ٱلْأَمْرِ لَعَنِتُّمْ

وَلَـٰكِنَّ ٱللَّهَ حَبَّبَ إِلَيْكُمُ ٱلْإِيمَـٰنَ وَزَيَّنَهُۥ فِى قُلُوبِكُمْ وَكَرَّهَ إِلَيْكُمُ

ٱلْكُفْرَ وَٱلْفُسُوقَ وَٱلْعِصْيَانَ ۚ أُو۟لَـٰٓئِكَ هُمُ ٱلرَّٰشِدُونَ ﴿٧﴾

فَضْلًا مِّنَ ٱللَّهِ وَنِعْمَةً ۚ وَٱللَّهُ عَلِيمٌ حَكِيمٌ ﴿٨﴾ وَإِن طَآئِفَتَانِ

مِنَ ٱلْمُؤْمِنِينَ ٱقْتَتَلُوا۟ فَأَصْلِحُوا۟ بَيْنَهُمَا ۖ فَإِنۢ بَغَتْ إِحْدَىٰهُمَا

عَلَى ٱلْأُخْرَىٰ فَقَـٰتِلُوا۟ ٱلَّتِى تَبْغِى حَتَّىٰ تَفِىٓءَ إِلَىٰٓ أَمْرِ ٱللَّهِ ۚ فَإِن فَآءَتْ

فَأَصْلِحُوا۟ بَيْنَهُمَا بِٱلْعَدْلِ وَأَقْسِطُوٓا۟ ۖ إِنَّ ٱللَّهَ يُحِبُّ ٱلْمُقْسِطِينَ

﴿٩﴾ إِنَّمَا ٱلْمُؤْمِنُونَ إِخْوَةٌ فَأَصْلِحُوا۟ بَيْنَ أَخَوَيْكُمْ ۚ وَٱتَّقُوا۟ ٱللَّهَ

لَعَلَّكُمْ تُرْحَمُونَ ﴿١٠﴾ يَـٰٓأَيُّهَا ٱلَّذِينَ ءَامَنُوا۟ لَا يَسْخَرْ قَوْمٌ مِّن قَوْمٍ

عَسَىٰٓ أَن يَكُونُوا۟ خَيْرًا مِّنْهُمْ وَلَا نِسَآءٌ مِّن نِّسَآءٍ عَسَىٰٓ أَن يَكُنَّ خَيْرًا

مِّنْهُنَّ ۖ وَلَا تَلْمِزُوٓا۟ أَنفُسَكُمْ وَلَا تَنَابَزُوا۟ بِٱلْأَلْقَـٰبِ ۖ بِئْسَ ٱلِٱسْمُ

ٱلْفُسُوقُ بَعْدَ ٱلْإِيمَـٰنِ ۚ وَمَن لَّمْ يَتُبْ فَأُو۟لَـٰٓئِكَ هُمُ ٱلظَّـٰلِمُونَ ﴿١١﴾

الحجرات

- لَعَنِتُّمْ: لأثمتم وهلكتم
- بَغَتْ: اعتدت
- تَفِيءَ: ترجع
- أَقْسِطُوا: اعدلوا في كل أموركم
- الْمُقْسِطِينَ: العادلين
- لا يَسْخَرْ: لا يهزأ
- لا تَلْمِزُوا أَنفُسَكُمْ: لا يعب بعضكم بعضا
- لا تَنَابَزُوا بِالأَلْقَابِ: لا تتداعوا بالألقاب المستكرهة

| | | |
|---|---|---|
| مدّ ٦ حركات لزوماً ● مدّ ٢ أو ٤ أو ٦ جوازاً | ● إخفاء ، ومواقع الغُنَّة (حركتان) | ● تفخيم |
| مدّ واجب ٤ أو ٥ حركات ● مدّ حركتان | ● إدغام ، وما لا يُلفَظ | ● قلقلة |

يَٰٓأَيُّهَا ٱلَّذِينَ ءَامَنُواْ ٱجْتَنِبُواْ كَثِيرًا مِّنَ ٱلظَّنِّ إِنَّ بَعْضَ ٱلظَّنِّ إِثْمٌ ۖ
وَلَا تَجَسَّسُواْ وَلَا يَغْتَب بَّعْضُكُم بَعْضًا ۚ أَيُحِبُّ أَحَدُكُمْ أَن
يَأْكُلَ لَحْمَ أَخِيهِ مَيْتًا فَكَرِهْتُمُوهُ ۚ وَٱتَّقُواْ ٱللَّهَ ۚ إِنَّ ٱللَّهَ تَوَّابٌ
رَّحِيمٌ ﴿١٢﴾ يَٰٓأَيُّهَا ٱلنَّاسُ إِنَّا خَلَقْنَٰكُم مِّن ذَكَرٍ وَأُنثَىٰ وَجَعَلْنَٰكُمْ
شُعُوبًا وَقَبَآئِلَ لِتَعَارَفُوٓاْ ۚ إِنَّ أَكْرَمَكُمْ عِندَ ٱللَّهِ أَتْقَىٰكُمْ ۚ إِنَّ ٱللَّهَ
عَلِيمٌ خَبِيرٌ ﴿١٣﴾ ۞ قَالَتِ ٱلْأَعْرَابُ ءَامَنَّا ۖ قُل لَّمْ تُؤْمِنُواْ وَلَٰكِن
قُولُوٓاْ أَسْلَمْنَا وَلَمَّا يَدْخُلِ ٱلْإِيمَٰنُ فِى قُلُوبِكُمْ ۖ وَإِن تُطِيعُواْ ٱللَّهَ
وَرَسُولَهُۥ لَا يَلِتْكُم مِّنْ أَعْمَٰلِكُمْ شَيْـًٔا ۚ إِنَّ ٱللَّهَ غَفُورٌ رَّحِيمٌ ﴿١٤﴾
إِنَّمَا ٱلْمُؤْمِنُونَ ٱلَّذِينَ ءَامَنُواْ بِٱللَّهِ وَرَسُولِهِۦ ثُمَّ لَمْ يَرْتَابُواْ
وَجَٰهَدُواْ بِأَمْوَٰلِهِمْ وَأَنفُسِهِمْ فِى سَبِيلِ ٱللَّهِ ۚ أُوْلَٰٓئِكَ هُمُ
ٱلصَّٰدِقُونَ ﴿١٥﴾ قُلْ أَتُعَلِّمُونَ ٱللَّهَ بِدِينِكُمْ وَٱللَّهُ
يَعْلَمُ مَا فِى ٱلسَّمَٰوَٰتِ وَمَا فِى ٱلْأَرْضِ ۚ وَٱللَّهُ بِكُلِّ شَىْءٍ عَلِيمٌ
﴿١٦﴾ يَمُنُّونَ عَلَيْكَ أَنْ أَسْلَمُواْ ۖ قُل لَّا تَمُنُّواْ عَلَىَّ إِسْلَٰمَكُم ۖ بَلِ ٱللَّهُ
يَمُنُّ عَلَيْكُمْ أَنْ هَدَىٰكُمْ لِلْإِيمَٰنِ إِن كُنتُمْ صَٰدِقِينَ ﴿١٧﴾ إِنَّ ٱللَّهَ
يَعْلَمُ غَيْبَ ٱلسَّمَٰوَٰتِ وَٱلْأَرْضِ ۚ وَٱللَّهُ بَصِيرٌ بِمَا تَعْمَلُونَ ﴿١٨﴾

■ لَا تَجَسَّسُواْ: لَا تَتَبَّعُوا عَوْرَاتِ الْمُسْلِمِينَ

نصف الحزب ٥٢

■ لَا يَلِتْكُم: لَا يَنْقُصْكُمْ

■ أَتُعَلِّمُونَ ٱللَّهَ: أَتُخْبِرُونَهُ بِقَوْلِكُمْ آمَنَّا

مدّ ٦ حركات لزوماً ● مدّ ٢ أو ٤ أو ٦ جوازاً ● إخفاء، ومواقع الغُنَّة (حركتان) ● تفخ...
مدّ واجب ٤ أو ٥ حركات ● مدّ حركتان ● إدغام، وما لا يُلفَظ ● قلقلة

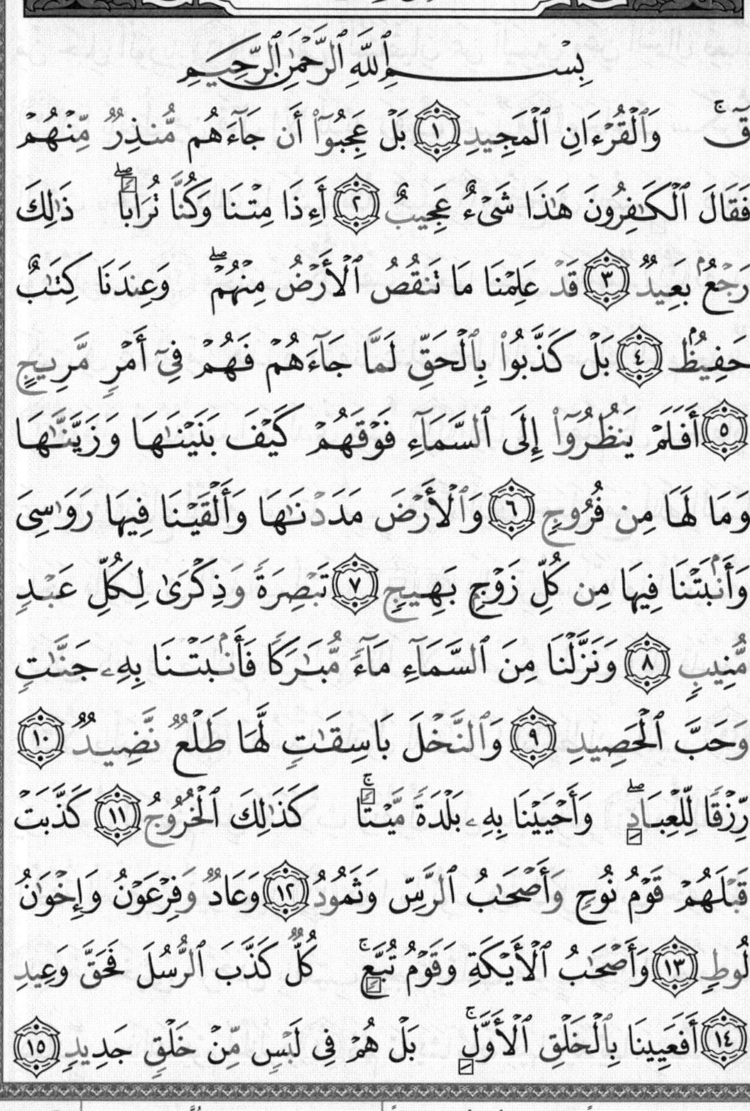

# سُورَةُ قٓ

ترتيبها ٥٠ — آياتها ٤٥

بِسْمِ ٱللَّهِ ٱلرَّحْمَٰنِ ٱلرَّحِيمِ

قٓ ۚ وَٱلْقُرْءَانِ ٱلْمَجِيدِ ﴿١﴾ بَلْ عَجِبُوٓا۟ أَن جَآءَهُم مُّنذِرٌ مِّنْهُمْ
فَقَالَ ٱلْكَٰفِرُونَ هَٰذَا شَىْءٌ عَجِيبٌ ﴿٢﴾ أَءِذَا مِتْنَا وَكُنَّا تُرَابًا ۖ ذَٰلِكَ
رَجْعٌۢ بَعِيدٌ ﴿٣﴾ قَدْ عَلِمْنَا مَا تَنقُصُ ٱلْأَرْضُ مِنْهُمْ ۖ وَعِندَنَا كِتَٰبٌ
حَفِيظٌۢ ﴿٤﴾ بَلْ كَذَّبُوا۟ بِٱلْحَقِّ لَمَّا جَآءَهُمْ فَهُمْ فِىٓ أَمْرٍ مَّرِيجٍ
﴿٥﴾ أَفَلَمْ يَنظُرُوٓا۟ إِلَى ٱلسَّمَآءِ فَوْقَهُمْ كَيْفَ بَنَيْنَٰهَا وَزَيَّنَّٰهَا
وَمَا لَهَا مِن فُرُوجٍ ﴿٦﴾ وَٱلْأَرْضَ مَدَدْنَٰهَا وَأَلْقَيْنَا فِيهَا رَوَٰسِىَ
وَأَنۢبَتْنَا فِيهَا مِن كُلِّ زَوْجٍۭ بَهِيجٍ ﴿٧﴾ تَبْصِرَةً وَذِكْرَىٰ لِكُلِّ عَبْدٍ
مُّنِيبٍ ﴿٨﴾ وَنَزَّلْنَا مِنَ ٱلسَّمَآءِ مَآءً مُّبَٰرَكًا فَأَنۢبَتْنَا بِهِۦ جَنَّٰتٍ
وَحَبَّ ٱلْحَصِيدِ ﴿٩﴾ وَٱلنَّخْلَ بَاسِقَٰتٍ لَّهَا طَلْعٌ نَّضِيدٌ ﴿١٠﴾
رِّزْقًا لِّلْعِبَادِ ۖ وَأَحْيَيْنَا بِهِۦ بَلْدَةً مَّيْتًا ۚ كَذَٰلِكَ ٱلْخُرُوجُ ﴿١١﴾ كَذَّبَتْ
قَبْلَهُمْ قَوْمُ نُوحٍ وَأَصْحَٰبُ ٱلرَّسِّ وَثَمُودُ ﴿١٢﴾ وَعَادٌ وَفِرْعَوْنُ وَإِخْوَٰنُ
لُوطٍ ﴿١٣﴾ وَأَصْحَٰبُ ٱلْأَيْكَةِ وَقَوْمُ تُبَّعٍ ۚ كُلٌّ كَذَّبَ ٱلرُّسُلَ فَحَقَّ وَعِيدِ
﴿١٤﴾ أَفَعَيِينَا بِٱلْخَلْقِ ٱلْأَوَّلِ ۚ بَلْ هُمْ فِى لَبْسٍ مِّنْ خَلْقٍ جَدِيدٍ ﴿١٥﴾

- **رَجْعٌ**: رُجُوعٌ إلى الحَيَاة
- **أَمْرٍ مَّرِيجٍ**: مُخْتَلِط مُضْطَرِب
- **فُرُوجٍ**: فتوقٍ وشُقُوقٍ
- **رَوَٰسِىَ**: جبالاً ثوابتَ
- **زَوْجٍ بَهِيجٍ**: صِنْفٍ حَسَنٍ نضِرٍ
- **عَبْدٍ مُّنِيبٍ**: رَجَّاعٍ إلَيْنَا
- **حَبَّ ٱلْحَصِيدِ**: حَبَّ الزَّرْعِ المحصود
- **ٱلنَّخْلَ بَاسِقَٰتٍ**: طِوالاً . أو حَوامِلَ
- **طَلْعٌ نَّضِيدٌ**: مُتَراكِمٌ بَعْضُهُ فوْقَ بَعْضٍ
- **أَصْحَٰبُ ٱلرَّسِّ**: البئرِ ؛ قتلوا نبيَّهم فأُهْلِكُوا
- **أَصْحَٰبُ ٱلْأَيْكَةِ**: البُقْعَة المتكاثفة الأشجار
- **قَوْمُ تُبَّعٍ**: الحِمْيَرِيّ مَلِكِ اليَمَن
- **أَفَعَيِينَا بِٱلْخَلْقِ**: أَفَعَجَزْنا عنه
- **لَبْسٍ**: خَلْطٍ وشُبْهَةٍ

ق

| | | |
|---|---|---|
| مدّ ٦ حركات لزوماً ● مدّ ٢ أو ٤ أو ٦ جوازاً | إخفاء ، ومواقع الغُنَّة (حركتان) | تفخيم |
| مدّ واجب ٤ أو ٥ حركات ● مدّ حركتان | إدغام ، وما لا يُلفَظ | قلقلة |

وَلَقَدۡ خَلَقۡنَا ٱلۡإِنسَٰنَ وَنَعۡلَمُ مَا تُوَسۡوِسُ بِهِۦ نَفۡسُهُۥۖ وَنَحۡنُ أَقۡرَبُ إِلَيۡهِ
مِنۡ حَبۡلِ ٱلۡوَرِيدِ ﴿١٦﴾ إِذۡ يَتَلَقَّى ٱلۡمُتَلَقِّيَانِ عَنِ ٱلۡيَمِينِ وَعَنِ ٱلشِّمَالِ قَعِيدٞ
﴿١٧﴾ مَّا يَلۡفِظُ مِن قَوۡلٍ إِلَّا لَدَيۡهِ رَقِيبٌ عَتِيدٞ ﴿١٨﴾ وَجَآءَتۡ سَكۡرَةُ
ٱلۡمَوۡتِ بِٱلۡحَقِّۖ ذَٰلِكَ مَا كُنتَ مِنۡهُ تَحِيدُ ﴿١٩﴾ وَنُفِخَ فِي ٱلصُّورِۚ ذَٰلِكَ
يَوۡمُ ٱلۡوَعِيدِ ﴿٢٠﴾ وَجَآءَتۡ كُلُّ نَفۡسٖ مَّعَهَا سَآئِقٞ وَشَهِيدٞ ﴿٢١﴾ لَّقَدۡ
كُنتَ فِي غَفۡلَةٖ مِّنۡ هَٰذَا فَكَشَفۡنَا عَنكَ غِطَآءَكَ فَبَصَرُكَ ٱلۡيَوۡمَ حَدِيدٞ
﴿٢٢﴾ وَقَالَ قَرِينُهُۥ هَٰذَا مَا لَدَيَّ عَتِيدٌ ﴿٢٣﴾ أَلۡقِيَا فِي جَهَنَّمَ كُلَّ كَفَّارٍ
عَنِيدٖ ﴿٢٤﴾ مَّنَّاعٖ لِّلۡخَيۡرِ مُعۡتَدٖ مُّرِيبٍ ﴿٢٥﴾ ٱلَّذِي جَعَلَ مَعَ ٱللَّهِ إِلَٰهًا
ءَاخَرَ فَأَلۡقِيَاهُ فِي ٱلۡعَذَابِ ٱلشَّدِيدِ ﴿٢٦﴾ ۞ قَالَ قَرِينُهُۥ رَبَّنَا مَآ أَطۡغَيۡتُهُۥ
وَلَٰكِن كَانَ فِي ضَلَٰلِۭ بَعِيدٖ ﴿٢٧﴾ قَالَ لَا تَخۡتَصِمُواْ لَدَيَّ وَقَدۡ قَدَّمۡتُ
إِلَيۡكُم بِٱلۡوَعِيدِ ﴿٢٨﴾ مَا يُبَدَّلُ ٱلۡقَوۡلُ لَدَيَّ وَمَآ أَنَا۠ بِظَلَّٰمٖ لِّلۡعَبِيدِ ﴿٢٩﴾
يَوۡمَ نَقُولُ لِجَهَنَّمَ هَلِ ٱمۡتَلَأۡتِ وَتَقُولُ هَلۡ مِن مَّزِيدٖ ﴿٣٠﴾ وَأُزۡلِفَتِ
ٱلۡجَنَّةُ لِلۡمُتَّقِينَ غَيۡرَ بَعِيدٍ ﴿٣١﴾ هَٰذَا مَا تُوعَدُونَ لِكُلِّ أَوَّابٍ حَفِيظٖ
﴿٣٢﴾ مَّنۡ خَشِيَ ٱلرَّحۡمَٰنَ بِٱلۡغَيۡبِ وَجَآءَ بِقَلۡبٖ مُّنِيبٍ ﴿٣٣﴾ ٱدۡخُلُوهَا
بِسَلَٰمٖۖ ذَٰلِكَ يَوۡمُ ٱلۡخُلُودِ ﴿٣٤﴾ لَهُم مَّا يَشَآءُونَ فِيهَا وَلَدَيۡنَا مَزِيدٞ ﴿٣٥﴾

- حَبۡلِ ٱلۡوَرِيدِ: عِرْق كبير في العُنُق
- يَتَلَقَّى ٱلۡمُتَلَقِّيَانِ: يُثْبِتُ ويكتُب
- قَعِيدٞ: مَلَكٌ قاعدٌ
- رَقِيبٌ: حافظٌ لأعماله
- عَتِيدٞ: مُعَدٌّ حاضِرٌ
- سَكۡرَةُ ٱلۡمَوۡتِ: شِدَّتُهُ وغَمْرَتُه
- تَحِيدُ: تنفِر وتهرُب
- غِطَآءَكَ: حِجابَ غَفْلَتِكَ
- حَدِيدٞ: نافِذٌ قويٌّ
- عَنِيدٖ: شديد العِناد والمجافاة للحقّ
- مُّرِيبٍ: شاكٌّ في دينه
- مَآ أَطۡغَيۡتُهُۥ: ما قهرتُه على الطغيان والغواية
- أُزۡلِفَتِ ٱلۡجَنَّةُ: قُرِّبَتْ وأُدْنِيَتْ
- أَوَّابٍ: رَجّاع إلى الله
- بِقَلۡبٖ مُّنِيبٍ: مُقْبِلٍ على طاعة الله

ثلاثة أرباع الحزب ٥٢

وَكَمْ أَهْلَكْنَا قَبْلَهُم مِّن قَرْنٍ هُمْ أَشَدُّ مِنْهُم بَطْشًا فَنَقَّبُوا۟ فِى
ٱلْبِلَٰدِ هَلْ مِن مَّحِيصٍ ﴿٣٦﴾ إِنَّ فِى ذَٰلِكَ لَذِكْرَىٰ لِمَن كَانَ
لَهُۥ قَلْبٌ أَوْ أَلْقَى ٱلسَّمْعَ وَهُوَ شَهِيدٌ ﴿٣٧﴾ وَلَقَدْ خَلَقْنَا
ٱلسَّمَٰوَٰتِ وَٱلْأَرْضَ وَمَا بَيْنَهُمَا فِى سِتَّةِ أَيَّامٍ وَمَا مَسَّنَا
مِن لُّغُوبٍ ﴿٣٨﴾ فَٱصْبِرْ عَلَىٰ مَا يَقُولُونَ وَسَبِّحْ بِحَمْدِ رَبِّكَ
قَبْلَ طُلُوعِ ٱلشَّمْسِ وَقَبْلَ ٱلْغُرُوبِ ﴿٣٩﴾ وَمِنَ ٱلَّيْلِ فَسَبِّحْهُ
وَأَدْبَٰرَ ٱلسُّجُودِ ﴿٤٠﴾ وَٱسْتَمِعْ يَوْمَ يُنَادِ ٱلْمُنَادِ مِن مَّكَانٍ قَرِيبٍ
﴿٤١﴾ يَوْمَ يَسْمَعُونَ ٱلصَّيْحَةَ بِٱلْحَقِّ ۚ ذَٰلِكَ يَوْمُ ٱلْخُرُوجِ ﴿٤٢﴾ إِنَّا
نَحْنُ نُحْىِۦ وَنُمِيتُ وَإِلَيْنَا ٱلْمَصِيرُ ﴿٤٣﴾ يَوْمَ تَشَقَّقُ ٱلْأَرْضُ
عَنْهُمْ سِرَاعًا ۚ ذَٰلِكَ حَشْرٌ عَلَيْنَا يَسِيرٌ ﴿٤٤﴾ نَّحْنُ أَعْلَمُ بِمَا يَقُولُونَ ۖ
وَمَآ أَنتَ عَلَيْهِم بِجَبَّارٍ ۖ فَذَكِّرْ بِٱلْقُرْءَانِ مَن يَخَافُ وَعِيدِ ﴿٤٥﴾

## سُورَةُ الذَّارِيَاتِ

ترتيبها ٥١ — آياتها ٦٠

بِسْمِ ٱللَّهِ ٱلرَّحْمَٰنِ ٱلرَّحِيمِ

وَٱلذَّٰرِيَٰتِ ذَرْوًا ﴿١﴾ فَٱلْحَٰمِلَٰتِ وِقْرًا ﴿٢﴾ فَٱلْجَٰرِيَٰتِ يُسْرًا ﴿٣﴾
فَٱلْمُقَسِّمَٰتِ أَمْرًا ﴿٤﴾ إِنَّمَا تُوعَدُونَ لَصَادِقٌ ﴿٥﴾ وَإِنَّ ٱلدِّينَ لَوَٰقِعٌ ﴿٦﴾

- كَمْ أَهْلَكْنَا: كثيراً أهلكنا
- قَرْنٍ: أمّة
- بَطْشًا: قوّة . أو أخذاً شديداً
- فَنَقَّبُوا فِي ٱلْبِلَٰدِ: طوّفوا في الأرض حذرَ الموتِ
- مَّحِيصٍ: مَهْرَبٍ وَمَفَرٍّ من الموت
- لُّغُوبٍ: تَعَبٍ وإعْياء
- سَبِّحْ بِحَمْدِ رَبِّكَ: نزّهْه تعالى حامداً له
- أَدْبَٰرَ ٱلسُّجُودِ: أعْقابَ الصّلوات
- يَسْمَعُونَ ٱلصَّيْحَةَ: نفخةَ البعْث
- تَشَقَّقُ: تنفلقُ
- بِجَبَّارٍ: تَقْهرُهُم على الإيمانِ
- ٱلذَّٰرِيَٰتِ: الرّياحِ تَذْرُو التّرابَ وَغيْرَه
- فَٱلْحَٰمِلَٰتِ وِقْرًا: السُّحبِ تحملُ الأمْطارَ
- فَٱلْجَٰرِيَٰتِ يُسْرًا: السُّفُن تجْري بسُهولَةٍ في البِحارِ
- فَٱلْمُقَسِّمَٰتِ أَمْرًا: الملائكةِ تقسِّمُ المقدَّراتِ
- إِنَّمَا تُوعَدُونَ: منَ البَعْثِ
- إِنَّ ٱلدِّينَ: الجزاء

| | | |
|---|---|---|
| مدّ ٦ حركات لزوماً — مدّ ٢ أو ٤ أو ٦ جوازاً | إخفاء ، ومواقع الغُنَّة (حركتان) | تفخيم |
| مدّ واجب ٤ أو ٥ حركات — مدّ حركتان | إدغام ، وما لا يُلفظ | قلقلة |

وَٱلسَّمَآءِ ذَاتِ ٱلۡحُبُكِ ﴿٧﴾ إِنَّكُمۡ لَفِي قَوۡلٖ مُّخۡتَلِفٖ ﴿٨﴾ يُؤۡفَكُ عَنۡهُ مَنۡ
أُفِكَ ﴿٩﴾ قُتِلَ ٱلۡخَرَّٰصُونَ ﴿١٠﴾ ٱلَّذِينَ هُمۡ فِي غَمۡرَةٖ سَاهُونَ ﴿١١﴾
يَسۡـَٔلُونَ أَيَّانَ يَوۡمُ ٱلدِّينِ ﴿١٢﴾ يَوۡمَ هُمۡ عَلَى ٱلنَّارِ يُفۡتَنُونَ ﴿١٣﴾ ذُوقُواْ
فِتۡنَتَكُمۡ هَٰذَا ٱلَّذِي كُنتُم بِهِۦ تَسۡتَعۡجِلُونَ ﴿١٤﴾ إِنَّ ٱلۡمُتَّقِينَ فِي جَنَّٰتٖ
وَعُيُونٍ ﴿١٥﴾ ءَاخِذِينَ مَآ ءَاتَىٰهُمۡ رَبُّهُمۡۚ إِنَّهُمۡ كَانُواْ قَبۡلَ ذَٰلِكَ مُحۡسِنِينَ
﴿١٦﴾ كَانُواْ قَلِيلٗا مِّنَ ٱلَّيۡلِ مَا يَهۡجَعُونَ ﴿١٧﴾ وَبِٱلۡأَسۡحَارِ هُمۡ يَسۡتَغۡفِرُونَ
﴿١٨﴾ وَفِيٓ أَمۡوَٰلِهِمۡ حَقّٞ لِّلسَّآئِلِ وَٱلۡمَحۡرُومِ ﴿١٩﴾ وَفِي ٱلۡأَرۡضِ ءَايَٰتٞ
لِّلۡمُوقِنِينَ ﴿٢٠﴾ وَفِيٓ أَنفُسِكُمۡۚ أَفَلَا تُبۡصِرُونَ ﴿٢١﴾ وَفِي ٱلسَّمَآءِ رِزۡقُكُمۡ
وَمَا تُوعَدُونَ ﴿٢٢﴾ فَوَرَبِّ ٱلسَّمَآءِ وَٱلۡأَرۡضِ إِنَّهُۥ لَحَقّٞ مِّثۡلَ مَآ أَنَّكُمۡ
تَنطِقُونَ ﴿٢٣﴾ هَلۡ أَتَىٰكَ حَدِيثُ ضَيۡفِ إِبۡرَٰهِيمَ ٱلۡمُكۡرَمِينَ ﴿٢٤﴾
إِذۡ دَخَلُواْ عَلَيۡهِ فَقَالُواْ سَلَٰمٗاۖ قَالَ سَلَٰمٞ قَوۡمٞ مُّنكَرُونَ ﴿٢٥﴾ فَرَاغَ إِلَىٰٓ
أَهۡلِهِۦ فَجَآءَ بِعِجۡلٖ سَمِينٖ ﴿٢٦﴾ فَقَرَّبَهُۥٓ إِلَيۡهِمۡ قَالَ أَلَا تَأۡكُلُونَ
﴿٢٧﴾ فَأَوۡجَسَ مِنۡهُمۡ خِيفَةٗۖ قَالُواْ لَا تَخَفۡۖ وَبَشَّرُوهُ بِغُلَٰمٍ عَلِيمٖ
﴿٢٨﴾ فَأَقۡبَلَتِ ٱمۡرَأَتُهُۥ فِي صَرَّةٖ فَصَكَّتۡ وَجۡهَهَا وَقَالَتۡ عَجُوزٌ عَقِيمٞ
﴿٢٩﴾ قَالُواْ كَذَٰلِكِ قَالَ رَبُّكِۖ إِنَّهُۥ هُوَ ٱلۡحَكِيمُ ٱلۡعَلِيمُ ﴿٣٠﴾

- ذَاتِ ٱلۡحُبُكِ: الطرق التي تسير فيها الكواكب
- يُؤۡفَكُ عَنۡهُ: يُصرف عنه
- قُتِلَ ٱلۡخَرَّٰصُونَ: لُعن الكذابون
- غَمۡرَةٖ: جهالة غامرة
- سَاهُونَ: غافلون عمّا أُمِروا به
- أَيَّانَ يَوۡمُ ٱلدِّينِ: متى يوم الجزاء
- يُفۡتَنُونَ: يُحرَقون ويُعذَّبون
- يَهۡجَعُونَ: ينامون
- ٱلۡمَحۡرُومِ: الذي حُرِم الصدقة لتعفّفه عن السؤال
- ضَيۡفِ إِبۡرَٰهِيمَ: أضيافه من الملائكة
- فَرَاغَ: ذهب في خفية من ضيفه
- فَأَوۡجَسَ مِنۡهُمۡ: أحسّ في نفسه
- صَرَّةٖ: صيحة وضجّة
- فَصَكَّتۡ وَجۡهَهَا: لطمته بيدها

| | | |
|---|---|---|
| مدّ ٦ حركات لزوماً | مدّ ٢ أو ٤ أو ٦ جوازاً | إخفاء، ومواقع الغُنَّة (حركتان) |
| مدّ واجب ٤ أو ٥ حركات | مدّ حركتان | إدغام، وما لا يُلفَظ |

تفخ... / قلقلة

۞ قَالَ فَمَا خَطْبُكُمْ أَيُّهَا ٱلْمُرْسَلُونَ ﴿٣١﴾ قَالُوٓا۟ إِنَّآ أُرْسِلْنَآ إِلَىٰ قَوْمٍ
مُّجْرِمِينَ ﴿٣٢﴾ لِنُرْسِلَ عَلَيْهِمْ حِجَارَةً مِّن طِينٍ ﴿٣٣﴾ مُّسَوَّمَةً عِندَ رَبِّكَ
لِلْمُسْرِفِينَ ﴿٣٤﴾ فَأَخْرَجْنَا مَن كَانَ فِيهَا مِنَ ٱلْمُؤْمِنِينَ ﴿٣٥﴾ فَمَا وَجَدْنَا
فِيهَا غَيْرَ بَيْتٍ مِّنَ ٱلْمُسْلِمِينَ ﴿٣٦﴾ وَتَرَكْنَا فِيهَآ ءَايَةً لِّلَّذِينَ يَخَافُونَ
ٱلْعَذَابَ ٱلْأَلِيمَ ﴿٣٧﴾ وَفِى مُوسَىٰٓ إِذْ أَرْسَلْنَٰهُ إِلَىٰ فِرْعَوْنَ بِسُلْطَٰنٍ
مُّبِينٍ ﴿٣٨﴾ فَتَوَلَّىٰ بِرُكْنِهِۦ وَقَالَ سَٰحِرٌ أَوْ مَجْنُونٌ ﴿٣٩﴾ فَأَخَذْنَٰهُ وَجُنُودَهُۥ
فَنَبَذْنَٰهُمْ فِى ٱلْيَمِّ وَهُوَ مُلِيمٌ ﴿٤٠﴾ وَفِى عَادٍ إِذْ أَرْسَلْنَا عَلَيْهِمُ ٱلرِّيحَ
ٱلْعَقِيمَ ﴿٤١﴾ مَا تَذَرُ مِن شَىْءٍ أَتَتْ عَلَيْهِ إِلَّا جَعَلَتْهُ كَٱلرَّمِيمِ ﴿٤٢﴾
وَفِى ثَمُودَ إِذْ قِيلَ لَهُمْ تَمَتَّعُوا۟ حَتَّىٰ حِينٍ ﴿٤٣﴾ فَعَتَوْا۟ عَنْ أَمْرِ رَبِّهِمْ
فَأَخَذَتْهُمُ ٱلصَّٰعِقَةُ وَهُمْ يَنظُرُونَ ﴿٤٤﴾ فَمَا ٱسْتَطَٰعُوا۟ مِن قِيَامٍ
وَمَا كَانُوا۟ مُنتَصِرِينَ ﴿٤٥﴾ وَقَوْمَ نُوحٍ مِّن قَبْلُ ۖ إِنَّهُمْ كَانُوا۟ قَوْمًا
فَٰسِقِينَ ﴿٤٦﴾ وَٱلسَّمَآءَ بَنَيْنَٰهَا بِأَيْيْدٍ وَإِنَّا لَمُوسِعُونَ ﴿٤٧﴾ وَٱلْأَرْضَ
فَرَشْنَٰهَا فَنِعْمَ ٱلْمَٰهِدُونَ ﴿٤٨﴾ وَمِن كُلِّ شَىْءٍ خَلَقْنَا زَوْجَيْنِ
لَعَلَّكُمْ تَذَكَّرُونَ ﴿٤٩﴾ فَفِرُّوٓا۟ إِلَى ٱللَّهِ ۖ إِنِّى لَكُم مِّنْهُ نَذِيرٌ مُّبِينٌ ﴿٥٠﴾
وَلَا تَجْعَلُوا۟ مَعَ ٱللَّهِ إِلَٰهًا ءَاخَرَ ۖ إِنِّى لَكُم مِّنْهُ نَذِيرٌ مُّبِينٌ ﴿٥١﴾

فَمَا خَطْبُكُمْ: فما شأنكم الخطير
مُّسَوَّمَةً: مُعلَّمة
فَتَوَلَّىٰ بِرُكْنِهِۦ: أعرض بجنوده عن الإيمان
هُوَ مُلِيمٌ: آتٍ بما يُلام عليه
ٱلرِّيحَ ٱلْعَقِيمَ: المهلكة لهم، القاطعة لنسلهم
كَٱلرَّمِيمِ: كالهشيم المفتّت
فَعَتَوْا۟: فاستكبروا
ٱلصَّٰعِقَةُ: الصيحة الشديدة، أو نارٌ من السماء
بَنَيْنَٰهَا بِأَيْيْدٍ: بقوّة
إِنَّا لَمُوسِعُونَ: لقادرون
فَنِعْمَ ٱلْمَٰهِدُونَ: المسوّون المصلحون لها
زَوْجَيْنِ: صنفين ونوعين مختلفين
فَفِرُّوٓا۟ إِلَى ٱللَّهِ: فاهربوا من عقابه إلى ثوابه

| | | |
|---|---|---|
| مدّ ٦ حركات لزوماً — مدّ ٢ أو ٤ أو ٦ جوازاً | إخفاء، ومواقع الغنّة (حركتان) | تفخيم |
| مدّ واجب ٤ أو ٥ حركات — مدّ حركتان | إدغام، وما لا يُلفظ | قلقلة |

كَذَٰلِكَ مَآ أَتَى ٱلَّذِينَ مِن قَبۡلِهِم مِّن رَّسُولٍ إِلَّا قَالُواْ سَاحِرٌ أَوۡ مَجۡنُونٌ
﴿٥٢﴾ أَتَوَاصَوۡاْ بِهِۦۚ بَلۡ هُمۡ قَوۡمٞ طَاغُونَ ﴿٥٣﴾ فَتَوَلَّ عَنۡهُمۡ فَمَآ أَنتَ
بِمَلُومٖ ﴿٥٤﴾ وَذَكِّرۡ فَإِنَّ ٱلذِّكۡرَىٰ تَنفَعُ ٱلۡمُؤۡمِنِينَ ﴿٥٥﴾ وَمَا
خَلَقۡتُ ٱلۡجِنَّ وَٱلۡإِنسَ إِلَّا لِيَعۡبُدُونِ ﴿٥٦﴾ مَآ أُرِيدُ مِنۡهُم مِّن رِّزۡقٖ
وَمَآ أُرِيدُ أَن يُطۡعِمُونِ ﴿٥٧﴾ إِنَّ ٱللَّهَ هُوَ ٱلرَّزَّاقُ ذُو ٱلۡقُوَّةِ ٱلۡمَتِينُ
﴿٥٨﴾ فَإِنَّ لِلَّذِينَ ظَلَمُواْ ذَنُوبٗا مِّثۡلَ ذَنُوبِ أَصۡحَٰبِهِمۡ فَلَا يَسۡتَعۡجِلُونِ
﴿٥٩﴾ فَوَيۡلٞ لِّلَّذِينَ كَفَرُواْ مِن يَوۡمِهِمُ ٱلَّذِي يُوعَدُونَ ﴿٦٠﴾

## سُورَةُ الطُّورِ

ترتيبها ٥٢ — آياتها ٤٩

بِسۡمِ ٱللَّهِ ٱلرَّحۡمَٰنِ ٱلرَّحِيمِ

وَٱلطُّورِ ﴿١﴾ وَكِتَٰبٖ مَّسۡطُورٖ ﴿٢﴾ فِي رَقّٖ مَّنشُورٖ ﴿٣﴾ وَٱلۡبَيۡتِ
ٱلۡمَعۡمُورِ ﴿٤﴾ وَٱلسَّقۡفِ ٱلۡمَرۡفُوعِ ﴿٥﴾ وَٱلۡبَحۡرِ ٱلۡمَسۡجُورِ ﴿٦﴾ إِنَّ
عَذَابَ رَبِّكَ لَوَٰقِعٞ ﴿٧﴾ مَّا لَهُۥ مِن دَافِعٖ ﴿٨﴾ يَوۡمَ تَمُورُ ٱلسَّمَآءُ
مَوۡرٗا ﴿٩﴾ وَتَسِيرُ ٱلۡجِبَالُ سَيۡرٗا ﴿١٠﴾ فَوَيۡلٞ يَوۡمَئِذٖ لِّلۡمُكَذِّبِينَ
﴿١١﴾ ٱلَّذِينَ هُمۡ فِي خَوۡضٖ يَلۡعَبُونَ ﴿١٢﴾ يَوۡمَ يُدَعُّونَ إِلَىٰ نَارِ
جَهَنَّمَ دَعًّا ﴿١٣﴾ هَٰذِهِ ٱلنَّارُ ٱلَّتِي كُنتُم بِهَا تُكَذِّبُونَ ﴿١٤﴾

- ذَنُوبًا: نصيباً من العذاب
- فَوَيۡلٌ: هلاكٌ أو حسرةٌ
- ٱلطُّورِ: الجبل الذي كلّم الله عليه موسى
- كِتَٰبٖ مَّسۡطُورٖ: مكتوب على وجه الانتظام
- رَقّٖ: ما يُكتب فيه
- مَّنشُورٖ: مبسوط غير مختوم عليه
- ٱلۡبَحۡرِ ٱلۡمَسۡجُورِ: الموقد ناراً يوم القيامة
- تَمُورُ ٱلسَّمَآءُ: تضطرب وتدور كالرحى
- فَوَيۡلٞ: هلاكٌ أو حسرةٌ
- خَوۡضٖ: اندفاع في الأباطيل
- يُدَعُّونَ: يُدفعون بعنف وشدّة

أَفَسِحۡرٌ هَٰذَآ أَمۡ أَنتُمۡ لَا تُبۡصِرُونَ ﴿١٥﴾ ٱصۡلَوۡهَا فَٱصۡبِرُوٓاْ
أَوۡ لَا تَصۡبِرُواْ سَوَآءٌ عَلَيۡكُمۡۖ إِنَّمَا تُجۡزَوۡنَ مَا كُنتُمۡ تَعۡمَلُونَ ﴿١٦﴾
إِنَّ ٱلۡمُتَّقِينَ فِي جَنَّٰتٖ وَنَعِيمٖ ﴿١٧﴾ فَٰكِهِينَ بِمَآ ءَاتَىٰهُمۡ رَبُّهُمۡ
وَوَقَىٰهُمۡ رَبُّهُمۡ عَذَابَ ٱلۡجَحِيمِ ﴿١٨﴾ كُلُواْ وَٱشۡرَبُواْ هَنِيٓـَٔۢا بِمَا
كُنتُمۡ تَعۡمَلُونَ ﴿١٩﴾ مُتَّكِـِٔينَ عَلَىٰ سُرُرٖ مَّصۡفُوفَةٖۖ وَزَوَّجۡنَٰهُم
بِحُورٍ عِينٖ ﴿٢٠﴾ وَٱلَّذِينَ ءَامَنُواْ وَٱتَّبَعَتۡهُمۡ ذُرِّيَّتُهُم بِإِيمَٰنٍ أَلۡحَقۡنَا
بِهِمۡ ذُرِّيَّتَهُمۡ وَمَآ أَلَتۡنَٰهُم مِّنۡ عَمَلِهِم مِّن شَيۡءٖۚ كُلُّ ٱمۡرِيِٕۭ بِمَا كَسَبَ
رَهِينٞ ﴿٢١﴾ وَأَمۡدَدۡنَٰهُم بِفَٰكِهَةٖ وَلَحۡمٖ مِّمَّا يَشۡتَهُونَ ﴿٢٢﴾ يَتَنَٰزَعُونَ
فِيهَا كَأۡسٗا لَّا لَغۡوٞ فِيهَا وَلَا تَأۡثِيمٞ ﴿٢٣﴾ ۞ وَيَطُوفُ عَلَيۡهِمۡ غِلۡمَانٞ
لَّهُمۡ كَأَنَّهُمۡ لُؤۡلُؤٞ مَّكۡنُونٞ ﴿٢٤﴾ وَأَقۡبَلَ بَعۡضُهُمۡ عَلَىٰ بَعۡضٖ يَتَسَآءَلُونَ
﴿٢٥﴾ قَالُوٓاْ إِنَّا كُنَّا قَبۡلُ فِيٓ أَهۡلِنَا مُشۡفِقِينَ ﴿٢٦﴾ فَمَنَّ ٱللَّهُ
عَلَيۡنَا وَوَقَىٰنَا عَذَابَ ٱلسَّمُومِ ﴿٢٧﴾ إِنَّا كُنَّا مِن قَبۡلُ
نَدۡعُوهُۖ إِنَّهُۥ هُوَ ٱلۡبَرُّ ٱلرَّحِيمُ ﴿٢٨﴾ فَذَكِّرۡ فَمَآ أَنتَ بِنِعۡمَتِ
رَبِّكَ بِكَاهِنٖ وَلَا مَجۡنُونٍ ﴿٢٩﴾ أَمۡ يَقُولُونَ شَاعِرٞ نَّتَرَبَّصُ بِهِۦ رَيۡبَ
ٱلۡمَنُونِ ﴿٣٠﴾ قُلۡ تَرَبَّصُواْ فَإِنِّي مَعَكُم مِّنَ ٱلۡمُتَرَبِّصِينَ ﴿٣١﴾

ٱصۡلَوۡهَا: ادخلوها . أو قاسوا حرَّها
فَٰكِهِينَ: متلذذين ناعمين
سُرُرٖ مَّصۡفُوفَةٖ: موصول بعضها ببعض
زَوَّجۡنَٰهُم: قرنّاهم
بِحُورٍ عِينٖ: بنساء بيض ، حسان العيون
مَآ أَلَتۡنَٰهُم: ما نقصناهم
رَهِينٞ: مرهون
كَأۡسٗا: خمرًا أو إناءً فيه خمر
لَّا لَغۡوٞ فِيهَا: لا كلامَ ساقط فيها
لَا تَأۡثِيمٞ: لا نسبةَ إلى الإثم أو لا ما يوجبه

ربع الحزب ٥٣

الطور

لُؤۡلُؤٞ مَّكۡنُونٞ: مصون في أصدافه
مُشۡفِقِينَ: خائفين العاقبة
عَذَابَ ٱلسَّمُومِ: الريح الحارّة ( نار جهنم )
هُوَ ٱلۡبَرُّ: المحسن العطوف
رَيۡبَ ٱلۡمَنُونِ: صروف الدهر المهلكة

| | | |
|---|---|---|
| مدّ ٦ حركات لزوماً ● مدّ ٢ أو ٤ أو ٦ جوازاً ● | إخفاء ، ومواقع الغنّة (حركتان) ● | تفخيم ● |
| مدّ واجب ٤ أو ٥ حركات ● مدّ حركتان ● | إدغام ، وما لا يُلفظ ● | قلقلة ● |

أَمۡ تَأۡمُرُهُمۡ أَحۡلَٰمُهُم بِهَٰذَآۚ أَمۡ هُمۡ قَوۡمٞ طَاغُونَ ﴿٣٢﴾ أَمۡ يَقُولُونَ تَقَوَّلَهُۥۚ
بَل لَّا يُؤۡمِنُونَ ﴿٣٣﴾ فَلۡيَأۡتُواْ بِحَدِيثٖ مِّثۡلِهِۦٓ إِن كَانُواْ صَٰدِقِينَ
﴿٣٤﴾ أَمۡ خُلِقُواْ مِنۡ غَيۡرِ شَيۡءٍ أَمۡ هُمُ ٱلۡخَٰلِقُونَ ﴿٣٥﴾ أَمۡ خَلَقُواْ
ٱلسَّمَٰوَٰتِ وَٱلۡأَرۡضَۚ بَل لَّا يُوقِنُونَ ﴿٣٦﴾ أَمۡ عِندَهُمۡ خَزَآئِنُ
رَبِّكَ أَمۡ هُمُ ٱلۡمُصَۜيۡطِرُونَ ﴿٣٧﴾ أَمۡ لَهُمۡ سُلَّمٞ يَسۡتَمِعُونَ فِيهِۖ فَلۡيَأۡتِ
مُسۡتَمِعُهُم بِسُلۡطَٰنٖ مُّبِينٍ ﴿٣٨﴾ أَمۡ لَهُ ٱلۡبَنَٰتُ وَلَكُمُ ٱلۡبَنُونَ ﴿٣٩﴾
أَمۡ تَسۡـَٔلُهُمۡ أَجۡرٗا فَهُم مِّن مَّغۡرَمٖ مُّثۡقَلُونَ ﴿٤٠﴾ أَمۡ عِندَهُمُ ٱلۡغَيۡبُ فَهُمۡ
يَكۡتُبُونَ ﴿٤١﴾ أَمۡ يُرِيدُونَ كَيۡدٗاۖ فَٱلَّذِينَ كَفَرُواْ هُمُ ٱلۡمَكِيدُونَ ﴿٤٢﴾
أَمۡ لَهُمۡ إِلَٰهٌ غَيۡرُ ٱللَّهِۚ سُبۡحَٰنَ ٱللَّهِ عَمَّا يُشۡرِكُونَ ﴿٤٣﴾ وَإِن يَرَوۡاْ كِسۡفٗا
مِّنَ ٱلسَّمَآءِ سَاقِطٗا يَقُولُواْ سَحَابٞ مَّرۡكُومٞ ﴿٤٤﴾ فَذَرۡهُمۡ حَتَّىٰ يُلَٰقُواْ
يَوۡمَهُمُ ٱلَّذِي فِيهِ يُصۡعَقُونَ ﴿٤٥﴾ يَوۡمَ لَا يُغۡنِي عَنۡهُمۡ كَيۡدُهُمۡ شَيۡـٔٗا
وَلَا هُمۡ يُنصَرُونَ ﴿٤٦﴾ وَإِنَّ لِلَّذِينَ ظَلَمُواْ عَذَابٗا دُونَ ذَٰلِكَ وَلَٰكِنَّ
أَكۡثَرَهُمۡ لَا يَعۡلَمُونَ ﴿٤٧﴾ وَٱصۡبِرۡ لِحُكۡمِ رَبِّكَ فَإِنَّكَ بِأَعۡيُنِنَاۖ وَسَبِّحۡ
بِحَمۡدِ رَبِّكَ حِينَ تَقُومُ ﴿٤٨﴾ وَمِنَ ٱلَّيۡلِ فَسَبِّحۡهُ وَإِدۡبَٰرَ ٱلنُّجُومِ ﴿٤٩﴾

## سُورَةُ النَّجۡمِ

ترتيبها ٥٣ — آياتها ٦٢

- قَوۡمٞ طَاغُونَ: مُتجاوِزون الحدّ في العِناد
- تَقَوَّلَهُۥ: اختلقه من تلقاء نفسه
- ٱلۡمُصَۜيۡطِرُونَ: الأربابُ الغالبون
- مِّن مَّغۡرَمٖ مُّثۡقَلُونَ: من غُرْمٍ مُتعَبون مغتمّون
- ٱلۡمَكِيدُونَ: المجزيّون بكيدهم
- كِسۡفٗا: قطعة عظيمة
- سَحَابٞ مَّرۡكُومٞ: مجموعٌ بعضُه على بعض
- يُصۡعَقُونَ: يُهلكون
- لَا يُغۡنِي عَنۡهُمۡ: لا يَدفع عنهم
- بِأَعۡيُنِنَا: في حفظنا وحراستنا
- سَبِّحۡ بِحَمۡدِ رَبِّكَ: سبّحْهُ واحمَدْه
- إِدۡبَٰرَ ٱلنُّجُومِ: وقت غَيبتها بضوء الصباح

بِسۡمِ ٱللَّهِ ٱلرَّحۡمَٰنِ ٱلرَّحِيمِ

وَٱلنَّجۡمِ إِذَا هَوَىٰ ﴿١﴾ مَا ضَلَّ صَاحِبُكُمۡ وَمَا غَوَىٰ ﴿٢﴾ وَمَا يَنطِقُ
عَنِ ٱلۡهَوَىٰٓ ﴿٣﴾ إِنۡ هُوَ إِلَّا وَحۡيٞ يُوحَىٰ ﴿٤﴾ عَلَّمَهُۥ شَدِيدُ ٱلۡقُوَىٰ ﴿٥﴾
ذُو مِرَّةٖ فَٱسۡتَوَىٰ ﴿٦﴾ وَهُوَ بِٱلۡأُفُقِ ٱلۡأَعۡلَىٰ ﴿٧﴾ ثُمَّ دَنَا فَتَدَلَّىٰ ﴿٨﴾
فَكَانَ قَابَ قَوۡسَيۡنِ أَوۡ أَدۡنَىٰ ﴿٩﴾ فَأَوۡحَىٰٓ إِلَىٰ عَبۡدِهِۦ مَآ أَوۡحَىٰ ﴿١٠﴾
مَا كَذَبَ ٱلۡفُؤَادُ مَا رَأَىٰٓ ﴿١١﴾ أَفَتُمَٰرُونَهُۥ عَلَىٰ مَا يَرَىٰ ﴿١٢﴾ وَلَقَدۡ رَءَاهُ
نَزۡلَةً أُخۡرَىٰ ﴿١٣﴾ عِندَ سِدۡرَةِ ٱلۡمُنتَهَىٰ ﴿١٤﴾ عِندَهَا جَنَّةُ ٱلۡمَأۡوَىٰٓ ﴿١٥﴾
إِذۡ يَغۡشَى ٱلسِّدۡرَةَ مَا يَغۡشَىٰ ﴿١٦﴾ مَا زَاغَ ٱلۡبَصَرُ وَمَا طَغَىٰ ﴿١٧﴾ لَقَدۡ رَأَىٰ
مِنۡ ءَايَٰتِ رَبِّهِ ٱلۡكُبۡرَىٰٓ ﴿١٨﴾ أَفَرَءَيۡتُمُ ٱللَّٰتَ وَٱلۡعُزَّىٰ ﴿١٩﴾ وَمَنَوٰةَ
ٱلثَّالِثَةَ ٱلۡأُخۡرَىٰٓ ﴿٢٠﴾ أَلَكُمُ ٱلذَّكَرُ وَلَهُ ٱلۡأُنثَىٰ ﴿٢١﴾ تِلۡكَ إِذٗا قِسۡمَةٞ
ضِيزَىٰٓ ﴿٢٢﴾ إِنۡ هِيَ إِلَّآ أَسۡمَآءٞ سَمَّيۡتُمُوهَآ أَنتُمۡ وَءَابَآؤُكُم مَّآ أَنزَلَ
ٱللَّهُ بِهَا مِن سُلۡطَٰنٍۚ إِن يَتَّبِعُونَ إِلَّا ٱلظَّنَّ وَمَا تَهۡوَى ٱلۡأَنفُسُۖ
وَلَقَدۡ جَآءَهُم مِّن رَّبِّهِمُ ٱلۡهُدَىٰٓ ﴿٢٣﴾ أَمۡ لِلۡإِنسَٰنِ مَا تَمَنَّىٰ ﴿٢٤﴾ فَلِلَّهِ
ٱلۡأٓخِرَةُ وَٱلۡأُولَىٰ ﴿٢٥﴾ ۞ وَكَم مِّن مَّلَكٖ فِي ٱلسَّمَٰوَٰتِ لَا تُغۡنِي
شَفَٰعَتُهُمۡ شَيۡـًٔا إِلَّا مِنۢ بَعۡدِ أَن يَأۡذَنَ ٱللَّهُ لِمَن يَشَآءُ وَيَرۡضَىٰٓ ﴿٢٦﴾

- هَوَىٰ: غَرَبَ وسَقَطَ
- مَا ضَلَّ صَاحِبُكُمۡ: ما عَدَلَ عن الحقّ
- مَا غَوَىٰ: ما اعتقدَ اعتقاداً باطلاً قطّ
- ذُو مِرَّةٖ: خَلْق حسنٍ أو آثارٍ بديعة
- فَٱسۡتَوَىٰ: فاستقامَ على صُورَتِه الخِلْقيّة
- دَنَا: قَرُبَ
- قَابَ قَوۡسَيۡنِ: قَدْرَ قَوْسَيْن
- أَفَتُمَٰرُونَهُۥ: أفتُجادِلُونَهُ
- نَزۡلَةً أُخۡرَىٰ: مَرّة أُخرى في صورته الخلقيّة
- سِدۡرَةِ ٱلۡمُنتَهَىٰ: التي إليها تنتهي علومُ الخلائق
- جَنَّةُ ٱلۡمَأۡوَىٰٓ: مُقامِ أرواحِ الشُّهداء
- يَغۡشَى ٱلسِّدۡرَةَ: يُغطّيها ويَسْتُرها
- مَا زَاغَ ٱلۡبَصَرُ: ما مَالَ عمّا أُمِرَ برُؤيَتِه

النجم

- مَا طَغَىٰ: ما تجاوَزَهُ
- أَفَرَءَيۡتُمُ: أخبِرُوني
- ٱللَّٰتَ وَٱلۡعُزَّىٰ وَمَنَوٰةَ: أصنام كانُوا يَعْبُدونَها
- قِسۡمَةٞ ضِيزَىٰٓ: جائرة أو عَوْجاء

نصف الحزب ٥٣

- لَا تُغۡنِي: لا تدفعُ أو لا تنفعُ

| | | |
|---|---|---|
| مدّ ٦ حركات لزوماً ● مدّ ٢ أو ٤ أو ٦ جوازاً ● | إخفاء، ومواقع الغُنّة (حركتان) ● | تفخيم ● |
| مدّ واجب ٤ أو ٥ حركات ● مدّ حركتان ● | إدغام، وما لا يُلفظ ● | قلقلة ● |

إِنَّ ٱلَّذِينَ لَا يُؤۡمِنُونَ بِٱلۡأٓخِرَةِ لَيُسَمُّونَ ٱلۡمَلَٰٓئِكَةَ تَسۡمِيَةَ ٱلۡأُنثَىٰ ﴿٢٧﴾
وَمَا لَهُم بِهِۦ مِنۡ عِلۡمٍۖ إِن يَتَّبِعُونَ إِلَّا ٱلظَّنَّۖ وَإِنَّ ٱلظَّنَّ لَا يُغۡنِي مِنَ
ٱلۡحَقِّ شَيۡـٔٗا ﴿٢٨﴾ فَأَعۡرِضۡ عَن مَّن تَوَلَّىٰ عَن ذِكۡرِنَا وَلَمۡ يُرِدۡ إِلَّا ٱلۡحَيَوٰةَ
ٱلدُّنۡيَا ﴿٢٩﴾ ذَٰلِكَ مَبۡلَغُهُم مِّنَ ٱلۡعِلۡمِۚ إِنَّ رَبَّكَ هُوَ أَعۡلَمُ بِمَن ضَلَّ عَن
سَبِيلِهِۦ وَهُوَ أَعۡلَمُ بِمَنِ ٱهۡتَدَىٰ ﴿٣٠﴾ وَلِلَّهِ مَا فِي ٱلسَّمَٰوَٰتِ وَمَا
فِي ٱلۡأَرۡضِ لِيَجۡزِيَ ٱلَّذِينَ أَسَٰٓـُٔواْ بِمَا عَمِلُواْ وَيَجۡزِيَ ٱلَّذِينَ أَحۡسَنُواْ
بِٱلۡحُسۡنَى ﴿٣١﴾ ٱلَّذِينَ يَجۡتَنِبُونَ كَبَٰٓئِرَ ٱلۡإِثۡمِ وَٱلۡفَوَٰحِشَ إِلَّا ٱللَّمَمَۚ
إِنَّ رَبَّكَ وَٰسِعُ ٱلۡمَغۡفِرَةِۚ هُوَ أَعۡلَمُ بِكُمۡ إِذۡ أَنشَأَكُم مِّنَ ٱلۡأَرۡضِ
وَإِذۡ أَنتُمۡ أَجِنَّةٞ فِي بُطُونِ أُمَّهَٰتِكُمۡۖ فَلَا تُزَكُّوٓاْ أَنفُسَكُمۡۖ هُوَ أَعۡلَمُ
بِمَنِ ٱتَّقَىٰٓ ﴿٣٢﴾ أَفَرَءَيۡتَ ٱلَّذِي تَوَلَّىٰ ﴿٣٣﴾ وَأَعۡطَىٰ قَلِيلٗا وَأَكۡدَىٰٓ
﴿٣٤﴾ أَعِندَهُۥ عِلۡمُ ٱلۡغَيۡبِ فَهُوَ يَرَىٰٓ ﴿٣٥﴾ أَمۡ لَمۡ يُنَبَّأۡ بِمَا فِي صُحُفِ
مُوسَىٰ ﴿٣٦﴾ وَإِبۡرَٰهِيمَ ٱلَّذِي وَفَّىٰٓ ﴿٣٧﴾ أَلَّا تَزِرُ وَازِرَةٞ وِزۡرَ أُخۡرَىٰ
﴿٣٨﴾ وَأَن لَّيۡسَ لِلۡإِنسَٰنِ إِلَّا مَا سَعَىٰ ﴿٣٩﴾ وَأَنَّ سَعۡيَهُۥ سَوۡفَ
يُرَىٰ ﴿٤٠﴾ ثُمَّ يُجۡزَىٰهُ ٱلۡجَزَآءَ ٱلۡأَوۡفَىٰ ﴿٤١﴾ وَأَنَّ إِلَىٰ رَبِّكَ ٱلۡمُنتَهَىٰ
﴿٤٢﴾ وَأَنَّهُۥ هُوَ أَضۡحَكَ وَأَبۡكَىٰ ﴿٤٣﴾ وَأَنَّهُۥ هُوَ أَمَاتَ وَأَحۡيَا ﴿٤٤﴾

- ٱلۡفَوَٰحِشَ: مَا عَظُمَ قُبْحُهُ من الكبائر
- ٱللَّمَمَ: صَغَائِرَ الذُّنُوبِ
- فَلَا تُزَكُّوٓاْ أَنفُسَكُمۡ: فَلَا تَمْدَحُوهَا بِحُسْنِ الأَعْمَالِ
- أَكۡدَىٰٓ: قَطَعَ عَطِيَّتَهُ بُخْلاً
- لَا تَزِرُ وَازِرَةٞ: لا تَحْمِلُ نَفْسٌ آثِمَةٌ
- ٱلۡمُنتَهَىٰ: المَصِيرُ في الآخِرَةِ

مدّ ٦ حركات لزوماً — مدّ ٢ أو ٤ أو ٦ جوازاً — إخفاء، ومواقع الغُنَّة (حركتان) — تفخ[يم]
مدّ واجب ٤ أو ٥ حركات — مدّ حركتان — إدغام، وما لا يُلفَظ — قلق[لة]

وَأَنَّهُۥ خَلَقَ ٱلزَّوْجَيْنِ ٱلذَّكَرَ وَٱلْأُنثَىٰ ﴿٤٥﴾ مِن نُّطْفَةٍ إِذَا تُمْنَىٰ ﴿٤٦﴾ وَأَنَّ
عَلَيْهِ ٱلنَّشْأَةَ ٱلْأُخْرَىٰ ﴿٤٧﴾ وَأَنَّهُۥ هُوَ أَغْنَىٰ وَأَقْنَىٰ ﴿٤٨﴾ وَأَنَّهُۥ هُوَ رَبُّ
ٱلشِّعْرَىٰ ﴿٤٩﴾ وَأَنَّهُۥٓ أَهْلَكَ عَادًا ٱلْأُولَىٰ ﴿٥٠﴾ وَثَمُودَا۟ فَمَآ أَبْقَىٰ ﴿٥١﴾
وَقَوْمَ نُوحٍ مِّن قَبْلُ ۖ إِنَّهُمْ كَانُوا۟ هُمْ أَظْلَمَ وَأَطْغَىٰ ﴿٥٢﴾ وَٱلْمُؤْتَفِكَةَ
أَهْوَىٰ ﴿٥٣﴾ فَغَشَّىٰهَا مَا غَشَّىٰ ﴿٥٤﴾ فَبِأَىِّ ءَالَآءِ رَبِّكَ تَتَمَارَىٰ ﴿٥٥﴾
هَٰذَا نَذِيرٌ مِّنَ ٱلنُّذُرِ ٱلْأُولَىٰٓ ﴿٥٦﴾ أَزِفَتِ ٱلْءَازِفَةُ ﴿٥٧﴾ لَيْسَ لَهَا مِن
دُونِ ٱللَّهِ كَاشِفَةٌ ﴿٥٨﴾ أَفَمِنْ هَٰذَا ٱلْحَدِيثِ تَعْجَبُونَ ﴿٥٩﴾ وَتَضْحَكُونَ
وَلَا تَبْكُونَ ﴿٦٠﴾ وَأَنتُمْ سَٰمِدُونَ ﴿٦١﴾ فَٱسْجُدُوا۟ لِلَّهِ وَٱعْبُدُوا۟ ۩ ﴿٦٢﴾

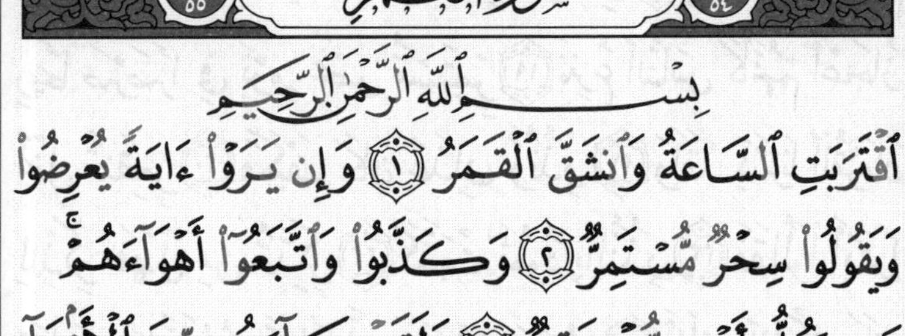

## سُورَةُ القَمَرِ

ترتيبها ٥٤ — آياتها ٥٥

بِسْمِ ٱللَّهِ ٱلرَّحْمَٰنِ ٱلرَّحِيمِ

ٱقْتَرَبَتِ ٱلسَّاعَةُ وَٱنشَقَّ ٱلْقَمَرُ ﴿١﴾ وَإِن يَرَوْا۟ ءَايَةً يُعْرِضُوا۟
وَيَقُولُوا۟ سِحْرٌ مُّسْتَمِرٌّ ﴿٢﴾ وَكَذَّبُوا۟ وَٱتَّبَعُوٓا۟ أَهْوَآءَهُمْ ۚ
وَكُلُّ أَمْرٍ مُّسْتَقِرٌّ ﴿٣﴾ وَلَقَدْ جَآءَهُم مِّنَ ٱلْأَنۢبَآءِ
مَا فِيهِ مُزْدَجَرٌ ﴿٤﴾ حِكْمَةٌۢ بَٰلِغَةٌ ۖ فَمَا تُغْنِ ٱلنُّذُرُ
﴿٥﴾ فَتَوَلَّ عَنْهُمْ ۘ يَوْمَ يَدْعُ ٱلدَّاعِ إِلَىٰ شَىْءٍ نُّكُرٍ ﴿٦﴾

- تُمْنَىٰ: تُدفَق في الرَّحِم
- أَقْنَىٰ: أَرْضَى . أو أَفْقَر
- ٱلشِّعْرَىٰ: كَوْكَبٌ مَعْرُوف كانُوا يَعْبُدُونَه
- عَادًا ٱلْأُولَىٰ: قَوْمَ هُود
- ٱلْمُؤْتَفِكَةَ: قُرَى قَوْمِ لُوط
- أَهْوَىٰ: أَسْقَطَها إلى الأرضِ بعدَ رفْعِهَا
- فَغَشَّىٰهَا: ألبسها وغطّاها
- ءَالَآءِ رَبِّكَ: نِعَمِه
- سجدة
- تَتَمَارَىٰ: تتشكّك
- أَزِفَتِ ٱلْءَازِفَةُ: دَنَت القِيامَةُ
- النجم
- أَنتُمْ سَٰمِدُونَ: لاهُونَ غافِلُونَ
- ٱنشَقَّ ٱلْقَمَرُ: انْفلَقَ مُعجزةً له ﷺ
- سِحْرٌ مُّسْتَمِرٌّ: دائمٌ .أو مُحكَم
- مُّسْتَقِرٌّ: كائنٌ واقِعٌ
- مُزْدَجَرٌ: انتِهارٌ ورَدْعٌ
- ٱلنُّذُرُ: الأُمُورُ المُخَوِّفَةُ
- نُّكُرٍ: مُنْكَرٍ فَظِيع

| | | |
|---|---|---|
| مدّ ٦ حركات لزوماً — مدّ ٢ أو ٤ أو ٦ جوازاً | إخفاء ، ومواقع الغُنَّة (حركتان) | تفخيم |
| مدّ واجب ٤ أو ٥ حركات — مدّ حركتان | إدغام ، وما لا يُلفَظ | قلقلة |

خُشَّعًا أَبْصَٰرُهُمْ يَخْرُجُونَ مِنَ ٱلْأَجْدَاثِ كَأَنَّهُمْ جَرَادٌ مُّنتَشِرٌ ﴿٧﴾
مُّهْطِعِينَ إِلَى ٱلدَّاعِ ۖ يَقُولُ ٱلْكَٰفِرُونَ هَٰذَا يَوْمٌ عَسِرٌ ﴿٨﴾ ۞ كَذَّبَتْ
قَبْلَهُمْ قَوْمُ نُوحٍ فَكَذَّبُوا۟ عَبْدَنَا وَقَالُوا۟ مَجْنُونٌ وَٱزْدُجِرَ ﴿٩﴾ فَدَعَا
رَبَّهُۥٓ أَنِّى مَغْلُوبٌ فَٱنتَصِرْ ﴿١٠﴾ فَفَتَحْنَآ أَبْوَٰبَ ٱلسَّمَآءِ بِمَآءٍ مُّنْهَمِرٍ
﴿١١﴾ وَفَجَّرْنَا ٱلْأَرْضَ عُيُونًا فَٱلْتَقَى ٱلْمَآءُ عَلَىٰٓ أَمْرٍ قَدْ قُدِرَ ﴿١٢﴾
وَحَمَلْنَٰهُ عَلَىٰ ذَاتِ أَلْوَٰحٍ وَدُسُرٍ ﴿١٣﴾ تَجْرِى بِأَعْيُنِنَا جَزَآءً لِّمَن كَانَ
كُفِرَ ﴿١٤﴾ وَلَقَد تَّرَكْنَٰهَآ ءَايَةً فَهَلْ مِن مُّدَّكِرٍ ﴿١٥﴾ فَكَيْفَ كَانَ
عَذَابِى وَنُذُرِ ﴿١٦﴾ وَلَقَدْ يَسَّرْنَا ٱلْقُرْءَانَ لِلذِّكْرِ فَهَلْ مِن مُّدَّكِرٍ
﴿١٧﴾ كَذَّبَتْ عَادٌ فَكَيْفَ كَانَ عَذَابِى وَنُذُرِ ﴿١٨﴾ إِنَّآ أَرْسَلْنَا عَلَيْهِمْ
رِيحًا صَرْصَرًا فِى يَوْمِ نَحْسٍ مُّسْتَمِرٍّ ﴿١٩﴾ تَنزِعُ ٱلنَّاسَ كَأَنَّهُمْ أَعْجَازُ
نَخْلٍ مُّنقَعِرٍ ﴿٢٠﴾ فَكَيْفَ كَانَ عَذَابِى وَنُذُرِ ﴿٢١﴾ وَلَقَدْ يَسَّرْنَا ٱلْقُرْءَانَ
لِلذِّكْرِ فَهَلْ مِن مُّدَّكِرٍ ﴿٢٢﴾ كَذَّبَتْ ثَمُودُ بِٱلنُّذُرِ ﴿٢٣﴾ فَقَالُوٓا۟ أَبَشَرًا
مِّنَّا وَٰحِدًا نَّتَّبِعُهُۥٓ إِنَّآ إِذًا لَّفِى ضَلَٰلٍ وَسُعُرٍ ﴿٢٤﴾ أَءُلْقِىَ ٱلذِّكْرُ عَلَيْهِ
مِنۢ بَيْنِنَا بَلْ هُوَ كَذَّابٌ أَشِرٌ ﴿٢٥﴾ سَيَعْلَمُونَ غَدًا مَّنِ ٱلْكَذَّابُ
ٱلْأَشِرُ ﴿٢٦﴾ إِنَّا مُرْسِلُوا۟ ٱلنَّاقَةِ فِتْنَةً لَّهُمْ فَٱرْتَقِبْهُمْ وَٱصْطَبِرْ ﴿٢٧﴾

- خُشَّعًا أَبْصَٰرُهُمْ: ذليلة خاضعة
- ٱلْأَجْدَاثِ: القبور

ثلاثة أرباع الحزب ٥٣

- مُّهْطِعِينَ: مسرعين مادّي أعناقهم
- يَوْمٌ عَسِرٌ: صعب شديد
- ٱزْدُجِرَ: زُجر عن تبليغ رسالته
- مَغْلُوبٌ: مقهور
- بِمَآءٍ مُّنْهَمِرٍ: منصبّ بشدّة وغزارة
- فَجَّرْنَا ٱلْأَرْضَ: شققناها
- قُدِرَ: قدّرناه أزلاً
- دُسُرٍ: مسامير
- تَجْرِى بِأَعْيُنِنَا: بحفظنا وحراستنا
- تَّرَكْنَٰهَآ ءَايَةً: عبرة وعظة
- مُّدَّكِرٍ: معتبر متّعظ بها
- نُذُرِ: إنذاري
- رِيحًا صَرْصَرًا: شديدة البرد أو الصوت
- يَوْمِ نَحْسٍ: شؤم
- مُّسْتَمِرٍّ: دائم نحسه
- تَنزِعُ ٱلنَّاسَ: تقلعهم من أماكنهم
- أَعْجَازُ نَخْلٍ: أصوله بلا رؤوس
- مُّنقَعِرٍ: منقلع من قعره ومغرسه
- سُعُرٍ: جنون
- كَذَّابٌ أَشِرٌ: بطر متكبر
- فِتْنَةً لَّهُمْ: امتحاناً وابتلاءً لهم
- ٱصْطَبِرْ: اصبر على أذاهم

| | | |
|---|---|---|
| مدّ ٦ حركات لزوماً ● مدّ ٢ أو ٤ أو ٦ جوازاً ● | إخفاء، ومواقع الغنّة (حركتان) ● | تفخيـ ● |
| مدّ واجب ٤ أو ٥ حركات ● مدّ حركتان ● | إدغام، وما لا يُلفظ ● | قلقلـ ● |

وَنَبِّئْهُمْ أَنَّ ٱلْمَآءَ قِسْمَةٌۢ بَيْنَهُمْ ۖ كُلُّ شِرْبٍ مُّحْتَضَرٌ ﴿٢٨﴾ فَنَادَوْا۟ صَاحِبَهُمْ
فَتَعَاطَىٰ فَعَقَرَ ﴿٢٩﴾ فَكَيْفَ كَانَ عَذَابِى وَنُذُرِ ﴿٣٠﴾ إِنَّآ أَرْسَلْنَا عَلَيْهِمْ
صَيْحَةً وَٰحِدَةً فَكَانُوا۟ كَهَشِيمِ ٱلْمُحْتَظِرِ ﴿٣١﴾ وَلَقَدْ يَسَّرْنَا ٱلْقُرْءَانَ
لِلذِّكْرِ فَهَلْ مِن مُّدَّكِرٍ ﴿٣٢﴾ كَذَّبَتْ قَوْمُ لُوطٍۭ بِٱلنُّذُرِ ﴿٣٣﴾ إِنَّآ أَرْسَلْنَا
عَلَيْهِمْ حَاصِبًا إِلَّآ ءَالَ لُوطٍ ۖ نَّجَّيْنَٰهُم بِسَحَرٍ ﴿٣٤﴾ نِّعْمَةً مِّنْ عِندِنَا ۚ
كَذَٰلِكَ نَجْزِى مَن شَكَرَ ﴿٣٥﴾ وَلَقَدْ أَنذَرَهُم بَطْشَتَنَا فَتَمَارَوْا۟
بِٱلنُّذُرِ ﴿٣٦﴾ وَلَقَدْ رَٰوَدُوهُ عَن ضَيْفِهِۦ فَطَمَسْنَآ أَعْيُنَهُمْ فَذُوقُوا۟
عَذَابِى وَنُذُرِ ﴿٣٧﴾ وَلَقَدْ صَبَّحَهُم بُكْرَةً عَذَابٌ مُّسْتَقِرٌّ ﴿٣٨﴾
فَذُوقُوا۟ عَذَابِى وَنُذُرِ ﴿٣٩﴾ وَلَقَدْ يَسَّرْنَا ٱلْقُرْءَانَ لِلذِّكْرِ فَهَلْ مِن مُّدَّكِرٍ
﴿٤٠﴾ وَلَقَدْ جَآءَ ءَالَ فِرْعَوْنَ ٱلنُّذُرُ ﴿٤١﴾ كَذَّبُوا۟ بِـَٔايَٰتِنَا كُلِّهَا فَأَخَذْنَٰهُمْ
أَخْذَ عَزِيزٍ مُّقْتَدِرٍ ﴿٤٢﴾ أَكُفَّارُكُمْ خَيْرٌ مِّنْ أُو۟لَٰٓئِكُمْ أَمْ لَكُم بَرَآءَةٌ
فِى ٱلزُّبُرِ ﴿٤٣﴾ أَمْ يَقُولُونَ نَحْنُ جَمِيعٌ مُّنتَصِرٌ ﴿٤٤﴾ سَيُهْزَمُ ٱلْجَمْعُ
وَيُوَلُّونَ ٱلدُّبُرَ ﴿٤٥﴾ بَلِ ٱلسَّاعَةُ مَوْعِدُهُمْ وَٱلسَّاعَةُ أَدْهَىٰ وَأَمَرُّ
﴿٤٦﴾ إِنَّ ٱلْمُجْرِمِينَ فِى ضَلَٰلٍ وَسُعُرٍ ﴿٤٧﴾ يَوْمَ يُسْحَبُونَ فِى ٱلنَّارِ
عَلَىٰ وُجُوهِهِمْ ذُوقُوا۟ مَسَّ سَقَرَ ﴿٤٨﴾ إِنَّا كُلَّ شَىْءٍ خَلَقْنَٰهُ بِقَدَرٍ ﴿٤٩﴾

القمر

- قِسْمَةٌۢ بَيْنَهُمْ: مقسومٌ بينَهُم وبينَ الناقة
- كُلُّ شِرْبٍ: كلُّ نصيبٍ منَ الماءِ
- مُّحْتَضَرٌ: يحضُرُهُ صاحبُهُ في نَوْبَتِهِ
- فَتَعَاطَىٰ: فتناوَلَ السَّيفَ
- كَهَشِيمِ: كاليابسِ المُتفتِّتِ من شجرِ الحظيرةِ
- ٱلْمُحْتَظِرِ: صانعِ الحظيرةِ (الزريبة) لمواشيه من هذا الشجر
- حَاصِبًا: ريحاً ترميهمْ بالحصباء
- نَّجَّيْنَٰهُم بِسَحَرٍ: عندَ انصداعِ الفجرِ
- أَنذَرَهُم بَطْشَتَنَا: أخذَتَنا الشَّديدةَ بالعَذابِ
- فَتَمَارَوْا۟ بِٱلنُّذُرِ: فكذَّبوا بها متشاكِّين
- رَٰوَدُوهُ عَن ضَيْفِهِۦ: طلَبوا منْهُ تمكينَهُمْ منهُمْ
- فَطَمَسْنَآ أَعْيُنَهُمْ: أعْمَيْناهم
- بُكْرَةً: أوَّلَ النَّهارِ
- فِى ٱلزُّبُرِ: في الكُتُبِ السَّماويَّةِ
- نَحْنُ جَمِيعٌ: جماعةٌ، مجتمعٌ أمْرُنا
- مُّنتَصِرٌ: مُمتَنِعٌ، لا نُغلَبُ
- ٱلسَّاعَةُ أَدْهَىٰ: أعظَمُ داهيةً
- أَمَرُّ: أشدُّ مَرارةً
- سُعُرٍ: جُنونٍ
- خَلَقْنَٰهُ بِقَدَرٍ: بتقديرٍ سابقٍ أو مُقدَّراً مُحكَماً

وَمَآ أَمۡرُنَآ إِلَّا وَٰحِدَةٞ كَلَمۡحِۭ بِٱلۡبَصَرِ ٥٠ وَلَقَدۡ أَهۡلَكۡنَآ
أَشۡيَاعَكُمۡ فَهَلۡ مِن مُّدَّكِرٖ ٥١ وَكُلُّ شَيۡءٖ فَعَلُوهُ
فِي ٱلزُّبُرِ ٥٢ وَكُلُّ صَغِيرٖ وَكَبِيرٖ مُّسۡتَطَرٌ ٥٣ إِنَّ ٱلۡمُتَّقِينَ
فِي جَنَّٰتٖ وَنَهَرٖ ٥٤ فِي مَقۡعَدِ صِدۡقٍ عِندَ مَلِيكٖ مُّقۡتَدِرِۭ ٥٥

## سُورَةُ الرَّحۡمَٰنِ

ترتيبها ٥٥ — آياتها ٧٨

بِسۡمِ ٱللَّهِ ٱلرَّحۡمَٰنِ ٱلرَّحِيمِ

ٱلرَّحۡمَٰنُ ١ عَلَّمَ ٱلۡقُرۡءَانَ ٢ خَلَقَ ٱلۡإِنسَٰنَ ٣
عَلَّمَهُ ٱلۡبَيَانَ ٤ ٱلشَّمۡسُ وَٱلۡقَمَرُ بِحُسۡبَانٖ ٥ وَٱلنَّجۡمُ
وَٱلشَّجَرُ يَسۡجُدَانِ ٦ وَٱلسَّمَآءَ رَفَعَهَا وَوَضَعَ ٱلۡمِيزَانَ
٧ أَلَّا تَطۡغَوۡاْ فِي ٱلۡمِيزَانِ ٨ وَأَقِيمُواْ ٱلۡوَزۡنَ بِٱلۡقِسۡطِ
وَلَا تُخۡسِرُواْ ٱلۡمِيزَانَ ٩ وَٱلۡأَرۡضَ وَضَعَهَا لِلۡأَنَامِ ١٠
فِيهَا فَٰكِهَةٞ وَٱلنَّخۡلُ ذَاتُ ٱلۡأَكۡمَامِ ١١ وَٱلۡحَبُّ ذُو ٱلۡعَصۡفِ
وَٱلرَّيۡحَانُ ١٢ فَبِأَيِّ ءَالَآءِ رَبِّكُمَا تُكَذِّبَانِ ١٣ خَلَقَ
ٱلۡإِنسَٰنَ مِن صَلۡصَٰلٖ كَٱلۡفَخَّارِ ١٤ وَخَلَقَ ٱلۡجَآنَّ
مِن مَّارِجٖ مِّن نَّارٖ ١٥ فَبِأَيِّ ءَالَآءِ رَبِّكُمَا تُكَذِّبَانِ ١٦

---

- إِلَّا وَٰحِدَةٞ: كلمة واحدة، هي «كن»
- أَشۡيَاعَكُمۡ: أمثالكم في الكفر
- مُّسۡتَطَرٌ: مسطور مكتوب
- وَنَهَرٖ: أنهار
- مَقۡعَدِ صِدۡقٍ: مكان مرضيّ
- بِحُسۡبَانٖ: يجريان بحساب مقدّر معلوم
- ٱلنَّجۡمُ: النبات لا ساق له
- يَسۡجُدَانِ: ينقادان لله فيما خلقا له

الحزب ٥٤

- لَا تَطۡغَوۡاْ: لا تتجاوزوا الحق
- بِٱلۡقِسۡطِ: بالعدل
- لَا تُخۡسِرُواْ ٱلۡمِيزَانَ: لا تنقصوا الموزون
- ذَاتُ ٱلۡأَكۡمَامِ: أوعية الطلع
- ذُو ٱلۡعَصۡفِ: القشر أو التبن
- ٱلرَّيۡحَانُ: النبات الطيّب الرائحة
- ءَالَآءِ رَبِّكُمَا: نعمه
- تُكَذِّبَانِ: تكفران أيها الثقلان
- صَلۡصَٰلٖ: طين يابس غير مطبوخ
- مَّارِجٖ: لهب صافٍ لا دخان فيه

| | | |
|---|---|---|
| مدّ ٦ حركات لزوماً — مدّ ٢ أو ٤ أو ٦ جوازاً | إخفاء، ومواقع الغنّة (حركتان) | تفخيم |
| مدّ واجب ٤ أو ٥ حركات — مدّ حركتان | إدغام، وما لا يُلفظ | قلقلة |

رَبُّ ٱلْمَشْرِقَيْنِ وَرَبُّ ٱلْمَغْرِبَيْنِ ﴿١٧﴾ فَبِأَيِّ ءَالَآءِ رَبِّكُمَا تُكَذِّبَانِ ﴿١٨﴾
مَرَجَ ٱلْبَحْرَيْنِ يَلْتَقِيَانِ ﴿١٩﴾ بَيْنَهُمَا بَرْزَخٌ لَّا يَبْغِيَانِ ﴿٢٠﴾ فَبِأَيِّ ءَالَآءِ
رَبِّكُمَا تُكَذِّبَانِ ﴿٢١﴾ يَخْرُجُ مِنْهُمَا ٱللُّؤْلُؤُ وَٱلْمَرْجَانُ ﴿٢٢﴾ فَبِأَيِّ
ءَالَآءِ رَبِّكُمَا تُكَذِّبَانِ ﴿٢٣﴾ وَلَهُ ٱلْجَوَارِ ٱلْمُنشَـَٔاتُ فِى ٱلْبَحْرِ كَٱلْأَعْلَـٰمِ
﴿٢٤﴾ فَبِأَيِّ ءَالَآءِ رَبِّكُمَا تُكَذِّبَانِ ﴿٢٥﴾ كُلُّ مَنْ عَلَيْهَا فَانٍ ﴿٢٦﴾ وَيَبْقَىٰ
وَجْهُ رَبِّكَ ذُو ٱلْجَلَـٰلِ وَٱلْإِكْرَامِ ﴿٢٧﴾ فَبِأَيِّ ءَالَآءِ رَبِّكُمَا تُكَذِّبَانِ
﴿٢٨﴾ يَسْـَٔلُهُۥ مَن فِى ٱلسَّمَـٰوَٰتِ وَٱلْأَرْضِ ۚ كُلَّ يَوْمٍ هُوَ فِى شَأْنٍ ﴿٢٩﴾ فَبِأَيِّ
ءَالَآءِ رَبِّكُمَا تُكَذِّبَانِ ﴿٣٠﴾ سَنَفْرُغُ لَكُمْ أَيُّهَ ٱلثَّقَلَانِ ﴿٣١﴾ فَبِأَيِّ
ءَالَآءِ رَبِّكُمَا تُكَذِّبَانِ ﴿٣٢﴾ يَـٰمَعْشَرَ ٱلْجِنِّ وَٱلْإِنسِ إِنِ ٱسْتَطَعْتُمْ
أَن تَنفُذُوا۟ مِنْ أَقْطَارِ ٱلسَّمَـٰوَٰتِ وَٱلْأَرْضِ فَٱنفُذُوا۟ ۚ لَا تَنفُذُونَ
إِلَّا بِسُلْطَـٰنٍ ﴿٣٣﴾ فَبِأَيِّ ءَالَآءِ رَبِّكُمَا تُكَذِّبَانِ ﴿٣٤﴾ يُرْسَلُ عَلَيْكُمَا
شُوَاظٌ مِّن نَّارٍ وَنُحَاسٌ فَلَا تَنتَصِرَانِ ﴿٣٥﴾ فَبِأَيِّ ءَالَآءِ رَبِّكُمَا
تُكَذِّبَانِ ﴿٣٦﴾ فَإِذَا ٱنشَقَّتِ ٱلسَّمَآءُ فَكَانَتْ وَرْدَةً كَٱلدِّهَانِ
﴿٣٧﴾ فَبِأَيِّ ءَالَآءِ رَبِّكُمَا تُكَذِّبَانِ ﴿٣٨﴾ فَيَوْمَئِذٍ لَّا يُسْـَٔلُ عَن ذَنۢبِهِۦٓ
إِنسٌ وَلَا جَآنٌّ ﴿٣٩﴾ فَبِأَيِّ ءَالَآءِ رَبِّكُمَا تُكَذِّبَانِ ﴿٤٠﴾

- مَرَجَ ٱلْبَحْرَيْنِ: أرسلهما في مجاريهما
- يَلْتَقِيَانِ: يتجاوران
- بَيْنَهُمَا بَرْزَخٌ: حاجزٌ مِنْ قدرته تعالى
- لَّا يَبْغِيَانِ: لا يطغى أحدهما على الآخر
- لَهُ ٱلْجَوَارِ: السُّفُنُ الجارِيَةُ
- ٱلْمُنشَـَٔاتُ: المرفوعاتُ الشُّرُع
- كَٱلْأَعْلَـٰمِ: كالجبالِ الشّاهقةِ أو القُصورِ
- ذُو ٱلْجَلَـٰلِ: الاستغناء المطلق
- ٱلْإِكْرَامِ: الفضل التامّ
- سَنَفْرُغُ لَكُمْ: سنقصدُ لمحاسبتكم
- أَيُّهَ ٱلثَّقَلَانِ: الإنسُ والجنُّ
- تَنفُذُوا۟: تخرُجوا هَرَباً من قضائي
- بِسُلْطَـٰنٍ: بقُوّةٍ وقهرٍ، وهيهات . . !
- شُوَاظٌ: لهبٌ لا دُخانَ فيه
- نُحَاسٌ: صُفرٌ مُذابٌ
- فَكَانَتْ وَرْدَةً: كالوردةِ في الحُمْرةِ
- كَٱلدِّهَانِ: كدُهنِ الزّيتِ في الذّوبانِ

الرحمن

| | | |
|---|---|---|
| مدّ ٦ حركات لزوماً ● مدّ ٢ أو ٤ أو ٦ جوازاً ● | إخفاء، ومواقع الغُنَّة (حركتان) ● | تفخيم ● |
| مدّ واجب ٤ أو ٥ حركات ● مدّ حركتان ● | إدغام، وما لا يُلفَظ ● | قلقلة ● |

يُعْرَفُ ٱلْمُجْرِمُونَ بِسِيمَٰهُمْ فَيُؤْخَذُ بِٱلنَّوَٰصِى وَٱلْأَقْدَامِ ﴿٤١﴾ فَبِأَىِّ
ءَالَآءِ رَبِّكُمَا تُكَذِّبَانِ ﴿٤٢﴾ هَٰذِهِۦ جَهَنَّمُ ٱلَّتِى يُكَذِّبُ بِهَا ٱلْمُجْرِمُونَ
﴿٤٣﴾ يَطُوفُونَ بَيْنَهَا وَبَيْنَ حَمِيمٍ ءَانٍ ﴿٤٤﴾ فَبِأَىِّ ءَالَآءِ رَبِّكُمَا تُكَذِّبَانِ
﴿٤٥﴾ وَلِمَنْ خَافَ مَقَامَ رَبِّهِۦ جَنَّتَانِ ﴿٤٦﴾ فَبِأَىِّ ءَالَآءِ رَبِّكُمَا تُكَذِّبَانِ
﴿٤٧﴾ ذَوَاتَآ أَفْنَانٍ ﴿٤٨﴾ فَبِأَىِّ ءَالَآءِ رَبِّكُمَا تُكَذِّبَانِ ﴿٤٩﴾ فِيهِمَا عَيْنَانِ
تَجْرِيَانِ ﴿٥٠﴾ فَبِأَىِّ ءَالَآءِ رَبِّكُمَا تُكَذِّبَانِ ﴿٥١﴾ فِيهِمَا مِن كُلِّ فَٰكِهَةٍ
زَوْجَانِ ﴿٥٢﴾ فَبِأَىِّ ءَالَآءِ رَبِّكُمَا تُكَذِّبَانِ ﴿٥٣﴾ مُتَّكِـِٔينَ عَلَىٰ فُرُشٍۭ
بَطَآئِنُهَا مِنْ إِسْتَبْرَقٍ ۚ وَجَنَى ٱلْجَنَّتَيْنِ دَانٍ ﴿٥٤﴾ فَبِأَىِّ ءَالَآءِ رَبِّكُمَا
تُكَذِّبَانِ ﴿٥٥﴾ فِيهِنَّ قَٰصِرَٰتُ ٱلطَّرْفِ لَمْ يَطْمِثْهُنَّ إِنسٌ قَبْلَهُمْ
وَلَا جَآنٌّ ﴿٥٦﴾ فَبِأَىِّ ءَالَآءِ رَبِّكُمَا تُكَذِّبَانِ ﴿٥٧﴾ كَأَنَّهُنَّ ٱلْيَاقُوتُ
وَٱلْمَرْجَانُ ﴿٥٨﴾ فَبِأَىِّ ءَالَآءِ رَبِّكُمَا تُكَذِّبَانِ ﴿٥٩﴾ هَلْ جَزَآءُ
ٱلْإِحْسَٰنِ إِلَّا ٱلْإِحْسَٰنُ ﴿٦٠﴾ فَبِأَىِّ ءَالَآءِ رَبِّكُمَا تُكَذِّبَانِ
﴿٦١﴾ وَمِن دُونِهِمَا جَنَّتَانِ ﴿٦٢﴾ فَبِأَىِّ ءَالَآءِ رَبِّكُمَا تُكَذِّبَانِ
﴿٦٣﴾ مُدْهَآمَّتَانِ ﴿٦٤﴾ فَبِأَىِّ ءَالَآءِ رَبِّكُمَا تُكَذِّبَانِ ﴿٦٥﴾ فِيهِمَا
عَيْنَانِ نَضَّاخَتَانِ ﴿٦٦﴾ فَبِأَىِّ ءَالَآءِ رَبِّكُمَا تُكَذِّبَانِ ﴿٦٧﴾

- بِسِيمَٰهُمْ: بسواد الوجوه، وزرقة العيون
- فَيُؤْخَذُ بِٱلنَّوَٰصِى: بشعر مقدم الرؤوس
- حَمِيمٍ ءَانٍ: ماء حارٍّ تناهى حرّه
- ذَوَاتَآ أَفْنَانٍ: أغصان أو أنواع من الثمار
- زَوْجَانِ: صنفان: معروف وغريب
- إِسْتَبْرَقٍ: غليظ الديباج
- جَنَى ٱلْجَنَّتَيْنِ: ما يُجنى من ثمارهما
- دَانٍ: قريب من المتناول
- قَٰصِرَٰتُ ٱلطَّرْفِ: قصرن أبصارهنّ على أزواجهنّ
- لَمْ يَطْمِثْهُنَّ: لم يفتضّهنّ قبل أزواجهنّ.
- مُدْهَآمَّتَانِ: شديدتا الخضرة
- نَضَّاخَتَانِ: فوّارتان بالماء لا تنقطعان

مدّ ٦ حركات لزوماً — مدّ ٢ أو ٤ أو ٦ جوازاً — مدّ واجب ٤ أو ٥ حركات — مدّ حركتان — إخفاء، ومواقع الغُنّة (حركتان) — إدغام، وما لا يُلفظ — تفخ — قلق

فِيهِمَا فَٰكِهَةٌ وَنَخْلٌ وَرُمَّانٌ ﴿٦٨﴾ فَبِأَيِّ ءَالَآءِ رَبِّكُمَا تُكَذِّبَانِ ﴿٦٩﴾
فِيهِنَّ خَيْرَٰتٌ حِسَانٌ ﴿٧٠﴾ فَبِأَيِّ ءَالَآءِ رَبِّكُمَا تُكَذِّبَانِ ﴿٧١﴾ حُورٌ
مَّقْصُورَٰتٌ فِى ٱلْخِيَامِ ﴿٧٢﴾ فَبِأَيِّ ءَالَآءِ رَبِّكُمَا تُكَذِّبَانِ ﴿٧٣﴾
لَمْ يَطْمِثْهُنَّ إِنسٌ قَبْلَهُمْ وَلَا جَآنٌّ ﴿٧٤﴾ فَبِأَيِّ ءَالَآءِ رَبِّكُمَا تُكَذِّبَانِ
﴿٧٥﴾ مُتَّكِـِٔينَ عَلَىٰ رَفْرَفٍ خُضْرٍ وَعَبْقَرِيٍّ حِسَانٍ ﴿٧٦﴾ فَبِأَيِّ
ءَالَآءِ رَبِّكُمَا تُكَذِّبَانِ ﴿٧٧﴾ تَبَٰرَكَ ٱسْمُ رَبِّكَ ذِى ٱلْجَلَٰلِ وَٱلْإِكْرَامِ ﴿٧٨﴾

## سُورَةُ الوَاقِعَةِ

ترتيبها ٥٦ — آياتها ٩٦

بِسْمِ ٱللَّهِ ٱلرَّحْمَٰنِ ٱلرَّحِيمِ

إِذَا وَقَعَتِ ٱلْوَاقِعَةُ ﴿١﴾ لَيْسَ لِوَقْعَتِهَا كَاذِبَةٌ ﴿٢﴾ خَافِضَةٌ رَّافِعَةٌ
﴿٣﴾ إِذَا رُجَّتِ ٱلْأَرْضُ رَجًّا ﴿٤﴾ وَبُسَّتِ ٱلْجِبَالُ بَسًّا ﴿٥﴾
فَكَانَتْ هَبَآءً مُّنۢبَثًّا ﴿٦﴾ وَكُنتُمْ أَزْوَٰجًا ثَلَٰثَةً ﴿٧﴾ فَأَصْحَٰبُ
ٱلْمَيْمَنَةِ مَآ أَصْحَٰبُ ٱلْمَيْمَنَةِ ﴿٨﴾ وَأَصْحَٰبُ ٱلْمَشْـَٔمَةِ مَآ أَصْحَٰبُ
ٱلْمَشْـَٔمَةِ ﴿٩﴾ وَٱلسَّٰبِقُونَ ٱلسَّٰبِقُونَ ﴿١٠﴾ أُو۟لَٰٓئِكَ ٱلْمُقَرَّبُونَ ﴿١١﴾
فِى جَنَّٰتِ ٱلنَّعِيمِ ﴿١٢﴾ ثُلَّةٌ مِّنَ ٱلْأَوَّلِينَ ﴿١٣﴾ وَقَلِيلٌ مِّنَ ٱلْـَٔاخِرِينَ
﴿١٤﴾ عَلَىٰ سُرُرٍ مَّوْضُونَةٍ ﴿١٥﴾ مُّتَّكِـِٔينَ عَلَيْهَا مُتَقَٰبِلِينَ ﴿١٦﴾

- حُورٌ: نساءٌ بيض
- مَّقْصُورَٰتٌ فِى ٱلْخِيَامِ: مُخدَّراتٌ في البيوتِ
- رَفْرَفٍ: وَسائدَ أو فرُشٍ مُرتفعةٍ
- عَبْقَرِيٍّ: بُسُطٍ ذاتِ خَملٍ رقيقٍ
- تَبَٰرَكَ: تعالى أو كثُر خيرُه وإحسانه
- ذِى ٱلْجَلَٰلِ: الإستغناء المُطلَقِ
- ٱلْإِكْرَامِ: الفضلِ التامِّ
- وَقَعَتِ ٱلْوَاقِعَةُ: قامتِ القيامةُ
- كَاذِبَةٌ: نفسٌ كاذبةٌ في الإخبارِ بوقوعِها
- رُجَّتِ ٱلْأَرْضُ: زُلزِلتْ
- بُسَّتِ ٱلْجِبَالُ: فُتِّتتْ
- هَبَآءً مُّنۢبَثًّا: غباراً متفرِّقاً منتشراً
- كُنتُمْ أَزْوَٰجًا: أصنافاً
- فَأَصْحَٰبُ ٱلْمَيْمَنَةِ: ناحيةِ اليمين
- أَصْحَٰبُ ٱلْمَشْـَٔمَةِ: ناحيةِ الشِّمال
- ثُلَّةٌ: أمّةٌ كثيرةٌ من الناسِ
- سُرُرٍ مَّوْضُونَةٍ: منسوجةٍ بالذَّهبِ بإحكامٍ

الواقعة

ربع الحزب ٥٤

| | | |
|---|---|---|
| مدّ ٦ حركات لزوماً ● مدّ ٢ أو ٤ أو ٦ جوازاً | ● إخفاء ، ومواقع الغُنَّة (حركتان) | ● تفخيم |
| مدّ واجب ٤ أو ٥ حركات ● مدّ حركتان | ● إدغام ، وما لا يُلفَظ | ● قلقلة |

يَطُوفُ عَلَيۡهِمۡ وِلۡدَٰنٞ مُّخَلَّدُونَ ﴿١٧﴾ بِأَكۡوَابٖ وَأَبَارِيقَ وَكَأۡسٖ مِّن مَّعِينٖ
﴿١٨﴾ لَّا يُصَدَّعُونَ عَنۡهَا وَلَا يُنزِفُونَ ﴿١٩﴾ وَفَٰكِهَةٖ مِّمَّا يَتَخَيَّرُونَ
﴿٢٠﴾ وَلَحۡمِ طَيۡرٖ مِّمَّا يَشۡتَهُونَ ﴿٢١﴾ وَحُورٌ عِينٞ ﴿٢٢﴾ كَأَمۡثَٰلِ ٱللُّؤۡلُوِٕ
ٱلۡمَكۡنُونِ ﴿٢٣﴾ جَزَآءَۢ بِمَا كَانُواْ يَعۡمَلُونَ ﴿٢٤﴾ لَا يَسۡمَعُونَ فِيهَا لَغۡوٗا وَلَا
تَأۡثِيمًا ﴿٢٥﴾ إِلَّا قِيلٗا سَلَٰمٗا سَلَٰمٗا ﴿٢٦﴾ وَأَصۡحَٰبُ ٱلۡيَمِينِ مَآ أَصۡحَٰبُ
ٱلۡيَمِينِ ﴿٢٧﴾ فِي سِدۡرٖ مَّخۡضُودٖ ﴿٢٨﴾ وَطَلۡحٖ مَّنضُودٖ ﴿٢٩﴾ وَظِلّٖ مَّمۡدُودٖ
﴿٣٠﴾ وَمَآءٖ مَّسۡكُوبٖ ﴿٣١﴾ وَفَٰكِهَةٖ كَثِيرَةٖ ﴿٣٢﴾ لَّا مَقۡطُوعَةٖ وَلَا
مَمۡنُوعَةٖ ﴿٣٣﴾ وَفُرُشٖ مَّرۡفُوعَةٍ ﴿٣٤﴾ إِنَّآ أَنشَأۡنَٰهُنَّ إِنشَآءٗ ﴿٣٥﴾ فَجَعَلۡنَٰهُنَّ
أَبۡكَارًا ﴿٣٦﴾ عُرُبًا أَتۡرَابٗا ﴿٣٧﴾ لِّأَصۡحَٰبِ ٱلۡيَمِينِ ﴿٣٨﴾ ثُلَّةٞ مِّنَ
ٱلۡأَوَّلِينَ ﴿٣٩﴾ وَثُلَّةٞ مِّنَ ٱلۡأٓخِرِينَ ﴿٤٠﴾ وَأَصۡحَٰبُ ٱلشِّمَالِ مَآ أَصۡحَٰبُ
ٱلشِّمَالِ ﴿٤١﴾ فِي سَمُومٖ وَحَمِيمٖ ﴿٤٢﴾ وَظِلّٖ مِّن يَحۡمُومٖ ﴿٤٣﴾ لَّا بَارِدٖ
وَلَا كَرِيمٍ ﴿٤٤﴾ إِنَّهُمۡ كَانُواْ قَبۡلَ ذَٰلِكَ مُتۡرَفِينَ ﴿٤٥﴾ وَكَانُواْ يُصِرُّونَ
عَلَى ٱلۡحِنثِ ٱلۡعَظِيمِ ﴿٤٦﴾ وَكَانُواْ يَقُولُونَ أَئِذَا مِتۡنَا وَكُنَّا تُرَابٗا
وَعِظَٰمًا أَءِنَّا لَمَبۡعُوثُونَ ﴿٤٧﴾ أَوَءَابَآؤُنَا ٱلۡأَوَّلُونَ ﴿٤٨﴾ قُلۡ إِنَّ
ٱلۡأَوَّلِينَ وَٱلۡأٓخِرِينَ ﴿٤٩﴾ لَمَجۡمُوعُونَ إِلَىٰ مِيقَٰتِ يَوۡمٖ مَّعۡلُومٖ ﴿٥٠﴾

- وِلۡدَٰنٞ مُّخَلَّدُونَ: لا يتحوّلون عن هيئة الولدان
- بِأَكۡوَابٖ: أقداح لا عُرى لها
- أَبَارِيقَ: أوانٍ لها خراطيم
- كَأۡسٖ: قدح فيه خمر
- مِّن مَّعِينٖ: خمر جارية من العيون
- لَّا يُصَدَّعُونَ عَنۡهَا: لا يصيبهم صُداع بشربها
- لَا يُنزِفُونَ: لا تذهب عقولهم به
- حُورٌ عِينٞ: نساء بيض واسعات الأعين حسانها
- ٱللُّؤۡلُوِٕ ٱلۡمَكۡنُونِ: المصون في أصدافه
- لَغۡوٗا: كلامًا لا خير فيه
- لَا تَأۡثِيمًا: لا نسبة إلى الإثم أو لا ما يوجبه
- سِدۡرٖ: شجر النبق
- مَّخۡضُودٖ: مقطوع شوكه
- طَلۡحٖ: شجر الموز
- مَّنضُودٖ: نُضّد بالحمل من أسفله إلى أعلاه
- مَآءٖ مَّسۡكُوبٖ: مصبوب يجري من غير أخاديد
- عُرُبًا: متحبّبات إلى أزواجهن
- أَتۡرَابٗا: مستويات في السنّ والحسن
- سَمُومٖ: ريح شديدة الحرارة
- حَمِيمٖ: ماء بالغ غاية الحرارة
- يَحۡمُومٖ: دخان شديد السواد
- لَا كَرِيمٍ: لا نافع من أذى الحرّ
- مُتۡرَفِينَ: عصاة متبعين أهواء أنفسهم
- ٱلۡحِنثِ: الذنب العظيم

| | | |
|---|---|---|
| مدّ ٦ حركات لزوماً ● مدّ ٢ أو ٤ أو ٦ جوازاً ● | إخفاء، ومواقع الغنّة (حركتان) ● | تفـ ● |
| مدّ واجب ٤ أو ٥ حركات ● مدّ حركتان ● | إدغام، وما لا يُلفظ ● | قلقـ ● |

ثُمَّ إِنَّكُمْ أَيُّهَا ٱلضَّآلُّونَ ٱلْمُكَذِّبُونَ ﴿٥١﴾ لَءَاكِلُونَ مِن شَجَرٍ مِّن زَقُّومٍ ﴿٥٢﴾
فَمَالِـُٔونَ مِنْهَا ٱلْبُطُونَ ﴿٥٣﴾ فَشَٰرِبُونَ عَلَيْهِ مِنَ ٱلْحَمِيمِ ﴿٥٤﴾ فَشَٰرِبُونَ
شُرْبَ ٱلْهِيمِ ﴿٥٥﴾ هَٰذَا نُزُلُهُمْ يَوْمَ ٱلدِّينِ ﴿٥٦﴾ نَحْنُ خَلَقْنَٰكُمْ فَلَوْلَا
تُصَدِّقُونَ ﴿٥٧﴾ أَفَرَءَيْتُم مَّا تُمْنُونَ ﴿٥٨﴾ ءَأَنتُمْ تَخْلُقُونَهُۥٓ أَمْ نَحْنُ
ٱلْخَٰلِقُونَ ﴿٥٩﴾ نَحْنُ قَدَّرْنَا بَيْنَكُمُ ٱلْمَوْتَ وَمَا نَحْنُ بِمَسْبُوقِينَ ﴿٦٠﴾
عَلَىٰٓ أَن نُّبَدِّلَ أَمْثَٰلَكُمْ وَنُنشِئَكُمْ فِى مَا لَا تَعْلَمُونَ ﴿٦١﴾ وَلَقَدْ
عَلِمْتُمُ ٱلنَّشْأَةَ ٱلْأُولَىٰ فَلَوْلَا تَذَكَّرُونَ ﴿٦٢﴾ أَفَرَءَيْتُم مَّا تَحْرُثُونَ
﴿٦٣﴾ ءَأَنتُمْ تَزْرَعُونَهُۥٓ أَمْ نَحْنُ ٱلزَّٰرِعُونَ ﴿٦٤﴾ لَوْ نَشَآءُ لَجَعَلْنَٰهُ
حُطَٰمًا فَظَلْتُمْ تَفَكَّهُونَ ﴿٦٥﴾ إِنَّا لَمُغْرَمُونَ ﴿٦٦﴾ بَلْ نَحْنُ مَحْرُومُونَ
﴿٦٧﴾ أَفَرَءَيْتُمُ ٱلْمَآءَ ٱلَّذِى تَشْرَبُونَ ﴿٦٨﴾ ءَأَنتُمْ أَنزَلْتُمُوهُ مِنَ ٱلْمُزْنِ
أَمْ نَحْنُ ٱلْمُنزِلُونَ ﴿٦٩﴾ لَوْ نَشَآءُ جَعَلْنَٰهُ أُجَاجًا فَلَوْلَا تَشْكُرُونَ
﴿٧٠﴾ أَفَرَءَيْتُمُ ٱلنَّارَ ٱلَّتِى تُورُونَ ﴿٧١﴾ ءَأَنتُمْ أَنشَأْتُمْ شَجَرَتَهَآ أَمْ
نَحْنُ ٱلْمُنشِـُٔونَ ﴿٧٢﴾ نَحْنُ جَعَلْنَٰهَا تَذْكِرَةً وَمَتَٰعًا لِّلْمُقْوِينَ
﴿٧٣﴾ فَسَبِّحْ بِٱسْمِ رَبِّكَ ٱلْعَظِيمِ ﴿٧٤﴾ ۞ فَلَآ أُقْسِمُ
بِمَوَٰقِعِ ٱلنُّجُومِ ﴿٧٥﴾ وَإِنَّهُۥ لَقَسَمٌ لَّوْ تَعْلَمُونَ عَظِيمٌ ﴿٧٦﴾

- شُرْبَ الْهِيمِ: الإبل العطاش التي لا تروى
- هَٰذَا نُزُلُهُمْ: ما أُعِدَّ لهم من الجزاء
- أَفَرَءَيْتُم: أخبروني
- مَا تُمْنُونَ: الماء الذي تقذفونه في الأرحام
- بِمَسْبُوقِينَ: بمغلوبين
- مَا تَحْرُثُونَ: البذر الذي تلقونه في الأرض
- تَزْرَعُونَهُ: تنبتونه
- حُطَٰمًا: هشيماً متكسراً
- تَفَكَّهُونَ: تتعجّبون من سوء حاله ومصيره
- إِنَّا لَمُغْرَمُونَ: مهلكون بهلاك رزقنا
- مَحْرُومُونَ: ممنوعون الرزق
- الْمُزْنِ: السحب
- جَعَلْنَٰهُ أُجَاجًا: ملحاً زعاقاً
- النَّارَ الَّتِي تُورُونَ: تقدحون الزناد لاستخراجها
- الواقعة
- مَتَٰعًا لِّلْمُقْوِينَ: المسافرين أو المحتاجين إليها

- بِمَوَٰقِعِ النُّجُومِ: مغاربها أو منازلها

| | | |
|---|---|---|
| مدّ ٦ حركات لزوماً ● مدّ ٢ أو ٤ أو ٦ جوازاً | إخفاء ، ومواقع الغُنَّة (حركتان) | تفخيم |
| مدّ واجب ٤ أو ٥ حركات ● مدّ حركتان | إدغام ، وما لا يُلفظ | قلقلة |

إِنَّهُۥ لَقُرْءَانٌ كَرِيمٌ ﴿٧٧﴾ فِي كِتَٰبٍ مَّكْنُونٍ ﴿٧٨﴾ لَّا يَمَسُّهُۥٓ إِلَّا
ٱلْمُطَهَّرُونَ ﴿٧٩﴾ تَنزِيلٌ مِّن رَّبِّ ٱلْعَٰلَمِينَ ﴿٨٠﴾ أَفَبِهَٰذَا ٱلْحَدِيثِ
أَنتُم مُّدْهِنُونَ ﴿٨١﴾ وَتَجْعَلُونَ رِزْقَكُمْ أَنَّكُمْ تُكَذِّبُونَ ﴿٨٢﴾ فَلَوْلَآ
إِذَا بَلَغَتِ ٱلْحُلْقُومَ ﴿٨٣﴾ وَأَنتُمْ حِينَئِذٍ تَنظُرُونَ ﴿٨٤﴾ وَنَحْنُ أَقْرَبُ
إِلَيْهِ مِنكُمْ وَلَٰكِن لَّا تُبْصِرُونَ ﴿٨٥﴾ فَلَوْلَآ إِن كُنتُمْ غَيْرَ مَدِينِينَ
﴿٨٦﴾ تَرْجِعُونَهَآ إِن كُنتُمْ صَٰدِقِينَ ﴿٨٧﴾ فَأَمَّآ إِن كَانَ مِنَ ٱلْمُقَرَّبِينَ
﴿٨٨﴾ فَرَوْحٌ وَرَيْحَانٌ وَجَنَّتُ نَعِيمٍ ﴿٨٩﴾ وَأَمَّآ إِن كَانَ مِنْ أَصْحَٰبِ
ٱلْيَمِينِ ﴿٩٠﴾ فَسَلَٰمٌ لَّكَ مِنْ أَصْحَٰبِ ٱلْيَمِينِ ﴿٩١﴾ وَأَمَّآ إِن كَانَ مِنَ
ٱلْمُكَذِّبِينَ ٱلضَّآلِّينَ ﴿٩٢﴾ فَنُزُلٌ مِّنْ حَمِيمٍ ﴿٩٣﴾ وَتَصْلِيَةُ جَحِيمٍ
﴿٩٤﴾ إِنَّ هَٰذَا لَهُوَ حَقُّ ٱلْيَقِينِ ﴿٩٥﴾ فَسَبِّحْ بِٱسْمِ رَبِّكَ ٱلْعَظِيمِ ﴿٩٦﴾

## سُورَةُ الحَدِيدِ

ترتيبها ٥٧ — آياتها ٢٩

بِسْمِ ٱللَّهِ ٱلرَّحْمَٰنِ ٱلرَّحِيمِ

سَبَّحَ لِلَّهِ مَا فِي ٱلسَّمَٰوَٰتِ وَٱلْأَرْضِ ۖ وَهُوَ ٱلْعَزِيزُ ٱلْحَكِيمُ ﴿١﴾ لَهُۥ مُلْكُ
ٱلسَّمَٰوَٰتِ وَٱلْأَرْضِ ۖ يُحْيِۦ وَيُمِيتُ ۖ وَهُوَ عَلَىٰ كُلِّ شَيْءٍ قَدِيرٌ ﴿٢﴾
هُوَ ٱلْأَوَّلُ وَٱلْءَاخِرُ وَٱلظَّٰهِرُ وَٱلْبَاطِنُ ۖ وَهُوَ بِكُلِّ شَيْءٍ عَلِيمٌ ﴿٣﴾

- لَقُرْءَانٌ كَرِيمٌ: جَمُّ المنافع
- كِتَٰبٍ مَّكْنُونٍ: مَصُون
- أَنتُم مُّدْهِنُونَ: مُتَهاوِنُونَ به أو مُكَذِّبُونَ
- تَجْعَلُونَ رِزْقَكُمْ: شُكْرَكُمْ
- غَيْرَ مَدِينِينَ: غَيْرَ مَرْبُوبِينَ مَقْهُورِينَ
- فَرَوْحٌ وَرَيْحَانٌ: فَلَهُ رَحْمَةٌ واسْتِرَاحَةٌ
- فَنُزُلٌ: فَلَهُ قِرًى وضِيافَةٌ
- حَمِيمٍ: حَرارَةٌ شَديدَةٌ في القَبْرِ
- تَصْلِيَةُ جَحِيمٍ: إِدْخالٌ فيها في الآخرةِ
- سَبَّحَ لِلَّهِ: نَزَّهَ اللهَ وَمَجَّدَه..
- ٱلْعَزِيزُ: القويُّ الغَالِبُ
- ٱلْأَوَّلُ: السَّابِقُ عَلى جَميعِ المَوْجُوداتِ
- ٱلْءَاخِرُ: الباقي بَعْدَ فَنائِهَا
- ٱلظَّٰهِرُ: بِوُجُودِه وَمَصْنُوعَاتِه وتدبيرِه
- ٱلْبَاطِنُ: بِكُنْهِ ذاتِه

مدّ ٦ حركات لزوماً — مدّ ٢ أو ٤ أو ٦ جوازاً — إخفاء ، ومواقع الغُنّة (حركتان) — تفخ
مدّ واجب ٤ أو ٥ حركات — مدّ حركتان — إدغام ، وما لا يُلفظ — قلقلة

هُوَ ٱلَّذِى خَلَقَ ٱلسَّمَٰوَٰتِ وَٱلْأَرْضَ فِى سِتَّةِ أَيَّامٍ ثُمَّ ٱسْتَوَىٰ
عَلَى ٱلْعَرْشِ ۚ يَعْلَمُ مَا يَلِجُ فِى ٱلْأَرْضِ وَمَا يَخْرُجُ مِنْهَا وَمَا يَنزِلُ مِنَ
ٱلسَّمَآءِ وَمَا يَعْرُجُ فِيهَا ۖ وَهُوَ مَعَكُمْ أَيْنَ مَا كُنتُمْ ۚ وَٱللَّهُ بِمَا تَعْمَلُونَ
بَصِيرٌ ﴿٤﴾ لَّهُۥ مُلْكُ ٱلسَّمَٰوَٰتِ وَٱلْأَرْضِ ۚ وَإِلَى ٱللَّهِ تُرْجَعُ ٱلْأُمُورُ
﴿٥﴾ يُولِجُ ٱلَّيْلَ فِى ٱلنَّهَارِ وَيُولِجُ ٱلنَّهَارَ فِى ٱلَّيْلِ ۚ وَهُوَ عَلِيمٌۢ بِذَاتِ
ٱلصُّدُورِ ﴿٦﴾ ءَامِنُوا۟ بِٱللَّهِ وَرَسُولِهِۦ وَأَنفِقُوا۟ مِمَّا جَعَلَكُم
مُّسْتَخْلَفِينَ فِيهِ ۖ فَٱلَّذِينَ ءَامَنُوا۟ مِنكُمْ وَأَنفَقُوا۟ لَهُمْ أَجْرٌ كَبِيرٌ ﴿٧﴾
وَمَا لَكُمْ لَا تُؤْمِنُونَ بِٱللَّهِ ۙ وَٱلرَّسُولُ يَدْعُوكُمْ لِتُؤْمِنُوا۟ بِرَبِّكُمْ وَقَدْ
أَخَذَ مِيثَٰقَكُمْ إِن كُنتُم مُّؤْمِنِينَ ﴿٨﴾ هُوَ ٱلَّذِى يُنَزِّلُ عَلَىٰ عَبْدِهِۦٓ
ءَايَٰتٍۭ بَيِّنَٰتٍ لِّيُخْرِجَكُم مِّنَ ٱلظُّلُمَٰتِ إِلَى ٱلنُّورِ ۚ وَإِنَّ ٱللَّهَ بِكُمْ
لَرَءُوفٌ رَّحِيمٌ ﴿٩﴾ وَمَا لَكُمْ أَلَّا تُنفِقُوا۟ فِى سَبِيلِ ٱللَّهِ وَلِلَّهِ مِيرَٰثُ
ٱلسَّمَٰوَٰتِ وَٱلْأَرْضِ ۚ لَا يَسْتَوِى مِنكُم مَّنْ أَنفَقَ مِن قَبْلِ ٱلْفَتْحِ
وَقَٰتَلَ ۚ أُو۟لَٰٓئِكَ أَعْظَمُ دَرَجَةً مِّنَ ٱلَّذِينَ أَنفَقُوا۟ مِنۢ بَعْدُ وَقَٰتَلُوا۟ ۚ
وَكُلًّا وَعَدَ ٱللَّهُ ٱلْحُسْنَىٰ ۚ وَٱللَّهُ بِمَا تَعْمَلُونَ خَبِيرٌ ﴿١٠﴾ مَّن ذَا
ٱلَّذِى يُقْرِضُ ٱللَّهَ قَرْضًا حَسَنًا فَيُضَٰعِفَهُۥ لَهُۥ وَلَهُۥٓ أَجْرٌ كَرِيمٌ ﴿١١﴾

- مَا يَلِجُ: مَا يَدْخُلُ
- يُولِجُ ٱلَّيْلَ: يُدْخِلُهُ
- ٱلْحُسْنَىٰ: المَثُوبَة الحسنى
- قَرْضًا حَسَنًا: مُحْتَسِباً بِهِ، طَيِّبَةً بِهِ نَفْسُهُ

الحديد

| | | |
|---|---|---|
| مدّ ٦ حركات لزوماً ● مدّ ٢ أو ٤ أو ٦ جوازاً | ● إخفاء، ومواقع الغُنَّة (حركتان) | ● تفخيم |
| مدّ واجب ٤ أو ٥ حركات ● مدّ حركتان | ● إدغام، وما لا يُلفظ | ● قلقلة |

يَوْمَ تَرَى ٱلْمُؤْمِنِينَ وَٱلْمُؤْمِنَٰتِ يَسْعَىٰ نُورُهُم بَيْنَ أَيْدِيهِمْ وَبِأَيْمَٰنِهِم
بُشْرَىٰكُمُ ٱلْيَوْمَ جَنَّٰتٌ تَجْرِى مِن تَحْتِهَا ٱلْأَنْهَٰرُ خَٰلِدِينَ فِيهَا ۚ ذَٰلِكَ
هُوَ ٱلْفَوْزُ ٱلْعَظِيمُ ﴿١٢﴾ يَوْمَ يَقُولُ ٱلْمُنَٰفِقُونَ وَٱلْمُنَٰفِقَٰتُ لِلَّذِينَ
ءَامَنُوا۟ ٱنظُرُونَا نَقْتَبِسْ مِن نُّورِكُمْ قِيلَ ٱرْجِعُوا۟ وَرَآءَكُمْ فَٱلْتَمِسُوا۟ نُورًا
فَضُرِبَ بَيْنَهُم بِسُورٍ لَّهُۥ بَابٌۢ بَاطِنُهُۥ فِيهِ ٱلرَّحْمَةُ وَظَٰهِرُهُۥ مِن قِبَلِهِ
ٱلْعَذَابُ ﴿١٣﴾ يُنَادُونَهُمْ أَلَمْ نَكُن مَّعَكُمْ ۖ قَالُوا۟ بَلَىٰ وَلَٰكِنَّكُمْ فَتَنتُمْ
أَنفُسَكُمْ وَتَرَبَّصْتُمْ وَٱرْتَبْتُمْ وَغَرَّتْكُمُ ٱلْأَمَانِىُّ حَتَّىٰ جَآءَ أَمْرُ
ٱللَّهِ وَغَرَّكُم بِٱللَّهِ ٱلْغَرُورُ ﴿١٤﴾ فَٱلْيَوْمَ لَا يُؤْخَذُ مِنكُمْ فِدْيَةٌ وَلَا
مِنَ ٱلَّذِينَ كَفَرُوا۟ ۚ مَأْوَىٰكُمُ ٱلنَّارُ ۖ هِىَ مَوْلَىٰكُمْ ۖ وَبِئْسَ ٱلْمَصِيرُ ﴿١٥﴾
۞ أَلَمْ يَأْنِ لِلَّذِينَ ءَامَنُوٓا۟ أَن تَخْشَعَ قُلُوبُهُمْ لِذِكْرِ ٱللَّهِ
وَمَا نَزَلَ مِنَ ٱلْحَقِّ وَلَا يَكُونُوا۟ كَٱلَّذِينَ أُوتُوا۟ ٱلْكِتَٰبَ مِن قَبْلُ
فَطَالَ عَلَيْهِمُ ٱلْأَمَدُ فَقَسَتْ قُلُوبُهُمْ ۖ وَكَثِيرٌ مِّنْهُمْ فَٰسِقُونَ ﴿١٦﴾
ٱعْلَمُوٓا۟ أَنَّ ٱللَّهَ يُحْىِ ٱلْأَرْضَ بَعْدَ مَوْتِهَا ۚ قَدْ بَيَّنَّا لَكُمُ ٱلْءَايَٰتِ
لَعَلَّكُمْ تَعْقِلُونَ ﴿١٧﴾ إِنَّ ٱلْمُصَّدِّقِينَ وَٱلْمُصَّدِّقَٰتِ وَأَقْرَضُوا۟
ٱللَّهَ قَرْضًا حَسَنًا يُضَٰعَفُ لَهُمْ وَلَهُمْ أَجْرٌ كَرِيمٌ ﴿١٨﴾

- ٱنظُرُونَا: انتظرونا
- نَقْتَبِسْ: نُصِبْ ونأخذ
- بِسُورٍ: حاجز
- فَتَنتُمْ أَنفُسَكُمْ: أهلكتموها بالنفاق
- تَرَبَّصْتُمْ: انتظرتم للمؤمنين النوائب
- غَرَّتْكُمُ ٱلْأَمَانِىُّ: خدعتكم الأباطيل
- ٱلْغَرُورُ: الشيطان، وكل خادع
- هِىَ مَوْلَىٰكُمْ: النار أولى بكم. أو ناصركم
- أَلَمْ يَأْنِ: ألم يجئ الوقت . . .
- أَن تَخْشَعَ: تخضع وترق وتلين
- ٱلْأَمَدُ: الأجل. أو الزمان

ثلاثة أرباع الحزب ٥٤

مدّ ٦ حركات لزوماً | مدّ ٢ أو ٤ أو ٦ جوازاً | إخفاء، ومواقع الغنّة (حركتان) | تفخ
مدّ واجب ٤ أو ٥ حركات | مدّ حركتان | إدغام، وما لا يُلفظ | قلقل

وَٱلَّذِينَ ءَامَنُواْ بِٱللَّهِ وَرُسُلِهِۦٓ أُوْلَٰٓئِكَ هُمُ ٱلصِّدِّيقُونَۖ وَٱلشُّهَدَآءُ
عِندَ رَبِّهِمْ لَهُمْ أَجْرُهُمْ وَنُورُهُمْۖ وَٱلَّذِينَ كَفَرُواْ وَكَذَّبُواْ
بِـَٔايَٰتِنَآ أُوْلَٰٓئِكَ أَصْحَٰبُ ٱلْجَحِيمِ ﴿١٩﴾ ٱعْلَمُوٓاْ أَنَّمَا ٱلْحَيَوٰةُ
ٱلدُّنْيَا لَعِبٌ وَلَهْوٌ وَزِينَةٌ وَتَفَاخُرُۢ بَيْنَكُمْ وَتَكَاثُرٌ فِى ٱلْأَمْوَٰلِ
وَٱلْأَوْلَٰدِۖ كَمَثَلِ غَيْثٍ أَعْجَبَ ٱلْكُفَّارَ نَبَاتُهُۥ ثُمَّ يَهِيجُ فَتَرَىٰهُ
مُصْفَرًّا ثُمَّ يَكُونُ حُطَٰمًاۖ وَفِى ٱلْـَٔاخِرَةِ عَذَابٌ شَدِيدٌ وَمَغْفِرَةٌ
مِّنَ ٱللَّهِ وَرِضْوَٰنٌۚ وَمَا ٱلْحَيَوٰةُ ٱلدُّنْيَآ إِلَّا مَتَٰعُ ٱلْغُرُورِ ﴿٢٠﴾
سَابِقُوٓاْ إِلَىٰ مَغْفِرَةٍ مِّن رَّبِّكُمْ وَجَنَّةٍ عَرْضُهَا كَعَرْضِ ٱلسَّمَآءِ
وَٱلْأَرْضِ أُعِدَّتْ لِلَّذِينَ ءَامَنُواْ بِٱللَّهِ وَرُسُلِهِۦۚ ذَٰلِكَ فَضْلُ
ٱللَّهِ يُؤْتِيهِ مَن يَشَآءُۚ وَٱللَّهُ ذُو ٱلْفَضْلِ ٱلْعَظِيمِ ﴿٢١﴾ مَآ أَصَابَ
مِن مُّصِيبَةٍ فِى ٱلْأَرْضِ وَلَا فِىٓ أَنفُسِكُمْ إِلَّا فِى كِتَٰبٍ
مِّن قَبْلِ أَن نَّبْرَأَهَآۚ إِنَّ ذَٰلِكَ عَلَى ٱللَّهِ يَسِيرٌ ﴿٢٢﴾ لِّكَيْلَا
تَأْسَوْاْ عَلَىٰ مَا فَاتَكُمْ وَلَا تَفْرَحُواْ بِمَآ ءَاتَىٰكُمْۗ وَٱللَّهُ
لَا يُحِبُّ كُلَّ مُخْتَالٍ فَخُورٍ ﴿٢٣﴾ ٱلَّذِينَ يَبْخَلُونَ وَيَأْمُرُونَ
ٱلنَّاسَ بِٱلْبُخْلِۗ وَمَن يَتَوَلَّ فَإِنَّ ٱللَّهَ هُوَ ٱلْغَنِىُّ ٱلْحَمِيدُ ﴿٢٤﴾

- تَكَاثُرٌ: مُباهَاة بالعَدَدَ والعُدَد
- أَعْجَبَ ٱلْكُفَّارَ: الزُّرَّاع
- يَهِيجُ: يَمْضي إلى أقْصَى غَايَتِه
- يَكُونُ حُطَٰمًا: هَشِيماً مُتَكَسِّراً
- نَّبْرَأَهَآ: نَخْلُقَهَا
- لِّكَيْلَا تَأْسَوْاْ: لِكَيْلا تَحْزَنُوا
- مُخْتَالٍ فَخُورٍ: مُتَكَبِّر مُباهٍ بما أُوتِيَ

الحديد

| | | |
|---|---|---|
| مدّ ٦ حركات لزوماً ● مدّ ٢ أو ٤ أو ٦ جوازاً | إخفاء ، ومواقع الغُنَّة (حركتان) | تفخيم |
| مدّ واجب ٤ أو ٥ حركات ● مدّ حركتان | إدغام ، وما لا يُلفَظ | قلقلة |

لَقَدْ أَرْسَلْنَا رُسُلَنَا بِٱلْبَيِّنَٰتِ وَأَنزَلْنَا مَعَهُمُ ٱلْكِتَٰبَ
وَٱلْمِيزَانَ لِيَقُومَ ٱلنَّاسُ بِٱلْقِسْطِ ۖ وَأَنزَلْنَا ٱلْحَدِيدَ فِيهِ
بَأْسٌ شَدِيدٌ وَمَنَٰفِعُ لِلنَّاسِ وَلِيَعْلَمَ ٱللَّهُ مَن يَنصُرُهُۥ وَرُسُلَهُۥ
بِٱلْغَيْبِ ۚ إِنَّ ٱللَّهَ قَوِىٌّ عَزِيزٌ ﴿٢٥﴾ وَلَقَدْ أَرْسَلْنَا نُوحًا وَإِبْرَٰهِيمَ
وَجَعَلْنَا فِى ذُرِّيَّتِهِمَا ٱلنُّبُوَّةَ وَٱلْكِتَٰبَ ۖ فَمِنْهُم مُّهْتَدٍ ۖ
وَكَثِيرٌ مِّنْهُمْ فَٰسِقُونَ ﴿٢٦﴾ ثُمَّ قَفَّيْنَا عَلَىٰٓ ءَاثَٰرِهِم
بِرُسُلِنَا وَقَفَّيْنَا بِعِيسَى ٱبْنِ مَرْيَمَ وَءَاتَيْنَٰهُ ٱلْإِنجِيلَ
وَجَعَلْنَا فِى قُلُوبِ ٱلَّذِينَ ٱتَّبَعُوهُ رَأْفَةً وَرَحْمَةً وَرَهْبَانِيَّةً
ٱبْتَدَعُوهَا مَا كَتَبْنَٰهَا عَلَيْهِمْ إِلَّا ٱبْتِغَآءَ رِضْوَٰنِ ٱللَّهِ فَمَا
رَعَوْهَا حَقَّ رِعَايَتِهَا ۖ فَـَٔاتَيْنَا ٱلَّذِينَ ءَامَنُوا۟ مِنْهُمْ أَجْرَهُمْ ۖ
وَكَثِيرٌ مِّنْهُمْ فَٰسِقُونَ ﴿٢٧﴾ يَٰٓأَيُّهَا ٱلَّذِينَ ءَامَنُوا۟ ٱتَّقُوا۟ ٱللَّهَ
وَءَامِنُوا۟ بِرَسُولِهِۦ يُؤْتِكُمْ كِفْلَيْنِ مِن رَّحْمَتِهِۦ وَيَجْعَل لَّكُمْ
نُورًا تَمْشُونَ بِهِۦ وَيَغْفِرْ لَكُمْ ۚ وَٱللَّهُ غَفُورٌ رَّحِيمٌ ﴿٢٨﴾ لِّئَلَّا يَعْلَمَ
أَهْلُ ٱلْكِتَٰبِ أَلَّا يَقْدِرُونَ عَلَىٰ شَىْءٍ مِّن فَضْلِ ٱللَّهِ ۙ وَأَنَّ
ٱلْفَضْلَ بِيَدِ ٱللَّهِ يُؤْتِيهِ مَن يَشَآءُ ۚ وَٱللَّهُ ذُو ٱلْفَضْلِ ٱلْعَظِيمِ ﴿٢٩﴾

- ٱلْمِيزَانَ: العَدْلَ
- وَأَنزَلْنَا ٱلْحَدِيدَ: خَلَقْنَاهُ أَوْ هَيَّأْنَاهُ لَكُمْ
- بَأْسٌ شَدِيدٌ: قُوَّةٌ شَدِيدَةٌ
- قَفَّيْنَا: أَتْبَعْنَا
- رَأْفَةً وَرَحْمَةً: لِيناً وشفقة
- رَهْبَانِيَّةً: مُبَالَغَةً فِى التَّعَبُّدِ وَالتَّقَشُّفِ
- مَا كَتَبْنَٰهَا: مَا فَرَضْنَاهَا
- يُؤْتِكُمْ كِفْلَيْنِ: نَصِيبَيْنِ
- لِّئَلَّا يَعْلَمَ: لأَنْ يَعْلَم و « لا » مَزِيدَة

| | | |
|---|---|---|
| مدّ ٦ حركات لزوماً — مدّ ٢ أو ٤ أو ٦ جوازاً | إخفاء ، ومواقع الغُنَّة (حركتان) | تف |
| مدّ واجب ٤ أو ٥ حركات — مدّ حركتان | إدغام ، وما لا يُلفَظ | قل |

# سُورَةُ المُجَادَلَةِ

ترتيبها ٥٨ — آياتها ٢٢

بِسْمِ ٱللَّهِ ٱلرَّحْمَٰنِ ٱلرَّحِيمِ

قَدْ سَمِعَ ٱللَّهُ قَوْلَ ٱلَّتِي تُجَٰدِلُكَ فِي زَوْجِهَا وَتَشْتَكِيٓ إِلَى ٱللَّهِ
وَٱللَّهُ يَسْمَعُ تَحَاوُرَكُمَآ ۚ إِنَّ ٱللَّهَ سَمِيعٌۢ بَصِيرٌ ﴿١﴾ ٱلَّذِينَ يُظَٰهِرُونَ
مِنكُم مِّن نِّسَآئِهِم مَّا هُنَّ أُمَّهَٰتِهِمْ ۖ إِنْ أُمَّهَٰتُهُمْ إِلَّا ٱلَّٰٓـِٔي
وَلَدْنَهُمْ ۚ وَإِنَّهُمْ لَيَقُولُونَ مُنكَرًا مِّنَ ٱلْقَوْلِ وَزُورًا ۚ وَإِنَّ
ٱللَّهَ لَعَفُوٌّ غَفُورٌ ﴿٢﴾ وَٱلَّذِينَ يُظَٰهِرُونَ مِن نِّسَآئِهِمْ ثُمَّ يَعُودُونَ
لِمَا قَالُواْ فَتَحْرِيرُ رَقَبَةٍ مِّن قَبْلِ أَن يَتَمَآسَّا ۚ ذَٰلِكُمْ تُوعَظُونَ
بِهِۦ ۚ وَٱللَّهُ بِمَا تَعْمَلُونَ خَبِيرٌ ﴿٣﴾ فَمَن لَّمْ يَجِدْ فَصِيَامُ شَهْرَيْنِ
مُتَتَابِعَيْنِ مِن قَبْلِ أَن يَتَمَآسَّا ۖ فَمَن لَّمْ يَسْتَطِعْ فَإِطْعَامُ سِتِّينَ
مِسْكِينًا ۚ ذَٰلِكَ لِتُؤْمِنُواْ بِٱللَّهِ وَرَسُولِهِۦ ۚ وَتِلْكَ حُدُودُ ٱللَّهِ ۗ
وَلِلْكَٰفِرِينَ عَذَابٌ أَلِيمٌ ﴿٤﴾ إِنَّ ٱلَّذِينَ يُحَآدُّونَ ٱللَّهَ وَرَسُولَهُۥ كُبِتُواْ
كَمَا كُبِتَ ٱلَّذِينَ مِن قَبْلِهِمْ ۚ وَقَدْ أَنزَلْنَآ ءَايَٰتٍۭ بَيِّنَٰتٍ ۚ وَلِلْكَٰفِرِينَ
عَذَابٌ مُّهِينٌ ﴿٥﴾ يَوْمَ يَبْعَثُهُمُ ٱللَّهُ جَمِيعًا فَيُنَبِّئُهُم بِمَا
عَمِلُوٓاْ ۚ أَحْصَىٰهُ ٱللَّهُ وَنَسُوهُ ۚ وَٱللَّهُ عَلَىٰ كُلِّ شَيْءٍ شَهِيدٌ ﴿٦﴾

- تُجَٰدِلُكَ: تحاورك وتراجعك
- تَحَاوُرَكُمَآ: مراجعتكما القول
- يُظَٰهِرُونَ: يحرّمون نساءهم تحريم أمّهاتهم
- مُنكَرًا مِّنَ ٱلْقَوْلِ: لا يُعرف في الشرع
- زُورًا: كذباً مُنحرفاً عن الحقّ
- يَتَمَآسَّا: يستمتعا بالوقاع، أو دواعيه
- يُحَآدُّونَ: ... يُعادون ويُشاقّون ...
- كُبِتُواْ: أُذلّوا وأُهلكوا
- أَحْصَىٰهُ ٱللَّهُ: أحاط به علماً

المجادلة

| | | |
|---|---|---|
| مدّ ٦ حركات لزوماً — مدّ ٢ أو ٤ أو ٦ جوازاً | إخفاء، ومواقع الغُنّة (حركتان) | تفخيم |
| مدّ واجب ٤ أو ٥ حركات — مدّ حركتان | إدغام، وما لا يُلفظ | قلقلة |

أَلَمْ تَرَ أَنَّ ٱللَّهَ يَعْلَمُ مَا فِى ٱلسَّمَٰوَٰتِ وَمَا فِى ٱلْأَرْضِ ۖ مَا يَكُونُ
مِن نَّجْوَىٰ ثَلَٰثَةٍ إِلَّا هُوَ رَابِعُهُمْ وَلَا خَمْسَةٍ إِلَّا هُوَ سَادِسُهُمْ
وَلَآ أَدْنَىٰ مِن ذَٰلِكَ وَلَآ أَكْثَرَ إِلَّا هُوَ مَعَهُمْ أَيْنَ مَا كَانُوا۟ ۖ ثُمَّ يُنَبِّئُهُم
بِمَا عَمِلُوا۟ يَوْمَ ٱلْقِيَٰمَةِ ۚ إِنَّ ٱللَّهَ بِكُلِّ شَىْءٍ عَلِيمٌ ﴿٧﴾ أَلَمْ تَرَ إِلَى ٱلَّذِينَ
نُهُوا۟ عَنِ ٱلنَّجْوَىٰ ثُمَّ يَعُودُونَ لِمَا نُهُوا۟ عَنْهُ وَيَتَنَٰجَوْنَ بِٱلْإِثْمِ
وَٱلْعُدْوَٰنِ وَمَعْصِيَتِ ٱلرَّسُولِ وَإِذَا جَآءُوكَ حَيَّوْكَ بِمَا لَمْ يُحَيِّكَ
بِهِ ٱللَّهُ وَيَقُولُونَ فِىٓ أَنفُسِهِمْ لَوْلَا يُعَذِّبُنَا ٱللَّهُ بِمَا نَقُولُ ۚ حَسْبُهُمْ
جَهَنَّمُ يَصْلَوْنَهَا ۖ فَبِئْسَ ٱلْمَصِيرُ ﴿٨﴾ يَٰٓأَيُّهَا ٱلَّذِينَ ءَامَنُوٓا۟ إِذَا
تَنَٰجَيْتُمْ فَلَا تَتَنَٰجَوْا۟ بِٱلْإِثْمِ وَٱلْعُدْوَٰنِ وَمَعْصِيَتِ ٱلرَّسُولِ وَتَنَٰجَوْا۟
بِٱلْبِرِّ وَٱلتَّقْوَىٰ ۖ وَٱتَّقُوا۟ ٱللَّهَ ٱلَّذِىٓ إِلَيْهِ تُحْشَرُونَ ﴿٩﴾ إِنَّمَا ٱلنَّجْوَىٰ
مِنَ ٱلشَّيْطَٰنِ لِيَحْزُنَ ٱلَّذِينَ ءَامَنُوا۟ وَلَيْسَ بِضَآرِّهِمْ شَيْـًٔا
إِلَّا بِإِذْنِ ٱللَّهِ ۚ وَعَلَى ٱللَّهِ فَلْيَتَوَكَّلِ ٱلْمُؤْمِنُونَ ﴿١٠﴾ يَٰٓأَيُّهَا ٱلَّذِينَ
ءَامَنُوٓا۟ إِذَا قِيلَ لَكُمْ تَفَسَّحُوا۟ فِى ٱلْمَجَٰلِسِ فَٱفْسَحُوا۟ يَفْسَحِ
ٱللَّهُ لَكُمْ ۖ وَإِذَا قِيلَ ٱنشُزُوا۟ فَٱنشُزُوا۟ يَرْفَعِ ٱللَّهُ ٱلَّذِينَ ءَامَنُوا۟
مِنكُمْ وَٱلَّذِينَ أُوتُوا۟ ٱلْعِلْمَ دَرَجَٰتٍ ۚ وَٱللَّهُ بِمَا تَعْمَلُونَ خَبِيرٌ ﴿١١﴾

- نَّجْوَىٰ ثَلَٰثَةٍ: تناجيهم ومُسارّتهم
- لَوْلَا يُعَذِّبُنَا: هلّا يُعذّبُنا
- حَسْبُهُمْ جَهَنَّمُ: كافيهمْ جهنّمُ عذاباً
- يَصْلَوْنَهَا: يَدْخلُونها أوْ يُقاسُونَ حرّها
- لِيَحْزُنَ: لِيُوقِعَ في الهَمّ الشَّديدِ
- تَفَسَّحُوا۟ فِى ٱلْمَجَٰلِسِ: توَسّعُوا فيهَا ولا تَضامُّوا
- ٱنشُزُوا۟: انْهَضُوا لِلتَّوْسِعَةِ لإخوانِكم

| | | |
|---|---|---|
| مدّ ٦ حركات لزوماً — مدّ ٢ أو ٤ أو ٦ جوازاً | إخفاء ، ومواقع الغُنَّة (حركتان) | تفـ |
| مدّ واجب ٤ أو ٥ حركات — مدّ حركتان | إدغام ، وما لا يُلفظ | قلقـ |

يَٰٓأَيُّهَا ٱلَّذِينَ ءَامَنُوٓاْ إِذَا نَٰجَيۡتُمُ ٱلرَّسُولَ فَقَدِّمُواْ بَيۡنَ يَدَيۡ نَجۡوَىٰكُمۡ
صَدَقَةٗۚ ذَٰلِكَ خَيۡرٞ لَّكُمۡ وَأَطۡهَرُۚ فَإِن لَّمۡ تَجِدُواْ فَإِنَّ ٱللَّهَ غَفُورٞ رَّحِيمٌ
(١٢) ءَأَشۡفَقۡتُمۡ أَن تُقَدِّمُواْ بَيۡنَ يَدَيۡ نَجۡوَىٰكُمۡ صَدَقَٰتٖۚ فَإِذۡ لَمۡ تَفۡعَلُواْ
وَتَابَ ٱللَّهُ عَلَيۡكُمۡ فَأَقِيمُواْ ٱلصَّلَوٰةَ وَءَاتُواْ ٱلزَّكَوٰةَ وَأَطِيعُواْ ٱللَّهَ
وَرَسُولَهُۥۚ وَٱللَّهُ خَبِيرُۢ بِمَا تَعۡمَلُونَ (١٣) ۞ أَلَمۡ تَرَ إِلَى ٱلَّذِينَ تَوَلَّوۡاْ قَوۡمًا
غَضِبَ ٱللَّهُ عَلَيۡهِم مَّا هُم مِّنكُمۡ وَلَا مِنۡهُمۡ وَيَحۡلِفُونَ عَلَى ٱلۡكَذِبِ
وَهُمۡ يَعۡلَمُونَ (١٤) أَعَدَّ ٱللَّهُ لَهُمۡ عَذَابٗا شَدِيدًاۖ إِنَّهُمۡ سَآءَ مَا كَانُواْ
يَعۡمَلُونَ (١٥) ٱتَّخَذُوٓاْ أَيۡمَٰنَهُمۡ جُنَّةٗ فَصَدُّواْ عَن سَبِيلِ ٱللَّهِ فَلَهُمۡ
عَذَابٞ مُّهِينٞ (١٦) لَّن تُغۡنِيَ عَنۡهُمۡ أَمۡوَٰلُهُمۡ وَلَآ أَوۡلَٰدُهُم مِّنَ ٱللَّهِ
شَيۡـًٔاۚ أُوْلَٰٓئِكَ أَصۡحَٰبُ ٱلنَّارِۖ هُمۡ فِيهَا خَٰلِدُونَ (١٧) يَوۡمَ يَبۡعَثُهُمُ
ٱللَّهُ جَمِيعٗا فَيَحۡلِفُونَ لَهُۥ كَمَا يَحۡلِفُونَ لَكُمۡۖ وَيَحۡسَبُونَ أَنَّهُمۡ عَلَىٰ شَيۡءٍۚ أَلَآ
إِنَّهُمۡ هُمُ ٱلۡكَٰذِبُونَ (١٨) ٱسۡتَحۡوَذَ عَلَيۡهِمُ ٱلشَّيۡطَٰنُ فَأَنسَىٰهُمۡ ذِكۡرَ
ٱللَّهِۚ أُوْلَٰٓئِكَ حِزۡبُ ٱلشَّيۡطَٰنِۚ أَلَآ إِنَّ حِزۡبَ ٱلشَّيۡطَٰنِ هُمُ ٱلۡخَٰسِرُونَ
(١٩) إِنَّ ٱلَّذِينَ يُحَآدُّونَ ٱللَّهَ وَرَسُولَهُۥٓ أُوْلَٰٓئِكَ فِي ٱلۡأَذَلِّينَ (٢٠)
كَتَبَ ٱللَّهُ لَأَغۡلِبَنَّ أَنَا۠ وَرُسُلِيٓۚ إِنَّ ٱللَّهَ قَوِيٌّ عَزِيزٞ (٢١)

ءَأَشۡفَقۡتُمۡ: أخفتم الفقر
ربع الحزب ٥٥
تَوَلَّوۡاْ قَوۡمًا: اتخذوهم أولياء
غَضِبَ ٱللَّهُ عَلَيۡهِم: هم اليهود
جُنَّةٗ: وقاية لأنفسهم وأموالهم
لَّن تُغۡنِيَ: لن تدفع
ٱسۡتَحۡوَذَ: استولى وغلب
ٱلۡأَذَلِّينَ: الزائدين في الذلة والهوان

المجادلة

تفخيم | إخفاء، ومواقع الغنة (حركتان) | مدّ ٢ أو ٤ أو ٦ جوازاً | مدّ ٦ حركات لزوماً
قلقلة | إدغام، وما لا يُلفظ | مدّ حركتان | مدّ واجب ٤ أو ٥ حركات

لَّا تَجِدُ قَوْمًا يُؤْمِنُونَ بِٱللَّهِ وَٱلْيَوْمِ ٱلْأَخِرِ يُوَآدُّونَ مَنْ
حَآدَّ ٱللَّهَ وَرَسُولَهُۥ وَلَوْ كَانُوٓاْ ءَابَآءَهُمْ أَوْ أَبْنَآءَهُمْ
أَوْ إِخْوَٰنَهُمْ أَوْ عَشِيرَتَهُمْ ۚ أُوْلَٰٓئِكَ كَتَبَ فِى قُلُوبِهِمُ
ٱلْإِيمَٰنَ وَأَيَّدَهُم بِرُوحٍ مِّنْهُ ۖ وَيُدْخِلُهُمْ جَنَّٰتٍ تَجْرِى
مِن تَحْتِهَا ٱلْأَنْهَٰرُ خَٰلِدِينَ فِيهَا ۚ رَضِىَ ٱللَّهُ عَنْهُمْ وَرَضُوا۟
عَنْهُ ۚ أُوْلَٰٓئِكَ حِزْبُ ٱللَّهِ ۚ أَلَآ إِنَّ حِزْبَ ٱللَّهِ هُمُ ٱلْمُفْلِحُونَ ﴿٢٢﴾

## سُورَةُ الحَشْرِ

ترتيبها ٥٩ — آياتها ٢٤

بِسْمِ ٱللَّهِ ٱلرَّحْمَٰنِ ٱلرَّحِيمِ

سَبَّحَ لِلَّهِ مَا فِى ٱلسَّمَٰوَٰتِ وَمَا فِى ٱلْأَرْضِ ۖ وَهُوَ ٱلْعَزِيزُ ٱلْحَكِيمُ
﴿١﴾ هُوَ ٱلَّذِىٓ أَخْرَجَ ٱلَّذِينَ كَفَرُوا۟ مِنْ أَهْلِ ٱلْكِتَٰبِ مِن دِيَٰرِهِمْ
لِأَوَّلِ ٱلْحَشْرِ ۚ مَا ظَنَنتُمْ أَن يَخْرُجُوا۟ ۖ وَظَنُّوٓا۟ أَنَّهُم مَّانِعَتُهُمْ
حُصُونُهُم مِّنَ ٱللَّهِ فَأَتَىٰهُمُ ٱللَّهُ مِنْ حَيْثُ لَمْ يَحْتَسِبُوا۟ ۖ وَقَذَفَ
فِى قُلُوبِهِمُ ٱلرُّعْبَ ۚ يُخْرِبُونَ بُيُوتَهُم بِأَيْدِيهِمْ وَأَيْدِى ٱلْمُؤْمِنِينَ
فَٱعْتَبِرُوا۟ يَٰٓأُوْلِى ٱلْأَبْصَٰرِ ﴿٢﴾ وَلَوْلَآ أَن كَتَبَ ٱللَّهُ عَلَيْهِمُ
ٱلْجَلَآءَ لَعَذَّبَهُمْ فِى ٱلدُّنْيَا ۖ وَلَهُمْ فِى ٱلْءَاخِرَةِ عَذَابُ ٱلنَّارِ ﴿٣﴾

- سَبَّحَ لِلَّهِ: نَزَّهَهُ وَمَجَّدَه ..
- لِأَوَّلِ ٱلْحَشْرِ: عند أولِ إجْلَاء عن الجزيرة
- لَمْ يَحْتَسِبُوا۟: لَمْ يَظُنُّوا
- قَذَفَ: ألقى وأنزلَ إنزالاً شديداً
- ٱلْجَلَآءَ: الخروجَ أو الإخراجَ من الدِّيارِ

ذَٰلِكَ بِأَنَّهُمْ شَآقُّوا۟ ٱللَّهَ وَرَسُولَهُۥ ۖ وَمَن يُشَآقِّ ٱللَّهَ فَإِنَّ ٱللَّهَ شَدِيدُ
ٱلْعِقَابِ ﴿٤﴾ مَا قَطَعْتُم مِّن لِّينَةٍ أَوْ تَرَكْتُمُوهَا قَآئِمَةً
عَلَىٰٓ أُصُولِهَا فَبِإِذْنِ ٱللَّهِ وَلِيُخْزِىَ ٱلْفَٰسِقِينَ ﴿٥﴾ وَمَآ أَفَآءَ ٱللَّهُ
عَلَىٰ رَسُولِهِۦ مِنْهُمْ فَمَآ أَوْجَفْتُمْ عَلَيْهِ مِنْ خَيْلٍ وَلَا رِكَابٍ
وَلَٰكِنَّ ٱللَّهَ يُسَلِّطُ رُسُلَهُۥ عَلَىٰ مَن يَشَآءُ ۚ وَٱللَّهُ عَلَىٰ كُلِّ شَىْءٍ
قَدِيرٌ ﴿٦﴾ مَّآ أَفَآءَ ٱللَّهُ عَلَىٰ رَسُولِهِۦ مِنْ أَهْلِ ٱلْقُرَىٰ فَلِلَّهِ وَلِلرَّسُولِ
وَلِذِى ٱلْقُرْبَىٰ وَٱلْيَتَٰمَىٰ وَٱلْمَسَٰكِينِ وَٱبْنِ ٱلسَّبِيلِ كَىْ لَا يَكُونَ
دُولَةًۢ بَيْنَ ٱلْأَغْنِيَآءِ مِنكُمْ ۚ وَمَآ ءَاتَىٰكُمُ ٱلرَّسُولُ فَخُذُوهُ وَمَا
نَهَىٰكُمْ عَنْهُ فَٱنتَهُوا۟ ۚ وَٱتَّقُوا۟ ٱللَّهَ ۖ إِنَّ ٱللَّهَ شَدِيدُ ٱلْعِقَابِ ﴿٧﴾
لِلْفُقَرَآءِ ٱلْمُهَٰجِرِينَ ٱلَّذِينَ أُخْرِجُوا۟ مِن دِيَٰرِهِمْ وَأَمْوَٰلِهِمْ
يَبْتَغُونَ فَضْلًا مِّنَ ٱللَّهِ وَرِضْوَٰنًا وَيَنصُرُونَ ٱللَّهَ وَرَسُولَهُۥٓ ۚ أُو۟لَٰٓئِكَ
هُمُ ٱلصَّٰدِقُونَ ﴿٨﴾ وَٱلَّذِينَ تَبَوَّءُو ٱلدَّارَ وَٱلْإِيمَٰنَ مِن قَبْلِهِمْ
يُحِبُّونَ مَنْ هَاجَرَ إِلَيْهِمْ وَلَا يَجِدُونَ فِى صُدُورِهِمْ حَاجَةً
مِّمَّآ أُوتُوا۟ وَيُؤْثِرُونَ عَلَىٰٓ أَنفُسِهِمْ وَلَوْ كَانَ بِهِمْ خَصَاصَةٌ ۚ
وَمَن يُوقَ شُحَّ نَفْسِهِۦ فَأُو۟لَٰٓئِكَ هُمُ ٱلْمُفْلِحُونَ ﴿٩﴾

- شَاقُّوا: عادَوْا وعَصَوْا
- لِينَةٍ: نَخْلَةٍ . أو نَخْلَةٍ كَريمةٍ
- مَا أَفَاءَ اللَّهُ: ما رَدَّ وما أعادَ
- فَمَا أَوْجَفْتُمْ عَلَيْهِ: فما أجْرَيْتُم على تحصيلِه
- رِكَابٍ: ما يُرْكَبُ مِنَ الإبِلِ
- دُولَةً: مُتَداوَلاً في الأيدي
- تَبَوَّءُو الدَّارَ: تَوَطَّنُوا المدينَةَ
- حَاجَةً: حَزازَةً وَحَسَداً
- خَصَاصَةٌ: فَقْرٌ واحْتِياجٌ
- مَن يُوقَ: مَن يُجَنَّبْ وَيُكَفَّ
- شُحَّ نَفْسِهِ: بُخْلَها مَعَ الحِرْصِ

الحشر

| | | |
|---|---|---|
| مدّ ٦ حركات لزوماً ● مدّ ٢ أو ٤ أو ٦ جوازاً | ● إخفاء ، ومواقع الغُنَّة (حركتان) | ● تفخيم |
| مدّ واجب ٤ أو ٥ حركات ● مدّ حركتان | ● إدغام ، وما لا يُلفَظ | ● قلقلة |

وَٱلَّذِينَ جَآءُو مِنۢ بَعۡدِهِمۡ يَقُولُونَ رَبَّنَا ٱغۡفِرۡ لَنَا
وَلِإِخۡوَٰنِنَا ٱلَّذِينَ سَبَقُونَا بِٱلۡإِيمَٰنِ وَلَا تَجۡعَلۡ فِي قُلُوبِنَا
غِلّٗا لِّلَّذِينَ ءَامَنُواْ رَبَّنَآ إِنَّكَ رَءُوفٞ رَّحِيمٌ ﴿١٠﴾ ۞ أَلَمۡ تَرَ إِلَى
ٱلَّذِينَ نَافَقُواْ يَقُولُونَ لِإِخۡوَٰنِهِمُ ٱلَّذِينَ كَفَرُواْ مِنۡ أَهۡلِ
ٱلۡكِتَٰبِ لَئِنۡ أُخۡرِجۡتُمۡ لَنَخۡرُجَنَّ مَعَكُمۡ وَلَا نُطِيعُ فِيكُمۡ
أَحَدًا أَبَدٗا وَإِن قُوتِلۡتُمۡ لَنَنصُرَنَّكُمۡ وَٱللَّهُ يَشۡهَدُ إِنَّهُمۡ لَكَٰذِبُونَ
﴿١١﴾ لَئِنۡ أُخۡرِجُواْ لَا يَخۡرُجُونَ مَعَهُمۡ وَلَئِن قُوتِلُواْ لَا يَنصُرُونَهُمۡ
وَلَئِن نَّصَرُوهُمۡ لَيُوَلُّنَّ ٱلۡأَدۡبَٰرَ ثُمَّ لَا يُنصَرُونَ ﴿١٢﴾
لَأَنتُمۡ أَشَدُّ رَهۡبَةٗ فِي صُدُورِهِم مِّنَ ٱللَّهِۚ ذَٰلِكَ بِأَنَّهُمۡ قَوۡمٞ
لَّا يَفۡقَهُونَ ﴿١٣﴾ لَا يُقَٰتِلُونَكُمۡ جَمِيعًا إِلَّا فِي قُرٗى
مُّحَصَّنَةٍ أَوۡ مِن وَرَآءِ جُدُرِۭۚ بَأۡسُهُم بَيۡنَهُمۡ شَدِيدٞۚ تَحۡسَبُهُمۡ
جَمِيعٗا وَقُلُوبُهُمۡ شَتَّىٰۚ ذَٰلِكَ بِأَنَّهُمۡ قَوۡمٞ لَّا يَعۡقِلُونَ ﴿١٤﴾
كَمَثَلِ ٱلَّذِينَ مِن قَبۡلِهِمۡ قَرِيبٗاۖ ذَاقُواْ وَبَالَ أَمۡرِهِمۡ وَلَهُمۡ عَذَابٌ
أَلِيمٞ ﴿١٥﴾ كَمَثَلِ ٱلشَّيۡطَٰنِ إِذۡ قَالَ لِلۡإِنسَٰنِ ٱكۡفُرۡ فَلَمَّا كَفَرَ
قَالَ إِنِّي بَرِيٓءٞ مِّنكَ إِنِّيٓ أَخَافُ ٱللَّهَ رَبَّ ٱلۡعَٰلَمِينَ ﴿١٦﴾

نصف الحزب ٥٥

- غِلًّا: حِقداً وبُغضاً
- بَأۡسُهُم بَيۡنَهُمۡ: قتالُهم فيما بينَهم
- قُلُوبُهُمۡ شَتَّىٰ: مُتفرّقةٌ لتعاديهم
- وَبَالَ أَمۡرِهِمۡ: سُوءَ عاقبةِ كُفرِهم

مدّ ٦ حركات لزوماً — مدّ ٢ أو ٤ أو ٦ جوازاً — إخفاء ، ومواقع الغُنّة (حركتان) — تف
مدّ واجب ٤ أو ٥ حركات — مدّ حركتان — إدغام ، وما لا يُلفَظ — قلـ

فَكَانَ عَٰقِبَتَهُمَآ أَنَّهُمَا فِى ٱلنَّارِ خَٰلِدَيْنِ فِيهَا ۚ وَذَٰلِكَ جَزَٰٓؤُا۟
ٱلظَّٰلِمِينَ ﴿١٧﴾ يَٰٓأَيُّهَا ٱلَّذِينَ ءَامَنُوا۟ ٱتَّقُوا۟ ٱللَّهَ وَلْتَنظُرْ
نَفْسٌ مَّا قَدَّمَتْ لِغَدٍ ۖ وَٱتَّقُوا۟ ٱللَّهَ ۚ إِنَّ ٱللَّهَ خَبِيرٌۢ بِمَا تَعْمَلُونَ
﴿١٨﴾ وَلَا تَكُونُوا۟ كَٱلَّذِينَ نَسُوا۟ ٱللَّهَ فَأَنسَىٰهُمْ أَنفُسَهُمْ ۚ أُو۟لَٰٓئِكَ
هُمُ ٱلْفَٰسِقُونَ ﴿١٩﴾ لَا يَسْتَوِىٓ أَصْحَٰبُ ٱلنَّارِ وَأَصْحَٰبُ
ٱلْجَنَّةِ ۚ أَصْحَٰبُ ٱلْجَنَّةِ هُمُ ٱلْفَآئِزُونَ ﴿٢٠﴾ لَوْ أَنزَلْنَا هَٰذَا
ٱلْقُرْءَانَ عَلَىٰ جَبَلٍ لَّرَأَيْتَهُۥ خَٰشِعًا مُّتَصَدِّعًا مِّنْ خَشْيَةِ
ٱللَّهِ ۚ وَتِلْكَ ٱلْأَمْثَٰلُ نَضْرِبُهَا لِلنَّاسِ لَعَلَّهُمْ يَتَفَكَّرُونَ
﴿٢١﴾ هُوَ ٱللَّهُ ٱلَّذِى لَآ إِلَٰهَ إِلَّا هُوَ ۖ عَٰلِمُ ٱلْغَيْبِ وَٱلشَّهَٰدَةِ ۖ
هُوَ ٱلرَّحْمَٰنُ ٱلرَّحِيمُ ﴿٢٢﴾ هُوَ ٱللَّهُ ٱلَّذِى لَآ إِلَٰهَ إِلَّا هُوَ
ٱلْمَلِكُ ٱلْقُدُّوسُ ٱلسَّلَٰمُ ٱلْمُؤْمِنُ ٱلْمُهَيْمِنُ ٱلْعَزِيزُ
ٱلْجَبَّارُ ٱلْمُتَكَبِّرُ ۚ سُبْحَٰنَ ٱللَّهِ عَمَّا يُشْرِكُونَ
﴿٢٣﴾ هُوَ ٱللَّهُ ٱلْخَٰلِقُ ٱلْبَارِئُ ٱلْمُصَوِّرُ ۖ لَهُ ٱلْأَسْمَآءُ ٱلْحُسْنَىٰ ۚ
يُسَبِّحُ لَهُۥ مَا فِى ٱلسَّمَٰوَٰتِ وَٱلْأَرْضِ ۖ وَهُوَ ٱلْعَزِيزُ ٱلْحَكِيمُ ﴿٢٤﴾

## سُورَةُ المُمتَحنَة
ترتيبها ٦٠ — آياتها ١٣

- خَٰشِعًا: ذليلاً خاضعاً
- مُّتَصَدِّعًا: متشققاً
- ٱلْمَلِكُ: المالكُ لكلّ شيْءٍ
- ٱلْقُدُّوسُ: البليغ في النزاهة عن النّقائص
- ٱلسَّلَٰمُ: ذو السّلامَةِ من كلّ عَيْبٍ
- ٱلْمُؤْمِنُ: المُصدِّقُ لِرُسُله بالمُعْجِزاتِ
- ٱلْمُهَيْمِنُ: الرّقيبُ على كلّ شيْءٍ
- ٱلْعَزِيزُ: القويُّ الغالبُ
- ٱلْجَبَّارُ: القاهِرُ. أو العظيمُ
- ٱلْمُتَكَبِّرُ: البليغُ الكبرياء والعظمة
- ٱلْبَارِئُ: المبْدِعُ المخترِعُ
- ٱلْمُصَوِّرُ: خالقُ الصُّوَرِ على ما يريدُ

الحشر

مدّ ٦ حركات لزوماً ● مدّ ٢ أو ٤ أو ٦ جوازاً ● إخفاء، ومواقع الغُنّة (حركتان) ● تفخيم ●
مدّ واجب ٤ أو ٥ حركات ● مدّ حركتان ● إدغام، وما لا يُلفَظ ● قلقلة ●

بِسۡمِ ٱللَّهِ ٱلرَّحۡمَٰنِ ٱلرَّحِيمِ

يَٰٓأَيُّهَا ٱلَّذِينَ ءَامَنُواْ لَا تَتَّخِذُواْ عَدُوِّي وَعَدُوَّكُمۡ أَوۡلِيَآءَ تُلۡقُونَ
إِلَيۡهِم بِٱلۡمَوَدَّةِ وَقَدۡ كَفَرُواْ بِمَا جَآءَكُم مِّنَ ٱلۡحَقِّ يُخۡرِجُونَ ٱلرَّسُولَ
وَإِيَّاكُمۡ أَن تُؤۡمِنُواْ بِٱللَّهِ رَبِّكُمۡ إِن كُنتُمۡ خَرَجۡتُمۡ جِهَٰدٗا فِي سَبِيلِي
وَٱبۡتِغَآءَ مَرۡضَاتِيۚ تُسِرُّونَ إِلَيۡهِم بِٱلۡمَوَدَّةِ وَأَنَا۠ أَعۡلَمُ بِمَآ أَخۡفَيۡتُمۡ
وَمَآ أَعۡلَنتُمۡۚ وَمَن يَفۡعَلۡهُ مِنكُمۡ فَقَدۡ ضَلَّ سَوَآءَ ٱلسَّبِيلِ ﴿١﴾ إِن
يَثۡقَفُوكُمۡ يَكُونُواْ لَكُمۡ أَعۡدَآءٗ وَيَبۡسُطُوٓاْ إِلَيۡكُمۡ أَيۡدِيَهُمۡ وَأَلۡسِنَتَهُم
بِٱلسُّوٓءِ وَوَدُّواْ لَوۡ تَكۡفُرُونَ ﴿٢﴾ لَن تَنفَعَكُمۡ أَرۡحَامُكُمۡ وَلَآ أَوۡلَٰدُكُمۡۚ
يَوۡمَ ٱلۡقِيَٰمَةِ يَفۡصِلُ بَيۡنَكُمۡۚ وَٱللَّهُ بِمَا تَعۡمَلُونَ بَصِيرٞ ﴿٣﴾ قَدۡ
كَانَتۡ لَكُمۡ أُسۡوَةٌ حَسَنَةٞ فِيٓ إِبۡرَٰهِيمَ وَٱلَّذِينَ مَعَهُۥٓ إِذۡ قَالُواْ لِقَوۡمِهِمۡ
إِنَّا بُرَءَٰٓؤُاْ مِنكُمۡ وَمِمَّا تَعۡبُدُونَ مِن دُونِ ٱللَّهِ كَفَرۡنَا بِكُمۡ وَبَدَا بَيۡنَنَا
وَبَيۡنَكُمُ ٱلۡعَدَٰوَةُ وَٱلۡبَغۡضَآءُ أَبَدًا حَتَّىٰ تُؤۡمِنُواْ بِٱللَّهِ وَحۡدَهُۥٓ إِلَّا
قَوۡلَ إِبۡرَٰهِيمَ لِأَبِيهِ لَأَسۡتَغۡفِرَنَّ لَكَ وَمَآ أَمۡلِكُ لَكَ مِنَ ٱللَّهِ مِن شَيۡءٖۖ
رَّبَّنَا عَلَيۡكَ تَوَكَّلۡنَا وَإِلَيۡكَ أَنَبۡنَا وَإِلَيۡكَ ٱلۡمَصِيرُ ﴿٤﴾ رَبَّنَا لَا تَجۡعَلۡنَا
فِتۡنَةٗ لِّلَّذِينَ كَفَرُواْ وَٱغۡفِرۡ لَنَا رَبَّنَآۖ إِنَّكَ أَنتَ ٱلۡعَزِيزُ ٱلۡحَكِيمُ ﴿٥﴾

- أَوۡلِيَآءَ: أعواناً تُوادُّونهُمْ وتُناصِحُونَهُمْ
- يَثۡقَفُوكُمۡ: يَظْفَرُوا بِكُمْ
- يَبۡسُطُوٓاْ إِلَيۡكُمۡ: يَمُدُّوا إليكم
- أُسۡوَةٌ: قُدْوَةٌ
- بُرَءَٰٓؤُاْ مِنكُمۡ: أَبْرِيَاءُ منكم
- إِلَيۡكَ أَنَبۡنَا: إِلَيْكَ رَجَعْنَا تائبينَ
- فِتۡنَةٗ: معذَّبِينَ

لَقَدۡ كَانَ لَكُمۡ فِيهِمۡ أُسۡوَةٌ حَسَنَةٞ لِّمَن كَانَ يَرۡجُواْ ٱللَّهَ وَٱلۡيَوۡمَ ٱلۡأٓخِرَۚ
وَمَن يَتَوَلَّ فَإِنَّ ٱللَّهَ هُوَ ٱلۡغَنِيُّ ٱلۡحَمِيدُ ٦ ۞ عَسَى ٱللَّهُ أَن يَجۡعَلَ
بَيۡنَكُمۡ وَبَيۡنَ ٱلَّذِينَ عَادَيۡتُم مِّنۡهُم مَّوَدَّةٗۚ وَٱللَّهُ قَدِيرٞۚ وَٱللَّهُ غَفُورٞ رَّحِيمٞ
٧ لَّا يَنۡهَىٰكُمُ ٱللَّهُ عَنِ ٱلَّذِينَ لَمۡ يُقَٰتِلُوكُمۡ فِي ٱلدِّينِ وَلَمۡ يُخۡرِجُوكُم
مِّن دِيَٰرِكُمۡ أَن تَبَرُّوهُمۡ وَتُقۡسِطُوٓاْ إِلَيۡهِمۡۚ إِنَّ ٱللَّهَ يُحِبُّ ٱلۡمُقۡسِطِينَ
٨ إِنَّمَا يَنۡهَىٰكُمُ ٱللَّهُ عَنِ ٱلَّذِينَ قَٰتَلُوكُمۡ فِي ٱلدِّينِ وَأَخۡرَجُوكُم
مِّن دِيَٰرِكُمۡ وَظَٰهَرُواْ عَلَىٰٓ إِخۡرَاجِكُمۡ أَن تَوَلَّوۡهُمۡۚ وَمَن يَتَوَلَّهُمۡ فَأُوْلَٰٓئِكَ
هُمُ ٱلظَّٰلِمُونَ ٩ يَٰٓأَيُّهَا ٱلَّذِينَ ءَامَنُوٓاْ إِذَا جَآءَكُمُ ٱلۡمُؤۡمِنَٰتُ
مُهَٰجِرَٰتٖ فَٱمۡتَحِنُوهُنَّۖ ٱللَّهُ أَعۡلَمُ بِإِيمَٰنِهِنَّۖ فَإِنۡ عَلِمۡتُمُوهُنَّ مُؤۡمِنَٰتٖ
فَلَا تَرۡجِعُوهُنَّ إِلَى ٱلۡكُفَّارِۖ لَا هُنَّ حِلّٞ لَّهُمۡ وَلَا هُمۡ يَحِلُّونَ لَهُنَّۖ وَءَاتُوهُم
مَّآ أَنفَقُواْۚ وَلَا جُنَاحَ عَلَيۡكُمۡ أَن تَنكِحُوهُنَّ إِذَآ ءَاتَيۡتُمُوهُنَّ أُجُورَهُنَّۚ
وَلَا تُمۡسِكُواْ بِعِصَمِ ٱلۡكَوَافِرِ وَسۡـَٔلُواْ مَآ أَنفَقۡتُمۡ وَلۡيَسۡـَٔلُواْ مَآ أَنفَقُواْۚ
ذَٰلِكُمۡ حُكۡمُ ٱللَّهِۖ يَحۡكُمُ بَيۡنَكُمۡۚ وَٱللَّهُ عَلِيمٌ حَكِيمٞ ١٠ وَإِن فَاتَكُمۡ
شَيۡءٞ مِّنۡ أَزۡوَٰجِكُمۡ إِلَى ٱلۡكُفَّارِ فَعَاقَبۡتُمۡ فَـَٔاتُواْ ٱلَّذِينَ ذَهَبَتۡ
أَزۡوَٰجُهُم مِّثۡلَ مَآ أَنفَقُواْۚ وَٱتَّقُواْ ٱللَّهَ ٱلَّذِيٓ أَنتُم بِهِۦ مُؤۡمِنُونَ ١١

- تَبَرُّوهُمۡ: تُحْسِنُوا إِلَيْهِمْ
- تُقۡسِطُوٓاْ إِلَيۡهِمۡ: تُعْطُوهُمْ قِسْطاً مِنْ أَمْوَالِكُم
- ظَٰهَرُواْ: عَاوَنُوا
- تَوَلَّوۡهُمۡ: تَتَّخِذُوهُمْ أَوْلِيَاءَ
- فَٱمۡتَحِنُوهُنَّ: اخْتَبِرُوهُنَّ بِالتَّحْلِيفِ
- أُجُورَهُنَّ: مُهُورَهُنَّ
- بِعِصَمِ ٱلۡكَوَافِرِ: عُقُودِ نِكَاحِ المُشْرِكَاتِ
- فَعَاقَبۡتُمۡ: فَغَزَوْتُم فَغَنِمْتُمْ مِنْهُمْ

الممتحنة

| | | |
|---|---|---|
| مدّ ٦ حركات لزوماً ● مدّ ٢ أو ٤ أو ٦ جوازاً | إخفاء، ومواقع الغُنَّة (حركتان) | تفخيم |
| مدّ واجب ٤ أو ٥ حركات ● مدّ حركتان | إدغام، وما لا يُلفظ | قلقلة |

يَٰٓأَيُّهَا ٱلنَّبِيُّ إِذَا جَآءَكَ ٱلۡمُؤۡمِنَٰتُ يُبَايِعۡنَكَ عَلَىٰٓ أَن لَّا يُشۡرِكۡنَ
بِٱللَّهِ شَيۡـٔٗا وَلَا يَسۡرِقۡنَ وَلَا يَزۡنِينَ وَلَا يَقۡتُلۡنَ أَوۡلَٰدَهُنَّ وَلَا يَأۡتِينَ
بِبُهۡتَٰنٖ يَفۡتَرِينَهُۥ بَيۡنَ أَيۡدِيهِنَّ وَأَرۡجُلِهِنَّ وَلَا يَعۡصِينَكَ
فِي مَعۡرُوفٖ فَبَايِعۡهُنَّ وَٱسۡتَغۡفِرۡ لَهُنَّ ٱللَّهَۚ إِنَّ ٱللَّهَ غَفُورٞ رَّحِيمٞ
١٢ يَٰٓأَيُّهَا ٱلَّذِينَ ءَامَنُواْ لَا تَتَوَلَّوۡاْ قَوۡمًا غَضِبَ ٱللَّهُ عَلَيۡهِمۡ
قَدۡ يَئِسُواْ مِنَ ٱلۡأٓخِرَةِ كَمَا يَئِسَ ٱلۡكُفَّارُ مِنۡ أَصۡحَٰبِ ٱلۡقُبُورِ ١٣

## سُورَةُ الصَّفِّ
ترتيبها ٦١ — آياتها ١٤

بِسۡمِ ٱللَّهِ ٱلرَّحۡمَٰنِ ٱلرَّحِيمِ

سَبَّحَ لِلَّهِ مَا فِي ٱلسَّمَٰوَٰتِ وَمَا فِي ٱلۡأَرۡضِۖ وَهُوَ ٱلۡعَزِيزُ ٱلۡحَكِيمُ
١ يَٰٓأَيُّهَا ٱلَّذِينَ ءَامَنُواْ لِمَ تَقُولُونَ مَا لَا تَفۡعَلُونَ ٢
كَبُرَ مَقۡتًا عِندَ ٱللَّهِ أَن تَقُولُواْ مَا لَا تَفۡعَلُونَ ٣ إِنَّ
ٱللَّهَ يُحِبُّ ٱلَّذِينَ يُقَٰتِلُونَ فِي سَبِيلِهِۦ صَفّٗا كَأَنَّهُم
بُنۡيَٰنٞ مَّرۡصُوصٞ ٤ وَإِذۡ قَالَ مُوسَىٰ لِقَوۡمِهِۦ يَٰقَوۡمِ لِمَ
تُؤۡذُونَنِي وَقَد تَّعۡلَمُونَ أَنِّي رَسُولُ ٱللَّهِ إِلَيۡكُمۡۖ فَلَمَّا
زَاغُوٓاْ أَزَاغَ ٱللَّهُ قُلُوبَهُمۡۚ وَٱللَّهُ لَا يَهۡدِي ٱلۡقَوۡمَ ٱلۡفَٰسِقِينَ ٥

- بِبُهۡتَٰنٖ: بإلصاق اللقطاء بالأزواج
- يَفۡتَرِينَهُۥ: يختلقنه
- سَبَّحَ لِلَّهِ: نزّهه ومجّده..
- كَبُرَ مَقۡتًا: عَظُم بُغضاً
- صَفّٗا: صافّين أنفسهم
- بُنۡيَٰنٞ مَّرۡصُوصٞ: متلاصق مُحكَم
- زَاغُوٓاْ: مالوا عن الحقّ

مدّ ٦ حركات لزوماً — مدّ ٢ أو ٤ أو ٦ جوازاً — إخفاء، ومواقع الغنّة (حركتان) — تفخ[يم]
مدّ واجب ٤ أو ٥ حركات — مدّ حركتان — إدغام، وما لا يُلفَظ — قلقلة

وَإِذْ قَالَ عِيسَى ٱبْنُ مَرْيَمَ يَٰبَنِىٓ إِسْرَٰٓءِيلَ إِنِّى رَسُولُ ٱللَّهِ إِلَيْكُم مُّصَدِّقًا
لِّمَا بَيْنَ يَدَىَّ مِنَ ٱلتَّوْرَىٰةِ وَمُبَشِّرًۢا بِرَسُولٍ يَأْتِى مِنۢ بَعْدِى ٱسْمُهُۥٓ أَحْمَدُ ۖ فَلَمَّا
جَآءَهُم بِٱلْبَيِّنَٰتِ قَالُوا۟ هَٰذَا سِحْرٌ مُّبِينٌ ﴿٦﴾ وَمَنْ أَظْلَمُ مِمَّنِ ٱفْتَرَىٰ
عَلَى ٱللَّهِ ٱلْكَذِبَ وَهُوَ يُدْعَىٰٓ إِلَى ٱلْإِسْلَٰمِ ۚ وَٱللَّهُ لَا يَهْدِى ٱلْقَوْمَ ٱلظَّٰلِمِينَ
﴿٧﴾ يُرِيدُونَ لِيُطْفِـُٔوا۟ نُورَ ٱللَّهِ بِأَفْوَٰهِهِمْ وَٱللَّهُ مُتِمُّ نُورِهِۦ وَلَوْ كَرِهَ
ٱلْكَٰفِرُونَ ﴿٨﴾ هُوَ ٱلَّذِىٓ أَرْسَلَ رَسُولَهُۥ بِٱلْهُدَىٰ وَدِينِ ٱلْحَقِّ لِيُظْهِرَهُۥ
عَلَى ٱلدِّينِ كُلِّهِۦ وَلَوْ كَرِهَ ٱلْمُشْرِكُونَ ﴿٩﴾ يَٰٓأَيُّهَا ٱلَّذِينَ ءَامَنُوا۟ هَلْ أَدُلُّكُمْ
عَلَىٰ تِجَٰرَةٍ تُنجِيكُم مِّنْ عَذَابٍ أَلِيمٍ ﴿١٠﴾ تُؤْمِنُونَ بِٱللَّهِ وَرَسُولِهِۦ وَتُجَٰهِدُونَ
فِى سَبِيلِ ٱللَّهِ بِأَمْوَٰلِكُمْ وَأَنفُسِكُمْ ۚ ذَٰلِكُمْ خَيْرٌ لَّكُمْ إِن كُنتُمْ تَعْلَمُونَ ﴿١١﴾
يَغْفِرْ لَكُمْ ذُنُوبَكُمْ وَيُدْخِلْكُمْ جَنَّٰتٍ تَجْرِى مِن تَحْتِهَا ٱلْأَنْهَٰرُ وَمَسَٰكِنَ
طَيِّبَةً فِى جَنَّٰتِ عَدْنٍ ۚ ذَٰلِكَ ٱلْفَوْزُ ٱلْعَظِيمُ ﴿١٢﴾ وَأُخْرَىٰ تُحِبُّونَهَا ۖ نَصْرٌ
مِّنَ ٱللَّهِ وَفَتْحٌ قَرِيبٌ ۗ وَبَشِّرِ ٱلْمُؤْمِنِينَ ﴿١٣﴾ يَٰٓأَيُّهَا ٱلَّذِينَ ءَامَنُوا۟ كُونُوٓا۟
أَنصَارَ ٱللَّهِ كَمَا قَالَ عِيسَى ٱبْنُ مَرْيَمَ لِلْحَوَارِيِّـۧنَ مَنْ أَنصَارِىٓ إِلَى ٱللَّهِ ۖ
قَالَ ٱلْحَوَارِيُّونَ نَحْنُ أَنصَارُ ٱللَّهِ ۖ فَـَٔامَنَت طَّآئِفَةٌ مِّنۢ بَنِىٓ إِسْرَٰٓءِيلَ
وَكَفَرَت طَّآئِفَةٌ ۖ فَأَيَّدْنَا ٱلَّذِينَ ءَامَنُوا۟ عَلَىٰ عَدُوِّهِمْ فَأَصْبَحُوا۟ ظَٰهِرِينَ ﴿١٤﴾

- نُورَ ٱللَّهِ: الحقّ الذي جاء به الرّسول ﷺ
- لِلْحَوَارِيِّـۧنَ: أصفياءِ عيسَى وخَواصّهِ
- ظَٰهِرِينَ: غالبينَ بالحُجَجِ والبيِّناتِ

الصف

| | | |
|---|---|---|
| مدّ ٦ حركات لزوماً ● مدّ ٢ أو ٤ أو ٦ جوازاً | إخفاء ، ومواقع الغُنَّة (حركتان) | تفخيم |
| مدّ واجب ٤ أو ٥ حركات ● مدّ حركتان | إدغام ، وما لا يُلفظ | قلقلة |

# سُورَةُ الجُمُعَةِ

ترتيبها ٦٢ | آياتها ١١

بِسۡمِ ٱللَّهِ ٱلرَّحۡمَٰنِ ٱلرَّحِيمِ

يُسَبِّحُ لِلَّهِ مَا فِي ٱلسَّمَٰوَٰتِ وَمَا فِي ٱلۡأَرۡضِ ٱلۡمَلِكِ ٱلۡقُدُّوسِ ٱلۡعَزِيزِ
ٱلۡحَكِيمِ ١ هُوَ ٱلَّذِي بَعَثَ فِي ٱلۡأُمِّيِّـۧنَ رَسُولٗا مِّنۡهُمۡ يَتۡلُواْ
عَلَيۡهِمۡ ءَايَٰتِهِۦ وَيُزَكِّيهِمۡ وَيُعَلِّمُهُمُ ٱلۡكِتَٰبَ وَٱلۡحِكۡمَةَ وَإِن كَانُواْ
مِن قَبۡلُ لَفِي ضَلَٰلٖ مُّبِينٖ ٢ وَءَاخَرِينَ مِنۡهُمۡ لَمَّا يَلۡحَقُواْ بِهِمۡۚ
وَهُوَ ٱلۡعَزِيزُ ٱلۡحَكِيمُ ٣ ذَٰلِكَ فَضۡلُ ٱللَّهِ يُؤۡتِيهِ مَن يَشَآءُۚ وَٱللَّهُ
ذُو ٱلۡفَضۡلِ ٱلۡعَظِيمِ ٤ مَثَلُ ٱلَّذِينَ حُمِّلُواْ ٱلتَّوۡرَىٰةَ ثُمَّ لَمۡ
يَحۡمِلُوهَا كَمَثَلِ ٱلۡحِمَارِ يَحۡمِلُ أَسۡفَارَۢاۚ بِئۡسَ مَثَلُ ٱلۡقَوۡمِ
ٱلَّذِينَ كَذَّبُواْ بِـَٔايَٰتِ ٱللَّهِۚ وَٱللَّهُ لَا يَهۡدِي ٱلۡقَوۡمَ ٱلظَّٰلِمِينَ ٥
قُلۡ يَٰٓأَيُّهَا ٱلَّذِينَ هَادُوٓاْ إِن زَعَمۡتُمۡ أَنَّكُمۡ أَوۡلِيَآءُ لِلَّهِ مِن
دُونِ ٱلنَّاسِ فَتَمَنَّوُاْ ٱلۡمَوۡتَ إِن كُنتُمۡ صَٰدِقِينَ ٦ وَلَا يَتَمَنَّوۡنَهُۥٓ
أَبَدَۢا بِمَا قَدَّمَتۡ أَيۡدِيهِمۡۚ وَٱللَّهُ عَلِيمُۢ بِٱلظَّٰلِمِينَ ٧ قُلۡ إِنَّ
ٱلۡمَوۡتَ ٱلَّذِي تَفِرُّونَ مِنۡهُ فَإِنَّهُۥ مُلَٰقِيكُمۡۖ ثُمَّ تُرَدُّونَ
إِلَىٰ عَٰلِمِ ٱلۡغَيۡبِ وَٱلشَّهَٰدَةِ فَيُنَبِّئُكُم بِمَا كُنتُمۡ تَعۡمَلُونَ ٨

الحزب ٥٦

- يُسَبِّحُ لِلَّهِ.. : يُنزِّهُهُ ويُمجِّدُه..
- ٱلۡمَلِكِ : مالِكُ الأشياءِ كلِّها
- ٱلۡقُدُّوسِ : البليغ في النّزاهة عن النّقائص
- ٱلۡعَزِيزِ : القويّ الغالب
- ٱلۡأُمِّيِّـۧنَ : العرَب المعاصرين له ﷺ
- يُزَكِّيهِمۡ : يُطهّرُهُم من أدناسِ الجاهليّة
- ءَاخَرِينَ مِنۡهُمۡ : من العرب الذين جاؤوا بعدُ
- يَحۡمِلُ أَسۡفَارَۢا : كُتُباً عِظاماً
- هَادُواْ : تديّنوا باليهوديّة

الجمعة

مدّ ٦ حركات لزوماً • مدّ ٢ أو ٤ أو ٦ جوازاً • إخفاء، ومواقع الغُنَّة (حركتان) • تفخ[يم]
مدّ واجب ٤ أو ٥ حركات • مدّ حركتان • إدغام، وما لا يُلفَظ • قلق[لة]

يَٰٓأَيُّهَا ٱلَّذِينَ ءَامَنُوٓاْ إِذَا نُودِيَ لِلصَّلَوٰةِ مِن يَوۡمِ ٱلۡجُمُعَةِ
فَٱسۡعَوۡاْ إِلَىٰ ذِكۡرِ ٱللَّهِ وَذَرُواْ ٱلۡبَيۡعَۚ ذَٰلِكُمۡ خَيۡرٞ لَّكُمۡ إِن كُنتُمۡ
تَعۡلَمُونَ ﴿٩﴾ فَإِذَا قُضِيَتِ ٱلصَّلَوٰةُ فَٱنتَشِرُواْ فِي ٱلۡأَرۡضِ
وَٱبۡتَغُواْ مِن فَضۡلِ ٱللَّهِ وَٱذۡكُرُواْ ٱللَّهَ كَثِيرٗا لَّعَلَّكُمۡ تُفۡلِحُونَ
﴿١٠﴾ وَإِذَا رَأَوۡاْ تِجَٰرَةً أَوۡ لَهۡوًا ٱنفَضُّوٓاْ إِلَيۡهَا وَتَرَكُوكَ قَآئِمٗاۚ قُلۡ
مَا عِندَ ٱللَّهِ خَيۡرٞ مِّنَ ٱللَّهۡوِ وَمِنَ ٱلتِّجَٰرَةِۚ وَٱللَّهُ خَيۡرُ ٱلرَّٰزِقِينَ ﴿١١﴾

## سُورَةُ المُنَافِقُونَ

ترتيبها ٦٣ — آياتها ١١

بِسۡمِ ٱللَّهِ ٱلرَّحۡمَٰنِ ٱلرَّحِيمِ

إِذَا جَآءَكَ ٱلۡمُنَٰفِقُونَ قَالُواْ نَشۡهَدُ إِنَّكَ لَرَسُولُ ٱللَّهِۗ وَٱللَّهُ يَعۡلَمُ
إِنَّكَ لَرَسُولُهُۥ وَٱللَّهُ يَشۡهَدُ إِنَّ ٱلۡمُنَٰفِقِينَ لَكَٰذِبُونَ ﴿١﴾
ٱتَّخَذُوٓاْ أَيۡمَٰنَهُمۡ جُنَّةٗ فَصَدُّواْ عَن سَبِيلِ ٱللَّهِۚ إِنَّهُمۡ سَآءَ مَا كَانُواْ
يَعۡمَلُونَ ﴿٢﴾ ذَٰلِكَ بِأَنَّهُمۡ ءَامَنُواْ ثُمَّ كَفَرُواْ فَطُبِعَ عَلَىٰ قُلُوبِهِمۡ
فَهُمۡ لَا يَفۡقَهُونَ ﴿٣﴾ ۞ وَإِذَا رَأَيۡتَهُمۡ تُعۡجِبُكَ أَجۡسَامُهُمۡۖ
وَإِن يَقُولُواْ تَسۡمَعۡ لِقَوۡلِهِمۡۖ كَأَنَّهُمۡ خُشُبٞ مُّسَنَّدَةٞۖ يَحۡسَبُونَ كُلَّ
صَيۡحَةٍ عَلَيۡهِمۡۚ هُمُ ٱلۡعَدُوُّ فَٱحۡذَرۡهُمۡۚ قَٰتَلَهُمُ ٱللَّهُۖ أَنَّىٰ يُؤۡفَكُونَ ﴿٤﴾

■ ذَرُوا البَيْعَ: اترُكوهُ وتفرَّغُوا لِذِكرِ الله
■ فَانتَشِرُوا: تفرَّقُوا للتَّصرُّفِ في حَوائِجِكُم
■ انفَضُّوا إِلَيهَا: تفرَّقوا عنكَ قاصِدِينَ إِلَيهَا
■ جُنَّةً: وِقايَةً لأَنفُسِهِم وَأَموالِهِم
■ فَطُبِعَ: خُتِمَ
■ لَا يَفقَهُونَ: لا يَعرِفونَ حَقِّيَّةَ الإِيمانِ
ربع الحزب ٥٦
■ خُشُبٌ مُّسَنَّدَةٌ: أجسامٌ بلا أحلامٍ (بلا عقول)
■ أَنَّى يُؤفَكُونَ: كَيفَ يُصرَفُونَ عَنِ الحَقِّ

المنافقون

وَإِذَا قِيلَ لَهُمْ تَعَالَوْا۟ يَسْتَغْفِرْ لَكُمْ رَسُولُ ٱللَّهِ لَوَّوْا۟ رُءُوسَهُمْ
وَرَأَيْتَهُمْ يَصُدُّونَ وَهُم مُّسْتَكْبِرُونَ ﴿٥﴾ سَوَآءٌ عَلَيْهِمْ
أَسْتَغْفَرْتَ لَهُمْ أَمْ لَمْ تَسْتَغْفِرْ لَهُمْ لَن يَغْفِرَ ٱللَّهُ لَهُمْ ۚ إِنَّ
ٱللَّهَ لَا يَهْدِى ٱلْقَوْمَ ٱلْفَٰسِقِينَ ﴿٦﴾ هُمُ ٱلَّذِينَ يَقُولُونَ
لَا تُنفِقُوا۟ عَلَىٰ مَنْ عِندَ رَسُولِ ٱللَّهِ حَتَّىٰ يَنفَضُّوا۟ ۗ وَلِلَّهِ
خَزَآئِنُ ٱلسَّمَٰوَٰتِ وَٱلْأَرْضِ وَلَٰكِنَّ ٱلْمُنَٰفِقِينَ لَا يَفْقَهُونَ
﴿٧﴾ يَقُولُونَ لَئِن رَّجَعْنَآ إِلَى ٱلْمَدِينَةِ لَيُخْرِجَنَّ ٱلْأَعَزُّ
مِنْهَا ٱلْأَذَلَّ ۚ وَلِلَّهِ ٱلْعِزَّةُ وَلِرَسُولِهِۦ وَلِلْمُؤْمِنِينَ وَلَٰكِنَّ
ٱلْمُنَٰفِقِينَ لَا يَعْلَمُونَ ﴿٨﴾ يَٰٓأَيُّهَا ٱلَّذِينَ ءَامَنُوا۟ لَا تُلْهِكُمْ
أَمْوَٰلُكُمْ وَلَآ أَوْلَٰدُكُمْ عَن ذِكْرِ ٱللَّهِ ۚ وَمَن يَفْعَلْ
ذَٰلِكَ فَأُو۟لَٰٓئِكَ هُمُ ٱلْخَٰسِرُونَ ﴿٩﴾ وَأَنفِقُوا۟ مِن مَّا رَزَقْنَٰكُم
مِّن قَبْلِ أَن يَأْتِىَ أَحَدَكُمُ ٱلْمَوْتُ فَيَقُولَ رَبِّ لَوْلَآ أَخَّرْتَنِىٓ
إِلَىٰٓ أَجَلٍ قَرِيبٍ فَأَصَّدَّقَ وَأَكُن مِّنَ ٱلصَّٰلِحِينَ ﴿١٠﴾ وَلَن
يُؤَخِّرَ ٱللَّهُ نَفْسًا إِذَا جَآءَ أَجَلُهَا ۚ وَٱللَّهُ خَبِيرٌۢ بِمَا تَعْمَلُونَ ﴿١١﴾

## سُورَةُ التَّغَابُن

ترتيبها ٦٤ — آياتها ١٨

- لَوَّوْا رُءُوسَهُمْ: عَطَفُوهَا إِعْرَاضاً وَاسْتِكْبَاراً
- حَتَّىٰ يَنفَضُّوا: كَيْ يَتَفَرَّقُوا عَنْهُ ﷺ
- لَيُخْرِجَنَّ ٱلْأَعَزُّ: الأَشَدُّ والأَقْوَى
- ٱلْأَذَلَّ: الأَضْعَفَ والأَهْوَنَ
- وَلِلَّهِ ٱلْعِزَّةُ: الغَلَبَةُ وَالقَهْرُ
- لَا تُلْهِكُمْ: لا تَشْغَلْكُمْ

مدّ ٦ حركات لزوماً — مدّ ٢ أو ٤ أو ٦ جوازاً — إخفاء، ومواقع الغُنَّة (حركتان) — تفخ…
مدّ واجب ٤ أو ٥ حركات — مدّ حركتان — إدغام، وما لا يُلفَظ — قلقلة

بِسۡمِ ٱللَّهِ ٱلرَّحۡمَٰنِ ٱلرَّحِيمِ

يُسَبِّحُ لِلَّهِ مَا فِي ٱلسَّمَٰوَٰتِ وَمَا فِي ٱلۡأَرۡضِۖ لَهُ ٱلۡمُلۡكُ وَلَهُ ٱلۡحَمۡدُۖ
وَهُوَ عَلَىٰ كُلِّ شَيۡءٖ قَدِيرٌ ١ هُوَ ٱلَّذِي خَلَقَكُمۡ فَمِنكُمۡ كَافِرٞ
وَمِنكُم مُّؤۡمِنٞۚ وَٱللَّهُ بِمَا تَعۡمَلُونَ بَصِيرٌ ٢ خَلَقَ ٱلسَّمَٰوَٰتِ
وَٱلۡأَرۡضَ بِٱلۡحَقِّ وَصَوَّرَكُمۡ فَأَحۡسَنَ صُوَرَكُمۡۖ وَإِلَيۡهِ ٱلۡمَصِيرُ ٣
يَعۡلَمُ مَا فِي ٱلسَّمَٰوَٰتِ وَٱلۡأَرۡضِ وَيَعۡلَمُ مَا تُسِرُّونَ وَمَا تُعۡلِنُونَۚ وَٱللَّهُ
عَلِيمُۢ بِذَاتِ ٱلصُّدُورِ ٤ أَلَمۡ يَأۡتِكُمۡ نَبَؤُاْ ٱلَّذِينَ كَفَرُواْ مِن قَبۡلُ
فَذَاقُواْ وَبَالَ أَمۡرِهِمۡ وَلَهُمۡ عَذَابٌ أَلِيمٞ ٥ ذَٰلِكَ بِأَنَّهُۥ كَانَت تَّأۡتِيهِمۡ
رُسُلُهُم بِٱلۡبَيِّنَٰتِ فَقَالُوٓاْ أَبَشَرٞ يَهۡدُونَنَا فَكَفَرُواْ وَتَوَلَّواْۚ وَّٱسۡتَغۡنَى
ٱللَّهُۚ وَٱللَّهُ غَنِيٌّ حَمِيدٞ ٦ زَعَمَ ٱلَّذِينَ كَفَرُوٓاْ أَن لَّن يُبۡعَثُواْۚ قُلۡ بَلَىٰ وَرَبِّي
لَتُبۡعَثُنَّ ثُمَّ لَتُنَبَّؤُنَّ بِمَا عَمِلۡتُمۡۚ وَذَٰلِكَ عَلَى ٱللَّهِ يَسِيرٞ ٧ فَـَٔامِنُواْ بِٱللَّهِ
وَرَسُولِهِۦ وَٱلنُّورِ ٱلَّذِيٓ أَنزَلۡنَاۚ وَٱللَّهُ بِمَا تَعۡمَلُونَ خَبِيرٞ ٨ يَوۡمَ
يَجۡمَعُكُمۡ لِيَوۡمِ ٱلۡجَمۡعِۖ ذَٰلِكَ يَوۡمُ ٱلتَّغَابُنِۗ وَمَن يُؤۡمِنۢ بِٱللَّهِ وَيَعۡمَلۡ
صَٰلِحٗا يُكَفِّرۡ عَنۡهُ سَيِّـَٔاتِهِۦ وَيُدۡخِلۡهُ جَنَّٰتٖ تَجۡرِي مِن تَحۡتِهَا
ٱلۡأَنۡهَٰرُ خَٰلِدِينَ فِيهَآ أَبَدٗاۚ ذَٰلِكَ ٱلۡفَوۡزُ ٱلۡعَظِيمُ ٩

- يُسَبِّحُ لِلَّهِ .. يُنَزِّهُهُ ويُمَجِّدُه..
- لَهُ ٱلۡمُلۡكُ: التَّصَرُّفُ المطلقُ في كلِّ شيء
- فَأَحۡسَنَ صُوَرَكُمۡ: أتقنَها وأحكمَها
- وَبَالَ أَمۡرِهِمۡ: سُوءَ عاقِبَةِ كُفرِهِمْ
- تَوَلَّواْ: أعْرَضُوا عن الإيمان
- ٱلنُّورِ: القرآنِ
- لِيَوۡمِ ٱلۡجَمۡعِ: لِيَوْمِ القِيامة حيث تجتمعُ الخلائقُ
- يَوۡمُ ٱلتَّغَابُنِ: يَظْهَرُ فيه غَبْنُ الكافر بتركه الإيمان وغَبْنُ المؤمن بتقصيره في الإحسان

| | | |
|---|---|---|
| مدّ ٦ حركات لزوماً ● مدّ ٢ أو ٤ أو ٦ جوازاً | ● إخفاء ، ومواقع الغُنَّة (حركتان) | ● تفخيم |
| مدّ واجب ٤ أو ٥ حركات ● مدّ حركتان | ● إدغام ، وما لا يُلفَظ | ● قلقلة |

وَٱلَّذِينَ كَفَرُواْ وَكَذَّبُواْ بِـَٔايَٰتِنَآ أُوْلَٰٓئِكَ أَصْحَٰبُ
ٱلنَّارِ خَٰلِدِينَ فِيهَاۖ وَبِئْسَ ٱلْمَصِيرُ ﴿١٠﴾ مَآ أَصَابَ مِن
مُّصِيبَةٍ إِلَّا بِإِذْنِ ٱللَّهِۗ وَمَن يُؤْمِنۢ بِٱللَّهِ يَهْدِ قَلْبَهُۥۚ وَٱللَّهُ بِكُلِّ
شَيْءٍ عَلِيمٌ ﴿١١﴾ وَأَطِيعُواْ ٱللَّهَ وَأَطِيعُواْ ٱلرَّسُولَۚ فَإِن
تَوَلَّيْتُمْ فَإِنَّمَا عَلَىٰ رَسُولِنَا ٱلْبَلَٰغُ ٱلْمُبِينُ ﴿١٢﴾ ٱللَّهُ لَآ إِلَٰهَ
إِلَّا هُوَۚ وَعَلَى ٱللَّهِ فَلْيَتَوَكَّلِ ٱلْمُؤْمِنُونَ ﴿١٣﴾ يَٰٓأَيُّهَا
ٱلَّذِينَ ءَامَنُوٓاْ إِنَّ مِنْ أَزْوَٰجِكُمْ وَأَوْلَٰدِكُمْ عَدُوًّا
لَّكُمْ فَٱحْذَرُوهُمْۚ وَإِن تَعْفُواْ وَتَصْفَحُواْ وَتَغْفِرُواْ
فَإِنَّ ٱللَّهَ غَفُورٌ رَّحِيمٌ ﴿١٤﴾ إِنَّمَآ أَمْوَٰلُكُمْ وَأَوْلَٰدُكُمْ
فِتْنَةٌۚ وَٱللَّهُ عِندَهُۥٓ أَجْرٌ عَظِيمٌ ﴿١٥﴾ فَٱتَّقُواْ ٱللَّهَ مَا ٱسْتَطَعْتُمْ
وَٱسْمَعُواْ وَأَطِيعُواْ وَأَنفِقُواْ خَيْرًا لِّأَنفُسِكُمْۗ وَمَن
يُوقَ شُحَّ نَفْسِهِۦ فَأُوْلَٰٓئِكَ هُمُ ٱلْمُفْلِحُونَ ﴿١٦﴾ إِن تُقْرِضُواْ
ٱللَّهَ قَرْضًا حَسَنًا يُضَٰعِفْهُ لَكُمْ وَيَغْفِرْ لَكُمْۚ وَٱللَّهُ شَكُورٌ
حَلِيمٌ ﴿١٧﴾ عَٰلِمُ ٱلْغَيْبِ وَٱلشَّهَٰدَةِ ٱلْعَزِيزُ ٱلْحَكِيمُ ﴿١٨﴾

## سُورَةُ الطَّلَاقِ

ترتيبها ٦٥ — آياتها ١٢

- بِإِذْنِ ٱللَّهِ: بإرادته وقضائه
- فِتْنَةٌ: بلاءٌ ومحنة
- يُوقَ شُحَّ نَفْسِهِ: يُكفَ بُخلَها مع حِرْصِها
- قَرْضًا حَسَنًا: احتساباً بطيبة نفس

● مدّ ٦ حركات لزوماً ● مدّ ٢ أو ٤ أو ٦ جوازاً ● إخفاء، ومواقع الغُنَّة (حركتان) ● تفخ
● مدّ واجب ٤ أو ٥ حركات ● مدّ حركتان ● إدغام، وما لا يُلفظ ● قلقلة

بِسْمِ ٱللَّهِ ٱلرَّحْمَٰنِ ٱلرَّحِيمِ

يَٰٓأَيُّهَا ٱلنَّبِيُّ إِذَا طَلَّقْتُمُ ٱلنِّسَآءَ فَطَلِّقُوهُنَّ لِعِدَّتِهِنَّ وَأَحْصُوا۟
ٱلْعِدَّةَ ۖ وَٱتَّقُوا۟ ٱللَّهَ رَبَّكُمْ ۖ لَا تُخْرِجُوهُنَّ مِنۢ بُيُوتِهِنَّ
وَلَا يَخْرُجْنَ إِلَّآ أَن يَأْتِينَ بِفَٰحِشَةٍ مُّبَيِّنَةٍ ۚ وَتِلْكَ حُدُودُ
ٱللَّهِ ۚ وَمَن يَتَعَدَّ حُدُودَ ٱللَّهِ فَقَدْ ظَلَمَ نَفْسَهُۥ ۚ لَا تَدْرِى لَعَلَّ
ٱللَّهَ يُحْدِثُ بَعْدَ ذَٰلِكَ أَمْرًا ﴿١﴾ فَإِذَا بَلَغْنَ أَجَلَهُنَّ فَأَمْسِكُوهُنَّ
بِمَعْرُوفٍ أَوْ فَارِقُوهُنَّ بِمَعْرُوفٍ وَأَشْهِدُوا۟ ذَوَىْ عَدْلٍ مِّنكُمْ
وَأَقِيمُوا۟ ٱلشَّهَٰدَةَ لِلَّهِ ۚ ذَٰلِكُمْ يُوعَظُ بِهِۦ مَن كَانَ يُؤْمِنُ
بِٱللَّهِ وَٱلْيَوْمِ ٱلْءَاخِرِ ۚ وَمَن يَتَّقِ ٱللَّهَ يَجْعَل لَّهُۥ مَخْرَجًا ﴿٢﴾ وَيَرْزُقْهُ
مِنْ حَيْثُ لَا يَحْتَسِبُ ۚ وَمَن يَتَوَكَّلْ عَلَى ٱللَّهِ فَهُوَ حَسْبُهُۥٓ ۚ إِنَّ ٱللَّهَ
بَٰلِغُ أَمْرِهِۦ ۚ قَدْ جَعَلَ ٱللَّهُ لِكُلِّ شَىْءٍ قَدْرًا ﴿٣﴾ وَٱلَّٰٓـِٔى يَئِسْنَ
مِنَ ٱلْمَحِيضِ مِن نِّسَآئِكُمْ إِنِ ٱرْتَبْتُمْ فَعِدَّتُهُنَّ ثَلَٰثَةُ أَشْهُرٍ
وَٱلَّٰٓـِٔى لَمْ يَحِضْنَ ۚ وَأُو۟لَٰتُ ٱلْأَحْمَالِ أَجَلُهُنَّ أَن يَضَعْنَ حَمْلَهُنَّ ۚ
وَمَن يَتَّقِ ٱللَّهَ يَجْعَل لَّهُۥ مِنْ أَمْرِهِۦ يُسْرًا ﴿٤﴾ ذَٰلِكَ أَمْرُ ٱللَّهِ أَنزَلَهُۥٓ
إِلَيْكُمْ ۚ وَمَن يَتَّقِ ٱللَّهَ يُكَفِّرْ عَنْهُ سَيِّـَٔاتِهِۦ وَيُعْظِمْ لَهُۥٓ أَجْرًا ﴿٥﴾

نصف الحزب ٥٦

- أَحْصُوا۟ ٱلْعِدَّةَ: اضبطوها وأكملوها
- بِفَٰحِشَةٍ مُّبَيِّنَةٍ: بمعصية ظاهرة
- لَا يَحْتَسِبُ: لا يخطر بباله
- فَهُوَ حَسْبُهُۥٓ: كافيه ما أهمه
- قَدْرًا: أجلاً ينتهي إليه أو تقديراً
- يَئِسْنَ: انقطع رجاؤهن
- ٱرْتَبْتُمْ: جهلتم مقدار عدتهن
- يُسْرًا: تيسيراً وفرجاً

| | | |
|---|---|---|
| مدّ ٦ حركات لزوماً ● مدّ ٢ أو ٤ أو ٦ جوازاً | إخفاء ، ومواقع الغُنّة (حركتان) | تفخيم |
| مدّ واجب ٤ أو ٥ حركات ● مدّ حركتان | إدغام ، وما لا يُلفظ | قلقلة |

أَسْكِنُوهُنَّ مِنْ حَيْثُ سَكَنتُم مِّن وُجْدِكُمْ وَلَا تُضَآرُّوهُنَّ لِتُضَيِّقُوا۟
عَلَيْهِنَّ ۚ وَإِن كُنَّ أُو۟لَـٰتِ حَمْلٍ فَأَنفِقُوا۟ عَلَيْهِنَّ حَتَّىٰ يَضَعْنَ حَمْلَهُنَّ ۚ
فَإِنْ أَرْضَعْنَ لَكُمْ فَـَٔاتُوهُنَّ أُجُورَهُنَّ ۖ وَأْتَمِرُوا۟ بَيْنَكُم بِمَعْرُوفٍ ۖ وَإِن
تَعَاسَرْتُمْ فَسَتُرْضِعُ لَهُۥٓ أُخْرَىٰ ﴿٦﴾ لِيُنفِقْ ذُو سَعَةٍ مِّن سَعَتِهِۦ ۖ
وَمَن قُدِرَ عَلَيْهِ رِزْقُهُۥ فَلْيُنفِقْ مِمَّآ ءَاتَىٰهُ ٱللَّهُ ۚ لَا يُكَلِّفُ ٱللَّهُ نَفْسًا
إِلَّا مَآ ءَاتَىٰهَا ۚ سَيَجْعَلُ ٱللَّهُ بَعْدَ عُسْرٍ يُسْرًا ﴿٧﴾ وَكَأَيِّن مِّن قَرْيَةٍ
عَتَتْ عَنْ أَمْرِ رَبِّهَا وَرُسُلِهِۦ فَحَاسَبْنَـٰهَا حِسَابًا شَدِيدًا وَعَذَّبْنَـٰهَا
عَذَابًا نُّكْرًا ﴿٨﴾ فَذَاقَتْ وَبَالَ أَمْرِهَا وَكَانَ عَـٰقِبَةُ أَمْرِهَا خُسْرًا ﴿٩﴾
أَعَدَّ ٱللَّهُ لَهُمْ عَذَابًا شَدِيدًا ۖ فَٱتَّقُوا۟ ٱللَّهَ يَـٰٓأُو۟لِى ٱلْأَلْبَـٰبِ ٱلَّذِينَ ءَامَنُوا۟ ۚ
قَدْ أَنزَلَ ٱللَّهُ إِلَيْكُمْ ذِكْرًا ﴿١٠﴾ رَّسُولًا يَتْلُوا۟ عَلَيْكُمْ ءَايَـٰتِ ٱللَّهِ مُبَيِّنَـٰتٍ
لِّيُخْرِجَ ٱلَّذِينَ ءَامَنُوا۟ وَعَمِلُوا۟ ٱلصَّـٰلِحَـٰتِ مِنَ ٱلظُّلُمَـٰتِ إِلَى ٱلنُّورِ ۚ
وَمَن يُؤْمِنۢ بِٱللَّهِ وَيَعْمَلْ صَـٰلِحًا يُدْخِلْهُ جَنَّـٰتٍ تَجْرِى مِن تَحْتِهَا
ٱلْأَنْهَـٰرُ خَـٰلِدِينَ فِيهَآ أَبَدًا ۖ قَدْ أَحْسَنَ ٱللَّهُ لَهُۥ رِزْقًا ﴿١١﴾ ٱللَّهُ ٱلَّذِى خَلَقَ
سَبْعَ سَمَـٰوَٰتٍ وَمِنَ ٱلْأَرْضِ مِثْلَهُنَّ يَتَنَزَّلُ ٱلْأَمْرُ بَيْنَهُنَّ لِتَعْلَمُوٓا۟ أَنَّ
ٱللَّهَ عَلَىٰ كُلِّ شَىْءٍ قَدِيرٌ وَأَنَّ ٱللَّهَ قَدْ أَحَاطَ بِكُلِّ شَىْءٍ عِلْمًۢا ﴿١٢﴾

- وُجْدِكُمْ: وُسْعِكُمْ وَطَاقَتِكُمْ
- وَأْتَمِرُوا بَيْنَكُم: تَشَاوَرُوا فِي الأُجْرَةِ وَالإِرْضَاعِ
- تَعَاسَرْتُمْ: تَشَاحَحْتُمْ فيهما
- ذُو سَعَةٍ: غِنىً وَطَاقَةٍ
- قُدِرَ عَلَيْهِ: ضُيِّقَ عليه
- كَأَيِّن: كَثِيرٌ
- عَتَتْ: تَجَبَّرَتْ وَتَكَبَّرَتْ
- عَذَابًا نُّكْرًا: مُنْكَراً شنيعاً
- وَبَالَ أَمْرِهَا: سُوءَ عاقبة عُتُوِّهَا
- خُسْرًا: خُسْرَاناً وَهَلَاكاً
- ذِكْرًا: قُرْآناً
- رَّسُولًا: محمداً ﷺ أرسله الله رسولاً
- يَتَنَزَّلُ الأَمْرُ: القضاءُ والقدَرُ أو التدبيرُ

ترتيبها ٦٦ | # سُورَةُ التَّحْرِيمِ | آياتها ١٢

بِسْمِ ٱللَّهِ ٱلرَّحْمَٰنِ ٱلرَّحِيمِ

يَٰٓأَيُّهَا ٱلنَّبِيُّ لِمَ تُحَرِّمُ مَآ أَحَلَّ ٱللَّهُ لَكَۖ تَبْتَغِي مَرْضَاتَ أَزْوَٰجِكَۚ وَٱللَّهُ
غَفُورٌ رَّحِيمٌ ﴿١﴾ قَدْ فَرَضَ ٱللَّهُ لَكُمْ تَحِلَّةَ أَيْمَٰنِكُمْۚ وَٱللَّهُ مَوْلَىٰكُمْۖ
وَهُوَ ٱلْعَلِيمُ ٱلْحَكِيمُ ﴿٢﴾ وَإِذْ أَسَرَّ ٱلنَّبِيُّ إِلَىٰ بَعْضِ أَزْوَٰجِهِۦ حَدِيثًا
فَلَمَّا نَبَّأَتْ بِهِۦ وَأَظْهَرَهُ ٱللَّهُ عَلَيْهِ عَرَّفَ بَعْضَهُۥ وَأَعْرَضَ عَنۢ بَعْضٍۖ
فَلَمَّا نَبَّأَهَا بِهِۦ قَالَتْ مَنْ أَنۢبَأَكَ هَٰذَاۖ قَالَ نَبَّأَنِيَ ٱلْعَلِيمُ ٱلْخَبِيرُ
﴿٣﴾ إِن تَتُوبَآ إِلَى ٱللَّهِ فَقَدْ صَغَتْ قُلُوبُكُمَاۖ وَإِن تَظَٰهَرَا عَلَيْهِ
فَإِنَّ ٱللَّهَ هُوَ مَوْلَىٰهُ وَجِبْرِيلُ وَصَٰلِحُ ٱلْمُؤْمِنِينَۖ وَٱلْمَلَٰٓئِكَةُ
بَعْدَ ذَٰلِكَ ظَهِيرٌ ﴿٤﴾ عَسَىٰ رَبُّهُۥٓ إِن طَلَّقَكُنَّ أَن يُبْدِلَهُۥٓ أَزْوَٰجًا
خَيْرًا مِّنكُنَّ مُسْلِمَٰتٍ مُّؤْمِنَٰتٍ قَٰنِتَٰتٍ تَٰٓئِبَٰتٍ عَٰبِدَٰتٍ سَٰٓئِحَٰتٍ
ثَيِّبَٰتٍ وَأَبْكَارًا ﴿٥﴾ يَٰٓأَيُّهَا ٱلَّذِينَ ءَامَنُوا۟ قُوٓا۟ أَنفُسَكُمْ وَأَهْلِيكُمْ
نَارًا وَقُودُهَا ٱلنَّاسُ وَٱلْحِجَارَةُ عَلَيْهَا مَلَٰٓئِكَةٌ غِلَاظٌ شِدَادٌ
لَّا يَعْصُونَ ٱللَّهَ مَآ أَمَرَهُمْ وَيَفْعَلُونَ مَا يُؤْمَرُونَ ﴿٦﴾ يَٰٓأَيُّهَا
ٱلَّذِينَ كَفَرُوا۟ لَا تَعْتَذِرُوا۟ ٱلْيَوْمَۖ إِنَّمَا تُجْزَوْنَ مَا كُنتُمْ تَعْمَلُونَ ﴿٧﴾

ثلاثة أرباع الحزب ٥٦

- تَبْتَغِي: تطلُب
- تَحِلَّةَ أَيْمَٰنِكُمْ: تحليلها بالكفّارة
- ٱللَّهُ مَوْلَىٰكُمْ: متولّي أموركم
- نَبَّأَتْ بِهِۦ: أخبرتْ به
- أَظْهَرَهُ ٱللَّهُ عَلَيْهِ: أطلعهُ اللهُ تعالى عليه
- صَغَتْ قُلُوبُكُمَا: مالَتْ عن حقّه ﷺ عليكما
- تَظَٰهَرَا عَلَيْهِ: تتعاونَا عليه بما يسوؤه
- هُوَ مَوْلَىٰهُ: وليُّه وناصِرُه
- ظَهِيرٌ: فوجٌ مُعِينٌ له
- قَٰنِتَٰتٍ: مُطيعاتٍ خاضعاتٍ لله
- سَٰٓئِحَٰتٍ: مُهاجرات أو صائمات
- قُوٓا۟ أَنفُسَكُمْ: جنّبوها
- غِلَاظٌ شِدَادٌ: قُساةٌ أقوياءُ

| | | |
|---|---|---|
| مدّ ٦ حركات لزوماً — مدّ ٢ أو ٤ أو ٦ جوازاً | إخفاء، ومواقع الغُنّة (حركتان) | تفخيم |
| مدّ واجب ٤ أو ٥ حركات — مدّ حركتان | إدغام، وما لا يُلفظ | قلقلة |

يَٰٓأَيُّهَا ٱلَّذِينَ ءَامَنُوا۟ تُوبُوٓا۟ إِلَى ٱللَّهِ تَوْبَةً نَّصُوحًا عَسَىٰ رَبُّكُمْ
أَن يُكَفِّرَ عَنكُمْ سَيِّـَٔاتِكُمْ وَيُدْخِلَكُمْ جَنَّٰتٍ تَجْرِى
مِن تَحْتِهَا ٱلْأَنْهَٰرُ يَوْمَ لَا يُخْزِى ٱللَّهُ ٱلنَّبِىَّ وَٱلَّذِينَ ءَامَنُوا۟
مَعَهُۥ ۖ نُورُهُمْ يَسْعَىٰ بَيْنَ أَيْدِيهِمْ وَبِأَيْمَٰنِهِمْ يَقُولُونَ رَبَّنَآ
أَتْمِمْ لَنَا نُورَنَا وَٱغْفِرْ لَنَآ ۖ إِنَّكَ عَلَىٰ كُلِّ شَىْءٍ قَدِيرٌ ﴿٨﴾
يَٰٓأَيُّهَا ٱلنَّبِىُّ جَٰهِدِ ٱلْكُفَّارَ وَٱلْمُنَٰفِقِينَ وَٱغْلُظْ عَلَيْهِمْ ۚ
وَمَأْوَىٰهُمْ جَهَنَّمُ ۖ وَبِئْسَ ٱلْمَصِيرُ ﴿٩﴾ ضَرَبَ ٱللَّهُ مَثَلًا
لِّلَّذِينَ كَفَرُوا۟ ٱمْرَأَتَ نُوحٍ وَٱمْرَأَتَ لُوطٍ ۖ كَانَتَا تَحْتَ
عَبْدَيْنِ مِنْ عِبَادِنَا صَٰلِحَيْنِ فَخَانَتَاهُمَا فَلَمْ يُغْنِيَا عَنْهُمَا
مِنَ ٱللَّهِ شَيْـًٔا وَقِيلَ ٱدْخُلَا ٱلنَّارَ مَعَ ٱلدَّٰخِلِينَ ﴿١٠﴾
وَضَرَبَ ٱللَّهُ مَثَلًا لِّلَّذِينَ ءَامَنُوا۟ ٱمْرَأَتَ فِرْعَوْنَ إِذْ
قَالَتْ رَبِّ ٱبْنِ لِى عِندَكَ بَيْتًا فِى ٱلْجَنَّةِ وَنَجِّنِى مِن فِرْعَوْنَ
وَعَمَلِهِۦ وَنَجِّنِى مِنَ ٱلْقَوْمِ ٱلظَّٰلِمِينَ ﴿١١﴾ وَمَرْيَمَ ٱبْنَتَ
عِمْرَٰنَ ٱلَّتِىٓ أَحْصَنَتْ فَرْجَهَا فَنَفَخْنَا فِيهِ مِن رُّوحِنَا
وَصَدَّقَتْ بِكَلِمَٰتِ رَبِّهَا وَكُتُبِهِۦ وَكَانَتْ مِنَ ٱلْقَٰنِتِينَ ﴿١٢﴾

- تَوْبَةً نَّصُوحًا: خالصةً أو صادقةً
- لَا يُخْزِى ٱللَّهُ ٱلنَّبِىَّ: لا يُذلُّه بل يُعزُّه
- ٱغْلُظْ عَلَيْهِمْ: شدِّدْ أو اقْسُ عليهم
- فَلَمْ يُغْنِيَا عَنْهُمَا: فلم يدفعا ولم يمنعا عنهما
- أَحْصَنَتْ فَرْجَهَا: صانتْه من دنسِ المعصيةِ
- مِن رُّوحِنَا: روحاً من خلقنا «عيسى عليه السلام»
- مِنَ ٱلْقَٰنِتِينَ: من القوم المطيعين

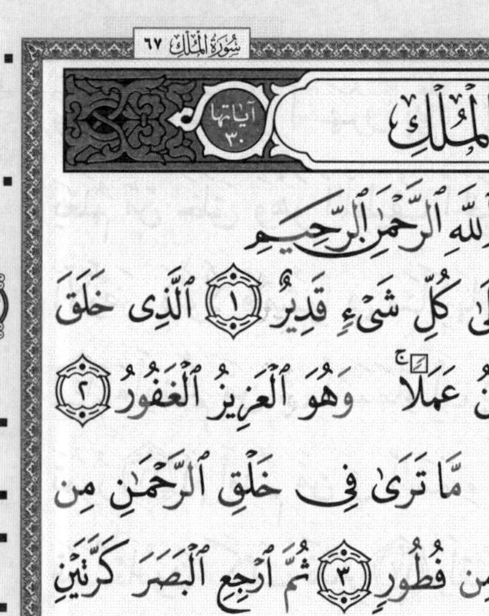

# سورة الملك

ترتيبها ٦٧ — آياتها ٣٠

بِسْمِ ٱللَّهِ ٱلرَّحْمَٰنِ ٱلرَّحِيمِ

تَبَٰرَكَ ٱلَّذِى بِيَدِهِ ٱلْمُلْكُ وَهُوَ عَلَىٰ كُلِّ شَىْءٍ قَدِيرٌ ﴿١﴾ ٱلَّذِى خَلَقَ
ٱلْمَوْتَ وَٱلْحَيَوٰةَ لِيَبْلُوَكُمْ أَيُّكُمْ أَحْسَنُ عَمَلًا ۚ وَهُوَ ٱلْعَزِيزُ ٱلْغَفُورُ ﴿٢﴾
ٱلَّذِى خَلَقَ سَبْعَ سَمَٰوَٰتٍ طِبَاقًا ۖ مَّا تَرَىٰ فِى خَلْقِ ٱلرَّحْمَٰنِ مِن
تَفَٰوُتٍ ۖ فَٱرْجِعِ ٱلْبَصَرَ هَلْ تَرَىٰ مِن فُطُورٍ ﴿٣﴾ ثُمَّ ٱرْجِعِ ٱلْبَصَرَ كَرَّتَيْنِ
يَنقَلِبْ إِلَيْكَ ٱلْبَصَرُ خَاسِئًا وَهُوَ حَسِيرٌ ﴿٤﴾ وَلَقَدْ زَيَّنَّا ٱلسَّمَآءَ
ٱلدُّنْيَا بِمَصَٰبِيحَ وَجَعَلْنَٰهَا رُجُومًا لِّلشَّيَٰطِينِ ۖ وَأَعْتَدْنَا لَهُمْ عَذَابَ
ٱلسَّعِيرِ ﴿٥﴾ وَلِلَّذِينَ كَفَرُوا۟ بِرَبِّهِمْ عَذَابُ جَهَنَّمَ ۖ وَبِئْسَ ٱلْمَصِيرُ
﴿٦﴾ إِذَآ أُلْقُوا۟ فِيهَا سَمِعُوا۟ لَهَا شَهِيقًا وَهِىَ تَفُورُ ﴿٧﴾ تَكَادُ تَمَيَّزُ
مِنَ ٱلْغَيْظِ ۖ كُلَّمَآ أُلْقِىَ فِيهَا فَوْجٌ سَأَلَهُمْ خَزَنَتُهَآ أَلَمْ يَأْتِكُمْ نَذِيرٌ ﴿٨﴾
قَالُوا۟ بَلَىٰ قَدْ جَآءَنَا نَذِيرٌ فَكَذَّبْنَا وَقُلْنَا مَا نَزَّلَ ٱللَّهُ مِن شَىْءٍ إِنْ أَنتُمْ
إِلَّا فِى ضَلَٰلٍ كَبِيرٍ ﴿٩﴾ وَقَالُوا۟ لَوْ كُنَّا نَسْمَعُ أَوْ نَعْقِلُ مَا كُنَّا فِىٓ أَصْحَٰبِ
ٱلسَّعِيرِ ﴿١٠﴾ فَٱعْتَرَفُوا۟ بِذَنۢبِهِمْ فَسُحْقًا لِّأَصْحَٰبِ ٱلسَّعِيرِ ﴿١١﴾
إِنَّ ٱلَّذِينَ يَخْشَوْنَ رَبَّهُم بِٱلْغَيْبِ لَهُم مَّغْفِرَةٌ وَأَجْرٌ كَبِيرٌ ﴿١٢﴾

- تَبَٰرَكَ ٱلَّذِى . . : تعالى أو كثُر خيرُهُ وإنعامُهُ
- بِيَدِهِ ٱلْمُلْكُ: الأمْرُ والنَّهْيُ والسُّلطانُ

الجزء ٢٩ — الحزب ٥٧

- خَلَقَ ٱلْمَوْتَ: قدّره أزلاً
- لِيَبْلُوَكُمْ: ليَخْتبِرَكُم
- أَحْسَنُ عَمَلًا: أصْوَبُه وأخلصُه
- طِبَاقًا: كلُّ سماءٍ مقبَّبةٌ على الأخرى
- تَفَٰوُتٍ: اختلافٍ وعَدَمِ تناسُبٍ
- فُطُورٍ: صُدوعٍ أو خَلَلٍ
- كَرَّتَيْنِ: رَجْعةً بعد رجعةٍ
- خَاسِئًا: صَاغِراً لعدمِ وِجْدانِ الفُطورِ
- حَسِيرٌ: كليلٌ من كثرةِ المراجعةِ
- بِمَصَٰبِيحَ: كواكبَ مُضيئةٍ
- رُجُومًا لِّلشَّيَٰطِينِ: بانقضاضِ الشُّهُبِ منها عليهمْ
- شَهِيقًا: صَوْتاً مُنكراً
- تَفُورُ: تَغْلي بهم غَلَيانَ القُدورِ
- تَكَادُ تَمَيَّزُ: تتقطَّعُ وتتفرَّقُ
- فَوْجٌ: جَماعةٌ مِن الكُفَّارِ
- فَسُحْقًا: فَبُعْداً مِنَ الرَّحْمةِ والكَرامةِ

| | | |
|---|---|---|
| مدّ ٦ حركات لزوماً — مدّ ٢ أو ٤ أو ٦ جوازاً | إخفاء، ومواقع الغُنَّة (حركتان) | تفخيم |
| مدّ واجب ٤ أو ٥ حركات — مدّ حركتان | إدغام، وما لا يُلفظ | قلقلة |

وَأَسِرُّوا قَوْلَكُمْ أَوِ ٱجْهَرُوا بِهِۦٓ ۖ إِنَّهُۥ عَلِيمٌۢ بِذَاتِ ٱلصُّدُورِ ﴿١٣﴾ أَلَا
يَعْلَمُ مَنْ خَلَقَ وَهُوَ ٱللَّطِيفُ ٱلْخَبِيرُ ﴿١٤﴾ هُوَ ٱلَّذِى جَعَلَ لَكُمُ
ٱلْأَرْضَ ذَلُولًا فَٱمْشُوا فِى مَنَاكِبِهَا وَكُلُوا مِن رِّزْقِهِۦ ۖ وَإِلَيْهِ ٱلنُّشُورُ
﴿١٥﴾ ءَأَمِنتُم مَّن فِى ٱلسَّمَآءِ أَن يَخْسِفَ بِكُمُ ٱلْأَرْضَ فَإِذَا هِىَ
تَمُورُ ﴿١٦﴾ أَمْ أَمِنتُم مَّن فِى ٱلسَّمَآءِ أَن يُرْسِلَ عَلَيْكُمْ حَاصِبًا ۖ
فَسَتَعْلَمُونَ كَيْفَ نَذِيرِ ﴿١٧﴾ وَلَقَدْ كَذَّبَ ٱلَّذِينَ مِن قَبْلِهِمْ فَكَيْفَ
كَانَ نَكِيرِ ﴿١٨﴾ أَوَلَمْ يَرَوْا إِلَى ٱلطَّيْرِ فَوْقَهُمْ صَٰٓفَّٰتٍ وَيَقْبِضْنَ ۚ مَا
يُمْسِكُهُنَّ إِلَّا ٱلرَّحْمَٰنُ ۚ إِنَّهُۥ بِكُلِّ شَىْءٍۭ بَصِيرٌ ﴿١٩﴾ أَمَّنْ هَٰذَا ٱلَّذِى
هُوَ جُندٌ لَّكُمْ يَنصُرُكُم مِّن دُونِ ٱلرَّحْمَٰنِ ۚ إِنِ ٱلْكَٰفِرُونَ إِلَّا فِى غُرُورٍ
﴿٢٠﴾ أَمَّنْ هَٰذَا ٱلَّذِى يَرْزُقُكُمْ إِنْ أَمْسَكَ رِزْقَهُۥ ۚ بَل لَّجُّوا فِى عُتُوٍّ
وَنُفُورٍ ﴿٢١﴾ أَفَمَن يَمْشِى مُكِبًّا عَلَىٰ وَجْهِهِۦٓ أَهْدَىٰٓ أَمَّن يَمْشِى سَوِيًّا
عَلَىٰ صِرَٰطٍ مُّسْتَقِيمٍ ﴿٢٢﴾ قُلْ هُوَ ٱلَّذِىٓ أَنشَأَكُمْ وَجَعَلَ لَكُمُ ٱلسَّمْعَ
وَٱلْأَبْصَٰرَ وَٱلْأَفْـِٔدَةَ ۖ قَلِيلًا مَّا تَشْكُرُونَ ﴿٢٣﴾ قُلْ هُوَ ٱلَّذِى ذَرَأَكُمْ
فِى ٱلْأَرْضِ وَإِلَيْهِ تُحْشَرُونَ ﴿٢٤﴾ وَيَقُولُونَ مَتَىٰ هَٰذَا ٱلْوَعْدُ إِن كُنتُمْ
صَٰدِقِينَ ﴿٢٥﴾ قُلْ إِنَّمَا ٱلْعِلْمُ عِندَ ٱللَّهِ وَإِنَّمَآ أَنَا۠ نَذِيرٌ مُّبِينٌ ﴿٢٦﴾

- ٱلْأَرْضَ ذَلُولًا: مُذلّلةً لَيّنةً سَهلةً
- مَنَاكِبِهَا: جوانبِها، أوْطُرُقِهَا
- إِلَيْهِ ٱلنُّشُورُ: إليه تُبْعَثُون من القُبُورِ
- يَخْسِفَ بِكُمُ: يُغَوِّرَ بكُمْ
- هِىَ تَمُورُ: تَرْتَجُّ وتَضْطَرِبُ
- حَاصِبًا: ريحاً فيها حصباءُ
- كَانَ نَكِيرِ: إنكارِي عَلَيْهِمْ بالإهلاكِ
- صَٰٓفَّٰتٍ: باسِطَاتٍ أَجْنِحَتَهُنَّ عِنْدَ الطَّيَرانِ
- يَقْبِضْنَ: يَضْمُمْنَهَا إذَا ضَرَبْنَ بِهَا جُنُوبَهُنَّ
- جُندٌ لَّكُمْ: أَعْوانٌ لكُمْ
- غُرُورٍ: خَدِيعَةٍ من الشّيْطانِ وَجُندِه
- لَّجُّوا فِى عُتُوٍّ: تَمَادَوْا في اسْتِكْبارٍ وعِنَادٍ
- نُفُورٍ: شِرَادٍ عن الحَقِّ
- مُكِبًّا عَلَىٰ وَجْهِهِۦ: سَاقِطاً عليه
- يَمْشِى سَوِيًّا: مُسْتَوِياً مُنْتَصِباً
- ذَرَأَكُمْ: خَلَقَكُمْ وبَثَّكُمْ

فَلَمَّا رَأَوْهُ زُلْفَةً سِيٓـَٔتْ وُجُوهُ ٱلَّذِينَ كَفَرُوا۟ وَقِيلَ هَٰذَا ٱلَّذِى
كُنتُم بِهِۦ تَدَّعُونَ (٢٧) قُلْ أَرَءَيْتُمْ إِنْ أَهْلَكَنِىَ ٱللَّهُ وَمَن مَّعِىَ
أَوْ رَحِمَنَا فَمَن يُجِيرُ ٱلْكَٰفِرِينَ مِنْ عَذَابٍ أَلِيمٍ (٢٨) قُلْ هُوَ
ٱلرَّحْمَٰنُ ءَامَنَّا بِهِۦ وَعَلَيْهِ تَوَكَّلْنَا ۖ فَسَتَعْلَمُونَ مَنْ هُوَ فِى ضَلَٰلٍ مُّبِينٍ
(٢٩) قُلْ أَرَءَيْتُمْ إِنْ أَصْبَحَ مَآؤُكُمْ غَوْرًا فَمَن يَأْتِيكُم بِمَآءٍ مَّعِينٍۭ (٣٠)

## سُورَةُ القَلَمِ

ترتيبها ٦٨ — آياتها ٥٢

بِسْمِ ٱللَّهِ ٱلرَّحْمَٰنِ ٱلرَّحِيمِ

نٓ ۚ وَٱلْقَلَمِ وَمَا يَسْطُرُونَ (١) مَآ أَنتَ بِنِعْمَةِ رَبِّكَ بِمَجْنُونٍ (٢)
وَإِنَّ لَكَ لَأَجْرًا غَيْرَ مَمْنُونٍ (٣) وَإِنَّكَ لَعَلَىٰ خُلُقٍ عَظِيمٍ (٤)
فَسَتُبْصِرُ وَيُبْصِرُونَ (٥) بِأَييِّكُمُ ٱلْمَفْتُونُ (٦) إِنَّ رَبَّكَ هُوَ
أَعْلَمُ بِمَن ضَلَّ عَن سَبِيلِهِۦ وَهُوَ أَعْلَمُ بِٱلْمُهْتَدِينَ (٧) فَلَا تُطِعِ
ٱلْمُكَذِّبِينَ (٨) وَدُّوا۟ لَوْ تُدْهِنُ فَيُدْهِنُونَ (٩) وَلَا تُطِعْ كُلَّ
حَلَّافٍ مَّهِينٍ (١٠) هَمَّازٍ مَّشَّآءٍۭ بِنَمِيمٍ (١١) مَّنَّاعٍ لِّلْخَيْرِ مُعْتَدٍ
أَثِيمٍ (١٢) عُتُلٍّۭ بَعْدَ ذَٰلِكَ زَنِيمٍ (١٣) أَن كَانَ ذَا مَالٍ وَبَنِينَ
(١٤) إِذَا تُتْلَىٰ عَلَيْهِ ءَايَٰتُنَا قَالَ أَسَٰطِيرُ ٱلْأَوَّلِينَ (١٥)

- رَأَوْهُ زُلْفَةً: رأوا العذاب قريباً منهم
- سِيٓـَٔتْ: كئبت واسودّت غمّاً
- تَدَّعُونَ: تطلبون أن يُعجّل لكم
- أَرَءَيْتُمْ: أخبروني
- يُجِيرُ ٱلْكَٰفِرِينَ: يُنجّيهم أو يمنعهم
- غَوْرًا: ذاهباً في الأرض لا يُنال
- بِمَآءٍ مَّعِينٍ: جارٍ أو ظاهر سهل التناول
- ٱلْقَلَمِ: ما يُكتب به
- مَا يَسْطُرُونَ: ما يكتبون

ربع الحزب ٥٧

- غَيْرَ مَمْنُونٍ: غير مقطوع عنك
- بِأَييِّكُمُ ٱلْمَفْتُونُ: في أي طائفة منكم المجنون
- تُدْهِنُ: تُلاين وتصانع
- فَيُدْهِنُونَ: فهم يُلاينون ويُصانعون
- حَلَّافٍ: كثير الحلف بالباطل
- مَّهِينٍ: حقير في الرأي والتدبير
- هَمَّازٍ: عيّاب أو مُغتاب للناس
- مَّشَّآءٍۭ بِنَمِيمٍ: بالسّعاية والإفساد بين الناس
- عُتُلٍّ: فاحش لئيم
- زَنِيمٍ: دَعِيّ في قومه
- أَسَٰطِيرُ ٱلْأَوَّلِينَ: أباطيلهم المسطّرة في كتبهم

| | | |
|---|---|---|
| مدّ ٦ حركات لزوماً — مدّ ٢ أو ٤ أو ٦ جوازاً | إخفاء، ومواقع الغُنّة (حركتان) | تفخيم |
| مدّ واجب ٤ أو ٥ حركات — مدّ حركتان | إدغام، وما لا يُلفظ | قلقلة |

سَنَسِمُهُۥ عَلَى ٱلۡخُرۡطُومِ ﴿١٦﴾ إِنَّا بَلَوۡنَٰهُمۡ كَمَا بَلَوۡنَآ أَصۡحَٰبَ ٱلۡجَنَّةِ إِذۡ أَقۡسَمُواْ
لَيَصۡرِمُنَّهَا مُصۡبِحِينَ ﴿١٧﴾ وَلَا يَسۡتَثۡنُونَ ﴿١٨﴾ فَطَافَ عَلَيۡهَا طَآئِفٞ مِّن رَّبِّكَ
وَهُمۡ نَآئِمُونَ ﴿١٩﴾ فَأَصۡبَحَتۡ كَٱلصَّرِيمِ ﴿٢٠﴾ فَتَنَادَوۡاْ مُصۡبِحِينَ ﴿٢١﴾ أَنِ
ٱغۡدُواْ عَلَىٰ حَرۡثِكُمۡ إِن كُنتُمۡ صَٰرِمِينَ ﴿٢٢﴾ فَٱنطَلَقُواْ وَهُمۡ يَتَخَٰفَتُونَ ﴿٢٣﴾
أَن لَّا يَدۡخُلَنَّهَا ٱلۡيَوۡمَ عَلَيۡكُم مِّسۡكِينٞ ﴿٢٤﴾ وَغَدَوۡاْ عَلَىٰ حَرۡدٖ قَٰدِرِينَ ﴿٢٥﴾ فَلَمَّا
رَأَوۡهَا قَالُوٓاْ إِنَّا لَضَآلُّونَ ﴿٢٦﴾ بَلۡ نَحۡنُ مَحۡرُومُونَ ﴿٢٧﴾ قَالَ أَوۡسَطُهُمۡ أَلَمۡ أَقُل
لَّكُمۡ لَوۡلَا تُسَبِّحُونَ ﴿٢٨﴾ قَالُواْ سُبۡحَٰنَ رَبِّنَآ إِنَّا كُنَّا ظَٰلِمِينَ ﴿٢٩﴾ فَأَقۡبَلَ
بَعۡضُهُمۡ عَلَىٰ بَعۡضٖ يَتَلَٰوَمُونَ ﴿٣٠﴾ قَالُواْ يَٰوَيۡلَنَآ إِنَّا كُنَّا طَٰغِينَ ﴿٣١﴾ عَسَىٰ
رَبُّنَآ أَن يُبۡدِلَنَا خَيۡرٗا مِّنۡهَآ إِنَّآ إِلَىٰ رَبِّنَا رَٰغِبُونَ ﴿٣٢﴾ كَذَٰلِكَ ٱلۡعَذَابُۖ وَلَعَذَابُ
ٱلۡأٓخِرَةِ أَكۡبَرُۚ لَوۡ كَانُواْ يَعۡلَمُونَ ﴿٣٣﴾ إِنَّ لِلۡمُتَّقِينَ عِندَ رَبِّهِمۡ جَنَّٰتِ ٱلنَّعِيمِ
﴿٣٤﴾ أَفَنَجۡعَلُ ٱلۡمُسۡلِمِينَ كَٱلۡمُجۡرِمِينَ ﴿٣٥﴾ مَا لَكُمۡ كَيۡفَ تَحۡكُمُونَ ﴿٣٦﴾ أَمۡ
لَكُمۡ كِتَٰبٞ فِيهِ تَدۡرُسُونَ ﴿٣٧﴾ إِنَّ لَكُمۡ فِيهِ لَمَا تَخَيَّرُونَ ﴿٣٨﴾ أَمۡ لَكُمۡ أَيۡمَٰنٌ
عَلَيۡنَا بَٰلِغَةٌ إِلَىٰ يَوۡمِ ٱلۡقِيَٰمَةِ إِنَّ لَكُمۡ لَمَا تَحۡكُمُونَ ﴿٣٩﴾ سَلۡهُمۡ أَيُّهُم
بِذَٰلِكَ زَعِيمٌ ﴿٤٠﴾ أَمۡ لَهُمۡ شُرَكَآءُ فَلۡيَأۡتُواْ بِشُرَكَآئِهِمۡ إِن كَانُواْ صَٰدِقِينَ ﴿٤١﴾
يَوۡمَ يُكۡشَفُ عَن سَاقٖ وَيُدۡعَوۡنَ إِلَى ٱلسُّجُودِ فَلَا يَسۡتَطِيعُونَ ﴿٤٢﴾

- سَنَسِمُهُۥ عَلَى ٱلۡخُرۡطُومِ: سنُذلّه غاية الإذلال
- بَلَوۡنَٰهُمۡ: ابتليناهُم وامتحنّاهُم
- ٱلۡجَنَّةِ: البُستان
- لَيَصۡرِمُنَّهَا: ليَقطعُنّ ثمارَها
- مُصۡبِحِينَ: داخلين في الصّباح
- لَا يَسۡتَثۡنُونَ: حِصّةَ المساكين كأبيهم
- فَطَافَ عَلَيۡهَا: نزَلَ بها
- طَآئِفٞ: بلاءٌ محيط
- كَٱلصَّرِيمِ: كاللّيل في السواد لاحتراقها
- فَتَنَادَوۡاْ: نادى بعضُهُم بعضاً
- ٱغۡدُواْ: باكِروا مُقبلين
- عَلَىٰ حَرۡثِكُمۡ: على بُستانكُم
- صَٰرِمِينَ: قاصدين قطعَ ثماره
- يَتَخَٰفَتُونَ: يتسارُّون بالحديث
- غَدَوۡاْ: سارُوا غُدوةً إلى حَرثِهم
- عَلَىٰ حَرۡدٖ: على انفرادٍ عن المساكين
- قَٰدِرِينَ: على الصِّرام
- تُسَبِّحُونَ: تستغفرون الله من معصيتكم
- يَتَلَٰوَمُونَ: يلُومُ بعضُهُم بعضاً
- رَٰغِبُونَ: طالبُون الخير
- لَمَا تَخَيَّرُونَ: للّذي تختارُونه وتشتهُونه
- لَكُمۡ أَيۡمَٰنٌ عَلَيۡنَا: عُهودٌ مؤكّدةٌ بالأيمان
- لَمَا تَحۡكُمُونَ: للّذي تحكمُون به لأنفسكم
- زَعِيمٌ: كفيلٌ بأن يكون لهم ذلك
- يُكۡشَفُ عَن سَاقٖ: كناية عن شدّة الأمر وصعُوبته

| | | |
|---|---|---|
| مدّ ٦ حركات لزوماً ● مدّ ٢ أو ٤ أو ٦ جوازاً ● | إخفاء ، ومواقع الغُنّة (حركتان) ● | تفخ[يم] ● |
| مدّ واجب ٤ أو ٥ حركات ● مدّ حركتان ● | إدغام ، وما لا يُلفظ ● | قلقل[ة] ● |

خَٰشِعَةً أَبۡصَٰرُهُمۡ تَرۡهَقُهُمۡ ذِلَّةٞۖ وَقَدۡ كَانُواْ يُدۡعَوۡنَ إِلَى ٱلسُّجُودِ وَهُمۡ سَٰلِمُونَ
﴿٤٣﴾ فَذَرۡنِي وَمَن يُكَذِّبُ بِهَٰذَا ٱلۡحَدِيثِۖ سَنَسۡتَدۡرِجُهُم مِّنۡ حَيۡثُ
لَا يَعۡلَمُونَ ﴿٤٤﴾ وَأُمۡلِي لَهُمۡۚ إِنَّ كَيۡدِي مَتِينٌ ﴿٤٥﴾ أَمۡ تَسۡـَٔلُهُمۡ أَجۡرٗا فَهُم
مِّن مَّغۡرَمٖ مُّثۡقَلُونَ ﴿٤٦﴾ أَمۡ عِندَهُمُ ٱلۡغَيۡبُ فَهُمۡ يَكۡتُبُونَ ﴿٤٧﴾ فَٱصۡبِرۡ
لِحُكۡمِ رَبِّكَ وَلَا تَكُن كَصَاحِبِ ٱلۡحُوتِ إِذۡ نَادَىٰ وَهُوَ مَكۡظُومٞ ﴿٤٨﴾ لَّوۡلَآ
أَن تَدَٰرَكَهُۥ نِعۡمَةٞ مِّن رَّبِّهِۦ لَنُبِذَ بِٱلۡعَرَآءِ وَهُوَ مَذۡمُومٞ ﴿٤٩﴾ فَٱجۡتَبَٰهُ رَبُّهُۥ
فَجَعَلَهُۥ مِنَ ٱلصَّٰلِحِينَ ﴿٥٠﴾ وَإِن يَكَادُ ٱلَّذِينَ كَفَرُواْ لَيُزۡلِقُونَكَ بِأَبۡصَٰرِهِمۡ
لَمَّا سَمِعُواْ ٱلذِّكۡرَ وَيَقُولُونَ إِنَّهُۥ لَمَجۡنُونٞ ﴿٥١﴾ وَمَا هُوَ إِلَّا ذِكۡرٞ لِّلۡعَٰلَمِينَ ﴿٥٢﴾

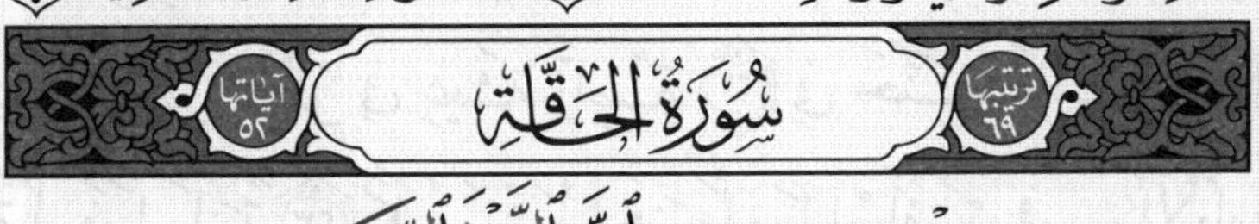


بِسۡمِ ٱللَّهِ ٱلرَّحۡمَٰنِ ٱلرَّحِيمِ

ٱلۡحَآقَّةُ ﴿١﴾ مَا ٱلۡحَآقَّةُ ﴿٢﴾ وَمَآ أَدۡرَىٰكَ مَا ٱلۡحَآقَّةُ ﴿٣﴾ كَذَّبَتۡ ثَمُودُ
وَعَادُۢ بِٱلۡقَارِعَةِ ﴿٤﴾ فَأَمَّا ثَمُودُ فَأُهۡلِكُواْ بِٱلطَّاغِيَةِ ﴿٥﴾ وَأَمَّا
عَادٞ فَأُهۡلِكُواْ بِرِيحٖ صَرۡصَرٍ عَاتِيَةٖ ﴿٦﴾ سَخَّرَهَا عَلَيۡهِمۡ
سَبۡعَ لَيَالٖ وَثَمَٰنِيَةَ أَيَّامٍ حُسُومٗاۖ فَتَرَى ٱلۡقَوۡمَ فِيهَا صَرۡعَىٰ
كَأَنَّهُمۡ أَعۡجَازُ نَخۡلٍ خَاوِيَةٖ ﴿٧﴾ فَهَلۡ تَرَىٰ لَهُم مِّنۢ بَاقِيَةٖ ﴿٨﴾

- خَٰشِعَةً أَبۡصَٰرُهُمۡ: ذليلة منكسرة
- تَرۡهَقُهُمۡ ذِلَّةٞ: يغشاهم ذلٌّ وخسران
- فَذَرۡنِي: دعني وخلّني
- سَنَسۡتَدۡرِجُهُم: سنُدنيهم من العذاب درجة درجة
- أُمۡلِي لَهُمۡ: أُمهلهم ليزدادوا إثماً
- مَّغۡرَمٖ: غرامة ماليّة
- مُّثۡقَلُونَ: مكلّفون حملاً ثقيلاً
- مَكۡظُومٞ: مملوء غيظاً أو غمّاً
- لَنُبِذَ بِٱلۡعَرَآءِ: لطُرح بالأرض الفضاء المهلكة
- فَٱجۡتَبَٰهُ رَبُّهُۥ: اصطفاه بعودة الوحي إليه
- لَيُزۡلِقُونَكَ: يُزلّون قدمك فيرمونك
- ٱلۡحَآقَّةُ: الساعة يتحقّق فيها ما أنكروه
- بِٱلۡقَارِعَةِ: بالقيامة تقرع القلوب بأفزاعها

نصف الحزب ٥٧

- بِٱلطَّاغِيَةِ: بالعقوبة المجاوزة للحدّ في الشدة
- بِرِيحٖ صَرۡصَرٍ: شديدة البرد أو الصوت
- عَاتِيَةٖ: شديدة العصف
- سَخَّرَهَا عَلَيۡهِمۡ: سلّطها عليهم
- حُسُومٗا: متتابعات أو مشؤومات
- أَعۡجَازُ نَخۡلٍ: جذوع نخل بلا رؤوس
- خَاوِيَةٖ: ساقطة أو فارغة

| | | |
|---|---|---|
| مدّ ٦ حركات لزوماً ● مدّ ٢ أو ٤ أو ٦ جوازاً | ● إخفاء ، ومواقع الغُنّة (حركتان) | ● تفخيم |
| مدّ واجب ٤ أو ٥ حركات ● مدّ حركتان | ● إدغام ، وما لا يُلفظ | ● قلقلة |

وَجَآءَ فِرۡعَوۡنُ وَمَن قَبۡلَهُۥ وَٱلۡمُؤۡتَفِكَٰتُ بِٱلۡخَاطِئَةِ ﴿٩﴾ فَعَصَوۡاْ رَسُولَ
رَبِّهِمۡ فَأَخَذَهُمۡ أَخۡذَةٗ رَّابِيَةً ﴿١٠﴾ إِنَّا لَمَّا طَغَا ٱلۡمَآءُ حَمَلۡنَٰكُمۡ فِي ٱلۡجَارِيَةِ
﴿١١﴾ لِنَجۡعَلَهَا لَكُمۡ تَذۡكِرَةٗ وَتَعِيَهَآ أُذُنٞ وَٰعِيَةٞ ﴿١٢﴾ فَإِذَا نُفِخَ فِي ٱلصُّورِ
نَفۡخَةٞ وَٰحِدَةٞ ﴿١٣﴾ وَحُمِلَتِ ٱلۡأَرۡضُ وَٱلۡجِبَالُ فَدُكَّتَا دَكَّةٗ وَٰحِدَةٗ ﴿١٤﴾
فَيَوۡمَئِذٖ وَقَعَتِ ٱلۡوَاقِعَةُ ﴿١٥﴾ وَٱنشَقَّتِ ٱلسَّمَآءُ فَهِيَ يَوۡمَئِذٖ وَاهِيَةٞ
﴿١٦﴾ وَٱلۡمَلَكُ عَلَىٰٓ أَرۡجَآئِهَاۚ وَيَحۡمِلُ عَرۡشَ رَبِّكَ فَوۡقَهُمۡ يَوۡمَئِذٖ ثَمَٰنِيَةٞ
﴿١٧﴾ يَوۡمَئِذٖ تُعۡرَضُونَ لَا تَخۡفَىٰ مِنكُمۡ خَافِيَةٞ ﴿١٨﴾ فَأَمَّا مَنۡ أُوتِيَ
كِتَٰبَهُۥ بِيَمِينِهِۦ فَيَقُولُ هَآؤُمُ ٱقۡرَءُواْ كِتَٰبِيَهۡ ﴿١٩﴾ إِنِّي ظَنَنتُ أَنِّي مُلَٰقٍ
حِسَابِيَهۡ ﴿٢٠﴾ فَهُوَ فِي عِيشَةٖ رَّاضِيَةٖ ﴿٢١﴾ فِي جَنَّةٍ عَالِيَةٖ ﴿٢٢﴾
قُطُوفُهَا دَانِيَةٞ ﴿٢٣﴾ كُلُواْ وَٱشۡرَبُواْ هَنِيٓـَٔۢا بِمَآ أَسۡلَفۡتُمۡ فِي ٱلۡأَيَّامِ
ٱلۡخَالِيَةِ ﴿٢٤﴾ وَأَمَّا مَنۡ أُوتِيَ كِتَٰبَهُۥ بِشِمَالِهِۦ فَيَقُولُ يَٰلَيۡتَنِي لَمۡ أُوتَ كِتَٰبِيَهۡ
﴿٢٥﴾ وَلَمۡ أَدۡرِ مَا حِسَابِيَهۡ ﴿٢٦﴾ يَٰلَيۡتَهَا كَانَتِ ٱلۡقَاضِيَةَ ﴿٢٧﴾ مَآ أَغۡنَىٰ
عَنِّي مَالِيَهۡۜ ﴿٢٨﴾ هَلَكَ عَنِّي سُلۡطَٰنِيَهۡ ﴿٢٩﴾ خُذُوهُ فَغُلُّوهُ ﴿٣٠﴾ ثُمَّ ٱلۡجَحِيمَ
صَلُّوهُ ﴿٣١﴾ ثُمَّ فِي سِلۡسِلَةٖ ذَرۡعُهَا سَبۡعُونَ ذِرَاعٗا فَٱسۡلُكُوهُ ﴿٣٢﴾ إِنَّهُۥ
كَانَ لَا يُؤۡمِنُ بِٱللَّهِ ٱلۡعَظِيمِ ﴿٣٣﴾ وَلَا يَحُضُّ عَلَىٰ طَعَامِ ٱلۡمِسۡكِينِ ﴿٣٤﴾

مدّ ٦ حركات لزوماً — مدّ ٢ أو ٤ أو ٦ جوازاً — إخفاء، ومواقع الغنّة (حركتان) — تفخ
مدّ واجب ٤ أو ٥ حركات — مدّ حركتان — إدغام، وما لا يُلفظ — قلقل

- ٱلۡمُؤۡتَفِكَٰتُ: قرى قوم لوط (أهلها)
- بِٱلۡخَاطِئَةِ: بالفَعلات ذات الخطأ الجسيم
- أَخۡذَةٗ رَّابِيَةً: زائدة في الشدّة
- ٱلۡجَارِيَةِ: سفينة نوح ﷺ
- تَذۡكِرَةٗ: عِبرة وعِظة
- تَعِيَهَآ: تحفظها
- حُمِلَتِ ٱلۡأَرۡضُ: رُفعت من مكانها بأمرنا
- فَدُكَّتَا: فدُقَّتا وكُسّرتا أو فسُوِّيتا
- وَقَعَتِ ٱلۡوَاقِعَةُ: قامت القيامة
- ٱنشَقَّتِ ٱلسَّمَآءُ: تفطّرت وتصدّعت
- وَاهِيَةٞ: ضعيفة متداعية
- أَرۡجَآئِهَا: جوانبها وأطرافها
- هَآؤُمُ: خُذوا أو تعالَوا
- كِتَٰبِيَهۡ: كتابي والهاء للسَّكت
- قُطُوفُهَا دَانِيَةٞ: ثمارها سهلة التناول
- هَنِيٓـَٔۢا: غير مُنغَّص ولا مُكدَّر
- كَانَتِ ٱلۡقَاضِيَةَ: الموتة القاطعة لأمري
- مَآ أَغۡنَىٰ عَنِّي: ما دفع العذاب عنّي
- مَالِيَهۡ: ما كان لي من مال وغيره
- سُلۡطَٰنِيَهۡ: حُجّتي أو تسلُّطي وقوّتي

سكتة لطيفة على هاء ماليه

- فَغُلُّوهُ: فقيّدوه بالأغلال
- صَلُّوهُ: أدخلوه أو أحرقوه فيها
- فَٱسۡلُكُوهُ: فأدخلوه
- لَا يَحُضُّ: لا يحُثُّ ولا يُحرِّض

فَلَيۡسَ لَهُ ٱلۡيَوۡمَ هَٰهُنَا حَمِيمٞ ﴿٣٥﴾ وَلَا طَعَامٌ إِلَّا مِنۡ غِسۡلِينٖ ﴿٣٦﴾ لَّا يَأۡكُلُهُۥٓ
إِلَّا ٱلۡخَٰطِـُٔونَ ﴿٣٧﴾ فَلَآ أُقۡسِمُ بِمَا تُبۡصِرُونَ ﴿٣٨﴾ وَمَا لَا تُبۡصِرُونَ ﴿٣٩﴾
إِنَّهُۥ لَقَوۡلُ رَسُولٖ كَرِيمٖ ﴿٤٠﴾ وَمَا هُوَ بِقَوۡلِ شَاعِرٖۚ قَلِيلٗا مَّا تُؤۡمِنُونَ ﴿٤١﴾
وَلَا بِقَوۡلِ كَاهِنٖۚ قَلِيلٗا مَّا تَذَكَّرُونَ ﴿٤٢﴾ تَنزِيلٞ مِّن رَّبِّ ٱلۡعَٰلَمِينَ ﴿٤٣﴾ وَلَوۡ
تَقَوَّلَ عَلَيۡنَا بَعۡضَ ٱلۡأَقَاوِيلِ ﴿٤٤﴾ لَأَخَذۡنَا مِنۡهُ بِٱلۡيَمِينِ ﴿٤٥﴾ ثُمَّ لَقَطَعۡنَا
مِنۡهُ ٱلۡوَتِينَ ﴿٤٦﴾ فَمَا مِنكُم مِّنۡ أَحَدٍ عَنۡهُ حَٰجِزِينَ ﴿٤٧﴾ وَإِنَّهُۥ لَتَذۡكِرَةٞ
لِّلۡمُتَّقِينَ ﴿٤٨﴾ وَإِنَّا لَنَعۡلَمُ أَنَّ مِنكُم مُّكَذِّبِينَ ﴿٤٩﴾ وَإِنَّهُۥ لَحَسۡرَةٌ عَلَى
ٱلۡكَٰفِرِينَ ﴿٥٠﴾ وَإِنَّهُۥ لَحَقُّ ٱلۡيَقِينِ ﴿٥١﴾ فَسَبِّحۡ بِٱسۡمِ رَبِّكَ ٱلۡعَظِيمِ ﴿٥٢﴾

## سُورَةُ المَعَارِج

ترتيبها ٧٠ — آياتها ٤٤

بِسۡمِ ٱللَّهِ ٱلرَّحۡمَٰنِ ٱلرَّحِيمِ

سَأَلَ سَآئِلُۢ بِعَذَابٖ وَاقِعٖ ﴿١﴾ لِّلۡكَٰفِرِينَ لَيۡسَ لَهُۥ دَافِعٞ ﴿٢﴾ مِّنَ
ٱللَّهِ ذِي ٱلۡمَعَارِجِ ﴿٣﴾ تَعۡرُجُ ٱلۡمَلَٰٓئِكَةُ وَٱلرُّوحُ إِلَيۡهِ فِي
يَوۡمٖ كَانَ مِقۡدَارُهُۥ خَمۡسِينَ أَلۡفَ سَنَةٖ ﴿٤﴾ فَٱصۡبِرۡ صَبۡرٗا جَمِيلًا ﴿٥﴾
إِنَّهُمۡ يَرَوۡنَهُۥ بَعِيدٗا ﴿٦﴾ وَنَرَىٰهُ قَرِيبٗا ﴿٧﴾ يَوۡمَ تَكُونُ ٱلسَّمَآءُ كَٱلۡمُهۡلِ
﴿٨﴾ وَتَكُونُ ٱلۡجِبَالُ كَٱلۡعِهۡنِ ﴿٩﴾ وَلَا يَسۡـَٔلُ حَمِيمٌ حَمِيمٗا ﴿١٠﴾

المعارج

- حَمِيمٌ: قريبٌ مُشفقٌ يحميه
- غِسۡلِينٍ: صديدُ أهلِ النار
- ٱلۡخَٰطِـُٔونَ: الكافرُون
- فَلَآ أُقۡسِمُ: أُقسِمُ و «لا» مزيدةٌ
- تَقَوَّلَ عَلَيۡنَا: اختلقَ وافترى علينا
- بِٱلۡيَمِينِ: بيمينِه أو بالقوَّةِ
- ٱلۡوَتِينَ: نِياطَ القلبِ أو نُخاعَ الظَّهرِ
- حَٰجِزِينَ: مانعينَ الهلاكَ
- لَحَسۡرَةٌ: لندامةٌ
- فَسَبِّحۡ بِٱسۡمِ رَبِّكَ: نزِّهْهُ عمَّا لا يليقُ به
- سَأَلَ سَآئِلُۢ: دعا داعٍ
- ذِي ٱلۡمَعَارِجِ: ذي السَّمٰوَاتِ أو الفضائلِ والنِّعَمِ
- تَعۡرُجُ ٱلۡمَلَٰٓئِكَةُ: تَصْعَدُ
- ٱلرُّوحُ: جبريلُ عليه السلامُ
- صَبۡرٗا جَمِيلًا: لا شكوى فيه لغيرِه تعالى
- ٱلسَّمَآءُ كَٱلۡمُهۡلِ: كالفضَّةِ المذابةِ أو دُرْدِيِّ الزيتِ
- ٱلۡجِبَالُ كَٱلۡعِهۡنِ: كالصُّوفِ المصبوغِ ألواناً

| | | |
|---|---|---|
| مدّ ٦ حركات لزوماً ● مدّ ٢ أو ٤ أو ٦ جوازاً | إخفاء ، ومواقع الغُنَّة (حركتان) | تفخيم |
| مدّ واجب ٤ أو ٥ حركات ● مدّ حركتان | إدغام ، وما لا يُلفَظ | قلقلة |

يُبَصَّرُونَهُمْ ۚ يَوَدُّ ٱلْمُجْرِمُ لَوْ يَفْتَدِى مِنْ عَذَابِ يَوْمِئِذٍۭ بِبَنِيهِ ﴿١١﴾
وَصَٰحِبَتِهِۦ وَأَخِيهِ ﴿١٢﴾ وَفَصِيلَتِهِ ٱلَّتِى تُـْٔوِيهِ ﴿١٣﴾ وَمَن فِى ٱلْأَرْضِ
جَمِيعًا ثُمَّ يُنجِيهِ ﴿١٤﴾ كَلَّآ ۖ إِنَّهَا لَظَىٰ ﴿١٥﴾ نَزَّاعَةً لِّلشَّوَىٰ ﴿١٦﴾ تَدْعُوا۟
مَنْ أَدْبَرَ وَتَوَلَّىٰ ﴿١٧﴾ وَجَمَعَ فَأَوْعَىٰٓ ﴿١٨﴾ ۞ إِنَّ ٱلْإِنسَٰنَ خُلِقَ هَلُوعًا
﴿١٩﴾ إِذَا مَسَّهُ ٱلشَّرُّ جَزُوعًا ﴿٢٠﴾ وَإِذَا مَسَّهُ ٱلْخَيْرُ مَنُوعًا ﴿٢١﴾ إِلَّا
ٱلْمُصَلِّينَ ﴿٢٢﴾ ٱلَّذِينَ هُمْ عَلَىٰ صَلَاتِهِمْ دَآئِمُونَ ﴿٢٣﴾ وَٱلَّذِينَ فِىٓ
أَمْوَٰلِهِمْ حَقٌّ مَّعْلُومٌ ﴿٢٤﴾ لِّلسَّآئِلِ وَٱلْمَحْرُومِ ﴿٢٥﴾ وَٱلَّذِينَ يُصَدِّقُونَ
بِيَوْمِ ٱلدِّينِ ﴿٢٦﴾ وَٱلَّذِينَ هُم مِّنْ عَذَابِ رَبِّهِم مُّشْفِقُونَ ﴿٢٧﴾ إِنَّ عَذَابَ
رَبِّهِمْ غَيْرُ مَأْمُونٍ ﴿٢٨﴾ وَٱلَّذِينَ هُمْ لِفُرُوجِهِمْ حَٰفِظُونَ ﴿٢٩﴾ إِلَّا عَلَىٰٓ
أَزْوَٰجِهِمْ أَوْ مَا مَلَكَتْ أَيْمَٰنُهُمْ فَإِنَّهُمْ غَيْرُ مَلُومِينَ ﴿٣٠﴾ فَمَنِ ٱبْتَغَىٰ وَرَآءَ
ذَٰلِكَ فَأُو۟لَٰٓئِكَ هُمُ ٱلْعَادُونَ ﴿٣١﴾ وَٱلَّذِينَ هُمْ لِأَمَٰنَٰتِهِمْ وَعَهْدِهِمْ رَٰعُونَ
﴿٣٢﴾ وَٱلَّذِينَ هُم بِشَهَٰدَٰتِهِمْ قَآئِمُونَ ﴿٣٣﴾ وَٱلَّذِينَ هُمْ عَلَىٰ صَلَاتِهِمْ يُحَافِظُونَ
﴿٣٤﴾ أُو۟لَٰٓئِكَ فِى جَنَّٰتٍ مُّكْرَمُونَ ﴿٣٥﴾ فَمَالِ ٱلَّذِينَ كَفَرُوا۟ قِبَلَكَ مُهْطِعِينَ
﴿٣٦﴾ عَنِ ٱلْيَمِينِ وَعَنِ ٱلشِّمَالِ عِزِينَ ﴿٣٧﴾ أَيَطْمَعُ كُلُّ ٱمْرِئٍ مِّنْهُمْ
أَن يُدْخَلَ جَنَّةَ نَعِيمٍ ﴿٣٨﴾ كَلَّآ ۖ إِنَّا خَلَقْنَٰهُم مِّمَّا يَعْلَمُونَ ﴿٣٩﴾

- يُبَصَّرُونَهُمْ: يُعَرَّفُونَ أحماءَهُم
- فَصِيلَتِهِ: عَشيرَتِهِ الأقْرَبِينَ
- تُـْٔوِيهِ: تضُمُّهُ في النَّسَبِ أو عِنْدَ الشِّدةِ
- ثلاثة أرباع الحزب ٥٧
- إنّها لَظَىٰ: جَهَنَّمُ أو طَبَقٌ منها
- نَزَّاعَةً لِّلشَّوَىٰ: قَلاَّعَةً للأطْرافِ أو جِلْدَةِ الرأسِ
- فَأَوْعَىٰٓ: أمسَكَ مالَهُ في وِعاءٍ بُخْلاً
- هَلُوعًا: سريعَ الجَزَعِ، شَديدَ الحِرْصِ
- جَزُوعًا: كَثيرَ الجَزَعِ والأَسَى
- مَنُوعًا: كَثيرَ المَنْعِ والإمساكِ
- ٱلْمَحْرُومِ: من العطاء لتَعَفُّفِه عن السُّؤالِ
- مُّشْفِقُونَ: خائِفُونَ
- ٱلْعَادُونَ: المُجاوِزُونَ الحَلالَ إلى الحرامِ
- مُهْطِعِينَ: مُسْرِعِينَ ومادِّي أعْناقِهِمْ إلَيْكَ
- عِزِينَ: جَماعاتٍ متفرِّقِينَ

فَلَآ أُقۡسِمُ بِرَبِّ ٱلۡمَشَٰرِقِ وَٱلۡمَغَٰرِبِ إِنَّا لَقَٰدِرُونَ ﴿٤٠﴾ عَلَىٰٓ أَن نُّبَدِّلَ خَيۡرٗا مِّنۡهُمۡ
وَمَا نَحۡنُ بِمَسۡبُوقِينَ ﴿٤١﴾ فَذَرۡهُمۡ يَخُوضُواْ وَيَلۡعَبُواْ حَتَّىٰ يُلَٰقُواْ يَوۡمَهُمُ ٱلَّذِي
يُوعَدُونَ ﴿٤٢﴾ يَوۡمَ يَخۡرُجُونَ مِنَ ٱلۡأَجۡدَاثِ سِرَاعٗا كَأَنَّهُمۡ إِلَىٰ نُصُبٖ يُوفِضُونَ
خَٰشِعَةً أَبۡصَٰرُهُمۡ تَرۡهَقُهُمۡ ذِلَّةٞۚ ذَٰلِكَ ٱلۡيَوۡمُ ٱلَّذِي كَانُواْ يُوعَدُونَ ﴿٤٣﴾ ﴿٤٤﴾

سُورَةُ نُوحٍ — ترتيبها ٧١ — آياتها ٢٨

بِسۡمِ ٱللَّهِ ٱلرَّحۡمَٰنِ ٱلرَّحِيمِ

إِنَّآ أَرۡسَلۡنَا نُوحًا إِلَىٰ قَوۡمِهِۦٓ أَنۡ أَنذِرۡ قَوۡمَكَ مِن قَبۡلِ أَن يَأۡتِيَهُمۡ
عَذَابٌ أَلِيمٞ ﴿١﴾ قَالَ يَٰقَوۡمِ إِنِّي لَكُمۡ نَذِيرٞ مُّبِينٌ ﴿٢﴾ أَنِ ٱعۡبُدُواْ
ٱللَّهَ وَٱتَّقُوهُ وَأَطِيعُونِ ﴿٣﴾ يَغۡفِرۡ لَكُم مِّن ذُنُوبِكُمۡ وَيُؤَخِّرۡكُمۡ
إِلَىٰٓ أَجَلٖ مُّسَمًّىۚ إِنَّ أَجَلَ ٱللَّهِ إِذَا جَآءَ لَا يُؤَخَّرُۚ لَوۡ كُنتُمۡ تَعۡلَمُونَ
﴿٤﴾ قَالَ رَبِّ إِنِّي دَعَوۡتُ قَوۡمِي لَيۡلٗا وَنَهَارٗا ﴿٥﴾ فَلَمۡ يَزِدۡهُمۡ دُعَآءِيٓ إِلَّا
فِرَارٗا ﴿٦﴾ وَإِنِّي كُلَّمَا دَعَوۡتُهُمۡ لِتَغۡفِرَ لَهُمۡ جَعَلُوٓاْ أَصَٰبِعَهُمۡ
فِيٓ ءَاذَانِهِمۡ وَٱسۡتَغۡشَوۡاْ ثِيَابَهُمۡ وَأَصَرُّواْ وَٱسۡتَكۡبَرُواْ ٱسۡتِكۡبَارٗا
﴿٧﴾ ثُمَّ إِنِّي دَعَوۡتُهُمۡ جِهَارٗا ﴿٨﴾ ثُمَّ إِنِّيٓ أَعۡلَنتُ لَهُمۡ وَأَسۡرَرۡتُ
لَهُمۡ إِسۡرَارٗا ﴿٩﴾ فَقُلۡتُ ٱسۡتَغۡفِرُواْ رَبَّكُمۡ إِنَّهُۥ كَانَ غَفَّارٗا ﴿١٠﴾

نوح

- فَلَآ أُقۡسِمُ: أقسم و « لا » مزيدة
- بِمَسۡبُوقِينَ: مغلوبين أو عاجزين
- فَذَرۡهُمۡ: فدعهم وخلّهم
- مِنَ ٱلۡأَجۡدَاثِ: من القبور
- سِرَاعٗا: مسرعين إلى الداعي
- نُصُبٖ: أحجار عظّموها في الجاهلية
- يُوفِضُونَ: يسرعون
- خَٰشِعَةً أَبۡصَٰرُهُمۡ: ذليلة منكسرة
- تَرۡهَقُهُمۡ ذِلَّةٞ: تغشاهم مهانة شديدة
- أَجَلَ ٱللَّهِ: وقت مجيء عذابه
- فِرَارٗا: تباعداً ونفاراً عن الإيمان
- ٱسۡتَغۡشَوۡاْ ثِيَابَهُمۡ: بالغوا في إظهار الكراهة للدعوة
- أَصَرُّواْ: تشدّدوا وانهمكوا في الكفر

يُرْسِلِ ٱلسَّمَآءَ عَلَيْكُم مِّدْرَارًا ﴿١١﴾ وَيُمْدِدْكُم بِأَمْوَٰلٍ وَبَنِينَ وَيَجْعَل
لَّكُمْ جَنَّٰتٍ وَيَجْعَل لَّكُمْ أَنْهَٰرًا ﴿١٢﴾ مَّا لَكُمْ لَا تَرْجُونَ لِلَّهِ وَقَارًا ﴿١٣﴾
وَقَدْ خَلَقَكُمْ أَطْوَارًا ﴿١٤﴾ أَلَمْ تَرَوْا۟ كَيْفَ خَلَقَ ٱللَّهُ سَبْعَ سَمَٰوَٰتٍ
طِبَاقًا ﴿١٥﴾ وَجَعَلَ ٱلْقَمَرَ فِيهِنَّ نُورًا وَجَعَلَ ٱلشَّمْسَ سِرَاجًا ﴿١٦﴾
وَٱللَّهُ أَنۢبَتَكُم مِّنَ ٱلْأَرْضِ نَبَاتًا ﴿١٧﴾ ثُمَّ يُعِيدُكُمْ فِيهَا وَيُخْرِجُكُمْ
إِخْرَاجًا ﴿١٨﴾ وَٱللَّهُ جَعَلَ لَكُمُ ٱلْأَرْضَ بِسَاطًا ﴿١٩﴾ لِّتَسْلُكُوا۟ مِنْهَا
سُبُلًا فِجَاجًا ﴿٢٠﴾ قَالَ نُوحٌ رَّبِّ إِنَّهُمْ عَصَوْنِى وَٱتَّبَعُوا۟ مَن لَّمْ يَزِدْهُ
مَالُهُۥ وَوَلَدُهُۥٓ إِلَّا خَسَارًا ﴿٢١﴾ وَمَكَرُوا۟ مَكْرًا كُبَّارًا ﴿٢٢﴾ وَقَالُوا۟
لَا تَذَرُنَّ ءَالِهَتَكُمْ وَلَا تَذَرُنَّ وَدًّا وَلَا سُوَاعًا وَلَا يَغُوثَ وَيَعُوقَ
وَنَسْرًا ﴿٢٣﴾ وَقَدْ أَضَلُّوا۟ كَثِيرًا ۖ وَلَا تَزِدِ ٱلظَّٰلِمِينَ إِلَّا ضَلَٰلًا ﴿٢٤﴾
مِّمَّا خَطِيٓـَٰٔتِهِمْ أُغْرِقُوا۟ فَأُدْخِلُوا۟ نَارًا فَلَمْ يَجِدُوا۟ لَهُم مِّن دُونِ
ٱللَّهِ أَنصَارًا ﴿٢٥﴾ وَقَالَ نُوحٌ رَّبِّ لَا تَذَرْ عَلَى ٱلْأَرْضِ مِنَ ٱلْكَٰفِرِينَ
دَيَّارًا ﴿٢٦﴾ إِنَّكَ إِن تَذَرْهُمْ يُضِلُّوا۟ عِبَادَكَ وَلَا يَلِدُوٓا۟ إِلَّا فَاجِرًا
كَفَّارًا ﴿٢٧﴾ رَّبِّ ٱغْفِرْ لِى وَلِوَٰلِدَىَّ وَلِمَن دَخَلَ بَيْتِىَ
مُؤْمِنًا وَلِلْمُؤْمِنِينَ وَٱلْمُؤْمِنَٰتِ وَلَا تَزِدِ ٱلظَّٰلِمِينَ إِلَّا تَبَارًۢا ﴿٢٨﴾

- يُرْسِلِ ٱلسَّمَآءَ: المطرَ الذي في السَّحاب
- مِّدْرَارًا: غزيراً متتابعاً
- لَا تَرْجُونَ لِلَّهِ وَقَارًا: لا تخافون للهِ عَظَمةً
- خَلَقَكُمْ أَطْوَارًا: مُدرّجاً لكمْ في حالات مُختلفة
- سَمَٰوَٰتٍ طِبَاقًا: كلُّ سماء مقبّبةٌ على الأخرى
- نُورًا: مستفاداً من نُورِ الشمس
- ٱلشَّمْسَ سِرَاجًا: مِصْباحاً مُضيئاً
- سُبُلًا فِجَاجًا: طُرقاً واسعةً
- خَسَارًا: ضَلالاً وطُغياناً
- مَكْرًا كُبَّارًا: بالغَ الغَايَةِ في الكِبَرِ
- وَدًّا: صَنَمٌ لكَلْبٍ
- سُوَاعًا: صَنَمٌ لِهُذَيلٍ
- يَغُوثَ: صَنَمٌ لِغَطَفَانَ
- يَعُوقَ: صَنَمٌ لِهَمْدَانَ
- نَسْرًا: صَنَمٌ لآل ذي الكَلاعِ مِنْ حمْير
- دَيَّارًا: أحداً يَدُورُ ويَتَحرّكُ في الأرضِ
- تَبَارًا: هَلاكاً

| | | |
|---|---|---|
| مدّ ٦ حركات لزوماً ● مدّ ٢ أو ٤ أو ٦ جوازاً | إخفاء، ومواقع الغُنَّة (حركتان) | تفخيم |
| مدّ واجب ٤ أو ٥ حركات ● مدّ حركتان | إدغام، وما لا يُلفظ | قلقلة |

# سُورَةُ الجِنِّ

ترتيبها ٧٢ — آياتها ٢٨

بِسْمِ ٱللَّهِ ٱلرَّحْمَٰنِ ٱلرَّحِيمِ

قُلْ أُوحِىَ إِلَىَّ أَنَّهُ ٱسْتَمَعَ نَفَرٌ مِّنَ ٱلْجِنِّ فَقَالُوٓا۟ إِنَّا سَمِعْنَا قُرْءَانًا
عَجَبًا ﴿١﴾ يَهْدِىٓ إِلَى ٱلرُّشْدِ فَـَٔامَنَّا بِهِۦ ۖ وَلَن نُّشْرِكَ بِرَبِّنَآ أَحَدًا ﴿٢﴾
وَأَنَّهُۥ تَعَٰلَىٰ جَدُّ رَبِّنَا مَا ٱتَّخَذَ صَٰحِبَةً وَلَا وَلَدًا ﴿٣﴾ وَأَنَّهُۥ كَانَ
يَقُولُ سَفِيهُنَا عَلَى ٱللَّهِ شَطَطًا ﴿٤﴾ وَأَنَّا ظَنَنَّآ أَن لَّن تَقُولَ ٱلْإِنسُ
وَٱلْجِنُّ عَلَى ٱللَّهِ كَذِبًا ﴿٥﴾ وَأَنَّهُۥ كَانَ رِجَالٌ مِّنَ ٱلْإِنسِ يَعُوذُونَ بِرِجَالٍ
مِّنَ ٱلْجِنِّ فَزَادُوهُمْ رَهَقًا ﴿٦﴾ وَأَنَّهُمْ ظَنُّوا۟ كَمَا ظَنَنتُمْ أَن لَّن يَبْعَثَ
ٱللَّهُ أَحَدًا ﴿٧﴾ وَأَنَّا لَمَسْنَا ٱلسَّمَآءَ فَوَجَدْنَٰهَا مُلِئَتْ حَرَسًا
شَدِيدًا وَشُهُبًا ﴿٨﴾ وَأَنَّا كُنَّا نَقْعُدُ مِنْهَا مَقَٰعِدَ لِلسَّمْعِ ۖ فَمَن
يَسْتَمِعِ ٱلْـَٔانَ يَجِدْ لَهُۥ شِهَابًا رَّصَدًا ﴿٩﴾ وَأَنَّا لَا نَدْرِىٓ أَشَرٌّ أُرِيدَ
بِمَن فِى ٱلْأَرْضِ أَمْ أَرَادَ بِهِمْ رَبُّهُمْ رَشَدًا ﴿١٠﴾ وَأَنَّا مِنَّا ٱلصَّٰلِحُونَ
وَمِنَّا دُونَ ذَٰلِكَ ۖ كُنَّا طَرَآئِقَ قِدَدًا ﴿١١﴾ وَأَنَّا ظَنَنَّآ أَن لَّن نُّعْجِزَ
ٱللَّهَ فِى ٱلْأَرْضِ وَلَن نُّعْجِزَهُۥ هَرَبًا ﴿١٢﴾ وَأَنَّا لَمَّا سَمِعْنَا ٱلْهُدَىٰٓ
ءَامَنَّا بِهِۦ ۖ فَمَن يُؤْمِنۢ بِرَبِّهِۦ فَلَا يَخَافُ بَخْسًا وَلَا رَهَقًا ﴿١٣﴾

قُرْءَانًا عَجَبًا: عَجِيباً بديعاً بليغاً
تَعَٰلَىٰ: ارتفع وعَظُم

الجن

جَدُّ رَبِّنَا: جلالُهُ أو سُلطانُهُ أو غناه
يَقُولُ سَفِيهُنَا: جاهلُنا (إبليسُ اللعينُ)
شَطَطًا: قولاً مُفرِطاً في الكذب
يَعُوذُونَ: يستعيذون ، ويستجيرون
فَزَادُوهُمْ رَهَقًا: إثماً أو طُغياناً وسَفهاً
حَرَسًا شَدِيدًا: حُرّاساً أقوياء
شُهُبًا: شُعَل نار تنقضّ كالكواكب
شِهَابًا رَّصَدًا: راصِداً ، مُترقّباً يرجُمه
رَشَدًا: خيراً وصلاحاً
طَرَآئِقَ قِدَدًا: مذاهب متفرّقة
بَخْسًا: نقصاً من ثوابه
رَهَقًا: غشيان ذِلّة له

| | | |
|---|---|---|
| مدّ ٦ حركات لزوماً — مدّ ٢ أو ٤ أو ٦ جوازاً | إخفاء ، ومواقع الغُنّة (حركتان) | تفخيم |
| مدّ واجب ٤ أو ٥ حركات — مدّ حركتان | إدغام ، وما لا يُلفَظ | قلقلة |

وَأَنَّا مِنَّا ٱلْمُسْلِمُونَ وَمِنَّا ٱلْقَـٰسِطُونَ ۖ فَمَنْ أَسْلَمَ فَأُو۟لَـٰٓئِكَ
تَحَرَّوْا۟ رَشَدًا ﴿١٤﴾ وَأَمَّا ٱلْقَـٰسِطُونَ فَكَانُوا۟ لِجَهَنَّمَ حَطَبًا ﴿١٥﴾
وَأَلَّوِ ٱسْتَقَـٰمُوا۟ عَلَى ٱلطَّرِيقَةِ لَأَسْقَيْنَـٰهُم مَّآءً غَدَقًا ﴿١٦﴾ لِّنَفْتِنَهُمْ
فِيهِ ۚ وَمَن يُعْرِضْ عَن ذِكْرِ رَبِّهِۦ يَسْلُكْهُ عَذَابًا صَعَدًا ﴿١٧﴾ وَأَنَّ
ٱلْمَسَـٰجِدَ لِلَّهِ فَلَا تَدْعُوا۟ مَعَ ٱللَّهِ أَحَدًا ﴿١٨﴾ وَأَنَّهُۥ لَمَّا قَامَ عَبْدُ ٱللَّهِ
يَدْعُوهُ كَادُوا۟ يَكُونُونَ عَلَيْهِ لِبَدًا ﴿١٩﴾ قُلْ إِنَّمَآ أَدْعُوا۟ رَبِّى وَلَآ أُشْرِكُ
بِهِۦٓ أَحَدًا ﴿٢٠﴾ قُلْ إِنِّى لَآ أَمْلِكُ لَكُمْ ضَرًّا وَلَا رَشَدًا ﴿٢١﴾ قُلْ إِنِّى
لَن يُجِيرَنِى مِنَ ٱللَّهِ أَحَدٌ وَلَنْ أَجِدَ مِن دُونِهِۦ مُلْتَحَدًا ﴿٢٢﴾ إِلَّا بَلَـٰغًا
مِّنَ ٱللَّهِ وَرِسَـٰلَـٰتِهِۦ ۚ وَمَن يَعْصِ ٱللَّهَ وَرَسُولَهُۥ فَإِنَّ لَهُۥ نَارَ جَهَنَّمَ
خَـٰلِدِينَ فِيهَآ أَبَدًا ﴿٢٣﴾ حَتَّىٰٓ إِذَا رَأَوْا۟ مَا يُوعَدُونَ فَسَيَعْلَمُونَ
مَنْ أَضْعَفُ نَاصِرًا وَأَقَلُّ عَدَدًا ﴿٢٤﴾ قُلْ إِنْ أَدْرِىٓ أَقَرِيبٌ
مَّا تُوعَدُونَ أَمْ يَجْعَلُ لَهُۥ رَبِّىٓ أَمَدًا ﴿٢٥﴾ عَـٰلِمُ ٱلْغَيْبِ فَلَا
يُظْهِرُ عَلَىٰ غَيْبِهِۦٓ أَحَدًا ﴿٢٦﴾ إِلَّا مَنِ ٱرْتَضَىٰ مِن رَّسُولٍ فَإِنَّهُۥ
يَسْلُكُ مِنۢ بَيْنِ يَدَيْهِ وَمِنْ خَلْفِهِۦ رَصَدًا ﴿٢٧﴾ لِّيَعْلَمَ أَن قَدْ أَبْلَغُوا۟
رِسَـٰلَـٰتِ رَبِّهِمْ وَأَحَاطَ بِمَا لَدَيْهِمْ وَأَحْصَىٰ كُلَّ شَىْءٍ عَدَدًۢا ﴿٢٨﴾

- مِنَّا ٱلْقَـٰسِطُونَ: الجائرون عن طريق الحق
- لِجَهَنَّمَ حَطَبًا: وقوداً
- ٱلطَّرِيقَةِ: الملة الحنيفية
- مَّآءً غَدَقًا: غزيراً
- لِّنَفْتِنَهُمْ فِيهِ: لنختبرهم فيما أعطيناهم
- يَسْلُكْهُ: يُدخله
- عَذَابًا صَعَدًا: شاقاً يعلوه ويغلبه
- عَلَيْهِ لِبَدًا: متراكمين في ازدحامهم عليه
- لَن يُجِيرَنِى: لن يمنعني وينقذني
- مُلْتَحَدًا: ملجأً أركن إليه
- أَمَدًا: زماناً بعيداً
- رَصَدًا: حرساً من الملائكة يحرسونه
- أَحَاطَ: علم علماً تاماً
- أَحْصَىٰ: ضبط ضبطاً كاملاً

| | | |
|---|---|---|
| مدّ ٦ حركات لزوماً ● مدّ ٢ أو ٤ أو ٦ جوازاً | إخفاء ، ومواقع الغُنَّة (حركتان) | تفخـ |
| مدّ واجب ٤ أو ٥ حركات ● مدّ حركتان | إدغام ، وما لا يُلفَظ | قلقلـ |

# سُورَةُ المُزَّمِّلِ

ترتيبها ٧٣ | آياتها ٢٠

بِسْمِ ٱللَّهِ ٱلرَّحْمَٰنِ ٱلرَّحِيمِ

يَٰٓأَيُّهَا ٱلْمُزَّمِّلُ ﴿١﴾ قُمِ ٱلَّيْلَ إِلَّا قَلِيلًا ﴿٢﴾ نِّصْفَهُۥٓ أَوِ ٱنقُصْ مِنْهُ قَلِيلًا
﴿٣﴾ أَوْ زِدْ عَلَيْهِ وَرَتِّلِ ٱلْقُرْءَانَ تَرْتِيلًا ﴿٤﴾ إِنَّا سَنُلْقِى عَلَيْكَ قَوْلًا
ثَقِيلًا ﴿٥﴾ إِنَّ نَاشِئَةَ ٱلَّيْلِ هِىَ أَشَدُّ وَطْـًٔا وَأَقْوَمُ قِيلًا ﴿٦﴾ إِنَّ لَكَ فِى
ٱلنَّهَارِ سَبْحًا طَوِيلًا ﴿٧﴾ وَٱذْكُرِ ٱسْمَ رَبِّكَ وَتَبَتَّلْ إِلَيْهِ تَبْتِيلًا ﴿٨﴾
رَّبُّ ٱلْمَشْرِقِ وَٱلْمَغْرِبِ لَآ إِلَٰهَ إِلَّا هُوَ فَٱتَّخِذْهُ وَكِيلًا ﴿٩﴾ وَٱصْبِرْ
عَلَىٰ مَا يَقُولُونَ وَٱهْجُرْهُمْ هَجْرًا جَمِيلًا ﴿١٠﴾ وَذَرْنِى وَٱلْمُكَذِّبِينَ
أُو۟لِى ٱلنَّعْمَةِ وَمَهِّلْهُمْ قَلِيلًا ﴿١١﴾ إِنَّ لَدَيْنَآ أَنكَالًا وَجَحِيمًا ﴿١٢﴾
وَطَعَامًا ذَا غُصَّةٍ وَعَذَابًا أَلِيمًا ﴿١٣﴾ يَوْمَ تَرْجُفُ ٱلْأَرْضُ وَٱلْجِبَالُ
وَكَانَتِ ٱلْجِبَالُ كَثِيبًا مَّهِيلًا ﴿١٤﴾ إِنَّآ أَرْسَلْنَآ إِلَيْكُمْ رَسُولًا شَٰهِدًا
عَلَيْكُمْ كَمَآ أَرْسَلْنَآ إِلَىٰ فِرْعَوْنَ رَسُولًا ﴿١٥﴾ فَعَصَىٰ فِرْعَوْنُ ٱلرَّسُولَ
فَأَخَذْنَٰهُ أَخْذًا وَبِيلًا ﴿١٦﴾ فَكَيْفَ تَتَّقُونَ إِن كَفَرْتُمْ يَوْمًا يَجْعَلُ
ٱلْوِلْدَٰنَ شِيبًا ﴿١٧﴾ ٱلسَّمَآءُ مُنفَطِرٌۢ بِهِۦ ۚ كَانَ وَعْدُهُۥ مَفْعُولًا ﴿١٨﴾
إِنَّ هَٰذِهِۦ تَذْكِرَةٌ ۖ فَمَن شَآءَ ٱتَّخَذَ إِلَىٰ رَبِّهِۦ سَبِيلًا ﴿١٩﴾

المزمل

- ٱلْمُزَّمِّلُ: المتلفف بثيابه
- رَتِّلِ ٱلْقُرْءَانَ: إقرأه بتمهل وتبيين حروف
- قَوْلًا ثَقِيلًا: شاقاً على المكلفين (القرآن)
- نَاشِئَةَ ٱلَّيْلِ: العبادة فيه
- أَشَدُّ وَطْـًٔا: رسوخاً وثباتاً
- أَقْوَمُ قِيلًا: أثبت قراءة
- سَبْحًا: تصرفاً وتقلباً في مهماتك
- تَبَتَّلْ إِلَيْهِ: انقطع لعبادته واستغرق في مراقبته
- هَجْرًا جَمِيلًا: حسناً لا جزع فيه
- ذَرْنِى: دعني
- أُو۟لِى ٱلنَّعْمَةِ: أرباب التنعم وغضارة العيش
- مَهِّلْهُمْ: أمهلهم
- أَنكَالًا: قيوداً شديدة
- ذَا غُصَّةٍ: ذا نشوب في الحلق فلا ينساغ
- تَرْجُفُ ٱلْأَرْضُ: تضطرب وتتزلزل
- كَثِيبًا: رملاً مجتمعاً
- مَّهِيلًا: رخواً ليناً يسيل تحت الأقدام
- أَخْذًا وَبِيلًا: شديداً ثقيلاً
- ٱلسَّمَآءُ مُنفَطِرٌۢ بِهِۦ: متشقق بشدة ذلك اليوم

| | | |
|---|---|---|
| مدّ ٦ حركات لزوماً ● مدّ ٢ أو ٤ أو ٦ جوازاً | ● إخفاء، ومواقع الغُنّة (حركتان) | ● تفخيم |
| مدّ واجب ٤ أو ٥ حركات ● مدّ حركتان | ● إدغام، وما لا يُلفظ | ● قلقلة |

إِنَّ رَبَّكَ يَعْلَمُ أَنَّكَ تَقُومُ أَدْنَىٰ مِن ثُلُثَيِ الَّيْلِ وَنِصْفَهُۥ وَثُلُثَهُۥ وَطَآئِفَةٌ مِّنَ
الَّذِينَ مَعَكَ ۚ وَاللَّهُ يُقَدِّرُ الَّيْلَ وَالنَّهَارَ ۚ عَلِمَ أَن لَّن تُحْصُوهُ فَتَابَ
عَلَيْكُمْ ۖ فَاقْرَءُوا مَا تَيَسَّرَ مِنَ الْقُرْءَانِ ۚ عَلِمَ أَن سَيَكُونُ مِنكُم مَّرْضَىٰ
وَءَاخَرُونَ يَضْرِبُونَ فِي الْأَرْضِ يَبْتَغُونَ مِن فَضْلِ اللَّهِ وَءَاخَرُونَ
يُقَٰتِلُونَ فِي سَبِيلِ اللَّهِ ۖ فَاقْرَءُوا مَا تَيَسَّرَ مِنْهُ ۚ وَأَقِيمُوا الصَّلَوٰةَ وَءَاتُوا
الزَّكَوٰةَ وَأَقْرِضُوا اللَّهَ قَرْضًا حَسَنًا ۚ وَمَا تُقَدِّمُوا لِأَنفُسِكُم مِّنْ خَيْرٍ تَجِدُوهُ
عِندَ اللَّهِ هُوَ خَيْرًا وَأَعْظَمَ أَجْرًا ۚ وَاسْتَغْفِرُوا اللَّهَ ۖ إِنَّ اللَّهَ غَفُورٌ رَّحِيمٌ ﴿٢٠﴾

## سُورَةُ الْمُدَّثِّرِ

ترتيبها ٧٤ — آياتها ٥٦

بِسْمِ اللَّهِ الرَّحْمَٰنِ الرَّحِيمِ

يَٰٓأَيُّهَا الْمُدَّثِّرُ ﴿١﴾ قُمْ فَأَنذِرْ ﴿٢﴾ وَرَبَّكَ فَكَبِّرْ ﴿٣﴾ وَثِيَابَكَ فَطَهِّرْ ﴿٤﴾
وَالرُّجْزَ فَاهْجُرْ ﴿٥﴾ وَلَا تَمْنُن تَسْتَكْثِرُ ﴿٦﴾ وَلِرَبِّكَ فَاصْبِرْ ﴿٧﴾
فَإِذَا نُقِرَ فِي النَّاقُورِ ﴿٨﴾ فَذَٰلِكَ يَوْمَئِذٍ يَوْمٌ عَسِيرٌ ﴿٩﴾ عَلَى الْكَٰفِرِينَ
غَيْرُ يَسِيرٍ ﴿١٠﴾ ذَرْنِي وَمَنْ خَلَقْتُ وَحِيدًا ﴿١١﴾ وَجَعَلْتُ لَهُۥ مَالًا
مَّمْدُودًا ﴿١٢﴾ وَبَنِينَ شُهُودًا ﴿١٣﴾ وَمَهَّدتُّ لَهُۥ تَمْهِيدًا ﴿١٤﴾ ثُمَّ يَطْمَعُ
أَنْ أَزِيدَ ﴿١٥﴾ كَلَّآ ۖ إِنَّهُۥ كَانَ لِءَايَٰتِنَا عَنِيدًا ﴿١٦﴾ سَأُرْهِقُهُۥ صَعُودًا ﴿١٧﴾

ربع الحزب ٥٨

- لَن تُحْصُوهُ: لن تطيقوا التقدير أو القيام
- فَاقْرَءُوا مَا تَيَسَّرَ: فصلّوا ما سهل عليكم
- مِنَ الْقُرْءَانِ: من صلاة الليل
- يَضْرِبُونَ: يسافرون
- قَرْضًا حَسَنًا: احتساباً بطيبة نفس
- الْمُدَّثِّرُ: المتلفف بثيابه
- رَبَّكَ فَكَبِّرْ: فعظّمه
- الرُّجْزَ: المآثم والمعاصي الموجبة للعذاب
- لَا تَمْنُن تَسْتَكْثِرُ: لا تُعط، طالباً العوض ممّن تعطيه
- نُقِرَ فِي النَّاقُورِ: نُفخ في الصور للبعث
- ذَرْنِي: دعْني
- مَالًا مَّمْدُودًا: كثيراً دائماً غير منقطع
- بَنِينَ شُهُودًا: حضوراً معه، لا يفارقونه للتكسّب
- مَهَّدتُّ لَهُۥ: بسطت له الرياسة والجاه
- لِءَايَٰتِنَا عَنِيدًا: معانداً جاحداً
- سَأُرْهِقُهُۥ صَعُودًا: سأكلفه عذاباً شاقاً لا يُطاق

| | | |
|---|---|---|
| مدّ ٦ حركات لزوماً — مدّ ٢ أو ٤ أو ٦ جوازاً | إخفاء، ومواقع الغنّة (حركتان) | تفخ[يم] |
| مدّ واجب ٤ أو ٥ حركات — مدّ حركتان | إدغام، وما لا يُلفظ | قلقلة |

إِنَّهُۥ فَكَّرَ وَقَدَّرَ ﴿١٨﴾ فَقُتِلَ كَيۡفَ قَدَّرَ ﴿١٩﴾ ثُمَّ قُتِلَ كَيۡفَ قَدَّرَ ﴿٢٠﴾ ثُمَّ نَظَرَ
﴿٢١﴾ ثُمَّ عَبَسَ وَبَسَرَ ﴿٢٢﴾ ثُمَّ أَدۡبَرَ وَٱسۡتَكۡبَرَ ﴿٢٣﴾ فَقَالَ إِنۡ هَٰذَآ إِلَّا سِحۡرٞ
يُؤۡثَرُ ﴿٢٤﴾ إِنۡ هَٰذَآ إِلَّا قَوۡلُ ٱلۡبَشَرِ ﴿٢٥﴾ سَأُصۡلِيهِ سَقَرَ ﴿٢٦﴾ وَمَآ أَدۡرَىٰكَ
مَا سَقَرُ ﴿٢٧﴾ لَا تُبۡقِي وَلَا تَذَرُ ﴿٢٨﴾ لَوَّاحَةٞ لِّلۡبَشَرِ ﴿٢٩﴾ عَلَيۡهَا تِسۡعَةَ عَشَرَ
﴿٣٠﴾ وَمَا جَعَلۡنَآ أَصۡحَٰبَ ٱلنَّارِ إِلَّا مَلَٰٓئِكَةٗۖ وَمَا جَعَلۡنَا عِدَّتَهُمۡ إِلَّا فِتۡنَةٗ
لِّلَّذِينَ كَفَرُواْ لِيَسۡتَيۡقِنَ ٱلَّذِينَ أُوتُواْ ٱلۡكِتَٰبَ وَيَزۡدَادَ ٱلَّذِينَ ءَامَنُوٓاْ إِيمَٰنٗا
وَلَا يَرۡتَابَ ٱلَّذِينَ أُوتُواْ ٱلۡكِتَٰبَ وَٱلۡمُؤۡمِنُونَ وَلِيَقُولَ ٱلَّذِينَ فِي قُلُوبِهِم مَّرَضٞ
وَٱلۡكَٰفِرُونَ مَاذَآ أَرَادَ ٱللَّهُ بِهَٰذَا مَثَلٗاۚ كَذَٰلِكَ يُضِلُّ ٱللَّهُ مَن يَشَآءُ وَيَهۡدِي
مَن يَشَآءُۚ وَمَا يَعۡلَمُ جُنُودَ رَبِّكَ إِلَّا هُوَۚ وَمَا هِيَ إِلَّا ذِكۡرَىٰ لِلۡبَشَرِ ﴿٣١﴾ كَلَّا
وَٱلۡقَمَرِ ﴿٣٢﴾ وَٱلَّيۡلِ إِذۡ أَدۡبَرَ ﴿٣٣﴾ وَٱلصُّبۡحِ إِذَآ أَسۡفَرَ ﴿٣٤﴾ إِنَّهَا لَإِحۡدَى
ٱلۡكُبَرِ ﴿٣٥﴾ نَذِيرٗا لِّلۡبَشَرِ ﴿٣٦﴾ لِمَن شَآءَ مِنكُمۡ أَن يَتَقَدَّمَ أَوۡ يَتَأَخَّرَ ﴿٣٧﴾ كُلُّ
نَفۡسِۭ بِمَا كَسَبَتۡ رَهِينَةٌ ﴿٣٨﴾ إِلَّآ أَصۡحَٰبَ ٱلۡيَمِينِ ﴿٣٩﴾ فِي جَنَّٰتٖ يَتَسَآءَلُونَ
﴿٤٠﴾ عَنِ ٱلۡمُجۡرِمِينَ ﴿٤١﴾ مَا سَلَكَكُمۡ فِي سَقَرَ ﴿٤٢﴾ قَالُواْ لَمۡ نَكُ مِنَ
ٱلۡمُصَلِّينَ ﴿٤٣﴾ وَلَمۡ نَكُ نُطۡعِمُ ٱلۡمِسۡكِينَ ﴿٤٤﴾ وَكُنَّا نَخُوضُ مَعَ
ٱلۡخَآئِضِينَ ﴿٤٥﴾ وَكُنَّا نُكَذِّبُ بِيَوۡمِ ٱلدِّينِ ﴿٤٦﴾ حَتَّىٰٓ أَتَىٰنَا ٱلۡيَقِينُ ﴿٤٧﴾

المدثر

- قَدَّرَ: هيَّأ في نفسه قولاً في القرآن والرسول
- فَقُتِلَ: لُعِنَ أشدّ اللعن
- نَظَرَ: تأمّل فيما قدّر وهيّأ
- عَبَسَ: قطّب وجهه
- بَسَرَ: زاد في العبوس
- سِحۡرٞ يُؤۡثَرُ: يُروى ويُتعلّم من السحرة
- سَأُصۡلِيهِ سَقَرَ: سأدخله جهنّم
- لَوَّاحَةٞ لِّلۡبَشَرِ: مُسوّدة للجلود، مُحرقة لها
- إِذۡ أَدۡبَرَ: ولّى وذهب
- إِذَآ أَسۡفَرَ: أضاء وانكشف
- لَإِحۡدَى ٱلۡكُبَرِ: لإحدى الدواهي العظيمة
- رَهِينَةٌ: مرهونة عنده تعالى
- مَا سَلَكَكُمۡ: ما أدخلكم
- كُنَّا نَخُوضُ: كنّا نشرع في الباطل
- بِيَوۡمِ ٱلدِّينِ: بيوم الجزاء

| | | |
|---|---|---|
| مدّ ٦ حركات لزوماً ● مدّ ٢ أو ٤ أو ٦ جوازاً | ● إخفاء، ومواقع الغُنَّة (حركتان) | ● تفخيم |
| مدّ واجب ٤ أو ٥ حركات ● مدّ حركتان | ● إدغام، وما لا يُلفظ | ● قلقلة |

فَمَا تَنفَعُهُمْ شَفَٰعَةُ ٱلشَّٰفِعِينَ ﴿٤٨﴾ فَمَا لَهُمْ عَنِ ٱلتَّذْكِرَةِ مُعْرِضِينَ
﴿٤٩﴾ كَأَنَّهُمْ حُمُرٌ مُّسْتَنفِرَةٌ ﴿٥٠﴾ فَرَّتْ مِن قَسْوَرَةٍۭ ﴿٥١﴾ بَلْ يُرِيدُ
كُلُّ ٱمْرِئٍ مِّنْهُمْ أَن يُؤْتَىٰ صُحُفًا مُّنَشَّرَةً ﴿٥٢﴾ كَلَّاۖ بَل لَّا يَخَافُونَ
ٱلْـَٔاخِرَةَ ﴿٥٣﴾ كَلَّآ إِنَّهُۥ تَذْكِرَةٌ ﴿٥٤﴾ فَمَن شَآءَ ذَكَرَهُۥ ﴿٥٥﴾
وَمَا يَذْكُرُونَ إِلَّآ أَن يَشَآءَ ٱللَّهُۚ هُوَ أَهْلُ ٱلتَّقْوَىٰ وَأَهْلُ ٱلْمَغْفِرَةِ ﴿٥٦﴾

## سُورَةُ القِيَامَةِ

ترتيبها ٧٥ — آياتها ٤٠

بِسْمِ ٱللَّهِ ٱلرَّحْمَٰنِ ٱلرَّحِيمِ

لَآ أُقْسِمُ بِيَوْمِ ٱلْقِيَٰمَةِ ﴿١﴾ وَلَآ أُقْسِمُ بِٱلنَّفْسِ ٱللَّوَّامَةِ ﴿٢﴾ أَيَحْسَبُ
ٱلْإِنسَٰنُ أَلَّن نَّجْمَعَ عِظَامَهُۥ ﴿٣﴾ بَلَىٰ قَٰدِرِينَ عَلَىٰٓ أَن نُّسَوِّىَ بَنَانَهُۥ ﴿٤﴾ بَلْ
يُرِيدُ ٱلْإِنسَٰنُ لِيَفْجُرَ أَمَامَهُۥ ﴿٥﴾ يَسْـَٔلُ أَيَّانَ يَوْمُ ٱلْقِيَٰمَةِ ﴿٦﴾ فَإِذَا بَرِقَ ٱلْبَصَرُ
﴿٧﴾ وَخَسَفَ ٱلْقَمَرُ ﴿٨﴾ وَجُمِعَ ٱلشَّمْسُ وَٱلْقَمَرُ ﴿٩﴾ يَقُولُ ٱلْإِنسَٰنُ يَوْمَئِذٍ
أَيْنَ ٱلْمَفَرُّ ﴿١٠﴾ كَلَّا لَا وَزَرَ ﴿١١﴾ إِلَىٰ رَبِّكَ يَوْمَئِذٍ ٱلْمُسْتَقَرُّ ﴿١٢﴾ يُنَبَّؤُا۟ ٱلْإِنسَٰنُ
يَوْمَئِذٍۭ بِمَا قَدَّمَ وَأَخَّرَ ﴿١٣﴾ بَلِ ٱلْإِنسَٰنُ عَلَىٰ نَفْسِهِۦ بَصِيرَةٌ ﴿١٤﴾ وَلَوْ أَلْقَىٰ
مَعَاذِيرَهُۥ ﴿١٥﴾ لَا تُحَرِّكْ بِهِۦ لِسَانَكَ لِتَعْجَلَ بِهِۦٓ ﴿١٦﴾ إِنَّ عَلَيْنَا جَمْعَهُۥ
وَقُرْءَانَهُۥ ﴿١٧﴾ فَإِذَا قَرَأْنَٰهُ فَٱتَّبِعْ قُرْءَانَهُۥ ﴿١٨﴾ ثُمَّ إِنَّ عَلَيْنَا بَيَانَهُۥ ﴿١٩﴾

- حُمُرٌ مُّسْتَنفِرَةٌ: حُمُرٌ وحشيّة، شديدةُ النِّفار
- قَسْوَرَةٍ: أسَد أو الرِّجالِ الرُّماةِ
- لَآ أُقْسِمُ: أقسِمُ و «لا» مزيدة
- بِٱلنَّفْسِ ٱللَّوَّامَةِ: كثيرة النَّدم على ما فاتَ
- بَلَىٰ: نجمعُها بعد تفرُّقها
- نُّسَوِّىَ بَنَانَهُۥ: نضُمّ سُلامياته كما كانت
- لِيَفْجُرَ أَمَامَهُۥ: ليَدُومَ على فجُورِه لا ينزِعُ عنه

القيامة

نصف الحزب ٥٨

- بَرِقَ ٱلْبَصَرُ: دَهِش فزَعاً مما رأى
- خَسَفَ ٱلْقَمَرُ: ذَهَبَ ضَوْءُهُ
- أَيْنَ ٱلْمَفَرُّ: المهرَبُ من العذاب أو الهوْل
- لَا وَزَرَ: لا مَلْجأ ولا مَنْجى منه
- بَصِيرَةٌ: حجّةٌ بيِّنة
- أَلْقَىٰ مَعَاذِيرَهُۥ: جاء بكلِّ عُذرٍ
- جَمْعَهُۥ: في صَدْرِكَ
- قُرْءَانَهُۥ: أنْ تقرأهُ متى شِئتَ
- بَيَانَهُۥ: بيانَ ما أشكلَ منه

كَلَّا بَلْ تُحِبُّونَ ٱلْعَاجِلَةَ ﴿٢٠﴾ وَتَذَرُونَ ٱلْـَٔاخِرَةَ ﴿٢١﴾ وُجُوهٌ يَوْمَئِذٍ نَّاضِرَةٌ ﴿٢٢﴾
إِلَىٰ رَبِّهَا نَاظِرَةٌ ﴿٢٣﴾ وَوُجُوهٌ يَوْمَئِذٍۭ بَاسِرَةٌ ﴿٢٤﴾ تَظُنُّ أَن يُفْعَلَ بِهَا فَاقِرَةٌ ﴿٢٥﴾
كَلَّآ إِذَا بَلَغَتِ ٱلتَّرَاقِىَ ﴿٢٦﴾ وَقِيلَ مَنْۜ رَاقٍ ﴿٢٧﴾ وَظَنَّ أَنَّهُ ٱلْفِرَاقُ ﴿٢٨﴾ وَٱلْتَفَّتِ
ٱلسَّاقُ بِٱلسَّاقِ ﴿٢٩﴾ إِلَىٰ رَبِّكَ يَوْمَئِذٍ ٱلْمَسَاقُ ﴿٣٠﴾ فَلَا صَدَّقَ وَلَا صَلَّىٰ
﴿٣١﴾ وَلَٰكِن كَذَّبَ وَتَوَلَّىٰ ﴿٣٢﴾ ثُمَّ ذَهَبَ إِلَىٰٓ أَهْلِهِۦ يَتَمَطَّىٰٓ ﴿٣٣﴾ أَوْلَىٰ لَكَ
فَأَوْلَىٰ ﴿٣٤﴾ ثُمَّ أَوْلَىٰ لَكَ فَأَوْلَىٰٓ ﴿٣٥﴾ أَيَحْسَبُ ٱلْإِنسَٰنُ أَن يُتْرَكَ سُدًى ﴿٣٦﴾
أَلَمْ يَكُ نُطْفَةً مِّن مَّنِىٍّ يُمْنَىٰ ﴿٣٧﴾ ثُمَّ كَانَ عَلَقَةً فَخَلَقَ فَسَوَّىٰ ﴿٣٨﴾ فَجَعَلَ مِنْهُ
ٱلزَّوْجَيْنِ ٱلذَّكَرَ وَٱلْأُنثَىٰٓ ﴿٣٩﴾ أَلَيْسَ ذَٰلِكَ بِقَٰدِرٍ عَلَىٰٓ أَن يُحْـِۧىَ ٱلْمَوْتَىٰ ﴿٤٠﴾

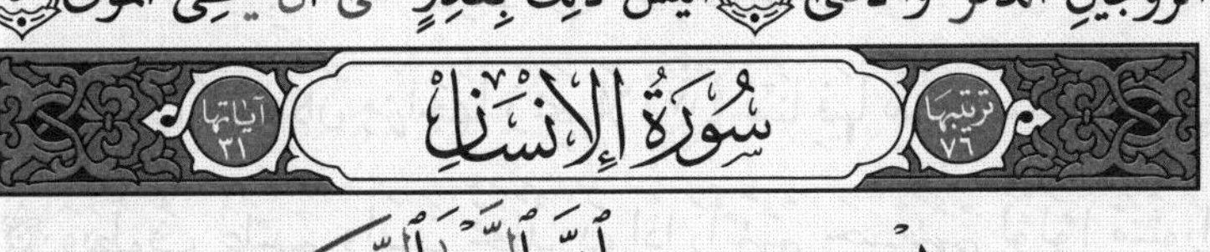


بِسْمِ ٱللَّهِ ٱلرَّحْمَٰنِ ٱلرَّحِيمِ

هَلْ أَتَىٰ عَلَى ٱلْإِنسَٰنِ حِينٌ مِّنَ ٱلدَّهْرِ لَمْ يَكُن شَيْـًٔا مَّذْكُورًا ﴿١﴾
إِنَّا خَلَقْنَا ٱلْإِنسَٰنَ مِن نُّطْفَةٍ أَمْشَاجٍ نَّبْتَلِيهِ فَجَعَلْنَٰهُ سَمِيعًۢا
بَصِيرًا ﴿٢﴾ إِنَّا هَدَيْنَٰهُ ٱلسَّبِيلَ إِمَّا شَاكِرًا وَإِمَّا كَفُورًا ﴿٣﴾
إِنَّآ أَعْتَدْنَا لِلْكَٰفِرِينَ سَلَٰسِلَا۟ وَأَغْلَٰلًا وَسَعِيرًا ﴿٤﴾ إِنَّ
ٱلْأَبْرَارَ يَشْرَبُونَ مِن كَأْسٍ كَانَ مِزَاجُهَا كَافُورًا ﴿٥﴾

- نَاضِرَةٌ: مُشرقة مُتهلِّلة
- بَاسِرَةٌ: شديدة الكُلوحة والعُبوس
- فَاقِرَةٌ: داهية تقصم فقار الظهر

سكتة لطيفة على النون

- بَلَغَتِ ٱلتَّرَاقِىَ: وصلت الروح لأعالي الصدر
- مَنْ رَاقٍ: من يُداويه وينجيه من الموت
- ٱلْتَفَّتِ: التوت أو التصقت
- ٱلْمَسَاقُ: سَوْق العباد
- يَتَمَطَّىٰٓ: يتبختر في مشيته اختيالاً
- أَوْلَىٰ لَكَ: قاربك ما يُهلكك
- يُتْرَكَ سُدًى: مُهملاً فلا يُكلَّف ولا يُجزى
- مَّنِىٍّ يُمْنَىٰ: يُصبّ في الرحم
- فَسَوَّىٰ: فعدّله وكمّله

الإنسان

- أَمْشَاجٍ: أخلاط من عناصر مختلفة
- نَّبْتَلِيهِ: مُبتلين له بالتكاليف
- هَدَيْنَٰهُ ٱلسَّبِيلَ: بيّنّا له طريق الهداية
- أَغْلَٰلًا: قيوداً
- كَأْسٍ: خمر
- مِزَاجُهَا: ما تُمزج به
- كَافُورًا: ماء كالكافور في أحسن أوصافه

| | | |
|---|---|---|
| مدّ ٦ حركات لزوماً ● مدّ ٢ أو ٤ أو ٦ جوازاً ● | إخفاء، ومواقع الغُنّة (حركتان) ● | تفخيم ● |
| مدّ واجب ٤ أو ٥ حركات ● مدّ حركتان ● | إدغام، وما لا يُلفظ ● | قلقلة ● |

عَيْنًا يَشْرَبُ بِهَا عِبَادُ ٱللَّهِ يُفَجِّرُونَهَا تَفْجِيرًا ﴿٦﴾ يُوفُونَ بِٱلنَّذْرِ وَيَخَافُونَ
يَوْمًا كَانَ شَرُّهُۥ مُسْتَطِيرًا ﴿٧﴾ وَيُطْعِمُونَ ٱلطَّعَامَ عَلَىٰ حُبِّهِۦ مِسْكِينًا
وَيَتِيمًا وَأَسِيرًا ﴿٨﴾ إِنَّمَا نُطْعِمُكُمْ لِوَجْهِ ٱللَّهِ لَا نُرِيدُ مِنكُمْ جَزَآءً وَلَا شُكُورًا
﴿٩﴾ إِنَّا نَخَافُ مِن رَّبِّنَا يَوْمًا عَبُوسًا قَمْطَرِيرًا ﴿١٠﴾ فَوَقَىٰهُمُ ٱللَّهُ شَرَّ ذَٰلِكَ
ٱلْيَوْمِ وَلَقَّىٰهُمْ نَضْرَةً وَسُرُورًا ﴿١١﴾ وَجَزَىٰهُم بِمَا صَبَرُوا۟ جَنَّةً وَحَرِيرًا
﴿١٢﴾ مُّتَّكِـِٔينَ فِيهَا عَلَى ٱلْأَرَآئِكِ ۖ لَا يَرَوْنَ فِيهَا شَمْسًا وَلَا زَمْهَرِيرًا ﴿١٣﴾
وَدَانِيَةً عَلَيْهِمْ ظِلَـٰلُهَا وَذُلِّلَتْ قُطُوفُهَا تَذْلِيلًا ﴿١٤﴾ وَيُطَافُ عَلَيْهِم بِـَٔانِيَةٍ
مِّن فِضَّةٍ وَأَكْوَابٍ كَانَتْ قَوَارِيرَا۠ ﴿١٥﴾ قَوَارِيرَا۟ مِن فِضَّةٍ قَدَّرُوهَا تَقْدِيرًا ﴿١٦﴾
وَيُسْقَوْنَ فِيهَا كَأْسًا كَانَ مِزَاجُهَا زَنجَبِيلًا ﴿١٧﴾ عَيْنًا فِيهَا تُسَمَّىٰ سَلْسَبِيلًا ﴿١٨﴾
۞ وَيَطُوفُ عَلَيْهِمْ وِلْدَٰنٌ مُّخَلَّدُونَ إِذَا رَأَيْتَهُمْ حَسِبْتَهُمْ لُؤْلُؤًا مَّنثُورًا
﴿١٩﴾ وَإِذَا رَأَيْتَ ثَمَّ رَأَيْتَ نَعِيمًا وَمُلْكًا كَبِيرًا ﴿٢٠﴾ عَـٰلِيَهُمْ ثِيَابُ سُندُسٍ
خُضْرٌ وَإِسْتَبْرَقٌ ۖ وَحُلُّوٓا۟ أَسَاوِرَ مِن فِضَّةٍ وَسَقَىٰهُمْ رَبُّهُمْ شَرَابًا
طَهُورًا ﴿٢١﴾ إِنَّ هَـٰذَا كَانَ لَكُمْ جَزَآءً وَكَانَ سَعْيُكُم مَّشْكُورًا ﴿٢٢﴾ إِنَّا
نَحْنُ نَزَّلْنَا عَلَيْكَ ٱلْقُرْءَانَ تَنزِيلًا ﴿٢٣﴾ فَٱصْبِرْ لِحُكْمِ رَبِّكَ وَلَا تُطِعْ
مِنْهُمْ ءَاثِمًا أَوْ كَفُورًا ﴿٢٤﴾ وَٱذْكُرِ ٱسْمَ رَبِّكَ بُكْرَةً وَأَصِيلًا ﴿٢٥﴾

- يُفَجِّرُونَهَا: يُجْرُونَهَا حَيْثُ شَاؤُوا
- مُسْتَطِيرًا: مُنْتَشِرًا غَايَةَ الانتشار
- يَوْمًا عَبُوسًا: تَكْلَحُ فِيهِ الوُجُوهُ لِهَوْلِه
- قَمْطَرِيرًا: شَدِيدَ العُبُوس
- نَضْرَةً: حُسْنًا وَبَهْجَةً في الوجوه
- ٱلْأَرَآئِكِ: السُّرُر في الحِجَال (بيت العروس)
- زَمْهَرِيرًا: بَرْدًا شديدًا أو قمرًا
- دَانِيَةً عَلَيْهِمْ ظِلَـٰلُهَا: قَرِيبَةً مِنْهُم
- ذُلِّلَتْ قُطُوفُهَا: قُرِّبَتْ ثِمَارُهَا
- أَكْوَابٍ: أقداح بلا عُرًا
- قَوَارِيرَا: كالزجاجات في الصَّفاء
- قَدَّرُوهَا: جَعَلُوا شَرَابَهَا على قَدْرِ الرِّيِّ
- كَأْسًا: خمرًا
- مِزَاجُهَا: مَا تُمْزَجُ به
- زَنجَبِيلًا: مَاءً كالزَّنْجَبِيل في أحسن أوْصافه
- تُسَمَّىٰ سَلْسَبِيلًا: توصفُ بغاية السَّلاسة والانسياغ
- وِلْدَٰنٌ مُّخَلَّدُونَ: مُبْقَوْنَ على هيئة الوِلْدان
- لُؤْلُؤًا مَّنثُورًا: مُتفرِّقًا غير مَنْظُوم
- سُندُسٍ: ديباج رقيق
- إِسْتَبْرَقٌ: ديباج غليظ

ثلاثة أرباع الحزب ٥٨

| | | |
|---|---|---|
| مدّ ٦ حركات لزوماً ● مدّ ٢ أو ٤ أو ٦ جوازاً | إخفاء ، ومواقع الغُنَّة (حركتان) | تفخ |
| مدّ واجب ٤ أو ٥ حركات ● مدّ حركتان | إدغام ، وما لا يُلفظ | قلق |

وَمِنَ ٱلَّيۡلِ فَٱسۡجُدۡ لَهُۥ وَسَبِّحۡهُ لَيۡلًا طَوِيلًا ﴿٢٦﴾ إِنَّ
هَٰٓؤُلَآءِ يُحِبُّونَ ٱلۡعَاجِلَةَ وَيَذَرُونَ وَرَآءَهُمۡ يَوۡمًا ثَقِيلًا ﴿٢٧﴾ نَّحۡنُ
خَلَقۡنَٰهُمۡ وَشَدَدۡنَآ أَسۡرَهُمۡۖ وَإِذَا شِئۡنَا بَدَّلۡنَآ أَمۡثَٰلَهُمۡ تَبۡدِيلًا
﴿٢٨﴾ إِنَّ هَٰذِهِۦ تَذۡكِرَةٞۖ فَمَن شَآءَ ٱتَّخَذَ إِلَىٰ رَبِّهِۦ سَبِيلًا ﴿٢٩﴾
وَمَا تَشَآءُونَ إِلَّآ أَن يَشَآءَ ٱللَّهُۚ إِنَّ ٱللَّهَ كَانَ عَلِيمًا حَكِيمًا ﴿٣٠﴾
يُدۡخِلُ مَن يَشَآءُ فِي رَحۡمَتِهِۦۚ وَٱلظَّٰلِمِينَ أَعَدَّ لَهُمۡ عَذَابًا أَلِيمَۢا ﴿٣١﴾

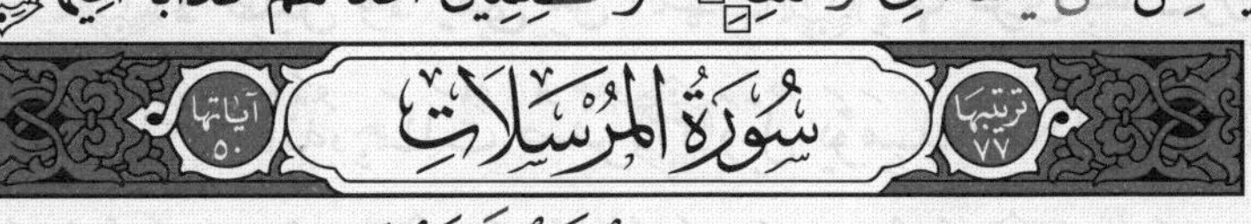

## سُورَةُ المُرۡسَلَات

ترتيبها ٧٧ — آياتها ٥٠

بِسۡمِ ٱللَّهِ ٱلرَّحۡمَٰنِ ٱلرَّحِيمِ

وَٱلۡمُرۡسَلَٰتِ عُرۡفٗا ﴿١﴾ فَٱلۡعَٰصِفَٰتِ عَصۡفٗا ﴿٢﴾ وَٱلنَّٰشِرَٰتِ نَشۡرٗا ﴿٣﴾
فَٱلۡفَٰرِقَٰتِ فَرۡقٗا ﴿٤﴾ فَٱلۡمُلۡقِيَٰتِ ذِكۡرًا ﴿٥﴾ عُذۡرًا أَوۡ نُذۡرًا ﴿٦﴾ إِنَّمَا
تُوعَدُونَ لَوَٰقِعٞ ﴿٧﴾ فَإِذَا ٱلنُّجُومُ طُمِسَتۡ ﴿٨﴾ وَإِذَا ٱلسَّمَآءُ فُرِجَتۡ
﴿٩﴾ وَإِذَا ٱلۡجِبَالُ نُسِفَتۡ ﴿١٠﴾ وَإِذَا ٱلرُّسُلُ أُقِّتَتۡ ﴿١١﴾ لِأَيِّ يَوۡمٍ أُجِّلَتۡ
﴿١٢﴾ لِيَوۡمِ ٱلۡفَصۡلِ ﴿١٣﴾ وَمَآ أَدۡرَىٰكَ مَا يَوۡمُ ٱلۡفَصۡلِ ﴿١٤﴾ وَيۡلٞ يَوۡمَئِذٖ
لِّلۡمُكَذِّبِينَ ﴿١٥﴾ أَلَمۡ نُهۡلِكِ ٱلۡأَوَّلِينَ ﴿١٦﴾ ثُمَّ نُتۡبِعُهُمُ ٱلۡأٓخِرِينَ
﴿١٧﴾ كَذَٰلِكَ نَفۡعَلُ بِٱلۡمُجۡرِمِينَ ﴿١٨﴾ وَيۡلٞ يَوۡمَئِذٖ لِّلۡمُكَذِّبِينَ ﴿١٩﴾

| | | |
|---|---|---|
| مدّ ٦ حركات لزوماً ● مدّ ٢ أو ٤ أو ٦ جوازاً | إخفاء، ومواقع الغنّة (حركتان) | تفخيم |
| مدّ واجب ٤ أو ٥ حركات ● مدّ حركتان | إدغام، وما لا يُلفظ | قلقلة |

المرسلات

- يَوۡمًا ثَقِيلًا: شديد الأهوال (يوم القيامة)
- شَدَدۡنَآ أَسۡرَهُمۡ: أحكمنا خلقهم
- ٱلۡمُرۡسَلَٰتِ عُرۡفٗا: رياح العذاب متتابعة
- فَٱلۡعَٰصِفَٰتِ: الرّياح الشّديدة الهبوب
- ٱلنَّٰشِرَٰتِ: الملائكة تنشر أجنحتها في الجوّ
- فَٱلۡفَٰرِقَٰتِ: الملائكة تفرق بالوحي بين الحقّ والباطل
- ذِكۡرًا: وحياً إلى الأنبياء والرّسل
- عُذۡرًا: لإزالة الأعذار
- نُذۡرًا: للإنذار والتّخويف بالعقاب
- ٱلنُّجُومُ طُمِسَتۡ: مُحي نورها
- ٱلسَّمَآءُ فُرِجَتۡ: فُتحت؛ فكانت أبواباً
- ٱلۡجِبَالُ نُسِفَتۡ: قُلعت من أماكنها
- ٱلرُّسُلُ أُقِّتَتۡ: بلغت ميقاتها المنتظر
- لِيَوۡمِ ٱلۡفَصۡلِ: بين الحقّ والباطل
- وَيۡلٞ يَوۡمَئِذٖ: هلاك في ذلك اليوم

أَلَمْ نَخْلُقكُّم مِّن مَّآءٍ مَّهِينٍ ﴿٢٠﴾ فَجَعَلْنَٰهُ فِى قَرَارٍ مَّكِينٍ ﴿٢١﴾ إِلَىٰ قَدَرٍ
مَّعْلُومٍ ﴿٢٢﴾ فَقَدَرْنَا فَنِعْمَ ٱلْقَٰدِرُونَ ﴿٢٣﴾ وَيْلٌ يَوْمَئِذٍ لِّلْمُكَذِّبِينَ ﴿٢٤﴾
أَلَمْ نَجْعَلِ ٱلْأَرْضَ كِفَاتًا ﴿٢٥﴾ أَحْيَآءً وَأَمْوَٰتًا ﴿٢٦﴾ وَجَعَلْنَا فِيهَا رَوَٰسِىَ
شَٰمِخَٰتٍ وَأَسْقَيْنَٰكُم مَّآءً فُرَاتًا ﴿٢٧﴾ وَيْلٌ يَوْمَئِذٍ لِّلْمُكَذِّبِينَ ﴿٢٨﴾
ٱنطَلِقُوٓا۟ إِلَىٰ مَا كُنتُم بِهِۦ تُكَذِّبُونَ ﴿٢٩﴾ ٱنطَلِقُوٓا۟ إِلَىٰ ظِلٍّ ذِى ثَلَٰثِ
شُعَبٍ ﴿٣٠﴾ لَّا ظَلِيلٍ وَلَا يُغْنِى مِنَ ٱللَّهَبِ ﴿٣١﴾ إِنَّهَا تَرْمِى بِشَرَرٍ
كَٱلْقَصْرِ ﴿٣٢﴾ كَأَنَّهُۥ جِمَٰلَتٌ صُفْرٌ ﴿٣٣﴾ وَيْلٌ يَوْمَئِذٍ لِّلْمُكَذِّبِينَ ﴿٣٤﴾
هَٰذَا يَوْمُ لَا يَنطِقُونَ ﴿٣٥﴾ وَلَا يُؤْذَنُ لَهُمْ فَيَعْتَذِرُونَ ﴿٣٦﴾ وَيْلٌ يَوْمَئِذٍ
لِّلْمُكَذِّبِينَ ﴿٣٧﴾ هَٰذَا يَوْمُ ٱلْفَصْلِ ۖ جَمَعْنَٰكُمْ وَٱلْأَوَّلِينَ ﴿٣٨﴾ فَإِن كَانَ
لَكُمْ كَيْدٌ فَكِيدُونِ ﴿٣٩﴾ وَيْلٌ يَوْمَئِذٍ لِّلْمُكَذِّبِينَ ﴿٤٠﴾ إِنَّ ٱلْمُتَّقِينَ فِى
ظِلَٰلٍ وَعُيُونٍ ﴿٤١﴾ وَفَوَٰكِهَ مِمَّا يَشْتَهُونَ ﴿٤٢﴾ كُلُوا۟ وَٱشْرَبُوا۟ هَنِيٓـًٔا
بِمَا كُنتُمْ تَعْمَلُونَ ﴿٤٣﴾ إِنَّا كَذَٰلِكَ نَجْزِى ٱلْمُحْسِنِينَ ﴿٤٤﴾ وَيْلٌ يَوْمَئِذٍ
لِّلْمُكَذِّبِينَ ﴿٤٥﴾ كُلُوا۟ وَتَمَتَّعُوا۟ قَلِيلًا إِنَّكُم مُّجْرِمُونَ ﴿٤٦﴾ وَيْلٌ يَوْمَئِذٍ
لِّلْمُكَذِّبِينَ ﴿٤٧﴾ وَإِذَا قِيلَ لَهُمُ ٱرْكَعُوا۟ لَا يَرْكَعُونَ ﴿٤٨﴾ وَيْلٌ
يَوْمَئِذٍ لِّلْمُكَذِّبِينَ ﴿٤٩﴾ فَبِأَىِّ حَدِيثٍۭ بَعْدَهُۥ يُؤْمِنُونَ ﴿٥٠﴾

- مَّآءٍ مَّهِينٍ: مَنِيٍّ ضَعِيفٍ حَقِيرٍ
- قَرَارٍ مَّكِينٍ: مُتَمَكِّنٍ، وهُوَ الرَّحِمُ
- فَقَدَرْنَا: فَقَدَّرْنَا ذلكَ تَقْديراً
- ٱلْأَرْضَ كِفَاتًا: وِعَاءً تضمُّ الأحياء والأمواتَ
- رَوَٰسِىَ شَٰمِخَٰتٍ: جبالاً ثوابتَ عالياتٍ
- مَّآءً فُرَاتًا: شديدَ العُذوبَةِ
- ظِلٍّ: هو دخانُ جهنَّمَ
- ثَلَٰثِ شُعَبٍ: فِرَقٍ ثلاث كالذَّوائبِ
- لَّا ظَلِيلٍ: لا مُظلِّلٍ من الحرِّ
- لَا يُغْنِى مِنَ ٱللَّهَبِ: لا يَدْفَعُ عنهُم شيئاً منهُ
- تَرْمِى بِشَرَرٍ: هو ما تطايَرَ من النار
- كَٱلْقَصْرِ: كالبِناءِ العَظيمِ
- جِمَٰلَتٌ صُفْرٌ: إبِلٌ صُفْرٌ أو سودٌ وهي تضرِبُ إلى الصفرة
- كَيْدٌ: حِيلَةٌ لاتِّقاءِ العذابِ

● مدّ ٦ حركات لزوماً ● مدّ ٢ أو ٤ أو ٦ جوازاً ● إخفاء، ومواقع الغنّة (حركتان) ● تفخـ
● مدّ واجب ٤ أو ٥ حركات ● مدّ حركتان ● إدغام، وما لا يُلفظ ● قلقلة

# سُورَةُ النَّبَإِ

ترتيبها ٧٨ — آياتها ٤٠

بِسْمِ ٱللَّهِ ٱلرَّحْمَٰنِ ٱلرَّحِيمِ

عَمَّ يَتَسَآءَلُونَ ﴿١﴾ عَنِ ٱلنَّبَإِ ٱلْعَظِيمِ ﴿٢﴾ ٱلَّذِى هُمْ فِيهِ مُخْتَلِفُونَ ﴿٣﴾
كَلَّا سَيَعْلَمُونَ ﴿٤﴾ ثُمَّ كَلَّا سَيَعْلَمُونَ ﴿٥﴾ أَلَمْ نَجْعَلِ ٱلْأَرْضَ مِهَٰدًا ﴿٦﴾
وَٱلْجِبَالَ أَوْتَادًا ﴿٧﴾ وَخَلَقْنَٰكُمْ أَزْوَٰجًا ﴿٨﴾ وَجَعَلْنَا نَوْمَكُمْ سُبَاتًا
﴿٩﴾ وَجَعَلْنَا ٱلَّيْلَ لِبَاسًا ﴿١٠﴾ وَجَعَلْنَا ٱلنَّهَارَ مَعَاشًا ﴿١١﴾ وَبَنَيْنَا
فَوْقَكُمْ سَبْعًا شِدَادًا ﴿١٢﴾ وَجَعَلْنَا سِرَاجًا وَهَّاجًا ﴿١٣﴾ وَأَنزَلْنَا
مِنَ ٱلْمُعْصِرَٰتِ مَآءً ثَجَّاجًا ﴿١٤﴾ لِّنُخْرِجَ بِهِۦ حَبًّا وَنَبَاتًا ﴿١٥﴾ وَجَنَّٰتٍ
أَلْفَافًا ﴿١٦﴾ إِنَّ يَوْمَ ٱلْفَصْلِ كَانَ مِيقَٰتًا ﴿١٧﴾ يَوْمَ يُنفَخُ فِى ٱلصُّورِ
فَتَأْتُونَ أَفْوَاجًا ﴿١٨﴾ وَفُتِحَتِ ٱلسَّمَآءُ فَكَانَتْ أَبْوَٰبًا ﴿١٩﴾ وَسُيِّرَتِ
ٱلْجِبَالُ فَكَانَتْ سَرَابًا ﴿٢٠﴾ إِنَّ جَهَنَّمَ كَانَتْ مِرْصَادًا ﴿٢١﴾ لِّلطَّٰغِينَ
مَـَٔابًا ﴿٢٢﴾ لَّٰبِثِينَ فِيهَآ أَحْقَابًا ﴿٢٣﴾ لَّا يَذُوقُونَ فِيهَا بَرْدًا وَلَا شَرَابًا
﴿٢٤﴾ إِلَّا حَمِيمًا وَغَسَّاقًا ﴿٢٥﴾ جَزَآءً وِفَاقًا ﴿٢٦﴾ إِنَّهُمْ كَانُوا۟
لَا يَرْجُونَ حِسَابًا ﴿٢٧﴾ وَكَذَّبُوا۟ بِـَٔايَٰتِنَا كِذَّابًا ﴿٢٨﴾ وَكُلَّ شَىْءٍ
أَحْصَيْنَٰهُ كِتَٰبًا ﴿٢٩﴾ فَذُوقُوا۟ فَلَن نَّزِيدَكُمْ إِلَّا عَذَابًا ﴿٣٠﴾

النبأ

الجزء ٣٠ — الحزب ٥٩

- ٱلنَّبَإِ ٱلْعَظِيمِ : البَعْث
- ٱلْأَرْضَ مِهَٰدًا : فِراشاً للاستقرار عليها
- ٱلْجِبَالَ أَوْتَادًا كالأوتاد للأرض
- خَلَقْنَٰكُمْ أَزْوَٰجًا أصنافاً ذكوراً وإناثاً
- نَوْمَكُمْ سُبَاتًا قطعاً لأعمالكم ، وراحة لأبدانكم
- ٱلَّيْلَ لِبَاسًا ساتراً لكم بظلمته
- ٱلنَّهَارَ مَعَاشًا : تُحصّلون فيه ما تعيشون به
- سَبْعًا شِدَادًا قويّات مُحكمات
- سِرَاجًا : مِصْباحاً
- وَهَّاجًا : غايةً في الحرارة
- ٱلْمُعْصِرَٰتِ : السّحائب
- مَآءً ثَجَّاجًا : مُنصبّاً بكثرة
- جَنَّٰتٍ أَلْفَافًا : مُلتفّة الأشجار لكثرتها
- فَتَأْتُونَ أَفْوَاجًا أُمماً أو جماعات مختلفة
- فَكَانَتْ سَرَابًا كالسّراب الذي لا حقيقة له
- مِرْصَادًا : موضع ترصّد وترقّب للكافرين
- لِّلطَّٰغِينَ مَـَٔابًا : مَرْجعاً لهم
- أَحْقَابًا : دُهوراً لا نهاية لها
- بَرْدًا : رَوْحاً وراحة
- حَمِيمًا : ماءً بالغاً نهاية الحرارة
- غَسَّاقًا : صديداً يسيل من جُلودهم
- جَزَآءً وِفَاقًا موافقاً لأعمالهم
- كِذَّابًا : تكذيباً شديداً
- أَحْصَيْنَٰهُ حَفِظْناه وضَبَطْناه

| | | |
|---|---|---|
| مدّ ٦ حركات لزوماً ● مدّ ٢ أو ٤ أو ٦ جوازاً | ● إخفاء ، ومواقع الغنّة (حركتان) | ● تفخيم |
| مدّ واجب ٤ أو ٥ حركات ● مدّ حركتان | ● إدغام ، وما لا يُلفظ | ● قلقلة |

إِنَّ لِلْمُتَّقِينَ مَفَازًا ﴿٣١﴾ حَدَآئِقَ وَأَعْنَٰبًا ﴿٣٢﴾ وَكَوَاعِبَ أَتْرَابًا ﴿٣٣﴾ وَكَأْسًا
دِهَاقًا ﴿٣٤﴾ لَّا يَسْمَعُونَ فِيهَا لَغْوًا وَلَا كِذَّٰبًا ﴿٣٥﴾ جَزَآءً مِّن رَّبِّكَ عَطَآءً
حِسَابًا ﴿٣٦﴾ رَّبِّ ٱلسَّمَٰوَٰتِ وَٱلْأَرْضِ وَمَا بَيْنَهُمَا ٱلرَّحْمَٰنِ ۖ لَا يَمْلِكُونَ
مِنْهُ خِطَابًا ﴿٣٧﴾ يَوْمَ يَقُومُ ٱلرُّوحُ وَٱلْمَلَٰٓئِكَةُ صَفًّا ۖ لَّا يَتَكَلَّمُونَ
إِلَّا مَنْ أَذِنَ لَهُ ٱلرَّحْمَٰنُ وَقَالَ صَوَابًا ﴿٣٨﴾ ذَٰلِكَ ٱلْيَوْمُ ٱلْحَقُّ ۖ فَمَن
شَآءَ ٱتَّخَذَ إِلَىٰ رَبِّهِۦ مَـَٔابًا ﴿٣٩﴾ إِنَّآ أَنذَرْنَٰكُمْ عَذَابًا قَرِيبًا يَوْمَ
يَنظُرُ ٱلْمَرْءُ مَا قَدَّمَتْ يَدَاهُ وَيَقُولُ ٱلْكَافِرُ يَٰلَيْتَنِى كُنتُ تُرَٰبًۢا ﴿٤٠﴾

## سُورَةُ النَّازِعَاتِ

ترتيبها ٧٩ — آياتها ٤٦

بِسْمِ ٱللَّهِ ٱلرَّحْمَٰنِ ٱلرَّحِيمِ

وَٱلنَّٰزِعَٰتِ غَرْقًا ﴿١﴾ وَٱلنَّٰشِطَٰتِ نَشْطًا ﴿٢﴾ وَٱلسَّٰبِحَٰتِ سَبْحًا
﴿٣﴾ فَٱلسَّٰبِقَٰتِ سَبْقًا ﴿٤﴾ فَٱلْمُدَبِّرَٰتِ أَمْرًا ﴿٥﴾ يَوْمَ تَرْجُفُ ٱلرَّاجِفَةُ
﴿٦﴾ تَتْبَعُهَا ٱلرَّادِفَةُ ﴿٧﴾ قُلُوبٌ يَوْمَئِذٍ وَاجِفَةٌ ﴿٨﴾ أَبْصَٰرُهَا
خَٰشِعَةٌ ﴿٩﴾ يَقُولُونَ أَءِنَّا لَمَرْدُودُونَ فِى ٱلْحَافِرَةِ ﴿١٠﴾ أَءِذَا كُنَّا
عِظَٰمًا نَّخِرَةً ﴿١١﴾ قَالُوا۟ تِلْكَ إِذًا كَرَّةٌ خَاسِرَةٌ ﴿١٢﴾ فَإِنَّمَا هِىَ زَجْرَةٌ
وَٰحِدَةٌ ﴿١٣﴾ فَإِذَا هُم بِٱلسَّاهِرَةِ ﴿١٤﴾ هَلْ أَتَىٰكَ حَدِيثُ مُوسَىٰٓ ﴿١٥﴾

- مفازًا: فوزًا وظفرًا
- كواعب: فتيات ناهدات
- أترابًا: مستويات في السنّ والحسن
- كأسًا دهاقًا: مترعة مليئة
- لغوًا: كلامًا غير معتدّ به أو قبيحًا
- كذّابًا: تكذيبًا
- عطاءً حسابًا: إحسانًا كافيًا
- مآبًا: مرجعًا بالإيمان والطاعة
- كنت ترابًا: فلم أُبعث في هذا اليوم
- النّازعات: الملائكة تنزع أرواح الكفّار
- غرقًا: نزعًا شديدًا
- النّاشطات: الملائكة تسلّ برفق أرواح المؤمنين
- السّابحات: الملائكة تنزل مسرعة بما أُمرت به
- فالسّابقات: الملائكة تسبق بالأرواح إلى مستقرّها
- فالمدبّرات أمرًا: الملائكة تنزل بتدبير ما أُمرت به
- ترجف: تتحرّك حركة شديدة
- الرّاجفة: نفخة الصّعق أو الموت
- تتبعها الرّادفة: نفخة البعث
- واجفة: مضطربة أو خائفة
- أبصارها خاشعة: ذليلة منكسرة
- في الحافرة: في الحالة الأولى (الحياة)
- عظامًا نخرة: بالية
- كرّة خاسرة: رجعة غابنة
- زجرة واحدة: صيحة واحدة (نفخة البعث)
- هم بالسّاهرة: أحياء على وجه الأرض

| | | | |
|---|---|---|---|
| مدّ ٦ حركات لزومًا | مدّ ٢ أو ٤ أو ٦ جوازًا | إخفاء، ومواقع الغنّة (حركتان) | تفخيـ |
| مدّ واجب ٤ أو ٥ حركات | مدّ حركتان | إدغام، وما لا يُلفظ | قلقلـ |

إِذْ نَادَىٰهُ رَبُّهُۥ بِٱلْوَادِ ٱلْمُقَدَّسِ طُوًى ﴿١٦﴾ ٱذْهَبْ إِلَىٰ فِرْعَوْنَ إِنَّهُۥ طَغَىٰ ﴿١٧﴾
فَقُلْ هَل لَّكَ إِلَىٰٓ أَن تَزَكَّىٰ ﴿١٨﴾ وَأَهْدِيَكَ إِلَىٰ رَبِّكَ فَتَخْشَىٰ ﴿١٩﴾ فَأَرَىٰهُ
ٱلْءَايَةَ ٱلْكُبْرَىٰ ﴿٢٠﴾ فَكَذَّبَ وَعَصَىٰ ﴿٢١﴾ ثُمَّ أَدْبَرَ يَسْعَىٰ ﴿٢٢﴾ فَحَشَرَ
فَنَادَىٰ ﴿٢٣﴾ فَقَالَ أَنَا۠ رَبُّكُمُ ٱلْأَعْلَىٰ ﴿٢٤﴾ فَأَخَذَهُ ٱللَّهُ نَكَالَ ٱلْءَاخِرَةِ وَٱلْأُولَىٰٓ
﴿٢٥﴾ إِنَّ فِى ذَٰلِكَ لَعِبْرَةً لِّمَن يَخْشَىٰٓ ﴿٢٦﴾ ءَأَنتُمْ أَشَدُّ خَلْقًا أَمِ ٱلسَّمَآءُ ۚ بَنَىٰهَا
﴿٢٧﴾ رَفَعَ سَمْكَهَا فَسَوَّىٰهَا ﴿٢٨﴾ وَأَغْطَشَ لَيْلَهَا وَأَخْرَجَ ضُحَىٰهَا ﴿٢٩﴾
وَٱلْأَرْضَ بَعْدَ ذَٰلِكَ دَحَىٰهَآ ﴿٣٠﴾ أَخْرَجَ مِنْهَا مَآءَهَا وَمَرْعَىٰهَا ﴿٣١﴾
وَٱلْجِبَالَ أَرْسَىٰهَا ﴿٣٢﴾ مَتَٰعًا لَّكُمْ وَلِأَنْعَٰمِكُمْ ﴿٣٣﴾ فَإِذَا جَآءَتِ ٱلطَّآمَّةُ
ٱلْكُبْرَىٰ ﴿٣٤﴾ يَوْمَ يَتَذَكَّرُ ٱلْإِنسَٰنُ مَا سَعَىٰ ﴿٣٥﴾ وَبُرِّزَتِ ٱلْجَحِيمُ
لِمَن يَرَىٰ ﴿٣٦﴾ فَأَمَّا مَن طَغَىٰ ﴿٣٧﴾ وَءَاثَرَ ٱلْحَيَوٰةَ ٱلدُّنْيَا ﴿٣٨﴾ فَإِنَّ ٱلْجَحِيمَ
هِىَ ٱلْمَأْوَىٰ ﴿٣٩﴾ وَأَمَّا مَنْ خَافَ مَقَامَ رَبِّهِۦ وَنَهَى ٱلنَّفْسَ عَنِ ٱلْهَوَىٰ
﴿٤٠﴾ فَإِنَّ ٱلْجَنَّةَ هِىَ ٱلْمَأْوَىٰ ﴿٤١﴾ يَسْـَٔلُونَكَ عَنِ ٱلسَّاعَةِ أَيَّانَ مُرْسَىٰهَا
﴿٤٢﴾ فِيمَ أَنتَ مِن ذِكْرَىٰهَآ ﴿٤٣﴾ إِلَىٰ رَبِّكَ مُنتَهَىٰهَآ ﴿٤٤﴾ إِنَّمَآ أَنتَ مُنذِرُ
مَن يَخْشَىٰهَا ﴿٤٥﴾ كَأَنَّهُمْ يَوْمَ يَرَوْنَهَا لَمْ يَلْبَثُوٓا۟ إِلَّا عَشِيَّةً أَوْ ضُحَىٰهَا ﴿٤٦﴾

## سُورَةُ عَبَسَ

ترتيبها ٨٠ — آياتها ٤٢

النازعات

- طُوًى: اسْمُ الْوَادِي
- طَغَىٰ: عَتَا وَتَجَبَّرَ
- تَزَكَّىٰ: تَتَطَهَّرَ مِنَ الكُفْرِ وَالطُّغْيَانِ
- يَسْعَىٰ: يَجِدُّ فِي الإِفْسَادِ وَالمعارَضَةِ
- فَحَشَرَ: جَمَعَ السَّحَرَةَ أَوِ الجُنْدَ
- نَكَالَ: عُقُوبَةَ
- رَفَعَ سَمْكَهَا: جَعَلَ ثِخَنَهَا مُرْتَفِعاً جِهَةَ العُلُوِّ
- فَسَوَّىٰهَا: فَجَعَلَهَا مَلْسَاءَ مُسْتَوِيَةً
- أَغْطَشَ لَيْلَهَا: أَظْلَمَهُ
- أَخْرَجَ ضُحَىٰهَا: أَبْرَزَ نَهَارَهَا
- دَحَىٰهَآ: بَسَطَهَا وَأَوْسَعَهَا
- مَرْعَىٰهَا: أَقْوَاتَ النَّاسِ وَالدَّوَابِّ
- ٱلْجِبَالَ أَرْسَىٰهَا: أَثْبَتَهَا فِي الأَرْضِ كَالأَوْتَادِ
- ٱلطَّآمَّةُ ٱلْكُبْرَىٰ: القِيَامَةُ أَوْ نَفْخَةُ البَعْثِ
- بُرِّزَتِ ٱلْجَحِيمُ: أُظْهِرَتْ إِظْهَاراً بَيِّناً
- هِىَ ٱلْمَأْوَىٰ: هِيَ المَرْجِعُ
- أَيَّانَ مُرْسَىٰهَا: مَتَى يُقِيمُهَا اللهُ وَيُثْبِتُهَا

| | | |
|---|---|---|
| مدّ ٦ حركات لزوماً / مدّ ٢ أو ٤ أو ٦ جوازاً | إخفاء، ومواقع الغُنَّة (حركتان) | تفخيم |
| مدّ واجب ٤ أو ٥ حركات / مدّ حركتان | إدغام، وما لا يُلفظ | قلقلة |

بِسْمِ ٱللَّهِ ٱلرَّحْمَٰنِ ٱلرَّحِيمِ

عَبَسَ وَتَوَلَّىٰٓ ﴿١﴾ أَن جَآءَهُ ٱلْأَعْمَىٰ ﴿٢﴾ وَمَا يُدْرِيكَ لَعَلَّهُۥ يَزَّكَّىٰٓ ﴿٣﴾ أَوْ
يَذَّكَّرُ فَتَنفَعَهُ ٱلذِّكْرَىٰٓ ﴿٤﴾ أَمَّا مَنِ ٱسْتَغْنَىٰ ﴿٥﴾ فَأَنتَ لَهُۥ تَصَدَّىٰ ﴿٦﴾
وَمَا عَلَيْكَ أَلَّا يَزَّكَّىٰ ﴿٧﴾ وَأَمَّا مَن جَآءَكَ يَسْعَىٰ ﴿٨﴾ وَهُوَ يَخْشَىٰ ﴿٩﴾ فَأَنتَ
عَنْهُ تَلَهَّىٰ ﴿١٠﴾ كَلَّآ إِنَّهَا تَذْكِرَةٌ ﴿١١﴾ فَمَن شَآءَ ذَكَرَهُۥ ﴿١٢﴾ فِى صُحُفٍ مُّكَرَّمَةٍ
﴿١٣﴾ مَّرْفُوعَةٍ مُّطَهَّرَةٍۭ ﴿١٤﴾ بِأَيْدِى سَفَرَةٍ ﴿١٥﴾ كِرَامٍۭ بَرَرَةٍ ﴿١٦﴾ قُتِلَ ٱلْإِنسَٰنُ
مَآ أَكْفَرَهُۥ ﴿١٧﴾ مِنْ أَىِّ شَىْءٍ خَلَقَهُۥ ﴿١٨﴾ مِن نُّطْفَةٍ خَلَقَهُۥ فَقَدَّرَهُۥ ﴿١٩﴾ ثُمَّ
ٱلسَّبِيلَ يَسَّرَهُۥ ﴿٢٠﴾ ثُمَّ أَمَاتَهُۥ فَأَقْبَرَهُۥ ﴿٢١﴾ ثُمَّ إِذَا شَآءَ أَنشَرَهُۥ ﴿٢٢﴾ كَلَّا لَمَّا
يَقْضِ مَآ أَمَرَهُۥ ﴿٢٣﴾ فَلْيَنظُرِ ٱلْإِنسَٰنُ إِلَىٰ طَعَامِهِۦٓ ﴿٢٤﴾ أَنَّا صَبَبْنَا ٱلْمَآءَ صَبًّا
﴿٢٥﴾ ثُمَّ شَقَقْنَا ٱلْأَرْضَ شَقًّا ﴿٢٦﴾ فَأَنۢبَتْنَا فِيهَا حَبًّا ﴿٢٧﴾ وَعِنَبًا وَقَضْبًا ﴿٢٨﴾
وَزَيْتُونًا وَنَخْلًا ﴿٢٩﴾ وَحَدَآئِقَ غُلْبًا ﴿٣٠﴾ وَفَٰكِهَةً وَأَبًّا ﴿٣١﴾ مَّتَٰعًا لَّكُمْ
وَلِأَنْعَٰمِكُمْ ﴿٣٢﴾ فَإِذَا جَآءَتِ ٱلصَّآخَّةُ ﴿٣٣﴾ يَوْمَ يَفِرُّ ٱلْمَرْءُ مِنْ أَخِيهِ ﴿٣٤﴾
وَأُمِّهِۦ وَأَبِيهِ ﴿٣٥﴾ وَصَٰحِبَتِهِۦ وَبَنِيهِ ﴿٣٦﴾ لِكُلِّ ٱمْرِئٍ مِّنْهُمْ يَوْمَئِذٍ شَأْنٌ
يُغْنِيهِ ﴿٣٧﴾ وُجُوهٌ يَوْمَئِذٍ مُّسْفِرَةٌ ﴿٣٨﴾ ضَاحِكَةٌ مُّسْتَبْشِرَةٌ ﴿٣٩﴾ وَوُجُوهٌ
يَوْمَئِذٍ عَلَيْهَا غَبَرَةٌ ﴿٤٠﴾ تَرْهَقُهَا قَتَرَةٌ ﴿٤١﴾ أُو۟لَٰٓئِكَ هُمُ ٱلْكَفَرَةُ ٱلْفَجَرَةُ ﴿٤٢﴾

■ عَبَسَ: قطّب جبينَه الشّريف
■ تَوَلَّىٰٓ: أعرض بوجهه الشّريف
ربع الحزب ٥٩
■ يَزَّكَّىٰ: يتطهّر من دنس الجهل
■ تَصَدَّىٰ: تتعرّض له وتُقبل عليه
■ تَلَهَّىٰ: تتشاغل وتُعرض
■ مَّرْفُوعَةٍ: رفيعة القدر والمنزلة
■ سَفَرَةٍ: كَتَبة من الملائكة
■ بَرَرَةٍ: مطيعين له تعالى

عبس

■ قُتِلَ ٱلْإِنسَٰنُ: لُعِنَ الكافرُ أو عُذِّب
■ فَقَدَّرَهُۥ: فهيّأه لما يصلُح له
■ فَأَقْبَرَهُۥ: أمرَ بدفنه في القبر
■ أَنشَرَهُۥ: أحياه بعد موته
■ لَمَّا يَقْضِ: لم يفعل
■ قَضْبًا: علفاً رطباً للدّوابّ
■ حَدَآئِقَ غُلْبًا: بساتين عظاماً، متكاثفة الأشجار
■ أَبًّا: كلأً وعُشباً أو هو التّبن خاصّة
■ جَآءَتِ ٱلصَّآخَّةُ: الداهية العظيمة (نفخة البعث)
■ مُّسْفِرَةٌ: مُشرقة مُضيئة
■ غَبَرَةٌ: غُبار وكُدورة
■ تَرْهَقُهَا قَتَرَةٌ: تغشاها ظُلمة وسواد

● مدّ ٦ حركات لزوماً ● مدّ ٢ أو ٤ أو ٦ جوازاً ● إخفاء، ومواقع الغُنّة (حركتان) ● تفخـ
● مدّ واجب ٤ أو ٥ حركات ● مدّ حركتان ● إدغام، وما لا يُلفَظ ● قلقلـ

## سُورَةُ التَّكْوِيرِ

ترتيبها ٨١ — آياتها ٢٩

بِسْمِ ٱللَّهِ ٱلرَّحْمَٰنِ ٱلرَّحِيمِ

إِذَا ٱلشَّمْسُ كُوِّرَتْ ﴿١﴾ وَإِذَا ٱلنُّجُومُ ٱنكَدَرَتْ ﴿٢﴾ وَإِذَا ٱلْجِبَالُ
سُيِّرَتْ ﴿٣﴾ وَإِذَا ٱلْعِشَارُ عُطِّلَتْ ﴿٤﴾ وَإِذَا ٱلْوُحُوشُ حُشِرَتْ
﴿٥﴾ وَإِذَا ٱلْبِحَارُ سُجِّرَتْ ﴿٦﴾ وَإِذَا ٱلنُّفُوسُ زُوِّجَتْ ﴿٧﴾ وَإِذَا
ٱلْمَوْءُۥدَةُ سُئِلَتْ ﴿٨﴾ بِأَىِّ ذَنۢبٍ قُتِلَتْ ﴿٩﴾ وَإِذَا ٱلصُّحُفُ نُشِرَتْ
﴿١٠﴾ وَإِذَا ٱلسَّمَآءُ كُشِطَتْ ﴿١١﴾ وَإِذَا ٱلْجَحِيمُ سُعِّرَتْ ﴿١٢﴾ وَإِذَا ٱلْجَنَّةُ
أُزْلِفَتْ ﴿١٣﴾ عَلِمَتْ نَفْسٌ مَّآ أَحْضَرَتْ ﴿١٤﴾ فَلَآ أُقْسِمُ بِٱلْخُنَّسِ ﴿١٥﴾
ٱلْجَوَارِ ٱلْكُنَّسِ ﴿١٦﴾ وَٱلَّيْلِ إِذَا عَسْعَسَ ﴿١٧﴾ وَٱلصُّبْحِ إِذَا تَنَفَّسَ ﴿١٨﴾
إِنَّهُۥ لَقَوْلُ رَسُولٍ كَرِيمٍ ﴿١٩﴾ ذِى قُوَّةٍ عِندَ ذِى ٱلْعَرْشِ مَكِينٍ ﴿٢٠﴾ مُّطَاعٍ
ثَمَّ أَمِينٍ ﴿٢١﴾ وَمَا صَاحِبُكُم بِمَجْنُونٍ ﴿٢٢﴾ وَلَقَدْ رَءَاهُ بِٱلْأُفُقِ ٱلْمُبِينِ
﴿٢٣﴾ وَمَا هُوَ عَلَى ٱلْغَيْبِ بِضَنِينٍ ﴿٢٤﴾ وَمَا هُوَ بِقَوْلِ شَيْطَٰنٍ رَّجِيمٍ ﴿٢٥﴾
فَأَيْنَ تَذْهَبُونَ ﴿٢٦﴾ إِنْ هُوَ إِلَّا ذِكْرٌ لِّلْعَٰلَمِينَ ﴿٢٧﴾ لِمَن شَآءَ مِنكُمْ أَن
يَسْتَقِيمَ ﴿٢٨﴾ وَمَا تَشَآءُونَ إِلَّآ أَن يَشَآءَ ٱللَّهُ رَبُّ ٱلْعَٰلَمِينَ ﴿٢٩﴾

## سُورَةُ الانفِطَارِ

ترتيبها ٨٢ — آياتها ١٩

التكوير

- ٱلشَّمْسُ كُوِّرَتْ: أُزِيلَ نورُها
- ٱلنُّجُومُ ٱنكَدَرَتْ: تَساقطتْ وتَهاوتْ
- ٱلْجِبَالُ سُيِّرَتْ: أُزِيلَتْ عن مواضعها
- ٱلْعِشَارُ عُطِّلَتْ: النُّوقُ الحواملُ أُهمِلَتْ
- ٱلْوُحُوشُ حُشِرَتْ: جُمِعَتْ مِنْ كُلِّ صَوْبٍ
- ٱلْبِحَارُ سُجِّرَتْ: فُجِّرَتْ فصارت بحراً واحداً
- ٱلنُّفُوسُ زُوِّجَتْ: قُرِنَتْ كُلُّ نَفْسٍ بشَكْلِها
- ٱلْمَوْءُۥدَةُ: البِنْتُ التي تُدْفَنُ حَيَّةً
- ٱلسَّمَآءُ كُشِطَتْ: قُلِعَتْ كما يُقْلَعُ السقفُ
- ٱلْجَحِيمُ سُعِّرَتْ: أُوقِدَتْ ناراً
- ٱلْجَنَّةُ أُزْلِفَتْ: قُرِّبَتْ وأُدْنِيَتْ
- فَلَآ أُقْسِمُ: أُقْسِمُ و «لا» مزيدةٌ
- بِٱلْخُنَّسِ: بالكواكبِ تختفي بالنهارِ
- ٱلْجَوَارِ: السَّيارةِ
- ٱلْكُنَّسِ: التي تَغيبُ حِينَ غُروبِها
- عَسْعَسَ: أقبلَ ظلامُهُ أو أدبرَ
- تَنَفَّسَ: أضاءَ وتبلَّجَ
- مَكِينٍ: ذي مكانةٍ رفيعةٍ
- بِضَنِينٍ: ببَخيلٍ مُقَصِّرٍ في تبليغِهِ

| | | |
|---|---|---|
| مدّ ٦ حركات لزوماً ● مدّ ٢ أو ٤ أو ٦ جوازاً | ● إخفاء ، ومواقع الغنّة (حركتان) | ● تفخيم |
| مدّ واجب ٤ أو ٥ حركات ● مدّ حركتان | ● إدغام ، وما لا يُلفظ | ● قلقلة |

بِسۡمِ ٱللَّهِ ٱلرَّحۡمَٰنِ ٱلرَّحِيمِ

إِذَا ٱلسَّمَآءُ ٱنفَطَرَتۡ ﴿١﴾ وَإِذَا ٱلۡكَوَاكِبُ ٱنتَثَرَتۡ ﴿٢﴾ وَإِذَا ٱلۡبِحَارُ
فُجِّرَتۡ ﴿٣﴾ وَإِذَا ٱلۡقُبُورُ بُعۡثِرَتۡ ﴿٤﴾ عَلِمَتۡ نَفۡسٞ مَّا قَدَّمَتۡ
وَأَخَّرَتۡ ﴿٥﴾ يَٰٓأَيُّهَا ٱلۡإِنسَٰنُ مَا غَرَّكَ بِرَبِّكَ ٱلۡكَرِيمِ ﴿٦﴾ ٱلَّذِي
خَلَقَكَ فَسَوَّىٰكَ فَعَدَلَكَ ﴿٧﴾ فِيٓ أَيِّ صُورَةٖ مَّا شَآءَ رَكَّبَكَ ﴿٨﴾
كَلَّا بَلۡ تُكَذِّبُونَ بِٱلدِّينِ ﴿٩﴾ وَإِنَّ عَلَيۡكُمۡ لَحَٰفِظِينَ ﴿١٠﴾ كِرَامٗا
كَٰتِبِينَ ﴿١١﴾ يَعۡلَمُونَ مَا تَفۡعَلُونَ ﴿١٢﴾ إِنَّ ٱلۡأَبۡرَارَ لَفِي نَعِيمٖ ﴿١٣﴾ وَإِنَّ
ٱلۡفُجَّارَ لَفِي جَحِيمٖ ﴿١٤﴾ يَصۡلَوۡنَهَا يَوۡمَ ٱلدِّينِ ﴿١٥﴾ وَمَا هُمۡ عَنۡهَا بِغَآئِبِينَ
﴿١٦﴾ وَمَآ أَدۡرَىٰكَ مَا يَوۡمُ ٱلدِّينِ ﴿١٧﴾ ثُمَّ مَآ أَدۡرَىٰكَ مَا يَوۡمُ ٱلدِّينِ
﴿١٨﴾ يَوۡمَ لَا تَمۡلِكُ نَفۡسٞ لِّنَفۡسٖ شَيۡـٔٗاۖ وَٱلۡأَمۡرُ يَوۡمَئِذٖ لِّلَّهِ ﴿١٩﴾

## سُورَةُ المُطَفِّفِينَ

ترتيبها ٨٣ — آياتها ٣٦

بِسۡمِ ٱللَّهِ ٱلرَّحۡمَٰنِ ٱلرَّحِيمِ

وَيۡلٞ لِّلۡمُطَفِّفِينَ ﴿١﴾ ٱلَّذِينَ إِذَا ٱكۡتَالُواْ عَلَى ٱلنَّاسِ يَسۡتَوۡفُونَ ﴿٢﴾
وَإِذَا كَالُوهُمۡ أَو وَّزَنُوهُمۡ يُخۡسِرُونَ ﴿٣﴾ أَلَا يَظُنُّ أُوْلَٰٓئِكَ أَنَّهُم
مَّبۡعُوثُونَ ﴿٤﴾ لِيَوۡمٍ عَظِيمٖ ﴿٥﴾ يَوۡمَ يَقُومُ ٱلنَّاسُ لِرَبِّ ٱلۡعَٰلَمِينَ ﴿٦﴾

- ٱلسَّمَآءُ ٱنفَطَرَتۡ: انشقّت
- ٱلۡكَوَاكِبُ ٱنتَثَرَتۡ: تساقطت متفرّقة

نصف الحزب ٥٩

- ٱلۡبِحَارُ فُجِّرَتۡ: شُقّقت فصارت بحراً واحداً
- ٱلۡقُبُورُ بُعۡثِرَتۡ: قُلِب ترابُها، وأُخرِج موتاها
- مَا غَرَّكَ بِرَبِّكَ: ما خدعك وجرّأك على عصيانه
- فَسَوَّىٰكَ: جعل أعضاءك سويّة سليمة
- فَعَدَلَكَ: جعلك متناسب الخَلْق
- تُكَذِّبُونَ بِٱلدِّينِ: بالجزاء والبعث
- يَصۡلَوۡنَهَا: يدخلونها أو يقاسون حرّها
- وَيۡلٞ: هلاك أو حسرة
- لِّلۡمُطَفِّفِينَ: المنقصين في الكيل أو الوزن
- ٱكۡتَالُواْ: اشتروا بالكيل ومثله الوزن
- كَالُوهُمۡ: أعطوا غيرهم بالكيل
- وَّزَنُوهُمۡ: أعطوا غيرهم بالوزن
- يُخۡسِرُونَ: يُنقصون الكيل والوزن

الانفطار

كَلَّآ إِنَّ كِتَٰبَ ٱلۡفُجَّارِ لَفِي سِجِّينٖ ﴿٧﴾ وَمَآ أَدۡرَىٰكَ مَا سِجِّينٞ ﴿٨﴾ كِتَٰبٞ
مَّرۡقُومٞ ﴿٩﴾ وَيۡلٞ يَوۡمَئِذٖ لِّلۡمُكَذِّبِينَ ﴿١٠﴾ ٱلَّذِينَ يُكَذِّبُونَ بِيَوۡمِ ٱلدِّينِ ﴿١١﴾
وَمَا يُكَذِّبُ بِهِۦٓ إِلَّا كُلُّ مُعۡتَدٍ أَثِيمٍ ﴿١٢﴾ إِذَا تُتۡلَىٰ عَلَيۡهِ ءَايَٰتُنَا قَالَ أَسَٰطِيرُ
ٱلۡأَوَّلِينَ ﴿١٣﴾ كَلَّاۖ بَلۡۜ رَانَ عَلَىٰ قُلُوبِهِم مَّا كَانُواْ يَكۡسِبُونَ ﴿١٤﴾ كَلَّآ إِنَّهُمۡ
عَن رَّبِّهِمۡ يَوۡمَئِذٖ لَّمَحۡجُوبُونَ ﴿١٥﴾ ثُمَّ إِنَّهُمۡ لَصَالُواْ ٱلۡجَحِيمِ ﴿١٦﴾ ثُمَّ يُقَالُ
هَٰذَا ٱلَّذِي كُنتُم بِهِۦ تُكَذِّبُونَ ﴿١٧﴾ كَلَّآ إِنَّ كِتَٰبَ ٱلۡأَبۡرَارِ لَفِي عِلِّيِّينَ
﴿١٨﴾ وَمَآ أَدۡرَىٰكَ مَا عِلِّيُّونَ ﴿١٩﴾ كِتَٰبٞ مَّرۡقُومٞ ﴿٢٠﴾ يَشۡهَدُهُ ٱلۡمُقَرَّبُونَ
﴿٢١﴾ إِنَّ ٱلۡأَبۡرَارَ لَفِي نَعِيمٍ ﴿٢٢﴾ عَلَى ٱلۡأَرَآئِكِ يَنظُرُونَ ﴿٢٣﴾ تَعۡرِفُ فِي
وُجُوهِهِمۡ نَضۡرَةَ ٱلنَّعِيمِ ﴿٢٤﴾ يُسۡقَوۡنَ مِن رَّحِيقٖ مَّخۡتُومٍ ﴿٢٥﴾
خِتَٰمُهُۥ مِسۡكٞۚ وَفِي ذَٰلِكَ فَلۡيَتَنَافَسِ ٱلۡمُتَنَٰفِسُونَ ﴿٢٦﴾ وَمِزَاجُهُۥ
مِن تَسۡنِيمٍ ﴿٢٧﴾ عَيۡنٗا يَشۡرَبُ بِهَا ٱلۡمُقَرَّبُونَ ﴿٢٨﴾ إِنَّ ٱلَّذِينَ
أَجۡرَمُواْ كَانُواْ مِنَ ٱلَّذِينَ ءَامَنُواْ يَضۡحَكُونَ ﴿٢٩﴾ وَإِذَا مَرُّواْ بِهِمۡ
يَتَغَامَزُونَ ﴿٣٠﴾ وَإِذَا ٱنقَلَبُوٓاْ إِلَىٰٓ أَهۡلِهِمُ ٱنقَلَبُواْ فَكِهِينَ ﴿٣١﴾
وَإِذَا رَأَوۡهُمۡ قَالُوٓاْ إِنَّ هَٰٓؤُلَآءِ لَضَآلُّونَ ﴿٣٢﴾ وَمَآ أُرۡسِلُواْ عَلَيۡهِمۡ
حَٰفِظِينَ ﴿٣٣﴾ فَٱلۡيَوۡمَ ٱلَّذِينَ ءَامَنُواْ مِنَ ٱلۡكُفَّارِ يَضۡحَكُونَ ﴿٣٤﴾

- كِتَٰبَ ٱلۡفُجَّارِ: ما يُكتب من أعمالهم
- لَفِي سِجِّينٖ: لَمُثْبَتٌ في ديوان الشرّ
- مُعۡتَدٍ: مُجاوِزٍ لنَهج الحق

سكتة لطيفة على اللام

- أَسَٰطِيرُ ٱلۡأَوَّلِينَ: أباطيلُهم المسطَّرةُ في كتبهم
- رَانَ عَلَىٰ قُلُوبِهِم: غَلَبَ وغَطَّى عليها
- لَصَالُواْ ٱلۡجَحِيمِ: لداخِلوها أو لمقاسو حرِّها
- كِتَٰبَ ٱلۡأَبۡرَارِ: ما يُكتب من أعمالهم

المطففين

- لَفِي عِلِّيِّينَ: لَمُثْبَتٌ في ديوان الخير
- ٱلۡأَرَآئِكِ: الأسِرَّة في الحِجال
- نَضۡرَةَ ٱلنَّعِيمِ: بهجته ورونقه
- رَّحِيقٖ: أجود الخمر
- مَّخۡتُومٍ: أوانيه وأكوابه
- فَلۡيَتَنَافَسِ: فليتسارَعْ أو فليستبق
- مِزَاجُهُۥ: ما يُمزَجُ به
- تَسۡنِيمٍ: عينٍ في الجنة شرابُها أشرفُ شراب
- يَتَغَامَزُونَ: يُشيرون إليهم بالأعين استهزاء
- فَكِهِينَ: مُتلذِّذين باستخفافهم بالمؤمنين

| | | |
|---|---|---|
| مدّ ٦ حركات لزوماً ● مدّ ٢ أو ٤ أو ٦ جوازاً | ● إخفاء، ومواقع الغُنَّة (حركتان) | ● تفخيم |
| مدّ واجب ٤ أو ٥ حركات ● مدّ حركتان | ● إدغام، وما لا يُلفظ | ● قلقلة |

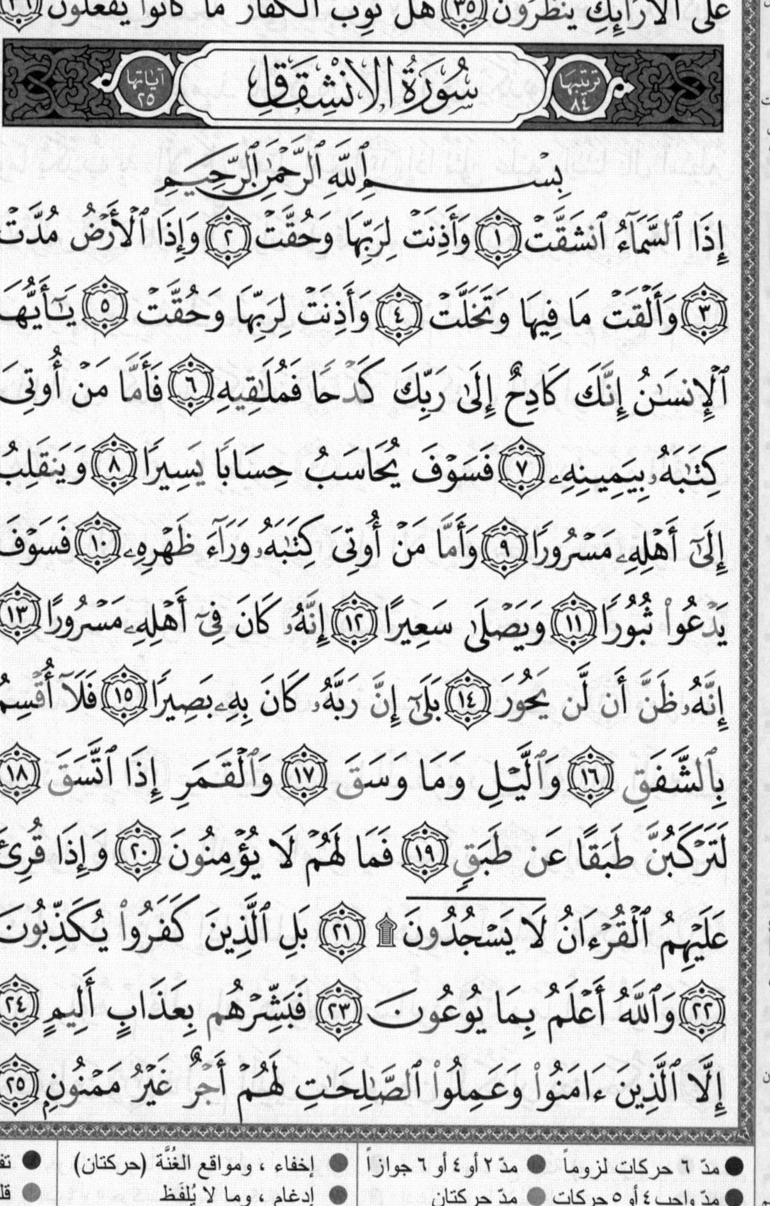

عَلَى ٱلۡأَرَآئِكِ يَنظُرُونَ ﴿٣٥﴾ هَلۡ ثُوِّبَ ٱلۡكُفَّارُ مَا كَانُواْ يَفۡعَلُونَ ﴿٣٦﴾

## سُورَةُ الانشِقَاقِ

ترتيبها ٨٤ — آياتها ٢٥

بِسۡمِ ٱللَّهِ ٱلرَّحۡمَٰنِ ٱلرَّحِيمِ

إِذَا ٱلسَّمَآءُ ٱنشَقَّتۡ ﴿١﴾ وَأَذِنَتۡ لِرَبِّهَا وَحُقَّتۡ ﴿٢﴾ وَإِذَا ٱلۡأَرۡضُ مُدَّتۡ
﴿٣﴾ وَأَلۡقَتۡ مَا فِيهَا وَتَخَلَّتۡ ﴿٤﴾ وَأَذِنَتۡ لِرَبِّهَا وَحُقَّتۡ ﴿٥﴾ يَٰٓأَيُّهَا
ٱلۡإِنسَٰنُ إِنَّكَ كَادِحٌ إِلَىٰ رَبِّكَ كَدۡحٗا فَمُلَٰقِيهِ ﴿٦﴾ فَأَمَّا مَنۡ أُوتِيَ
كِتَٰبَهُۥ بِيَمِينِهِۦ ﴿٧﴾ فَسَوۡفَ يُحَاسَبُ حِسَابٗا يَسِيرٗا ﴿٨﴾ وَيَنقَلِبُ
إِلَىٰٓ أَهۡلِهِۦ مَسۡرُورٗا ﴿٩﴾ وَأَمَّا مَنۡ أُوتِيَ كِتَٰبَهُۥ وَرَآءَ ظَهۡرِهِۦ ﴿١٠﴾ فَسَوۡفَ
يَدۡعُواْ ثُبُورٗا ﴿١١﴾ وَيَصۡلَىٰ سَعِيرًا ﴿١٢﴾ إِنَّهُۥ كَانَ فِيٓ أَهۡلِهِۦ مَسۡرُورًا ﴿١٣﴾
إِنَّهُۥ ظَنَّ أَن لَّن يَحُورَ ﴿١٤﴾ بَلَىٰٓۚ إِنَّ رَبَّهُۥ كَانَ بِهِۦ بَصِيرٗا ﴿١٥﴾ فَلَآ أُقۡسِمُ
بِٱلشَّفَقِ ﴿١٦﴾ وَٱلَّيۡلِ وَمَا وَسَقَ ﴿١٧﴾ وَٱلۡقَمَرِ إِذَا ٱتَّسَقَ ﴿١٨﴾
لَتَرۡكَبُنَّ طَبَقًا عَن طَبَقٖ ﴿١٩﴾ فَمَا لَهُمۡ لَا يُؤۡمِنُونَ ﴿٢٠﴾ وَإِذَا قُرِئَ
عَلَيۡهِمُ ٱلۡقُرۡءَانُ لَا يَسۡجُدُونَ ۩ ﴿٢١﴾ بَلِ ٱلَّذِينَ كَفَرُواْ يُكَذِّبُونَ
﴿٢٢﴾ وَٱللَّهُ أَعۡلَمُ بِمَا يُوعُونَ ﴿٢٣﴾ فَبَشِّرۡهُم بِعَذَابٍ أَلِيمٍ ﴿٢٤﴾
إِلَّا ٱلَّذِينَ ءَامَنُواْ وَعَمِلُواْ ٱلصَّٰلِحَٰتِ لَهُمۡ أَجۡرٌ غَيۡرُ مَمۡنُونِۭ ﴿٢٥﴾

- ثُوِّبَ ٱلۡكُفَّارُ: جوزوا بسخريتهم بالمؤمنين
- ٱلسَّمَآءُ ٱنشَقَّتۡ: تصدّعت
- أَذِنَتۡ لِرَبِّهَا: استمعت وانقادت له تعالى
- حُقَّتۡ: حقّ لها أن تستمع وتنقاد

ثلاثة أرباع الحزب ٥٩

- ٱلۡأَرۡضُ مُدَّتۡ: بُسطت وسُوِّيت
- أَلۡقَتۡ مَا فِيهَا: لفظت ما في جوفها
- تَخَلَّتۡ: خلت عنه غاية الخلوّ
- كَادِحٌ إِلَىٰ رَبِّكَ: جاهدٌ في عملك إلى لقاء ربّك
- يَدۡعُواْ ثُبُورٗا: يطلب هلاكاً
- يَصۡلَىٰ سَعِيرًا: يدخلها أو يقاسي حرّها

الانشقاق

- لَّن يَحُورَ: لن يرجع إلى ربّه
- فَلَآ أُقۡسِمُ: أقسم و «لا» مزيدة
- بِٱلشَّفَقِ: بالحمرة في الأفق بعد الغروب
- مَا وَسَقَ: ما ضمّ وجمع
- ٱتَّسَقَ: اجتمع وتمّ نوره

سجدة

- لَتَرۡكَبُنَّ: لتلاقنّ
- طَبَقًا عَن طَبَقٖ: حالاً بعد حال
- يُوعُونَ: يضمرون أو يجمعون من السيئات
- غَيۡرُ مَمۡنُونِۭ: غير مقطوع عنهم

| | | |
|---|---|---|
| مدّ ٦ حركات لزوماً | مدّ ٢ أو ٤ أو ٦ جوازاً | إخفاء ، ومواقع الغنّة (حركتان) | تفخ |
| مدّ واجب ٤ أو ٥ حركات | مدّ حركتان | إدغام ، وما لا يُلفظ | قلقلة |

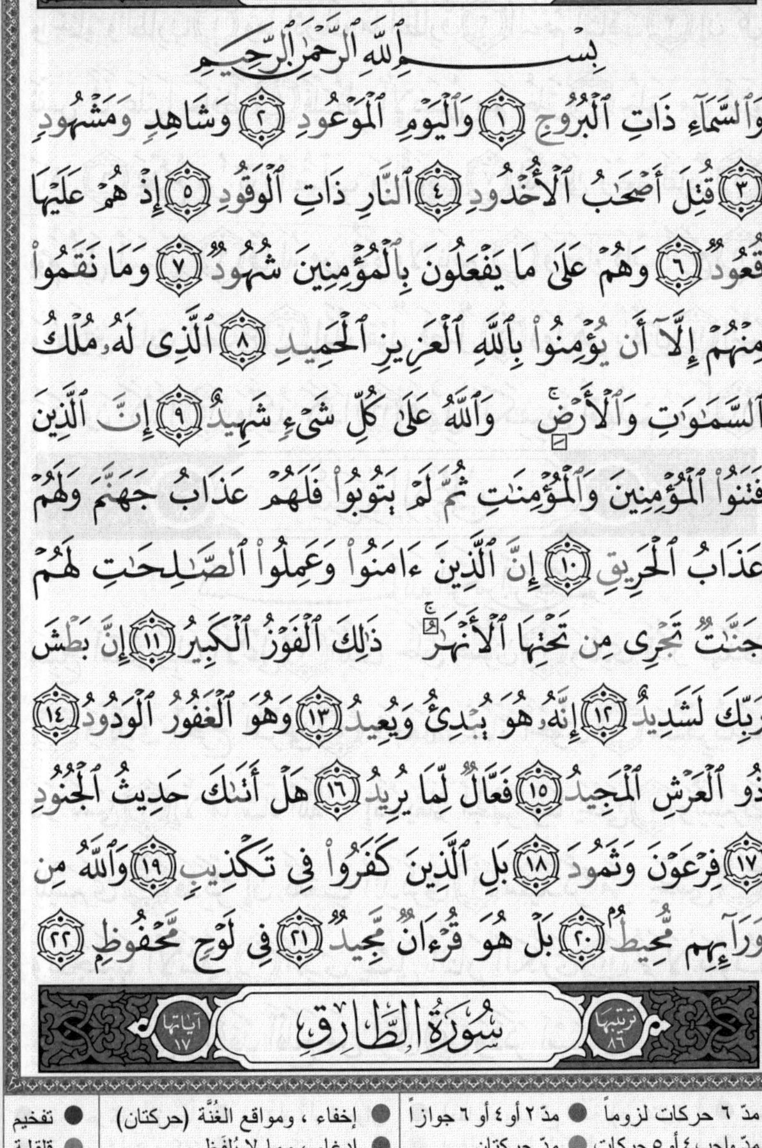

## سُورَةُ البُرُوجِ

ترتيبها ٨٥ — آياتها ٢٢

بِسْمِ اللَّهِ الرَّحْمَٰنِ الرَّحِيمِ

وَالسَّمَاءِ ذَاتِ الْبُرُوجِ ﴿١﴾ وَالْيَوْمِ الْمَوْعُودِ ﴿٢﴾ وَشَاهِدٍ وَمَشْهُودٍ
﴿٣﴾ قُتِلَ أَصْحَابُ الْأُخْدُودِ ﴿٤﴾ النَّارِ ذَاتِ الْوَقُودِ ﴿٥﴾ إِذْ هُمْ عَلَيْهَا
قُعُودٌ ﴿٦﴾ وَهُمْ عَلَىٰ مَا يَفْعَلُونَ بِالْمُؤْمِنِينَ شُهُودٌ ﴿٧﴾ وَمَا نَقَمُوا
مِنْهُمْ إِلَّا أَنْ يُؤْمِنُوا بِاللَّهِ الْعَزِيزِ الْحَمِيدِ ﴿٨﴾ الَّذِي لَهُ مُلْكُ
السَّمَاوَاتِ وَالْأَرْضِ ۚ وَاللَّهُ عَلَىٰ كُلِّ شَيْءٍ شَهِيدٌ ﴿٩﴾ إِنَّ الَّذِينَ
فَتَنُوا الْمُؤْمِنِينَ وَالْمُؤْمِنَاتِ ثُمَّ لَمْ يَتُوبُوا فَلَهُمْ عَذَابُ جَهَنَّمَ وَلَهُمْ
عَذَابُ الْحَرِيقِ ﴿١٠﴾ إِنَّ الَّذِينَ آمَنُوا وَعَمِلُوا الصَّالِحَاتِ لَهُمْ
جَنَّاتٌ تَجْرِي مِنْ تَحْتِهَا الْأَنْهَارُ ۚ ذَٰلِكَ الْفَوْزُ الْكَبِيرُ ﴿١١﴾ إِنَّ بَطْشَ
رَبِّكَ لَشَدِيدٌ ﴿١٢﴾ إِنَّهُ هُوَ يُبْدِئُ وَيُعِيدُ ﴿١٣﴾ وَهُوَ الْغَفُورُ الْوَدُودُ ﴿١٤﴾
ذُو الْعَرْشِ الْمَجِيدُ ﴿١٥﴾ فَعَّالٌ لِمَا يُرِيدُ ﴿١٦﴾ هَلْ أَتَاكَ حَدِيثُ الْجُنُودِ
﴿١٧﴾ فِرْعَوْنَ وَثَمُودَ ﴿١٨﴾ بَلِ الَّذِينَ كَفَرُوا فِي تَكْذِيبٍ ﴿١٩﴾ وَاللَّهُ مِنْ
وَرَائِهِمْ مُحِيطٌ ﴿٢٠﴾ بَلْ هُوَ قُرْآنٌ مَجِيدٌ ﴿٢١﴾ فِي لَوْحٍ مَحْفُوظٍ ﴿٢٢﴾

## سُورَةُ الطَّارِقِ

ترتيبها ٨٦ — آياتها ١٧

- ذَاتِ الْبُرُوجِ: ذَاتِ الْمَنَازِلِ لِلْكَوَاكِبِ
- الْيَوْمِ الْمَوْعُودِ: يوم القيامة
- شَاهِدٍ: من يَشْهَدُ على غيرِهِ فيه
- مَشْهُودٍ: من يشهد عليه غيره فيه
- قُتِلَ: لُعِنَ أشدَّ اللعْنِ
- الْأُخْدُودِ: الشَّقّ العظيم ؛ كالخَنْدَقِ
- مَا نَقَمُوا: ما كَرِهُوا أو ما عَابُوا
- فَتَنُوا: عَذَّبُوا وأحْرَقُوا
- بَطْشَ رَبِّكَ: أخْذَهُ الجبابرةَ بالعَذَابِ
- هُوَ يُبْدِئُ: يَخْلُقُ ابْتِدَاءً بقدرته
- يُعِيدُ: يَبْعَثُ بَعْدَ الْمَوْتِ بقدرته
- الْمَجِيدُ: الْعَظِيمُ الجليلُ الْمُتَعَالِي

البروج

| | | |
|---|---|---|
| مدّ ٦ حركات لزوماً ● مدّ ٢ أو ٤ أو ٦ جوازاً | ● إخفاء ، ومواقع الغُنَّة (حركتان) | ● تفخيم |
| مدّ واجب ٤ أو ٥ حركات ● مدّ حركتان | ● إدغام ، وما لا يُلفَظ | ● قلقلة |

بِسْمِ اللَّهِ الرَّحْمَٰنِ الرَّحِيمِ

وَالسَّمَاءِ وَالطَّارِقِ ﴿١﴾ وَمَا أَدْرَاكَ مَا الطَّارِقُ ﴿٢﴾ النَّجْمُ الثَّاقِبُ ﴿٣﴾ إِن كُلُّ
نَفْسٍ لَّمَّا عَلَيْهَا حَافِظٌ ﴿٤﴾ فَلْيَنظُرِ الْإِنسَانُ مِمَّ خُلِقَ ﴿٥﴾ خُلِقَ مِن مَّاءٍ
دَافِقٍ ﴿٦﴾ يَخْرُجُ مِن بَيْنِ الصُّلْبِ وَالتَّرَائِبِ ﴿٧﴾ إِنَّهُ عَلَىٰ رَجْعِهِ لَقَادِرٌ ﴿٨﴾
يَوْمَ تُبْلَى السَّرَائِرُ ﴿٩﴾ فَمَا لَهُ مِن قُوَّةٍ وَلَا نَاصِرٍ ﴿١٠﴾ وَالسَّمَاءِ ذَاتِ الرَّجْعِ ﴿١١﴾
وَالْأَرْضِ ذَاتِ الصَّدْعِ ﴿١٢﴾ إِنَّهُ لَقَوْلٌ فَصْلٌ ﴿١٣﴾ وَمَا هُوَ بِالْهَزْلِ ﴿١٤﴾ إِنَّهُمْ
يَكِيدُونَ كَيْدًا ﴿١٥﴾ وَأَكِيدُ كَيْدًا ﴿١٦﴾ فَمَهِّلِ الْكَافِرِينَ أَمْهِلْهُمْ رُوَيْدًا ﴿١٧﴾

## سُورَةُ الأَعْلَى

ترتيبها ٨٧ — آياتها ١٩

بِسْمِ اللَّهِ الرَّحْمَٰنِ الرَّحِيمِ

سَبِّحِ اسْمَ رَبِّكَ الْأَعْلَى ﴿١﴾ الَّذِي خَلَقَ فَسَوَّىٰ ﴿٢﴾ وَالَّذِي قَدَّرَ فَهَدَىٰ
﴿٣﴾ وَالَّذِي أَخْرَجَ الْمَرْعَىٰ ﴿٤﴾ فَجَعَلَهُ غُثَاءً أَحْوَىٰ ﴿٥﴾ سَنُقْرِئُكَ
فَلَا تَنسَىٰ ﴿٦﴾ إِلَّا مَا شَاءَ اللَّهُ ۚ إِنَّهُ يَعْلَمُ الْجَهْرَ وَمَا يَخْفَىٰ ﴿٧﴾ وَنُيَسِّرُكَ
لِلْيُسْرَىٰ ﴿٨﴾ فَذَكِّرْ إِن نَّفَعَتِ الذِّكْرَىٰ ﴿٩﴾ سَيَذَّكَّرُ مَن يَخْشَىٰ ﴿١٠﴾
وَيَتَجَنَّبُهَا الْأَشْقَى ﴿١١﴾ الَّذِي يَصْلَى النَّارَ الْكُبْرَىٰ ﴿١٢﴾ ثُمَّ لَا يَمُوتُ
فِيهَا وَلَا يَحْيَىٰ ﴿١٣﴾ قَدْ أَفْلَحَ مَن تَزَكَّىٰ ﴿١٤﴾ وَذَكَرَ اسْمَ رَبِّهِ فَصَلَّىٰ ﴿١٥﴾

- الطَّارِقِ: النجم الثاقب
- النَّجْمُ الثَّاقِبُ: المُضيءُ المُنيرُ
- حَافِظٌ: مُهَيمِنٌ ورقيبٌ
- مَّاءٍ دَافِقٍ: مَصْبوب بدَفْعٍ في الرَّحِم
- الصُّلْبِ: ظَهْرِ كلٍّ من الزوجين
- التَّرَائِبِ: أطرافهما
- رَجْعِهِ: إعادته بعد فنائه
- تُبْلَى السَّرَائِرُ: تُكْشَفُ المكنوناتُ والخفيّاتُ
- ذَاتِ الرَّجْعِ: المطر لرجوعه إلى الأرض ثانياً
- ذَاتِ الصَّدْعِ: النَّبات الذي تَنْشقُّ عنه
- لَقَوْلٌ فَصْلٌ: فاصلٌ بيْنَ الحقِّ والباطلِ
- فَمَهِّلِ الْكَافِرِينَ: لا تستعجلْ بالانتقام منهم
- أَمْهِلْهُمْ رُوَيْدًا: قريباً أو قليلاً ثُمَّ يأتيهم العذابُ
- سَبِّحِ اسْمَ رَبِّكَ: نزِّهْهُ ومجِّدْه
- خَلَقَ: أوجدَ كلَّ شيءٍ بِقُدرَتِه

الحزب ٦٠ — الطارق الأعلى

- فَسَوَّىٰ: بين خلقِهِ في الإحكام والإتقان
- فَهَدَىٰ: وَجَّه كل مَخْلوقٍ إلى ما ينبغي له
- أَخْرَجَ الْمَرْعَىٰ: أنبتَ العُشبَ رَطْباً غَضّاً
- فَجَعَلَهُ غُثَاءً: يابساً هشيماً كغُثاءِ السَّيْلِ
- أَحْوَىٰ: أسْوَدَ بعد الخُضرةِ والغَضارةِ
- نُيَسِّرُكَ: نوفِّقُكَ
- لِلْيُسْرَىٰ: للطريقة اليُسرى في كلِّ أمْرٍ
- يَصْلَى النَّارَ: يَدخُلها أو يُقاسي حَرَّها
- تَزَكَّىٰ: تطَهَّرَ مِنَ الكُفْرِ والمَعاصي

| | | |
|---|---|---|
| مدّ ٦ حركات لزوماً ● مدّ ٢ أو ٤ أو ٦ جوازاً | إخفاء، ومواقع الغُنَّة (حركتان) | تفخ… |
| مدّ واجب ٤ أو ٥ حركات ● مدّ حركتان | إدغام، وما لا يُلفَظ | قلقل… |

بَلْ تُؤْثِرُونَ ٱلْحَيَوٰةَ ٱلدُّنْيَا ﴿١٦﴾ وَٱلْءَاخِرَةُ خَيْرٌ وَأَبْقَىٰٓ ﴿١٧﴾ إِنَّ
هَٰذَا لَفِى ٱلصُّحُفِ ٱلْأُولَىٰ ﴿١٨﴾ صُحُفِ إِبْرَٰهِيمَ وَمُوسَىٰ ﴿١٩﴾

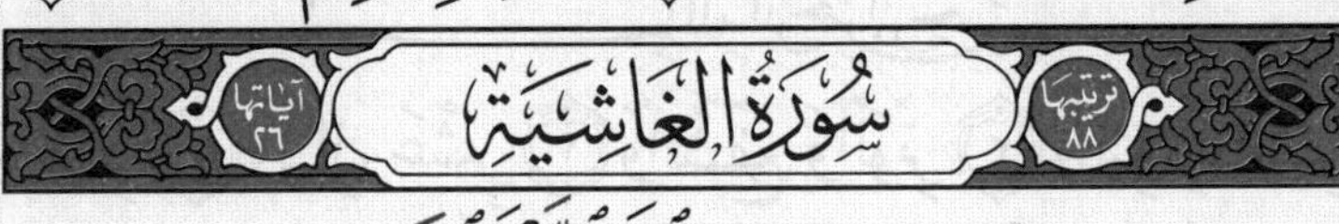


بِسْمِ ٱللَّهِ ٱلرَّحْمَٰنِ ٱلرَّحِيمِ

هَلْ أَتَىٰكَ حَدِيثُ ٱلْغَٰشِيَةِ ﴿١﴾ وُجُوهٌ يَوْمَئِذٍ خَٰشِعَةٌ ﴿٢﴾
عَامِلَةٌ نَّاصِبَةٌ ﴿٣﴾ تَصْلَىٰ نَارًا حَامِيَةً ﴿٤﴾ تُسْقَىٰ مِنْ عَيْنٍ ءَانِيَةٍ ﴿٥﴾
لَّيْسَ لَهُمْ طَعَامٌ إِلَّا مِن ضَرِيعٍ ﴿٦﴾ لَّا يُسْمِنُ وَلَا يُغْنِى مِن جُوعٍ ﴿٧﴾
وُجُوهٌ يَوْمَئِذٍ نَّاعِمَةٌ ﴿٨﴾ لِّسَعْيِهَا رَاضِيَةٌ ﴿٩﴾ فِى جَنَّةٍ عَالِيَةٍ ﴿١٠﴾
لَّا تَسْمَعُ فِيهَا لَٰغِيَةً ﴿١١﴾ فِيهَا عَيْنٌ جَارِيَةٌ ﴿١٢﴾ فِيهَا سُرُرٌ مَّرْفُوعَةٌ ﴿١٣﴾
وَأَكْوَابٌ مَّوْضُوعَةٌ ﴿١٤﴾ وَنَمَارِقُ مَصْفُوفَةٌ ﴿١٥﴾ وَزَرَابِىُّ مَبْثُوثَةٌ ﴿١٦﴾
أَفَلَا يَنظُرُونَ إِلَى ٱلْإِبِلِ كَيْفَ خُلِقَتْ ﴿١٧﴾ وَإِلَى ٱلسَّمَآءِ كَيْفَ
رُفِعَتْ ﴿١٨﴾ وَإِلَى ٱلْجِبَالِ كَيْفَ نُصِبَتْ ﴿١٩﴾ وَإِلَى ٱلْأَرْضِ كَيْفَ
سُطِحَتْ ﴿٢٠﴾ فَذَكِّرْ إِنَّمَآ أَنتَ مُذَكِّرٌ ﴿٢١﴾ لَّسْتَ عَلَيْهِم
بِمُصَيْطِرٍ ﴿٢٢﴾ إِلَّا مَن تَوَلَّىٰ وَكَفَرَ ﴿٢٣﴾ فَيُعَذِّبُهُ ٱللَّهُ ٱلْعَذَابَ
ٱلْأَكْبَرَ ﴿٢٤﴾ إِنَّ إِلَيْنَآ إِيَابَهُمْ ﴿٢٥﴾ ثُمَّ إِنَّ عَلَيْنَا حِسَابَهُم ﴿٢٦﴾

| | | |
|---|---|---|
| مدّ ٦ حركات لزوماً ● مدّ ٢ أو ٤ أو ٦ جوازاً ● | إخفاء، ومواقع الغنّة (حركتان) ● | تفخيم ● |
| مدّ واجب ٤ أو ٥ حركات ● مدّ حركتان ● | إدغام، وما لا يُلفظ ● | قلقلة ● |



الغاشية

- ٱلْغَٰشِيَةِ: القيامة تغشى الناس بأهوالها
- خَٰشِعَةٌ: ذليلة من الخزي
- عَامِلَةٌ: تجرّ السلاسل والأغلال في النار
- نَّاصِبَةٌ: تعبة مما تعمل فيها
- تَصْلَىٰ نَارًا: تدخلها أو تقاسي حرّها
- عَيْنٍ ءَانِيَةٍ: بلغت أناها (غايتها) في الحرارة
- ضَرِيعٍ: شيء في النار كالشوك مرّ منتن
- لَا يُغْنِى مِن جُوعٍ: لا يدفع عنهم جوعاً
- نَّاعِمَةٌ: ذات بهجة وحسن
- لَٰغِيَةً: لغواً وباطلاً
- سُرُرٌ مَّرْفُوعَةٌ: رفيعة القدر
- أَكْوَابٌ مَّوْضُوعَةٌ: أقداح معدّة للشرب
- نَمَارِقُ: وسائد ومرافق
- مَصْفُوفَةٌ: بعضها إلى جنب بعض
- زَرَابِىُّ مَبْثُوثَةٌ: بسط فاخرة، متفرّقة في المجالس
- يَنظُرُونَ: يتأمّلون
- بِمُصَيْطِرٍ: بمتسلّط جبّار
- إِيَابَهُمْ: رجوعهم بالبعث

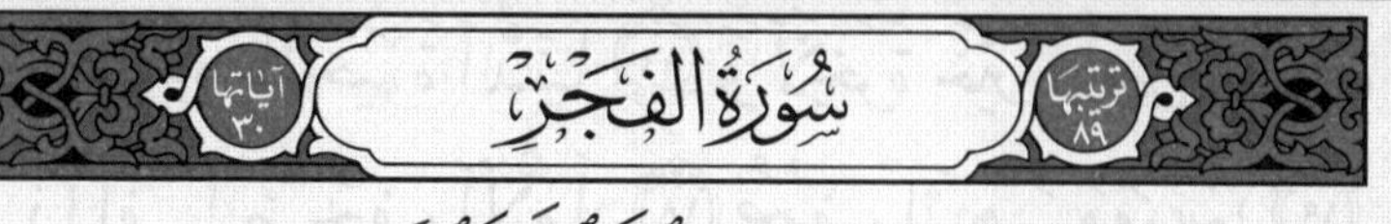


بِسْمِ اللَّهِ الرَّحْمَٰنِ الرَّحِيمِ

وَالْفَجْرِ ﴿١﴾ وَلَيَالٍ عَشْرٍ ﴿٢﴾ وَالشَّفْعِ وَالْوَتْرِ ﴿٣﴾ وَاللَّيْلِ إِذَا يَسْرِ
﴿٤﴾ هَلْ فِي ذَٰلِكَ قَسَمٌ لِّذِي حِجْرٍ ﴿٥﴾ أَلَمْ تَرَ كَيْفَ فَعَلَ رَبُّكَ بِعَادٍ
﴿٦﴾ إِرَمَ ذَاتِ الْعِمَادِ ﴿٧﴾ الَّتِي لَمْ يُخْلَقْ مِثْلُهَا فِي الْبِلَادِ ﴿٨﴾
وَثَمُودَ الَّذِينَ جَابُوا الصَّخْرَ بِالْوَادِ ﴿٩﴾ وَفِرْعَوْنَ ذِي الْأَوْتَادِ ﴿١٠﴾
الَّذِينَ طَغَوْا فِي الْبِلَادِ ﴿١١﴾ فَأَكْثَرُوا فِيهَا الْفَسَادَ ﴿١٢﴾ فَصَبَّ
عَلَيْهِمْ رَبُّكَ سَوْطَ عَذَابٍ ﴿١٣﴾ إِنَّ رَبَّكَ لَبِالْمِرْصَادِ ﴿١٤﴾ فَأَمَّا
الْإِنسَانُ إِذَا مَا ابْتَلَاهُ رَبُّهُ فَأَكْرَمَهُ وَنَعَّمَهُ فَيَقُولُ رَبِّي أَكْرَمَنِ
﴿١٥﴾ وَأَمَّا إِذَا مَا ابْتَلَاهُ فَقَدَرَ عَلَيْهِ رِزْقَهُ فَيَقُولُ رَبِّي أَهَانَنِ ﴿١٦﴾
كَلَّا ۖ بَل لَّا تُكْرِمُونَ الْيَتِيمَ ﴿١٧﴾ وَلَا تَحَاضُّونَ عَلَىٰ طَعَامِ
الْمِسْكِينِ ﴿١٨﴾ وَتَأْكُلُونَ التُّرَاثَ أَكْلًا لَّمًّا ﴿١٩﴾
وَتُحِبُّونَ الْمَالَ حُبًّا جَمًّا ﴿٢٠﴾ كَلَّا إِذَا دُكَّتِ الْأَرْضُ دَكًّا
دَكًّا ﴿٢١﴾ وَجَاءَ رَبُّكَ وَالْمَلَكُ صَفًّا صَفًّا ﴿٢٢﴾ وَجِيءَ يَوْمَئِذٍ
بِجَهَنَّمَ ۚ يَوْمَئِذٍ يَتَذَكَّرُ الْإِنسَانُ وَأَنَّىٰ لَهُ الذِّكْرَىٰ ﴿٢٣﴾

- لَيَالٍ عَشْرٍ: العشر الأولى من ذي الحجة
- الشَّفْعِ وَالْوَتْرِ: يوم النحر ويوم عرفة
- يَسْرِ: يمضي ويذهب
- قَسَمٌ لِّذِي حِجْرٍ: مُقْسَمٌ به لذي عقل
- بِعَادٍ: قوم هود سُمّوا باسم أبيهم
- إِرَمَ: اسم جدّهم
- ذَاتِ الْعِمَادِ: الأبنية المحكمة بالعمد
- جَابُوا الصَّخْرَ: قطعوه لشدّتهم وقوّتهم
- ذِي الْأَوْتَادِ: الجنود التي تشدّ ملكه
- سَوْطَ عَذَابٍ: عذاباً مؤلماً دائماً
- لَبِالْمِرْصَادِ: يرقب أعمالهم ويجازيهم عليها
- ابْتَلَاهُ رَبُّهُ: امتحنه واختبره
- فَقَدَرَ عَلَيْهِ: فضيّق عليه أو قتّر
- لَا تَحَاضُّونَ: لا يحثّ بعضكم بعضاً
- تَأْكُلُونَ التُّرَاثَ: الميراث
- أَكْلًا لَّمًّا: جمعاً بين الحلال والحرام
- حُبًّا جَمًّا: كثيراً مع حرص وشره
- دُكَّتِ الْأَرْضُ: دُقّت وكُسِرت
- دَكًّا دَكًّا: دكّاً متتابعاً
- أَنَّىٰ لَهُ الذِّكْرَىٰ: من أين له منفعتها

يَقُولُ يَٰلَيۡتَنِي قَدَّمۡتُ لِحَيَاتِي ﴿٢٤﴾ فَيَوۡمَئِذٖ لَّا يُعَذِّبُ عَذَابَهُۥٓ أَحَدٞ ﴿٢٥﴾
وَلَا يُوثِقُ وَثَاقَهُۥٓ أَحَدٞ ﴿٢٦﴾ يَٰٓأَيَّتُهَا ٱلنَّفۡسُ ٱلۡمُطۡمَئِنَّةُ ﴿٢٧﴾ ٱرۡجِعِيٓ
إِلَىٰ رَبِّكِ رَاضِيَةٗ مَّرۡضِيَّةٗ ﴿٢٨﴾ فَٱدۡخُلِي فِي عِبَٰدِي ﴿٢٩﴾ وَٱدۡخُلِي جَنَّتِي ﴿٣٠﴾

## سُورَةُ البَلَدِ

ترتيبها ٩٠ — آياتها ٢٠

بِسۡمِ ٱللَّهِ ٱلرَّحۡمَٰنِ ٱلرَّحِيمِ

لَآ أُقۡسِمُ بِهَٰذَا ٱلۡبَلَدِ ﴿١﴾ وَأَنتَ حِلُّۢ بِهَٰذَا ٱلۡبَلَدِ ﴿٢﴾ وَوَالِدٖ وَمَا وَلَدَ
﴿٣﴾ لَقَدۡ خَلَقۡنَا ٱلۡإِنسَٰنَ فِي كَبَدٍ ﴿٤﴾ أَيَحۡسَبُ أَن لَّن يَقۡدِرَ عَلَيۡهِ
أَحَدٞ ﴿٥﴾ يَقُولُ أَهۡلَكۡتُ مَالٗا لُّبَدًا ﴿٦﴾ أَيَحۡسَبُ أَن لَّمۡ يَرَهُۥٓ أَحَدٌ
﴿٧﴾ أَلَمۡ نَجۡعَل لَّهُۥ عَيۡنَيۡنِ ﴿٨﴾ وَلِسَانٗا وَشَفَتَيۡنِ ﴿٩﴾ وَهَدَيۡنَٰهُ
ٱلنَّجۡدَيۡنِ ﴿١٠﴾ فَلَا ٱقۡتَحَمَ ٱلۡعَقَبَةَ ﴿١١﴾ وَمَآ أَدۡرَىٰكَ مَا ٱلۡعَقَبَةُ ﴿١٢﴾
فَكُّ رَقَبَةٍ ﴿١٣﴾ أَوۡ إِطۡعَٰمٞ فِي يَوۡمٖ ذِي مَسۡغَبَةٖ ﴿١٤﴾ يَتِيمٗا ذَا مَقۡرَبَةٍ
﴿١٥﴾ أَوۡ مِسۡكِينٗا ذَا مَتۡرَبَةٖ ﴿١٦﴾ ثُمَّ كَانَ مِنَ ٱلَّذِينَ ءَامَنُواْ وَتَوَاصَوۡاْ
بِٱلصَّبۡرِ وَتَوَاصَوۡاْ بِٱلۡمَرۡحَمَةِ ﴿١٧﴾ أُوْلَٰٓئِكَ أَصۡحَٰبُ ٱلۡمَيۡمَنَةِ ﴿١٨﴾ وَٱلَّذِينَ
كَفَرُواْ بِـَٔايَٰتِنَا هُمۡ أَصۡحَٰبُ ٱلۡمَشۡـَٔمَةِ ﴿١٩﴾ عَلَيۡهِمۡ نَارٞ مُّؤۡصَدَةُۢ ﴿٢٠﴾

## سُورَةُ الشَّمۡسِ

ترتيبها ٩١ — آياتها ١٥

---

- لَا يُوثِقُ: لا يَشُدُّ بالسَّلاسِلِ والأغلال
- لَآ أُقۡسِمُ: أُقسِمُ و«لا» مَزيدة
- بِهَٰذَا ٱلۡبَلَدِ: مَكّةَ المُكرَّمة
- حِلُّۢ بِهَٰذَا ٱلۡبَلَدِ: حلالٌ لكَ ما تَصنَعُ به يومئذٍ
- كَبَدٍ: نَصَبٍ ومَشقّةٍ، أو مكابَدةٍ للشّدائدِ
- مَالٗا لُّبَدًا: كثيراً
- ٱلنَّجۡدَيۡنِ: طَريقَي الخيرِ والشَّرِّ
- فَلَا ٱقۡتَحَمَ ٱلۡعَقَبَةَ: فلا جاهَدَ نَفسَهُ في الطّاعاتِ
- فَكُّ رَقَبَةٍ: تَخليصُها من الرِّقِّ بالإعتاقِ
- مَسۡغَبَةٖ: مَجاعةٍ
- مَقۡرَبَةٍ: قَرابةٍ في النَّسَبِ
- مَتۡرَبَةٖ: فاقةٍ شديدةٍ
- ٱلۡمَشۡـَٔمَةِ: الشُّؤمِ
- نَارٞ مُّؤۡصَدَةُۢ: مُغلَقةٌ أبوابُها

ربع الحزب ٦٠

البلد

| | | |
|---|---|---|
| مدّ ٦ حركات لزوماً — مدّ ٢ أو ٤ أو ٦ جوازاً | إخفاء، ومواقع الغُنّة (حركتان) | تفخيم |
| مدّ واجب ٤ أو ٥ حركات — مدّ حركتان | إدغام، وما لا يُلفَظ | قلقلة |

بِسْمِ ٱللَّهِ ٱلرَّحْمَٰنِ ٱلرَّحِيمِ

وَٱلشَّمْسِ وَضُحَىٰهَا ﴿١﴾ وَٱلْقَمَرِ إِذَا تَلَىٰهَا ﴿٢﴾ وَٱلنَّهَارِ إِذَا جَلَّىٰهَا ﴿٣﴾
وَٱلَّيْلِ إِذَا يَغْشَىٰهَا ﴿٤﴾ وَٱلسَّمَآءِ وَمَا بَنَىٰهَا ﴿٥﴾ وَٱلْأَرْضِ وَمَا طَحَىٰهَا
﴿٦﴾ وَنَفْسٍ وَمَا سَوَّىٰهَا ﴿٧﴾ فَأَلْهَمَهَا فُجُورَهَا وَتَقْوَىٰهَا ﴿٨﴾ قَدْ
أَفْلَحَ مَن زَكَّىٰهَا ﴿٩﴾ وَقَدْ خَابَ مَن دَسَّىٰهَا ﴿١٠﴾ كَذَّبَتْ ثَمُودُ
بِطَغْوَىٰهَآ ﴿١١﴾ إِذِ ٱنۢبَعَثَ أَشْقَىٰهَا ﴿١٢﴾ فَقَالَ لَهُمْ رَسُولُ ٱللَّهِ
نَاقَةَ ٱللَّهِ وَسُقْيَٰهَا ﴿١٣﴾ فَكَذَّبُوهُ فَعَقَرُوهَا فَدَمْدَمَ
عَلَيْهِمْ رَبُّهُم بِذَنۢبِهِمْ فَسَوَّىٰهَا ﴿١٤﴾ وَلَا يَخَافُ عُقْبَٰهَا ﴿١٥﴾

## سُورَةُ اللَّيْلِ

ترتيبها ٩٢ — آياتها ٢١

بِسْمِ ٱللَّهِ ٱلرَّحْمَٰنِ ٱلرَّحِيمِ

وَٱلَّيْلِ إِذَا يَغْشَىٰ ﴿١﴾ وَٱلنَّهَارِ إِذَا تَجَلَّىٰ ﴿٢﴾ وَمَا خَلَقَ ٱلذَّكَرَ وَٱلْأُنثَىٰٓ ﴿٣﴾
إِنَّ سَعْيَكُمْ لَشَتَّىٰ ﴿٤﴾ فَأَمَّا مَنْ أَعْطَىٰ وَٱتَّقَىٰ ﴿٥﴾ وَصَدَّقَ بِٱلْحُسْنَىٰ ﴿٦﴾
فَسَنُيَسِّرُهُۥ لِلْيُسْرَىٰ ﴿٧﴾ وَأَمَّا مَنۢ بَخِلَ وَٱسْتَغْنَىٰ ﴿٨﴾ وَكَذَّبَ بِٱلْحُسْنَىٰ
﴿٩﴾ فَسَنُيَسِّرُهُۥ لِلْعُسْرَىٰ ﴿١٠﴾ وَمَا يُغْنِى عَنْهُ مَالُهُۥٓ إِذَا تَرَدَّىٰٓ ﴿١١﴾ إِنَّ عَلَيْنَا
لَلْهُدَىٰ ﴿١٢﴾ وَإِنَّ لَنَا لَلْءَاخِرَةَ وَٱلْأُولَىٰ ﴿١٣﴾ فَأَنذَرْتُكُمْ نَارًا تَلَظَّىٰ ﴿١٤﴾

- ضُحَىٰهَا: ضوءها إذا أشرقت
- تَلَىٰهَا: تبعها في الإضاءة
- جَلَّىٰهَا: أظهر الشمس للرائين
- يَغْشَىٰهَا: يغطيها بظلمته
- طَحَىٰهَا: بسطها ووطأها
- سَوَّىٰهَا: عدّل أعضاءها وقواها
- فُجُورَهَا وَتَقْوَىٰهَا: معصيتها وطاعتها
- قَدْ أَفْلَحَ: فاز بالبغية
- مَن زَكَّىٰهَا: طهّرها وأنماها بالتقوى
- قَدْ خَابَ: خسر
- مَن دَسَّىٰهَا: نقصها وأخفاها بالفجور
- بِطَغْوَىٰهَآ: بطغيانها وعدوانها
- ٱنۢبَعَثَ أَشْقَىٰهَا: قام مسرعاً لعقر الناقة
- نَاقَةَ ٱللَّهِ: احذروا أعقرها
- سُقْيَٰهَا: نصيبها من الماء
- فَدَمْدَمَ عَلَيْهِمْ: أطبق العذاب عليهم
- فَسَوَّىٰهَا: عمّهم بالدمدمة والإهلاك
- عُقْبَٰهَا: عاقبة هذه العقوبة
- يَغْشَىٰ: يغطي الأشياء بظلمته
- تَجَلَّىٰ: ظهر بضوئه
- لَشَتَّىٰ: لمختلف في الجزاء
- صَدَّقَ بِٱلْحُسْنَىٰ: بالملة الحسنى وهي الإسلام
- فَسَنُيَسِّرُهُۥ: فسنوفقه ونهيئه
- لِلْيُسْرَىٰ: للخصلة المؤدية إلى اليسر
- لِلْعُسْرَىٰ: للخصلة المؤدية إلى العسر
- مَا يُغْنِى عَنْهُ: ما يدفع العذاب عنه
- تَرَدَّىٰٓ: هلك أو سقط في النار
- نَارًا تَلَظَّىٰ: تتلهب وتتوقد

الشمس — الليل

- مدّ ٦ حركات لزوماً
- مدّ واجب ٤ أو ٥ حركات
- مدّ ٢ أو ٤ أو ٦ جوازاً
- مدّ حركتان
- إخفاء، ومواقع الغُنّة (حركتان)
- إدغام، وما لا يُلفظ
- تفخيم
- قلقلة

لَا يَصْلَىٰهَآ إِلَّا ٱلْأَشْقَى ﴿١٥﴾ ٱلَّذِى كَذَّبَ وَتَوَلَّىٰ ﴿١٦﴾ وَسَيُجَنَّبُهَا
ٱلْأَتْقَى ﴿١٧﴾ ٱلَّذِى يُؤْتِى مَالَهُۥ يَتَزَكَّىٰ ﴿١٨﴾ وَمَا لِأَحَدٍ عِندَهُۥ مِن
نِّعْمَةٍ تُجْزَىٰٓ ﴿١٩﴾ إِلَّا ٱبْتِغَآءَ وَجْهِ رَبِّهِ ٱلْأَعْلَىٰ ﴿٢٠﴾ وَلَسَوْفَ يَرْضَىٰ ﴿٢١﴾

## سُورَةُ الضُّحَىٰ

ترتيبها ٩٣ — آياتها ١١

بِسْمِ ٱللَّهِ ٱلرَّحْمَٰنِ ٱلرَّحِيمِ

وَٱلضُّحَىٰ ﴿١﴾ وَٱلَّيْلِ إِذَا سَجَىٰ ﴿٢﴾ مَا وَدَّعَكَ رَبُّكَ وَمَا قَلَىٰ ﴿٣﴾
وَلَلْءَاخِرَةُ خَيْرٌ لَّكَ مِنَ ٱلْأُولَىٰ ﴿٤﴾ وَلَسَوْفَ يُعْطِيكَ رَبُّكَ
فَتَرْضَىٰٓ ﴿٥﴾ أَلَمْ يَجِدْكَ يَتِيمًا فَـَٔاوَىٰ ﴿٦﴾ وَوَجَدَكَ ضَآلًّا
فَهَدَىٰ ﴿٧﴾ وَوَجَدَكَ عَآئِلًا فَأَغْنَىٰ ﴿٨﴾ فَأَمَّا ٱلْيَتِيمَ فَلَا تَقْهَرْ
﴿٩﴾ وَأَمَّا ٱلسَّآئِلَ فَلَا تَنْهَرْ ﴿١٠﴾ وَأَمَّا بِنِعْمَةِ رَبِّكَ فَحَدِّثْ ﴿١١﴾

## سُورَةُ الشَّرْحِ

ترتيبها ٩٤ — آياتها ٨

بِسْمِ ٱللَّهِ ٱلرَّحْمَٰنِ ٱلرَّحِيمِ

أَلَمْ نَشْرَحْ لَكَ صَدْرَكَ ﴿١﴾ وَوَضَعْنَا عَنكَ وِزْرَكَ ﴿٢﴾ ٱلَّذِىٓ
أَنقَضَ ظَهْرَكَ ﴿٣﴾ وَرَفَعْنَا لَكَ ذِكْرَكَ ﴿٤﴾ فَإِنَّ مَعَ ٱلْعُسْرِ يُسْرًا ﴿٥﴾ إِنَّ
مَعَ ٱلْعُسْرِ يُسْرًا ﴿٦﴾ فَإِذَا فَرَغْتَ فَٱنصَبْ ﴿٧﴾ وَإِلَىٰ رَبِّكَ فَٱرْغَب ﴿٨﴾

- لَا يَصْلَىٰهَآ: لا يدخلها ولا يقاسي حرّها
- سَيُجَنَّبُهَا: سيُبْعَد عنها
- يَتَزَكَّىٰ: يتطهّر به من الذنوب
- تُجْزَىٰٓ: تكافأ
- ٱلضُّحَىٰ: وقت ارتفاع الشمس
- سَجَىٰ: اشتدّ ظلامه
- مَا وَدَّعَكَ رَبُّكَ: ما تركك منذ اختارك
- مَا قَلَىٰ: ما أبغضك منذ أحبك
- يَجِدْكَ: يعلمك
- فَـَٔاوَىٰ: فضمّك إلى من يرعاك
- ضَآلًّا: غافلاً عن تفاصيل الشريعة
- عَآئِلًا: فقيراً
- فَلَا تَقْهَرْ: فلا تغلبه على ماله ولا تستذلّه
- فَلَا تَنْهَرْ: فلا تزجره، وارفق به
- نَشْرَحْ لَكَ: نفسح ونوسع لك
- وَضَعْنَا عَنكَ: خففنا عنك
- وِزْرَكَ: ثقل أعباء النبوة

نصف الحزب ٦٠ — الضحى الشرح

- أَنقَضَ ظَهْرَكَ: أثقله وأوهنه
- فَإِذَا فَرَغْتَ: من عبادة
- فَٱنصَبْ: فاجتهد في عبادة أخرى
- فَٱرْغَب: فاجعل رغبتك

مدّ ٦ حركات لزوماً — مدّ ٢ أو ٤ أو ٦ جوازاً — إخفاء، ومواقع الغُنَّة (حركتان) — تفخيم
مدّ واجب ٤ أو ٥ حركات — مدّ حركتان — إدغام، وما لا يُلفظ — قلقلة

## سُورَةُ التِّينِ

ترتيبها ٩٥ — آياتها ٨

بِسْمِ اللَّهِ الرَّحْمَٰنِ الرَّحِيمِ

وَالتِّينِ وَالزَّيْتُونِ ﴿١﴾ وَطُورِ سِينِينَ ﴿٢﴾ وَهَٰذَا الْبَلَدِ الْأَمِينِ ﴿٣﴾
لَقَدْ خَلَقْنَا الْإِنسَانَ فِي أَحْسَنِ تَقْوِيمٍ ﴿٤﴾ ثُمَّ رَدَدْنَاهُ أَسْفَلَ سَافِلِينَ
﴿٥﴾ إِلَّا الَّذِينَ آمَنُوا وَعَمِلُوا الصَّالِحَاتِ فَلَهُمْ أَجْرٌ غَيْرُ مَمْنُونٍ ﴿٦﴾
فَمَا يُكَذِّبُكَ بَعْدُ بِالدِّينِ ﴿٧﴾ أَلَيْسَ اللَّهُ بِأَحْكَمِ الْحَاكِمِينَ ﴿٨﴾

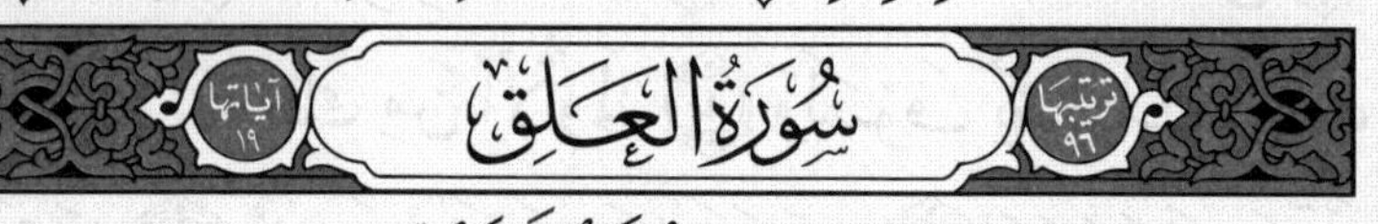

## سُورَةُ الْعَلَقِ

ترتيبها ٩٦ — آياتها ١٩

بِسْمِ اللَّهِ الرَّحْمَٰنِ الرَّحِيمِ

اقْرَأْ بِاسْمِ رَبِّكَ الَّذِي خَلَقَ ﴿١﴾ خَلَقَ الْإِنسَانَ مِنْ عَلَقٍ ﴿٢﴾ اقْرَأْ وَرَبُّكَ
الْأَكْرَمُ ﴿٣﴾ الَّذِي عَلَّمَ بِالْقَلَمِ ﴿٤﴾ عَلَّمَ الْإِنسَانَ مَا لَمْ يَعْلَمْ ﴿٥﴾ كَلَّا إِنَّ
الْإِنسَانَ لَيَطْغَىٰ ﴿٦﴾ أَن رَّآهُ اسْتَغْنَىٰ ﴿٧﴾ إِنَّ إِلَىٰ رَبِّكَ الرُّجْعَىٰ ﴿٨﴾ أَرَأَيْتَ
الَّذِي يَنْهَىٰ ﴿٩﴾ عَبْدًا إِذَا صَلَّىٰ ﴿١٠﴾ أَرَأَيْتَ إِن كَانَ عَلَى الْهُدَىٰ ﴿١١﴾ أَوْ أَمَرَ
بِالتَّقْوَىٰ ﴿١٢﴾ أَرَأَيْتَ إِن كَذَّبَ وَتَوَلَّىٰ ﴿١٣﴾ أَلَمْ يَعْلَم بِأَنَّ اللَّهَ يَرَىٰ ﴿١٤﴾ كَلَّا لَئِن
لَّمْ يَنتَهِ لَنَسْفَعًا بِالنَّاصِيَةِ ﴿١٥﴾ نَاصِيَةٍ كَاذِبَةٍ خَاطِئَةٍ ﴿١٦﴾ فَلْيَدْعُ نَادِيَهُ
سَنَدْعُ الزَّبَانِيَةَ ﴿١٧﴾ كَلَّا لَا تُطِعْهُ وَاسْجُدْ وَاقْتَرِب ۩ ﴿١٨﴾ ﴿١٩﴾

- التِّينِ وَالزَّيْتُونِ: مَنْبَتِهِمَا من الأرض المباركة
- طُورِ سِينِينَ: جَبَلِ الْمُنَاجَاةِ
- الْبَلَدِ الْأَمِينِ: مكّة المكرّمة
- أَحْسَنِ تَقْوِيمٍ: أعْدَلِ قامَةٍ وأحْسَنِ صورةٍ
- أَسْفَلَ سَافِلِينَ: إلى الهَرَمِ وأرْذَلِ العُمُر
- غَيْرُ مَمْنُونٍ: غَيْرُ مَقْطُوعٍ عنهم
- بِالدِّينِ: بِالْجَزاء
- عَلَقٍ: دَمٍ جامِدٍ
- لَيَطْغَىٰ: لَيُجاوِزُ الحَدَّ في العِصْيانِ
- الرُّجْعَىٰ: الرُّجوعَ في الآخرة
- لَنَسْفَعًا بِالنَّاصِيَةِ: لَنَسْحَبَنَّهُ بناصيته إلى النار
- فَلْيَدْعُ نَادِيَهُ: أهْلَ مَجْلِسِهِ
- سَنَدْعُ الزَّبَانِيَةَ: ملائكة العَذاب

التين — العلق

سجدة

| | | |
|---|---|---|
| مدّ ٦ حركات لزوماً — مدّ ٢ أو ٤ أو ٦ جوازاً | إخفاء، ومواقع الغُنّة (حركتان) | تفخيم |
| مدّ واجب ٤ أو ٥ حركات — مدّ حركتان | إدغام، وما لا يُلفظ | قلقلة |

## سورة القدر

ترتيبها ٩٧ — آياتها ٥

بِسْمِ ٱللَّهِ ٱلرَّحْمَٰنِ ٱلرَّحِيمِ

إِنَّآ أَنزَلْنَٰهُ فِى لَيْلَةِ ٱلْقَدْرِ ﴿١﴾ وَمَآ أَدْرَىٰكَ مَا لَيْلَةُ ٱلْقَدْرِ ﴿٢﴾
لَيْلَةُ ٱلْقَدْرِ خَيْرٌ مِّنْ أَلْفِ شَهْرٍ ﴿٣﴾ تَنَزَّلُ ٱلْمَلَٰٓئِكَةُ وَٱلرُّوحُ
فِيهَا بِإِذْنِ رَبِّهِم مِّن كُلِّ أَمْرٍ ﴿٤﴾ سَلَٰمٌ هِىَ حَتَّىٰ مَطْلَعِ ٱلْفَجْرِ ﴿٥﴾

## سورة البينة

ترتيبها ٩٨ — آياتها ٨

بِسْمِ ٱللَّهِ ٱلرَّحْمَٰنِ ٱلرَّحِيمِ

لَمْ يَكُنِ ٱلَّذِينَ كَفَرُوا۟ مِنْ أَهْلِ ٱلْكِتَٰبِ وَٱلْمُشْرِكِينَ مُنفَكِّينَ
حَتَّىٰ تَأْتِيَهُمُ ٱلْبَيِّنَةُ ﴿١﴾ رَسُولٌ مِّنَ ٱللَّهِ يَتْلُوا۟ صُحُفًا مُّطَهَّرَةً ﴿٢﴾
فِيهَا كُتُبٌ قَيِّمَةٌ ﴿٣﴾ وَمَا تَفَرَّقَ ٱلَّذِينَ أُوتُوا۟ ٱلْكِتَٰبَ إِلَّا مِنۢ
بَعْدِ مَا جَآءَتْهُمُ ٱلْبَيِّنَةُ ﴿٤﴾ وَمَآ أُمِرُوٓا۟ إِلَّا لِيَعْبُدُوا۟ ٱللَّهَ مُخْلِصِينَ
لَهُ ٱلدِّينَ حُنَفَآءَ وَيُقِيمُوا۟ ٱلصَّلَوٰةَ وَيُؤْتُوا۟ ٱلزَّكَوٰةَ ۚ وَذَٰلِكَ دِينُ
ٱلْقَيِّمَةِ ﴿٥﴾ إِنَّ ٱلَّذِينَ كَفَرُوا۟ مِنْ أَهْلِ ٱلْكِتَٰبِ وَٱلْمُشْرِكِينَ
فِى نَارِ جَهَنَّمَ خَٰلِدِينَ فِيهَآ ۚ أُو۟لَٰٓئِكَ هُمْ شَرُّ ٱلْبَرِيَّةِ ﴿٦﴾ إِنَّ
ٱلَّذِينَ ءَامَنُوا۟ وَعَمِلُوا۟ ٱلصَّٰلِحَٰتِ أُو۟لَٰٓئِكَ هُمْ خَيْرُ ٱلْبَرِيَّةِ ﴿٧﴾

- لَيْلَةِ ٱلْقَدْرِ: لَيْلةِ الشَّرفِ والعَظَمةِ
- سَلَٰمٌ هِىَ: سَلامةٌ مِنْ كُلِّ مَخُوف
- مُنفَكِّينَ: مُزَايِلينَ مَا كَانُوا عَليْهِ
- تَأْتِيَهُمُ ٱلْبَيِّنَةُ: الحُجَّةُ الواضحة
- فِيهَا كُتُبٌ: أَحْكامٌ مكتوبةٌ
- قَيِّمَةٌ: مُستَقيمةٌ عادِلَةٌ
- حُنَفَآءَ: مَائلينَ عن الباطل إلى الإسلام
- دِينُ ٱلْقَيِّمَةِ: المِلّة المُسْتقيمة. أو الكُتبِ القيّمة
- ٱلْبَرِيَّةِ: الخَلائِق

القدر
البينة

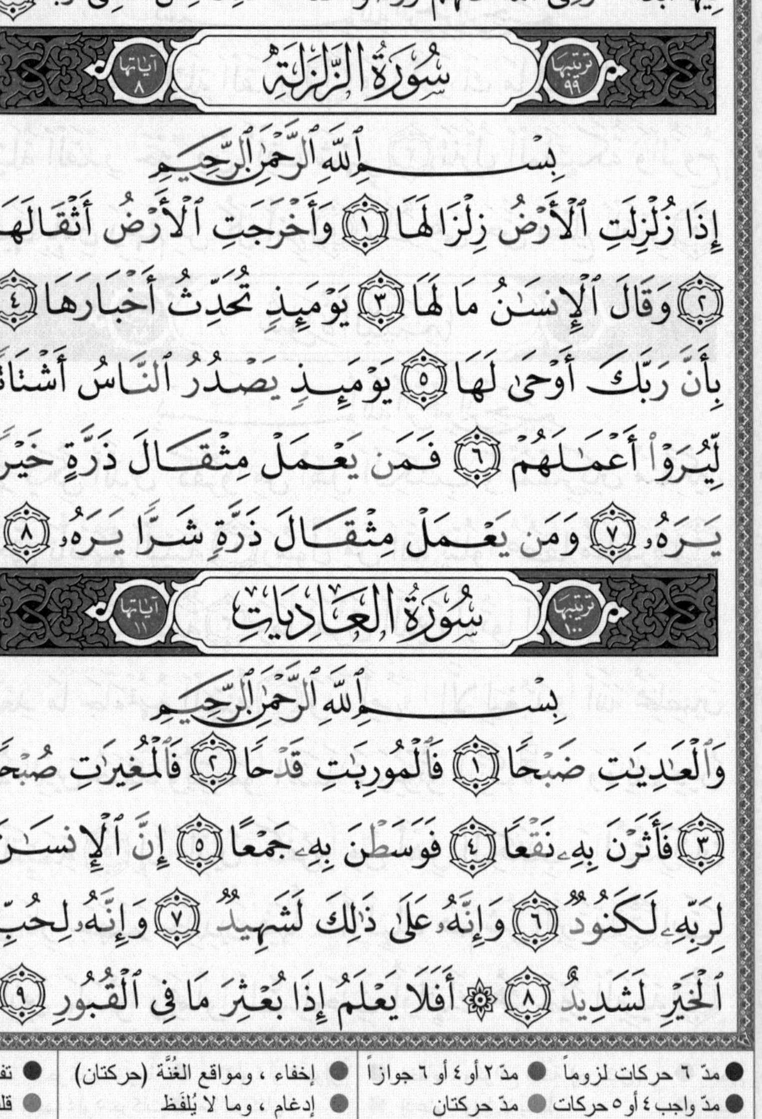

جَزَآؤُهُمۡ عِندَ رَبِّهِمۡ جَنَّٰتُ عَدۡنٖ تَجۡرِي مِن تَحۡتِهَا ٱلۡأَنۡهَٰرُ خَٰلِدِينَ
فِيهَآ أَبَدٗاۖ رَّضِيَ ٱللَّهُ عَنۡهُمۡ وَرَضُواْ عَنۡهُۚ ذَٰلِكَ لِمَنۡ خَشِيَ رَبَّهُۥ ﴿٨﴾

## سُورَةُ الزَّلْزَلَةِ

ترتيبها ٩٩ — آياتها ٨

بِسۡمِ ٱللَّهِ ٱلرَّحۡمَٰنِ ٱلرَّحِيمِ

إِذَا زُلۡزِلَتِ ٱلۡأَرۡضُ زِلۡزَالَهَا ﴿١﴾ وَأَخۡرَجَتِ ٱلۡأَرۡضُ أَثۡقَالَهَا
﴿٢﴾ وَقَالَ ٱلۡإِنسَٰنُ مَا لَهَا ﴿٣﴾ يَوۡمَئِذٖ تُحَدِّثُ أَخۡبَارَهَا ﴿٤﴾
بِأَنَّ رَبَّكَ أَوۡحَىٰ لَهَا ﴿٥﴾ يَوۡمَئِذٖ يَصۡدُرُ ٱلنَّاسُ أَشۡتَاتٗا
لِّيُرَوۡاْ أَعۡمَٰلَهُمۡ ﴿٦﴾ فَمَن يَعۡمَلۡ مِثۡقَالَ ذَرَّةٍ خَيۡرٗا
يَرَهُۥ ﴿٧﴾ وَمَن يَعۡمَلۡ مِثۡقَالَ ذَرَّةٖ شَرّٗا يَرَهُۥ ﴿٨﴾

## سُورَةُ الْعَادِيَاتِ

ترتيبها ١٠٠ — آياتها ١١

بِسۡمِ ٱللَّهِ ٱلرَّحۡمَٰنِ ٱلرَّحِيمِ

وَٱلۡعَٰدِيَٰتِ ضَبۡحٗا ﴿١﴾ فَٱلۡمُورِيَٰتِ قَدۡحٗا ﴿٢﴾ فَٱلۡمُغِيرَٰتِ صُبۡحٗا
﴿٣﴾ فَأَثَرۡنَ بِهِۦ نَقۡعٗا ﴿٤﴾ فَوَسَطۡنَ بِهِۦ جَمۡعًا ﴿٥﴾ إِنَّ ٱلۡإِنسَٰنَ
لِرَبِّهِۦ لَكَنُودٞ ﴿٦﴾ وَإِنَّهُۥ عَلَىٰ ذَٰلِكَ لَشَهِيدٞ ﴿٧﴾ وَإِنَّهُۥ لِحُبِّ
ٱلۡخَيۡرِ لَشَدِيدٌ ﴿٨﴾ ۞ أَفَلَا يَعۡلَمُ إِذَا بُعۡثِرَ مَا فِي ٱلۡقُبُورِ ﴿٩﴾

- زُلْزِلَتِ الْأَرْضُ: حُرِّكَتْ تَحْرِيكاً عنيفاً
- أَثْقَالَهَا: مَوْتَاهَا
- تُحَدِّثُ أَخْبَارَهَا: تُخْبِرُ بما عُمِلَ عليها
- أَوْحَى لَهَا: جَعَلَ في حالِها دَلالةً على ذلك
- يَصْدُرُ النَّاسُ: يَخْرُجُونَ مِن قُبُورِهِمْ إلى المحشَرِ
- أَشْتَاتًا: مُتفرِّقين
- مِثْقَالَ ذَرَّةٍ: وَزْنَ أَصْغَرِ نَمْلة
- الْعَادِيَاتِ: خيل الْغُزَاةِ تَعْدُو بِسُرْعَةٍ
- ضَبْحًا: هُوَ صَوْتُ أَنْفَاسِها إذا عَدَتْ
- فَالْمُورِيَاتِ قَدْحًا: المخرجاتِ النارَ بصَكِّ حوافِرِها
- فَالْمُغِيرَاتِ صُبْحًا: المباغتات للعدوِّ وقتَ الصباح
- فَأَثَرْنَ بِهِ نَقْعًا: هَيَّجْنَ في الصُّبْحِ غُباراً
- فَوَسَطْنَ بِهِ جَمْعًا: فتَوَسَّطْنَ فيه جمعاً من الأعداء
- لَكَنُودٌ: لَكَفُورٌ جَحُودٌ
- إِنَّهُ لِحُبِّ الْخَيْرِ: المال
- لَشَدِيدٌ: لَقَوِيٌّ
- بُعْثِرَ: أُثِيرَ وَأُخْرِجَ

الزلزلة — العاديات

ثلاثة أرباع الحزب ٦٠

● مدّ ٦ حركات لزوماً ● مدّ ٢ أو ٤ أو ٦ جوازاً ● إخفاء، ومواقع الغُنَّة (حركتان) ● تفخيم
● مدّ واجب ٤ أو ٥ حركات ● مدّ حركتان ● إدغام، وما لا يُلفظ ● قلقلة

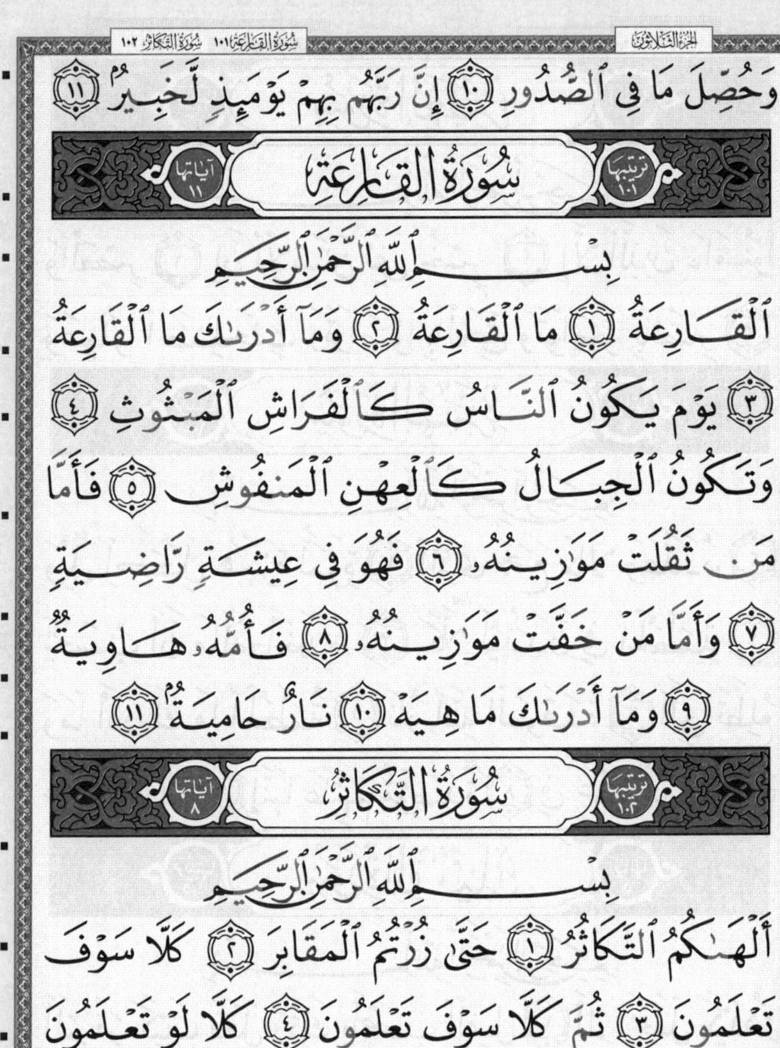

وَحُصِّلَ مَا فِي ٱلصُّدُورِ ﴿١٠﴾ إِنَّ رَبَّهُم بِهِمۡ يَوۡمَئِذٖ لَّخَبِيرُۢ ﴿١١﴾

## سُورَةُ القَارِعَةِ

ترتيبها ١٠١ — آياتها ١١

بِسۡمِ ٱللَّهِ ٱلرَّحۡمَٰنِ ٱلرَّحِيمِ

ٱلۡقَارِعَةُ ﴿١﴾ مَا ٱلۡقَارِعَةُ ﴿٢﴾ وَمَآ أَدۡرَىٰكَ مَا ٱلۡقَارِعَةُ
﴿٣﴾ يَوۡمَ يَكُونُ ٱلنَّاسُ كَٱلۡفَرَاشِ ٱلۡمَبۡثُوثِ ﴿٤﴾
وَتَكُونُ ٱلۡجِبَالُ كَٱلۡعِهۡنِ ٱلۡمَنفُوشِ ﴿٥﴾ فَأَمَّا
مَن ثَقُلَتۡ مَوَٰزِينُهُۥ ﴿٦﴾ فَهُوَ فِي عِيشَةٖ رَّاضِيَةٖ
﴿٧﴾ وَأَمَّا مَنۡ خَفَّتۡ مَوَٰزِينُهُۥ ﴿٨﴾ فَأُمُّهُۥ هَاوِيَةٞ
﴿٩﴾ وَمَآ أَدۡرَىٰكَ مَا هِيَهۡ ﴿١٠﴾ نَارٌ حَامِيَةُۢ ﴿١١﴾

## سُورَةُ التَّكَاثُرِ

ترتيبها ١٠٢ — آياتها ٨

بِسۡمِ ٱللَّهِ ٱلرَّحۡمَٰنِ ٱلرَّحِيمِ

أَلۡهَىٰكُمُ ٱلتَّكَاثُرُ ﴿١﴾ حَتَّىٰ زُرۡتُمُ ٱلۡمَقَابِرَ ﴿٢﴾ كَلَّا سَوۡفَ
تَعۡلَمُونَ ﴿٣﴾ ثُمَّ كَلَّا سَوۡفَ تَعۡلَمُونَ ﴿٤﴾ كَلَّا لَوۡ تَعۡلَمُونَ
عِلۡمَ ٱلۡيَقِينِ ﴿٥﴾ لَتَرَوُنَّ ٱلۡجَحِيمَ ﴿٦﴾ ثُمَّ لَتَرَوُنَّهَا
عَيۡنَ ٱلۡيَقِينِ ﴿٧﴾ ثُمَّ لَتُسۡـَٔلُنَّ يَوۡمَئِذٍ عَنِ ٱلنَّعِيمِ ﴿٨﴾

- حُصِّلَ: جُمِعَ . أو مُيِّزَ
- ٱلۡقَارِعَةُ: القِيامَةُ
- كَٱلۡفَرَاشِ: مَا يَطِيرُ وَيَتَهَافَتُ في النار
- ٱلۡمَبۡثُوثِ: المُتَفَرِّقِ المُنْتَشِرِ
- كَٱلۡعِهۡنِ: كالصُّوف المصْبُوغِ ألْواناً
- ٱلۡمَنفُوشِ: المُفَرَّقِ بالأصابِعِ وَنَحْوِهَا
- ثَقُلَتۡ: رَجَحَتْ
- فَأُمُّهُۥ: فَمَأْوَاهُ وَمَسْكَنُهُ
- هَاوِيَةٞ: الطَّبَقَةُ السابعةُ من النار
- أَلۡهَىٰكُمُ: شَغَلَكُمْ عن طاعة ربكم
- ٱلتَّكَاثُرُ: التَّبَاهِي بِكَثْرَةِ نعم الدنيا
- عِلۡمَ ٱلۡيَقِينِ: العِلْمَ اليَقِينيَّ
- عَيۡنَ ٱلۡيَقِينِ: نَفْسَ اليَقِينِ
- ٱلنَّعِيمِ: مَا يُتَلَذَّذُ بِهِ في الدُّنْيَا

القارعة — التكاثر

| | | |
|---|---|---|
| مدّ ٦ حركات لزوماً — مدّ ٢ أو ٤ أو ٦ جوازاً | إخفاء ، ومواقع الغُنَّة (حركتان) | تفخيم |
| مدّ واجب ٤ أو ٥ حركات — مدّ حركتان | إدغام ، وما لا يُلفَظ | قلقلة |

## سُورَةُ العَصْرِ

ترتيبها ١٠٣ — آياتها ٣

بِسْمِ ٱللَّهِ ٱلرَّحْمَٰنِ ٱلرَّحِيمِ

وَٱلْعَصْرِ ١ إِنَّ ٱلْإِنسَٰنَ لَفِى خُسْرٍ ٢ إِلَّا ٱلَّذِينَ ءَامَنُوا۟
وَعَمِلُوا۟ ٱلصَّٰلِحَٰتِ وَتَوَاصَوْا۟ بِٱلْحَقِّ وَتَوَاصَوْا۟ بِٱلصَّبْرِ ٣

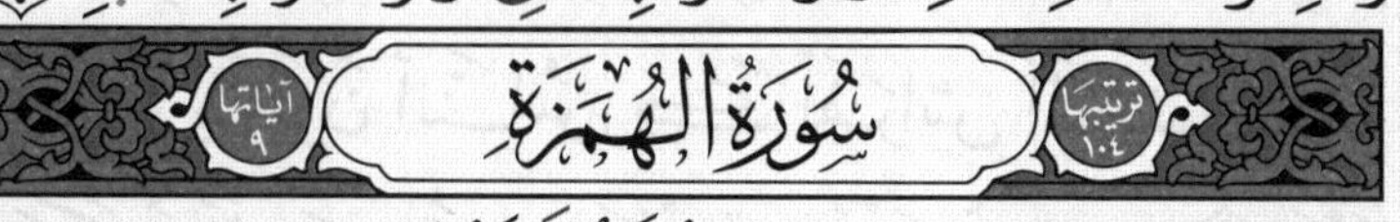

## سُورَةُ الهُمَزَةِ

ترتيبها ١٠٤ — آياتها ٩

بِسْمِ ٱللَّهِ ٱلرَّحْمَٰنِ ٱلرَّحِيمِ

وَيْلٌ لِّكُلِّ هُمَزَةٍ لُّمَزَةٍ ١ ٱلَّذِى جَمَعَ مَالًا وَعَدَّدَهُۥ ٢
يَحْسَبُ أَنَّ مَالَهُۥٓ أَخْلَدَهُۥ ٣ كَلَّا ۖ لَيُنۢبَذَنَّ فِى ٱلْحُطَمَةِ ٤
وَمَآ أَدْرَىٰكَ مَا ٱلْحُطَمَةُ ٥ نَارُ ٱللَّهِ ٱلْمُوقَدَةُ ٦ ٱلَّتِى تَطَّلِعُ
عَلَى ٱلْأَفْـِٔدَةِ ٧ إِنَّهَا عَلَيْهِم مُّؤْصَدَةٌ ٨ فِى عَمَدٍ مُّمَدَّدَةٍۭ ٩

## سُورَةُ الفِيلِ

ترتيبها ١٠٥ — آياتها ٥

بِسْمِ ٱللَّهِ ٱلرَّحْمَٰنِ ٱلرَّحِيمِ

أَلَمْ تَرَ كَيْفَ فَعَلَ رَبُّكَ بِأَصْحَٰبِ ٱلْفِيلِ ١ أَلَمْ يَجْعَلْ كَيْدَهُمْ
فِى تَضْلِيلٍ ٢ وَأَرْسَلَ عَلَيْهِمْ طَيْرًا أَبَابِيلَ ٣ تَرْمِيهِم
بِحِجَارَةٍ مِّن سِجِّيلٍ ٤ فَجَعَلَهُمْ كَعَصْفٍ مَّأْكُولٍۭ ٥

- ٱلْعَصْرِ: صلاةِ العَصْر أو عَصْر النُّبوّة
- لَفِى خُسْرٍ: خُسْرَان ونُقْصَان
- تَوَاصَوْا: أوْصَى بَعْضُهُم بَعْضاً
- وَيْلٌ: هَلَكَةٌ أو حَسْرَةٌ
- هُمَزَةٍ لُّمَزَةٍ: طَعَّان عَيَّاب للنَّاس
- عَدَّدَهُ: أحْصَاهُ أو أعَدَّه للنَّوائِب
- أَخْلَدَهُ: يُخَلِّدُهُ في الدُّنيا
- لَيُنۢبَذَنَّ: لَيُطْرَحَنَّ
- ٱلْحُطَمَةِ: جَهَنَّم ؛ لِحَطْمِهَا من فيها
- تَطَّلِعُ عَلَى ٱلْأَفْـِٔدَةِ: يَبْلُغُ ألَمُهَا أوساطَ القُلوب
- مُّؤْصَدَةٌ: مُطْبَقَةٌ مُغْلَقَةٌ
- فِى عَمَدٍ مُّمَدَّدَةٍۭ: بِعَمَدٍ مَمْدُودَةٍ على أبوابِها
- يَجْعَلْ كَيْدَهُمْ: سَعْيَهُم لتَخْرِيبِ الكَعْبَةِ المعظَّمَة
- تَضْلِيلٍ: تَضْيِيعٍ وإبْطَال
- طَيْرًا أَبَابِيلَ: جَمَاعَاتٍ مُتَفَرِّقَة
- سِجِّيلٍ: طِينٍ مُتَحَجِّرٍ مُحْرَق
- كَعَصْفٍ مَّأْكُولٍۭ: كَتِبْنٍ أكَلَتْهُ الدَّوابُّ ورَاثَتْه

العصر الهمزة الفيل

| | | |
|---|---|---|
| مدّ ٦ حركات لزوماً — مدّ ٢ أو ٤ أو ٦ جوازاً | إخفاء ، ومواقع الغُنَّة (حركتان) | تفخيم |
| مدّ واجب ٤ أو ٥ حركات — مدّ حركتان | إدغام ، وما لا يُلفظ | قلقلة |

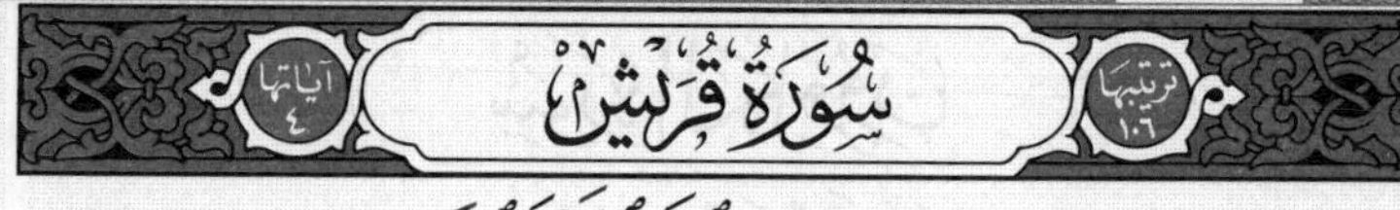

## سُورَةُ قُرَيْشٍ

ترتيبها ١٠٦ — آياتها ٤

بِسْمِ ٱللَّهِ ٱلرَّحْمَٰنِ ٱلرَّحِيمِ

لِإِيلَٰفِ قُرَيْشٍ ﴿١﴾ إِۦلَٰفِهِمْ رِحْلَةَ ٱلشِّتَآءِ وَٱلصَّيْفِ
﴿٢﴾ فَلْيَعْبُدُوا۟ رَبَّ هَٰذَا ٱلْبَيْتِ ﴿٣﴾ ٱلَّذِىٓ أَطْعَمَهُم
مِّن جُوعٍ وَءَامَنَهُم مِّنْ خَوْفٍۭ ﴿٤﴾

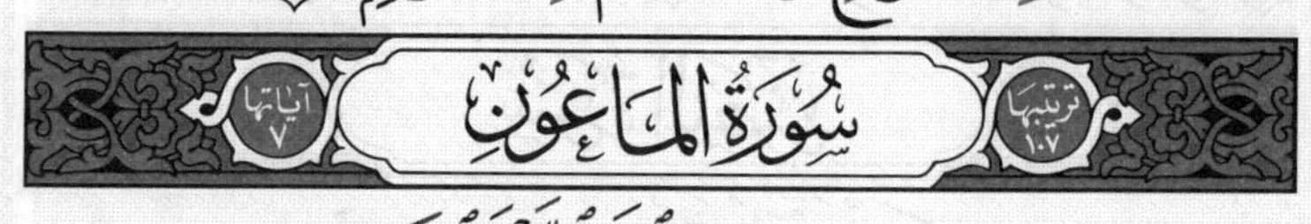

## سُورَةُ المَاعُونِ

ترتيبها ١٠٧ — آياتها ٧

بِسْمِ ٱللَّهِ ٱلرَّحْمَٰنِ ٱلرَّحِيمِ

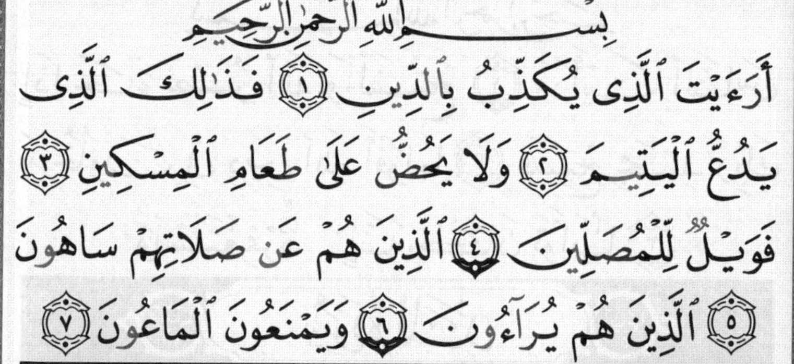

أَرَءَيْتَ ٱلَّذِى يُكَذِّبُ بِٱلدِّينِ ﴿١﴾ فَذَٰلِكَ ٱلَّذِى
يَدُعُّ ٱلْيَتِيمَ ﴿٢﴾ وَلَا يَحُضُّ عَلَىٰ طَعَامِ ٱلْمِسْكِينِ ﴿٣﴾
فَوَيْلٌ لِّلْمُصَلِّينَ ﴿٤﴾ ٱلَّذِينَ هُمْ عَن صَلَاتِهِمْ سَاهُونَ
﴿٥﴾ ٱلَّذِينَ هُمْ يُرَآءُونَ ﴿٦﴾ وَيَمْنَعُونَ ٱلْمَاعُونَ ﴿٧﴾

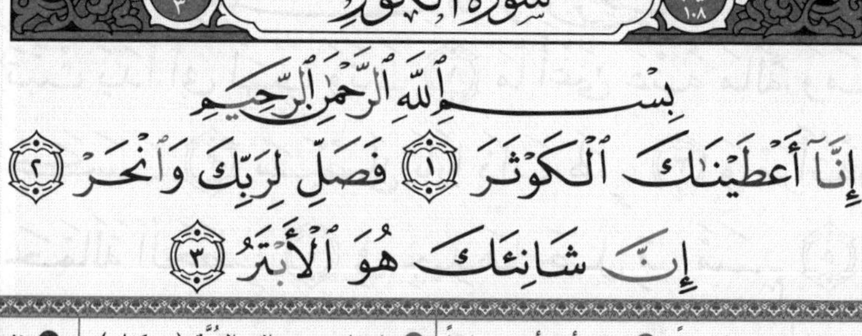

## سُورَةُ الكَوْثَرِ

ترتيبها ١٠٨ — آياتها ٣

بِسْمِ ٱللَّهِ ٱلرَّحْمَٰنِ ٱلرَّحِيمِ

إِنَّآ أَعْطَيْنَٰكَ ٱلْكَوْثَرَ ﴿١﴾ فَصَلِّ لِرَبِّكَ وَٱنْحَرْ ﴿٢﴾
إِنَّ شَانِئَكَ هُوَ ٱلْأَبْتَرُ ﴿٣﴾

---

- لِإِيلَٰفِ قُرَيْشٍ: لجعلهم آلفين الرحلتين
- أَرَءَيْتَ: هَلْ عَرَفْتَ
- يُكَذِّبُ بِٱلدِّينِ: يَجْحَدُ الْجَزاءَ
- يَدُعُّ ٱلْيَتِيمَ: يَدْفَعُهُ دفعاً عَنيفاً عَنْ حَقِّهِ
- لَا يَحُضُّ: لاَ يَحُثُّ ولا يَبْعَثُ أحداً
- فَوَيْلٌ: هَلاك . أوْ حَسْرَة
- سَاهُونَ: غَافِلُونَ غَيْرَ مُبَالِينَ بِهَا
- يُرَآءُونَ: يَقْصِدُونَ الرِّيَاءَ بأعْمَالِهِمْ
- يَمْنَعُونَ ٱلْمَاعُونَ: العاريةَ المعتادةَ بين الناسِ بُخْلاً
- أَعْطَيْنَٰكَ ٱلْكَوْثَرَ: نَهْراً في الجنَّة . أو الخَيْرَ الكَثِيرَ
- ٱنْحَرْ: البُدْنَ نُسُكاً شُكْراً لله تعالى
- شَانِئَكَ: مُبْغِضَكَ
- ٱلْأَبْتَرُ: المَقْطُوعُ الأثَرِ

قريش الماعون الكوثر

| | | |
|---|---|---|
| مدّ ٦ حركات لزوماً ● مدّ ٢ أو ٤ أو ٦ جوازاً | إخفاء ، ومواقع الغُنَّة (حركتان) | تفخيم |
| مدّ واجب ٤ أو ٥ حركات ● مدّ حركتان | إدغام ، وما لا يُلفَظ | قلقلة |

## سُورَةُ الكَافِرُونَ
ترتيبها ١٠٩ — آياتها ٦

بِسْمِ ٱللَّهِ ٱلرَّحْمَٰنِ ٱلرَّحِيمِ

قُلْ يَٰٓأَيُّهَا ٱلْكَٰفِرُونَ ﴿١﴾ لَآ أَعْبُدُ مَا تَعْبُدُونَ ﴿٢﴾
وَلَآ أَنتُمْ عَٰبِدُونَ مَآ أَعْبُدُ ﴿٣﴾ وَلَآ أَنَا۠ عَابِدٌ مَّا عَبَدتُّمْ ﴿٤﴾
وَلَآ أَنتُمْ عَٰبِدُونَ مَآ أَعْبُدُ ﴿٥﴾ لَكُمْ دِينُكُمْ وَلِىَ دِينِ ﴿٦﴾

## سُورَةُ النَّصْرِ
ترتيبها ١١٠ — آياتها ٣

بِسْمِ ٱللَّهِ ٱلرَّحْمَٰنِ ٱلرَّحِيمِ

إِذَا جَآءَ نَصْرُ ٱللَّهِ وَٱلْفَتْحُ ﴿١﴾ وَرَأَيْتَ ٱلنَّاسَ
يَدْخُلُونَ فِى دِينِ ٱللَّهِ أَفْوَاجًا ﴿٢﴾ فَسَبِّحْ بِحَمْدِ رَبِّكَ
وَٱسْتَغْفِرْهُ ۚ إِنَّهُۥ كَانَ تَوَّابًۢا ﴿٣﴾

## سُورَةُ المَسَدِ
ترتيبها ١١١ — آياتها ٥

بِسْمِ ٱللَّهِ ٱلرَّحْمَٰنِ ٱلرَّحِيمِ

تَبَّتْ يَدَآ أَبِى لَهَبٍ وَتَبَّ ﴿١﴾ مَآ أَغْنَىٰ عَنْهُ مَالُهُۥ وَمَا
كَسَبَ ﴿٢﴾ سَيَصْلَىٰ نَارًا ذَاتَ لَهَبٍ ﴿٣﴾ وَٱمْرَأَتُهُۥ
حَمَّالَةَ ٱلْحَطَبِ ﴿٤﴾ فِى جِيدِهَا حَبْلٌ مِّن مَّسَدٍۭ ﴿٥﴾

- لَكُمْ دِينُكُمْ: شِرْكُكُم
- لِىَ دِينِ: إخلاصي وتوحيدي
- نَصْرُ ٱللَّهِ: عونُهُ لك على الأعداء
- ٱلْفَتْحُ: فتحُ مكَّةَ وغيرها
- أَفْوَاجًا: جماعات
- فَسَبِّحْ بِحَمْدِ رَبِّكَ: فنَزِّهْهُ تعالى، حامداً لَهُ
- تَوَّابًا: كثيرَ القَبول لتوبةِ عبادِهِ
- تَبَّتْ: هَلَكَتْ أو خَسِرَتْ
- تَبَّ: وقَدْ هَلَكَ أو خَسِرَ
- مَآ أَغْنَىٰ عَنْهُ: ما دَفَعَ العَذابَ عنْهُ
- مَا كَسَبَ: الذي كَسَبَهُ بنفسه
- سَيَصْلَىٰ نَارًا: سيَدْخُلُها أو يُقاسي حرَّها
- جِيدِهَا: عُنُقِها
- مِّن مَّسَدٍ: مِمَّا يُفتَلُ قويّاً مِنَ الحِبال

● مدّ ٦ حركات لزوماً ● مدّ ٢ أو ٤ أو ٦ جوازاً ● إخفاء، ومواقع الغُنَّة (حركتان) ● تفخيم
● مدّ واجب ٤ أو ٥ حركات ● مدّ حركتان ● إدغام، وما لا يُلفَظ ● قلقلة

الكافرون النصر المسد

## سُورَةُ الإِخْلَاصِ

ترتيبها ١١٢ — آياتها ٤

بِسْمِ ٱللَّهِ ٱلرَّحْمَٰنِ ٱلرَّحِيمِ

قُلْ هُوَ ٱللَّهُ أَحَدٌ ﴿١﴾ ٱللَّهُ ٱلصَّمَدُ ﴿٢﴾ لَمْ يَلِدْ
وَلَمْ يُولَدْ ﴿٣﴾ وَلَمْ يَكُن لَّهُۥ كُفُوًا أَحَدٌۢ ﴿٤﴾

## سُورَةُ الفَلَقِ

ترتيبها ١١٣ — آياتها ٥

بِسْمِ ٱللَّهِ ٱلرَّحْمَٰنِ ٱلرَّحِيمِ

قُلْ أَعُوذُ بِرَبِّ ٱلْفَلَقِ ﴿١﴾ مِن شَرِّ مَا خَلَقَ ﴿٢﴾ وَمِن
شَرِّ غَاسِقٍ إِذَا وَقَبَ ﴿٣﴾ وَمِن شَرِّ ٱلنَّفَّٰثَٰتِ فِى
ٱلْعُقَدِ ﴿٤﴾ وَمِن شَرِّ حَاسِدٍ إِذَا حَسَدَ ﴿٥﴾

## سُورَةُ النَّاسِ

ترتيبها ١١٤ — آياتها ٦

بِسْمِ ٱللَّهِ ٱلرَّحْمَٰنِ ٱلرَّحِيمِ

قُلْ أَعُوذُ بِرَبِّ ٱلنَّاسِ ﴿١﴾ مَلِكِ ٱلنَّاسِ ﴿٢﴾ إِلَٰهِ
ٱلنَّاسِ ﴿٣﴾ مِن شَرِّ ٱلْوَسْوَاسِ ٱلْخَنَّاسِ ﴿٤﴾ ٱلَّذِى
يُوَسْوِسُ فِى صُدُورِ ٱلنَّاسِ ﴿٥﴾
مِنَ ٱلْجِنَّةِ وَٱلنَّاسِ ﴿٦﴾

| | | |
|---|---|---|
| مدّ ٦ حركات لزوماً ● مدّ ٢ أو ٤ أو ٦ جوازاً | ● إخفاء ، ومواقع الغُنَّة (حركتان) | ● تفخيم |
| مدّ واجب ٤ أو ٥ حركات ● مدّ حركتان | ● إدغام ، وما لا يُلفَظ | ● قلقلة |

ٱللَّهُ ٱلصَّمَدُ: هُوَ وَحْدَهُ الذي يُقْصَدُ فِي الحوائج
كُفُوًا: مُكافِئاً وَمُماثِلاً
أَعُوذُ: أَعْتَصِمُ وأَسْتَجِيرُ
بِرَبِّ ٱلْفَلَقِ: الصُّبْحِ . أو الخَلْقِ
شَرِّ غَاسِقٍ: شَرِّ اللَّيْلِ
وَقَبَ: دَخَلَ ظَلامُهُ في كُلِّ شيءٍ
ٱلنَّفَّٰثَٰتِ: السَّوَاحِرِ المُفْسِدَاتِ
ٱلْعُقَدِ: مَا يَعْقِدْنَ مِنَ السِّحْرِ
أَعُوذُ: أَعْتَصِمُ وأَسْتَجِيرُ
بِرَبِّ ٱلنَّاسِ: مُرَبِّيهِمْ
مَلِكِ ٱلنَّاسِ: مَالِكِهِمْ
إِلَٰهِ ٱلنَّاسِ: مَعْبُودِهِمْ
ٱلْوَسْوَاسِ: المُوَسْوِسِ جِنِّيّاً أو إِنْسِيّاً
ٱلْخَنَّاسِ: المُتَوارِي المُخْتَفِي
ٱلْجِنَّةِ: الجِنِّ

# دُعَاءُ خَتْمِ الْقُرْآنِ

اللَّهُمَّ ارْحَمْنِي بِالقُرْءَانِ وَاجْعَلْهُ لِي إِمَامًا وَنُورًا وَهُدًى
وَرَحْمَةً اللَّهُمَّ ذَكِّرْنِي مِنْهُ مَا نَسِيتُ وَعَلِّمْنِي مِنْهُ مَا جَهِلْتُ
وَارْزُقْنِي تِلَاوَتَهُ آنَاءَ اللَّيْلِ وَأَطْرَافَ النَّهَارِ وَاجْعَلْهُ لِي حُجَّةً يَارَبَّ
الْعَالَمِينَ * اللَّهُمَّ أَصْلِحْ لِي دِينِي الَّذِي هُوَ عِصْمَةُ أَمْرِي وَأَصْلِحْ
لِي دُنْيَايَ الَّتِي فِيهَا مَعَاشِي وَأَصْلِحْ لِي آخِرَتِي الَّتِي فِيهَا مَعَادِي
وَاجْعَلِ الْحَيَاةَ زِيَادَةً لِي فِي كُلِّ خَيْرٍ وَاجْعَلِ الْمَوْتَ رَاحَةً لِي
مِنْ كُلِّ شَرٍّ * اللَّهُمَّ اجْعَلْ خَيْرَ عُمْرِي آخِرَهُ وَخَيْرَ عَمَلِي
خَوَاتِمَهُ وَخَيْرَ أَيَّامِي يَوْمَ أَلْقَاكَ فِيهِ * اللَّهُمَّ إِنِّي أَسْأَلُكَ عِيشَةً
هَنِيَّةً وَمِيتَةً سَوِيَّةً وَمَرَدًّا غَيْرَ مُخْزٍ وَلَا فَاضِحٍ * اللَّهُمَّ إِنِّي
أَسْأَلُكَ خَيْرَ الْمَسْأَلَةِ وَخَيْرَ الدُّعَاءِ وَخَيْرَ النَّجَاحِ وَخَيْرَ الْعِلْمِ وَخَيْرَ
الْعَمَلِ وَخَيْرَ الثَّوَابِ وَخَيْرَ الْحَيَاةِ وَخَيْرَ الْمَمَاتِ وَثَبِّتْنِي وَثَقِّلْ مَوَازِينِي
وَحَقِّقْ إِيمَانِي وَارْفَعْ دَرَجَتِي وَتَقَبَّلْ صَلَاتِي وَاغْفِرْ خَطِيئَاتِي

وَأَسْأَلُكَ الْعُلَا مِنَ الْجَنَّةِ * اللَّهُمَّ إِنِّي أَسْأَلُكَ مُوجِبَاتِ رَحْمَتِكَ
وَعَزَائِمَ مَغْفِرَتِكَ وَالسَّلَامَةَ مِنْ كُلِّ إِثْمٍ وَالْغَنِيمَةَ مِنْ كُلِّ بِرٍّ وَالْفَوْزَ
بِالْجَنَّةِ وَالنَّجَاةَ مِنَ النَّارِ * اللَّهُمَّ أَحْسِنْ عَاقِبَتَنَا فِي الْأُمُورِ كُلِّهَا
وَأَجِرْنَا مِنْ خِزْيِ الدُّنْيَا وَعَذَابِ الْآخِرَةِ * اللَّهُمَّ اقْسِمْ لَنَا مِنْ
خَشْيَتِكَ مَا تَحُولُ بِهِ بَيْنَنَا وَبَيْنَ مَعْصِيَتِكَ وَمِنْ طَاعَتِكَ مَا تُبَلِّغُنَا
بِهَا جَنَّتَكَ وَمِنَ الْيَقِينِ مَا تُهَوِّنُ بِهِ عَلَيْنَا مَصَائِبَ الدُّنْيَا وَمَتِّعْنَا
بِأَسْمَاعِنَا وَأَبْصَارِنَا وَقُوَّتِنَا مَا أَحْيَيْتَنَا وَاجْعَلْهُ الْوَارِثَ مِنَّا وَاجْعَلْ
ثَأْرَنَا عَلَى مَنْ ظَلَمَنَا وَانْصُرْنَا عَلَى مَنْ عَادَانَا وَلَا تَجْعَلْ مُصِيبَتَنَا فِي
دِينِنَا وَلَا تَجْعَلِ الدُّنْيَا أَكْبَرَ هَمِّنَا وَلَا مَبْلَغَ عِلْمِنَا وَلَا تُسَلِّطْ عَلَيْنَا
مَنْ لَا يَرْحَمُنَا * اللَّهُمَّ لَا تَدَعْ لَنَا ذَنْبًا إِلَّا غَفَرْتَهُ وَلَا هَمًّا إِلَّا
فَرَّجْتَهُ وَلَا دَيْنًا إِلَّا قَضَيْتَهُ وَلَا حَاجَةً مِنْ حَوَائِجِ الدُّنْيَا
وَالْآخِرَةِ إِلَّا قَضَيْتَهَا يَا أَرْحَمَ الرَّاحِمِينَ * رَبَّنَا آتِنَا فِي
الدُّنْيَا حَسَنَةً وَفِي الْآخِرَةِ حَسَنَةً وَقِنَا عَذَابَ النَّارِ
وَصَلَّى اللَّهُ عَلَى نَبِيِّنَا مُحَمَّدٍ وَعَلَى آلِهِ وَأَصْحَابِهِ
الْأَخْيَارِ وَسَلَّمَ تَسْلِيمًا كَثِيرًا

| السُّورَة | رقمها | الصحيفة | | السُّورَة | رقمها | الصحيفة | |
|---|---|---|---|---|---|---|---|
| الفَاتِحَة | ١ | ١ | مكيّة | الرُّوم | ٣٠ | ٤٠٤ | مكيّة |
| البَقَرَة | ٢ | ٢ | مدنية | لقمَان | ٣١ | ٤١١ | مكيّة |
| آل عِمْرَان | ٣ | ٥٠ | مدنية | السَّجْدَة | ٣٢ | ٤١٥ | مكيّة |
| النِّسَاء | ٤ | ٧٧ | مدنية | الأحزَاب | ٣٣ | ٤١٨ | مدنية |
| المَائدة | ٥ | ١٠٦ | مدنية | سَبَأ | ٣٤ | ٤٢٨ | مكيّة |
| الأنعام | ٦ | ١٢٨ | مكيّة | فَاطِر | ٣٥ | ٤٣٤ | مكيّة |
| الأعْرَاف | ٧ | ١٥١ | مكيّة | يس | ٣٦ | ٤٤٠ | مكيّة |
| الأنْفَال | ٨ | ١٧٧ | مدنية | الصَّافات | ٣٧ | ٤٤٦ | مكيّة |
| التَّوبَة | ٩ | ١٨٧ | مدنية | ص | ٣٨ | ٤٥٣ | مكيّة |
| يُونس | ١٠ | ٢٠٨ | مكيّة | الزُّمَر | ٣٩ | ٤٥٨ | مكيّة |
| هُود | ١١ | ٢٢١ | مكيّة | غَافر | ٤٠ | ٤٦٧ | مكيّة |
| يُوسُف | ١٢ | ٢٣٥ | مكيّة | فُصِّلَت | ٤١ | ٤٧٧ | مكيّة |
| الرَّعْد | ١٣ | ٢٤٩ | مدنية | الشّورى | ٤٢ | ٤٨٣ | مكيّة |
| إبراهيم | ١٤ | ٢٥٥ | مكيّة | الزُّخرُف | ٤٣ | ٤٨٩ | مكيّة |
| الحِجْر | ١٥ | ٢٦٢ | مكيّة | الدّخان | ٤٤ | ٤٩٦ | مكيّة |
| النَّحْل | ١٦ | ٢٦٧ | مكيّة | الجاثِيَة | ٤٥ | ٤٩٩ | مكيّة |
| الإسْرَاء | ١٧ | ٢٨٢ | مكيّة | الأحْقاف | ٤٦ | ٥٠٢ | مكيّة |
| الكَهْف | ١٨ | ٢٩٣ | مكيّة | محمَّد | ٤٧ | ٥٠٧ | مدنية |
| مَرْيَم | ١٩ | ٣٠٥ | مكيّة | الفَتْح | ٤٨ | ٥١١ | مدنية |
| طه | ٢٠ | ٣١٢ | مكيّة | الحُجرَات | ٤٩ | ٥١٥ | مدنية |
| الأنبيَاء | ٢١ | ٣٢٢ | مكيّة | ق | ٥٠ | ٥١٨ | مكيّة |
| الحَجّ | ٢٢ | ٣٣٢ | مدنية | الذّاريَات | ٥١ | ٥٢٠ | مكيّة |
| المؤمنون | ٢٣ | ٣٤٢ | مكيّة | الطّور | ٥٢ | ٥٢٣ | مكيّة |
| النُّور | ٢٤ | ٣٥٠ | مدنية | النّجْم | ٥٣ | ٥٢٦ | مكيّة |
| الفُرْقان | ٢٥ | ٣٥٩ | مكيّة | القَمَر | ٥٤ | ٥٢٨ | مكيّة |
| الشُّعَرَاء | ٢٦ | ٣٦٧ | مكيّة | الرَّحمن | ٥٥ | ٥٣١ | مدنية |
| النَّمْل | ٢٧ | ٣٧٧ | مكيّة | الواقِعَة | ٥٦ | ٥٣٤ | مكيّة |
| القَصَص | ٢٨ | ٣٨٥ | مكيّة | الحَديد | ٥٧ | ٥٣٧ | مدنية |
| العَنكبوت | ٢٩ | ٣٩٦ | مكيّة | المجادلة | ٥٨ | ٥٤٢ | مدنية |

| السُّورَة | رقمها | الصحيفة | | السُّورَة | رقمها | الصحيفة | |
|---|---|---|---|---|---|---|---|
| الحَشر | ٥٩ | ٥٤٥ | مَدنية | الأعلى | ٨٧ | ٥٩١ | مكيَة |
| المُمتَحِنَة | ٦٠ | ٥٤٩ | مَدنية | الغَاشِيَة | ٨٨ | ٥٩٢ | مكيَة |
| الصَّف | ٦١ | ٥٥١ | مَدنية | الفَجْر | ٨٩ | ٥٩٣ | مكيَة |
| الجُمُعَة | ٦٢ | ٥٥٣ | مَدنية | البَلَد | ٩٠ | ٥٩٤ | مكيَة |
| المنافِقون | ٦٣ | ٥٥٤ | مَدنية | الشَّمس | ٩١ | ٥٩٥ | مكيَة |
| التّغابُن | ٦٤ | ٥٥٦ | مَدنية | الليل | ٩٢ | ٥٩٥ | مكيَة |
| الطّلاق | ٦٥ | ٥٥٨ | مَدنية | الضّحى | ٩٣ | ٥٩٦ | مكيَة |
| التّحريم | ٦٦ | ٥٦٠ | مَدنية | الشّرْح | ٩٤ | ٥٩٦ | مكيَة |
| المُلك | ٦٧ | ٥٦٢ | مكيَة | التِّين | ٩٥ | ٥٩٧ | مكيَة |
| القَلَم | ٦٨ | ٥٦٤ | مكيَة | العلق | ٩٦ | ٥٩٧ | مكيَة |
| الحَاقَّة | ٦٩ | ٥٦٦ | مكيَة | القَدْر | ٩٧ | ٥٩٨ | مكيَة |
| المعارج | ٧٠ | ٥٦٨ | مكيَة | البَيِّنَة | ٩٨ | ٥٩٨ | مَدنية |
| نُوح | ٧١ | ٥٧٠ | مكيَة | الزّلزلة | ٩٩ | ٥٩٩ | مَدنية |
| الجِنّ | ٧٢ | ٥٧٢ | مكيَة | العاديَات | ١٠٠ | ٥٩٩ | مكيَة |
| المُزّمل | ٧٣ | ٥٧٤ | مكيَة | القارِعَة | ١٠١ | ٦٠٠ | مكيَة |
| المدَّثِّر | ٧٤ | ٥٧٥ | مكيَة | التّكاثُر | ١٠٢ | ٦٠٠ | مكيَة |
| القِيامَة | ٧٥ | ٥٧٧ | مكيَة | العَصْر | ١٠٣ | ٦٠١ | مكيَة |
| الإنسان | ٧٦ | ٥٧٨ | مَدنية | الهُمَزة | ١٠٤ | ٦٠١ | مكيَة |
| المُرسَلات | ٧٧ | ٥٨٠ | مكيَة | الفِيل | ١٠٥ | ٦٠١ | مكيَة |
| النّبأ | ٧٨ | ٥٨٢ | مكيَة | قُريش | ١٠٦ | ٦٠٢ | مكيَة |
| النّازعَات | ٧٩ | ٥٨٣ | مكيَة | الماعون | ١٠٧ | ٦٠٢ | مكيَة |
| عَبَس | ٨٠ | ٥٨٥ | مكيَة | الكَوْثَر | ١٠٨ | ٦٠٢ | مكيَة |
| التّكوير | ٨١ | ٥٨٦ | مكيَة | الكافِرون | ١٠٩ | ٦٠٣ | مكيَة |
| الانفِطار | ٨٢ | ٥٨٧ | مكيَة | النّصْر | ١١٠ | ٦٠٣ | مَدنية |
| المطفّفِين | ٨٣ | ٥٨٧ | مكيَة | المَسَد | ١١١ | ٦٠٣ | مكيَة |
| الانشقاق | ٨٤ | ٥٨٩ | مكيَة | الإخلاص | ١١٢ | ٦٠٤ | مكيَة |
| البُروج | ٨٥ | ٥٩٠ | مكيَة | الفلَق | ١١٣ | ٦٠٤ | مكيَة |
| الطّارق | ٨٦ | ٥٩١ | مكيَة | النّاس | ١١٤ | ٦٠٤ | مكيَة |

# فهرس مواضيع القرآن الكريم



إن الشواهد القرآنية لكل موضوع استخدمنا لها اللون الأحمر لرقم السورة ، والأسود لرقم الآية المعنية.

( بإذن خاص من الدكتور مروان عطية ).

# أركان الإسلام

## أولاً :التوحيد

### (١)- توحيد الله تعالى:

**إرادتـــه:** 2 ١١٧ و١٨٥ و٢٥٣، 4 ٢٦ - ٢٨، 5 ٦ و١٨ و٥٢، 6 ٧٣ و١٢٥، 8 ٧ و٦٧، 9 ٥٥ و٨٥، 10 ١٠٧، 11 ٣٤ و١٠٧، 16 ٤٠، 17 ١٦، 22 ١٤ و١٦، 28 ٥، 33 ١٧ و٣٣، 36 ٨٢، 48 ١١، 54 ٥٠

**أسماء الله الحسنى:** 7 ١٨٠، 17 ١١٠، 20 ٨، 59 ٢٤

**إليه ترجع الأمور:** 2 ٢٨ و٤٦ و١٥٦ و٢١٠ و٢٤٥ و٢٨١، 3 ٥٥ و٨٣ و١٠٩، 5 ٤٨ و١٠٥، 6 ٣٦ و٦٠ و١٠٨ و١٦٤، 8 ٤٤، 10 ٤ و٢٣ و٤٦ و٥٦، 11 ٤ و٣٤ و١٢٣، 19 ٤٠، 21 ٩٣، 22 ٤١ و٧٦، 23 ٦٠، 24 ٦٤، 28 ٧٠ و٨٨، 29 ٨ و١٧ و٥٧، 30 ١١، 31 ١٥ و٢٣، 32 ٤ و٥ و١١، 35 ٤، 36 ٨٣، 39 ٧ و٤٤، 41 ٢١، 43 ٨٥، 45 ١٥، 53 ٤٢، 57 ٥، 85 ١٣، 96 ٨

**إنذار من لا يعترف بتوحيد الله تعالى بالإنتقام:** 2 ١١٤ و٢٠٦، 3 ٢٥، 4 ١٤ و٤١ و٤٥ - ٥٢ و ٦٢ و ٦٣ و١١٥ و ١١٦ و١١٩، 5 ٥، 6 ٣٠ و٦٥، 7 ٩٧ - ٩٩، 8 ٥٠ - ٥٤، 9 ٢٤ و٥٢ و٥٥، 10 ٥٤، 11 ١٢١ و١٢٢، 12 ١٠٧، 14 ٤٤، 15 ٩٠ - ٩٣، 16 ٤٥ - ٤٧ و١٠٦، 17 ٦٨ و ٦٩ و٧٢، 19 ٣٩، 21 ٢٩، 23 ٩٥ و١٠٠، 25 ٢٣، 27 ٩٠، 28 ٥٠، 34 ٩ و٤٢ - ٤٩، 37 ١٧٧، 38 ١٥، 39 ٤٧ و٤٨، 42 ٤٤، 43 ٤١ و ٤٢، 44 ١٠ و١٤ و٥٩، 46 ٢٢ و ٢٣ و٣٢ و٣٤، 52 ٤٥، 53 ٥٦ - ٥٨، 54 ٤٥، 59 ٤، 67 ١٦ و ١٧، 70 ٤٢، 73 ١٨، 77 ١٦ - ١٨، 86 ١٧، 92 ١١ و ١٤

**إنفراده تعالى بالأمر والحكم:** 2 ١١٣ و٢١٠، 3 ١٠٩ و١٢٨ و١٥٤، 6 ٥٧ و٦٢، 8 ٤٤، 11 ١٢٣، 13 ٣٣، 16 ٩٢ و١٢٤، 19 ٦٤، 21 ٢٣، 22 ١٧ و٦٩ و٧٦، 27 ٧٨، 28 ٦٨ و٧٠ و٨٨، 30 ٤، 32 ٢٥، 34 ٢٦، 35 ٤، 39 ٤٦، 42 ١٠، 82 ١٩

**عقائد البشر وأهواؤهم:** 2 ٩ - ١٣ و١٦٥ و٢٠٠ - ٢٠٧، 6 ٢٥ - ٣٠، 9 ٤٩ و ٥٠ و٥٨ - ٦١ و٧٥ - ٧٧ و٩٨ - ١٠٢ و ١٠٦ و١٢٤ - ١٢٧، 10 ٤٠ - ٤٣، 21 ٣ و ٤ و٨ و١٠ و١١ - ١٣، 29 ١٠ و١١، 31 ٦ و ٧، 42 ٤٨، 47 ١٦ - ١٨

**أوامره :** 2 ٨٣ و١١٣ و٢١٠، 3 ١٠٩ و١٢٨ و١٥٤، 6 ٥٧ و٦٢ و١٥١ - ١٥٣، 7 ٣٣، 8 ٤٤، 11 ١٢٣، 12 ٦٧، 13 ٣١، 16 ٩٢ و١٢٤، 19 ٦٤، 21 ٢٢، 22 ١٧ و٣٠ و٦٩ و٧٧و٧٨، 23 ٩٦، 27 ٧٨، 28 ٦٨ و٧٠ و٨٨، 30 ٤، 31 ١٤، 32 ٢٥، 34 ٢٦، 39 ٤٦، 41 ٣٤، 42 ١٠ و٣٨ - ٤٣، 49 ٩ - ١٢، 58 ٩، 74 ٣ - ٧، 82 ١٩

**تقريع من لايقر بوحدانيته تعالى:** 27 ٥٩ - ٦٤، 28 ٧١ و٧٢، 34 ٢٤ و٢٧، 67 ١٦ - ٢٢ و٢٨ و٣٠

**تنزيه الله تعالى عن الظلم:** 2 ٢٧٢ و٢٨١ و٢٨٦، 3 ٢٥ و١٠٨ و١١٧ و١٦١ و١٨١، 4 ٤٠ و٤٩ و١٢٤، 6 ١٣١ و١٥٢ و١٦٠، 8 ٦٠، 9 ٧٠، 10 ٤٤ و٤٧ و٥٤، 11 ١٠١ و١١٧، 16 ٣٣ و١١١ و١١٨، 17 ٧١، 18 ٤٩، 19 ٦٠، 20 ١١٢، 21 ٤٧، 22 ١٠، 23 ٦٢، 26 ٢٠٩، 28 ٥٩، 29 ٤٠، 30 ٩، 36 ٥٤، 40 ١٧، 41 ٤٦، 43 ٧٦، 45 ٢٢، 46 ١٩، 50 ٢٩، 65 ٧

**التوحيد المطلق لله تعالى:** 2 ٢٥٥، 3 ٢ و٢٦، 6 ١٨ و٥٦ و١٦١ و١٦٣ و١٦٤ و١٦٥، 10 ٣٢ و١٠٤ و١٠٥، 16 ٥١، 20 ٢٨، 27 ٢٦، 30 ٣٠،

الأعلى: 79 ٢٤، 87 ١، 92 ٢٠

أعلم: 3 ٣٦ و١٦٧، 4 ٢٥ و٤٥، 5 ٦١، 6 ٥٣ و٥٨ و١١٧ و١١٩ و١٢٤، 10 ٤٠، 11 ٣١، 12 ٧٧، 16 ١٠١ و١٢٥، 17 ٢٥ و٤٧ و٥٤ و٥٥ و٨٤، 18 ١٩ و٢١ و٢٢ و٢٦، 19 ٧٠، 20 ١٠٤، 22 ٦٨، 23 ٩٦، 26 ١٨٨، 28 ٣٧ و٥٦ و٨٥، 29 ١٠ و٣٢، 39 ٧٠، 46 ٨، 50 ٤٥، 53 ٣٠ و٣٢، 60 ١ و١٠، 68 ٧، 84 ٢٣

الأول: 57 ٣

البارئ: 59 ٢٤

الباطن: 57 ٣

البَرّ: 52 ٢٨

البصير: 2 ٩٦ و١١٠ و٢٣٣ و٢٣٧ و٢٦٥، 3 ١٥ و٢٠ و١٥٦ و١٦٣، 5 ٧١، 8 ٣٩ و٧٢، 11 ١١٢، 17 ١، 22 ٦١ و٧٥، 31 ٢٨، 34 ١١، 35 ٣١، 40 ٢٠ و٤٤ و٥٦، 41 ٤٠، 42 ١١ و٢٧، 49 ١٨، 57 ٤، 58 ١، 60 ٣، 64 ٢، 67 ١٩

بصيراً: 4 ٥٨ و١٣٤، 17 ١٧ و٣٠ و٩٦، 20 ٣٥، 25 ٢٠، 33 ٩، 35 ٤٥، 48 ٢٤، 76 ٢، 84 ١٥

التواب: 2 ٣٧ و٥٤ و١٢٨ و١٦٠، 9 ١٠٤ و١١٨، 24 ١٠، 49 ١٢

تواباً: 4 ١٦ و٦٤، 110 ٣

الجامع: 3 ٩، 4 ١٤٠

الجبار: 59 ٢٣

الحسيب: 4 ٦ و٨٦، 33 ٣٩

الحفيظ: 11 ٥٧، 34 ٢١، 42 ٦

الحقّ: 6 ٦٢، 10 ٣٠ و٣٢، 18 ٤٤، 20 ١١٤، 22 ٦ و٦٢، 23 ١١٦، 24 ٢٥، 31 ٣٠، 41 ٥٣

الحكيم: 2 ٣٢

الحليم: 2 ٢٢٥ و٢٣٥ و٢٦٣، 3 ١٥٥، 4 ١٢، 5 ١٠١، 22 ٥٩، 64 ١٧

حليماً: 17 ٤٤، 33 ٥١، 35 ٤١

الحميد: 2 ٢٦٧، 11 ٧٣، 14 ١ و٨، 22 ٢٤ و٦٤، 31 ١٢ و٢٦، 34 ٦، 35 ١٥، 41 ٤٢، 42 ٢٨، 57 ٢٤، 60 ٦، 64 ٦، 85 ٨

حميداً: 4 ١٣١

الحيّ: 2 ٢٥٥، 3 ٢، 25 ٥٨، 40 ٦٥

الخالق: 59 ٢٤

الخبير: 2 ٢٣٤

الخلاق: 15 ٨٦، 36 ٨١

الرؤوف: 2 ١٤٣ و٢٠٧، 3 ٣٠، 9 ١١٧ و١٢٨، 16 ٧ و٤٧، 22 ٦٥، 24 ٢٠، 57 ٩، 59 ١٠

الرحمن: 1 ١، 55 ١

الرحيم: 1 ١ و٣

الرزاق: 51 ٥٨

الرقيب: 4 ١، 5 ١١٧، 33 ٥٢

السلام: 59 ٢٣

السميع: 2 ١٢٧

الشاكر: 2 ١٥٨، 4 ١٤٧

الشكور: 35 ٣٠ و٣٤، 42 ٢٣ و٣٣، 64 ١٧

الشهيد: 3 ٩٨، 4 ٧٩ و١٦٦، 6 ١٩، 10 ٢٩ و٤٦، 13 ٤٣، 17 ٩٦، 29 ٥٢، 33 ٥٥، 46 ٨، 48 ٢٨

الصادق: 6 ١٤٦

الصمد: 112 ٢

الضار: 58 ١٠

الظاهر: 57 ٣

العزيز: 2 ١٢٩

العظيم: 2 ٢٥٥، 42 ٤، 56 ٧٤ و٩٦، 69 ٣٣، ٥٢

العفوّ: 4 ٤٣ و٩٩ و١٤٩، 22 ٦٠، 58 ٢

العليّ: 2 ٢٥٥، 22 ٦٢، 31 ٣٠، 34 ٢٣، 40 ١٢، 42 ٤ و٥١، 43 ٤

العليم: 2 ٢٩

رب كلّ شيء: 6 ١٦٤

رب المشارق: 37 ٥، 70 ٤٠

رب المشرق والمغرب: 26 ٢٨، 73 ٩

رب المشرقين: 55 ١٧

رب المغربين: 55 ١٧

رب موسى وهارون: 7 ١٢٢، 26 ٤٨

رب الناس: 114 ١

رب هارون وموسى: 20 ٧٠

رب هذا البيت: 106 ٣

رب هذه البلدة: 27 ٩١

رفيع الدرجات: 40 ١٥

سريع الحساب: 2 ٢٠٢، 3 ١٩ و١٩٩، 5 ٤، 13 ٤١، 14 ٥١، 24 ٣٩، 40 ١٧

سريع العقاب: 6 ١٦٥، 7 ١٦٧

سميع الدعاء: 3 ٣٨، 14 ٣٩

شديد العذاب: 2 ١٦٥

شديد العقاب: 2 ١٩٦ و٢١١، 3 ١١، 5 ٢ و٩٨، 8 ١٣ و٢٥ و٤٨ و٥٢، 13 ٦، 40 ٣ و٢٢، 59 ٤ و ٧

شديد المِحال: 13 ١٣

عالم الغيب: 34 ٣، 72 ٢٦

عالم غيب السماوات والأرض: 35 ٣٨

عالم الغيب والشهادة: 6 ٧٣، 9 ٩٤ و١٠٥، 13 ٩، 23 ٩٢، 32 ٦، 39 ٤٦، 59 ٢٢، 62 ٨، 64 ١٨

علّام الغيوب: 5 ١٠٩ و١١٦، 9 ٧٨، 34 ٤٨

غافر الذنب: 40 ٣

فاطر السماوات والأرض: 6 ١٤، 12 ١٠١، 14 ١٠، 35 ١، 39 ٤٦، 42 ١١

فالق الإصباح: 6 ٩٦

فالق الحب والنوى: 6 ٩٥

فعّال لما يريد: 11 ١٠٧، 85 ١٦

قابل التَّوْب: 40 ٣

مالك الملك: 3 ٢٦

مالك يوم الدين: 1 ٤

الملك الحق: 20 ١١٤، 23 ١١٦

ملك الناس: 114 ٢

نور السماوات والأرض: 24 ٣٥

واسع المغفرة: 53 ٣٢

يحيي الموتى: 30 ٥٠، 41 ٣٩

**علمه جلّ شأنه:** 2 ٣٠ و٧٧ و١٩٧ و٢١٦ و٢٥٥، 3 ٢٩ و١١٩، 4 ٤٥ و٧٠ و١٠٨، 5 ٧ و٩٩ و١٠٤ و١١٦ و١١٧، 6 ٣ و٥٣ و٥٩ و٦٠ و١١٧ و١١٩ و١٢٤، 7 ٧ و٥٢ و٨٩، 10 ٣٦ و٦١، 11 ٥ و٦، 13 ٩ - ١١ و٣٧ و٤٣، 15 ٢٤، 16 ١٩ و٢٣ و٢٨ و١٢٥، 17 ٢٥ و٤٧ و٥٤، 19 ٨٤ و٩٤ و٩٥، 20 ٧ و٩٨ و١١٠، 21 ٤ و٢٨ و٨١ و١١٠، 22 ٧٠ و٧٦، 23 ٥٦ و٩٦، 24 ٦٤، 25 ٦، 26 ٢١٨ - ٢٢٠، 27 ٢٥ و٧٤ و٧٥، 28 ٦٩ و٨٥، 29 ١٠ و١١ و٤٢ و٤٥ و٥٢ و٦٢، 31 ١٦ و٢٣، 33 ٥٤، 34 ٢ و٣، 35 ١١ و٣٨، 36 ١٢ و٧٦ و٧٩، 39 ٧ و٧٠، 40 ١٦ و١٩، 41 ٤٠ و٤٧ و٥٠ و٥٤، 42 ٢٤ و٢٥ و٥٠، 43 ٨٠، 47 ١٩ و٣٠، 49 ١٦ و١٨، 50 ٤ و١٦ و٤٥، 53 ٥ و٣٢، 57 ٤ و٦ و٢٢، 58 ٧، 60 ١، 64 ٤، 65 ١٢، 66 ٣، 67 ١٣ و١٤، 72 ٢٨، 74 ٣١، 75 ١٣، 85 ٢٠، 87 ٧، 100 ١١

**غضبه**: 2 ٦١، 3 ١١٢ و١٦٢، 4 ٩٣، 5 ٦٠ و٨٠، 7 ١٥٢، 8 ١٦، 16 ١٠٦، 40 ١٠، 48 ٦، 58 ١٤

**غناه وافتقار الناس إليه**: 2 ٢٦٧ و٢٨٤، 3 ٩٧ و١٠٩ و١٢٩ و١٨٠ و١٨١، 14 ٨، 16 ٩٦، 29 ٦، 35 ١٥، 39 ٧، 51 ٥٧، 55 ٢٩

**مشيئته**: 2 ٢٠ و٩٠ و١٠٥ و١٤٢ و٢١٢ و٢١٣ و٢٢٠ و٢٤٧ و٢٥١ و٢٥٣ و٢٥٥ و٢٦١ و٢٦٩ و٢٧٢ و٢٨٤، 3 ٦ و١٣ و٢٦ و٣٧ و٤٠ و٤٧ و٧٣ و٧٤ و١٢٩ و١٧٩، 4 ٤٨ و٤٩ و١١٦ و١٣٣، 5 ١٧ و١٨ و٢٠ و٤٠ و٤٨ و٥٤ و٦٤، 6 ٣٩ و٤١ و١٠٧ و١١١ و١٣٣ و١٣٧ و١٤٩، 7 ٨٩ و١٧٥

١٧٦ و١٨٨، 10 ٢٥ و٤٩ و٩٩ و١٠٠
و١٠٧، 11 ١١٨، 13 ٢٧ و٣١ و٣٩، 16 ٩٣،
17 ٥٤ و٨٦، 22 ١٨، 24 ٣٥ و٤٣ و٤٥، 25
١٠ و٥١، 26 ٤، 28 ٥٦ و٦٨ و٨٢، 29 ٢١،
30 ٥٤، 32 ١٣، 34 ٩، 35 ١ و٨ و١٦ و٢٢،
36 ٤٣ و٤٤ و٦٦ و٦٧، 42 ٨ و١٣ و٢٧
و٢٩ و٤٩ و٥٠ و٥١ و٥٢، 47 ٤ و٣٠، 48
١٤، 57 ٢١ و٢٩، 62 ٤، 74 ٣١ و٥٦، 76
٢٨و٣٠ و٣١،81 ٢٩، 87 ٧

**نعمه على عباده والأمر بالتحدث بها** : 1 ٦١ و٧،
2 ٢١١، 4 ٦٩، 5 ٣ و٦ و٧ و١١، 6 ١٤١
- ١٤٤، 7 ١٠ و٢٦، 8 ٢٦ و٥٣ و٦٢،
و٦٣، 14 ٢٨، 16 ١٨ و٧١ و٨٣ و١١٤،
17 ٦٦ و٧٠ و٨٣، 19 ٥٨، 21 ٤٢ و٨٠،
27 ٧٣، 31 ٢٠، 33 ٣٧ و٤٣، 41 ٥١، 49
٧ و٨ و١٧، 80 ٣٢، 89 ١٥، 93 ١١، 96
٤ و٥

**وجوده** : 2 ٢٨ و٢٩ و١٦٤، 3 ١٨ و١٩٠
و١٩١، 6 ٧٣ و٨٠، 7 ١٨٥، 10 ٦، 11 ٧،
13 ٢ - ٤، 16 ٤٨ و٨١، 17 ١٢، 20 ٥٤
و١٢٨، 21 ٣٣، 22 ١٨، 24 ٤٥، 25 ٥٤
و٥٩، 27 ٥٩ و٦٠، 29 ٤٤ و٦١ و٦٣، 30
٢٠ - ٢٧ و٤٦، 31 ١١ و٢٥ و٣١، 36
٣٣ - ٤٤، 39 ٣٨، 40 ١٣، 41 ٣٧ و٣٨
و٣٩ و٤٠ و٥٣، 42 ٢٩ و٣٢، 43 ٩ و٨١،
45 ٣ - ٥، 50 ٦ - ١١، 64 ١ - ٤، 67
٣ و١٩ و٣٠، 71 ١٥، 87 ٢ - ٥

**وحدانيته** : 2 ٢١ و٢٢ و٢٨ و٢٩ و١٠٧
و١١٥ و١١٧ و١٣٣ و١٦٣ و١٦٥ و٢٥٥،
3 ٥ و٦ و١٨ و٢٧ و٦٢ و٨٣ و١٠٩ و١٢٩
و١٨٩، 4 ١ و٨٧ و١٢٦ و١٣١ و١٣٢، 5
١٧ و٧٢ - ٧٧ و١٢٠، 6 ١ و٢ و١٢ و١٤
و١٧ - ٢٤ و٤٦ و٤٧ و٥٩ - ٦١ و٩٥ -
١٠٣ و١٦١ - ١٦٥، 7 ٥٤ و١٥٨ و١٨٥
و١٨٩، 9 ١١٦، 10 ٣ و٥ و١٨ و٢٢ و٢٨
- ٣٦ و٥٥ و٥٦ و٦٦ - ٧٠ و١٠١، 11
٧، 13 ١٢ - ١٧، 14 ١٩ و ٢٠ و٣٢ -
٣٤، 15 ١٦ - ٢٧، 16 ٢ - ٢٣ و٣٦
و٤٨ و٤٩ و٥١ و٥٢ و٦٥ - ٧٣ و٧٨ -
٨١، 17 ١٢ و٤٠ و٤٢ - ٤٤ و١١١، 19
٣٥ و٨٨ - ٩١، 21 ١٩ - ٣٣، 22 ٣١
و٣٤ و٦١ - ٦٦ و٧١، 23 ١٧ - ٢٣ و٧٨
- ٨٠ و٨٤ - ٩٢، 24 ٤١ - ٤٥، 25 ١ -
٣ و٤٥ - ٥٠ و٥٣ و٥٤ و٥٩ و٦١، 26 ٧
- ٩، 27 ٢٥ و ٢٦ و٥٩ - ٦٥ و٨٦ و٨٨
و٩٣، 28 ٦٢ - ٧٥، 29 ١٩، 30 ٨ - ١١
و٤٠ و٤٨ - ٥٠ و٥٤، 31 ١٠ و ١١ و٢٥
و ٢٦ و٢٩ - ٣١، 32 ٦ - ٩ و٢٧، 35 ٣
و٩ و١١ - ١٣ و٢٧ و ٢٨ و٤١، 36 ١٢
و٧١ - ٧٣ و٧٧ - ٨٣، 37 ٤ - ١١
و١٤٩ - ١٥٩، 38 ٦٥ و ٦٦، 39 ٤ - ٦
و٨ و٢١ و٢٩ و٤٢ و ٤٣ و٤٦ و٦٢ -
٦٧، 40 ٣ و١٣ و١٥ و٥٧ و٦١ - ٦٥
و٦٧ - ٦٩ و٧٩ - ٨٤، 41 ٦ و٩ - ١٢
و٣٧ - ٣٩ و٥٣ و٥٤، 42 ٤ و ٥ و٩ و١١
و ١٢ و٢٨ و ٢٩ و٣٢ - ٣٥ و٤٩ و ٥٠،
43 ٩ - ١٦ و٨١ - ٨٧، 44 ٦ - ٨، 45
١٢ و ١٣، 46 ٥ و ٦، 47 ١٩، 48 ٤ -
٧، 50 ٣٨، 51 ٢٠ - ٢٣ و٤٧ - ٥١، 53
٤٢ - ٥٥، 55 ١ - ٢٨، 57 ٢ - ٦ و١٧،
59 ٢٢ - ٢٤، 63 ٧، 64 ١٨، 65 ١٢، 67
١ - ٥ و١٥ - ١٧ و٢٣ و ٢٤، 71 ١٣ -
٢٠، 72 ٣، 73 ٩، 76 ١ - ٣ و٢٨ و ٢٩،
77 ٢٠ - ٢٦، 78 ٣٧، 80 ٢٤، 82 ٦ -
٨، 88 ١٧ - ٢٠، 112 ١ - ٤

**الوعد والوعيد** : 2 ٢٤ و ٢٥، 3 ٥٦ - ٥٨،
4 ١١٤ و ١١٥ و١٧٣ - ١٧٥، 5 ٩٨، 6
١٣٣ و ١٣٤ و١٤٧، 7 ٩٤ و٩٥ و١٧٩، 8
٢٣ و٢٥ و٥٩، 9 ١٧ و٨٢ و٨٨ و٨٩ و٩٨
و١٠٠ و١٢٤ و ١٢٥، 10 ٢٦ و ٢٧، 11
١٠٧ و ١٠٨، 13 ١٨، 15 ٤٣ و ٤٤
و٥٠، 16 ٢٢ و ٢٣ و٣٨ - ٤٠ و١٠٦ -
١١٠، 17 ٦٠ و٩٧ و ٩٨، 18 ٨٨ -
١٠٢، 19 ٦٨ - ٧٨، 21 ١ - ٤ و١٠ -

١٦ و٣٩ و ٤٠، 22 ١٩ - ٢٥ و٥٠ و ٥١
و٥٦ و ٥٧، 23 ٨٢ و ٨٣ و٩٣ - ٩٥،
24 ٦٤، 26 ١٩٨ - ٢٠٩، 28 ٦٧، 29 ٦٥
و ٦٦، 30 ١٤ - ١٦ و٣٣ و٣٤ و٤٥، 32
١٢ - ١٤ و٢٨ - ٣٠، 33 ٨ و٧٣، 34 ٤
و٥ و٢٩ و٣٠ و٣٥ - ٣٨ و٥١ - ٥٤، 35
٧ و٣٢ و٣٣ و٣٦ و٣٧ و٤٢ و٤٣، 36 ٥٣
- ٦٤، 40 ٣، 45 ٣٠ و ٣١، 51 ١ -
١٢، 52 ١ - ١٦، 55 ٣١ - ٥٨ و٦٠
و٦٢ و٦٤ و٦٦ و٦٨ و٧٢ و٧٤ و٧٦، 56 ٨
- ٥٧ و٨٣ - ٩٦، 69 ١٩ - ٤٢ و٤٨ -
٥٢، 70 ٤١، 74 ٣٢ - ٥٦، 75 ١ - ١٥،
77 ١ - ١٥، 79 ١ - ١٤، 85 ١ - ٩، 86
١ - ١٧، 89 ١ - ١٤، 91 ١ - ١٥، 92
١ - ٢١، 95 ١ - ٥، 98 ١ و ٦ و ٧

**الوعيد** : 2 ١٥٩ - ١٦٢ و١٧٤ - ١٧٦، 3
١٠ و٣١ و٧٧ و٩٠ و٩١ و١٧٧ و١٧٨، 4
١٠ و٣٦ و٣٧ و٥٦ و٩٧ و١٣٧ - ١٣٩
و١٥٠ و١٥١ و١٥٩ و١٦٧ و١٦٨، 8 ٣٩،
10 ٨، 18 ٢٩، 22 ١٧ و٢٥، 24 ٣٩ و٤٠،
27 ٤ و٥، 33 ٥٨، 38 ٢٦، 40 ١٠ - ١٢
و٥٦، 41 ٤٠ - ٤٢، 42 ١٦، 43 ٧٤
و٧٥، 47 ٣٢ - ٣٤، 53 ٢٧-٣٠، 58 ٥
و٢٠ و٢١، 76 ٤، 98 ٦

**يحيي ويميت** : 2 ٢٨ و٧٣ و٢٥٨ و٢٦٠، 3
٢٧ و١٥٦، 6 ٩٥، 7 ١٥٨، 9 ١١٦، 10
٣١ و٥٦، 22 ٦ و٦٦، 23 ٨٠، 30 ١٩
و٤٠ و٥٠، 36 ٧٩، 40 ٦٨، 42 ٩، 44 ٨،
45 ٢٦، 46 ٣٣، 57 ٢ و١٧، 75 ٤٠

## (٢)- الجاهلون بالدين:

الإعراض عنهم: 7 ١٩٩

قبول توبتهم: 6 ٥٤، 16 ١١٩

## (٣)- عقوبة المرتدين :

2 ٢١٧، 4 ١٣٧، 5 ٥٤، 16 ١١٢، 47 ٢٥ - ٣٢

## (٤)-الشرك والمشركون:

**أصنامهم والتهكم بهم على عبادتها:** 4 ٥١ و ٥٢
و١١٧ و ١١٨، 6 ٧١ و١٣٦ - ١٤٠، 7 ٣٧
و١٩٠ - ١٩٨، 10 ١٨ و٢٨، 14 ٣٠، 16 ٥٧
و٨٦ و ٨٧، 17 ٥٦ و٥٧، 19 ٨١ و٨٢، 22
١٣ و٧٣، 25 ٣، 29 ٢٥، 34 ٢٢، 35 ١٣
و١٤ و٤٠، 36 ٧٤ و٧٥، 37 ١٢٥، 53 ١٩ -
٢٣، 71 ٢٣

**الإعراض عن المشركين المستهزئين** : 4 ١٤٠، 6
٦٨ - ٧٠ و١٠٦، 7 ١٩٩، 15 ٩٤، 53
٢٩

**براءة الله ورسوله من المشركين:**
9 ١ - ١٦ و٢٨ و٣٦

**تنزيه الله جلّ جلاله عن الشريك :** 2 ١١٦، 4
١٧١، 5 ٧٩، 6 ١٤ و١٠١ و١٥٠، 7 ١٨٩ -
١٩٥، 10 ٦٨، 12 ٣٩ و٤٠ و١٠٨ و١٠٩،
13 ١٦ و١٧ و١٨ و٣٦، 16 ٧١ - ٧٦، 17
٤٠ و٤٢ و ٤٣ و٥٦ و ٥٧ و١١١، 18 ٢٦،
19 ٣٥ و٨٨ - ٩٤، 21 ٢١ - ٢٨ و٤٣، 22
١٢ و ١٣ و٦٢ و٧١ و٧٣، 23 ٩٢ و ٩٣
و١١٧، 25 ٢ و٣ و٥٥، 29 ١٧ و٤١، 30 ٢٨
و٤٠، 31 ١١ و٣٠، 34 ٢٢ و٢٧، 35 ١٣
و٤٠، 36 ٢٢ - ٢٤ و٧١ و٧٣ و٧٤ و ٧٥،
37 ١٥٠ - ١٥٢ و١٥٨ و ١٥٩، 39 ٤ و٢٩
و٣٨ و٤٣، 40 ٢٠، 43 ٤٥ و٨١ و٨٢، 46 ٤
- ٦، 52 ٤٣، 72 ١ - ٣ و٢٠، 112 ٣

**الشُبَه التي يحتج بها المشركون :**
6 ١٤٨ و ١٤٩، 16 ٣٥، 43 ١٥ و ٢٢

**عبادة غير الله تعالى** : 10 ١٨ و٢٨، 19 ٨٢ [cut off]
و٨٣ و٨٩ - ٩٤، 34 ٤٣، 37 ٣٥ و ٣٦، [cut off]8
٤ - ٩، 41 ٥ و٦

**النهي عن الشرك والوعيد عليه:** 2 ٢٢ و١٦٥، 3 [cut off]
٦٤، 4 ٣٦ و٤٨ و١٥٥، 5 ٧٥ و٧٦، 6 ١٤ [cut off]
و١٩ و٤٠ و٤١ و٥٦ و٧١ و٨٢ و٨٨ و١٠٦ [cut off]
و١٥١ و١٦٣ و١٦٤، 7 ٣ و٣٠ و٣٣، 10 ٦٦
و١٠٥ و١٠٦، 12 ٣٨ و١٠٦ و١٠٨، 14 ٣٠ [cut off]
16 ٢٧ و٥١، 17 ٢٢ و ٢٣ و٣٩، 18 ٤ [cut off]
و٥٢ و١١٠، 19 ٨١ و٨٨، 21 ٢٩ و٩٨ و [cut off]
٩٩، 22 ٣٠ و ٣١، 26 ٢١٣، 28 ٨٧، 29 [cut off]

٨، 30 ٣١ - ٣٣، 31 ١٣ و١٥، 37 ٣٨ و ٣٩ و١٦١ و ١٦٢، 38 ٩ - ١١، 39 ٣ و٨ و١٧ و٦٤، 40 ٦٦، 46 ٢٧ و ٢٨، 51 ٥١، 60 ١٢، 72 ١٨

## (٥)- الكافرون :

**افتراؤهم على الله وتكذيبهم ومجادلتهم بآيات الله:** 2 ٧٩ - ٨١، 3 ٧٨، 4 ٥١، 5 ١٠٤، 6 ٢١ و٩٣ و٩٤ و١٣٧ - ١٤٠ و١٤٣ و١٤٤ و١٥٧، 7 ٣٢ و٣٥ و٣٦ - ٤٠ و١٧٤ - ١٧٦ و١٨١ و١٨٢، 8 ٣١ و٥٥، 10 ١٧ و٣٩ و٥٩ و٦٠ و٦٩ و٧٠ و٩٥، 11 ١٨ - ٢٢، 16 ١١٦ و١١٧، 18 ١٥، 27 ٨٣ - ٨٥، 29 ٦٨، 39 ٣٢ و٦٠، 40 ٣٥ و٥٦ و٦٣ و٦٩ - ٧٦، 41 ٤٠، 42 ٣٥، 45 ٦ - ٩، 61 ٧ و ٨، 62 ٥، 68 ١٥ و ١٦

**إعراضهم عن آيات الله** : 6 ٤ و٥ و١٠ و٤٦، 12 ١٠٥، 20 ١٢٤، 21 ١ - ٣ و٢٤ و٣٦، 26 ٥ و٦، 32 ٢٢، 34 ٥، 36 ٣٠ و٤٥ و٤٦، 37 ١٢ - ١٤، 41 ٤ و٥، 45 ٣١، 46 ٣، 53 ٣٣ - ٣٥ و٥٩-٦١، 54 ٢ - ٥، 75 ٣١ - ٣٣

**إلقاء الرعب في قلوبهم** : 3 ١٥١، 8 ١٢

**امتناعهم عن الإيمان لا يجديهم نفعا** : 2 ٢١٠، 4 ١٣٥ و١٥٨، 10 ٥٠ و٥١ و١٠١ و١٠٢، 11 ١٢١ و١٢٢، 20 ١٣٥، 32 ٢٨ - ٣٠، 34 ٥٢ - ٥٤، 36 ٤٩ و٥٠، 39 ٣٩ و٤٠، 40 ٨٤ و٨٥، 43 ٦٦، 44 ٥٩، 47 ١٨

**تحدي الكفار** : 2 ٢٣ و٢٤، 10 ٣٨، 11 ١٣، 17 ٨٨، 28 ٤٩، 52 ٣٣ و٣٤

**تخلي المتبوعين عن الأتباع** : 2 ١٦٦ و١٦٧، 10 ٢٨ - ٣٠، 14 ٢١ و٢٢، 16 ٨٦ و٨٧، 25 ١٧ و١٨، 28 ٦٢ - ٦٤، 29 ٢٥، 30 ١٢، 34 ٣١ - ٣٣ و٤٠ و٤١، 37 ٢٧ - ٣٣، 38 ٥٩ - ٦٤، 40 ٤٧ و٤٨، 50 ٢٧

**تشبيههم بالموتى والصم والبكم والعمي** : 2 ٧ و١٨، 6 ٣٦ و٣٩ و٥٠ و١٠٤ و١٢٢، 7 ١٧٨، 8 ٢٢ و٢٣ و٥٥، 10 ٤٢ و٤٣، 11 ٢٤، 13 ١٦ و١٩، 17 ٧٢، 18 ٥٧، 21 ٤٥، 22 ٤٦، 25 ٤٤ و٧٣، 27 ٨٠ و٨١، 30 ٥٢ و٥٣، 31 ٧، 35 ١٩ - ٢٢، 36 ٩، 40 ٥٨، 41 ٤٤، 43 ٤٠، 47 ٢٣ و٢٤

**التشدد معهم** : 2 ١٩٣، 3 ٨٥، 4 ٨٩، 5 ٣٣ و٣٤، 8 ٥٥ - ٥٧، 9 ٥ و٢٣ و٢٤ و٢٩ و٧٣ و١١٣ و١١٤ و١٢٣، 28 ٨٦، 47 ٤ و٨، 58 ٥ و٢٢، 60 ١ و٢ و٤ و١٣، 66 ٩، 68 ٨ و٩، 71 ٢٦ و٢٧

**تعنت الكفار واستعجالهم العذاب:** 2 ١٠٨ و١١٨، 4 ١٥٣، 6 ٣٧ و٥٧ و٥٨، 7 ٢٠٣، 8 ٣٢، 10 ٢٠ و٥٠ و٥١، 13 ٦ و٧ و٢٧، 17 ٥٩ و٩٠ - ٩٦، 20 ١٣٣ - ١٣٥، 21 ٣٧ - ٤٠، 22 ٤٧، 25 ٧ - ٩، 26 ٢٠٤ و٢٠٧، 27 ٧١ و٧٢، 28 ٥٧، 29 ١٢ و١٣ و٥٠ و٥٣ - ٥٥، 30 ٥٨ و٥٩، 36 ٤٨ - ٥٠، 37 ١٧٦ - ١٧٩، 38 ١٦، 42 ١٧ و١٨، 43 ٣٠ - ٣٢، 46 ٧، 67 ٢٥ و٢٦، 70 ١ - ٧، 74 ٥٢

**التهكم بالكفار** : 4 ٥٣، 37 ١٤٩ - ١٥٧، 43 ١٥ - ٢١، 52 ٣٠ - ٤٦، 68 ٣٥ - ٤٧، 70 ٣٦ - ٣٩

**الجاحدون من الكفار** : 3 ١٢ و١٧٦، 6 ١٢، 8 ٥٥، 10 ٧ و٨، 11 ١٨ - ٢٢، 16 ١٠٤ و١٠٥، 18 ٥٥، 19 ٧٣ - ٨٠، 24 ٣٩ و٤٠، 26 ٣ - ٨ و٢٠٠ - ٢٠٧، 27 ٤ و٥، 29 ١٢ و١٣ و٢٣، 31 ٢٣، 34 ٣٨، 35 ٧ و٣٩، 36 ٤٥ و٤٦، 38 ٢٧ و٢٨، 41 ٤١، 47 ٨ - ١١، 57 ٨ و٩، 64 ٥ و٦ و١٠، 67 ٦ و٧، 88 ١٧ - ٢٦

**جزاء مكر الكفار** : 3 ٥٤، 6 ١٢٣ و١٣٥، 8 ٣٠، 10 ٢١، 13 ٣٥ و٤٢، 14 ٤٦، 16 ٤٥ - ٤٧، 27 ٥٠ و٥١، 34 ٣٣، 35 ١٠ و٤٣

**شُبه الكفار واحتجاجهم بالقدر** : 6 ١٤٨ و١٤٩، 16 ٣٥، 43 ٢٠

**صدهم عن سبيل الله** : 2 ٢١٧، 3 ٩٩، 7
٨٥، 8 ٣٤ و٤٨، 9 ٣٥، 11 ١٨ - ٢٢،
14 ٣، 22 ٢٥، 31 ٦، 47 ١ و٣٢ و٣٤
**صفات الكفار**: 2 ٦ و٧ و٢٦ و٣٩ و٩٨ و١٠٤
و١٠٥ و١١٤ و١٢١ و١٢٦ و١٦١ و١٦٢
و١٧١ و٢١٠ و٢١٧ و٢٥٧، 3 ٤ و١٠ -
١٢ و١٩ و٢١ و٢٢ و٣٢ و٥٦ و٨٦ - ٩١
و١٠٥ و١٠٦ و١١١ و١١٢ و١١٦ - ١٢٠
و١٤٩ و١٥١ و١٧٦ - ١٧٨ و١٨١ - ١٨٣
و١٩٦ و١٩٧، 4 ١٨ و٣٦ - ٣٩ و٤٢ و٥٦
و٧٦ و١٠٢ و١٣٧ و١٥٠ و١٥١ و١٦٧ -
١٧٠ و١٧٣، 5 ٥ و١٠ و٣٦ و٣٧ و٤١
و٤٤ و٤٥ و٥٧ و٥٨ و٦٠ - ٦٣ و٦٧ و٧٣
و٧٨ و٨٠ و١٠٤، 6 ١ و٤ و٧ و٨ و٢٥ و
٢٦ - ٣١ و٣٣ و٣٧ و٧٠ و١٢٩ و١٣٠، 7
٥٠، 8 ١٣ و١٤ و١٨ و٣٠ - ٣٩ و٥٠ -
٥٩ و٧٣، 9 ٧٣ - ٨٧، 10 ٢ و٤ و٢٧
و٥٤، 11 ١٠٦ و١٠٧، 13 ١٨ و٣١ و٣٥
و٤٢ و٤٣، 14 ٢ و٣ و٢٧ - ٣٠، 15 ٢
٣ و٩٠ - ٩٣، 16 ٢٧ - ٢٩ و٣٣ و٣٦
و٨٣ - ٨٥ و٨٨ و١٠٤ - ١٠٩ و١١٢
و١١٣، 17 ١٠ و٤٥ - ٤٨ و٩٧ و٩٨، 18
٢٩ و٥٢ و٥٣ و١٠٠ - ١٠٦، 19 ٣٧ -
٣٩ و٧٢ - ٧٥ و٨٣ - ٨٧، 20 ٧٤ و١٢٤
- ١٢٧ و١٣٤ و١٣٥، 21 ٩٧ - ١٠٠، 22
١٩ و٢٢ و٣٨ و٥١ و٥٥ و٥٧ و٧١ و٧٢،
23 ٥٣ - ٥٦ و٦٣ - ٧٧ و٩٣ - ٩٦، 24
٥٧، 25 ٣٤ و٤٠ و٤٣ و٤٤ و٥٥، 26
٢٢٧، 29 ٢٣ و٤١ - ٤٣ و٥٢ - ٥٥، 30
١٦ و٤٤ و٤٥، 31 ٢٣، 32 ١٠ و٢١، 33
٨ و٦٤ - ٦٨، 34 ٥ و٣٨، 35 ٧ و١٠
و٣٦ و ٣٧ و٣٩، 36 ٥٩ - ٦٥، 37 ٢٢
و٢٦ و٦٢ - ٧٣، 38 ١ و٢ و٥٥ - ٥٨،
39 ٤٧ و٤٨ و٦٣ و٧١ و٧٢، 40 ٤ و٦
و١٠ - ١٢، 41 ١٩ - ٢٨، 42 ٢٦، 44 ٩
- ١٦ و٤٣ - ٤٩، 45 ٣ - ١١ و٣١ -
٣٥، 46 ٢٠ و٣٤ و٣٥، 47 ١ و٣ و٤ و٨
و٩ و١١ و١٢ و١٨ و٢٩ و٣٠ و٣٢ و٣٤،
48 ١٣، 50 ٢٤ - ٢٦، 51 ٥٢ و٥٣ و٥٩
و٦٠، 52 ٤٥ - ٤٧، 53 ٢٨، 54 ٦ - ٨
و٤٣ - ٤٨، 55 ٤١، 56 ٤١، 57 ١٩، 59
١٤ - ١٧، 64 ١٠، 66 ٩، 67 ٦ - ١٠
و٢٠ - ٢٢ و٢٧ و٢٨، 68 ٣٥ - ٤٧
و٥١، 69 ٢٥ - ٣٧، 70 ٣٦ - ٤٤، 72
٢٣، 74 ٨ - ٢٦ و٣١ و٤٠ - ٥٣، 75
٢٥ - ٣٠، 76 ٤ و٢٧، 77 ٢٩، 79 ٣٧ -
٣٩، 80 ٤٠ - ٤٢، 82 ١٤ - ١٦، 83 ٧
- ١٧ و٢٩ - ٣٦، 84 ٢٤، 85 ١٠ و١٩،
86 ١٥ - ١٧، 87 ١١ - ١٣، 88 ٢ - ٧
و٢٣ و٢٤، 89 ٢٤ - ٢٦، 90 ١٩ و٢٠،
91 ١٠، 92 ٨ - ١١، 98 ١ و٤ و٦، 101
٨ - ١١، 109 ١ - ٦
**عداوة الكفار** : 2 ١٠٥ و١٠٩، 3 ١١٩ و١٢٠، 4
٥١ و١٠١، 5 ٨٢، 9 ٨ و١٠، 17 ٥٣، 20
٣٩، 47 ٢٥، 60 ٢
**عمل الكفار لاينفعهم يوم القيامة**:
3 ١١٧، 8 ٣٦،
9 ٥٥ و٥٦، 14 ١٨، 18 ١٠٤ - ١٠٦، 24
٣٩ و٤٠، 25 ٢٣، 47 ١ و٨ و٩ و٢٨ و٣٢
**الكفر ظلمات** : 2 ٢٥٧، 5 ١٦، 13 ١٦، 57
٩ و٢٨، 61 ٨، 65 ١١
**متابعة الكفر** : 2 ١٢٠، 3 ١٠٠ و١٤٩، 5
٧٧، 6 ١٢١ و١٥٣، 10 ٨٩، 18 ٢٨، 25
٥٢، 33 ٤٨، 42 ١٥
**مثال الكفر:امرأة نوح وامرأة لوط** : 66 ١٠
**مثال من لايستجيب لله** : 2 ٧ و١٨، 6 ٣٦
و٣٩ و٥٠ و١٠٤ و١٢٢، 7 ١٧٩، 8 ٢٢
و٢٣ و٥٥، 10 ٤٢، 11 ٢٤، 13 ١٦ و١٩،
17 ٧٢، 18 ٥٧، 21 ٤٥، 22 ٤٦، 25 ٤٤
و٧٢، 27 ٨٠، 30 ٥٢ و٥٣، 31 ٧، 35 ١٩
- ٢٢، 36 ٩، 40 ٥٨، 41 ٤٤، 43 ٤٠،
47 ٢٣ و٢٤
**المقابلة بين المؤمن والكافر** : 3 ١٦٢، 22 ١٩ -
٢٤ و٢٨، 30 ١٤ - ١٦، 32 ١٨ - ٢١،

35 ٨، 38 ٢٨، 39 ٩ و٢٢ و٢٤، 40 ٥٨، 41 ٤٠، 45 ٢١، 47 ١٤، 59 ٢٠، 67 ٢٢، 68 ٣٥

**نتيجة عمل الكفار:** 3 ١١٧، 8 ٣٥، 9 ٥٤ و٥٥، 14 ١٨، 18 ١٠٤ - ١٠٦، 24 ٣٩ و٤٠، 25 ٢٣، 47 ١ و٨ و٩ و٢٨ و٣٢

**ندم الكفار :** 6 ٢٧ - ٣٠، 7 ٣٦ - ٣٨ و٥٢، 10 ٥٤، 20 ١٠٣ و١٠٤، 21 ٤٦ و٩٧ و٩٨، 23 ١٠٠ و١٠١ و١٠٦ - ١١٦، 25 ٢٧ - ٢٩، 26 ٩٦ - ١٠٢ و٢٠٣، 28 ٦٤، 32 ١٢، 33 ٦٦ - ٦٨، 35 ٣٧، 37 ٢٠، 39 ٥٦ - ٥٩، 40 ١٠ و٤٩ و٥٠، 41 ٢٩، 42 ٤٤ - ٤٦، 57 ١٣ - ١٥، 66 ٧، 67 ٨ - ١١، 74 ٤٢ - ٤٧، 78 ٤٠، 89 ٢٤

**النهي عن موالاة الكفار:** 3 ٢٨ و١١٨ - ١٢٠ و١٤٩، 4 ١٣٧ و١٣٨ و١٤٣، 5 ٥٤ و٥٥ و٦٠ و٨٣ و٨٤، 9 ١٧ و٢٤، 58 ١٤ - ١٩ و٢٢، 60 ١ - ٩ و١٣

**النهي عن نصرة الكفار:** 28 ٨٦

**وجوب الإعراض عن الكفار :** 4 ١٣٩، 6 ٦٨ - ٧٠ و١٠٦، 7 ١٩٨، 11 ١١٠، 15 ٩٤، 25 ٥٢، 30 ٦٠، 33 ١ و٤٨، 42 ١٥، 45 ١٧، 76 ٢٤، 96 ١٩

**وعيدهم :** 4 ١١٤، 5 ٣٦، 8 ١٢ - ١٤، 9 ٦٤، 33 ٥٧ و٥٨، 42 ١٦، 47 ٣٢، 58 ٥ و٦ و٢٠، 59 ٢ - ٤

## (٦)- المكذبون الظالمون:

**الإعراض عنهم:**

4 ١٤٠، 6 ٦٨، 7 ١٩٩، 11 ١١٣، 68 ٨

**صفاتهم :** 2 ٣٩ و١٠٥، 5 ١٠ و٥١، 6 ٤ و٥ و٢٧ و٢٨ و٣٩ - ٤٩ و٥٧ و ٥٨ و١٢٩ و ١٣٠، 7 ٣٦ و٤٠ و٤٤ و٤٥، 9 ٧٧، 10 ٥٢، 11 ١٠٧، 13 ١٨، 14 ٢٧ و٤٢ - ٤٤، 15 ٩٠ - ٩٣، 16 ٨٥ و١٠٤ و ١٠٥ و١١٣، 17 ١٠ و٤٥ - ٤٨، 19 ٣٨ و ٣٩ و٧٢، 21 ٩٧، 22 ٥١ و٥٣ و٥٧ و٧١، 26 ٢٢٧، 32 ٢٠، 34 ٤٢، 37 ٢٢، 39 ٤٧، 40 ١٨ و٥٢ و٦٩ - ٧٦، 41 ١٩، 42 ٢١ و٤٤، 43 ٧٤ - ٧٨، 44 ٤٧، 45 ١٩، 50 ١٤ و٢٩، 51 ٨ - ١٤، 52 ١١ - ١٦، 56 ٩٢ - ٩٤، 57 ١٩، 68 ٤٤ و ٤٥، 72 ١٥ و٢٣، 73 ١١، 74 ٤٦، 75 ٢٤ - ٣٥، 76 ٣١، 77 ٤٦ - ٥٠، 78 ٢١ - ٢٩، 83 ١٠ -١٧، 84 ٢٢ - ٢٤، 92 ١٦

**قساوة قلوبهم :** 6 ٤٣ - ٤٥، 7 ١٨٢ و١٨٣، 15 ٣، 21 ٤٤، 23 ٥٥ - ٥٧

## (٧)- الملحدون المنكرون ليوم البعث:

6 ٢٩، 10 ٧ و١٥ و١٨ و٤٥، 11 ٧، 13 ٥ - ٧، 16 ٢٢ - ٢٥ و٣٨ و٣٩، 17 ٤٩ - ٥٢ و٩٨، 18 ٤٨، 19 ٤٤ - ٧٠، 22 ٥ - ٧، 23 ٧٤ و٨١ - ٨٩ و١١٥، 25 ١١، 27 ٤ و٥ و٦٥ - ٦٨، 29 ٢٣، 30 ١٦، 31 ٣٢، 32 ١٠ و١١، 34 ٣ و٧ - ٩، 36 ٧٨، 37 ١٥ - ١٩ و٥٠ - ٥٨، 41 ٦ و٧ و٥٤، 44 ٣٤ - ٣٧، 45 ٢٤ - ٢٦ و٣٢، 46 ١٧ و١٨ و٣٣، 50 ٣ و١١ و١٥، 51 ٨، 56 ٤٧ - ٥٦ و٧٤، 64 ٧، 72 ٧، 74 ٤٦ و٤٧ و٥٣، 75 ٣ و١٣ و٣٦ - ٤٠، 77 ٢٩ - ٣٤، 79 ١٠ - ١٤، 82 ٩، 83 ١٠ - ١٧، 84 ١٤ و١٥، 95 ٧ و٨، 107 ١ - ٣

## (٨)-وعيدالمفسدين والمجرمين والفاسقين :

2 ١١ و١٢ و٢٦ و٢٧ و٩٩ و٢٠٤ - ٢٠٦، 3 ٦٣ و٨٢ و١١٠، 5 ٣٦ و٥٠ و٥٢ و٦٧ و٨٦، 6 ٤٩، 7 ٣٩ و٤٠ و٥٦ و٨٤، 9 ٢٤، 10 ٣٣، 28 ٧٧ و٨٣، 30 ١٢ و١٣ و٥٥، 32 ٢٠ و٢١، 59 ١٩

# ثانياً: محمد ﷺ

**أدب المؤمنين معه ﷺ :** 24 ٦٢ و٦٣، 33 ٥٣، 49 ١ - ٥ و٧

**أخلاقه وصفاته ﷺ وفضل الله عليه :** 3 ١٥٩، 4 ١١٣، 6 ٥٠، 7 ١٥٧ و١٥٨ و١٨٤، 8 ٣٣، 9 ٦١ و١٢٨، 10 ١٦، 11 ٢، 12 ١٠٣، 18 ٦ و١١٠، 21 ١٠٧، 22 ٦٧، 24 ٣٥، 25

صدقه ﷺ واستحالة تقوله على الله :
69 ٤٤ - ٤٧
صفاته ﷺ في التوراة والإنجيل :
7 ١٥٧، 61 ٦
طبيعة رسالته ﷺ : 2 ١١٩ و٢٥٢، 3 ٧٩
و٩٧ و١٤٤و١٥٩، 4 ١٠٥، 5 ٦٧ و٩٩، 6
١٤ و١٩ و٤٨، 7 ١٥٨، 11 ٢، 13 ٧، 16
٦٤ و٨٩، 17 ٥٤، 18 ١١٠، 21 ١٠٧، 22
٤٩، 25 ٥٦، 27 ٨١ - ٩٣، 33 ٤٠ و٤٥
- ٤٧، 34 ٢٨، 35 ٢٤، 38 ٦٥ - ٧٠،
42 ٦، 46 ٩، 48 ٨ و٩، 94 ١ - ٨
عصمته وحمايته ﷺ : 2 ١٣٧، 5 ٧٠، 9
٧٤، 15 ٩٥، 17 ٦٠ و٧٣، 39 ٣٦، 52 ٤٨
مآثره وخصائصه ﷺ لله تعالى: 5 ١١، 8 ١ و٥-٨
و٣٠ و٤١، 9 ٤٠ و٦١، 15 ٨٧ - ٩٩، 17
١ و٩٠ - ٩٦، 22 ١٥ و٥٢ و٥٣، 24 ١١
- ١٦ و٦٣، 25 ٥٢، 27 ٧٩ - ٨١، 33 ٦
و٢٨ - ٣٤ و٣٨ و٣٩ و٥٠ - ٥٣ و٥٦
و٥٩ - ٦٢، 40 ٧٧ و٧٨، 48 ٢٨ و٢٩،
49 ١ - ٥، 59 ٦ و٧، 66 ١ - ٥، 73 ١
- ٩ و٢٠
مخاطبة الله إياه ﷺ : 3 ٣١ و٣٢، 4 ٦٥
و٨٠ و١١٣، 5 ٤١ و٤٩ و٦٧، 6 ٣٣ و٣٥
و١٠٧، 7 ٢ و١٨٨، 9 ٤٣، 10 ٦٥، 11
١٢، 12 ١٠٣ و١٠٤، 13 ٣٠ - ٣٢ و٤٠،
15 ٣ و٦ و٨ - ٨٨ و٩٤ و٩٥ و٩٧، 16
٣٧ و١٢٥ - ١٢٨، 17 ٥٤ و٧٣ - ٧٦
و٨٦ و٨٧، 18 ٦ و٢٨، 20 ١ و٣ و١١٤
و١٣٠ و١٣١، 21 ٣٦ و٤١ - ٤٦ و١٠٧،
22 ٤٢، 23 ٩٣ - ٩٨، 24 ٥٤، 25 ١٠
و٣١ - ٣٣ و٤٣ و٤٤ و٥١ و٥٢، 26 ١ -
٤ و٢١٣ و٢١٥ و٢١٦ و٢١٩، 27 ٦ و٧٠،
28 ٤٤ - ٤٧ و٥٦ و٨٦ - ٨٨، 29 ٢٨،
32 ٣٠، 33 ١ - ٣ و٤٥ - ٤٨، 34 ٢٨
و٤٧، 35 ٤ و٢٣ - ٢٥، 36 ١ - ٦ و٧٦،
37 ٣٥ - ٣٩ و١٧٤ - ١٧٩، 38 ١٧
و٧٦، 39 ١٤، 40 ٧٧، 41 ٦ و٤٣، 42 ٥٢،
43 ٨٣ و٨٨ و٨٩، 46 ٩ و٣٥، 51 ٥٤، 52
٣١ و٤٨، 54 ٢ - ٦، 60 ١٢، 68 ١ - ٧
و٤٨ و٥١، 93 ١ - ١١، 94 ١ - ٨
معاتبة الله إياه ﷺ : 8 ٦٧ و٦٨، 9 ٤٣
و١١٣ و١١٤، 33 ٣٧، 66 ١، 80 ١ - ١١
معرفة أهل الكتاب إياه ﷺ: 2 ٨٩ و١٤٦، 6 ٢٠
هجرته ﷺ ومنزلة المهاجرين : 2 ٢١٨، 3
١٩٥، 4 ٩٧ - ١٠٠، 8 ٧٢ - ٧٥، 9 ٢٠
و١٠٠ و١١٧، 16 ٤١ و١١٠، 22 ٥٨ -
٦٠، 24 ٢٢، 29 ٥٦، 33 ٦، 39 ١٠، 47
١٣، 59 ٨ - ١٠، 60 ١٠
الوحي : 2 ١١٨، 3 ٤٤، 4 ١٦٣ - ١٦٥، 6
٧ - ٩ و١٩ و٥٠ و٩١ و٩٣، 10 ١٥ و٢٠
و١٠٩، 11 ٤٩، 12 ١٠٢ و١٠٩، 13 ٣٢،
16 ١٢٣، 17 ٣٩، 21 ٤٥ و١٠٨، 29 ٤٥،
33 ٢، 35 ٣١، 38 ٧٠، 39 ٥٥، 41 ٦، 42
٣ و٥١ و٥٢، 53 ٤ و١٠ و١١، 72 ١
وعد الله إياه ﷺ: 2 ١٣٧، 5 ٦٧، 9 ٧٤،
15 ٩٥، 17 ٦٠ و٧٣ و٧٤ ، 39 ٣٦، 52
٤٨

## ثالثاً :الدين

الإخلاص في الدين : 10 ٢٢ و١٠٥، 29 ٦٥،
31 ٣٢، 39 ٢ و٣ و١١ ، 40 ١٤ و٦٥ ، 98 ٥
الجاهلية : 3 ١٥٤، 5 ٥٠، 6 ٢٨ و١٣٦ و١٤٠،
33 ٣٣، 48 ٢٦
حقيقة الإسلام : 1 ٦ و٧، 2 ١١٢ و١٣١ و١٣٢
و١٣٥ و١٤٢ و٢٠٨، 3 ١٩ و٢٠ و٥١ و٦٧
و٨٥ و١٠١، 4 ١٢٥، 5 ١٦، 6 ١٣٦ و١٥٣
و١٦١، 7 ٢٩، 9 ٣٣، 10 ٢٥، 11 ٥٦، 12
٤٠، 16 ٧٦، 19 ٣٦، 21 ٩٢، 22 ٥٤ و٧٨،
23 ٥٢ و٧٣، 24 ٤٦، 30 ٣٠ و٤٣، 31 ٢٢،
36 ٤ و٦١، 39 ٥٤، 41 ٣٣، 42 ١٣ و٥٣،
43 ٤٣ و٦١ و٦٣، 48 ٢ و٢٠ و٢٨، 61 ٩،
67 ٢٢، 72 ١٣، 98 ٥
دعوة العباد إلى الإسلام : 2 ٢١١ و٢٨٥، 5 ٣،
6 ٧٠، 21 ٩٢، 23 ٥٢، 28 ٦١، 32 ١٨، 39
١١ و١٢ و١٣ و١٤، 57 ١٦، 87 ١٤، 98 ٥

الدين عند الله : 2 ١١٢ و٢١٣، 3 ١٩ و٨٣
و٨٥ و١٠٢، 4 ١٢٥، 5 ٣، 6 ١٤ و٧٠
و١٢٥ و١٦١ و١٦٢، 27 ٩١، 33 ٣٥، 39
١١ و ١٢ و٢٢، 40 ٦٦، 41 ٣٣، 42 ١٣،
45 ١٨ و١٩، 61 ٩، 72 ١٤، 98 ٤ و٥، 110
١ و ٢

لاإكراه في الدين:
2 ٢٥٦، 10 ٩٩، 18 ٢٩، 22 ٧٨، 42 ٨

المسلمون : 2 ١٣٢ و١٣٦، 3 ٥٢ و٦٤ و٨٤
و١٠٢، 5 ١١، 6 ١٦٣، 10 ٧٢، 16 ٨٩
و١٠٢، 21 ١٠٨، 22 ٧٨، 23 ٥٢، 27 ٨١
و٩١، 29 ٤٦، 30 ٥٣، 33 ٣٥، 39 ١٢، 41
٣٣، 43 ٦٩، 46 ١٥، 48 ٢٩

## رابعاً: الصلاة

### (١)- أداء الصلاة :

التهجد وقيام الليل : 17 ٧٨ و٧٩، 50 ٤٠، 51
١٧ و١٨، 52 ٤٨ و٤٩، 73 ١ - ٧ و٢٠، 76
٢٦

الجهر بالصلاة : 17 ١١٠

الحض عليها : 2 ٣ و٣٧ و٤٣ - ٤٦ و٨٣
و١١٠ و١١٥ و١٤٢ - ١٤٥ و١٤٨ و١٥٣
و١٧٧ و١٨٦ و٢٣٨ و٢٣٩ و٢٧٧، 4 ٤٣
و٧٧ و١٠١ و١٠٢ و١٠٣ و١٦٢، 5 ٦ و١٢
و٥٥ و٥٨ و٩١ و١٠٦، 6 ٧٢ و٩٢، 7 ٥٥
و١٧٠ و٢٠٥، 8 ٢ - ٤، 9 ٥ و١١ و١٨
و٥٤ و٧١، 10 ٨٧، 11 ١١٤، 13 ٢٢، 14
٣١ و٣٧ و٤٠، 17 ٧٨ و٧٩ و١١٠، 19 ٣١
و٥٥ و٥٩، 20 ٧ و١٤ و١٣٠ و١٣٢، 21
٧٣، 22 ٣٤ و٣٥ و٤١ و٧٧ و٧٨، 23 ١ و٢
و٩، 27 ٣، 29 ٤٥، 30 ١٧ و١٨ و٣١، 31 ٤
و٥ و١٧، 33 ٣٣ و٤١ و٤٢، 35 ١٨ و٢٩
و٣٠، 42 ٣٨، 50 ٣٩ و٤٠، 51 ١٥ - ١٨،
52 ٤٨ و٤٩، 58 ١٣، 62 ٩ و١٠، 70 ٢٢ -
٢٤ و٣٤، 73 ٢٠، 74 ٤٢، 75 ٣١، 76 ٢٥
و٢٦، 87 ١٥، 96 ٩ و١٠، 98 ٥، 107 ٤ -
٦، 108 ٢

الركوع : 2 ٤٣ و١٢٥، 5 ٥٥، 9 ١١٢، 22
٢٦ و٧٧، 48 ٢٩

سجدات التلاوة : 7 ٢٠٦، 13 ١٥، 16 ٤٩، 17
١٠٧ - ١٠٩، 19 ٥٨، 22 ١٨ و٧٧، 25
٦٠، 27 ٢٥، 32 ١٥، 38 ٢٤، 41 ٣٧، 53
٦٢، 84 ٢١، 96 ١٩

السجود: 2 ١٢٥، 3 ١١٣، 7 ٢٠٦، 9 ١١٢، 13 ١٥،
16 ٤٩، 17 ١٠٧، 22 ١٨ و٢٦ و٧٧، 25 ٦٠ و٦٤،
27 ٢٥، 32 ١٥، 39 ٩، 41 ٣٧، 48 ٢٩، 53 ٦٢،
55 ٦، 68 ٤٢ و٤٣، 76 ٢٦، 84 ٢١، 96 ١٩

صفات المصلين : 23 ٢ و٩، 70 ٢٢ و٢٣ و٣٤
و٣٥

صلاة الجمعة : 62 ٩

صلاة الخوف : 4 ١٠١ و ١٠٢

صلاة المسافر : 4 ١٠١

الصلاة مطلب الأنبياء: 14 ٣٧ و٤٠

قصر الصلاة : 4 ١٠١ و١٠٣

### (٢)- الدعاء:

الحث على الدعاء : 2 ١٨٦، 4 ٣٢، 5 ٣٥، 6
٤٠ - ٤٣ و٥٢ و٦٣، 7 ٢٩ و٥٥ و٥٦
و١٨٠، 17 ١١٠، 25 ٧٧، 27 ٦٢، 32 ١٦،
35 ١٠، 40 ١٤ و٦٠ و٦٥، 52 ٢٨

كيفية الدعاء : 7 ٥٥ و٢٠٥، 17 ١١٠

المأثور من الدعاء : 1 ٥ - ٧، 2 ١٢٧ و١٢٨
و٢٠١ و٢٥٠ و٢٥٥ و٢٨٥ و٢٨٦، 3 ٨ و٩
و١٦ و٢٦ و٣٨ و٥٣ و١٤٧ و١٧٣ و١٩١ -
١٩٤، 4 ٣٢ و٧٥، 7 ٢٣ و٤٧ و٨٩ و١٢٦
و١٥١ و١٥٥، 10 ٨٥ و٨٦، 12 ١٠١، 14 ٤٠
و٤١، 17 ٢٤ و٨٠ و٨١، 18 ١٠، 20 ٢٥ و٢٦
و١١٤، 21 ٨٣ و٨٧ و٨٩، 23 ٢٩ و٩٨ و١٠٩
و١١٨، 25 ٦٥ و٧٤، 26 ٨٣ - ٨٥ و٨٧ -
٨٩، 27 ١٩ و٦٢، 28 ١٦، 40 ٧ - ٩ و٤٤،
44 ١٢، 46 ١٥، 59 ١٠، 60 ٤ و٥، 66 ٨
و١١، 71 ٢٨، 113 ١ - ٥، 114 ١ - ٦

### (٣)- الطهارة :

التطهير :
2 ٢٢٢، 3 ٤٢، 5 ٦، 8 ١١، 56 ٧٩، 74 ٤

التيمم : 4 ٤٣، 5 ٦

الغسل : 2 ٢٢٢، 4 ٤٣، 5 ٦

الوضوء : 4 ٤٣، 5 ٦ و٧

## (٤)- القبلة:

2 ١١٥ و١٤٣ - ١٤٥ و١٤٨ - ١٥٠

## (٥)- المساجد :

**المسجد الحرام** : 2 ١٤٤ و١٤٩ و١٥٠ و١٩١ و١٩٦ و٢١٧، 5 ٢، 8 ٣٤، 9 ٧ و١٠ و٢٨، 17 ١، 22 ٢٥، 48 ٢٥ و٢٧

**مكانة المساجد وحرمتها** : 2 ١١٤ و١٨٧، 7 ٢٩ و٣١، 9 ١٧ و١٨ و١٠٧ و١٠٨، 18 ٢١، 22 ٤٠، 24 ٣٦ و٣٧، 72 ١٨

# خامساً :الزكاة والصدقات

2 ٤٣ و٨٣ و١١٠ و١٧٧ و٢١٥ و٢٥٤ و٢٦٣ و٢٦٥ و٢٦٧ و٢٧٠ - ٢٧٤ و٢٧٧، 3 ٩٢ و١٣٤، 4 ٣٨ و٧٧ و١٦٢، 5 ١٢ و٥٥، 6 ١٤١، 7 ١٥٦، 8 ٣، 9 ٥ و١١ و١٨ و٥٨ و٦٠ و٦٧ و٧١ و٧٥ و٧٩ و٩٩ و١٠٣ و١٠٤، 13 ٢٢ و٢٣، 14 ٣١، 17 ٢٨، 18 ٨١، 19 ١٣ و٣١ و٥٥، 21 ٧٣، 22 ٣٥ و٤١ و٧٨، 23 ٤، 24 ٣٧ و٥٦، 25 ٦٧، 27 ٣، 30 ٣٩، 31 ٤، 32 ١٦، 33 ٣٣، 34 ٣٩، 35 ٢٩، 36 ٤٧، 41 ٧، 51 ١٩، 57 ٧ و١٨، 58 ١٣، 63 ١٠ و١١، 64 ١٦ - ١٨، 69 ٣٠ - ٣٤، 70 ٢٤ و٢٥، 73 ٢٠، 93 ١٠ و١١، 98 ٥، 107 ٧

# سادساً: الصيام

## (١)- الطعام والأغذية:

2 ١٦٨ و١٧٢ و١٧٣، 3 ٩٣ و٩٤، 4 ١٦٠، 5 ١ و٣ - ٥ و٨٧ و٨٨ و٩٣ و٩٦، 6 ١١٨ و١١٩ و١٢١ و١٤٠ و١٤٢ - ١٤٦ و١٥٠، 10 ٥٩، 16 ٦٦ و٦٧ و١١٤ و١١٥، 22 ٢٨و٣٠

## (٢)- وجوب الصيام وماأعده الله للصائمين من الثواب:

2 ١٨٣ - ١٨٥ و١٨٧ و١٩٦، 4 ٩٢، 5 ٨٩، 19 ٢٦، 33 ٣٥، 58 ٤

# سابعاً: الحج والعمرة

**الإفاضة من عرفات** : 2 ١٩٨

**العمرة** : 2 ١٥٨ و١٩٦

**فريضة الحج وآدابه** : 2 ١٥٨ و١٨٩ و١٩٦ - ٢٠٣، 3 ٩٦ و٩٧، 5 ١ و٢ و٩٤ - ٩٧، 9 ١٩، 22 ٢٥ - ٣٧، 27 ٩١، 28 ٥٧، 29 ٦٧، 42 ٧، 48 ٢٧، 90 ١ و٢، 95 ٣، 106 ٣، 108 ٢

**الكعبة المشرفة** : 2 ١٢٥، 3 ٩٦ و٩٧، 5 ٩٥ و٩٧، 22 ٢٦

**مكة المكرمة** : 2 ١٢٦، 3 ٩٦، 6 ٩٢، 8 ٣٥، 22 ٢٥ - ٢٧، 27 ٩١، 28 ٥٧ - ٥٩، 29 ٦٧، 42 ٧، 48 ٢٤، 90 ١، 95 ٣

**المناسك** : 2 ١٢٨ و١٩٦ و٢٠٠، 6 ١٦٢، 22 ٢٨ و٣٤ و٦٧

**النحر**: 5 ٢ و٩٧، 22 ٣٢ و٣٦ و٣٧، 108 ١ و٢

# ثامناً :مسائل متفرقة من العبادة

## (١)- العبادة لله تعالى :

1 ٤، 2 ٢١، 7 ٢٩ و١٢٨، 10 ١٠٤، 11 ٢ و١٢٣، 13 ١٥، 15 ٩٩، 17 ٢٣، 19 ٣٦ و٦٥، 20 ١٤، 21 ٢٥ و٩٢ و١١٢، 22 ٧٧، 24 ٥٥، 27 ٩١، 29 ٥٦، 30 ٣٠ و٤٣، 31 ٢٢، 36 ٦١، 39 ٢ و٣ و١١ و١٤ و٦٦، 40 ١٤ و٦٠ و٦٥ و٦٦، 51 ٥٦، 53 ٦٢، 71 ٣، 73 ٨، 74 ٧، 94 ٧، 98 ٥، 106 ٣، 109 ١ - ٦

## (٢)- النذور :

2 ٢٧٠، 3 ٣٥، 19 ٢٦، 22 ٢٩، 76 ٧

# الإيمان

## أولاً: الأنبياء والرسل

**أخذ الميثاق منهم** : 3 ٨١، 33 ٧

**أمرهم بالتذكير** : 6 ٧٠، 51 ٥٥، 52 ٢٩، 80 ٤ و١١، 87 ٩، 88 ٢١

**الإيمان بهم** : 2 ١٧٧ و٢٨٥، 3 ٨٤ و١٧٩، 4 ١٣٦ و١٥٢، 29 ٤٦، 57 ٧ و٨ و١٩و٢٨، 61 ١١، 64 ٨

**الأنبياء والمرسلون عليهم السلام أجمعين:**
آدم، إدريس، نوح، هود، صالح، إبـــراهيم، لوط، اسماعيل، اسحاق، يعقوب، يوسف، شعيب، أيوب، ذو الكفل، موسى، هـــارون، داود، سليمان، إلياس، إليسع، يونس، زكريا، يحيى، عيسى، محمد ﷺ خاتم الأنبيـاء والمرســلين عليهم صلوات الله وسلامه أجمعين

**إرسالهم بلسان قومهم** : 14 ٤

**تفضيل بعضهم على بعض** : 2 ٢٥٣، 17 ٥٥

**حكمتهم في الدعوة** : 3 ١٠٤، 10 ٤، 16 ١٢٥، 20 ٤٣، 21 ١٠٩، 22 ٦٧، 26 ٢١٦، 28 ٥٥، 29 ٤٦، 41 ٣٣ و٣٤، 42 ١٥، 61 ١٤، 79 ١٧ - ١٩

**حكمهم بين الناس** : 2 ٢١٣، 4 ١٠٤، 16 ٦٤، 57 ٢٥

**شهادتهم على أممهم** : 2 ١٤٣، 4 ٤١، 16 ٨٤ و٨٩، 22 ٧٨، 28 ٧٥، 73 ١٥

**لا أجر لهم على التبليغ** : 6 ٩٠، 23 ٧٢، 25 ٥٧، 26 ١٠٩ و١٢٧ و١٤٥ و١٦٤ و١٨٠، 34 ٤٧، 36 ٢١، 38 ٨٦، 42 ٢٣، 52 ٤٠

**لكل أمة نذير** : 35 ٢٤

**لكل نبي عدو** : 6 ١١٢، 25 ٣١

**المصطفون منهم** : 2 ١٣٠ و١٤٧، 3 ٣٣ و٣٤ و٤٢، 7 ١٤٤، 22 ٧٥، 27 ٥٩، 35 ٣٢ - ٣٥، 38 ٤٥

**مهمتهم في البلاغ** : 4 ٧٩، 5 ١٥ و١٩، 6 ٤٨ و٦٧ و١١٠ و١١٦، 10 ٤٧، 13 ٤٣، 16 ٨٢، 17 ٥٤، 22 ٤٩، 24 ٥٤، 27 ٨٠ و٨١ و٩٢، 29 ١٨، 40 ٧٨، 42 ٦ و٤٨، 43 ٤١ و٤٢، 50 ٤٥، 64 ١٢، 72 ٢٣، 88 ٢١

**نفي الغلول عنهم** : 3 ١٦١

**هم بشر يوحى إليهم** : 21 ٧ و٨

## ثانياً: الإيمان بالله

**الابتلاء والفتن اختبار لإيمان المؤمن** : 2 ١٥٥ و٢١٤، 3 ١٥٢ و١٥٤ و١٧٩ و١٨٦، 5 ٥١، 6 ١٦٥، 11 ٧، 21 ٣٥، 29 ٢، 47 ٣١، 67 ٢

**الإستغفار** : 3 ١٧ و١٣٥، 4 ٦٤ و١٠٦ و١١٠، 5 ٧٤، 9 ٨٠ و١١٤، 11 ٥٢ و٩٠ و١١٤، 22 ٥٠، 40 ٥٥، 42 ٥، 47 ١٩، 51 ١٨، 60 ٤، 63 ٥ و٦، 71 ١٠، 73 ٢٠، 110 ٣

**الإيمان والعمل** : 2 ٢٥ و٦٢ و٨٢ و٢٧٧، 3 ٥٧، 4 ٥٧ و١٢٢ و١٧٣، 5 ٩ و٦٩ و٩٣، 7 ٤٢، 10 ٤ و٩، 11 ١١ و٢٣، 13 ٢٩، 14 ٢٣، 18 ٣٠ و٨٨ و١٠٧، 19 ٦٠ و٩٦، 20 ٧٥ و٨٢ و١١٢، 21 ٩٤، 22 ١٤ و٢٣ و٥٠ و٥٦، 24 ٥٥، 25 ٧٠ و٧١، 26 ٢٢٧، 28 ٦٧ و٨٠، 29 ٧ و٩ و٥٨، 30 ١٥ و٤٥، 31 ٨، 32 ١٩، 34 ٤ و٣٧، 35 ٧، 38 ٢٤ و٢٨، 40 ٤٠ و٥٨، 41 ٨، 42 ٢٢ و٢٣ و٢٦، 45 ٢١ و٣٠، 47 ٢ و١٢، 48 ٢٩، 64 ٩، 65 ١١، 84 ٢٥، 85 ١١، 95 ٦، 98 ٧، 103 ٣

**تشبيه الإيمان بالنور** : 2 ٢٥٧، 5 ١٥ و١٦، 13 ١٦، 24 ٤٠، 33 ٤٣، 39 ٢٢، 42 ٥٢، 57 ٩ و٢٨، 61 ٨، 65 ١١

**تفضيل الإيمان على سقاية الحاج وعمارة المسجد الحرام** : 9 ١٩

**التوبة** : 2 ١٦٠، 3 ٨٦ - ٩٠ و١٣٥ و١٣٦، 4 ١٧ و١٨ و٢٦ و١١٠، 5 ٣٩، 7 ١٥٣، 9 ١٠٤ و١١٢، 11 ٣ - ٥، 17 ٢٥، 19 ٦٠، 25 ٧٠ و ٧١، 39 ٥٣ و٥٤، 42 ٢٥، 66 ٨، 85 ١٠

الجزاء : 6 ١٦٠ و١٦٤، 20 ٧٤ - ٧٦، 22 ٥٠
و٥١، 40 ٦٠، 90 ١٨ و١٩، 91 ١ - ١٠
حقيقة الإيمان : 2 ٢ - ٢٠ و٨٢ و١٠٨ و١٣٦
و١٥٣، 3 ١٩٣، 4 ٥٧ و١٣٦ و١٧٣ و١٧٥،
5 ٦، 6 ١٥٨ و١٥٩، 10 ٦٣ - ٦٥ و١٠٥
و١٠٦، 11 ٢٣ و٢٤، 13 ٢٨ و٢٩، 14 ١٨
و٢٣، 16 ٩٧، 18 ٣٠ - ٤٤ و١٠٣ - ١٠٨،
19 ٦٠ و٩٦، 20 ١١٢، 21 ٩٤، 30 ١٥ و٤٣
- ٤٥، 32 ١٥ و١٦ و١٩، 33 ٧٠، 34 ٣٧،
35 ٧، 39 ١٠ و١٧ و١٨، 40 ٨٤ و٨٥، 41
٨، 47 ١ - ٣، 49 ١٥ - ١٨، 62 ١ - ٤،
64 ٨، 98 ١ - ٧

الدعوة إلى الإيمان : 2 ١٧٧ و١٨٦ و٢٥٦
و٢٨٥، 3 ٨٤ و١١٠ و١٧٩ و١٩٣، 4 ١٣٥
و١٦٢، 9 ٢٠، 27 ٣، 29 ٤٦، 34 ٢١، 57 ٧
و٨ و١٩ و٢٨، 61 ١٠ و١١، 64 ٨ و١١، 67
٢٦، 72 ١٣، 75 ٣١
الريب والشك : 2 ١٤٧، 10 ٩٤ و٩٥ ،
22 ١١، 34 ٥١ - ٥٤
الشفاعة : 2 ٢٥٥، 4 ٨٥، 10 ٣، 19 ٨٥ -
٨٧، 20 ١٠٩، 21 ٢٨، 34 ٢٣، 40 ١٨،
43 ٨٦، 82 ١٩
الفتنة : 6 ١١ و١١٢ و١٣١، 8 ٢٥ و٢٨، 23
٩٧ و٩٨، 41 ٣٦
الفرق بين الإيمان والإسلام : 49 ١٤
مثال الإيمان : 66 ١١ و١٢
المقابلة بين المؤمن والكافر : 3 ١٦٢، 22 ١٩ -
٢٤، 28 ٦١، 30 ١٤ - ١٦، 32 ١٨ -
٢١، 35 ٨، 38 ٢٨، 39 ٩ و٢٢ و٢٤، 40
٥٨، 41 ٤٠، 45 ٢١، 47 ١٤، 59 ٢٠، 67
٢٢، 68 ٣٥
النفاق : 2 ٨ - ٢٠ و٧٦ و٢٠٤ - ٢٠٦، 3
٧١ و٧٢ و١١٨ - ١٢٠، 4 ٦٠ - ٦٢
و٧١ و٧٢ و٨١ و٨٨ و٩٠ و١٣٨ - ١٤٦،
5 ٤٤ و٥٥ و٥٦ و٦٤ و٦٥، 8 ٤٩، 9 ٤٣
- ٥٩ و٦٤ - ٧٨ و٩٥ و٩٧ و١٠١ و١٠٨
و١٢٥ - ١٢٨، 11 ٥، 24 ٤٧ - ٥٠ و٥٣
و٦٣، 29 ١٠ و١١، 33 ١٢ - ٢٠ و٢٤
و٤٨ و٦٠ و٧٣، 47 ١٦ و١٨ و٢٠ - ٣٠،
48 ٦، 57 ١٣ - ١٥، 58 ١٤ - ١٩، 59
١١ - ١٧، 63 ١ - ٨، 66 ٩، 74 ٣١
الهداية إلى الإيمان : 2 ٥ - ٧ و١٠ و١٢٠
و٢١٣ و٢٧٢، 3 ٧٣، 4 ١٧٥، 5 ١٦ و٦٧،
6 ٢٥ و٣٥ و٣٩ و٧١ و٨٨ و١١١ و١٢٥
و١٤٩، 7 ٣٠ و٤٣ و١٧٨ و١٨٦، 9 ٢٤
و٢٨ و٣٧ و١١٥، 10 ٢٥ و٣٥ و٥٧ و١٠٠
و١٠٨، 12 ١١١، 13 ٣٣، 14 ٤، 16 ٩،
17 ١٥ و١٩ و٨٤ و٩٧، 18 ١٣ و١٧ و٥٧،
19 ٧٤ - ٧٦، 20 ١٢٣، 22 ١٦، 24 ٤٠
و٤٦، 27 ٣٦ و٩٢، 28 ٥٦، 29 ٦ و٦٢
و٦٩، 30 ٢٩، 34 ٥٠، 35 ٨، 39 ١٨ و٢٣
و٣٦ و٣٧، 40 ٣٣، 42 ١٣ و٤٤ و٤٦، 45
٢٣، 47 ١٧، 64 ١١، 68 ٧، 76 ٣، 80
٢٠، 90 ١٠، 91 ٨، 92 ١٢
اليقين : 2 ٤ و١١٨، 5 ٥٠، 6 ٧٥، 13 ٢،
15 ٩٩، 27 ٣ و٨٢، 32 ٢٤، 44 ٧، 45 ٤
و٢٠ و٣٢، 49 ١٥، 51 ٢٠، 52 ٣٦، 56
٩٥، 102 ٥ - ٧

## ثالثاً: الغيب

الأعراف : 7 ٤٦ - ٥٠
الإيمان بالغيب : 2 ٣ و٣٣، 3 ١٧٩، 19 ٦١،
21 ٤٩، 35 ١٨، 36 ١١، 39 ٧، 50 ٣٣، 67
١٢ و٢٥
الجن : 6 ١٠٠ و١١٢ و١٢٨ - ١٣٠، 7 ٣٨
و١٧٩ و١٨٤، 11 ١١٩، 15 ٢٧، 17 ٨٨، 18
٥٠، 27 ١٧ و٣٩، 32 ١٣، 34 ١٢ - ١٤
و٤١، 37 ١٥٨، 41 ٢٥ و٢٩، 46 ١٨ و٢٩ -
٣٢، 51 ٥٦، 55 ١٥ و٣٣ و٣٩ و٥٦ و٧٤،
72 ١ - ١٩، 114 ٦
الجنة :
آ- أسماؤها :
الآخرة: 2 ١٠٢، 43 ٣٥
جنات عدن: 9 ٧٢، 13 ٢٣، 16 ٣١،

18 ٣١، 19 ٦١، 20 ٧٦، 35 ٣٣، 38
٥٠، 40 ٨، 61 ١٢، 98 ٨
جنات الفردوس: 18 ١٠٧
جنات المأوى: 32 ١٩
جنات النعيم: 5 ٦٥، 10 ٩، 22 ٥٦، 31
٨، 37 ٤٣، 56 ١٢، 68 ٣٤
جنة الخلد: 25 ١٥
جنة عالية: 69 ٢٢، 88 ١٠
جنة المأوى: 53 ١٥
جنة نعيم: 56 ٨٩، 70 ٣٨
الحسنى: 4 ٩٥، 10 ٢٦، 13 ١٨، 16
٦٢، 18 ٨٨، 21 ١٠١، 41 ٥٠، 57
١٠، 92 ٦ و٩
الدار الآخرة: 28 ٨٣
دار السلام: 6 ١٢٧، 10 ٢٥
دار القرار: 40 ٣٩
دار المتقين: 16 ٣٠
دار المقامة: 35 ٣٥
روضات الجنات: 42 ٢٢
روضة: 30 ١٥
طوبى: 13 ٢٩
عليون: 83 ١٩
الفردوس: 23 ١١
فضل: 33 ٤٧
يمين: 56 ٢٧ و٣٨ و٩٠ و٩١

## ب- أصحابها :

2 ٥ و٢٥ و٨٢، 3 ١٥ و١٣٦ و١٩٥ و١٩٨،
4 ١٣ و٥٧ و١٢٢، 5 ١٢ و٦٥ و٨٥ و١١٩،
7 ٤٢ - ٥٣، 8 ٤، 9 ٢١ و٧٢ و٨٩ و١٠٠،
10 ٢٦، 11 ٢٣ و١٠٨، 13 ٢٠ - ٢٤، 14
٢٣، 15 ٢٥ - ٥٠، 16 ٣٠ - ٣٢، 18 ٣١
و١٠٧، 19 ٦٠ - ٦٥، 21 ١٠١ - ١٠٣، 22
١٤ و٢٣ و٢٤ و٥٦، 23 ٨ - ١١، 25 ١٥
و١٦ و٢٤، 26 ٩٠، 29 ٥٨، 30 ١٥، 31 ٨،
32 ١٩، 36 ٥٥ - ٥٨، 37 ٤٠ - ٦١، 38
٤٩ - ٥٥، 39 ٢٠ و٧٣ و٧٥، 40 ٤٠، 41
٣٠ - ٣٢، 42 ٧ و٢٢ و٤٣، 43 ٦٩ - ٧٣، 44
٥١ و٥٧، 46 ١٤ و١٦، 47 ٦ و١٢، 48 ٥
و١٧، 50 ٣١، 51 ١٥، 52 ١٧ - ٢٨، 54
٥٤، 55 ٤٦ - ٧٨، 56 ١٠ - ٤٠، 57 ١٢،
58 ٢٢، 59 ٢٠، 61 ١٢، 64 ٩، 65 ١١، 66
٨، 68 ١٧ و٣٤، 70 ٣٥، 74 ٤٠، 76 ٥ -
٣١، 79 ٤١، 83 ٢٢ - ٣٦، 85 ١١، 88 ١
- ١٦، 98 ٨

## ج - صفاتها :

2 ٥ و٢٥، 3 ١٥ و١٣٦ و١٩٥ و١٩٨، 4 ١٣
و٥٧ و١٢٢، 5 ١٢ و٨٥ و١١٩، 9 ٧٢ و٨٩
و١٠٠، 10 ٩ و١٠، 13 ٣٥، 14 ٢٣، 15
٤٥، 16 ٣١، 18 ٣١، 22 ١٤ و٢٣، 25 ١٠،
30 ١٥، 31 ٨ و٩، 35 ٣٣ - ٣٥، 37 ٤٠ -
٦١، 38 ٤٩ - ٥٥، 39 ٢٠ و٧٣ - ٧٥، 43
٧٠ - ٧٣، 44 ٥١ - ٥٧، 47 ١٢ و١٤ -
١٦، 48 ٥ و١٧، 50 ٣١ - ٣٥، 51 ١٥، 52
١٧ - ٢٨، 54 ٥٤ و٥٥، 55 ٤٦ - ٧٨، 56
١٠ - ٤٠، 57 ١٢، 58 ٢٢، 61 ١٢، 64 ٩،
65 ١١، 66 ٨، 76 ٥ - ٣١، 83 ٢٢ - ٣٦،
85 ١١، 88 ١ - ١٦، 98 ٨

## الخلود :

### آ - الخلود في العذاب:

2 ٣٩ و٨١ و١٦٢ و٢١٧ و٢٥٧ و٢٧٥، 3
٨٨ و١١٦، 4 ١٤ و٩٣ و١٦٩، 5 ٨٠، 6
١٢٨، 7 ١٨ و٣٦، 9 ١٧ و٦٣ و٦٨، 10 ٢٧
و٥٢، 11 ١٠٧، 13 ٥، 16 ٢٩، 20 ١٠١، 23
١٠٣، 25 ٦٩، 32 ١٤، 33 ٦٥، 39 ٧٢، 40
٧٦، 41 ٢٨، 43 ٧٤، 47 ١٥، 50 ٣٤، 56
١٧، 58 ١٧، 59 ١٧، 64 ١٠، 72 ٢٣، 76
١٩، 98 ٦

### ب- الخلود في النعيم:

2 ٢٥ و٨٢، 3 ١٥ و١٠٧ و١٣٦ و١٩٨، 4
١٣ و٥٧ و١٢٢، 5 ٨٥ و١١٩، 7 ٤٢، 9 ٢٢
و٧٢ و٨٩ و١٠٠، 10 ٢٦، 11 ٢٣ و١٠٨، 14
٢٣، 18 ١٠٨، 20 ٧٦، 23 ١١، 25 ١٥

الزقوم: 37 ٦٢، 44 ٤٣، 56 ٥٢

السعير: 4 ١٠ و٥٥، 22 ٤، 25 ١١، 31 ٢١، 33 ٦٤، 35 ٦، 42 ٧، 48 ١٣، 54 ٢٤ و٤٧ ، 67 ٥ و١٠ و١١ ، 76 ٤، 84 ١٢

سقر: 54 ٤٨، 74 ٢٦ و٢٧ و٤٢

السَّموم: 52 ٢٧

سوء الدار: 13 ٢٥، 40 ٥٢

الشَّوآى: 30 ١٠

لظى: 70 ١٥

النار: 2 ٢٤

(أنظر: المعجم المفهرس لألفاظ القرآن الكريم).

الهاوية: 101 ٩

ب- أصحابها:

2 ٧ و٢٤ و٣٩ و٨١ و١٢٦ و١٢٧ و١٧٤ و٢١٧ و٢٥٧ و٢٧٥، 3 ١٠ و١٢ و٢٣ و٢٤ و١١٦ و١٥١ و١٨١ و١٨٨ و١٩٦ و١٩٧، 4 ١٤ و٣٠ و٣٧ و٥٥ و١١٥ و١٢١ و١٤٥ و١٥١ و١٦١، 5 ٢٩ و٣٣ و٣٧ و٧٢ و٨٦، 6 ٢٧ و١٢٨، 7 ١٨ و٣٦ و٣٨ - ٤١ و٤٤ و٥٠ و١٧٩، 8 ١٦ و٣٦ و٣٧، 9 ١٧ و٣٤ و٣٥ و٤٩ و٦٣ و٦٨ و٧٣، 10 ٨ و٢٧، 11 ١٦ و١٧ و١٠٦، 13 ٥ و٣٥، 14 ٢٦ - ٣٠ و٥٠، 15 ٤٣، 16 ٦٢، 17 ٩٧، 20 ١٢٧، 21 ٩٨ - ١٠٠، 22 ١٩ - ٢٢ و٥٧ و٧٢، 23 ١٠٣ - ١٠٨، 24 ٥٧، 25 ١١ - ١٥ و٣٤ و٦٥ و٦٦، 27 ٩٠، 28 ٤١، 29 ٢٥ و٦٨، 31 ٢٤، 32 ٢٠، 33 ٨ و٦٤ - ٦٨، 34 ٣٢، 35 ٣٦ و٣٧، 37 ٦٠ - ٧٠، 38 ٢٧ و٥٥ - ٦٤، 39 ٨ و١٦ و٢٤ و٢٥ و٣٢ و٤٠ و٤٧ و٤٨ و٦٠ و٧١، 40 ٦ و٤٣ و٤٦ - ٥٠ و٧٠ و٧٢، 41 ١٩ و٢٤، 42 ٤٤ و٤٥، 43 ٧٤ - ٧٨، 44 ٤٣ - ٥٠، 45 ٣٤، 46 ٢٠ و٣٤، 47 ١٢ و١٥، 51 ١٣ و١٤، 52 ١١ و١٢، 54 ٢٨، 55 ٣٧ و٤٤، 56 ٤١ - ٥٦، 57 ١٥، 58 ١٧، 59 ٣ و١٧ و٢٠، 64 ١٠، 66 ٦ و٧ و١٠، 67 ٨ - ١١، 72 ٢٣، 74 ٢٦ - ٣٧، 76 ٤، 78 ٢١ - ٣٠، 83 ١ و١٦ و١٧، 84 ١١ و١٢، 90 ٢٠، 98 ٦، 101 ١١، 104 ١ - ٩، 111 ١ - ٣

ج - صفاتها:

2 ٢٤، 3 ١٠٦ و١٣١، 4 ٥٦، 7 ٣٨ - ٤١، 9 ٣٥ و٨١، 14 ١٦ و١٧، 15 ٤٣ و٤٤، 17 ٦٠ و٩٧، 18 ٢٩، 20 ٤٨، 22 ١٩ - ٢٢، 25 ١١ - ١٤، 32 ٢٠، 37 ٦٢ و٧٠، 38 ٥٥ - ٦٤، 39 ١٦ و٦٠ و٧١ و٧٢، 40 ٤٩ و٥٠ و٧٠ - ٧٦، 42 ٤٤ و٤٥، 44 ٤٧، 47 ١٥، 50 ٣٠، 52 ١١ - ١٦، 56 ٤١ - ٥٦، 66 ٦ و٧، 67 ٧، 69 ٣٠ - ٣٧، 70 ١٥ - ١٨، 73 ١٢ و١٣، 74 ٢٦ - ٣٧، 76 ٤، 77 ٢٩ - ٣٣، 78 ٢١ - ٣٠، 88 ٤ - ٧، 89 ٢٣، 92 ١٤ و١٧، 101 ١١، 102 ٦ و٧، 104 ١ - ٩

## رابعاً: الكتب السماوية الأخرى

**الإنجيل** : 3 ٣ و٤٨ و٦٥، 5 ٤٦ و٤٧ و٦٦ و٦٨ و١١٠، 7 ١٥٧، 9 ١١١، 48 ٢٩، 57 ٢٧

**التوراة** : 3 ٣ و٤٨ و٥٠ و٦٥ و٩٣، 5 ٤٣ و٤٤ و٤٦ و٦٦ و٦٨ و١١٠، 7 ١٥٧، 9 ١١١، 48 ٢٩، 61 ٦، 62 ٥

**الزبور** : 3 ١٨٤، 4 ١٦٣، 16 ٤٤، 17 ٥٥، 21 ١٠٥، 23 ٥٣، 26 ١٩٦، 35 ٢٥، 54 ٤٣ و٥٢

**صحف إبراهيم** : 87 ١٩

**صحف موسى** : 53 ٣٦، 87 ١٩

**الكتب المقدسة** : 2 ٥٣ و٨٧ و١١٣ و١٤٦ و١٧٤ و١٧٦، 3 ٢٣ و٤٨ و٧٨ و٧٩ و٨١ و١٨٤، 4 ٥٤ و١٣٦ و١٤٠، 5 ١٥ و٤٣ - ٤٨ و١١٠، 6 ٢٠ و٩١ و١١٤ و١٥٤، 10 ٩٤، 11 ١٧ و١١٠، 15 ٤، 17 ٢ و٤، 19 ١٢ و٣٠، 22 ٨، 23 ٤٩، 25 ٣٥، 28 ٤٣، 29 ٢٧، 31 ٢٠،

32 ٢٣، 37 ١١٧، 40 ٥٣، 41 ٤٥، 45 ١٦،
46 ١٢، 57 ١٦ و٢٦، 62 ٢

## خامساً : الله جلّ جلاله

**التسليم لأوامره جلّ وعلا** : 2 ١١٢ و١٥٥
و١٥٦، 3 ٢٦، 4 ٦٥ و١٢٥، 6 ٧٩ و١٦٢
و١٦٣، 13 ١٨ و٢٢ و٢٣ و٢٤، 21 ١٠٨، 31
٢٢، 33 ٢٢، 39 ١٢ و٥٤، 41 ٣٣

**التفويض إليه جلّ وعلا** : 3 ١٧٣، 7 ١٨٨، 8
٦٤، 9 ١٢٩، 10 ٤٩، 12 ٦٤، 18 ٢٣ و٢٤،
39 ٣٦ و٣٨، 40 ٤٤

**التوكل عليه جلّ وعلا** : 3 ١٠١ و١٠٣ و١٢٢
و١٥٩ و١٦٠ و١٧٣، 4 ٨١ و١٤٦ و١٧١
و١٧٥، 5 ١١ و٢٣، 6 ١٠٢، 7 ٨٩، 8 ٢
و٤٩ و٦١، 9 ٥١ و١٢٩، 10 ٨٤ و١٠٨، 11
١٢٣، 12 ٦٧، 13 ٣٠، 14 ١١ و١٢، 16
٤٢، 17 ٢ و٦٥، 22 ٧٨، 25 ٥٨، 26 ٢١٧،
27 ٧٩، 29 ٥٩، 33 ٣ و٤٨، 39 ٣٨، 42
١٠ و٣٦، 51 ٥٠، 58 ١٠، 60 ٤، 64 ١٣،
65 ٣، 67 ٢٩، 73 ٩

**حبه جلّ وعلا** : 2 ١٦٥ و١٨٦، 3 ٣١ و٣٢

**الخشوع بين يديه جلّ وعلا** : 2 ٤٥ و٤٦، 6
٦٣، 7 ٥٥ و٢٠٥ و٢٠٦، 11 ٢٣، 17 ١٠٧
- ١٠٩، 21 ٩٠، 22 ٣٤ و٣٥ و٥٤، 23 ١
و٢ ، 24 ٣٠، 28 ٨٣، 31 ١٨ و١٩ ، 33
٣٥

**خشيته جلّ وعلا** : 2 ٢ و٣ و٧٤ و١٥٠، 4 ٩
و٧٧، 5 ٣ و٣١ و٤٦ و١٠٠، 6 ١٥ و٥١، 8
٢، 9 ١٣ و١٩، 13 ١٣، 16 ٥٠، 21 ٤٩
و٩٠، 22 ٣٤ و٣٥، 23 ٥٧ و٦٠، 24 ٣٧
و٥٢، 33 ٣٥ و٣٧ و٣٩، 35 ١٨، و٢٨، 36
١١، 39 ١٦، و٢٣، 50 ٣٣ و٤٥، 52 ٢٦، 55
٤٦، 57 ١٦ و٢٥، 59 ٢١، 67 ١٢، 70 ٢٧،
71 ١٣، 76 ١٠، 79 ٤٠، 87 ١٠، 98 ٨

**ذكر الله جلّ وعلا** : 2 ١٥٢ و٢٠٣، 3 ١٣٥
و١٩١، 4 ١٠٣ و١٤٧، 5 ٤ و١١، 7 ٢٠٥، 8
٢، 13 ٢٨، 14 ٧، 18 ٢٤، 20 ١٤ و١٢٤،
24 ٣٧، 26 ٢٢٧، 29 ٤٥، 33 ٢١ و٣٥
و٤١، 39 ٢٣ و٤٥، 43 ٢٦، 53 ٢٩، 62 ٩،
63 ٩، 68 ١٧ و١٨، 73 ٨، 76 ٢٥، 87 ١٤
و١٥

**الرجاء بالله جلّ وعلا** : 2 ٢١٨، 4 ١٠٤، 10 ٧
و١١ و١٥، 12 ٨٣، 17 ٥٧، 18 ١١٠، 25
٢١، 29 ٥، 33 ٢١، 39 ٩، 60 ٦

**شكره جلّ وعلا** : 2 ١٥٢ و١٧٢، 3 ١٤٥، 4
١٤٧، 14 ٧، 27 ٤٠، 28 ٧٣، 29 ١٧، 30
٤٩، 31 ١٢ و١٤ و٣١، 35 ١٢، 39 ٧ و٦٦،
42 ٣٣، 67 ٢٣

**فضله جلّ وعلا** : 2 ٥ و٦٤ و١٠٥ و٢١٣
و٢٤٣ و٢٦٨ و٢٧٢، 3 ٧٣ و٧٤ و١٢٩، 4
٨٣ و١٧٥، 6 ٨٣ و٨٨ و١٢٥ و١٢٦
و١٤٨، 7 ٣٠ و١٧٨ و١٨٦، 9 ٢٨، 10 ٢٥
و٤٩ و١٠٠، 13 ٢٦ و٣٣، 14 ٤، 16 ٩،
17 ٢٠ و٣٠ و٨٧، 19 ٧٦، 21 ٩، 22 ١٦،
24 ٢١ و٣٨ و٤٦، 28 ٥٦، 29 ٦٢، 30
٣٧، 34 ٣٩، 35 ٨، 39 ٢٣، 42 ١٣ و٢٧،
47 ١٧، 49 ٧ و٨، 57 ٢١ و٢٨ و٢٩، 62
٤، 64 ١١، 76 ٣١

## سادساً : المؤمنون

**ابتلاؤهم** : 2 ١٥٥ و٢١٤، 3 ١٥٢ و١٥٤
و١٧٩ و١٨٦، 5 ٤٨، 6 ١٦٥، 11 ٧، 21
٣٥، 29 ٢، 47 ٣١، 67 ٢

**استجابتهم لله ورسوله** : 2 ١٨٦، 3 ١٧٢، 6
٣٦، 8 ٢٤، 13 ١٨، 28 ٥٠، 42 ٢٦ و٤٧

**حياتهم في الدنيا والاخرة** : 2 ٢٥ و٨٢، 3
٥٦، 4 ٥٧ و١٢٢ و١٧٣ و١٧٥، 5 ٩، 10 ٤،
13 ٢٩، 14 ٢٣ و٢٧، 18 ٣٠ و١٠٧، 22 ١٤
و٢٣ و٥٠ و٥٦، 24 ٥٥، 29 ٧ و٩ و٥٨، 30
١٥ و٤٥، 31 ٨، 32 ١٩، 34 ٤، 35 ٧، 40
٥١، 41 ٨، 42 ٢٢ و٢٦، 45 ٣٠، 47 ١٢، 48
٢٩، 57 ١٢، 84 ٢٥، 85 ١١، 95 ٦، 98 ٧
و٨، 103 ٣

**حبه إياهم ومحبتهم إياه** : 2 ١٦٥ و١٨٦، 3 ٣١
و٣٢ و٩٢، 5 ٥٤، 9 ٢٤

**سعادتهم في الدنيا والآخرة** : 2 ٢٠١، 4 ٧٩، 7 ١٥٦، 10 ٢٦، 13 ١٨ و٢٢، 16 ٣٠ و٩٧ و١٢٢، 18 ٨٨، 20 ٧٥، 27 ٨٩، 28 ٨٤، 39 ١٠، 53 ٣١، 57 ١٠ و٢٨

**صفات المؤمنين** : 2 ٢٨٥، 6 ١٢٢، 8 ٧٤، 9 ٤٤ و٧١ و٨٨، 11 ١٧، 23 ١ - ٩، 24 ٦٢، 25 ٦٣ - ٦٨، 27 ٣، 32 ١٨، 48 ٢٩، 49 ١٥، 57 ١٢ و١٦ و١٩، 58 ٢، 87 ١٤ و١٥، 98 ٧ و٨

**لاخوف عليهم** : 2 ٣٨ و٦٢ و١١٢ و٢٦٢ و٢٧٤ و٢٧٧، 5 ٦٩، 6 ٤٨، 7 ٣٥، 10 ٦٢، 43 ٦٨

**ماأعده الله لهم** : 2 ٢٥ و٨٢ و١١٢ و٢١٨ و٢٢٧، 3 ٥٧ و١٠٧ و١٧٩، 4 ٥٧ و١٢٢ و١٤٦ و١٥٢ و١٦٢ و١٧٣ و١٧٥، 5 ٩، 7 ٤٢ و٤٤، 8 ٢ - ٤، 9 ٧١ و٧٢ و١٠٠، 10 ٢ و٤ و٩ و١٠٣، 11 ٢٣ و١٠٩، 13 ١٩ - ٢٤ و٢٧ - ٢٩، 14 ٢٣ و٢٧، 17 ٩، 18 ٢ و٣ و٣٠ و٣١ و١٠٧، 19 ٦٠ و٩٦، 20 ٧٥ و٧٦ و١١٢، 21 ٩٤و١٠١ - ١٠٣، 22 ١٤ و٢٣ و٢٤ و٥٠ و٥٦، 23 ١ - ١١ و٥٧ - ٦١، 24 ٣٨ و٥٢، 25 ٢٤ و٦٣ - ٧٦، 27 ٢، 28 ٦٧، 29 ٧ و٥٨، 30 ١٥ و٤٤ و٤٥، 31 ٨، 32 ١٥ - ١٩، 33 ٢٣ و٢٤ و٣٥ و٤٤ و٤٧، 34 ٤ و٣٧، 35 ٧ و٣٢ - ٣٥، 36 ١١، 37 ٤٠ - ٤٩، 39 ١٧ و١٨، 40 ٧ - ٩، 41 ٨، 42 ٢٢ و٢٣ و٢٦ و٣٦ - ٤٠، 43 ٦٨ - ٧٣، 45 ٣٠، 46 ١٣ و١٤، 47 ٢ و١٢، 48 ٤ و٥ و٢٩، 49 ٧ و١٥، 52 ٢١ و٢٨، 53 ٣١ و٣٢، 55 ٤٦ - ٧٤، 56 ١٠ - ٤٠ و٨٨ - ٩١، 57 ١٢ و٢١، 58 ٢٢، 64 ٩، 65 ١٠ و١١، 66 ٨، 69 ١٩ - ٢٤، 70 ٢٢ - ٣٥، 74 ٤٠، 75 ٢٢ و٢٣، 76 ٥، 80 ٣٨ و٣٩، 83 ٣٤ و٣٥، 84 ٧ - ٩ و٢٥، 85 ١١، 87 ١٤ و١٥، 88 ٨ - ١٦، 90 ١٧ و١٨، 91 ٩، 92 ٥ - ٧، 95 ٦، 98 ٧ و٨، 101 ٦ و٧، 103 ٢ و٣

**المؤمن والكافر** : 3 ١٦٢، 22 ١٩ - ٢٤، 28 ٦١، 30 ١٤ - ١٦، 32 ١٨ - ٢١، 35 ٨، 38 ٢٨، 39 ٩ و٢٢ و٢٤، 40 ٥٨، 41 ٤٠، 45 ٢١، 47 ١٤، 59 ٢٠، 67 ٢٢، 68 ٣٥ و٣٦

**وعده إياهم** : 2 ٨٢ و١١٢ و٢١٨ و٢٧٧، 3 ٥٧ و١٠٧ و١٧٩، 4 ٥٧ و١٢٢ و١٤٦ و١٥٢ و١٦٢ و١٧٣ و١٧٥، 5 ٩، 7 ٤٢ و٤٤، 8 ٢ - ٤، 9 ٧١ و٧٢ و١٠٠، 10 ٢ و٤ و٩ و١٠٣، 11 ٢٣ و١٠٩، 13 ١٩ - ٢٤ و٢٧ - ٢٩، 14 ٢٣ و٢٧، 17 ٩، 18 ٢ و٣ و٣٠ و٣١ و١٠٧، 19 ٦٠ و٩٦، 20 ٧٥ و٧٦ و١١٢، 21 ٩٤ و١٠١ - ١٠٣، 22 ١٤ و٢٣ و٢٤ و٥٠ و٥٦، 23 ١ - ١١ و٥٧ - ٦١، 24 ٣٨ و٥٢، 25 ٢٤ و٦٣ - ٧٦، 27 ٢، 28 ٦٧، 29 ٧ و٥٨، 30 ١٥ و٤٤ و٤٥، 31 ٨، 32 ١٥ - ١٩، 33 ٢٣ و٢٤ و٣٥ و٤٤ و٤٧، 34 ٤ و٣٧، 35 ٧ و٣٢ - ٣٥، 36 ١١، 37 ٤٠ - ٤٩، 39 ١٧ و١٨، 40 ٧ - ٩، 41 ٨، 42 ٢٢ و٢٣ و٢٦ و٣٦ - ٤٠، 43 ٦٨ - ٧٣، 45 ٣٠، 46 ١٣ و١٤، 47 ٢ و١٢، 48 ٤ و٥ و٢٩، 49 ٧ و١٥، 52 ٢١ - ٢٨، 53 ٣١ و٣٢، 55 ٤٦ - ٧٦، 56 ١٠ - ٤٠ و٨٨ - ٩١، 57 ١٢ و٢١، 58 ٢٢، 64 ٩، 65 ١٠ و١١، 66 ٨، 69 ١٩ - ٢٤، 70 ٢٢ - ٣٥، 74 ٤٠، 75 ٢٢ و٢٣، 76 ٥، 80 ٣٨ و٣٩، 83 ٣٤ و٣٥، 84 ٧ - ٩ و٢٥، 85 ١١، 87 ١٤ و١٥، 88 ٨ - ١٦، 90 ١٧ و ١٨، 91 ٩، 92 ٥ - ٧، 95 ٦، 98 ٧ و٨، 101 ٦ و٧، 103 ٢و٣

**وعده إياهم بوراثة الأرض** : 3 ١٣٩، 6 ١٣٥، 21 ١٠٥ و١٠٦، 24 ٥٥، 37 ١٧١ - ١٧٣، 40 ٥١، 47 ٣٥

**ولاية الله للمؤمنين** : 2 ٢٥٧، 5 ٥٥ و٥٦، 6 ١٢٧، 7 ١٩٦، 8 ٤، 9 ٥٢، 10 ٦٢ - ٦٤، 22 ٣٨ و٧٨، 47 ١١

## سابعاً: الملائكة

**الإيمان بهم** : 2 ٣٠ - ٣٤ و٩٨ و١٦١ و١٧٧ و٢١٠ و٢٨٥، 3 ١٨ و٨٠ و١٢٣ و١٢٤، 4 ٩٧ و١٣٦ و١٧٢، 6 ٨ و٩ و٦١ و٩٣، 7 ١١ و١٢، 8 ٩ و١٢ و٥٠، 13 ١١ و١٣ و٢٣ و٢٤، 15 ٢٨ - ٤٣، 16 ٢ و٢٨ و٣٢ و٣٣، 17 ٤٠ و٦١ و٦٥، 20 ١١٦ و١١٧، 21 ٨ و١٩ و٢٠ و٢٦ - ٢٩، 22 ٧٥، 32 ١١، 33 ٤٣، 34 ٤٠ و٤١، 35 ١، 37 ١ - ٤ و٩ و٥٠ و١٤٩ - ١٥٧ و١٦٤ - ١٦٦، 38 ٧٠ - ٨٥، 39 ٧٥، 40 ٧، 41 ٣٠ - ٣٢ و٣٧، 42 ٥، 43 ١٦ - ٢٢ و٦٠ و٧٣، 47 ٢٧، 50 ١٧ - ١٩، 51 ٤، 53 ٢٦ - ٢٨، 69 ١٧، 70 ١ - ٤، 74 ٢٨ - ٣١، 77 ١ - ٦، 79 ١ - ٥، 86 ٤، 89 ٢٢ و٢٣، 97 ٤

**تنزلهم بأمر ربهم** : 6 ٨ و٩، 16 ٢، 41 ٣٠ - ٣٢، 97 ٤

**صفاتهم** : 26 ١٩٣، 35 ١، 82 ١٠ - ١٢

**عبادتهم لله** : 7 ٢٠٦، 21 ١٩ و٢٠، 37 ١٦٤ - ١٦٦، 39 ٧٥، 40 ٧، 41 ٣٨، 42 ٥

**عروجهم** : 70 ٤

**قيامهم بأمر ربهم:**

- إغاثتهم المؤمنين: 3 ١٢٤، 8 ٩ و١٢ و٥٠
- توفي النفوس: 4 ٩٧، 6 ٦١ و٩٣، 7 ٣٧، 8 ٥٠، 16 ٢٨ و٣٢، 32 ١١، 47 ٢٧، 50 ٢١
- حفظهم: 6 ٦١، 13 ١١، 82 ١٠، 86 ٤
- حملهم العرش: 40 ٧، 69 ١٧
- دعاؤهم: 33 ٤٣، 42 ٥
- شفاعتهم: 53 ٢٦
- كتابة أعمال بني آدم: 10 ٢١، 43 ٨٠، 50 ١٧ و١٨ و٢١، 72 ٢٧، 82 ١١
- ملائكة الرحمة: 13 ٢٣ و٢٤
- ملائكة العذاب: 2 ٢١٠، 37 ٢ ، 43 ٧٧، 74 ٢٨ - ٣١
- نفخهم في الصور: 6 ٧٣، 18 ٩٩، 20 ١٠٢، 23 ١٠١، 27 ٨٧، 36 ٤٩ - ٥٣، 39 ٦٨، 50 ٢٠ و٤٢، 69 ١٣ و١٤، 74 ٨، 78 ١٨

**من ورد اسمه منهم:**

جبريل: 2 ٩٧ و٩٨، 26 ١٩٣، 66 ٤، 81 ٢٠

- ماروت: 2 ١٠٢
- مالك: 43 ٧٧
- ملك الموت: 32 ١١
- ميكال: 2 ٩٨
- هاروت: 2 ١٠٢

## ثامناً: اليوم الآخر

**الإيمان باليوم الآخر** : 2 ٤ و١١٧، 4 ١٦٢، 9 ١٩ و٢٠، 27 ٣، 34 ٢١

**إثباته** : 2 ٢٣٢، 3 ٩ و٢٥، 6 ١٣٤، 11 ٥٣، 13 ٢، 15 ٨٥، 16 ١ و٧٧، 18 ٢١، 20 ١٥ و١٦ و٥٥، 21 ١٠٣، 22 ٧، 25 ١١، 29 ٥، 30 ٥٥، 34 ٣ و٢٩ و٣٠، 40 ٥٩، 42 ٧ و١٧ و١٨ و٤٧، 43 ٦٦ و٨٣، 45 ٢٦ و٣٢، 46 ٣٤ و٣٥، 51 ٥ و٦ و٢٣، 52 ٧، 53 ٤٢ و٥٧ و٥٨، 55 ٣١، 56 ١ و٢، 70 ٤٢، 72 ٢٤، 77 ٧، 78 ١ - ٥ و١٧

**الإرهاصات التي تسبقه** : 2 ٢١٠، 6 ٧٣ و١٥٨، 18 ٤٨ و٤٩ و١٠٠، 20 ١٠٥ - ١٠٧، 21 ٩٦ و١٠٤، 27 ٨٢، 34 ٥١ - ٥٤، 44 ١٠ و١١، 50 ٢٠ و٤١ و٤٢، 52 ٩ و١٠، 54 ١، 55 ٣٧، 56 ٤ - ٦، 69 ١٣ - ١٧، 70 ٨ و٩، 73 ١٤، 74 ٨، 75 ٧ - ٩، 77 ٨ - ١١، 78 ١٨ - ٢٠، 79 ٦ و٧، 81 ١ - ٧ و١١ - ١٣، 82 ١ - ٣، 84 ١ - ٥، 89 ٢١، 99 ١ - ٥

**أسماؤه** :

- الآخرة: 2 ٤
- الحاقة: 69 ١
- الساعة: 6 ٣١
- الصاخة: 80 ٣٣
- الطامة الكبرى: 79 ٣٤

و٣٠ و٣٤ و٤٥ و٤٦ و٥٦ و٧٠، 11 ٤، 14
٢١ و٤٨، 15 ٢٥، 16 ٣٨، 17 ٥٢ و٧١
و٩٧، 18 ٤٧ و٩٩، 19 ٤٠ و٨٥ و٨٦
و٩٥، 20 ١٠٨ و١١١ و١٢٤، 21 ٣٥ و٩٣
و١٠٤، 22 ٧، 23 ١٦ و٦٠ و١٠٠، 24
٦٤، 25 ١٧، 26 ٨٧، 27 ٨٣ و٨٧، 28
٧٠ و٨٥ و٨٨، 29 ٨ و١٧ و١٩ و٢٠ و٥٧،
30 ٢١ و٢٥ و٥٦، 31 ٢٣، 32 ١١، 34
٢٦ و٤٠، 35 ١٨، 36 ٢٢ و٣٢ و٥١ و٥٣
و٨٣، 37 ١٩ و٢٢ - ٢٤، 39 ٧ و٣١
و٦٨، 40 ١٦، 41 ١٩، 42 ١٥ و٢٩، 43
١٤ و٨٥، 45 ١٥، 50 ٤٤، 56 ٤٩ و٥٠،
58 ٦، 62 ٨، 64 ٩، 67 ٢٤، 70 ٤٣، 71
١٨، 75 ٣، 77 ٣٨، 83 ٤ - ٦، 84 ٦، 86
٨، 88 ٢٥، 96 ٨، 99 ٦، 100 ٩

**شهادة الأعضاء** : 24 ٢٤، 36 ٦٥، 41 ٢٠ - ٢٣

**العرض على الميزان واستلام الكتاب** : 3 ٢٥
و٣٠، 7 ٦ - ٩، 11 ١٨، 15 ٩٢ و٩٣، 17
١٣ و١٤، 18 ٤٨ و٤٩، 21 ١ و٤٧، 23
٦٣، 24 ٣٩، 29 ١٣، 34 ٣، 37 ٢٤، 39
٦٩، 45 ٢٨، 58 ٦ و٧ و١٨، 69 ١٨، 75
١٣، 81 ٨ - ١٠ و١٤، 82 ٥، 88 ٢٦، 99
٦ - ٨، 100 ١٠، 102 ٨

**فئات الخلق يومئذ** : 56 ٧ و٤١ - ٥٥ و٨٨ - ٩٥، 90 ١٧ - ٢٠

**فتنة الأموال والأولاد** : 8 ٢٨، 64 ١٥، 68 ١٠ - ١٤

**الموت** :
- الابتلاء: 67 ٢
- ساعة الاحتضار: 50 ١٩، 56 ٨٣ - ٨٧، 75 ٢٦ - ٣٠
- قضاء محتوم: 3 ١٤٤ و١٤٥ و١٥٤ و١٨٥، 4 ٧٨، 21 ٣٤ و٣٥، 23 ١٥، 29 ٥٧، 32 ١١، 39 ٣٠، 50 ١٩، 55 ٢٦، 56 ٦٠، 62 ٨، 63 ١١
- لكل أمة أجل محتوم: 7 ٣٤، 10 ٤٩، 15 ٥، 16 ٦١، 17 ٥٨، 35 ٤٥، 36 ٤٤، 69 ٨، 71 ٤

# الدعوة إلى الله

## أولاً: حدودها

**الإضطهاد بسبب العقيدة ظلم لا يجوز** : 2 ١١٤،
3 ١٨٦ و١٩٥، 4 ٦٩ و٩٧ و٩٨، 16 ٤١
و٤٢، 22 ٣٨ - ٤٠ و٥٨ و٥٩، 29 ٥٦، 85
١ - ١٠، 96 ٩ - ١٩

**التساهل مع المسالمين** : 2 ٦٢ و٨٢ و١٠٩ و١٣٩
و٢٥٦، 3 ٢٠ و٦٤ و٧٣ و١١٣ و١١٤
و١٩٩، 4 ١٦٢، 5 ٤٤ - ٤٨ و٦٩، 6 ٥٢
و٥٣ و٦٨ و١٠٨، 7 ٨٧، 10 ٩٩ و١٠٠، 20
١٣٠، 22 ٤٠ و٦٧ - ٦٩، 29 ٤٦، 33 ٤٨،
39 ٣، 42 ١٥، 45 ١٤، 46 ١٣ و١٤، 73
١٠، 109 ١ - ٦

**التشدد مع الكفار المقاتلين** : 2 ١٩٣، 4 ٨٩، 5
٣٣ و٣٤ و٥١، 8 ٥٥ - ٥٧، 9 ٥ و٢٣ و٢٤
و٢٩ و٧٣ و١١٣ و١٢٣، 28 ٨٦، 47 ٤ و٨،
58 ٥ و٢٢، 60 ١ و٢ و١٣، 66 ٩، 68 ٨
و٩، 71 ٢٦ و٢٧

**لا إكراه في الدين** : 2 ٢٥٦، 10 ٩٩، 18 ٢٩، 22 ٧٨

**لاتعصب فالتعصب من شيمة الكفار**: 3 ٧٣

**لاغلو في الدين** : 4 ١٧١، 5 ٧٧

## ثانياً: الحكمة في الدعوة

**الإمتناع عن إثارة الخصم** : 6 ١٠٨

**الدعوة بلسان القوم وبما يفهمونه** : 14 ٤، 41 ٤٤

**دفع السيئة بالحسنة** : 13 ٢٢ و٢٣، 23 ٩٦، 25 ٦٣، 28 ٥٤، 41 ٣٤ و٣٥

**ضرب المثل** : 2 ٢٦، 14 ٢٥، 25 ٣٣، 39 ٢٧

**المجادلة بالتي هي أحسن** : 16 ١٢٥، 17 ٥٣، 18

٥٤، 29 ٤٦، 43 ٥٧ - ٥٩

**وجوب التزام الحكمة** : 2 ١٥١ و٢٣١ و٢٦٩، 3 ٤٨ و١٦٤، 4 ١١٣، 16 ١٢٥، 17 ٣٩، 33 ٣٤، 43 ٦٣، 54 ٥

## ثالثاً: وجوبها

**الترهيب عن التقصير في الدعوة إلى الله** : 2 ١٧٤، 3 ١٨٧، 16 ٤٤، 33 ٣٤

**مهمة الرسل** : 4 ٧٩، 5 ٩٢ و١٠١، 6 ٤٨ و٦٦ و١٠٧ و١٥٩، 10 ٤٦، 13 ٤٣، 16 ٨٢، 17 ٥٤، 18 ٥٧، 22 ٤٩، 24 ٥٤، 27 ٨٠ و ٨١ و٩٢، 29 ١٨، 40 ٧٧، 42 ٦ و٤٨، 43 ٤١ و٤٢، 50 ٤٥، 64 ١٢، 72 ٢٣، 80 ٣ و٤، 88 ٢١ و٢٢

**وجوبها على كل مسلم** : 3 ٢١ و١٠٤ و١١٠ و١١٤، 4 ١١٤، 5 ٦٣ و٧٨ و٧٩، 6 ٦٩، 7 ١٥٧ و١٦٥ و١٩٩، 9 ٦٧ و٧١ و١١٢، 11 ١١٦، 16 ٩٠، 19 ٥٥، 22 ٤١ و٧٧، 24 ٢١، 31 ١٧، 51 ٥٥، 87 ٩

# القرآن الكريم

**القسم في القرآن الكريم:**
15 ٧٢، 36 ٢، 37 ١، 38 ١ و٢ و٣، 43 ٢، 44 ٢، 50 ١، 51 ١ و٢ و٣ و٤ و٧ و٢٣، 52 ١ و٢ و٣ و٤ و٥ و٦، 53 ١، 56 ٧٥ و٧٦، 68 ١، 69 ٣٨ و٣٩، 70 ٤٠، 74 ٣٢ و٣٣ و٣٤، 75 ١ و٢، 77 ١ و٢ و٣ و٤ و٥ و٦، 79 ١ و٢ و٣ و٤ و٥، 81 ١٥ و١٦ و١٧ و١٨، 84 ١٦ و١٧ و١٨، 85 ١ و٢ و٣، 86 ١ و٢ و٣ و١١ و١٢، 89 ١ و٢ و٣ و٤ و٥، 90 ١ و٢ و٣، 91 ١ و٢ و٣ و٤ و٥ و٦ و٧ و٨، 92 ١ و٢ و٣، 93 ١ و٢، 95 ١ و٢ و٣، 100 ١ و٢ و٣ و٤ و٥، 103 ١

**الأمثال فيه** :
- الامتناع عن ضرب المثل لله: 16 ٧٤
- ضربُ اللهِ الأمثالَ للناس: 14 ٢٥، 25 ٣٣، 39 ٢٧
- عدم الاستحياء من ضرب المثل: 2 ٢٦، 33 ٥٣

**إنزاله في ليلة القدر** : 2 ١٨٤، 44 ٣ - ٥، 97 ١ - ٥

**تأويل المتأولين وتحريفاتهم** : 2 ٧٥ و٧٩، 3 ٧ و٧٨، 4 ٤٦، 5 ١٣ و٤١، 12 ٦، 15 ٩١، 18 ٢٧

**تغييرهم حكم القرآن** : 5 ٨٧ و١٠٣، 6 ١٤٠، 7 ١٦٢، 9 ٣٧، 10 ١٥ و٧٤، 13 ٤١، 16 ١٠١، 33 ٦٢، 35 ٤٣

**تلاوته** :
- الاستعاذة قبل التلاوة: 16 ٩٨
- الأمر بالإنصات لدى تلاوته: 7 ٢٠٣، 46 ٢٩
- الأمر بتلاوته: 2 ١٢١، 3 ١٠١ و١١٣، 7 ٢٠٤، 8 ٢ و٣١، 16 ٩٨، 17 ٤٥ و٤٦ و١٠٧، 19 ٥٨ و٧٣، 22 ٧٢، 25 ٧٣، 27 ٩٢، 29 ٤٥، 31 ٧، 35 ٢٩، 37 ٣، 73 ٤ و٢٠، 84 ٢١، 96 ١ و٣

**تنزيهه عن الشعر** : 36 ٦٩، 37 ٣٦ و٣٧، 69 ٤٠ و٤١

**حقيقته وتصديقه للكتب الأوائل** : 2 ٢ - ٥ و٢٣ و٢٤ و٣٨ و٣٩ و٨٩ و٩١ و٩٧ و١٠٥ و١٠٦ و١٥١ و١٨٥، 3 ٣ و٤ و٧ و٢٣ و٧٨ و١٣٨ و١٦٤، 4 ٨٢، 5 ٦٨، 6 ٧ و٢٥ - ٢٨ و٩٠ - ٩٢ و١١٤ - ١١٧ و١٥٥ - ١٥٧، 7 ٢ - ٥ و٢٠٣ و٢٠٤، 9 ١٢٤ - ١٢٧، 10 ١ و٣٧ - ٣٩ و٥٧ و٥٨، 11 ١ و١٣، 12 ١ و٢ و١١١، 13 ١ و٣٧ - ٣٩، 14 ١ و٢، 15 ١ و٨٧، 16 ١٠١ - ١٠٣، 17 ٩ و٤١ و٤٥ و٤٦ و٨٢ و٨٨ و٨٩ و١٠٥ - ١٠٩، 18 ١ - ٥ و٢٧ و٥٤، 19 ٦٤ و٩٧، 20 ٢ - ٥ و١١٣ و١١٤، 21 ٤ - ٨ و١٠ - ١٥، 22 ١٦، 24 ١ و٣٤، 25 ٤ - ٦ و٣٠ - ٣٢، 26 ١ و٢ و١٩٢ - ١٩٩ و٢٠١ - ٢١٢، 27 ١ - ٣ و٦ و٧٦ - ٧٩، 28 ٢ و٣

و٤٨ - ٥١ و٨٦، 29 ٤٧ - ٥٠، 31 ٦ و٧،
32 ٢، 35 ٢٩ - ٣٢، 37 ١٦٧ - ١٧٠، 38
١ - ١٤ و٨٧ و٨٨، 39 ١ - ٣ و٢٣ و٢٧
و٢٨ و٤٠ و٤١، 41 ٢ - ٥ و٢٧ و٣٠ و٤١
- ٤٤ و٥٢ - ٥٤، 42 ١٧، 43 ٢ - ٤ و٤٤،
44 ٢ - ٥ و٥٨ و٥٩، 45 ٢ و٢٠، 46 ٢ و٤
و٧ - ١٢ و٢٩ و٣١، 52 ٣٣ و٣٤، 53 ٢ -
١٨، 54 ١٧، 56 ٧٥ - ٨٧، 59 ٢١، 68 ٤٤
و٤٥ و٥١ و٥٢، 69 ٣٨ - ٥٢، 72 ١ و٢،
73 ١ - ٤ و٢٠، 74 ٣١ و٥٤ - ٥٦، 75
١٦ - ٢٠، 76 ٢٣، 80 ١١ - ١٦، 81 ١٩
- ٢٩، 84 ٢١، 85 ٢١ و٢٢، 86 ١٣ و ١٤،
87 ١٨ و١٩، 97 ١ - ٥

**سجدات التلاوة** : (راجع فصل الصلاة).

**محاجة المنكرين والجاحدين** : 2 ٢٣ و٢٤
و٩١ و٩٢ و٩٤ و٩٥، 3 ٦٧ و٧٠ و٧١
و٧٩ و٨٠ و٨٦ و٩٣ و٩٨ و٩٩ و١٨٣، 5
١٨ و٤٣ و٥٩، 6 ٨ و ٩ و١٤٨ - ١٥٠
و١٥٦ و١٥٧، 7 ١٧٢، 10 ١٦ - ١٨ و٣١
- ٣٥ و٣٨ و٦٨، 11 ١٣ و١٤، 13 ١٦،
16 ٣٥ و١٠٣، 17 ٤٢ و٤٩ - ٥١، 19 ٦٦
و٦٧، 20 ١٣٣، 21 ٢٢، 23 ٧١ و٩١، 26
١٩٧، 28 ٤٤ - ٥٠، 29 ٤٨ و٦١، 39 ٥٥
- ٥٩، 43 ٣٣ - ٤٣ و٥٢ و ٨٧، 62 ٦ -
٨

**المحكم والمتشابه منه** : 3 ٧، 11 ١

**النسخ** : 2 ١٠٦، 16 ١٠١

**هجره** : 25 ٣٠، 43 ٨٨ و٨٩

**وجوب الحكم به** : 5 ٤٤ و٤٥ و٤٧ و٥٠

**وصفه ووجوب الإيمان به** : 2 ٣ و٩٩ و١٢١
و١٣٦ و١٧٤ و١٧٦ و٢١٣، 4 ٤٧ و٨٢
و١٠٥ و١١٣ و١١٦ و١٧٤، 5 ١٥ و١٦
و٤٨ و٤٩ و٦٧ و٦٨، 6 ١٩ و٥٠ و٦٦
و١٥٥ - ١٥٧، 7 ٢ و٣ و٥٢ و١٧٠ و٢٠٣
و٢٠٤، 10 ١٠٨، 11 ١٧، 12 ١٠٢ و١٠٤،
13 ١ و٣٠ و٣١ و٣٧، 14 ٥٢، 15 ٩، 16
٤٣ و٤٤ و٦٤ و٨٩، 17 ٩، 20 ٩٩ و١٠٠،
21 ٥٠، 25 ١ و٣٣، 26 ٢ و١٩٢ و٢١٠،
27 ١ و٩٢ و٩٣، 28 ٥١ - ٥٣ و٨٥، 29
٤٥، 30 ٥٨، 31 ٢، 34 ٦، 38 ٢٩، 39
٥٥، 40 ٢، 41 ٢ - ٤ و٤١ و٤٢ و٤٤
و٥٢، 42 ٣ و٧ و١٧ و٥٢، 43 ٣ و٤ و٤٣،
44 ٣ و٥٨، 45 ٢، 46 ٢ و١٢ و٢٩ - ٣١،
47 ٢ و٢٤، 54 ١٧ و٢٢ و٣٢ و٤٠، 56
٧٧ - ٨٠، 59 ٢١، 64 ٨، 65 ١٠ و١١،
68 ٥٢، 69 ٤٠ - ٤٣ و٤٨ و٥٠ و٥١، 72
١ و٢، 73 ٤ و٢٠، 74 ٥٤ و٥٥، 75 ١٦ -
١٩، 76 ٢٣، 80 ١١ - ١٦، 81 ١٩ و٢٥
و٢٧، 85 ٢١ و٢٢، 96 ١، 98 ٢ و٣

# الجهاد

## (١)- أدوات الجهاد:

**الحديد** : 57 ٢٥

**الخيل** : 3 ١٤، 8 ٦٠، 16 ٨، 17 ٦٤، 59 ٦

## (٢)- الأسرار الحربية:

**تناقل الأخبار** : 4 ٨٣، 33 ٦٠ - ٦٢، 49 ٦

**وجوب كتمانها** : 4 ٨٣

## (٣)- الأسرى والرقيق:

**خطوات سباقة للقضاء على الرقيق واستئصال وجوده**

- الإعتاق: 2 ١٧٧، 4 ٩١ و٩٢، 5 ٨٩، 9 ٦٠، 24 ٣٣، 58 ٣، 90 ١٢ و١٣
- تنظيم معاملة الرقيق على أساس من الإنسانية: 4 ٣٥ و٣٦
- واجب الدولة في العمل على تحرير الأرقاء بالمال: 9 ٦٠
- وجوب مكاتبة المملوك ومساعدته مالياً على التخلّص من الرقّ: 24 ٣٣

**فداؤهم قبل استرقاقهم** : 8 ٧٠ و٧١، 47 ٤

**متى يؤخذ الأسرى** : 8 ٦٧ و٦٨

## (٤)- تعليمات حربية:

**أحكام خاصة :**

الأعمى والأعرج والمريض : 9 ٩١، 48 ١٦ و١٧

البيعة : 9 ١١١، 48 ١٠ و١٨، 60 ١٢

الصلاة وقت الحرب : 4 ١٠١ - ١٠٣

القتال فى الأشهر الحرم : 2 ١٩٤ و٢١٧، 5 ٩٧، 9 ٣٦ و٣٨

القتال فى الحرم : 2 ١٩١، 29 ٦٧

قتال من ألقى السلاح : 4 ٩٣

ماهو أشد من القتل : 2 ١٩١ و٢١٧، 8 ٢٥ و٣٩، 29 ١٠

نظام الجهاد وقانونه : 4 ٧١ و٩٤، 5 ٣٣ و٣٤، 8 ١٥ - ١٨ و٥٨ و٦١ - ٦٤ و٦٧ و٦٨، 16 ٩٢ و٩٤

الوساطة والإصلاح في الحرب : 49 ٩ و١٠

## (٥)- الثأر : 16 ١٢٦

## (٦)- الجهاد في الإسلام :

أشرار الجند : 4 ٧٢ و٧٣ و٨٨ - ٩١، 9 ٣٨- ٥٧ و٨١ - ٩٦ و١١١، 33 ٩ - ٢١

إعداد الجيش : 8 ٦٠

تفضيل المجاهدين : 4 ٩٥ و١٠٠، 8 ٧٤ و٧٥، 9 ١٢٢، 78 ١٧

الجنوح إلى السلم : 8 ٦١

الحرب في الإسلام : 47 ٤ - ٦

الدعوة إلى الجهاد : 2 ١٩٠ - ١٩٥ و٢١٦ - ٢١٨ و٢٤٤ و٢٤٦ - ٢٥٢ و٢٦١، 3 ١٣٩ و١٤٢ و١٤٦ و١٥٤ - ١٥٨ و٢٠٠، 4 ٧١ - ٧٧ و٨٤ و٩٣ و١٠٢، 5 ٣٥ و٥٤، 8 ١٥ و١٦ و٢٠ - ٢٦ و٣٩ و٤٠ و٤٦ - ٤٨ و٥٧ - ٦٦، 9 ٧ - ١٦ و٢٠ - ٢٢ و٢٤ و٢٩ و٣٨ - ٤١ و٧٣ و١١١ و١٢٠ - ١٢٣، 16 ١١٠، 22 ٣٩ و٤٠ و٥٨ و٧٨، 29 ٦٧، 33 ١٦ و١٧ و٢١ و٢٢ و٢٥، 47 ٤ - ٧ و٢٠ - ٢٤ و٣١ و٣٥، 48 ٤ و٧ و١٨ - ٢٧، 57 ١٠ و٢٥، 59 ٢ - ٥ و١١ - ١٤، 60 ١، 61 ٤ و١٠ - ١٣

ذم المتخاذلين عن الجهاد : 4 ٧٢ و٧٣ و٨٨ -٩١، 9 ٣٨ - ٥٧ و٨١ - ٩٦ و١١١، 33 ٩-٢١

الفرار من المعركة : 8 ١٥، 33 ١٦ و١٧

لاحرب في الإسلام إلا الجهاد في سبيل الله (لدفع الإعتداء أو لتحطيم القوى الباغية): 2 ١٩ و٢٥٦، 8 ٣٩

مدح الجهاد : 2 ١٩٠ و١٩١ و٢١٦ - ٢١٨ و٢٤٤، 3 ١٣٩ و١٤٢ و١٤٦ و١٥٤ - ١٥٨ و٢٠٠، 4 ٧١ - ٧٧ و٨٤ و٩٥ و٩٦ و١٠٤، 5 ٢ و٣٥ و٥٤، 8 ١٥ و١٦ و٢٤ و٣٩ و٤٥ - ٤٧ و٥٧ - ٦٦ و٧٢ - ٧٥، 9 ١٤ - ١٦ و١٩ و٢٤ و٣٦ و٣٨ - ٤١ و٤٤ و٤٥ و٧٣ و١١١ و١٢٠ - ١٢٣، 22 ٣٩، 33 ١٦ و١٧، 47 ٤ - ٧ و٣١ و٣٥، 57 ١٠، 60 ١، 61 ٤ و١٠ - ١٣، 66 ٩

المعاملة بالمثل : 2 ١٩٤

النهي عن الإعتداء : 2 ١٩٠، 5 ٢، 22 ٣٩

## (٧)- الرباط : 3 ٢٠٠

## (٨)- الشهداء :

حياتهم عند الله : 2 ١٥٤، 3 ١٦٩-١٧١

منزلتهم وماأعد الله لهم : 3 ١٥٧ و١٥٨ و١٧٤ و١٩٥، 4 ٦٨ و٧٣، 9 ١١٢، 22 ٥٨ و٥٩، 47 ٤ - ٦

## (٩)- الغزوات :

غزوة أحد : 3 ١٢١ - ١٢٨ و١٥٢ - ١٧١

غزوة بدر : 8 ٥ - ١٩ و٤١ - ٤٥ و٤٩ و ٥٠ و٦٧

غزوة بني النضير : 59 ٢ - ٦

غزوة تبوك : 9 ٤٢ - ٦٠ و٦٢ - ٩٨ و١١٨ و ١١٩

غزوة الحديبية وبيعة الرضوان : 48 ١ - ٢٧

غزوة حمراء الأسد : 3 ١٧٢ - ١٧٥

غزوة حنين : 9 ٢٦ - ٢٨

غزوة الخندق : 33 ٩ - ٢٧

فتح مكة : 110 ١ - ٣

## (١٠)- نتائج الحرب :

الغنائم والأنفال : 8 ١ و٤١ و٦٩، 48 ١٩ -

٢١، 59 ٦ - ١٠، 60 ١١

**من أسباب النصر :**

- الفضل الإلهي : 8 ٥ -١٢، 9 ٢٥-٢٧
- المدد الإلهي : 3 ١٢٤ و١٢٥، 8 ٩ و١٢، 9 ٢٧ و٤١، 16 ٣٣، 33 ٩ ، 48 ٤ و٧، 71 ١٢، 74 ٣١

**النصر حليف المظلوم** : 22 ٣٩ و٦٠

**النصر من عند الله** : 2 ٢٤٩، 3 ١٣ و١١٠ و١١١ و١٢١ - ١٢٨ و١٦٠، 8 ١٠ و١٩ و٤٢ - ٤٥ و٦٢، 9 ٢٥ و٢٦، 10 ١٠٣، 30 ٤ و٥ و٤٧، 33 ٢٦ و٢٧ و٤٧ و٥٧

**الهزيمة** : 3 ١٣٩ - ١٤١ و١٦٥ - ١٧٥ و١٩٥ - ١٩٧

## (١١)- الهجرة :

**ثواب المهاجرين** : 2 ٢١٨، 3 ١٩٥، 8 ٧٢ - ٧٥، 9 ٢٠ - ٢٢ و١٠١ و١١٧، 16 ٤١ و٤٢، 22 ٥٨ - ٦٠، 39 ١٠، 59 ٨ - ١٠

**هجرة الأنصار** : 9 ١١٧، 59 ٩

**هجرة النبي ﷺ** : 9 ٤١

**وجوبها** : 4 ٨٩ و٩٦ - ٩٩، 8 ٧٢، 16 ١١٠، 29 ٥٦

# العمل

## (١)- التكليف بالعمل على قدر الإستطاعة :

2 ٢٣٣ و٢٨٦، 4 ٨٤، 6 ١٥٢، 7 ٤٢، 23 ٦٢، 65 ٧

## (٢)- الجزاء :

**الجزاء بالعمل** : 4 ١٢٣ و١٢٤، 5 ٣٣، 6 ١٢٠ و١٤٦ و١٦٠، 7 ١٧٠ و١٨٠، 8 ٥٠ و٥١، 9 ٢٢، 12 ٢٢، 20 ١٥، 24 ٣٨، 35 ٣٠، 39 ٣٤ و٣٥، 41 ٨ و٢٧، 42 ٢٠ و٢٣ و٢٦، 53 ٣١

**جزاء السيئة بمثلها** : 2 ١٩٤، 10 ٢٧، 16 ١٢٦، 22 ٦٠، 27 ٩٠، 28 ٨٤، 40 ٤٠، 42 ٤٠

## (٣)- الدعوة إلى العمل:

3 ١٤٦، 4 ١٠٤، 6 ١٣٥، 9 ١١٧، 17 ١٩، 20 ٤٢، 39 ٣٩، 53 ٣٩ و٤٠، 67 ١٥، 76 ٢٢، 92 ٤

## (٤) العمل الصالح :

**الإحسان** : 2 ٨٣ و١١٢ و١٧٧ و١٩٥، 3 ١٣٤ و١٤٨، 4 ١٢٥ و١٢٨، 5 ٨٥ و٩٣، 7 ٥٦، 9 ١٠٠ و١٢٠، 10 ٢٦، 11 ١١٥، 12 ٢٢، 16 ٣٠ و٩٠ و١٢٨، 17 ٧، 18 ٣٠، 22 ٣٧، 28 ٧٧، 29 ٦٩، 31 ٣ و٤ و٥ و٢٢، 37 ٨٠ و١٠٥ و١١٠، 39 ١٠ و٣٤، 46 ١٢، 53 ٣١، 55 ٦٠، 58 ٩، 77 ٤٤

**الإستقامة في العمل** : 3 ١٣٩ و١٤٠ و١٤٦ و١٤٧ و١٥٢، 4 ٨١، 8 ١١ و١٢ و٤٥، 10 ٢ و٨٩، 11 ١١٢، 14 ٢٧، 16 ١٠٢، 17 ٧٤، 18 ١٣، 19 ٣١، 20 ٣٢، 33 ٧٠، 41 ٦ و٣٠ و٣١ و٣٢، 42 ١٥، 46 ١٣ و١٤، 47 ٧ و٣٥، 81 ٢٨

**إطاعة الله ورسوله وأولي الأمر**: 3 ٣٢ و١٣٢، 4 ٥٩ و٦٤ و٦٨ و٦٩ و٨٠، 5 ٩٥، 8 ١ و٢٠ و٤٦، 9 ٧١، 24 ٥٢ و٥٤ و٥٦، 33 ٣٦ و٧١، 47 ٣٣، 48 ١٧، 49 ١٤، 59 ٧، 60 ١٢، 64 ١٢ و١٦

**البشاشة** : 4 ٢٨، 8 ٦٣، 17 ٥٣، 26 ١٣٠ و١٣١، 30 ٢١، 33 ٤٨

**تطابق العمل مع القول** : 2 ٤٤، 3 ١٨٨، 61 ٢

**التعاون مع الآخرين** : 5 ٢، 8 ٧٤، 9 ٧١

**التقوى** : 2 ٢ - ٥ و١٠٣ و١٧٧ و١٩٧ و٢٠٣ و٢١٢ و٢٣٧، 3 ١٥ - ١٧ و٢٨ و١٠٢ و١٢٠ و١٢٣ و١٢٥ و١٣٠ و١٣٣ - ١٣٦ و١٣٨ و١٧٩ و١٨٦ و١٩٨ و٢٠٠، 4 ١ و١٢٨ - ١٣١، 5 ٢ و٤

**التواضع** : 15 ٨٨، 17 ٣٧، 24 ٣٠، 25 ٦٣، 26 ٢١٥ ، 31 ١٨ و١٩

**التوسط في العمل** : 17 ٢٩ و١١٠، 25 ٦٧، 31 ٣٢، 35 ٣٢

## (٥)- العمل الطالح :

و١١١ و١١٢، 5 ٢ و٣ و٦٢، 6 ١٢٠، 7 ٣٣، 32 ١٧، 45 ٧، 49 ١٢، 53 ٣٢، 58 ٨ و٩، 83 ١٢

**العمل من لوازم الإيمان** : (راجع البند المتعلق بالإيمان).

**الظلم** : 2 ٢٢٩، 5 ٣٩، 6 ٨٢، 20 ١١١، 51 ٥٩

**عبادة الأنصاب والأزلام** : 5 ٣ و٩٠ و٩١

**الفاحشة والزنى والبغاء** :

- إتيان النساء في غير موضعه: 2 ٢٢٣
- الفحشاء: 2 ٢٦٨، 3 ١٣٥، 4 ١٥ و١٦ و١٩ و٢٥، 6 ١٥١، 7 ٢٨ و٣٣، 16 ٩٠، 17 ٣٢، 24 ٢ و٣ و١٩ و٢١ و٣٣، 33 ٣٠، 42 ٣٧، 53 ٣٢، 60 ١٢
- النكاح في فترة الحيض: 2 ٢٢٢ و٢٢٣
- نكاح قوم لوط: 4 ١٦، 7 ٨٠ - ٨٢
- النكاح المحرَّم: 4 ٢٢-٢٥، 5 ٥، 33 ٥٠
- نكاح المشركة وإنكاح المشرك: 2 ٢٢١

**الفلاح والسعادة** : 2 ٥ و١٨٩، 3 ١٠٤ و١٣٠ و٢٠٠، 5 ٣٥ و٩٠ و١٠٠، 6 ٢١ و١٣٥، 7 ٨ و٦٩ و١٥٧، 8 ٤٥، 9 ٨٨، 10 ١٧ و٦٩ و٧٧، 12 ٢٣، 16 ١١٦، 20 ٦٩، 22 ٧٧، 23 ١ و١٠٢ و١١٧، 24 ٣١ و٥١، 28 ٣٧ و٦٧ و٨٢، 30 ٣٨، 31 ٥، 58 ٢٢، 59 ٩، 62 ١٠، 64 ١٦، 87 ١٤، 91 ٩

**في القول** :

- التحليل والتحريم: 16 ١١٦ و١١٧
- الحلف على معصية: 2 ٢٢٤ و٢٢٥، 5 ٨٩، 68 ١٠
- الغيبة: 4 ١٤٨، 49 ١٢، 104 ١
- كتم الشهادة: 2 ١٤٠ و١٤٦ و٢٨٣، 5 ١٠٦، 6 ٣٣
- اللّي والنجوى بالإثم: 2 ١٠٤، 4 ٤٦، 58 ٨
- الهمز واللمز: 23 ٩٧، 49 ١١، 104 ١ و٢

**في المال** :

- أكل الأموال بالباطل: 2 ١٨٨، 4 ٢ و٢٩ و٣٠ و١٦١، 5 ٤٢ و٦٢، 9 ٣٤
- التطفيف في الوزن: 83 ١ - ٣
- الربا: 2 ٢٧٥ - ٢٧٩، 3 ١٣٠، 4 ١٦١، 30 ٣٩
- السرقة: 5 ٣٨ و٣٩، 60 ١٢
- كنز الذهب والفضة: 9 ٣٤ و٣٥، 70 ١٥ - ١٨
- الميسر (القمار): 2 ٢١٩، 4 ٢٩، 5 ٩٠ و٩١

**القتل والقتال** :

- الانتحار: 2 ١٩٥، 4 ٢٩ و٣٠
- القتال في المسجد الحرام وفي الأشهر الحرم: 2 ١٩١ و١٩٤ و٢١٧، 5 ٢ و٩٧، 9 ٣٦ و٣٧
- قتل الأولاد: 6 ١٣٧ و١٤٠ و١٥١، 17 ٣١، 60 ١٢
- قتل النفس التي حرّم الله: 2 ١٧٨، 4 ١ و٢٩ و٨٩ - ٩٣، 5 ٣٢ و٤٥، 6 ١٤٠ و١٥١، 9 ٥، 17 ٣١ و٣٣، 25 ٦٨، 60 ١٢
- وأد البنات: 16 ٥٨ و٥٩، 43 ١٧، 81 ٨ و٩

**مشاقّة الله** : 2 ١١٤، 5 ٣٣، 8 ١٢ - ١٤، 9 ٦٣، 33 ٥٧ و٥٨، 42 ١٦، 47 ٣٢، 58 ٥ و٦ و٢٠، 59 ٢ - ٤

**النجاح في العمل** : 6 ١٣٥، 14 ٢٤، 15 ٢٤، 39 ٣٩ و٤٠

**وعيد المفسدين** : 2 ١١ و٢٦ و٢٧ و٩٩ و٢٠٤ - ٢٠٦، 3 ٦٣ و٨٢ و١١٠، 5 ٣٦ و٤٩ و٥٢ و٦٧ و٨٤، 6 ٤٩، 7 ٣٩ و٤٠ و٥٥ و٨٤، 9 ٢٤، 10 ٣٣، 28 ٧٧ و٨٣، 30 ١٢ و١٣ و٥٥، 59 ١٩

**اليأس والقنوط** : 11 ٩، 12 ٨٧، 13 ٣١، 15 ٥٥ و٥٦، 17 ٨٣، 29 ٢٣، 30 ٣٦، 39 ٥٣، 41 ٤٩، 60 ١٣

## (٦)- المسؤولية :

**انتفاء مسؤولية المرء عن عمل غيره** : 6 ١٦٤،

10 ٤١، 24 ٥٤، 31 ٢٣، 34 ٢٥، 36 ٥٤، 37 ٣٩، 42 ١٥، 53 ٣٩

**مسؤولية المرء عن عمله** : 2 ١٣٤ و١٣٩ و١٤١ و٢٨١، 3 ١٥ و٣٠ و١١٥ و١٩٥، 4 ٨٤ و١١٠ و١٢٢، 6 ١٣٢ و١٦٤، 9 ١٠٥، 10 ٣٠ و٤١ و٥٢، 11 ١١٢، 16 ١١١، 17 ١٣، 21 ٩٤، 24 ٥٤، 30 ٤٤، 36 ٥٤، 37 ٣٩، 39 ٧٠، 40 ١٧ و٤٠، 41 ٤٦، 42 ١٥، 45 ١٥ و٢١ و٢٨، 46 ١٩، 52 ١٦ و٢١، 53 ٣١ و٣٩، 66 ٧، 73 ١٥، 74 ٣٨، 99 ٧ و٨، 101 ٦ - ٩

# الإنسان و العلاقات الأخلاقية

## أولاً: الأخلاق الحميدة

**الإحسان** : 2 ٨٣ و١١٢ و١٧٧ و١٩٥، 3 ١٣٤ و١٤٨، 4 ١٢٥ و١٢٨، 5 ٨٥ و٩٣، 7 ٥٦، 9 ١٠٠ و١٢٠ 10 ٢٦، 11 ١١٥، 12 ٢٢، 16 ٣٠ و٩٠ و١٢٨، 17 ٧، 18 ٣٠، 22 ٣٧، 28 ٧٧، 29 ٦٩، 31 ٣ - ٥ و٢٢، 37 ٨٠ و١٠٥ و١١٠، 39 ١٠ و٣٤، 46 ١٢، 53 ٣١، 55 ٦٠، 58 ٩، 77 ٤٤

**الإخاء** : (راجع الإنسان والعلاقات الاجتماعية - المجتمع).

**الإستقامة** : 3 ١٣٩ و١٤٠ و١٤٦ و١٤٧ و١٥٢، 4 ٨١، 8 ١١ و١٢ و٤٥، 10 ٢ و٨٩، 11 ١١٢، 14 ٢٧، 16 ١٠٢، 17 ٧٤، 18 ١٣، 19 ٣١، 20 ٣٢، 33 ٧٠، 41 ٦ و٣٠ - ٣٢، 42 ١٥، 46 ١٣ و١٤، 47 ٧ و٣٥، 81 ٢٨

**الإصلاح بين الناس** : 4 ١١٤، 49 ٩ و١٠

**الإعتدال في الأمور** : 17 ٢٩ و١١٠، 25 ٦٧، 31 ٣٢، 35 ٣٢

**الإعراض عن اللغو** : 23 ٣، 25 ٧٢، 28 ٥٥

**الإقساط** : 7 ٢٩، 60 ٨

**الإيثار** : 4 ١٣٥، 20 ٧٢، 33 ٢٣، 59 ٩، 90 ١٤

**البشاشة والوداعة** : 4 ٢٨، 8 ٦٣، 17 ٥٣، 26 ١٣٠ و١٣١، 30 ٢١، 33 ٤٨

**التعاون** : (راجع الإنسان والعلاقات الاجتماعية - المجتمع).

**التواضع** : 15 ٨٨، 17 ٣٧، 24 ٣٠، 26 ٢١٥، 31 ١٨ و١٩

**الحكمة** : 2 ١٢٩ و١٥١ و٢٣١ و٢٥١ و٢٦٩، 3 ٤٨ و١٦٤، 4 ٥٤ و١١٣، 16 ١٢٥، 17 ٣٩، 33 ٣٤، 43 ٦٣، 54 ٥

**دفع السيئة بالحسنة** : 13 ٢٢ و٢٣، 23 ٩٦، 25 ٦٣، 28 ٥٤، 41 ٣٤ و٣٥

**الرحمة** : 48 ٢٩، 90 ١٧، 103 ٣

**روح السلام** : 6 ١٢٧، 8 ٦١، 10 ٩ و١٠، 13 ٢٤، 19 ٦٢، 21 ١٠٢، 25 ٦٣، 33 ٤٤، 39 ٧٣، 56 ٢٦

**السكينة** : 9 ٢٦، 13 ٢٨، 48 ٤ و١٨ و٢٦

**سلامة القلب** : 6 ١٢٧، 8 ٦١، 10 ٩ و١٠، 13 ٢٤، 19 ٦٢، 21 ١٠٢، 25 ٦٣، 33 ٤٤، 39 ٧٣، 56 ٢٦

**السلوك الحسن** : 2 ١٠٤، 4 ٨٦، 17 ٥٣، 19 ٤٢ - ٤٨، 23 ٩٦، 24 ٢٧ و٢٨ و٥٨ و٥٩ و٦١ و٦٢، 25 ٦٣، 41 ٣٤ و٣٥، 52 ٢٦ و٢٧، 58 ١١

**شكر النعمة** : 2 ٤٠ و٤٧ و١٢٢ و٢٣١، 3 ١٠٣، 5 ٧ و١١ و٢٠، 7 ٦٩ و٧٤، 8 ٢٦، 33 ٩، 35 ٣، 43 ١٣، 93 ١١

**الصبر** : 2 ٤٥ و١٥٣ و١٥٥ و١٥٦ و١٥٧ و١٧٧ و٢١٤ و٢٤٩، 3 ١٥ - ١٧ و١٢٠ و١٢٥ و١٣٩ و١٤٦ و١٨٦ و٢٠٠، 4 ٢٥، 6 ٣٤، 7 ١٢٦، 8 ٤٦ و٦٥ و٦٦، 10 ١٠٩، 11 ١١ و٤٩ و١١٥، 13 ٢٢ و٢٤، 16 ٤٢ و٩٦ و١١٠ و١٢٦ و١٢٧، 18 ٢٨، 20 ١٣٠، 21 ٨٣ و٨٥، 22 ٣٤ و٣٥، 23 ١١١، 25 ٧٥ و٧٦، 28 ٥٤ و٧٩ و٨٠، 29 ٥٨ و٥٩، 30 ٦٠، 31 ١٧، 33 ٣٥، 38

٤٤، 39 ١٠، 40 ٥٥ و٧٧، 41 ٣٤ و٣٥، 42 ٤٣، 46 ٣٥، 47 ٣١، 50 ٣٩، 52 ٤٨، 68 ٤٨، 70 ٥، 73 ١٠، 74 ٧، 76 ٢٤، 90 ١٧، 103 ٣

**الصدق** : 2 ١٧٧، 3 ١٧، 5 ١١٩، 9 ١١٩، 33 ٨ و٢٣ و٢٤ و٣٥، 39 ٣٣ - ٣٥، 47 ٢١، 49 ١٥

**العفة** : 2 ٢٧٣، 4 ٦ و٢٥، 5 ٥، 23 ١ و٥ - ٧ ، 24 ٣٠ و٣٣ و٦٠، 70 ٢٩ - ٣١ و٣٥

**العفو عن الناس** : 2 ٢٣٧ و٢٦٣، 3 ١٣٣ و١٣٤، 4 ١٤٩، 16 ١٢٦، 24 ٢٢، 42 ٣٦ و٣٧ و٤٠ و٤٣، 64 ١٤

**العفو مقرونا بالصفح** : 2 ١٠٩، 5 ١٣، 15 ٨٥، 24 ٢٢، 43 ٨٩، 64 ١٤

**غض البصر وحفظ الفرج** : 23 ٥ - ٧، 24 ٣٠ و٣١، 33 ٣٥، 70 ٢٩

**فعل الخير** : 2 ٤٤ و١٤٨ و١٩٥، 3 ١١٥، 7 ٥٨، 10 ٢٦، 16 ٣٠، 20 ١١٢، 23 ٩٦، 28 ٥٤، 41 ٣٤ و٣٥ و٤٦، 98 ٧ و٨

**القِرى (إكرام الضيف)** : 2 ١٧٧ و٢١٥، 9 ٦ و٦٠، 11 ٦٩ و٧٨، 12 ٥٩، 69 ٣٤، 74 ٤٤، 76 ٨ و٩، 89 ١٨، 90 ١٤ - ١٦

**القصد في المشي والخفض من الصوت** : 31 ١٩

**قول التي هي أحسن** : 2 ٨٣ و٢٦٣، 17 ٥٣، 41 ٣٣

**كظم الغيظ**: 3 ١٣٤، 16 ١٢٦، 42 ٣٧، 64 ١٦

**المسارعة في فعل الخير** : 2 ١١٠ و١٤٨، 3 ١١٤ و١٣٣، 5 ٤٨، 9 ١٠٠، 21 ٩٠، 23 ٥٦ و٦١، 35 ٣٢، 56 ١٠ - ١٥

**المودة** : (راجع الإنسان والعلاقات الاجتماعية - المجتمع).

**النظافة** : 22 ٢٩، 48 ٢٧، 74 ١ - ٤

**الوفاء بالعهد** : 2 ٢٦ و٢٧ و٤٠ و٨٠ و١٠٠ و١٧٧، 3 ٧٦ و٧٧، 5 ١ و٧ و١٢، 6 ١٥٢، 8 ٤٢، 9 ٤ و٧ و١٢، 13 ٢٠ و٢٥، 16 ٩١ و٩٢ و٩٤ و٩٥، 17 ٣٤، 23 ٨، 33 ٧ و١٥ و٢٣، 70 ٣٢

## ثانياً :الأخلاق الذميمة

**اتباع الشهوات** : 3 ١٤

**الأثرة** : 5 ١٠٥، 17 ١٠٠

**الإختيال والعجب** : 4 ٣٦ و٤٩، 31 ١٨، 57 ٢٣

**استراق السمع** : 5 ٤١، 15 ١٨

**الإستكبار** : 4 ٣٦ و١٧٢ و١٧٣، 16 ٢٩، 17 ٣٧ و٣٨، 32 ١٥، 39 ٦٠ و٧٢ ، 40 ٣٥ و٧٦

**الإسراف** : 3 ١٤٧، 4 ٦، 5 ٣٢، 6 ١٤١، 7 ٣١ و٨١، 10 ١٢ و٨٣، 20 ١٢٧، 21 ٩، 25 ٦٧، 26 ١٥١، 36 ١٩، 39 ٥٣، 40 ٢٨ و٣٤ و٤٣، 43 ٥، 44 ٣١، 51 ٣٤

**الأسى على مافات** : 3 ١٥٣، 57 ٢٣

**إطاعة المسرفين** : 26 ١٥١

**الإفتراء على الله ورسوله** : 3 ٩٤، 4 ٥٠، 5 ١٠٣، 6 ٢١ و٩٣ و١١٢ و ١٣٧ - ١٤٠ و١٤٤، 7 ٣٧ و٧٢ و١٥٢، 10 ١٣ و١٧ و٣٧ و٣٨ و٥٠ و٥٩ و٦٠ و٦٩، 11 ١٣ و١٨ و٣٥، 16 ٥٦ و١٠٥ و١١٦، 18 ١٥، 20 ٦١، 21 ٥، 25 ٤، 29 ١٣ و٦٨، 32 ٣، 34 ٨، 42 ٢٤، 46 ٨ و٢٨، 61 ٧

**الإفساد** : 2 ٢٧ و٦٠، 5 ٣٣ و٦٤، 7 ٥٦ و٧٤ و٨٥، 26 ١٥١ و١٥٢، 47 ٢٢

**البخل** : 3 ١٨٠، 4 ٣٧ و١٢٨، 9 ٣٤ و٣٥ و٧٦، 17 ٢٩ و١٠٠، 25 ٦٧، 47 ٣٦ - ٣٨، 53 ٣٢ - ٤١، 57 ٢٣ و٢٤، 59 ٩، 64 ١٦، 70 ١٥ - ١٨، 92 ٨ - ١١، 104 ١ - ٤

**البطر** : 8 ٤٧

**البغاء** : 24 ٣٣

**البغض** : 5 ٨، 108 ٣

**البغي** : 7 ٣٣، 10 ٢٢ و٢٣، 13 ٢٥، 16 ٩٠، 26 ٢٢٧، 42 ٤٢

**البهتان** : 4 ٢٠ و١١٢ و١٥٦، 24 ٤ و٥ و١٦

**القساوة** : 2 ٧٤، 5 ١٣، 6 ٤٣، 22 ٥٣، 39 ٢٢، 57 ١٦

**الكذب** : 2 ١٠، 6 ٢٤، 9 ٧٧، 16 ١٠٥، 22 ٣٠، 39 ٣، 61 ٢ و٣

**الكفران** : 8 ٥٥، 10 ١٢ و٢٢ و٢٣، 11 ٩ و١٠، 16 ٥٣ - ٥٥، 17 ٦٧ و٨٣، 29 ٦٥، 31 ٣٢، 39 ٧ و٨ و٤٩ - ٥١، 41 ٤٩ - ٥١

**لغوالقول** : 2 ٢٢٥، 5 ٨٩، 23 ١ - ٣، 25 ٧٢، 28 ٥٥

**اللمز** : 9 ٧٩، 49 ١١، 104 ١ و٢

**اللهو واللعب** : 5 ٥٧ و٥٨، 6 ٣٢ و٧٠، 7 ٥١، 21 ١٧، 29 ٦٤، 35 ٥، 47 ٣٦، 57 ٢٠، 62 ١١

**المخاصمة والمنازعة** : 2 ١٨٨، 3 ١٥٢، 4 ٢٩ و٥٩، 8 ٤٣ و٤٦

**المسافحة** : 4 ٢٤ و٢٥، 5 ٥

**مساوىء الأخلاق** : 4 ١٢٣، 5 ١٠٠، 6 ١٣٥، 10 ٢٧، 36 ١٠

**المكر** : 3 ٥٤، 6 ١٢٣ و١٢٤، 7 ٩٩، 8 ٣٠، 10 ٢١، 13 ٣٣ و٤٢، 14 ٤٦، 16 ٢٦ و٤٥ و٤٦ و٤٧، 27 ٥٠ و٥١، 34 ٣٣، 35 ١٠ و٤٣، 40 ٤٥، 71 ٢٢

**منع الخير** : 50 ٢٥، 68 ١ - ١٣، 70 ٢١، 107 ٧

**المن والأذى في الصدقات** : 2 ٢٦٢ - ٢٦٤، 74 ٦

**نقض العهد** : 2 ٢٧، 3 ٧٧، 8 ٥٥ - ٥٨، 9 ١، 13 ٢٥، 16 ٩٥

**النميمة** : 5 ٤١، 9 ٤٧، 68 ١١

**الهمز** : 23 ٩٧، 68 ١١، 104 ١

# الإنسان والعلاقات الإجتماعية

## (١)- الأسرة :

**الإستئذان في أوقات الخلوة** : 24 ٥٨ - ٦٠

**إكراه الإماء على البغاء** : 24 ٣٣

**أمر غير القادر على الزواج بالإستعفاف** : 24 ٣٣

**إنكاح الأيامى والعبيد والإماء** : 24 ٣٢

**الأولاد** : 2 ٢٣٣، 3 ١٠، 6 ١٤٠ و١٥١، 8 ٢٨، 17 ٣١، 18 ٤٦، 34 ٣٧، 42 ٤٩ و٥٠، 52 ٢١، 57 ٢٠، 60 ١٢، 63 ٩، 64 ١٤ و١٥، 65 ٦

**الإيلاء** : 2 ٢٢٦ و٢٢٧

**التحكيم قبل الطلاق** : 4 ٣٥

**التعدد وشروطه** : 4 ٣

**تكوينها** : 13 ٣٨، 25 ٥٤، 64 ١٤

**توارث المرأة المتوفى عنها زوجها** : 4 ١٢

**حق الوالدين** : 2 ٨٣ و٢١٥، 4 ٣٦، 6 ١٥١، 17 ٢٣ - ٢٥، 29 ٨، 31 ١٤ و١٥، 46 ١٥ - ١٨

**الحمل والرضاع** : 2 ٢٣٣، 31 ١٤، 46 ١٥، 65 ٦

**خطبة النساء أثناء العدة** : 2 ٢٣٥

**الصداق** : 2 ٢٣٥، 4 ٢٠ و٢١ و٢٤، 5 ٥، 60 ١٠ و١١

**الطلاق** :
- الأحكام التي تترتّب على الطلاق: 2 ٢٢٨ و٢٣٠ و٢٣١ و٢٣٢ و٢٣٦ و٢٣٧ و٢٤١ و٢٤٢، 33 ٤٩، 65 ٤ - ٧
- الشروط الواجب توفرها قبل الطلاق: 4 ٣٤، 65 ١ و٢
- عدد الطلقات: 2 ٢٢٩

**الظهار** : 33 ٤، 58 ١ - ٤

**عداوة بعض الأزواج والأولاد** : 64 ١٤

**عدة المتوفى عنها زوجها** : 2 ٢٣٤

**العزوبة** : 4 ٢٥، 24 ٣٣

**عضل المرأة** : 4 ١٩

**قتل الأولاد** : 6 ١٣٧ و١٤٠ و١٥١، 17 ٣١، 60 ١٢

**القوامة** : 4 ٣٤

٦٧ و٧٨ و٨١ و٩٧، 17 ١١ و٦٧ - ٧٠
و٨٣، 18 ٥٤، 20 ١٢٣، 21 ٣٧، 22 ٥
و١١، 23 ١٢ - ١٤ و١٧ - ٢٢، 27 ٦٢، 29
٦٥، 30 ٢١ و٣٦ و٤١ و٤٥ و٥٥، 31 ٢٠،
32 ٧ - ٩، 33 ٧٢، 35 ١١ - ١٥، 36 ٥٥
و٥٦ و٧٧، 38 ٧١، 39 ٦ و٤٩، 40 ٤٠ و٦٤
و٦٧، 42 ٤٨، 43 ٦٩ و٧٠، 45 ١٣، 47
١٩، 48 ٦، 49 ١٣، 57 ١٨، 64 ١٤، 70
١٩، 78 ٨ - ١٦، 79 ٢٧ - ٣٣، 80 ١٧
- ٢٢، 86 ٥ - ١٠، 89 ١٥ و١٦، 90 ٤،
95 ١ - ٨، 100 ٦ و٧

## (٨)- الرقيق والأسرى : (راجع باب الجهاد)

## (٩)- صلة ذوي القربى :

2 ٢٧ و٨٣ و١٧٧ و٢١٥، 4
١ و٨ و٣٦، 8 ٤١ و٧٥، 9 ١١٣، 13 ٢١
و٢٥، 16 ٩٠، 17 ٢٦، 24 ٢٢، 30 ٣٨، 33
٦، 42 ٢٣، 47 ٢٢، 51 ١٩، 58 ٢٢، 59 ٧،
60 ٣، 70 ٢٤ و٢٥، 90 ١٧، 93 ٩

## (١٠)- المجتمع :

**آداب المجلس** : 58 ٩ و١١ و١٢

**آداب الإستئذان** : 2 ١٨٩، 24 ٢٧ - ٢٩ و٥٨
- ٦٢، 33 ٥٣، 58 ١١، 80 ١ - ١٠

**ابن السبيل** : 2 ١٧٧ و٢١٥، 4 ٣٦، 8 ٤١، 9
٦٠، 17 ٢٦، 30 ٣٨، 59 ٧

**الإتحاد واتباع الصراط المستقيم** : 3 ١٠٣ و١٠٥،
6 ١٥٩، 8 ٤٦، 30 ٣١ و٣٢

**الإخاء** : 2 ٨٣، 3 ١٠٣، 4 ٣٥، 5 ٣٢، 9 ١١،
15 ٤٧، 49 ١٠ و١٢

**الإصلاح بين الناس** : 2 ٢٢٤، 4 ١١٤ و١٢٨
و١٢٩، 8 ١، 49 ٩ و١٠

**الأمر بالمعروف** : (راجع باب الدعوة إلى الله).

**التحية والسلام وأدب الضيافة** : 4 ٨٦، 6 ٥٤،
10 ١٠، 13 ٢٤، 14 ٢٣، 15 ٤٦ و٥٢، 16
٣٢، 19 ١٥ و٣٣ و٤٧ و٦٢، 20 ٤٧، 24 ٢٧
- ٢٩ و٥٨ و٦١، 25 ٦٣ و٧٥، 28 ٥٥، 33
٤٤، 43 ٨٩

**التعاون** : 5 ٢، 8 ٧٤، 9 ٧١

**تغيير ما بالقوم** : 8 ٥٤، 13 ١١، 16 ١١٢

**التقليد الأعمى** : 2 ١٧٠، 5 ١٠٤، 7 ٢٧، 26
٧٤ و١٣٧، 31 ٢١، 34 ٤٣، 37 ٦٩، 43
٢٢ - ٢٥

**الجليس** : 4 ٦٩ و١٤٠، 6 ٥٢ و٦٨ و٧٠، 18
٢٨، 80 ١ - ١٠

**الجماعة** : 2 ٤٣، 4 ٧١، 37 ١

**العفو والصفح وكظم الغيظ** : 2 ١٠٩ و٢٣٧،
3 ١٥٩، 4 ١٤٩، 5 ١٣ و٤٨، 15 ٨٥، 16
١٢٦، 24 ٢٢، 25 ٦٣، 42 ٣٧ و٤٠ و٤٣،
45 ١٤، 64 ١٤

**الذين يحبون أن يُحمدوا بما لم يفعلوا** : 3 ١٨٨

**المودة** : 3 ٢٨ و١١٨، 4 ٣٣ و١٤٤، 5 ٥١
و٥٥ - ٥٨، 9 ٧١، 33 ٦، 60 ١ و٧ - ٩

**الوصية بالجار والصاحب والمملوك** : 4 ٣٦

## (١١)- المجتمعات :

**اختلاف الناس** : 2 ١١٣ و١٧٦ و٢١٣ و٢٥٣،
3 ١٩ و٥٥ و١٠٥، 4 ١٥٧، 5 ٤٨، 6 ١٦٤،
8 ٤٢، 10 ١٩ و٩٣، 16 ٣٩ و٦٤ و٩٢
و١٢٤، 19 ٣٧، 22 ٦٩، 27 ٧٦، 32 ٢٥،
39 ٣ و٤٦، 42 ١٠، 43 ٦٣ و٦٥، 45 ١٧

**الأعراب** : 9 ٩٠ و٩٧ - ١١٠ و١٢٠، 48 ١١
و١٢ و١٥ و١٦، 49 ١٤ و١٧

**أهل الكتاب - الصابئون - المجوس** : (راجع باب الديانات القادم).

**التفاضل بينهم** : 4 ٩٥ و٩٦، 5 ٤٨، 6 ٢٣
و١٢٩ و١٦٥، 16 ٧٥ و٧٦، 17 ٢١، 33 ٦٦
- ٦٨، 34 ٣١ - ٣٥، 49 ١٣

**جعلهم خلائف** : 6 ١٦٥، 7 ٦٩ و٧٤، 10 ١٤
و٧٣، 27 ٦٢، 35 ٣٩، 43 ٣٢

**خلقهم من نفس واحدة** : 4 ١، 6 ٩٨، 7 ١٨٩،
22 ٥، 23 ١٢ - ١٤، 30 ٢٠ و٢١ و٥٤، 32
٧ - ٩، 35 ١١، 39 ٦، 40 ٦٧، 42 ١١، 53
٤٥ و٤٦، 71 ١٥، 75 ٣٦ - ٣٩، 76 ٢، 77
٢٠ - ٢٣، 80 ١٨ و١٩، 82 ٧ و٨، 86 ٥ -
٧، 95 ٤ و٥، 96 ٢

**الشعوب والقبائل والفرق** : 2 ٢٥٣، 3 ٧ و١٩ و٢٠ و٧٣ و٧٨ و١٠٥، 4 ٨٩ و٩٠ و١٥٠ و١٥١، 5 ٤٨، 6 ١١٢ و١١٣ و١٥٩، 22 ٣٤ و٦٧، 23 ٥٣ - ٦١، 30 ٢٢ و٣٢، 42 ١٣ و١٤، 49 ١٣، 98 ٤

**شعوباً وقبائل** : 5 ١٥، 22 ٣٤ و٦٧، 49 ١٣

**العرب** : 2 ١٤٣، 3 ١٠٣ و١٠٤و١١٠، 16 ٨٢ و ٨٣، 19 ٩٨، 22 ٧٨، 43 ٥ و٢٩ - ٣٢

**لكل أمة أجل** : 7 ٣٤، 10 ٤٩، 15 ٥، 16 ٦١، 17 ٥٨، 35 ٤٥، 36 ٤٣، 71 ٤

**المهاجرون ، الأنصار** : (راجع الهجرة).

## (١٢)- النساء :

**الحجاب** : 24 ٣٠ و٣١ و٦٠، 33 ٥٣ و٥٥ و٥٩

**المرأة** : 2 ٢٢١ و٢٢٣ و٢٢٨ و٢٣٤ و٢٣٥ و٢٤٠ و٢٨٢، 4 ٢٥ و٣٢ و٣٤ و٣٦ و١٢٧ - ١٢٩، 7 ١٨٩، 12 ٣٣، 16 ٥٧ - ٥٩، 23 ٦، 24 ٣١ - ٣٣ و٦٠، 33 ٤ و٥١ و٥٥ و٥٩، 35 ١١، 43 ١٦ و١٧، 58 ١ و٢، 66 ١٠ - ١٢، 70 ٣٠، 81 ٧ - ٩ و١٤

## (١٣)- اليتامى :

**إكرامهم** : 2 ٨٣ و١٧٧ و٢١٥ و٢٢٠، 4 ٢ و٣ و٦ و٨ و١٠ و٣٦ و١٢٧، 6 ١٥٢، 8 ٤١، 17 ٣٤، 59 ٧، 76 ٨، 89 ١٧ - ٢٠، 90 ١٤ و١٥، 93 ٦ و٩ و١٠، 107 ١ - ٣

**الوصاية عليهم** : 4 ٥

# تنظيم العلاقات المالية

**الإشهاد على التبايع وقبض الرهان** : 2 ٢٨٢ و٢٨٣

**إعتاق الرقاب** : (راجع البند الثالث المتعلّق بالأسرى والرقيق في باب الجهاد).

**اكتسابها** : 2 ١٩٨ و٢٧٥، 4 ٢٩، 9 ١١١، 24 ٣٧، 35 ٢٩، 61 ١٠ و١١، 62 ١٠ و١١، 83 ١-٣

**أكل الأموال بالباطل** : (راجع بحث العمل الطالح).

**الأمانة** : 2 ١٧٨ و٢٨٣، 3 ٧٥ و٧٦، 4 ٥٨، 8 ٢٧، 23 ٨، 33 ٧٢ و٧٣، 70 ٣٢ و٣٥

**الأموال** : 2 ١٥٥ و١٨٨ و٢٧٩، 3 ١٨٦، 4 ٢٤، 8 ٢٨، 9 ٢٤ و٤١ و٦٩ و١٠٣ و١١١، 10 ٨٨، 11 ٢٩ و٨٧، 17 ٦ و٦٤، 18 ٣٤ و٣٩ و٤٦، 23 ٥٥، 34 ٣٥ و٣٧، 47 ٣٦، 48 ١١، 57 ٢٠، 61 ١١، 63 ٩، 64 ١٥، 69 ٢٨، 71 ١٢ و٢١، 89 ٢٠، 90 ٦، 92 ١٨

**أموال السفهاء** : 4 ٥

**أموال الكفار** : 3 ١٠ و١١٦، 8 ٣٦، 9 ٥٥ و٨١ و٨٥، 18 ٣٤، 58 ١٧، 68 ١٤، 74 ١٢، 92 ١١، 104 ٢ و٣، 111 ٢

**أموال الناس** : 2 ١٨٨، 4 ١٦١، 9 ٣٤، 30 ٣٩

**أموال النساء** : 4 ٤ و٧ و١١ و١٩ و٣٢

**أموال اليتامى** : 4 ٢ و٦ و١٠، 6 ١٥٢، 17 ٣٤

**إنفاقها** : 2 ٣ و١٧٧ و١٩٥ و٢١٢ و٢١٩ و٢٥٤ و٢٦١ - ٢٦٧ و٢٧٠ - ٢٧٤، 3 ٩٢ و١١٧ و١٣٤، 4 ٣٤ و٣٨ و٣٩ و٩٥، 5 ٦٤، 8 ٣ و٣٦ و٦٠ و٧٢، 9 ٢٠ و٣٤ و٤٤ و٥٣ و٥٤ و٨٨ و٩١ و٩٢ و٩٨ و٩٩، 13 ٢٢، 14 ٣١، 16 ٧٥، 22 ٣٥، 24 ٣٣، 25 ٦٧، 26 ٨٨ و٨٩، 28 ٥٤، 32 ١٦، 34 ٣٩، 35 ٢٩، 36 ٤٧، 42 ٣٨، 47 ٣٨، 51 ١٩، 57 ٧ و١٠، 59 ٨، 60 ١٠ و١١، 63 ٧ و١٠، 64 ١٦، 65 ٧، 70 ٢٤

**البيع** : 2 ٢٧٥، 24 ٣٧

**تملك الأموال** : 2 ٢٩ و١٠٧ و٢٥١ و٢٥٨، 3 ٢٦ و١٨٩، 5 ١٧ و١٨ و٤٠ و١٢٠، 6 ٧٣، 7 ١٥٨، 8 ١ و٤١، 9 ١١١ و١١٦، 10 ٥٥ و٦٦، 17 ١١١، 24 ٢٩ و٤٢، 25 ٢ و٢٦، 40 ١٦ و٢٩، 42 ٤٩، 43 ٨٥، 45 ٢٧، 48 ١٤، 57 ٢ و٥، 64 ١، 67 ١، 85 ٩

**الحجر** : 4 ٥

**حق ذي القربى ، واليتامى، والمساكين، وابن السبيل**: 2 ١٧٧، 8 ٤١، 9 ٦٠، 17 ٢٦

**الربا** : 2 ٢٧٥ و٢٧٦ و٢٧٨ - ٢٨٠، 3 ١٣٠، 30 ٣٩

**الزكاة** : (راجع باب الزكاة).

**السرقة** : 5 ٣٨، 60 ١٢

**الصدقة** : 2 ١٩٦ و٢٦٣ و٢٦٤ و٢٧١ و٢٧٦ و٢٨٠، 4 ١١٤، 5 ٤٥، 9 ٦٠ و٧٩ و١٠٣ و١٠٤، 12 ٨٨، 33 ٣٥، 58 ١٢ و١٣ (راجع الإحسان).

**الضرائب** : 6 ١٤١، 8 ٤١، 9 ٢٩، 58 ١٣

**العقود** : 2 ٢٨٢

**الغنى** :

- الأغنياء: 3 ١٠ و١٨١، 8 ٣٦، 24 ٢٢، 73 ١١، 80 ٥
- طلب الغنى: 2 ٢٠٠ - ٢٠٢، 9 ٧٤، 16 ٧١، 18 ٤٦، 74 ٦، 89 ٢٠
- فتنة المال: 8 ٢٨، 17 ٨٣، 28 ٧٦ - ٨٢، 42 ٢٧، 57 ٢٠، 64 ١٥، 71 ٢١، 92 ٨ - ١١، 96 ٦ و٧، 102 ١ - ٨، 104 ١ - ٤
- المترفون: 9 ٨٥، 11 ١١٦، 17 ١٦، 34 ٣٤ - ٣٧، 43 ٢٣ و٢٤، 56 ٤٥

**الفقراء** : 2 ٨٣ و١٥٥ و١٥٦ و١٧٧ و٢٧١ - ٢٧٣، 4 ٨ و٣٦، 6 ٥٢، 9 ٩١، 11 ٢٩ - ٣١، 17 ٢٨ - ٣١، 18 ٢٨، 22 ٢٨ و٣٦، 24 ٢٢، 26 ١١٤، 30 ٣٨، 35 ١٥، 47 ٣٨، 51 ١٩، 70 ٢٥، 80 ١ - ١٢، 93 ١٠

**الكيل والميزان** : 3 ٧٥، 6 ١٥٢، 7 ٨٥، 8 ٢٧، 11 ٨٥، 17 ٣٥، 26 ١٨١ - ١٨٣، 42 ١٧، 55 ٧ - ٩، 83 ١ - ٥

**المداينة** : 2 ٢٤٥ و٢٨٠ و٢٨٢ و٢٨٣، 4 ١١ و١٢، 9 ٦٠، 57 ١١ و١٢ و١٨، 64 ١٧، 73 ٢٠

**المشاركة** : 24 ٦١، 38 ٢١ - ٢٤

**مكاتبة المملوك ومساعدته** : (راجع البند المتعلق بالاسرى والرقيق في باب الجهاد).

**الميراث** : 4 ٦ - ١٣ و١٩ و٣٣ و١٢٧ و١٧٦، 8 ٧٢ و٧٥، 89 ١٩

**الميسر** : 2 ٢١٩، 5 ٩٠ و٩١

**الوصية** :

- التحذير من الإفراط فيها: 4 ١١ - ١٣
- التحذير من تبديلها: 2 ١٨١
- وجوبها: 2 ١٨٠، 5 ١٠٩ - ١١١

# التجارة والزراعة والصناعة

## أولا : التجارة

**إباحتها**: 2 ١٩٨، 4 ٢٩، 62 ١٠ و١١

**الدين** : 2 ٢٨٢ و ٢٨٣

**الرهن** : 2 ٢٨٣

**العقود** : 2 ٢٨٢

## ثانيا : الزراعة

6 ٩٩ و١٤١، 13 ٤، 16 ١٠ و ١١ و١٣ و٦٧، 22 ٥، 23 ١٨ - ٢٠، 32 ٢٧، 80 ٢٤ - ٣٢

## ثالثا : الصناعة

57 ٢٥

## رابعا :الصيد

5 ١ و٩٤ - ٩٦

# العلاقات القضائية

## (١)- أحكام قانونية

**أحكام عامة** :

- إباحة الزينة وأكل الحلال: 2 ١٦٨ و١٧٢، 5 ٥ و٦ و٩٦، 7 ٣١، 16 ١١٤، 23 ٥١
- سنّ التكليف (البلوغ): 4 ٦، 24 ٥٨ و٥٩
- الكبائر: 4 ٣١، 42 ٣٧، 53 ٣١ و٣٢

- الوفاء بالعهد، والعقد واليمين: 2 ٣٧ و٤٠ و١٠٠ و١٧٧، 3 ٧٦، 5 ١ و٧، 6 ١٥٢، 13 ٢٠ و٢٥، 16 ٩١ و٩٢ و٩٤ و٩٥، 17 ٣٤، 23 ٨، 70 ٣٢
- الوفاء بالنذر: 22 ٢٩

**الجزاء :**

- جزاء السيئة: 5 ٤٥، 10 ٢٧، 28 ٨٤، 40 ٤٠، 42 ٤٠
- جزاء الصيد في الحرم: 5 ٩٥
- جزاء القاتل: 4 ٩٢ و٩٣، 5 ٣٢ و٤٥، 17 ٣٣
- جزاء قاتل نفسه: (راجع باب العمل - العمل المحرّم).
- جزاء الكافرين: 2 ١٩١
- جزاء الذين يرمون أزواجهم: 24 ٦-١٠
- القصاص: 2 ١٧٨ و١٧٩ و١٩٤، 4 ٩٢، 5 ٤٥، 16 ١٢٦، 22 ٦٠، 42 ٤٠

**الحدود :**

- حدّ الزنى: 24 ٢
- حدّ زنى الإماء: 4 ٢٥
- حدّ السرقة: 5 ٣٨ و٣٩
- حدّ القذف: 24 ٤ و٥
- حدّ المحاربة: 5 ٣٣

**العفو :**

- الاستثناء : 4 ٣ و٩٨ و٩٩، 5 ٣، 16 ١٠٦
- الاضطرار: 2 ١٧٣، 6 ١١٩ و١٤٥، 16 ١١٥، 27 ٦٢
- الإعفاء: 2 ١٧٨، 5 ٤٥
- الترخيص: 2 ١٨٥ و١٩٦، 4 ٤٣ و١٠٢، 5 ٦، 9 ٩٢ و٩٣، 24 ٦٠ و٦١، 70 ٢٠
- التكفير: 2 ١٨٤ و٢٧١، 4 ٣١ و٩٢، 5 ٨٩ و٩٥، 29 ٧، 39 ٣٥، 58 ٣ و٤، 64 ٩، 66 ٢

**النفي** : 2 ٨٤ و٨٥، 4 ٦٦، 5 ٣٣، 8 ٣٠، 9 ١٣، 22 ٤٠، 60 ٨ و٩

## (٢)- تنظيمات قضائية

**التثبت من الخير** : 49 ٦

**الحكم بالعدل** : 2 ٢٨٦، 4 ٥٨ و٥٩ و١٣٥، 5 ٨ و٤٢ و٤٨ و٤٩، 6 ١٥٢، 7 ٢٩، 16 ٩٠ و١٢٦، 20 ١١٣، 22 ٦٠، 35 ١٨، 39 ٩ و٤٦، 42 ١٥ و١٧، 46 ١٩، 49 ٩، 53 ٣٩ و٤٠، 57 ٢٥، 65 ٧

**الظن لايغني من الحق شيئا** : 6 ١١٦، 10 ٣٦

**العدل** : 2 ٢٨٢، 3 ٢١، 4 ٣ و٥٨ و١٣٥، 5 ٨ و٤٢ و٩٥، 6 ٧٠ و١٥٢، 7 ٢٩، 10 ٤ و٤٧، 16 ٧٦ و٩٠، 33 ٥، 42 ١٥، 49 ٩، 60 ٨

**الشهادة** :

- شهادة الزور : 22 ٣٠، 25 ٧٢
- كتم الشهادة : 2 ٢٨٣، 70 ٣٣
- وجوب أدائها كما هي: 2 ١٨١ و٢٨٢ و٢٨٣، 4 ١٣٥، 5 ٨، 70 ٣٣ - ٣٥

**الحكم** : 3 ٥٥، 4 ٥٨ و١٠٥، 5 ٤٢، 10 ٣٥، 37 ١٥٤، 39 ٤٦، 40 ٤٨، 68 ٣٦ و٣٩

## (٣)- علاقات قانونية ودستورية

**إهلاك الأمم بسبب فسقها** :17 ١٦، 34 ٣٤

**تكريم بني آدم** : 17 ٧٠

**التكليف** : 2 ٢٣٣ و٢٨٦، 4 ٨٤، 6 ١٥٢، 7 ٤٢، 23 ٦٢، 65 ٧

**توحيد الأمم بالدين** : 19 ٣٦، 21 ٩٢، 23 ٥٢

**الجزاء** : (راجع باب العمل).

**الحق** : 2 ٤٢ و١٤٧، 3 ٦٠ و٧١، 6 ٥٧، 8 ٧ و٨، 9 ٢٩ و٤٠ و٤٨، 10 ٣٢ و٣٣ و٣٥ و٣٦ و٨٢، 11 ١٦، 13 ١٧، 17 ٨١، 18 ٢٩، 21 ١٨، 22 ٦٢، 28 ٧٥، 31 ٣٠، 33 ٥٣، 34 ٤٨ و٤٩، 42 ٢٤، 47 ٣، 53 ٢٨، 61 ٨ و٩، 103 ٢ و٣

**الحق يزهق الباطل** : 17 ٨١، 21 ١٨

**السيئة بمثلها** : 2 ١٩٤، 6 ١٦٠، 10 ٢٧، 16 ١٢٦، 22 ٦٠، 27 ٩٠، 28 ٨٤، 40 ٤٠، 42 ٤٠

**المحرمات** : (راجع باب العمل).

**المسؤولية الشخصية** : 5 ١٠٥، 6 ١٠٤ و١٦٤،

17 ١٥ و٣٦، 27 ٧٤ و٧٥، 29 ٦، 34 ٢٥ و٤٢، 39 ٧

# العلاقات السياسية والعامة

**التحركات السرية** : 58 ٨ و١٠
**الحكم** : 2 ١١٣ و٢١٣، 3 ٢٣ و٢٦، 4 ١٤١، 5 ١ و٤٢ و٤٤ – ٤٩، 7 ٨٧، 10 ١٠٩، 13 ٤١، 16 ١٢٤، 21 ١١٢، 22 ٥٦ و٦٩، 24 ٤٨ و٥١، 38 ٢٦، 39 ٣، 60 ١٠
**السلطة لله يؤتيها من يشاء** : 2 ٢٤٧، 3 ٢٦، 4 ٥٩ و٨٣
**السلم** : 2 ٢٠٨، 8 ٦١، 47 ٣٥
**الشورى** : 3 ١٥٩، 42 ٣٨
**المؤامرات** : 35 ١٠، 58 ٩
**ولي الأمر** :
- وجوب خفض جناحه للرعية: 15 ٨٨، 26 ٢١٥
- وجوب الطاعة له: 4 ٥٨، 64 ١٦

# العلوم والفنون

## (١)- البلاغة : 6 ١١٢، 55 ١ – ٤

## (٢)- التقويم :

- الأشهر الحرم: 2 ١٩٤ و٢١٧، 5 ٢ و٩٧، 9 ٣٦ و٣٧
- الأشهر المعلومات: 2 ١٩٧
- الشهر الحرام: 2 ١٩٤ و٢١٧، 5 ٢ و٩٧
- شهر رمضان: 2 ١٨٥
- عدة الشهور: 9 ٣٦
- اليوم عند الله: 22 ٤٧، 32 ٥، 70 ٤

## (٣)- الحث على التفقه في الدين :

9 ١٢٢، 16 ٤٣، 21 ٧

## (٤)- الحث على التفكر واستخدام العقل:

2 ٤٤ و٧٣ و١٧١ و٢٤٢ و٢٦٩، 3 ٧ و١٩٠، 5 ٥٨ و١٠٣، 8 ٢٢، 12 ١١١، 13 ٤ و١٩ – ٢٤، 14 ٥٢، 15 ٧٥، 20 ١٢٨، 22 ٤٦، 30 ٢٤، 38 ٢٩ و٤٣، 39 ٩ و١٨، 45 ٥، 59 ١٤

## (٥)- الحث على نشر العلم وعدم كتمانه

: 2 ١٤٦ و١٥٩ و١٧٤، 3 ١٨٧، 4 ٣٧ و٤٤، 7 ١٦٩

## (٦)- الحقائق العلمية والإشارة إلى وقائع أيدتها الإكتشافات العلمية :

**الإحياء**: 3 ٦، 10 ٤، 21 ٣٠، 30 ٢٧، 50 ٣٨
**الإشارة إلى إزدواجية المادة**: 20 ٥٣، 51 ٤٩، 55 ٥٢
**الإشارة إلى الجاذبية** : 13 ٢، 22 ٦٥، 30 ٢٥، 31 ١٠، 35 ٤١
**الإشارة إلى الذبذبات الصوتية** : 23 ٤١، 29 ٣٧ و٤٠، 30 ٢٥، 36 ٢٨ و ٢٩ و٤٩ و٥٣، 50 ٤١ و٤٢، 54 ٣١
**الإشارة إلى الذرة** : 4 ٤٠، 10 ٦١، 15 ١٩، 99 ٧ و ٨
**الإشارة إلى طبقات الأرض** : 13 ٣، 15 ١٩، 16 ١٥ و٨١، 20 ٥٣ و١٠٥ – ١٠٧، 21 ٣٠ و ٣١، 26 ٦٣، 27 ٦١ و٨٨، 29 ٤٠، 34 ٢ و٩، 35 ٢٧، 50 ٧ و٤٤، 99 ١ و٢
**الإشارة إلى عبور الفضاء** : 17 ١، 53 ١٣ و١٤
**الإشارة إلى عدم فناء المادة** : 6 ٥٩، 20 ٥٥، 50 ٣ و ٤
**الإشارة إلى الكيمياء** 17 ٥٠، 18 ٩٦ و ٩٧
**الإشارة إلى ما عرف بالتسجيل الكهرطيسي** : 17 ١٣ و ١٤ و٣٦، 36 ٦٥، 41 ٢٠ و ٢١، 43 ٨٠، 45 ٢٩، 75 ١٣
**الإشارة إلى مايمكن أن يكون انفجارات** : 44 ١٠ و ١١، 77 ٨ – ١٠، 89 ٢١
**الإنسان في الكون** : 2 ٢٢٣، 3 ١٩٠ و ١٩١، 21 ٣٠، 23 ١٤، 27 ٦٤، 39 ٦، 52 ٣٥ و ٣٦، 58 ٦، 75 ٣٧، 76 ٢، 77 ٢٠

## (٧)- ذم الجهل والجاهلين:



## (٨)- الشعر والشعراء:



## (٩)- الصحة :



## (١٠)- فضل العلم والعلماء:



## (١١)- الفلك :



## (١٢)- الفنون :



## (١٣)- الكواكب :



## (١٤)- المجادلة بغير علم :



## (١٥)- الملاحة :



## (١٦)- الطب :

بنان : ١٢ 8 ، ٤ 75

ترائب : راجع : (( صلب )) ٧-٥ 86

تراقي : ٨٣ 56 ، ٢٦ 75

تقويم (الإنسان) : ٤ 95

جرح : ٤٥ 5 ، ٦٠ 6 ، ٢١ 45

جلد : ٥٦ 4 ، ٨٠ 16 ، ١٩ 22 و٢٠ ، ٢٣ 39 ،

٢٠ 41 و٢١ و٢٢

جنين : راجع : أجنة

حَمْل : ١٨٩ 7 ، ٨ 13 ، ٢٢ 19 ، ٢ 22 ، 31

١٤ ، ١١ 35 ، ٤٧ 41 ، ١٥ 46 ، ٤ 65 و٦

حنجرة ( حناجر ) : ١٠ 33 ، ١٨ 40

حَيَاة : ٢٨ 2 و٨٦ و٩٦ و١٦٤ و١٧٩ ، ٢٧ 3 ،

٧٤ 4 ، ٢٩ 6 ، ٣٨ 9 ، ٩٧ 16 ، ٧٥ 17 ، ٩٧ 20 ،

٣٠ 21 ، ٦٦ 22 ، ٣٧ 23 ، ١٩ 30 و٢٤ و٥٠ ،

٩ 35 ، ٣٣ 36 و٧٨ ، ١١ 40 ، ٢٤ 45 ، ١٧ 57 ،

٢ 67 ، ٢٤ 89

دم : ٣٠ 2 و٨٤ و١٧٣ ، ٣ 5 ، ١٤٥ 6 ، ١٣٣ 7 ،

١٨ 12 ، ٦٦ 16 و١١٥ ، ٣٧ 22

دَمْع : ٨٣ 5 ، ٩٢ 9

رأس : ١٩٦ 2 ، ٦ 5 ، ٣٦ 12 و٤١ ، 14 ، ٤٣ ،

٥١ 17 ، ٤ 19 ، ٩٤ 20 ، ٦٥ 21 ، ١٩ 22 ، 32

١٢ ، ٤٨ 44 ، ٢٧ 48 ، ٥ 63

رِجْل : ١٩٥ 7 ، ٤٥ 24

رضاع : ٢٣٣ 2 ، ٢٣ 4 ، ٢ 22 ، ٧ 28-١٣ ،

٦ 65

رقبة – رقاب : ١٧٧ 2 ، ٩٢ 4 ، ٨٩ 5 ، 9

٦٠ ، ٤ 47 ، ٣ 58

ساق : ٤٤ 27 ، ٣٣ 38 ، ٢٩ 48 ، ٤٢ 68 ،

٢٩ 75

سمع : ٣٦ 17 ، ١٠١ 18 ، ١٨ 39 ، ٢٠ 41 ،

٢٦ 46 ، ٣٧ 50

شفة – شفتان : ٨ 90 و٩

شيب : ٤ 19 ، ٥٤ 30 ، ١٧ 73

شيخ – شيوخ : ٧٢ 11 ، ٧٨ 12 ، 17

٢٣ و٢٤ ، ٥ 22 ، ٢٣ 28

صدر : ٥٧ 10 ، ٥ 11 ، ٤٦ 22 ، ٣٧ 50

صديد : ١٦ 14

صُلْب : ٢٣ 4 ، ١٧٢ 7 ، ٥ 86 و٦ و٧

صمم : ١٨ 2 و١٧١ ، ٧١ 5 ، ٣٩ 6 ، ٢٢ 8 ،

٤٢ 10 ، ٢٤ 11 ، ٩٧ 17 ، ٤٥ 21 ، ٧٣ 25 ، 27

٨٠ ، ٥٢ 30 ، ٤٠ 43 ، ٢٣ 47

ظُلماتٍ ثلاث : ٦ 39

ظَهْر : ١٠١ 2 و١٨٩ ، ١٨٧ 3 ، 6

٩٤ و١٣٨ و١٤٦ ، ١٧٢ 7 ، ٤٥ 35 ، ٣٣ 42 ، 43

١٣ ، ١٠ 84

عضُد : ٥١ 18 ، ٣٥ 28

عَظْم ، عظام : ٢٥٩ 2 ، ١٤٦ 6 ، 17

٤٩ و٩٨ ، ٤ 19 ، ١٤ 23 و٣٥ و٨٢ ، ٧٨ 36 ، 37

١٦ و٥٣ ، ٤٧ 56 ، ٣ 75 ، ١١ 79

عَقِب : ١٤٣ 2 ، ١٤٤ 3 و١٤٩ ، ٧١ 6 ، ٤٨ 8 ،

٦٦ 23 ، ٢٨ 43

عقيم : ٥٥ 22 ، ٤٩ 42 و٥٠ ، ٢٩ 51 و٤١ و٤٢

علق – علقة : ٥ 22 ، ١٢ 23-١٤ ، ٦٧ 40 ،

٣٦ 75-٣٩ ، ١ 96-٥

عَمَه : ١٥ 2 ، ١١٠ 6 ، ١٨٦ 7 ، ١١ 10 ، 15

٧٢ ، ٧٥ 23 ، ٤ 27

عمـى : 5 ٧١ ، 6 ١٠٤ ، 13 ١٦ ، 22 ٤٦ ، 24
٦١ ، 25 ٧٣ ، 30 ٥٣ ، 48 ١٧ ، 80 ٢
عنق – أعناق : 8 ١٢ ، 13 ٥ ، 17 ١٣و٢٩ ،
26 ٤ ، 34 ٣٣ ، 36 ٨ ، 38 ٣٣ ، 40 ٧١و٧٢
عـين : 11 ٣١و٣٧ ، 18 ٢٨ ، 19 ٢٦ ، 20
٣٩و٤٠ ، 23 ٢٧ ، 25 ٧٤ ، 28 ٩و١٣ ، 32 ١٧ ،
33 ٥١ ، 43 ٧١ ، 52 ٤٨ ، 54 ١٤ ، 102 ٧
غيْض : 11 ٤٤ ، 13 ٨
فؤاد : 11 ١٢٠ ، 14 ٤٣ ، 16 ٧٨ ، 17 ٣٦ ،
28 ١٠ ، 32 ٩ ، 46 ٢٦ ، 67 ٢٣
فَـرْج : 21 ٩١ ، 23 ٥ ، 24 ٣٠و٣١ ، 33 ٣٥ ،
50 ٦ ، 66 ١٢ ، 70 ٢٩ ، 77 ٩
فِصال : 2 ٢٣٣ ، 31 ١٤ ، 46 ١٥
قَـدَم : 2 ٢٥٠ ، 3 ١٤٧ ، 10 ٢ ، 41 ٢٩ ، 55
٤١
قرار مكين : 23 ١٣
قرح : 3 ١٤٠و١٧٢
قلب :
وردت (( قلب )) مفرد أو مثـــنى أو
جمعاً في القرآن الكريم ١٣٢ مرة
كعب : 5 ٦
لســـان : 3 ٧٨ ، 4 ٤٦ ، 5 ٧٨ ، 14 ٤ ، 16
٦٢و١١٦ ، 19 ٥٠و٩٧ ، 20 ٢٧ ، 24 ١٥و٢٤ ،
26 ١٣و٨٤و١٩٥ ، 28 ٣٤ ، 30 ٢٢ ، 33 ١٩ ،
44 ٥٨ ، 46 ١٢ ، 48 ١١ ، 60 ٢ ، 90 ٩
محيض : 2 ٢٢٢ ، 55 ٥٦و٧٤ ، 65 ٤
مخاض : 19 ٢٣
مرض : 2 ١٠و١٨٤و١٨٥و١٩٦ ، 4 ٤٣و١٠٢
5 ٦و٥٢ ، 8 ٤٩ ، 9 ٩١و١٢٥ ، 22 ٥٣ ، 24
٥٠و٦١ ، 26 ٨٠ ، 33 ١٢و٣٢و٦٠ ، 47 ٢٠و٢٩ ،
48 ١٧ ، 73 ٢٠ ، 74 ٣١
مرفق : 5 ٦
مستقر ومستودع : 6 ٩٨
مشي : 2 ٢٠ ، 6 ١٢٢ ، 7 ١٩٥ ، 17 ٣٧و٩٥ ،
20 ١٢٨ ، 24 ٤٥ ، 25 ٧ و٦٣ ، 28 ٢٥ ، 31
١٨و١٩ ، 32 ٢٦ ، 38 ٦ ، 57 ٢٨ ، 67 ١٥و٢٢ ،
68 ١١
مضغة : 22 ٥ ، 23 ١٤
مَنِيّ : 75 ٣٧
مَوْت : 2 ٥٤و٥٦و٦٧-٧٣و١٣٢و١٥٤و ١٨٠
و٢١٧ و٢٤٣ و٢٥٨ و٢٥٩ و٢٦٠ ، 3 ٤٩و ٩١
و١٠٢ و١٤٤ و١٤٥ و١٥٦ و١٥٧ و١٦٨ و١٦٩
و١٨٥ ، 4 ١٥و ١٨ و٧٨ و٩٧ و١٠٠ ، 5 ١٠٦ ، 6
٦٠ و٦١ و٩٣ و١٢٢ و١٦٢ و١٦٣ ، 7 ٢٥
و٣٧ و١٥٨ ، 8 ٥٠ ، 9 ١١٦ ، 10 ٥٦ ، 11 ٧ ،
14 ١٧ ، 15 ٢٣ ، 16 ٢٨ و٣٢ و٣٨ و٦٥ ، 19
٢٣ و٦٦ ، 20 ٧٤ ، 21 ٣٤ و٣٥ ، 22 ٥٨ ، 23
٣٥ و٣٧ و٨٠ و٨٢ ، 25 ٥٨ ، 26 ٨١ ، 27 ٨٠ ،
29 ٥٧ و٦٣ ، 30 ٢٤ و٥٠ و٥٢ ، 31 ٣٤ ، 32 ١١ ،
33 ١٦ ، 34 ١٤ ، 35 ٩ و٣٦ ، 39 ٣٠ و٤٢ ، 40
٦٨ ، 44 ٨ و٣٥ ، 45 ٥ و٢١ و٢٤ ، 47 ٢٧ و٣٤ ،
50 ٣ و٤٣ ، 56 ٤٧ و٦٠ ، 57 ٢ و١٧ ، 62 ٨ ، 63
١٠ و١١ ، 67 ٢ ، 87 ١٣
ناصية : 11 ٥٦ ، 55 ٤١ ، 96 ١٥ و١٦
نطفة : 22 ٥ ، 23 ١٣ و١٤ ، 36 ٧٧ ، 40 ٦٧ ،
53 ٤٦ ، 75 ٣٧

نكس : 21 ٦٥ ، 32 ١٢ ، 36 ٦٨

وتين : 69 ٤٦

وريد : 50 ١٦

وفاة : 2 ٢٣٤و٢٤٠ ، 3 ٥٥و١٩٣ ، 4 ١٥و٩٧، 5 ١١٧ ، 6 ٦٠و٦١ ، 7 ٣٧و١٢٦ ، 8 ٥٠ ، 10 ٤٦و١٠٤ ، 12 ١٠١، 13 ٤٠ ، 16 ٢٨و٣٢و٧٠ ، 22 ٥ ، 32 ١١ ، 39 ٤٢ ، 40 ٦٧و٧٧

وَقْـر : 6 ٢٥ ، 17 ٤٦ ، 18 ٥٧ ، 31 ٧ ، 41 ٥ و٤٤

يـأس : 5 ٣ ، 11 ٩ ، 12 ٨٧ ، 13 ٣١ ، 17 ٨٣، 41 ٤٩ ، 60 ١٣ ، 65 ٤

يـد : 2 ٦٦ و٧٩ و٩٥ و٩٧ و١٩٥ و ٢٤٩ و٢٥٥ ، 3 ٣ و ٢٦ و٥٠ و ٧٣ ، 4 ٤٣ و ٦٢ ، 5 ٦ و٢٨ و٣٣ و ٣٨ و ٦٤ و ٤٨ و٦٤ و ٩٤ ، 6 ٧ و٩٢ ، 7 ١٧ و١٠٨ و ١٢٤و ١٤٩ و١٨٢ و١٩٥، 8 ٥١ ، 9 ٢٩ ، 10 ٣٧، 11 ٧٠ ، 12 ٥٠ و ٣١ و ١١١ ، 13 ١١ ، 17 ٢٩ ، 18 ٥٧ ، 20 ٢٢ و ٧١ و١١٠ ، 21 ٢٨ ، 22 ١٠ ، 23 ٨٨ ، 24 ٢٤ و٤٠ 25 ٢٧ ، 26 ٣٣ و٤٩ ، 27 ١٢ و٦٣ ، 28 ٣٢و٤٧ ، 30 ٣٦و٤٨ ، 34 ٩و١٢ ، 35 ٣١ ، 36 ٩و٣٥ و٤٥ و٦٥ و٧١و٨٣ ، 38 ٤٤و٧٥ ، 42 ٣٠و٤٨ ، 46 ٢١و٣٠ ، 48 ١٠ ، 49 ١ ، 57 ٢٩، 61 ٦ ، 62 ٧ ، 67 ١، 78 ٤٠

يمشي على رجلين : 24 ٤٥

# الديانات

## (١)- أهل الكتاب:(اليهود والنصارى)

حسدهم المؤمنين : 2 ١٠٩، 3 ٦٩، 4 ٥٤

العلاقة معهم : 2 ١٠٥ و١٠٩، 3 ٦٤ و٦٥ و٦٩ و٧٢ و٧٥ و٩٨ و٩٩ و١١٠ و١١٣ و١١٩، 4 ١٢٣ و١٥٣ و١٥٩ و١٧١، 5 ١٥ و١٩ و٥٩ و٦٥ و٦٨ و٧٧، 29 ٤٦، 33 ٢٦، 57 ٢٩، 59 ٢ و١١، 98 ١ و٦

وجوب التساهل معهم (مع غير المحاربين): 2 ٦٢ و١٠٩ و١٣٩ و٢٥٦، 3 ٢٠ و٦٤ و٧٣ و١١٣ و١١٤ و١٩٩، 4 ١٦٢، 5 ٤٤ - ٤٨ و٦٩، 6 ٥٢ و٥٣ و٦٨ و٦٩ و١٠٨، 7 ٨٧، 10 ٩٩ و١٠٠، 20 ١٣٠، 22 ٦٧ - ٦٩، 25 ٦٣، 29 ٤٦، 31 ١٥، 33 ٤٨، 39 ٣، 42 ١٥، 45 ١٤، 46 ١٣ و١٤، 57 ١٣ و١٤، 73 ١٠، 109 ١ - ٦

وجود المؤمنين بينهم : 3 ١١٣ و١١٤ و١١٥ و١٩٩، 4 ١٥٩ و١٦٢، 7 ١٥٩، 17 ١٠٧ - ١٠٩، 28 ٥٢ - ٥٥، 29 ٤٧، 32 ٢٤، 57 ٢٧

## (٢)- بنو إسرائيل :

أحبارهم : 5 ٤٤و٦٣، 9 ٣١ و٣٤

أخذ الميثاق عليهم : 2 ٦٣ و٨٣ و٩٣، 3 ١٨٧، 4 ١٥٤، 5 ١٢ و٧٠

أصحاب السبت : 2 ٦٥ و٦٦، 4 ٤٧ و١٥٤، 7 ١٦٣، 16 ١٢٤

إفسادهم في الأرض مرتين : 17 ٤ - ٨

أقوالهم وجرأتهم على الله والأنبياء: 5 ٦٤، 9 ٣٠ - ٣٢، 44 ٣٤ - ٣٦

إلقاء العداوة بينهم : 5 ٦٤ و٨٢

أوامر الله إليهم : 2 ٤٠ - ٤٨ و٦٣ و١٢٢ و١٢٣، 7 ١٦١، 14 ٦، 20 ٨١

تحريفهم كلام الله : 2 ٧٥، 4 ٤٦، 5 ١٣ و١٨ و٤١، 6 ٩١

جزاؤهم لو آمنوا : 2 ١٠٣، 3 ١١٠، 4 ٤٦ و٦٤ و٦٦ و٦٨، 5 ١٢ و٦٥ و٦٦

حالاتهم : 2 ٤٠ و٤١ و٦٢ و٦٣ و٦٦ و٨٥ و٩٢ و٩٦ و١٠٠ و١٠٢ و١١٣ و١٣٥ و١٧٤ و١٧٦، 3 ٢٣ و٢٤ و٩٨ و٩٩ و١١٠ و١١٢ و١٨٧ و١٩٩، 4 ٤٤ - ٤٧ و١٥٥، 5 ١٣ و١٥ و١٦ و١٨ و٤١ و٤٤ و٥١ و٥٥ و٥٧ و٦٤ و٦٨ و٧٠ و٧١ و٧٧ - ٨٢ و١١٦، 7 ١٥٩ و١٦١ و١٧٧، 16 ١١٨،

17 ٢ - ٨، 58 ١٤ - ١٩

شدة حرصهم على الحياة : 2 ٩٤ - ٩٦، 62 ٦ - ٨

عداوتهم لله والملائكة والمؤمنين : 2 ٩٧، 5 ٨٢

عدم رضاهم عمن لم يتبع ملتهم : 2 ١٢٠

غرورهم وأمانيهم : 2 ١١١ و١٣٥، 3 ٢٤ و٧٤، 4 ١٢٢، 5 ٢٠، 16 ٦٢

قضاء الله عليهم : 17 ٤ - ٨

ما حرم عليهم بسبب بغيهم : 6 ١٤٦

معاندتهم وتكذيبهم وقتلهم الأنبياء : 2 ٥٩ و٦١ و٦٥ و٦٦ و٧٥ - ٨١ و٨٥ و٩٢ و٩٩ - ١٠٣ و١١٩ و١٤٠ و١٤٥ و١٤٦ و٢١١ و٢٤٦، 3 ١٩ و٢٣ و٢٤ و١١٠ - ١١٢ و١٨١ - ١٨٣، 4 ٥١ و٥٢ و٦٠ و٦١ و٦٦ و١٥٣ - ١٥٧ و١٥٩ و١٦٠، 5 ٢١ و٣٢ و٤١ و٤٣ و٥٩ - ٦٤ و٧٠ و٧١ و١١٠، 7 ١٦٢ و١٦٣، 45 ١٧، 61 ٥

نعم الله عليهم : 2 ٤٠ - ٥٨ و٦٣ و٦٤ و١٢٢ و١٢٣، 5 ٢٠، 7 ١٣٧ و١٤١ و١٦٠، 10 ٩٣، 14 ٦، 20 ٨٠، 28 ٥، 44 ٣٠ - ٣٣، 45 ١٦ و١٧

## (٣)- الصابئون: 2 ٦٢، 5 ٦٩، 22 ١٧

## (٤)- المجوس: 22 ١٧

## (٥)- النصارى: (أنظر أهل الكتاب):

أجر المؤمنين منهم : 2 ٦٢، 3 ١٩٩، 5 ٦٩

أجرهم لو آمنوا : 3 ١١٠، 4 ٦٤ و٦٦ و٦٨، 5 ٦٥

أقوالهم وجرأتهم على الله : 2 ١١١ و١١٣ و١٣٥ و١٤٠، 5 ١٧ و١٨، 9 ٣٠ و٣١

التثليث : 4 ١٧١، 5 ٧٢ و٧٣ و١١٦

الحواريون : 3 ٥٢، 5 ١١١ و١١٢، 61 ١٤

الرهبان : 5 ٨٢، 9 ٣١ و٣٤، 57 ٢٧

عدم رضاهم عمن لم يتبع ملتهم : 2 ١٢٠

غرورهم وأمانيهم وطعنهم باليهود : 2 ١١١ و١٣٥، 3 ٢٤ و٧٥ ، 4 ١٢٣، 5 ١٩، 16 ٦٢

القسيسون : 5 ٦٣ و٨٢، 9 ٣٤، 32 ٢٤

معاندتهم والإنتقام منهم : 2 ١٤٠

مواقفهم : 1 ٧، 3 ٧٥، 5 ٤٧ و٦٦ و٦٨ و٨٢ و٨٥، 22 ١٧، 30 ٢-٥، 57 ٢٧

نسيانهم الميثاق وإغراء العداوة بينهم :5 ١٤

# القصص والتاريخ

إبراهيم- سارة: 11 ٧١، 51 ٢٩

- قوم إبراهيم: 3 ٣٣، 4 ٥٤، 9 ٧٠، 22 ٤٣

ابنتا شعيب : 28 ٢٣ - ٢٧

ابني آدم : (هابيل وقابيل): 5 ٢٧ - ٣٢

أبو لهب وامرأته : 111 ١ - ٥

الأسباط : 2 ١٣٦ و١٤٠، 3 ٨٤، 4 ١٦٣، 7 ١٦٠

أصحاب الأخدود : 85 ١ - ٨

أصحاب الرس : 25 ٣٨، 50 ١٢

أصحاب الرقيم : 18 ٩

أصحاب الفيل : 105 ١ - ٥

أصحاب القرية : 36 ١٣

أصحاب الكهف : 18 ٩ - ٢٦

أصحاب مَديَن (قوم شعيب) : 7 ٨٥، 9 ٧٠، 11 ٨٤ و٩٥، 15 ٧٨، 20 ٤٠، 22 ٤٤، 23 ٤٥، 26 ١٧٦، 28 ٢٢، 29 ٣٦، 38 ١٣، 50 ١٤

امرأة العزيز : 12 ٢١ و٣٠ و٥١

ثمود (قوم صالح) : 7 ٧٣، 9 ٧٠، 11 ٦١ و٦٨ و٨٩، 14 ٩، 15 ٨٠، 17 ٥٩، 22 ٤٢، 25 ٣٨، 26 ١٤١، 27 ٤٥، 29 ٣٨، 38 ١٣، 40 ٣١، 41 ١٣ و١٧، 50 ١٢، 51 ٤٣، 53 ٥١، 54 ٢٣، 69 ٤ و٥، 85 ١٨، 89 ٩، 91 ١١

الحَواريون : 3 ٥٢، 5 ١١١ و١١٢، 61 ١٤

ذو القرنين : 18 ٨٣ - ٩٨

الروم : 30 ٢ - ٥

**سبأ** :
- بلقيس (ملكة سبأ): 27 ٢٣
- قوم سبأ: 27 ٢٢ و٤٤، 34 ١٥ - ١٩

**السير والنظر في عاقبة الماضين** : 3
١٣٧ و١٩١، 6 ٦ و١١، 10 ٢٤ و١٠١، 12
١٠٩، 13 ٣، 16 ٣٦ و٤٨، 21 ٣٠، 22
٤٦، 27 ١٤ و٦٩، 29 ٢٠، 30 ٨ - ١٠
و٢١ و٤٢، 32 ٢٧، 35 ٤٤، 39 ٤٢، 40
٢١ و٢٢ و٨٢ - ٨٤، 47 ١٠

**عاد (قوم هود)** : 7 ٦٥ - ٧٢، 9 ٧٠، 11
٥٠ - ٦٠ و٨٩، 14 ٩، 22 ٤٢، 25 ٣٨
و٣٩، 26 ١٢٣ - ١٤٠، 29 ٣٨، 38 ١٢،
40 ٣١، 41 ١٣ - ١٦، 46 ٢١ - ٢٦، 50
١٣، 51 ٤١ و٤٢ و٥٣، 54 ١٨ - ٢٢، 69
٤ - ٨، 89 ٦ - ٨

**العبر التاريخية في أنباء القرى** : 3 ١٣، 6 ٦
و٤٢ - ٤٥، 7 ٤ و٥ و٩٤ - ١٠٢، 8 ٥٢
و٥٤، 9 ٦٩ و٧٠، 10 ١٣، 11 ١٠٠ -
١٠٢، 14 ٩ - ١٧، 15 ١٠ و١١، 16 ٢٦
و٦٣، 17 ١٧، 18 ٣٢ - ٤٣ و٦٠، 19 ٧٤
و٩٨، 20 ١٢٨، 21 ١١ - ١٥ و٩٥، 22
٤٥ و٤٨، 23 ٤٢ - ٤٤، 24 ٣٤، 25 ٣٨
- ٤٠، 28 ٥٨، 29 ٣٨ - ٤٠، 32 ٢٦،
34 ٤٥، 36 ١٣ - ٢١، 37 ٧١ - ٧٣، 38
٣، 39 ٢٥ و٢٦، 40 ٥، 41 ١٣، 43 ٦ -
٨، 44 ٣٧، 46 ٢٧ و٢٨، 47 ١٣، 50 ٣٦
و٣٧، 53 ٥٠ - ٥٤، 54 ٤ و٥ و٥١، 64
٥، 65 ٨ و٩، 67 ١٨، 68 ١٧ - ٣٣، 69
٤ - ١٢

**عِمران** :
- آل عمران: 3 ٣٣
- امرأة عمران (أم مريم): 3 ٣٥، 19 ٢٨
- مريم ابنة عمران: 3 ٣٣ - ٣٧ و٤٢ -
٤٧، 4 ١٥٦، 19 ١٦ - ٣٤، 21 ٩١،
66 ١٢

**فرعون** :
- امرأة فرعون (آسية): 28 ٩، 66 ١١
- فرعون: 2 ٤٩ و٥٠، 3 ١١، 7 ١٠٣
و١١٣ و١٢٣ و١٤١، 8 ٥٢ و٥٤، 10
٧٥ و٩٠، 11 ٩٧، 14 ٦، 17 ١٠١ -
١٠٤، 20 ٢٤ و٤٣ و٧٩، 23 ٤٦، 26
١١ و٥٣، 27 ١٢، 28 ٣ و٣٨، 29 ٣٩،
38 ١٢، 40 ٢٣ و٢٤و٤٦، 43 ٤٦-٥١،
44 ١٧ - ٣١، 50 ١٣، 51 ٣٨ - ٤٠،
54 ٤١ و٤٢، 66 ١١، 69 ٩، 73 ١٥
و١٦، 79 ١٧، 85 ١٨، 89 ١٠
- قوم فرعون: 2 ٤٩ و٥٠، 3 ١١، 7 ١٠٣
و١٠٩ و١٢٧ و١٤١، 8 ٥٢، 14 ٦، 26
١١، 28 ٨، 40 ٢٨ و٤٥ و٤٦، 44 ١٧،
54 ٤١

**قارون** : 28 ٧٦ و٧٩، 29 ٣٩ و٤٠، 40 ٢٤

**قوم تُبَّع** : 44 ٣٧، 50 ١٤

**قوم لوط**: - آل لوط (إخوان لوط): 7 ٨٠ و٨١، 11
٧٠ و٧٤ و٨٩، 15 ٥٩ و٦١، 22 ٤٣،
26 ١٦٠، 27 ٥٦، 38 ١٣، 54 ٣٣و٣٤
- امرأة لوط: 7 ٨٣، 11 ٨١، 15 ٦٠، 27
٥٧، 29 ٣٢ و٣٣، 66 ١٠

**الذي أماته الله مئة عام** : 2 ٢٥٩

**الذين خرجوا حذر الموت** : 2 ٢٤٣

**لقمان وحكمته** : 31 ١٢ و١٣، ١٦ و١٩

**المؤتفكات** : 9 ٧٠، 69 ٩

**موسى**: - اصحاب السفينة : 29 ١٥
- امرأة موسى : 28 ٢٣ - ٣٠
- أم موسى: 28 ٧ و ١٠
- التابوت: 2 ٢٤٨
- قوم موسى: 2 ٢٤٨، 4 ٤٧، 7 ١٤٨
و١٥٩، 26 ٦١، 28 ٧٦
- هارون: 2 ٢٤٨

**نوح**: - امرأة نوح: 66 ١٠
- الطّوفان: 6 ٦، 7 ١٣٣، 29 ١٤
- قوم نوح: 7 ٦٩، 9 ٧٠، 11 ٨٩، 14
٩ ، 22 ٤٢، 25 ٣٧، 26 ١٠٥، 38 ١٢،
40 ٥ و٣١ ، 50 ١٢، 51 ٤٦، 53 ٥٢، 54 ٩

**يأجوج ومأجوج** : 18 ٩٤ ، 21 ٩٦

**يعقوب** : 12 ٦ ، 19 ٦

**يُمكنك الإستماع لهذه الصفحة النموذجيةَ وتجويدها من خلال هذا الـ QR**

**فقط بثلاثة ألوان رئيسية: الأحمر (بتدرجاته) لمواقع المدود، الأخضر لمواقع الغُنَن،**

**الأزرق الغامق : للتفخيم والأزرق الفاتح للقلقة ، ( بينما الرمادي لا يلفظ )،**

تُطبق أثناء التلاوة، التجويد بشكل عملّي و مباشر.

أما إذا رغبت بحفظ الأحكام ... فهي مشروحة في أخر صفحات هذا المصحف

**لكي يتفرغ ذهنك للمعنى : تَعوَّد على التوقّف بمكان الفراغ الوقفي عند بعض الكلمات، وذلك بتسكين الحرف الأخير من الكلمة ( حيث تمّ حجز الحركة، بمربع صغير ) . أما إذا أردتَ عدم الإلتزام بهذا الوقف الاختياري، فتجاهلْ هذا المربع والحكم الناتج عن التوقف .**

برواية حفص عن عاصم | الجزء الحادي والعشرون | ٤١١ | سورة لقمان ٣١

سُورَةُ لُقْمَانَ — ترتيبها ٣١ — آياتها ٣٤

بِسْمِ ٱللَّهِ ٱلرَّحْمَٰنِ ٱلرَّحِيمِ

الٓمٓ ﴿١﴾ تِلْكَ ءَايَٰتُ ٱلْكِتَٰبِ ٱلْحَكِيمِ ﴿٢﴾ هُدًى وَرَحْمَةً
لِّلْمُحْسِنِينَ ﴿٣﴾ ٱلَّذِينَ يُقِيمُونَ ٱلصَّلَوٰةَ وَيُؤْتُونَ ٱلزَّكَوٰةَ وَهُم
بِٱلْءَاخِرَةِ هُمْ يُوقِنُونَ ﴿٤﴾ أُوْلَٰٓئِكَ عَلَىٰ هُدًى مِّن رَّبِّهِمْ ۖ وَأُوْلَٰٓئِكَ
هُمُ ٱلْمُفْلِحُونَ ﴿٥﴾ وَمِنَ ٱلنَّاسِ مَن يَشْتَرِى لَهْوَ ٱلْحَدِيثِ
لِيُضِلَّ عَن سَبِيلِ ٱللَّهِ بِغَيْرِ عِلْمٍ وَيَتَّخِذَهَا هُزُوًا ۚ أُوْلَٰٓئِكَ لَهُمْ
عَذَابٌ مُّهِينٌ ﴿٦﴾ وَإِذَا تُتْلَىٰ عَلَيْهِ ءَايَٰتُنَا وَلَّىٰ مُسْتَكْبِرًا
كَأَن لَّمْ يَسْمَعْهَا كَأَنَّ فِىٓ أُذُنَيْهِ وَقْرًا ۖ فَبَشِّرْهُ بِعَذَابٍ أَلِيمٍ ﴿٧﴾
إِنَّ ٱلَّذِينَ ءَامَنُوا۟ وَعَمِلُوا۟ ٱلصَّٰلِحَٰتِ لَهُمْ جَنَّٰتُ ٱلنَّعِيمِ ﴿٨﴾
خَٰلِدِينَ فِيهَا ۖ وَعْدَ ٱللَّهِ حَقًّا ۚ وَهُوَ ٱلْعَزِيزُ ٱلْحَكِيمُ ﴿٩﴾ خَلَقَ
ٱلسَّمَٰوَٰتِ بِغَيْرِ عَمَدٍ تَرَوْنَهَا ۖ وَأَلْقَىٰ فِى ٱلْأَرْضِ رَوَٰسِىَ أَن تَمِيدَ
بِكُمْ وَبَثَّ فِيهَا مِن كُلِّ دَآبَّةٍ ۚ وَأَنزَلْنَا مِنَ ٱلسَّمَآءِ مَآءً فَأَنۢبَتْنَا فِيهَا
مِن كُلِّ زَوْجٍ كَرِيمٍ ﴿١٠﴾ هَٰذَا خَلْقُ ٱللَّهِ فَأَرُونِى مَاذَا
خَلَقَ ٱلَّذِينَ مِن دُونِهِۦ ۚ بَلِ ٱلظَّٰلِمُونَ فِى ضَلَٰلٍ مُّبِينٍ ﴿١١﴾



**علماً أن تفخيم حروف ( خ، ص ، ض ، غ ، ط ، ق ، ظ ) يكون في أعلى درجاته مع الفتحة تليها ألف، وفي أدنى درجاته مع الكسرة، وأنّ غنة الإخفاء الخضراء تكون مفخّمة إذا تلاها حرف استعلاء مفخّم بالأزرق الغامق.**

## نموذج لشرح الأحكام التجويدية في كامل مصحف التجويد ( برواية حفص ) بثلاث فئات لونية فقط

**تحقق ٢٨ حكماً تجويدياً: الحرف الأحمر : مَدّ ، الحرف الأخضر : غُنَّة ، الحرف الأزرق الغامق : تفخيم و الأزرق الفاتح : قَلقَلَة ، بينما الرمادي : لا يُلفظ**

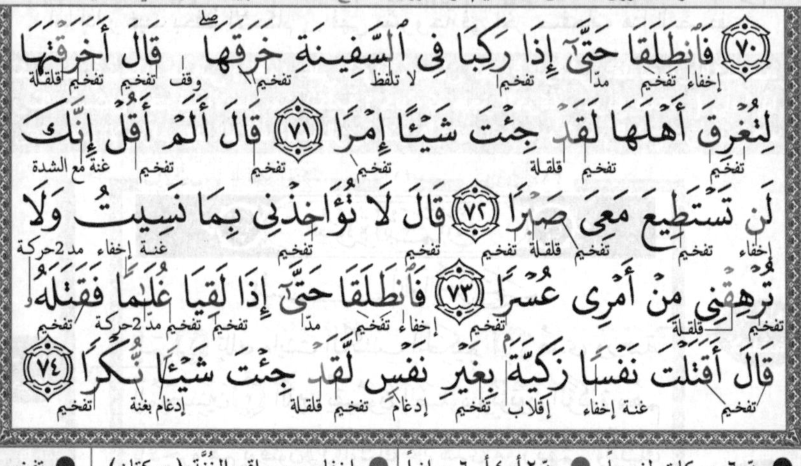
(٧٠) فَٱنطَلَقَا حَتَّىٰٓ إِذَا رَكِبَا فِي ٱلسَّفِينَةِ خَرَقَهَا ۖ قَالَ أَخَرَقْتَهَا
لِتُغْرِقَ أَهْلَهَا لَقَدْ جِئْتَ شَيْـًٔا إِمْرًا (٧١) قَالَ أَلَمْ أَقُلْ إِنَّكَ
لَن تَسْتَطِيعَ مَعِيَ صَبْرًا (٧٢) قَالَ لَا تُؤَاخِذْنِي بِمَا نَسِيتُ وَلَا
تُرْهِقْنِي مِنْ أَمْرِي عُسْرًا (٧٣) فَٱنطَلَقَا حَتَّىٰٓ إِذَا لَقِيَا غُلَٰمًا فَقَتَلَهُۥ
قَالَ أَقَتَلْتَ نَفْسًا زَكِيَّةًۢ بِغَيْرِ نَفْسٍ لَّقَدْ جِئْتَ شَيْـًٔا نُّكْرًا (٧٤)

| مدّ ٦ حركات لزوماً ● مدّ ٢ أو ٤ أو ٦ جوازاً | إخفاء ، ومواقع الغُنَّة (حركتان) | تفخيم |
|---|---|---|
| مدّ واجب ٤ أو ٥ حركات ● مدّ حركتان | إدغام ، وما لا يُلفَظ | قلقلة |

إنّ تفخيم حروف (خ ،ص ،ض ،غ ،ط ،ق ،ظ) الزرقاء يكون في أعلى درجاته مع الفتحة تليها ألف وفي أدنى درجاته مع الكسرة

### رسم توضيحي لمخارج الحروف

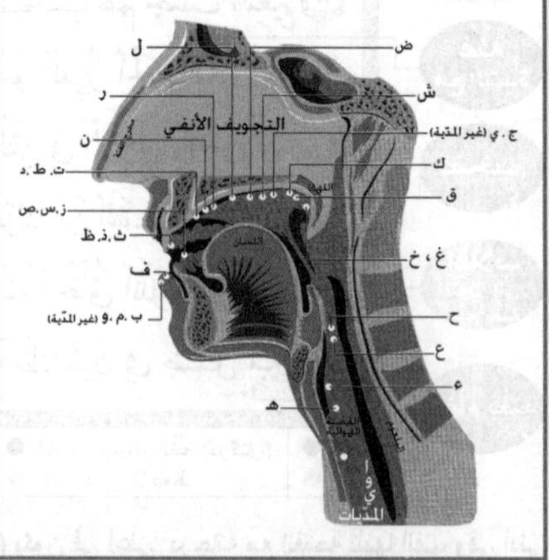


**بثلاثة الوان رئيسية** ( احمر، اخضر، ازرق )
( بينما اللون الرمادي لا يُلفظ )
**تطبق ٢٨ حكماً**

## تعريف بهذا المصحف الشريف

بعون الله تعالى ، وبعد سنواتٍ من الجهد المتواصل، أنجزت دار المعرفة هذا المصحف الشريف ليعين قارىء القرآن الكريم في التزامه بأحكام التجويد أثناء التلاوة، على مايوافق رواية حفص بن سليمان بن المغيرة الأسديّ الكوُفيّ لقراءة عاصم بن أبي النَّجود الكوفيّ التابعي عن أبي عبد الرحمن عبد الله بن حبيب السُّلميّ عن عثمان بن عفَّان وعليّ بن أبي طالب وزيد بن ثابت وأبيّ بن كَعْب عن النبي محمد صلى الله عليه وآله وأصحابه وسلم.

وفيما يلي تعريف بالمنهج المعتَمد:

اللون الأحمر الغامق●: يرمز إلى مواضع المدّ اللازم ، ويُمَد ست حركات لزوماً ، ومقدار كل حركة نصف ثانية تقريباً . مثل : حَآجَّكَ - الٓمٓ .

اللون الأحمر القاني●: يرمز إلى مواضع المدّ الواجب ، ويُمَد أربع أو خمس حركات ويشمل المد المتصل والمنفصل والصلة الكبرى(على طريقة الشاطبية).

مثل : ٱلْمَآءَ - يَٰٓأَيُّهَا - مَالَهُۥٓ أَخْلَدَهُۥ .

اللون الأحمر البرتقالي●: يرمز إلى مواضع المدّ الجائز ، ويُمَد ٢ أو ٤ أو ٦ حركات جوازاً ، ويشمل المد العارض للسكون والمد اللين ،

مثل : عَظِيم - ٱلْأَلْبَٰب - لَيَقُولُون - خَوْف.

اللون الأحمر الكموني●: يرمز إلى بعض حالات المدّ الطبيعي ومدّ الصِّلَة الصغرى، ويختص بما ترك كتّاب المصاحف في الأصل رسمه في المصحف العثماني ، وألحقه علماء الضبط فيما بعد، وقد ميّزناها بهذا اللون إشارة إلى وجوب مدّها حركتين .

مثل : بِقَٰدِرٍ - لَهُۥ تَصَدَّىٰ - يَسْتَحْيِۦ - دَاوُۥدَ.

اللون الأخضر ● : يرمز إلى موضع الغنّة ، والغنّة صوت يخرج من الأنف ، ومقدارها حركتان . ويشتمل هذا اللون على :

- الإدغام بغُنّة، مثل: مَن يَعۡمَلۡ - عَذَابًا مُّهِينًا. وقد لَونّا الحرف المُدْغَم فيه لأن الغُنّة عليه.

- الإخفاء، مثل: أَنتَ - عَلِيمًا قَدِيرًا. وقد لَونّا هنا النون والتنوين لأن الغُنّة عندهما.

- الإقلاب، مثل: مِنۢ بَعۡدُ - سَمِيعَۢا بَصِيرًا. وقد لَونّا الميم المرسومة فوقه لأن الغُنّة عليها.

- النون والميم المشددتان، مثل: إِنَّ - ثُمَّ.

ونشير إلى أن الغُنّة مطلوبة دوماً إن كانت في كلمة مستقلة، أما إن كانت مرتبطة بما قبلها أو بعدها فهي مطلوبة حال الوصل فقط، على تفصيلٍ يُعْلَم من فن التجويد.

اللون الرمادي ●: يرمز إلى بعض ما لا يُلفَظ من حروف القرآن الكريم، وهو نوعان:

**أولاً: مالا يُلفَظ مُطلَقاً:** ١ - اللام الشمسية: ٱلشَّمۡس - ٱللَّغۡوَ.

٢ - المرسوم خلاف اللفظ: زَكَوٰةٍ - بَلَـٰٓؤُاْ - وَجِاْيٓءَ.

٣ - ألف التفريق: ٱذۡكُرُواْ.

٤ - همزة الوصل داخل الكلمة: وَٱلۡمُرۡسَلَٰتِ.

٥ - كرسي الألف الخنجرية: نَجَّىٰهُمۡ.

٦ - الإقلاب داخل الكلمة: فَأَنۢبَتۡنَا.

**ثانياً: مالا يُلفَظ من الأحرف المُدغَمة والمُنقَلبة:**

١ - النون والتنوين المُدْغَمان: مَن يَعۡمَلۡ - عَذَابًا مُّهِينًا.

٢ - النون المُنقلبة ميماً: مِنۢ بَعۡدُ.

٣ - الحرف المُدْغَم إدغاماً متجانساً: أَثۡقَلَت دَّعَوَا - لَقَد تَّقَطَّعَ.

٤ - الحرف المُدْغَم إدغاماً متقارباً: قُل رَّبِّ - نَخۡلُقكُّم.

وأما ما يجوز لفظه حال الوصل أو الفصل مما سوى هذا فقد تركناه على حاله.

اللون الأزرق الغامق ●: يرمز إلى التفخيم: مثل: تَقَطَّعَ - ٱذۡكُرُواْ

اللون الأزرق الفاتح ●: يرمز إلى موضع القلقلة على حروف: (ق، ط، ب، ج، د) الساكنة: مثل: أَوِ ٱدۡعُوا.

أو المتحركة التي يوقف عليها عند رأس الآي: بِرَبِّ ٱلۡفَلَقِ ﴿١﴾

## توضيح للمتخصصين في القراءة

١ - إن كثيراً من أحكام التجويد تتغير بحسب الوقف والابتداء، وإن علماء الضبط غير متفقين في مواضع الوقف الجائز والمطلوب واللازم فرشاً، واصطلاحاتهم في ضبط ذلك متفاوتة، وقد التزمت دار المعرفة حيال ذلك مااختاره سلفنا الصالح، من أن الوقف على رؤوس الآي كما رسمت في المصاحف سنّة متبعة ، وهو مايدل له حديث أم سلمة رضي الله عنها أنها سُئلت عن قراءة رسول الله صلى الله عليه وآله وسلم فقالت : كان يقطع قراءته آية آية ، بسم الله الرحمن الرحيم - الحمد لله رب العالمين - الرحمن الرحيم - مالك يوم الدين . وقد أخرج هذا الحديث أبو داود في سننه في كتاب الحروف ، والترمذي في ثواب القرآن ، والإمام أحمد في مسنده جزء ٦ صفحة ٣٦ ، وهو اختيار البيهقي في شعب الإيمان .

وكان اختيارنا هذا أوفق لما جرى عليه نساخ المصاحف من الإشارة الى الإدغام والإقلاب والإخفاء في كل موضع في القرآن الكريم ، ولو كان ثمة وقف لازم ، كما في قوله سبحانه عَلَىٰ بَعۡضٖ مِّنۡهُمۡ وذلك جرياً على قاعدتهم : وليس في القرآن من وقف وجب . واكتفينا بالإشارة إلى ما يمدُّ حال الوقف في رؤوس الآي وخواتيم السور .

هذا ، وإن الوقف على رؤوس الآي هو الأسهل للمتعلمين والأرفق بهم .

٢ - جعلنا المد اللازم كلَّهُ باللون الأحمر الغامق، بلا تمييز بين أنواعه ، لأن المدّ في جميعها واحد وهو ست حركات ،وجعلناه في اللازم الكلمي على الحرف الممدود ، وفي الحرفي على الحرف الذي يرمز إلى المدّ مع حركته .

٣ - جعلنا المد المتصل والمنفصل والصلة الكبرى بالأحمر القاني لوناً واحداً ، وهو اختيار الشاطبي ، فالمدّ واجب عنده في سائر هذه الأنواع ، وقد ورد القصر في المنفصل من طريق طيِّبة النشر ، ولكننا التزمنا طريق الشاطبية .

وأما عدد حركات المدّ فلم يرد عن الشاطبي نص في ذلك ، ولكن الرواة عنه قرؤوها بأربع حركات وقرؤوها بخمس .

٤ - اقتصرنا في الجائز - اللون الأحمر البرتقالي - على المدّ العارض للسكون والمدّ اللين ، وهو اختيار الشاطبي ، ولكن مبنى هذين المدين ، على السكون العارض ،

وهو يدور على اختيار القرّاء ، ولما تعذر ضبط ذلك والتزامه ، اكتفينا بالإشارة اليه عند أواخر الآي فقط ، حيث الوقف عليها سنة ، ولأن ذلك هو الأرفق بالمتعلم كما سبق بيانه ، وعلى القارىء أن يلاحظ قاعدة العارض للسكون واللين في المواضع التي تتحقق فيها في الآيات الطوال ، حيث يقف اضطراراً ، مما لم نثبته باللون الأحمر البرتقالي التزاماً بما قدمناه .

وكذلك تركنا تلوين غُنّة الإدغام والإقلاب والإخفاء إذا جاء ذلك بين سورتين أو آيتين وتركنا كذلك تلوين المدود التي التزمناها إذا جاءت بين آيتين .

٥ ـ ربما وردت الأحرف الصغيرة للدلالة على أحرف محذوفة لاتستلزم مدّاً ، مثل : لِنُحْـِۦَ . فقد جاءت للدلالة على ياء مكسورة ، فلم نُدْخِلها وأمثالها في اللون الأحمر القاني أو الكموني ،لأن مرادنا اقتصر على التذكير بما يلزم مدّه مما تركه النساخ .

٦ ـ اخترنا أن نلوّن حركتي التنوين معاً دفعاً للتشويش على القارىء ، علماً أن ذلك لايغير من حكم التنوين الأصلي في شيء .

٧ ـ تكون الغُنّة في الإدغام على الحرف المُدغَم فيه ، وتكون في الإقلاب على الميم المرسومة فوقه ، وتكون على الميم والنون المشددتين حقيقة ، وهذا ظاهر ، ولكنها في الإخفاء تكون عند النون الساكنة أو التنوين ، وليس عليهما حقيقة ، فكان اجتهادنا في اختيار تذكير المتعلم بموضع الغُنّة ، أما تحقيق مخرجها فلا بد من العودة فيه إلى علماء القراءة كما أسلفنا .

٨ ـ أدخلنا في اللون الرمادي اللام الشمسية ، ومنها : ٱللَّغْوَ ـ ٱللَّهْوِ . وأمثالها ، وذلك على قاعدة اللام الشمسية ، وجرياً على مااختاره نُسّاخ المصاحف في لفظة : ٱلَّيْلَ .

٩ ـ أدخلنا في اللون الرمادي همزة الوصل داخل الكلمة ، إذ لا يصح لفظها بحال ، كما في : فَٱتَّبِعُوهُ ـ بِٱسْمِ ـ وَٱلضُّحَىٰ وكانت قاعدتنا في ذلك أن ماورد قبل همزة الوصل إن صح أن يوقف عليه مستقلاً ـ ولو مع الاستئناف اللاحق ـ فهي حينئذ همزة وصل مبتدئة ، كما في : فِى ٱلْأَرْضِ ـ أَوِ ٱدْعُواْ .

وإن لم يمكن أن يوقف عليه مستقلاً فهي حينئذ همزة داخلية كما في: وَٱلْمُؤْمِنِينَ وَٱلْمُؤْمِنَٰتِ .فلا يصح بحال أن تقف عند قوله: وَٱلْمُؤْمِنِينَ و... ثم تستأنف.

وبالجملة ، فكل همزة وصل التصقت بها أداة لا تنفصل عنها كالباء أو التاء أو الواو أو الفاء فهي حينئذ همزة داخلية لا تُلفظ بحال .

١٠ - أدخلنا في اللون الرمادي مارُسِم خلاف اللفظ ، وبذلك نكون قد تجاوزنا مشكلة كان يعاني منها المسلمون الأعاجم إذ يصادفهم المرسوم خلاف اللفظ في كلمات كثيرة ، وقد حافظنا بذلك على الرسم العثماني .

ولم نُدخِل في اللون الرمادي كرسي الهمزة سواء كان نبرة أو ألفاً أو واواً أو ياءً ، وإذا خالف الرسم القواعد الإملائية فإننا نُبقي كرسي الهمزة وفق الرسم القرآني بلا اعتبار للقاعدة الإملائية المحدثة مثل : ٱلْمَلَؤُا۟ .

أما إذا كانت الهمزة تُرسَم أصلاً بغير كرسي فإننا نجعل الكرسي حينئذ باللون الرمادي مثل : لَتَنُوٓأُ - ٱلضُّعَفَٰٓؤُا۟

١١ - أدخلنا في اللون الرمادي كرسي الألف الخنجرية للإشارة الى أنه لايُلفظ ، والحقيقة أن نُسّاخ المصاحف في الرسم العثماني قد حذفوا هذا الكرسي غالباً إلّا في مواضع محددة هي التي لوَّناها بالرمادي .

مثال ماحذفه النساخ : يَٰمُوسَىٰ - هَٰتَيْنِ .

مثال ماتركه النساخ : إِحْدَىٰهُمَا - نَجَّىٰهُمْ .

١٢ - أدخلنا في اللون الرمادي سائر الحروف المدغمة سواء أكان إدغاماً تاماً أم ناقصاً ، بغنة أم بغير غنة ، متجانساً أو متقارباً ، ولم نُدخِل المدغم إدغاماً متماثلاً ، دفعاً للتشويش على المتعلم ، وذلك أن قصدنا يتمثل في أن يَترك القارىء لفظ الحرف الرمادي ، وهذا متحقق وفق هذه القاعدة ، وغاية مايهم القارىء في المتماثلين أن ينطق بهما حرفاً واحداً مشدداً ، ولا يتغير الأمر بالنسبة للمتعلم سواء نطق بساكن ثم متحرك ، أو نطق بحرف مشدد ، وليس في القرآن متماثل في كلمة واحدة كتبه النُّسّاخ بحرفين إلا ما سبق بيانه من أمر اللام الشمسية في مثل : ٱللَّغْوَ - ٱللَّهْوِ .

١٣ - أدخلنا في اللون الرمادي النون الساكنة المنقلبة ميماً ، مثل : مِنۢ بَعْدِ .

ولم نُدخِل التنوين لأن نُسّاخ المصاحف عالجوا ذلك أصلاً ، إذ حذفوا التنوين ، واكتفوا بحركة واحدة ، ورسموا ميماً صغيرة ، مثل : خَبِيرُۢ بِمَا .

١٤ - أدخلنا في اللون الأزرق الغامق : حرف اللام في لفظ الجلالة حينما تخضع للتفخيم بعد الفتحة أو الضمة ؛ والراء المفخمة ؛ وحروف الاستعلاء (خ ، ص ، ض ، غ ، ط ، ق ، ظ) علماً أن درجة التفخيم تكون في أعلى مستوياتها مع الفتحة تليها ألف ، وفي أدناها مع الكسرة .

١٥ - أدخلنا في اللون الأزرق الفاتح حروف القلقلة في حالاتها الصغرى مثل : أَبْنَآءَ . وفي حالتها الكبرى عند الوقف عليها في رأس الآي (دون تلوين الحركة) عملاً بالفقرة (١) .

## عَلَامَاتُ الوَقْفِ وَمُصْطَلَحَاتُ الضَّبْطِ :

مـ تُفِيدُ لُزُومَ الوَقْفِ

صلى تُفِيدُ بِأَنَّ الوَصْلَ أَوْلَىٰ مَعَ جَوَازِ الوَقْفِ

قلى تُفِيدُ بِأَنَّ الوَقْفَ أَوْلَىٰ مَعَ جَوَازِ الوَصْلِ

ج تُفِيدُ جَوَازَ الوَقْفِ

∴ ∴ تُفِيدُ جَوَازَ الوَقْفِ بِأَحَدِ المَوْضِعَيْنِ وَلَيْسَ فِي كِلَيْهِمَا

ه لِلدِّلَالَةِ عَلَىٰ زِيَادَةِ الحَرْفِ وَعَدَمِ النُّطْقِ بِهِ

ه لِلدِّلَالَةِ عَلَىٰ زِيَادَةِ الحَرْفِ حِينَ الوَصْلِ

ـه لِلدِّلَالَةِ عَلَىٰ سُكُونِ الحَرْفِ

م لِلدِّلَالَةِ عَلَىٰ وُجُودِ الإِقْلَابِ

ً لِلدِّلَالَةِ عَلَىٰ إِظْهَارِ التَّنْوِينِ

ً لِلدِّلَالَةِ عَلَىٰ الإِدْغَامِ

ً لِلدِّلَالَةِ عَلَىٰ الإِخْفَاءِ

و ى ن لِلدِّلَالَةِ عَلَىٰ وُجُوبِ النُّطْقِ بِالحُرُوفِ المَتْرُوكَةِ

س لِلدِّلَالَةِ عَلَىٰ وُجُوبِ النُّطْقِ بِالسِّينِ بَدَلَ الصَّادِ

وَإِذَا وُضِعَتْ بِالأَسْفَلِ فَالنُّطْقُ بِالصَّادِ أَشْهَرُ

~ لِلدِّلَالَةِ عَلَىٰ لُزُومِ المَدِّ الزَّائِدِ

۩ لِلدِّلَالَةِ عَلَىٰ مَوْضِعِ السُّجُودِ ، أَمَّا كَلِمَةُ وُجُوبِ السُّجُودِ

فَقَدْ وُضِعَ فَوْقَهَا خَطٌّ

۞ لِلدِّلَالَةِ عَلَىٰ بِدَايَةِ الأَجْزَاءِ وَالأَحْزَابِ وَأَنْصَافِهَا وَأَرْبَاعِهَا

(٤) لِلدِّلَالَةِ عَلَىٰ نِهَايَةِ الآيَةِ وَرَقْمِهَا ،

{ يتم الوقف عندها و تجاهل الحركة على الحرف الأخير } .

(٤) إشارة إلى ارتباط المعنى

# المنهج المستعمل بلغات العالم

| المصطلح | مد ٦ حركات لزوماً | مد واجب ٤ أو ٥ حركات | مد ٢ أو ٤ أو ٦ جوازاً | مد ، حركتان | غُنّة ، حركتان | لايُلفَظ | تفخيم | القلقلة |
| --- | --- | --- | --- | --- | --- | --- | --- | --- |
| إنكليزي | Necessary prolongation 6 vowels | Obligatory prolongation 4 or 5 vowels | Permissible prolongation 2,4,6 vowels | Normal prolongation 2 vowels | Nazalization (ghunnah) 2vowels | Un announced (silent) | Emphatic pronunciation | Unrest letters (Echoing Sound) |
| إفرنسي | Prolongation necessaire de 6 voyelles | Prolongation obligatoire de 4 ou 5 voyelles | Prolongation permise de 2,4 ou 6 voyelles | Prolongation normale de 2 voyelles | Nasalisation (ghunnah) de 2voyelles | Non prononcées | Emphase | Consonnes Emphatiques |
| روسي | ДОЛГОТА ПРОИЗНОШЕНИЯ 6 ЗВУКОВ НЕОБХОДИМО | ДОЛГОТА ПРОИЗНОШЕНИЯ 4 ИЛИ 5 ЗВУКОВ ОБЯЗАТЕЛЬНО | ДОЛГОТА ПРОИЗНОШЕНИЯ 2 ИЛИ 4 ИЛИ 6 ЗВУКОВ ВОЗМОЖНО | ДОЛГОТА ПРОИЗНОШЕНИЯ 2 ЗВУКА | ГОВОРИТЬ В НОС ДОЛГОТА ПРОИЗНОШЕНИЯ 2 ЗВУКА | НЕ ПРОИЗ-НОСИТСЯ | Эмфатическое произношение | ЭМФАТИЧЕСКИЕ СОГЛАСНЫЕ |
| إسباني | Prolongación necesaria 6 movimientos | Prolongación obligatoria 4-5 movimientos | Prolongación permitida 2, 4, 6 movimientos | Prolongación normal 2 movimientos | 'Ijfa' con Ghunnah | Un silencio | fuerte | Qalqala |
| ألماني | 6 Vokale langziehen , erforderlich | 4 oder 5 Vokale lang-ziehen , obligatorisch | 2,4, oder 6 vokale langziehen,zulässig | 2 Vokale langziehen | 2 Vokale näselnde Aussprache (durch die Nase sprechen) | Es wird nicht ausgesprochen | hervorhebende Aussprache | unruhender Buchstabe (Echo Klang) |
| أردو | ٦ حركتوں والی مدِلازم | ٤ یا ٥ حركتوں والی مدِواجب | ٢-٤ یا ٦ حركتوں والی اختیاری مد | ٢ حركتوں والی مد | اخفاءاورغنہ کی جگہ (٢-حركتیں) | ادغام اورنا قابل تلفظ | تفخیم | قلقلہ |
| فارسي | مد لازم ٦ حرکت | مد واجب ٤ یا ٥ حرکت | مد اختیاری ٢ یا ٤ یا ٦ حرکت | دو حرکت | اخفاء، غنه دو حرکت | ادغام وغیر ملفوظ | تفخیم | قلقله |
| تركي | 4 elif uzatmak vâcib | 2 veya 4 elif uzatmak vâcib | 1, 2, 3 veya 4 elif uzatmak caiz | Bir elif uzatıfır | İhfa ve Gunne yerleri | İdgam ve okunmayan harfler | Kalın | Kalkale |
| أندونيسي / ماليزي | MAD PANJANGNYA 6 HARAKAT (LAZIM) | MAD PANJANGNYA 4 – 5 HARAKAT (WAJIB) | MAD BOLEH MEMILIH ANTARA 2/4/6 HARAKAT | MAD 2 HARAKAT | MENDENGUNG (DUA HARAKAT) | TIDAK DI BACA | *Tafkhim* | Qalqalah |
| صيني | 必须拉长六拍 | 应该拉长四或五拍 | 可以拉长两拍或四拍或六拍 | 自然拉长两拍 | 鼻音、隐读（两拍） | 并读、不发音的字母. | 重读"拉吾" | 爆破音 |

أشرف على تدوين أحكام الترتيل في بعض الأحرف الخاضعة لأحكام التجويد لجنة عليا من كبار العلماء قامت بجهود مضنية عدة سنوات لإنجاز هذا العمل المبارك وعلى الوجه الأكمل.

وصدرت موافقة وزارة الأوقاف - إدارة الإفتاء العام في الجمهورية العربية السورية - على طبع وتداول وتصدير هذا المصحف الشريف برقم ١٦٩(١٥/٤) تاريخ ٢٠٠٤/٩/١٦ م ، وكانت وزارة الإعلام قد وافقت على نشر وتداول مصحف التجويد برقم ١٨٩٥٢ تاريخ ١٩٩٤/٩/١٤ م وذلك بموجب كتاب المفتي العام جواباً لكتاب وزارة الإعلام رقم ١١٣٩ تاريخ ١٩٩٤/٤/٢٦ م وطلب المهندس صبحي طه المسجل برقم ٢٩٠ تاريخ ١٩٩٤/٦/٢٨ م.

وكذلك صدرت موافقة وزارة الأوقاف - إدارة الافتاء العام والتدريس الديني - المفتي العام في الجمهورية العربية السورية برقم ١٥/٤/٤٤٢ تاريخ ٢٠٠٧/١٢/١٢ على مصحف التجويد (الواضح)

وتجزي دار المعرفة تقديرها للدكتور محمد حبش الذي قام بتنفيذ هذا العمل الجليل، والشكر كذلك لفضيلة الشيخ كريم راجح ولفضيلة الشيخ محي الدين الكردي، وللأساتذة الدكاترة: محمد سعيد رمضان البوطي - وهبة الزحيلي - محمد عبد اللطيف الفرفور - محمد الزحيلي ، الذين دعموا العمل وتبنّوا فكرته وشجعوا تنفيذها .

والشكر الخالص من القلب للعلماء الأفاضل على مستوى العالم الإسلامي الذين باركوا العمل ورحّبوا به ، تسهيلاً لتلاوة القرآن الكريم كما أمر بها الله تعالى ﴿ ورتّل القرآن ترتيلاً ﴾ .

والشكر الأسمى من قبل ذلك كله ومن بعده ، لله تعالى عزَّ وجَلّ الهادي والموفق في إنجاز هذا العمل المبارك .

والصلاة والسلام على أفضل خلق الله ، النبي الأمي محمد عليه أفضل الصلاة وأزكى السلام ، وعلى آله وصحبه الأخيار ، وعلى من اتبع هدى القرآن الى يوم يبعثون .

دار المعرفة - دمشق

# أمثلة على الأحكام المطبقة في هذا المصحف الشريف

**الحروف ذات اللون الرمادي: تُكتب ولاتُلفظ**

| الحكم | المثال |
|---|---|
| ١- اللام الشمسية | ٱلشَّمۡس . |
| ٢- ألف التفريق (الجماعة) | قَالُواْ . |
| ٣- همزة الوصل داخل الكلمة | وَٱلۡقَمَرِ . |
| ٤- المرسوم خلاف اللفظ | ٱلصَّلَوٰةَ . |
| ٥- الإدغام الكامل (بلاغُنّه) | كَأَن لَّمۡ - مُصَدِّقًا لِّمَا - عَدُوٌّ لِّي - فَيَوۡمَئِذٖ لَّا . |
| ٦- الإدغام المتجانس | أَثۡقَلَت دَّعَوَا - لَقَد تَّقَطَّعَ . |
| ٧- الإدغام المتقارب | بَل رَّبُّكُمۡ - نَخۡلُقكُّم . |

**الحروف ذات اللون الأحمر (بتدرّجاته): تُمد مداً زائداً**

| الحكم | المثال |
|---|---|
| ٨ - المدّ اللازم (الكلمي المثقّل)<br>٦ حركات | دَآبَّة . |
| ٩ - المدّ اللازم (الحرفي)<br>٦ حركات | الٓمٓ . |
| ١٠- (مدّ الفرق)<br>٦ حركات | ءَآللَّهُ أَذِنَ . |
| ١١- المدّ الواجب (المتصل)<br>٤ أو ٥ حركات | جَآءَهُم . |
| ١٢- المدّ الواجب (المنفصل)<br>٤ أو ٥ حركات (اختيار الشاطبي) | حَتَّىٰٓ إِذَا . |
| ١٣ - مدّ (الصلة الكبرى)<br>٤ أو ٥ حركات | تَأۡوِيلَهُۥٓ إِلَّا - بِهِۦٓ إِلَيۡهِ . |
| ١٤- المدّ العارض للسكون<br>٢ أو ٤ أو ٦ حركات | ٱلۡمِيزَانَ ﴿٩﴾ تُفۡلِحُونَ ﴿٣١﴾ حَكِيمٌ ﴿٤﴾ |
| ١٥- مدّ اللين<br>٢ أو ٤ أو ٦ حركات | ٱلۡبَيۡت ﴿٣﴾ خَوۡف ﴿٤﴾ |
| ١٦- الألف الخنجرية<br>حركتان | يُجَٰدِلُونَ . |
| ١٧- مدّ الصِّلَة الصغرى حركتان | لَهُۥ يَوۡمَ - نُؤۡتِهِۦ مِنۡهَا . |
| ١٨- مدّ العِوَض (تبقى الألف سوداء وتُمد بحركتين عند الوقف عوضاً عن التنوين المنصوب) | وَقَالَ صَوَابٗا ﴿٣٨﴾ ذَٰلِكَ |

**الحروف ذات اللون الأخضر: تخرج بغنّة من الخيشوم (الأنف)** ، حركتان

| | |
|---|---|
| ١٩- (غنّة الإخفاء) | مِن كُلِّ - رَسُولًا فَنَتَّبِعَ - خَيْرٌ فَأَعِينُونِي - عَمَدٍ تَرَوْنَهَا. |
| (إخفاء شفوي) | وَهُم بِٱلْأَخِرَةِ. |
| ٢٠- النون المشددة (غنة مع الشدة) | فَإِنَّهُمْ. |
| ٢١- الميم المشددة (غنة مع الشدة) | مِمَّا. |
| ٢٢- الإقلاب (غنة على الميم الصغيرة) | مِنۢ بَعْدُ - أَمْوَٰتًۢا بَلْ - تَسْرِيحٌۢ بِإِحْسَٰنٍ - ءَايَٰتٍۭ بَيِّنَٰتٍ. |
| ٢٣- الإدغام بغنة (الغنة على الحرف المدغم فيه) | مَن يَشْتَرِي - غَدًا يَرْتَعْ - عِجَافٌ وَسَبْعٌ - حَبَّةٍ مِّنْ. |
| ٢٤- الإدغام المتماثل | رَبَّهُم مُّنِيبِينَ - لَن نُّؤْمِنَ - رَبِحَت تِّجَٰرَتُهُمْ. |

**الحروف ذات اللون الأزرق لصفات القلقلة والتفخيم:**

| | |
|---|---|
| ٢٥ - القلقلة | قِبْلَتِهِمُ - تَجْعَلُواْ - وَٱدْعُواْ - شَطْرَهُۥ - ٱلْفَلَقِ ﴿١﴾ |
| ٢٦ - التفخيم | ٱلرَّسُولُ - يَرْتَعْ - بِٱلْأَخِرَةِ - خَيْرٌ - ٱلصَّلَوٰةَ - وَقَالَ. |
| ٢٧ - الترقيق (تبقى الراء بالأسود) | ٱلْبَرِيَّةِ ﴿٥﴾ - أَمْرٍ مَّرِيجٍ |
| ٢٨- الإظهار (تبقى النون والتنوين بلون أسود) | مَنْ أَحْبَبْتَ - سَيِّئًا عَسَى - نَفْسٌ إِلَّا - ءَايَةٍ حَتَّىٰ. |

**ملاحظة :**

**عند الوقف :** يجب أن يُعامَل حرف المد (الموجود قبل الحرف الأخير من الكلمة) معاملة المد الجائز العارض للسكون .

ويتم كذلك قلقلة حروف : ( ق ، ط ، ب ، ج ، د ) وإلغاء حركتها من آخر الكلمة .

علماً أن صفات الحروف ومخارجها ، لابد من سماعها لتأديتها بشكل صحيح من خلال التلقّي ...

**لأن هذا المصحف الشريف لايُغني عن التلقّي .**

# أَحْكَامُ التَّجْوِيدِ مَع أَمثِلَة من مصحف التجويد

فقط بثلاثة ألوان رئيسية: الأحمر (بتدرجاته) لمواقع المدود، الأخضر لمواقع الغُنَن، الأزرق الغامق : للتفخيم ، والأزرق الفاتح للقلقلة ، (بينما الرمادي لا يُلفظ)

**تُطبق أثناء التلاوة ٢٨ حكماً بشكل مباشر**

| الحكم | | الأمثلة |
|---|---|---|
| اللَّامُ الشَّمسِيَّةُ، وما لا يُلفَظ | | ٱلشَّمۡسُ - ٱلدِّينِ - بِأَيۡيْدٍ - ٱلصَّلَوٰةِ |
| **أَحْكَامُ النُّونِ السَّاكِنَةِ وَالتَّنْوِين** | | |
| الإِدْغَامُ الكَامِلُ (بِلَا غُنَّة) | | مِن رَّبِّ - وَإِن لَّمْ - أَخۡذَةً رَّابِيَةً - خَيۡرٌ لَّكُمۡ |
| الإِخْفَاء | غنة ٢ حركة | وَٱلۡمُنَٰفِقِينَ - مِن تَحۡتِهَا - ثَمَنًا قَلِيلًا |
| الإِدْغَامُ بِغُنَّة | ٢ حركة | أَن يَكُونَ - تِجَٰرَةٌ وَلَا بَيۡعٌ - أَرۡبَعَةً مِّنَ |
| الإِقْلَاب | | بِٱلۡجَنۢبِ - مِنۢ بَعۡدِ - بَغۡيَۢا بَيۡنَهُمۡ |
| الإِظْهَار | | مِنۡهَا - عَنۡ عِبَادَتِهِۦ - وَهَنًا عَلَىٰ |
| **أَحْكَامُ المِيمِ السَّاكِنَة** | | |
| الإِدْغَامُ الشَّفَوِيّ | | عَلَّمَكُم مَّا - فَمِنۡهُم مَّنۡ - يُخۡرِجُهُم مِّنَ |
| الإِخْفَاءُ الشَّفَوِيّ | | وَأَيَّدَهُم بِرُوحٍ - رَبَّهُم بِٱلۡغَيۡبِ |
| الإِظْهَارُ الشَّفَوِيّ | | وَلَهُمۡ عَلَيَّ - عَلَيۡهِمۡ وَلَا |
| **أَحْكَامُ النُّونِ والمِيمِ المُشَدَّدَتَين** | | |
| النُّونُ المُشَدَّدَة | غنة ٢ حركة | جَنَّٰتٍ - تَحۡسَبَنَّ |
| المِيمُ المُشَدَّدَة | غنة ٢ حركة | فَأَمَّا - سَمُّوهُمۡ - أُمِّهَا |
| **أَحْكَامُ المُدُود** | | |
| مَدٌّ لَازِمٌ كَلِمِيٌّ مُثَقَّل | ٦ حركات | تَحَٰٓضُّونَ - كَآفَّةً - أَتُحَٰٓجُّوٓنِّي |
| مَدٌّ لَازِمٌ كَلِمِيٌّ مُخَفَّف | ٦ حركات | ءَآلۡـَٰٔنَ |
| مَدٌّ لَازِمٌ حَرْفِيٌّ مُثَقَّل | ٦ حركات | الٓمٓر - الٓمٓ - طسٓمٓ |
| مَدٌّ لَازِمٌ حَرْفِيٌّ مُخَفَّف | ٦ حركات | قٓ - نٓ - طسٓ |
| مَدُّ الفَرْق | ٦ حركات | ءَآلذَّكَرَيۡنِ - ءَآللَّهُ - ءَآلۡـَٰٔنَ |

| | |
|---|---|
| مَدٌّ وَاجِبٌ مُتَّصِل ٤، ٥ حركات | وَٱلشُّهَدَآءِ - أُوْلَٰٓئِكَ |
| مَدٌّ مُنْفَصِل (الشاطبية) ٤، ٥ حركات | مَاذَآ أُحِلَّ - بِمَآ أَرَىٰكَ - هَٰٓأَنتُمْ |
| مَدٌّ صِلَةٍ كُبْرَى ٤، ٥ حركات | وَلَهُۥٓ أَسْلَمَ - ٱسْمُهُۥٓ أَحْمَدُ - هَٰذِهِۦٓ أُمَّتُكُمْ |
| مَدٌّ عَارِضٌ لِلسُّكُون ٢، ٤، ٦ حركات | ٱلْحَكِيمِ ۝ - يُوزَعُونَ ۝ |
| مَدُّ اللِّين ٢، ٤، ٦ حركات | عَيْنَيْنِ ۝ - وَٱلصَّيْفِ ۝ - خَوْفٍ ۝ |
| مَدُّ صِلَةٍ صُغْرَى، وَمَدُّ الأَلِفِ الخِنجَرِيَّة ٢ حركة | جَوْفِهِۦ وَمَا - وَرَسُولُهُۥ وَٱلدَّارَ - ٱلرَّحْمَٰنِ |
| مَدُّ العِوَض ٢ حركة (تبقى الألف سوداء، وتُمدّ بحركتين عند الوقف عوضاً عن التنوين المنصوب) | وَقَالَ صَوَابًا ۝ |
| مَدُّ البَدَل ٢ حركة | ءَادَمَ - أُوتُوا۟ - إِيمَٰنًا |
| **إدغام المتجانسين والمتقاربين والمتماثلين** | |
| إِدْغَامُ الْمُتَجَانِسَيْن | كِدتَّ - يَلْهَث ذَّٰلِكَ - قَالَت طَّآئِفَةٌ |
| إِدْغَامُ الْمُتَقَارِبَيْن | وَقُل رَّبِّ - نَخْلُقكُّم |
| إِدْغَامُ الْمُتَمَاثِلَيْن | بَل لَّا - ٱضْرِب بِّعَصَاكَ - أَتَوا۟ وَّيُحِبُّونَ |
| **التَّفْخِيمُ والتَّرْقِيق** | |
| تَفْخِيمُ الرَّاء | يُحْشَرُ - وَٱلْأَرْضِ - ٱلرَّسُولُ |
| تَرْقِيقُ الرَّاء | وَٱلْقَنَٰطِيرِ - بِنَصْرِهِۦ - نَصِيرٍ |
| تَفْخِيمُ لَامِ لَفْظِ الجَلَالَة | وَٱللَّهُ - إِنَّ ٱللَّهَ - رَسُولَ ٱللَّهِ |
| تَفْخِيمُ أَحْرُفِ الاسْتِعْلَاء (خ، ص، ض، غ، ط، ق، ظ) | خَآئِفًا - أَقْصَا - ضَلَّ - غَفْلَةٍ - وَأَطَعْنَا - قَالَ - ظَلَمْتُ |
| **القَلْقَلَة** | |
| حُرُوفُ القَلْقَلَة (ق، ط، ب، ج، د) | فَيُقْتَلْ - لِيُطْفِـُٔوا۟ - نَبْتَهِلْ - وَجْهِىَ - وَأَعْتَدْنَا |

**ملاحظة :** عند الوقف، يجب أن يُعامل حرف المد الموجود قبل الحرف الأخير من الكلمة، معاملة المد الجائز العارض للسكون، ويتم كذلك قلقلة حروف (ق،ط،ب،ج،د) وتسكين حركتها من آخر الكلمة.
علماً أن صفات الحروف ومخارجها، لابدّ من سماعها لتأديتها بشكل صحيح من خلال التلقي...
لأن هذا المصحف الشريف لا يغني عن التلقي.

# IDENTIFICATION OF THIS NOBLE QUR'AN

With Allah's aid and after several years of assiduous labor, the publishing of this Noble Qur'an has been fulfilled in order to guide reciters how to intone it according to Ḥafṣ's narration from 'Âṣim, from 'uthmân, from 'Alee 'Ibn 'Abee Ṭalib, Zayd 'Ibn Thabit and 'Ubay 'Ibn Ka'b from Muḥammad's recitation.

The following is the pattern employed:

**-The dark red colour ●**: Indicates necessary prolongation, six vowels each of which is about half a second.

Example: حَآجَّكَ - الٓمٓ

**-The blood red colour ●**: Indicates obligatory prolongation, five vowels: it comprises nonstop prolongation, separate and major link.

Example: ٱلْمَآءَ - يَٰٓأَيُّهَا - مَالَهُۥٓ أَخْلَدَهُۥ

**-The orange red colour ●** : Indicates permissible prolongation, two or four or six vowels.
It pertains to vowelless consonants and soft prolongation.

Example: عَظِيمٍ - ٱلْأَلْبَٰبِ - لَيَقُولُونَ - خَوْفٌ

**-The cumin red colour ●**: Indicates certain cases or normal prolongation, it belongs to what scribes left in the Ottoman copy of the Holy Quran and it takes two vowels duration.

Example: بِقَٰدِرٍ - لَهُۥ تَصَدَّىٰ - يَسْتَحْيِۦ - دَاوُۥدَ

**- The green colour ●**: Indicates nasalization which is the sound that comes out of the nose; it continues as long as two vowels.
It comprises:
Nasalized contraction (Idgham bi ghunnah): مَن يَعْمَلْ - عَذَابًا مُّهِينًا
Disappearance (Ikhfa'a) : أَنتَ - عَلِيمًا قَدِيرًا
Inversion (Iglab) : مِنۢ بَعْدُ - سَمِيعًۢا بَصِيرًا
-Stressed -N- and -M- : إِنَّ - ثُمَّ

**N.B:** nasalization is always recommended if it is in a separate word; but if it is connected with what comes before or after, it is recommended only when there is non-stop.

**-The gray colour ●** : indicates what is unannounced

**a. what is never pronounced:**

1. The assimilated "L": ٱلشَّمْسِ - ٱللَّغْوِ
2. The incompatible: زَكَوٰةٍ - بَلَغُوا۟ - وَجِاْىٓءَ - يَدْعُوا۟
3. The (alif) of discrimination: ٱذْكُرُوا۟
4. The conjunctive hamza within a word : وَٱلْمُرْسَلَٰتِ
5. The position of the omitted alef: نَجْوَىٰهُمْ
6. Inversion within a word : فَأَنۢبَتْنَا

**b. Unpronounced contracted and inversed letters:**

1. Contracted (n) , (nunnation) : مَن يَعْمَلْ - عَذَابًا مُّهِينًا
2. The (n) which is inverted into (m) : مِنۢ بَعْدُ
3. The letter which is relatedly contracted : لَقَد تَّقَطَّعَ
4. The letter which is approximately contracted : قُل رَّبِّ

**-The dark blue colour ●**: indicates the emphatic pronunciation :
تَّقَطَّعَ - ٱذْكُرُوا۟

**-The blue colour ●** : indicates the unrest letters - echoing sound on:(ق ، ط ، ب ، ج ، د)( qualquala)eg: (١) بِرَبِّ ٱلْفَلَقِ – أَوِ ٱدْعُو

الجمهورية العربية السورية

بسم الله الرحمن الرحيم

وزارة الأوقاف

إدارة الإفتاء العام
والتدريس الديني

المفتي العام

الرقم: ٢٤٤/ ٤/ ١٥

## إلى دار المعرفة بدمشق

إشارة لطلبكم المسجل لدينا تحت رقم /٢٣٢/و تاريخ ٢٠٠٧/٥/٣١م، والمتضمن بيان الرأي في مصحف التجويد (الواضح)، تمَّ عرضه على اللجنة المختصة وتبيَّن أن خير ما يُقدِّم الإنسان من عمل في دنياه خدمة كتاب الله تعالى، وإنَّ عملكم هذا يستحقُّ الثناء والشكر، ولا يسعنا إلا الدعاء للقائمين على هذه الدار بالتوفيق والنجاح في أعمالهم، والله نسأل أن يجعل أعمالنا خالصة لوجهه الكريم.

دمشق في ٣/ ١٢/ ١٤٢٨هـ الموافق لـ ١٢/ ١٢/ ٢٠٠٧م

المفتي العام
رئيس مجلس الإفتاء الأعلى
في الجمهورية العربية السورية

وزارة الأوقاف

---

الجمهورية العربية السورية

بسم الله الرحمن الرحيم

وزارة الأوقاف
إدارة الإفتاء العام
والتدريس الديني

السيد المهندس صبحي طه/ مديرعام دار المعرفة بدمشق

الرقم ٢٠٠٧/٤٢/١٥

السلام عليكم ورحمة الله وبركاته ،

جوابا لكتابكم المسجل لدينا برقم ٨٢/و تاريخ ٩/ ٤/ ٢٠٠٧م نفيدكم بأنه من الخير العميم أن يتدرب قارئ القرآن الكريم على أماكن الوقوف الصحيحة كي لا يقع في خطأ المعنى اذا لم يكن مكان وقوفه صحيحا ، لأن التجويد كما هو معروف هو الاتيان الصحيح لمخارج الحروف ولمواقع الوقوف .

ولما كان في الوقف أسباب تغير في الحكم التجويدي ، مما يتطلب دراية وخبرة ربما تشتت المعنى للقارئ اذا لم يكن قد اكتسبها بعد ، في حين أنها تريح القارئ وتعينه على اظهار المعنى وحسن التلاوة وتجنبه كل وقف لايليق معناه بجلال القرآن وعظمته .

لذا ، فاننا نرى أن اللجوء الى ماقمتم به من ترك مسافة قصيرة في أماكن الوقوف ومعالجة الحكم التجويدي عنده ، وبما تقتضيه المعاني حسبما ورد في المصاحف الرسمية المعتمدة .. المطبوعة منها والمسموعة ترتيلا .. وبحيث لاتشوّه من جمالية الخط النسخي للرسم العثماني ، انما هو عمل مبارك ومجيد ، ينصبّ في خدمة كتاب الله تعالى ،

رابطة العالم الإسلامي

**الهيئة العالمية لتحفيظ القرآن الكريم**

MUSLIM WORLD LEAGUE

**HOLY QU'RAN MEMORIZATION INT'L ORG.**


الرقم ١٧٧٥ / ٣٠١ / ٣٤ غ هـ

التاريخ ١١/١١/١٤٣٤

## ( إفادة )

الحمد لله الذي اصطفى حَمَلَةَ كتابه من عباده، وجعلهم أهله وخاصته ومن ذوي قُربه وَوِدَادِه، والصَّلاةُ والسلامُ على أشرفِ المرسلين ، سيِّدنا ونبيِّنا محمدٍ، وعلى آله وصحبهِ أجمعين. أمَّا بعدُ :

فقد اطلعت الهيئة على مصحف التجويد باستخدام اللون الـمُرمَّز زمنياً في تدوين الأحرف الخاضعة لأحكام التجويد مع القلم الناطق برواية حفص عن عاصم من إصدار دار المعرفة بدمشق، فوجدته فكرة جيدة، ويوفر بيئة تعليمة مفيدة من ناحية الاستماع للآيات المراد حِفْظها ومراجعتها وتصحيحها لطلَبة حلقات تحفيظ القرآن الكريم وغيرهم، مع الاستفادة من الخدمات التعليمية المصاحبة للتلاوة من تجويد وتفسير وقراءات للقرآن الكريم.

نسأل الله العلي العظيم أن يجعلنا جميعاً من أهل القرآن وحمَلته ، وأن يستعملنا في طاعته ، و يوفقنا لخدمة كتابه العزيز ، إنه سبحانه سميع مجيب .

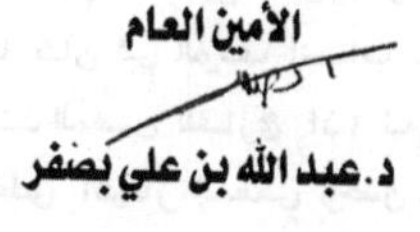

**الأمين العام**

**د. عبد الله بن علي بصفر**

هاتف: ٢٥٢٥٥٢٢ ٢ (٩٦٦+) - فاكس: ٦٤٠٦٦١١ ٢ (٩٦٦+) - ص.ب: ١١٨٥٨٤ جدة ٢١٣١٢ - المملكة العربية السعودية

Tel.: (+966) 2 2525522 - Fax: (+966) 2 6406611 - P.O.Box: 118584 Jeddah 21312 - Kingdom of Saudi Arabia

Website: www.hqmi.org.sa :الموقع E-mail: info@hqmi.org.sa :البريد الإلكتروني UAN: 920022772 :الرقم الموحد

بسم الله الرحمن الرحيم

الحمد لله والصلاة والسلام على خير خلق الله محمد بن عبد الله وعلى آله وصحبه ومن تبعهم بإحسان إلى يوم الدين ، وبعد .

فقد ظهرت الفائدة الكبيرة لفكرة الفراغ الوقف الاختياري والذي تم تطبيقه العملي في مصحف التجويد (دار المعرفة) ويتضح ذلك جليا من خلال ترك فراغ عند أماكن الوقف الاختياري مما يتطلبه الوقف على الحرف الأخير من الكلمة وما يلزم ذلك من سكون هذا الحرف ، وكذلك حجز حركة الحرف الأخير بمربع صغير للدلالة على أن هذه الحركة لا تنطق عند الوقف

وأن هذا المصحف في فكرته الجديدة لهو خير معين لقارئ القرآن الذي بحاجة لمعرفة كيفية الوقف والابتداء لما في ذلك من أهمية عظيمة في فهم المعنى المراد من كلام الله تعالى ،

والله أسأل أن يجزي القائمين على هذا العمل خير الجزاء

أحمد المعصراوي

شيخ عموم المقارئ المصرية

بسم الله الرحمن الرحيم

| الأزهر<br>مجمع البحوث الاسلامية<br>الادارة العامة<br>للبحوث والتأليف والترجمة | AL-AZHAR<br>ISLAMIC RESEARCH ACADEMY<br>GENERAL DEPARTMENT<br>Ror Research, Writting & Translation |
|---|---|

« ادارة المصاحف » — نموذج رقم ( ٤ )

## تصريح بتداول مصحف [وبهامشه تفسير وبيان كلمات القرآن]

رقم (٣٨) الصادر فى ٢٩/٤/٢٠١٥

السيد / مدير دار المعرفة ـ سوريا

السلام عليكم ورحمة الله وبركاته ـ وبعد :

تيسر « الأمانة العامة لمجمع البحوث الاسلامية » ان تفيد سيادتكم بأنها قد وافقت على طلبكم الخاص بتداول مصحف مجزأ الآيات مقاس ١٤×٢٠ برواية حفص عن عاصم المكتوب بالخط الكوفي المصري (٩ لوبر) طبع مطبعة دار المعرفة ـ سوريا

وعلى جواز نشره فى حدود الكمية المصرح لكم بطبعها وقدرها (عشرون ألف) نسخة ، وذلك بناء على تقرير لجنة فحص المصاحف الصادر بتاريخ ٢٠/٤/٢٠١٥

علما بأن هذا التصريح خاضع للقانون رقم ١٠٢ لسنة ١٩٨٥ الخاص بطبع وتداول المصاحف والأحاديث النبوية الشريفة وكذلك قرار فضيلة الامام الاكبر شيخ الأزهر رقم ٤٧ لسنة ١٩٨٦ وقرار السيد وزير العدل رقم ١٦٣ لسنة ١٩٨٦ .

مع مراعاة الدقة التامة فى جمع وترتيب الصفحات والملازم والا ستضطر الادارة لسحب التصريح الذى يحمل هذا الرقم ومصادرة جميع النسخ اذا ظهر باحداها خلل ما طبقا للقانون سالف الذكر .

علما بأن هذا التصريح صالح لمدة اقصاها خمس سنوات تمضى من تاريخه .

ومرافق لهذا التصريح نسخة من المصحف المشار اليه ختمت فى جميع صفحاتها بخاتم الادارة العامة للبحوث والتاليف والترجمة .

والسلام عليكم ورحمة الله وبركاته ،،،

تحريرا فى ٢ / رجب / ١٤٣٦ هـ
٢١ / ابريل / ٢٠١٥ م

| يعتمد ،،، الأمين العام<br>لمجمع البحوث الاسلامية<br>٢٩/٤/٢٠١٥ | مدير عام<br>الادارة العامة للبحوث والتأليف والترجمة |
|---|---|

**تم بعون الله وتوفيقه مراجعة هذا المصحف الشريف على أمهات كتب القراءات والرسم والضبط والفواصل والوقف والتفسير . تحت إشراف إدارة البحوث والتأليف والترجمة بمجمع البحوث الإسلامية بالأزهر الشريف بمعرفة لجنة مراجعة المصاحف برئاسة :**

**فضيلة الأستاذ الدكتور / أحمد عيسى المعصراوي ( رئيس لجنة المصحف وشيخ عموم المقارئ المصرية )**

**والشيخ / سيد على عبد المجيد عبد السميع - وكيلاً والشيخ / حسن عبد النبى عبد الجواد عراقى - وكيلاً**

**وعضوية كلٍ من**

| | | |
|---|---|---|
| الشيخ / سلامة كامل جمعة | الشيخ / أحمد خلف عبدالكريم | الدكتور / عبد الكريم إبراهيم عوض صالح |
| الدكتور / بشير أحمد دعبس | الشيخ / السيد محمد أحمد على | الشيخ / عبد الرحمن محمد كساب |
| الشيخ / محمد السيد عفيفي سلامة | الشيخ / على سيد شرف | الشيخ / محمد مصطفى علوة |
| الشيخ / محمد حسين سعد | الشيخ / حسن عيسى حسن المعصراوى | الشيخ / ياسر محمد أحمد الجندى |
| الشيخ / صبرى رجب كريم | الشيخ / أحمد زكى بدر الدين | |